# Spojené štáty americké

## The United States of America (USA)

Canada

Pacific Ocean

Atlantic Ocean

**Rozloha:** 9 631 000 km²
**Počet obyvateľov:** 293 000 000
**Hlavné mesto:** Washington D.C.
**Mena:** dolár ($)

C0002225786

| Kód | Štát | Hlavné mesto |
|-----|------|--------------|
| AK | Alaska | – Juneau |
| AL | Alabama | – Montgomery |
| AR | Arkansas | – Little Rock |
| AZ | Arizona | – Phoenix |
| CA | California | – Sacramento |
| CO | Colorado | – Denver |
| CT | Connecticut | – Hartford |
| DE | Delaware | – Dover |
| FL | Florida | – Tallahassee |
| GA | Georgia | – Atlanta |
| HI | Hawaii | – Honolulu |
| IA | Iowa | – Des Moines |
| ID | Idaho | – Boise |
| IL | Illinois | – Springfield |
| IN | Indiana | – Indianapolis |
| KS | Kansas | – Topeka |
| KY | Kentucky | – Frankfort |
| LA | Louisiana | – Baton Rouge |
| MA | Massachusetts | – Boston |
| MD | Maryland | – Annapolis |
| ME | Maine | – Augusta |
| MI | Michigan | – Lansing |
| MN | Minnesota | – Saint Paul |
| MO | Missouri | – Jefferson City |
| MS | Mississippi | – Jackson |

| Kód | Štát | Hlavné mesto |
|-----|------|--------------|
| MT | Montana | – Helena |
| NC | North Carolina | – Raleigh |
| ND | North Dakota | – Bismarck |
| NE | Nebraska | – Lincoln |
| NH | New Hampshire | – Concord |
| NJ | New Jersey | – Trenton |
| NM | New Mexico | – Santa Fe |
| NV | Nevada | – Carson City |
| NY | New York | – Albany |
| OH | Ohio | – Columbus |
| OK | Oklahoma | – Oklahoma City |
| OR | Oregon | – Salem |
| PA | Pennsylvania | – Harrisburg |
| RI | Rhode Island | – Providence |
| SD | South Dakota | – Pierre |
| SV | South Carolina | – Columbia |
| TN | Tennessee | – Nashville |
| TX | Texas | – Austin |
| UT | Utah | – Salt Lake City |
| VA | Virginia | – Richmond |
| VT | Vermont | – Montpelier |
| WA | Washington | – Olympia |
| WI | Wisconsin | – Madison |
| WV | West Virginia | – Charleston |
| WY | Wyoming | – Cheyenne |

SPN

# anglicko – slovenský
# slovensko – anglický

## vreckový slovník

SPN

SLOVENSKÉ PEDAGOGICKÉ NAKLADATEĽSTVO

Autori © Mgr. Soňa Stušková, PhDr. Eleonóra Kubíčková,
Katarína Hermanová, PhDr. Dagmar Smrčinová

Lektorovala: Mgr. Zuzana Tenglerová

Prvé vydanie, 2006

Zodpovedná redaktorka: Mgr. Soňa Stušková
Technická redaktorka: Daniela Schmidtová
Výtvarná redaktorka: Mgr. Ľubica Suchalová
Obálku navrhol akad. maliar Peter Galvánek

Tlačové podklady vyhotovilo DTP štúdio SPN

Vyšlo vo vydavateľstve
Slovenské pedagogické nakladateľstvo – Mladé letá, s. r. o.
Sasinkova 5, 815 19 Bratislava

Vytlačil Polygraf Print, spol. s r. o., Prešov

ISBN 80-10-00462-6

# ÚVOD

Dostáva sa Vám do rúk nový vreckový anglicko-sloven-
ský a slovensko-anglický slovník, v ktorom nájdete najbež-
nejšiu slovnú zásobu súčasnej angličtiny.

Slovník obsahuje vyše 25 000 hesiel. Ich odlišné význa-
my sú vyznačené arabskými číslicami, významové odtiene
sú oddelené bodkočiarkou, nepravidelné slovesá sú ozna-
čené symbolom * frazeológia •.

Heslá a ich ekvivalenty sme v oboch častiach vyberali
tak, aby ste v ňom našli najčastejšie používané slová a zvra-
ty zo spisovného, ako aj hovorového jazyka.

Pre lepšiu orientáciu v slovníku sme k heslám pridali
okrem prekladu aj ďalšie doplnkové informácie v podobe
upresňujúcich poznámok a štylistických príznakov, ustále-
ných spojení a príkladov, ktoré Vám pomôžu pri prekladaní
ní nájsť najvhodnejšie slovo alebo spojenie.

Slovensko-anglická časť je obšírnejšia, čo umožní použí-
vateľovi preložiť jednoduchý text zo slovenčiny do angliči-
tiny. Fonetický prepis hesiel (v hranatých zátvorkách) uvádz-
ame len pri zložitejších heslách. Na označenie výslovnos-
ti sme použili zjednodušenú formu medzinárodnej fonetic-
kej transkripcie (pozri str. 10).

V prílohách slovník obsahuje stručný prehľad anglickej
gramatiky, zoznam nepravidelných slovies, prehľad krajín
a národností, rozdiely medzi britskou a americkou angliči-
nou. V konverzačnej prílohe nájdete aj najbežnejšie skrat-
ky, verejné nápisy a mnoho praktických informácií, ktoré
Vám pomôžu dohovoriť sa v bežných situáciách a naučia
Vás presnejšie sa vyjadrovať a lepšie komunikovať. Máte tak
k dispozícii všetko, čo môžete potrebovať pre bežnú komu-
nikáciu v anglickom jazyku.

Veríme, že slovník sa stane Vaším užitočným pomocní-
kom nielen na cestách a v práci, ale aj pri štúdiu angličtiny
v škole alebo v jazykovom kurze.

*Autorky*

# OBSAH

# ZOZNAM SKRATIEK

• idióm, frázové sloveso
* nepravidelné sloveso

| | |
|---|---|
| adm. | – administratíva |
| al. | – alebo |
| anat. | – anatómia |
| ap. | – a podobne |
| arch. | – archeológia |
| archit. | – architektúra |
| astron. | – astronómia |
| bibl. | – biblický termín |
| bot. | – botanika |
| cirk. | – cirkev |
| cit. | – citoslovce |
| det. | – detský |
| div. | – divadlo |
| dopr. | – doprava |
| ekon. | – ekonomika |
| elektr. | – elektrotechnika |
| expr. | – expresívne |
| fin. | – finančníctvo |
| film. | – filmársky výraz |
| form. | – formálne |
| fot. | – fotografia |
| fyz. | – fyzika |
| gastr. | – gastronómia |
| geol. | – geológia |
| geom. | – geometria |
| gram. | – gramatický termín |
| hist. | – história |
| hovor. | – hovorovo |
| hud. | – hudba |
| humor. | – humorne |
| hutn. | – hutníctvo |
| chem. | – chémia |
| iron. | – ironicky |
| kart. | – kartársky výraz |

| | |
|---|---|
| klub. | – týkajúci sa členstva v klube |
| kniž. | – knižný výraz |
| lek. | – lekársky výraz |
| let. | – letectvo |
| lingv. | – lingvistika |
| lit. | – literárny termín |
| log. | – logistika |
| mat. | – matematika |
| meteorol. | – meteorológia |
| mobil. | – mobilný telefón |
| mód. | – móda |
| motor. | – motoristický termín |
| mytol. | – termín z mytológie |
| náb. | – náboženský termín |
| námor. | – námorníctvo |
| napr. | – napríklad |
| neodb. | – neodborný termín |
| nežív. | – neživotné podstatné meno |
| obch. | – obchodný termín |
| obr. | – obrazne |
| odb. | – odborný termín |
| p. | – pozri |
| pejor. | – pejoratívne |
| podst. | – podstatné meno |
| poet. | – poeticky |
| polit. | – politika |
| poľov. | – poľovníctvo |
| práv. | – právnický termín |
| predl. | – predložka |
| predp. | – predpona |
| pren. | – prenesene |
| príd. | – prídavné meno |
| prísl. | – príslovka |
| publ. | – publicistika |
| radio. | – rádiotechnika |

| | | | |
|---|---|---|---|
| skr. | – skrátene | TV | – televízia |
| sl. | – sloveso | umel. | – umelecký termín |
| slang. | – slangovo | vet. | – veterinárstvo |
| spoj. | – spojka | voj. | – vojenský termín |
| stav. | – stavebníctvo | všeob. | – všeobecný termín (nie odborný) |
| subšt. | – subštandardný výraz | vulg. | – vulgarizmus |
| šach. | – termín zo šachovej hry | výp. | – výpočtová technika |
| | | zám. | – zámeno |
| škol. | – školstvo | zast. | – zastarané |
| šport. | – športový výraz | zool. | – zoológia |
| tech. | – technický termín | žart. | – žartovne |
| tel. | – telovýchova | živ. | – životné podstatné meno |
| telek. | – telekomunikácie | | |
| text. | – textilný priemysel | žurn. | – žurnalistika |
| tlač. | – tlačiarenský termín | | |

| | |
|---|---|
| abbr. | – *abbreviation* (skratka) |
| adj | – *adjective* (prídavné meno) |
| adv | – *adverb* (príslovka) |
| AmE | – *American English* (americká angličtina) |
| BrE | – *British English* (britská angličtina) |
| conj. | – *conjunction* (spojka) |
| inf. | – *informal* (neformálne) |
| interj. | – *interjection* (citoslovce) |
| n | – *noun* (podst. meno) |
| num. | – *number* (číslovka) |
| os. | – *oneself* (sebe, si) |
| part. | – *particle* (častica) |
| pl. | – *plural* (mn. č.) |
| prep. | – *preposition* (predložka) |
| pron. | – *pronoun* (zámeno) |
| sb. | – *somebody* (niekoho) |
| see | – pozri |
| sg. | – *singular* (j. č.) |
| so. | – *someone* (niekto) |
| sth. | – *something* (niečo) |
| v | – *verb* (sloveso) |

# VÝSLOVNOSŤ A FONETICKÉ SYMBOLY
## PRONUNCIATION AND PHONETIC SYMBOLS

|  | Transkripcia<br>– medzinárodná<br>Príklady |  | – zjednodušená<br>Ďalšie príklady |
|---|---|---|---|
| ['] | [ə'bə endən] |  | – hlavný prízvuk |
| [ˌ] | [ˌəpri'henšn] |  | – vedľajší prízvuk |
| [ʌ] | cup, cut | [a] | – some, blood, does |
| [ɑ:] | half, calm | [a:] | – father, heart, lauht, bother |
| [b] | bad, back |  | – rubber, cabbage |
| [d] | did, day |  | – ladder, called, could |
| [dʒ] | jam, jump | [dž] | – age, edge, soldier, gradual |
| [e] | ten, bed |  | – any, said, bread, bury, friend |
| [°] | novel |  | – analyse, arson, sister |
| [ə] | about, cupboard |  | – the, colour, actor, nation, letter |
| [ɜ:] | fur, burn | [ə:] | – bird, fern, worm, learn, journal |
| [æ] | cat, bad | [æ] | – plaid, land, man (tzv. otvorené a – naše ä) |
| [f] | fall, fad |  | – coffee, cough, physics, half |
| [g] | go, get |  | – bigger, ghost |
| [h] | hat, hot |  | – whole |
| [i] | sit, ship |  | – savage, guilt, system, women |
| [i:] | see, sheep |  | – field, team, key, scene, amoeba |
| [j] | yes, yet |  | – onion, use, new, Europe |
| [k] | cat, key |  | – cool, soccer, lock, school, cheque |
| [l] | leg, led |  | – balloon, battle |
| [m] | man, sum |  | – hammer, calm, bomb |
| [n] | no, sun |  | – funny, know, gnaw |
| [ŋ] | sing, sung |  | – thank, sink, bring, song (tzv. nosová spoluhláska) |
| [ɒ] | got, pot | [o] | – watch, cough, laurel |
| [ɔ:] | saw, ball | [o:] | – caught, board, draw, four, floor |
| [p] | plum, pen |  | – happy |
| [r] | rain, red |  | – marry, wreck, rhythm |
| [s] | see, soon |  | – city, psychology, mess, scene, listen |
| [ʃ] | shoe, fishing | [š] | – sure, station, tension, vicious, charlatan |

| [t] | table, tea | | – butter, walked, doubt |
| [tʃ] | chain, cheer | [č] | – match, nature, question, cello |
| [ʊ] | wood, put | [u] | – good, wolf, could |
| [u:] | too, boot | | – move, shoe, group, flew, blue, rude |
| [v] | van, view | | – navvy |
| [w] | walk, wet | | – one, when, queen |
| [z] | zoo, zero | | – was, dazzle, example |
| [ʒ] | measure, pleasure | [ž] | – vision, rouge |
| [θ] | thin, think | | – thick, author, death, thriller (pre neznelú medzizubnú spoluhlásku) |
| [ð] | this, then | | – mother, bother (pre znelú medzizubnú spoluhlásku) |

### Dvojhlásky – Diphthongs

| [ei] | – say | |
| [əu] | – go | (BrE) |
| [ou] | – go | (AmE) |
| [ai] | – my | |
| [oi] | – boy | |
| [au] | – now | |
| [iə] | – near | (BrE) |
| [iə] | – hair | (BrE) |
| [uə] | – pure | (BrE) |

# ANGLICKO-SLOVENSKÁ ČASŤ

## ENGLISH-SLOVAK

# A

**a / an** *(pred samohl.)* [ə, ən] *gram.* **1.** neurčitý člen **2.** jeden **3.** nejaký

**A-level exam (= advanced level)** [ˈeilevl] *BrE* maturita

**abacus** [ˈæbəkəs] počítadlo

**abandon** [əˈbændn] **1.** opustiť **2.** *a. sth.* vzdať sa niečoho

**abandoned** [əˈbændənd] zhýralý, nemravný

**abbey** [ˈæbi] opátstvo

**abbreviate** [əˈbriːvieit] skrátiť

**abbreviation** [əˈbriːviˈeišn] skratka

**abdicate** [ˈæbdikeit] vzdať sa *(niečoho)*

**abdomen** [ˈæbdəmen] *lek.* brucho

**abduction** [æbdakšən] únos

**abetment** [əˈbetment] napomáhanie *(zločinu)*

**abide*** [əˈbaid] zniesť; *a. by* dodržať, splniť

**ability** [əˈbiliti] schopnosť, zručnosť

**able** [eibl] schopný; *be a.* môcť, byť schopný

**abnormal** [æbˈnoːməl] abnormálny; výnimočný

**aboard** [əˈboːd] na palube/u

**abolish** [əˈboliš] zrušiť

**aborigine** [ˈæbəˈridžin] domorodec

**abortion** [əˈboːšən] potrat

**about** [əˈbaut] *prep* **1.** o **2.** okolo; *adv* asi; *be a. to* chystať sa • *a.-turn* čelom vzad

**above** [əˈbav] *prep* nad; viac ako; *adv* hore, nahor

**abreast** [əˈbrest] na rovnakej úrovni; bok po boku; *be/keep a. of the times* ísť s dobou

**abridge** [əˈbridž] skrátiť *(text, knihu)*

**abroad** [əˈbroːd] *adv* v cudzine, do zahraničia

**abrupt** [əˈbrapt] **1.** náhly, prudký **2.** nesúvislý

**abscess** [ˈəbses] vred

**absence** [ˈæbsəns] **1.** neprítomnosť, absencia **2.** nedostatok

**absent** [æbsnt] neprítomný

**absent-minded** [ˈæbsəntˈmaindid] roztržitý, zábudlivý

**absolute** [ˈæbsəljuːt] absolútny; úplný; *a. majority* nadpolovičná väčšina

**absolutely** [æbsəˈluːtli] iste, samozrejme

**absorb** [əbˈsoːd] **1.** pohltiť, vstrebať **2.** zaujať *(myseľ)*

**absorption** [əb'so:pšn] pohltenie; vstrebanie

**abstain** [əb'stein] *from sth.* zdržať sa niečoho

**abstract** ['æbstrækt] *adj* abstraktný; *v* oddeliť; *n* výťah, rezumé

**absurd** [əb'sə:d] absurdný, nezmyselný

**abundant** [ə'bandənt] hojný, výdatný, bohatý

**abuse** [əbju:s] *n* 1. zneužitie 2. nadávka; *v* [ə'bju:z] 1. zneužiť 2. osočovať

**abyss** [ə'bis] priepasť

**academic** ['ækə'demik] 1. *adj* akademický, univerzitný 2. *n* akademik

**academy** [ə'kædəmi] akadémia

**accelerate** [æk'selə'reit] zrýchliť (sa)

**accelerator** [æk'seləreitə] 1. urýchľovač 2. pedál na plyn

**accent** ['æksnt] 1. prízvuk 2. výslovnosť

**accept** [ək'sept] prijať

**acceptable** [ək'septəbl] prijateľný, prípustný

**access** [ækses] prístup

**accessible** [ək'sesibl] prístupný, dostupný

**accessories** [æk'sesəriz] *pl.* príslušenstvo; doplnky *(módne)*

**accident** ['æksidənt] 1. náhoda; *by a.* náhodou 2. nehoda, nešťastie

**accidental** ['æksi'dentl] náhodný

**accommodate** [ə'komədeit] 1. ubytovať 2. vyhovieť 3. prispôsobiť

**accommodation** [ə'komə'deišn] 1. ubytovanie 2. prispôsobenie

**accompany** [ə'kampəni] sprevádzať, pridružiť sa

**accomplice** [ə'kompliš] spolupáchateľ

**accomplish** [ə'kompliš] dosiahnuť, uskutočniť

**accomplished** [ə'komplišt] dokonalý, vynikajúci

**accord** [ə'ko:d] súhlas, zhoda

**accordance** [ə'ko:dns] zhoda; *in a. with* v zhode s, podľa

**according** [ə'ko:diŋ] *to sth.* podľa niečoho

**accordion** [ə'ko:djən] harmonika

**account** [ə'kaunt] *n* 1. účet 2. počítanie 3. zisk; *on a. of* pre; *take into a.* vziať do úvahy; *v* považovať za; *a. for* vysvetliť, odôvodniť

**accountant** [ə'kauntənt] účtovník

**accumulate** [ə'kju:mjuleit]

hromadiť (sa), nahroma-
diť (sa)

**accupuncture** [ækju:pan-
kčə] akupunktúra

**accurate** [ˈækjurit] presný

**accusation** [ˈækju(:)ˈzeišn]
obvinenie

**accuse** [əˈkju:z] obviniť

**accustom** [əˈkastəm] *to*
zvyknúť (si)

**accustomed** [əˈkastəmd] 1.
obvyklý 2. navyknutý; *get
a. to sth.* zvyknúť si na
niečo

**ace** [eis] 1. *kart.* eso 2. *pren.*
vynikajúci človek 3.
*šport. (v tenise)* prudký
servis

**ache** [eik] *n* bolesť; *v* 1. bo-
lieť 2. *a. for* túžiť po

**achieve** [əˈči:v] dosiahnuť

**achievement** [əˈči:vmənt] 1.
dosiahnutie; výkon 2.
*(veľký) čin*

**Achilles tendon/heel** [æˈki-
li:z tendon] Achillova šľa-
cha/päta *pren.* zraniteľné
miesto

**acid** [ˈæsid] *adj* kyslý; *n* ky-
selina

**acknowledge** [əkˈnolidž] 1.
uznať, priznať, pripustiť
2. potvrdiť príjem 3. opä-
tovať pozdrav 4. podako-
vať

**acknowledgement** [əkˈnoli-
džmənt] 1. uznanie, oce-
nenie 2. potvrdenie prijatia

**acne** [ˈækni] akné

**acorn** [ˈeiko:n] *bot.* žaluď

**acoustic** [əˈku:stik] akustic-
ký

**acoustics** [əˈku:stiks] *pl.*
akustika

**acquaint** [əˈkweint] *be a.
with* zoznámiť (sa) s *(nie-
čím)*; poznať sa s (nie-
kým)

**acquaintance** [əˈkweintns]
1. zoznámenie 2. známy
*(o osobe)*

**acquire** [əˈkwaiə] získať

**acquisition** [ˈækwiˈzišn] 1.
nadobudnutie 2. príras-
tok

**acquit** [əˈkwit] *sth.* zbaviť sa
niečoho; oslobodiť

**acre** [ˈeikə] aker *(4047 m²)*

**acreage** [ˈeikridž] výmera

**acrid** [ˈækrid] štipľavý

**across** [əˈkros] *prep* cez; *adv*
na druhú stranu, na dru-
hej strane

**act** [ækt] *n* dejstvo; *v* 1. ko-
nať, fungovať 2. *div.* hrať

**action** [ˈækšn] 1. dej 2. čin,
činnosť 3. akcia 4. *voj.*
boj, bitka

**active** [ˈæktiv] aktívny, čin-
ný

**activity** [ækˈtiviti] činnosť,
pôsobnosť

**actor** [ˈækˈtə] herec
**actress** [ækˈtris] herečka
**actual** [ˈækčuəl] skutočný, terajší
**actually** [ˈækčuəli] **1.** skutočne **2.** ba, dokonca
**acute** [əˈkju:t] **1.** ostrý **2.** náhly, prudký
**adapt** [əˈdæpt] **1.** prispôsobiť **2.** upraviť
**adaptation** [ˈædepˈteišn] úprava, adaptácia; prepracovanie (o knihe)
**add** [æd] **1.** pridať **2.** prirátať, sčítať
**addition** [æˈdišn] **1.** spočítanie **2.** dodatok; in a. to okrem toho, a ešte (navyše)
**additional** [əˈdišənəl] **1.** dodatočný **2.** ďalší
**address** [əˈdres] n **1.** adresa **2.** oslovenie; prejav; v adresovať; osloviť
**adeqaute** [ˈædikwit] primeraný, dostatočný
**adhere** [ədˈhiə] to a. so.( sth.) lipnúť na; pridržiavať sa niekoho/niečoho
**adherent** [ədˈhiərənt] prívrženec, stúpenec
**adhesion** [ædˈhi:žn] priľnavosť, súdržnosť
**adhesive** [ədˈhi:siv] n lep; adj lepivý; a. tape lepiaca páska

**adieu** [əˈdju:] zbohom
**adjacent** [əˈdžeisnt] priľahlý, susedný
**adjective** [ˈædžiktiv] gram. prídavné meno
**adjoining** [ˈædžoiniŋ] susedný
**adjourn** [əˈdžə:n] odložiť, odročiť
**adjust** [əˈdžast] upraviť, prispôsobiť; nastaviť
**administer** [ədˈministə] **1.** riadiť, spravovať **2.** poskytnúť, podať
**administration** [ədˈminisˈtreišn] **1.** adm. správa **2.** vláda
**admirable** [ˈædmərəbl] obdivuhodný
**admiration** [ˈædməreišn] obdiv
**admire** [ədˈmaiə] obdivovať
**admission** [ədˈmišn] **1.** prístup **2.** a. fee vstupné; a. free vstup zadarmo/voľný
**admit** [ədˈmit] **1.** vpustiť **2.** pripustiť, uznať
**admittance** [ədˈmitəns] vstup; no a. vstup zakázaný
**admonish** [ədˈmoniš] karhať
**ado** [əˈdu:] krik, rozčúlenie; • much a. about nothing mnoho kriku pre nič
**adolescent** [ˈædolesnt] adj dospievajúci; n mladík

**adopt** [ə'dopt] **1.** adoptovať **2.** prijať, prevziať

**adoption** [ə'dopšn] prijatie, prevzatie

**adore** [ə'do:] zbožňovať

**adult** ['ædalt] dospelý

**adulterate** [ə'daltəreit] falšovať; znehodnotiť

**adultery** [æ'daltri] cudzoložstvo

**advance** [əd'va:ns] *n* **1.** postup **2.** pokrok **3.** záloha *in a.* dopredu, vopred; *v* **1.** postúpiť **2.** posunúť dopredu **3.** dať zálohu

**advanced** [əd'va:nst] pokročilý

**advantage** [əd'va:ntidž] výhoda

**adventure** [əd'venčə] dobrodružstvo

**adventurous** [əd'venčərəs] dobrodružný

**adverb** ['ædvə:b] *gram.* príslovka

**adverse** ['ædvə:s] nepriaznivý; nepriateľský

**advertise** ['ædvə:taiz] **1.** inzerovať **2.** robiť reklamu

**advertisment** [əd'və:tismənt] **1.** inzerát **2.** reklama

**advice¹** [əd'vais] **1.** rada **2.** odporúčanie, avízo

**advice²** **1.** radiť, poradiť **2.** informovať

**advisable** [əd'vaizəbl] hodný odporúčania; rozumný, vhodný

**adviser** [əd'vaizə] poradca

**advocate** ['ædvəkeit] *n* zástanca, obhajca, advokát; *v* hlásať; podporovať

**aerial¹** ['eəriəl] anténa

**aerial²** vzdušný; letecký

**aeroplane** ['eərəplein] lietadlo

**aesthetic** [i:s'θetik] estetický

**afar** [ə'fa:] v diaľke, ďaleko

**affair** [ə'deə] záležitosť; vec; aféra

**affect** [ə'fekt] **1.** (za)pôsobiť; dojať **2.** postihnúť

**affectation** ['æfek'teišn] pretvárka

**affection** [əf'ekšn] náklonnosť, láska

**affectionate** [ə'fekšnit] láskyplný; milujúci

**affidavit** [æfi'devit] *práv.* čestné prehlásenie

**affirmative** [ə'fə:mtiv] kladný

**affix** ['æfiks] *gram.* predpona, prípona

**afflict** [ə'flikt] *a. with* **1.** súžiť (sa) **2.** postihnúť *(niečím)*

**affluent** ['æfluənt] bohatý

**afford** [ə'fo:d] **1.** poskytnúť **2.** dopriať si, dovoliť si

**affront** [ə'frant] *n* urážka; *v* uraziť

**afloat** [əˈfləut] plávajúci, nad vodou

**afraid** [əˈfreid]: *be a. of* báť sa *(niečoho)*, obávať sa

**after** [ˈaːftə] *prep* po, za; podľa; *adv* neskôr; *conj* potom

**after-care** [ˈaːftəkeə] doliečenie

**aftermath** [ˈaːftəmæθ] dôsledok, následok, dozvuk

**afternoon** [ˈaːftəˈnuːn] popoludnie

**afterwards** [ˈaːftəwədz] neskôr, potom

**again** [əˈgein] opäť, znova, zase

**against** [əˈgeinst] proti, oproti; *a. the law* protizákonne

**age** [eidž] *n* vek; staroba; *v* starnúť; *a. of consent; (práv.)* zákonná veková hranica

**aged** [eidžd] v určitom veku; *a-ed 7 years* vo veku 7 rokov

**agency** [ˈeidžənsi] 1. zastupiteľstvo 2. pôsobenie, vplyv 3. agentúra, kancelária

**agenda** [əˈdžendə] program, priebeh konania

**agent** [ˈeidžənt] 1. činiteľ 2. zástupca

**aggravate** [ˈægrəveit] zhoršiť, rozčúliť

**aggresive** [əˈgresiv] útočný, agresívny

**agile** [ˈædžail] čulý, živý, agilný

**agitate** [ˈædžiteit] 1. zmietať (sa), 2. pobúriť 3. *a. (for)* agitovať 4. trepať *(kvapalinou)*

**ago** [əˈgəu] *(o čase)* pred; *two days a.* pred dvoma dňami; *long a.* dávno

**agony** [ˈægəni] muky; agónia

**agrarian** [əˈgreəriən] poľnohospodársky, agrárny

**agree** [əˈgriː] 1. súhlasiť 2. *a. to* vyhovovať 3. *a. with* zhodovať sa

**agreeable** [əˈgriːəibl] 1. príjemný 2. *a. to* ochotný

**agreement** [əˈgriːment] 1. súhlas; zhoda 2. dohoda; zmluva; *be in agreement with* súhlasiť, zhodovať sa

**agriculture** [ˈægriˈkalčə] poľnohospodárstvo

**ahead** [əˈhed] 1. vpredu 2. dopredu, vpred 3. *a. of* vopred

**aid** [eid] *n* 1. pomoc 2. pomôcka; *v* pomáhať

**ailment** [ˈeilmənt] choroba

**aim** [eim] *n* 1. cieľ 2. účel; *v* 1. *a. (at)* mieriť, cieliť (na) 2. *a. at/for* usilovať sa (o)

**ain't** [eint] 1. (= am/is/are

not) *hovor.* nie som/je/sú
**2.** (= have/has not) *hovor.*
nemať

**air** [eə] *n* **1.** vzduch **2.**
vzhľad **3.** nápev; *v* vetrať;
*a. force* vojenské letectvo;
*a. raid* letecký útok, nálet;
*a.-conditioned* klimatizovaný

**airbase** [ˈeəbeis] letecká základňa

**airbed** [ˈeəbed] nafukovací matrac

**aircraft** [ˈeəˈkra:ft] lietadlo *a. carrier* [kæriə] materská lietadlová loď; dopravné lietadlo

**airline** [eəlain] letecká linka

**airmail** [ˈeəmeil] letecká pošta

**airplane** [ˈeečplein] lietadlo

**airport** [ˈeəpo:t] letisko

**airtight** [ˈeətait] vzduchotesný

**airy** [ˈeəri] **1.** vzdušný **2.** ľahkomyseľný **3.** povrchný

**aisle** [eil] ulička *(medzi sedadlami)*

**ajar** [əˈdža:] pootvorený

**akin** [əˈkin]: *a. to* príbuzný; podobný

**alarm** [əˈla:m] *n* poplach; nepokoj; *v* znepokojiť, naľakať

**alarm clock** [əˈla:m klok] budík

**alas** [əˈla:s] beda, bohužiaľ

**album** [ˈælbəm] album

**alcohol** [ˈælkəhol] alkohol, lieh

**ale** [eil] svetlé pivo *(anglické)*

**alert** [ələˈt] *adj* ostražitý; čulý; *n* výstraha

**alien** [ˈeiliən] *adj* **1.** cudzí **2.** *a. to* odlišný, opačný; *n* **1.** cudzinec **2.** mimozemšťan

**alike** [əˈleik] *adj* podobný, rovnaký; *adv* rovnako, tak isto

**alimony** [ˈæliməni] alimenty

**alive** [əˈlaiv] nažive; živý, čulý

**all** [o:l] *adj* **1.** celý, všetci; *n* všetko; *adv* celkom; *a. of us* my všetci; *above a.* predovšetkým; *at a.* vôbec; *not at a.* niet za čo *(odpoveď na ďakujem)*; *once for a.* raz navždy; *a. the better* tým lepšie; *a. right* správne; *a. the same* predsa len; *a. aboard!* nastupovať!; *a. over* všade

**all-round** všestranný

**allegation** [æliˈgeišən] *(nepodložené)* obvinenie

**allege** [əˈledž] tvrdiť, prehlásiť, trvať na

**allegiance** [əˈli:džəns] vernosť, oddanosť, lojálnosť

**alley** [ˈæli] *(úzka)* ulica; chodník *(v parku)*

**alliance** [əˈlaiəns] **1.** spojenie **2.** spojenectvo

**allocate** [ˈælokeit] prideliť; vymedziť

**allot** [əˈlot] prideliť

**allow** [əˈlau] **1.** dovoliť, povoliť **2.** umožniť **3.** *a. for* počítať s; *be a-ed to* smieť

**allowance** [əˈlauəns] **1.** príspevok **2.** zľava **3.** renta **4.** *šport.* náskok; *make a.'s for* vziať do úvahy

**alloy** [ˈæloi] zliatina

**allure** [əˈljuə] vábiť, zvábiť

**ally** [əˈlai] spojenec

**almighty** [o:lˈmaiti] všemohúci

**almond** [ˈo:mənd] mandľa; *shelled a-s* lúpané mandle

**almost** [ˈo:lməust] skoro, takmer

**alms** [a:mz] almužna

**alone** [əˈləun] sám, jediný; *let me a.* daj mi pokoj

**along** [əˈloŋ] pozdĺž; *a. the street* po ulici; *a. with* spolu s; *come a.* poď so mnou

**alongside** [əˈloŋsaid] po boku; pozdĺž

**aloof** [əˈlu:f] **1.** odmeraný, bokom **2.** povznesený; *keep a. from* držať si odstup

**aloud** [əˈlaud] nahlas

**alphabet** [ˈælfəbet] abeceda

**already** [o:lˈredi] už

**also** [ˈo:lsəu] tiež, takisto

**altar** [ˈo:ltə] oltár

**alter** [ˈo:ltə] **1.** meniť (sa) **2.** prešiť, upraviť

**alteration** [ˌo:ltəˈreišn] zmena, premena

**alternate** [ˈo:ltə:neit] *adj* striedavý; *v* striedať (sa), meniť (sa)

**alternating** [o:lˈtə:neitiŋ] striedavý; *a. current* striedavý prúd

**alternative** [o:lˈtə:nətiv] **1.** výber z dvoch **2.** možnosť

**although** [o:lˈðəu] hoci

**altitude** [ˈæltitju:d] nadmorská výška

**altogether** [ˌo:ltəˈgeðə] celkom, úplne, dohromady

**always** [ˈo:lwəiz] vždy, stále

**am** [æm] som

**a.m. = ante meridiem** [ˈeiˈem] ráno; dopoludnia

**amalgamate** [əˈmælgəmeit] spojiť (sa), zlúčiť (sa)

**amass** [əˈmæs] hromadiť

**amateur** [ˈæmətə:] amatér; ochotník

**amaze** [əˈmeiz] udiviť, prekvapiť

**ambassador** [æmˈbæsədə] veľvyslanec

**amber** [ˈæmbə] *n* jantár; *adj* jantárový

**ambigous** [,æmbiˈgjuəs] dvojzmyselný; nejasný

**ambitious** [æmˈbišəs] ctižiadostivý, snaživý

**amble** [ˈæmbl] pomaly kráčať

**ambulance** [ˈæmbjuləns] sanitka

**amend** [əˈmend] 1. zmeniť 2. polepšiť (sa)

**amendment** [əˈmendmənt] dodatok zákona/predpisu

**amends** [əˈmends] náhrada, kompenzácia

**amiable** [ˈeimjəbl] roztomilý

**amicable** [ˈæmikəbl] priateľský

**amid(st)** [əˈmidst] uprostred

**ammeter** [ˈæmiːtə] ampérmeter

**ammonia** [əˈməunjə] čpavok

**ammunition** [əˈmjuniˈšn] strelivo, munícia

**among** [əˈmaŋ] medzi (viacerými ako dvoma)

**amount** [əˈmaunt] 1. čiastka 2. množstvo

**amphibiam** [æmˈfibiən] obojživelník

**ample** [ˈæmpl] hojný

**amplify** [ˈæmplifai] rozšíriť, zväčšiť; zosilniť

**amuse** [ˈemjuːz] baviť, zabávať

**amusement** [ˈemjuːzmənt] zábava; a. park lunapark

**amusing** [ˈemjuːziŋ] zábavný

**an** see a

**analyse** [ˈænəlaiz] analyzovať, rozoberať

**analysis** analýza, rozbor

**anarchy** [ˈænəki] anarchia, bezvládie; zmätok

**ancestor** [ˈænsistə] predok (rodinný), praotec

**anchor** [ˈænkə] kotva

**ancient** [ˈeinšnt] starodávny

**ancillary** [ænˈsiləri] pomocný, vedľajší

**and** [ænd, ənd] a; bread a. butter chlieb s maslom; a. so on/forth a tak ďalej

**anew** [əˈnjuː] znova

**angel** [eindžl] anjel

**anger** [ˈæŋgə] n hnev; v rozčúliť sa

**angle**[1] [ˈæŋgl] n geom. uhol; roh (steny); v nastaviť

**angle**[2] loviť na udicu

**angry** [ˈæŋgri] (with/at) nahnevaný (na); be a. hnevať sa

**anguish** [ˈæŋgwiš] úzkosť; muky, utrpenie

**angular** [ˈæŋgjulə] 1. hranatý 2. uhlový

**animal** [ˈæniml] n zviera; adj živočíšny

**animate** [ˈænimeit] oživiť

animated cartoon [ˈænimeitid kaːtuːn] kreslený film

animosity [ˈæniˈmositi] nepriateľstvo, nevraživosť

ankle [ˈæŋkl] členok

annals [ˈænlz] pl. kronika

annex [ˈæneks] n prístavok; v pripojiť (násilím)

annihilate [əˈnaihileit] zničiť (úplne); rozdrviť

anniversary [ˈæniˈvəːsəri] výročie

annotate [ˈænəuteit] pridať poznámky alebo vysvetlivky; glosovať

announce [əˈnauns] oznámiť

announcement [əˈnaunsmənt] oznámenie; vyhlásenie

announcer [əˈnaunsə] hlásateľ (rádio, TV)

annoy [əˈnoi] trápiť; obťažovať, hnevať

annoying [əˈnoiŋ] mrzutý; how a.! aké nepríjemné!

annual [ˈænjuəl] 1. ročný 2. výročný 3. každoročný

annuity [ˈænjuˈiti] renta

annul [ˈənal] anulovať, zrušiť; vypovedať (zmluvu)

anomalous [əˈnomələs] nepravidelný

anonymous [əˈnoniməs] anonymný

anorak [ˈænəræk] vetrovka (s kapucňou)

anorexia [ænəˈreksiə] nechutenstvo

another [əˈnaðə] iný; ešte jeden; ďalší; another cup of tea ešte jednu šálku čaju; another two years ešte ďalšie dva roky

answer [ˈaːnsə] n odpoveď; v odpovedať

answering machine [ˈaːnsəriŋ məˈšiːn] (telef.) odkazovač

ant [ænt] mravec

antenna [ˈænˈtenə] 1. tykadlo 2. anténa

anthem [ˈænθəm] 1. náboženská pieseň 2. hymna; national a. štátna hymna

anthill [ænt hil] mravenisko

antiaircraft [ˈæntieəkraːft] protilietadlový

antibody [ˈæntibodi] lek. protilátka (v krvi)

anticipate [ænˈtisipeit] 1. predvídať 2. urobiť vopred

antidote [ˈæntidəut] protijed, protilátka

antifreeze [ˈæntifriːz] nemrznúca zmes

antipodes [ænˈtipədiːz] pl. protinožci

antiquated [ˈæntikweitid] zastaraný

antique [æˈntiːk] n starožit-

nosť; *adj* **1.** staroveký **2.**
starodávny

**antler** [ˈæntlə] paroh

**anus** [einəs] konečník

**anvil** [ænvil] nákova

**anxiety** [æŋgˈzaiəti] úzkosť

**anxious** [ˈæŋkšəs] **1.** *for/ about* úzkostlivý **2.** *for* dychtivý po

**any** [ˈeni] **1.** akýkoľvek, ktorýkoľvek **2.** *(v otázke)* nejaký, niektorý **3.** *(po zápore)* žiadny

**anybody** [ˈenibodi] ktokoľvek; niekto; *(po zápore)* nikto

**anyhow** [ˈenihau] **1.** akokoľvek **2.** rozhodne; tak či tak

**anyone** [ˈeniwan] ktokoľvek; každý; niekto; *(po zápore)* nikto

**anything** [ˈeniθiŋ] niečo; čokoľvek; hocičo

**anyway** [ˈeniwei] **1.** akokoľvek **2.** rozhodne; tak či tak

**anywhere** [ˈeniweə] kdekoľvek; kamkoľvek; niekde, niekam; nikde, *(po zápore)* nikam

**apart** [əˈpaːt] **1.** od seba **2.** oddelene; *a. from* nehľadiac na; *take a.* rozobrať

**apartment** [əˈpaːtmənt] *AmE* byt; *a. house* činžiak

**ape** [eip] opica *(bez chvosta)*

**apiece** [əˈpiːs] za kus

**apologize** [əˈpolədžaiz] ospravedlniť sa

**apology** [əˈpolədži] ospravedlnenie

**apostle** [əˈposl] apoštol

**appal** [əˈpoːl] vydesiť, vyľakať

**appaling** [əˈpoːliŋ] otrasný

**apparatus** [ˈæpəˈreitəs] aparát, prístroj

**apparent** [əˈpærənt] **1.** zrejmý **2.** zdanlivý

**apparently** [əˈpærəntli] očividne

**apparition** [æpærišən] strašidlo, zjavenie

**appeal** [əˈpiːl] *n* **1.** žiadosť, prosba, výzva **2.** *(súdne)* odvolanie; *v to a.* apelovať, obrátiť sa na *(napr. na svedka)*; pôsobiť *(na cit)*

**appealing** [əˈpiːliŋ] pôsobivý; prosebný

**appear** [əˈpiə] **1.** objaviť **2.** zdanie

**appearance** [əˈpiərəns] **1.** zjav **2.** zdanie

**appease** [əˈpiːz] **1.** uspokojiť **2.** zmierniť; upokojiť

**appendix** [əˈpendiks] **1.** prívesok; dodatok **2.** slepé črevo

**appendicitis** [əpendəˈsaitis] zápal slepého čreva

**appetite** [ˈæpitait] chuť *(do jedla)*

**applaud** [ə'plo:d] **1.** tlieskať **2.** schvaľovať

**apple** ['æpl] jablko

**appliance** [ə'plaiəns] zariadenie; *electrical a.* elektrický spotrebič

**applicant** ['æplikənt] žiadateľ

**application** ['æpli'keišən] **1.** *for* žiadosť o **2.** použitie, upotrebenie; *a. form* formulár (*žiadosť*)

**apply** [ə'plai] **1.** priložiť **2.** hodiť sa **3.** *for* žiadať o **4.** *to* obrátiť sa na **5.** použiť

**appoint** [ə'point] stanoviť; určiť; vymenovať

**appointment** [ə'pointmənt] **1.** ustanovenie **2.** zamestnanie **3.** schôdzka

**appraisal** [ə'preizl] odhad

**appraise** [ə'preiz] odhadnúť; oceniť

**appreciate** [ə'pri:šieit] **1.** oceniť, vážiť si **2.** uznávať

**apprentice** [ə'prentis] učeň

**approach** [ə'prəuč] *n* priblíženie; prístup; *v* priblížiť sa

**approbation** ['æprə'bešən] schválenie, súhlas

**appropriate** [ə'prəupriit] *adj* vhodný; primeraný; *v* privlastniť si; *delete as a.* nehodiace sa škrtnite

**approval** [ə'pru:vəl] súhlas

**approve** [ə'pru:v] *of* **1.** súhlasiť **2.** schvaľovať

**approximate** [ə'proksimət] *adj* približný; *v* podobať sa

**apricot** ['eiprikot] marhuľa

**April** ['eiprəl] *n* apríl; *adj* aprílový

**apron** ['eiprən] zástera

**apt** [æpt] schopný, vhodný; náchylný; *we are a. to forget* radi zabúdame

**aptitude** ['æptitju:d] schopnosť

**arable** ['ærəbl] orný

**arbitrary** ['a:bitrəri] ľubovoľný

**arc** [a:k] *mat.* oblúk

**arch** [a:č] *archit.* oblúk

**archaic** [a:'keik] archaický, zastaraný

**archbishop** ['a:č'bišəp] arcibiskup

**architect** ['a:kitekt] architekt

**architecture** ['a:kitekčə] architektúra

**archives** ['a:kaivz] *pl.* archív

**arctic** ['a:ktik] arktický, polárny

**ardent** ['a:dent] **1.** vášnivý, vrúcny **2.** horlivý

**arduous** ['a:djuəs] namáhavý, prácny

**are** [a:] si, sme, ste, sú

**area** ['eəriə] **1.** plocha **2.** rozsah **3.** oblasť; *restric-*

*ted a.!* Nepovolaným vstup zakázaný!

**argue** [ˈaːgjuː] 1. hádať sa 2. dokazovať

**argument** [aːgjumənt] 1. dôkaz 2. debata 3. hádka; *settle an a.* urovnať spor

**arid** [ˈærid] vyprahnutý, suchý

**arise\*** [əˈraiz] vzniknúť

**arisen** *see* **arise\***

**aristocracy** [ˈærisˈtokrəsi] šľachta

**arithmetic** [əˈriθmətik] aritmetika, počty

**arm** [aːm] *n* 1. plece 2. *(pl.)* zbraň; *v* ozbrojiť (sa)

**armament** [ˈaːməmənt] 1. *(pl.)* výzbroj 2. zbrojenie

**armchair** [ˈaːmˈčeə] kreslo

**armistice** [ˈaːmistis] prímerie

**armoured** [aːməd kaː] obrnený; *a. car* pancierový voz

**armoury** [ˈaːməri] zbrojnica; *AmE* zbrojovka

**armpit** [ˈampit] podpazušie

**army** [ˈaːmi] armáda

**arose** *see* **arise\***

**around** [əˈraund] okolo; dookola; *turn a.* otočiť (sa)

**arrange** [əˈreindž] 1. usporiadať 2. zariadiť 3. upraviť

**arrangement** [əˈreindž-

mənt] 1. úprava 2. dohoda 3. *(pl.)* plány, prípravy

**arrest** [əˈrest] *n* zatknutie; väzba; *v* zatknúť

**arrival** [əˈraivl] príchod

**arrive** [əˈraiv] prísť *(dopr. prostriedkom)*

**arrogant** [ˈærəgənt] arogantný, povýšenecký

**arrow** [ˈærəu] šípka, šíp

**arsenal** [ˈaːsənl] 1. zbrojnica 2. zbrojovka

**arson** [ˈaːsn] podpaľačstvo

**art** [aːt] 1. umenie, *(pl.)* spol. a fil. vedy 2. lesť, trik

**artery** [ˈaːtəri] *anat.* tepna

**artful** [ˈaːtful] rafinovaný

**article** [ˈaːtikl] 1. bod zmluvy 2. článok 3. predmet; druh tovaru 4. *gram.* člen

**artificial** [ˈaːtiˈfišl] umelý

**artillery** [aːˈtiləri] delostrelectvo

**artisan** [ˈaːtiˈzæn] remeselník; *scenic a.* scénograf

**artist** [ˈaːtist] umelec

**artiste** [aːˈtiːst] artista

**artistic** [aːˈtistik] umelecký

**as** [æz, əz] *adv* tak; ako; *conj* 1. keď 2. pretože; *a. to/for* pokiaľ ide o; *a. far a. (miestne)* až do; *a. well* tak isto; *a. well a.* práve tak ako, a tiež; *a. long* pokiaľ; *a. soon a.* len čo; *a. if* akoby

**asbestos** [æz'bestos] azbest
**ascend** [ə'send] stúpať, nastúpiť *(na trón)*
**ascent** [ə'sent] výstup
**ascertain** ['æsə'tein] u/zistiť
**ascetic** [ə'setik] asketický
**ascribe** [æs'kraib] *to so.* pripisovať niekomu
**ash** [æš] **1.** *bot.* jaseň **2.** popol
**ashamed** [ə'šeimd] zahanbený; *be a.* hanbiť sa
**ashes** [æšiz] *pl.* popol, telesné pozostatky
**ashore** [ə'šo:] na breh, na brehu
**ashtray** ['æš'trei] popolník
**aside** [ə'said] bokom; *put a.* odložiť
**ask** [a:sk] **1.** *(for)* žiadať, prosiť o **2.** pýtať sa **3.** pozvať
**asleep** [ə'sli:p] spiaci; *be a.* spať; *fall a.* zaspať
**asparagus** [əs'pærəgəs] špargľa
**aspect** ['æspekt] **1.** hľadisko, zreteľ **2.** výhľad **3.** vzhľad, výzor **4.** *gram.* vid
**aspen** ['æspən] *bot.* osika
**asphalt** ['æsfælt] asfalt
**aspiration** ['æspi'reišən] snaha; nárok
**aspire** [ə'spaiə] *to/after* usilovať sa o
**ass** [æs] **1.** somár **2.** *AmE hovor.* zadok, prdel

**assassin** [ə'sæsin] vrah
**assassinate** [ə'sæsineit] zavraždiť
**assault** [ə'so:lt] *n* útok; prepadnutie; *v* prepadnúť
**assemble** [ə'sembl] **1.** zhromaždiť (sa) **2.** (z)montovať
**assembly** [ə'sembli] zhromaždenie;. *right of a.* zhromažďovacie právo
**assert** [ə'sə:t] **1.** tvrdiť **2.** presadzovať
**assertion** [ə'sə:šn] tvrdenie
**assertive** [ə'sə:tiv] rozhodný
**assess** [ə'ses] odhadnúť, oceniť, ohodnotiť
**asset** ['æset] zisk, prínos; *a- s and liabilities* aktíva a pasíva
**assign** [ə'sain] prideliť; určiť
**assimilate** [ə'simileit] *to/ with* asimilovať; prispôsobiť (sa)
**assist** [ə'sist] pomôcť
**assistance** [ə'sistəns] pomoc
**assistant** [ə'sistənt] pomocník
**associate** [ə'səušiət] *n* spoločník, *v* spojiť, združiť (sa)
**association** [ə'səusi'eišən] združenie
**assorted** [ə'so:tid] zmiešaný, rôznorodý; *a. sweets* zmes cukríkov; *a well a.*

*couple* k sebe sa hodiaci pár

**assortment** [ə'so:tmənt] kolekcia tovaru, sortiment

**assume** [ə'sju:m] **1.** domnievať sa; predpokladať **2.** vziať na seba

**assumption** [ə'sampšən] domnienka; predpoklad

**assurance** [æ'šuərəns] **1.** uistenie **2.** sebadôvera

**assure** [ə'šuə] uistiť

**astonish** [əs'toniš] udiviť, prekvapiť

**astonishment** [əs'tonišmənt] úžas, údiv

**astray** [əs'trei] : *go a.* zablúdiť, dostať sa na scestie

**astride** [əs'traid] rozkročmo

**astronomy** [əs'tronəmi] astronómia

**asylum** [ə:sailəm] **1.** azyl, útulok **2.** ústav

**at** [æt, ət] u; v; na; pri; *a. home* doma; *a. night* v noci; *a. least* aspoň; *a. last* konečne; *not a. all* vôbec nie; *a. two o´clock* o druhej

**ate** *see* **eat\***

**atheist** ['eiθiist] ateista

**athletics** [æθ'letiks] *pl.* atletika

**atmosphere** ['ætməsfiə] **1.** ovzdušie **2.** nálada

**atom** ['ætəm] atóm

**atomic** [ə'tomik] atómový

**atrocity** [ə'trosəti] ukrutnosť; zverstvo

**attach** [ə'tæč] pripojiť, prilepiť; *a. importance* pripisovať dôležitosť

**attaché** [ə'tæšei] pridelenec

**attachment** [ə'tæčmənt] **1.** pripojenie **2.** oddanosť

**attack** [ə'tæk] *n* útok; *v* napadnúť, útočiť

**attain** [ə'tein] dosiahnuť

**attempt** [ətempt] *n* pokus; *v* pokúsiť sa

**attend** [ə'tend] **1.** dávať pozor **2.** navštevovať *(školu)* **3.** ošetrovať; obsluhovať

**attendance** [ə'tendəns] **1.** dochádzka, účasť **2.** ošetrenie, obsluha

**attendant** [ə'tendənt] **1.** obsluha **2.** *(pl.)* sprievod

**attention** [ə'tenšən] pozornosť

**attentive** [ə'tentiv] pozorný, všímavý, galantný

**attest** [ə'test] *n* potvrdenie; *v* overiť, legalizovať; *legally a-ed* úradne overené

**attic** ['ætik] podkrovná miestnosť, manzardka

**attitude** ['ætitju:d] *(to)* postoj, pomer k; stanovisko

**attorney** [ə'tə:ni] **1.** splnomocnenec **2.** *AmE* právnik; *power of a.* plná moc

**attract** [əˈtrækt] pritahovať, vábiť

**attraction** [əˈtrækšn] príťažlivosť, pôvab

**attractive** [ətræktiv] príťažlivý, pôvabný

**attribute** [ˈætribjuːt] *n* 1. vlastnosť 2. rys, znak; *v* prisudzovať

**auburn** [oːbən] červenohnedý, gaštanový

**auction** [ˈoːkšn] dražba

**audacious** [ˈoːdeišəs] smelý, odvážny, neohrozený

**audible** [ˈoːdəbl] počuteľný

**audience** [ˈoːdjəns] poslucháčstvo; obecenstvo

**audit** [ˈoːdit] *n* revízia; *v* revidovať, kontrolovať *(účty)*

**auditor** [ˈoːditə] 1. poslucháč 2. kontrolór *(účtov)*

**auger** [ˈoːgə] nebožiec, vrták

**augment** [oːgˈmənt] zvýšiť, narásť

**August** [ˈoːgəst] *n* august; *adj* augustový

**aunt** [aːnt] teta

**au pair** [əu ˈpeə] opatrovateľka

**aubergine** [ˈæubəžiːn] baklažán

**austere** [oːsˈtiə] 1. prísny 2. prostý, strohý

**authentic** [oːˈθentik] vierohodný, pravý

**author** [ˈoːθə] spisovateľ

**authoritative** [oːθoritətiv] autoritatívny; závažný

**authority** [oːˈθoriti] 1. moc; autorita 2. *(pl.)* úrady, orgány

**authorize** [ˈoːθəraiz] zmocniť, oprávniť

**autobiography** [ˌoːtəbaiˈogrəfi] autobiografia, vlastný životopis

**autograph** [ˈoːtəgraːf] autogram

**automatic** [ˌoːtəˈmætik] automatický, samočinný

**autonomous** [oːˈtonəməs] autonómny, samosprávny

**autonomy** [oːˈtonəmi] autonómia, samospráva

**autopsy** [ˈoːtopsi] pitva

**autumn** [ˈoːtəm] *n* jeseň, *adj* jesenný

**auxiliary** [oːgˈziljəri] 1. *lingv.* pomocný 2. výpomocný

**available** [əˈveiləbl] 1. prístupný 2. platný 3. k dispozícii; na sklade

**avalanche** [ævəlaːnš] lavína

**avarice** [ˈævəris] lakomosť

**avenge** [əˈvendž] pomstiť

**avenue** [ˈævənjuː] 1. alej 2. trieda *(ulica)*

**average** [ævəridž] *n* priemer; *adj* priemerný; *v* 1. zistiť priemer 2. priemerne obsahovať

**aversion** [ə'və:šn] *to* odpor, nechuť *(k)*

**avert** [ə'və:t] odvrátiť

**aviation** [,eivi'eišn] letectvo

**avoid** [ə'void] vyhnúť sa; vyvarovať sa; *tax a-ance* daňový únik

**await** [ə'weit] očakávať

**awake*** ['əweik] zobudiť (sa)

**award** [ə'wo:d] *n* **1.** rozhodnutie poroty **2.** udelená cena; *v* prisúdiť, udeliť

**aware** [ə'weə] *be a. of* byť si vedomý *(niečoho)*

**away** [ə'wei] preč; *far a.* ďaleko

**awe** [o:] bázeň, úzkosť

**awful** ['o:ful] strašný, hrozný, desivý

**awkward** ['o:kwəd] **1.** nemotorný **2.** trápny

**awl** [o:l] *(obuvnícke)* šidlo

**awoke** *see* **awake***

**awry** [ə'rai] nakrivo

**axe** [æks] *n* sekera; *v* oklieštiť

**axis** ['æksi:z] os

**axle** ['æksl] náprava

**azure** ['æžə] blankytný

# B

**babble** [bæbl] džavotať; tárať

**baboon** ['bəbu:n] pavián

**baby** ['beibi] nemluvňa, dojča

**baby-sitter** ['beibi 'sitə] opatrovateľka detí

**bachelor** ['bečələ] **1.** starý mládenec **2.** bakalár *(titul)*

**back** [bæk] *n* **1.** chrbát **2.** operadlo **3.** *šport.* obranca **4.** zadná strana; *adv* späť, nazad; *at the b.* vzadu; *adj* zadný; oneskorený; *b. copy/issue of a magazine* staršie číslo časopisu; *b. yard* dvor *(za domom)*; *v* **1.** podporovať **2.** cúvať **3.** podložiť, podšiť;

*b. sb./sth. up* podporovať, zastať sa

**backbone** ['bækbəun] chrbtica; *pren.* opora

**backchat** [bækčet] *hovor.* odvrávanie, papuľovanie

**backfire** ['bækfaiə] **1.** spätný zážih **2.** nečakaný opačný účinok

**background** ['bækgraund] **1.** pozadie **2.** prostredie, pôvod, zázemie

**backing** ['bækiŋ] podpora, pomoc

**backlog** ['bælog] nevybavené veci, resty

**backpack** ['bækpæk] *AmE* ruksak, batoh

**backside** [ˈbæksaid] zadný diel, zadok

**backstroke** [ˈbæstrəuk] *šport.* znak *(plav. štýl)*

**backward** [ˈbækwəd] *adv* späť, nazad; *adj* zaostalý *(vo vývoji)*; nesmelý

**backwards** [ˈbækwədz] späť, dozadu

**bacon** [ˈbeikn] slanina

**bad** [ bæd] **1.** zlý, nepríjemný; *b. temper* zlá nálada; **2.** skazený **3.** škodlivý; *go b.* pokaziť sa; *it's not bad* ujde to; *I feel b. about it* mrzí ma to

**bade** *see* **bid***

**badge** [bædž] odznak

**badger**[1] [ˈbædžə] jazvec

**badger**[2] **1.** štvať, sužovať **2.** dobiedzať

**badly** [ˈbedli] *adv* (worse, worst) zle *(do veľkej miery)*, *b. wounded* vážne zranený

**badminton** [ˈbæmintən] bedminton

**baffle** [ˈbæfl] **1.** zmiasť **2.** prekaziť

**bag** [bæg] vak, taška, kabela

**baggy** [ˈbegi] vrecovitý; vytahaný *(nohavice)*

**bagpipes** [ˈbægpaip] *pl.* gajdy

**bail** [beil] kaucia

**bailiff** [ˈbeilif] **1.** súdny zriadenec **2.** správca

**bait** [beit] vnadidlo, návnada

**bake** [beik] **1.** piecť (sa) **2.** vypaľovať *(v peci)*

**baker** [ˈbeikə] pekár

**baking-powder** [ˈbeikiŋ paudə] prášok do pečiva

**balance** [ˈbæləns] *n* **1.** rovnováha **2.** váhy **3.** *obch.* súvaha, bilancia **4.** zostatok *(na účte)*

**balcony** [ˈbælkəni] balkón

**bald** [boːld] plešivý, holohlavý, holý

**bale** [beil] vrece, žoch

**ball** [boːl] **1.** lopta; klbko **2.** guľka **3.** ples **4.** *b-s pl. anat.* semenníky

**ballad** [ˈbæləd] balada

**ballast** [ˈbæləst] príťaž

**ballet** [ˈbælei] balet

**ballistic** [bəˈlistik] balistický

**balloon** [bəˈluːn] balón

**ballot** [ˈbælət] **1.** tajné hlasovanie, voľby **2.** hlasovací lístok

**ballpoint (pen)** [boːlpoint pen] guľôčkové pero

**balm** [baːm] balzam

**bamboo** [bæmˈbuː] bambus

**bamboozle** [bæmˈbuːzl] *hovor.* dobehnúť, obalamutiť *(niekoho)*

**ban** [bæn] *v* zakázať; *n* kliatba; zákaz *(úradný)*

**banana** [bə'na:nə] banán

**band** [bænd] **1.** páska; remeň **2.** tlupa **3.** kapela

**bandage** [bændidž] *n* obväz; *v* obviazať

**bandy**[1] ['bændi] vymieňať si *(argumenty/loptu hádzaním a pod.)*

**bandy**[2] krivý, vybočený; *b.-legged* s krivými nohami *(do O)*

**bang** [bæŋ] *v* buchnúť, tresnúť; *interj.* bác, tresk

**banish** ['bæniš] vyhostiť

**banister(s)** ['bænistəz] *pl.* zábradlie

**bank** [bæŋk] **1.** breh rieky **2.** banka; *b. account* konto, účet; *b. holiday* štátny sviatok; *b.-note* bankovka

**banker** ['bæŋkə] bankár

**bankrupt** ['bæŋkrapt] *adj* neschopný platiť; *n* bankrotár; *make b.* zbankrotovať

**bankruptcy** ['bæŋkrəpsi] úpadok, bankrot

**banner** ['bænə] transparent

**banquet** ['bæŋkwit] banket; hostina

**baptism** ['bæptizm] krst

**baptize** [bæp'taiz] krstiť

**bar** [ba:] *n* **1.** tyč **2.** *hud.* takt **3.** závora **4.** výčap **5.** *the*

*B.* advokácia **6.** prekážka; *(pren.) be behind b-s* byť za mrežami; *b. code* čiarový kód

**barbarian** [ba:b'beəriən] barbarský, necivilizovaný

**barbecue** ['ba:bikju:] grilovanie na záhrade

**barbed** ['ba:bd] ostnatý; *b. wire* ostnatý drôt

**barber** ['ba:bə] holič

**bare** [beə] **1.** nahý, holý **2.** prostý, číry

**barefoot** ['beəfut] *go b.* naboso

**bareheaded** ['beəhedid] bez čiapky

**barely** ['beəli] sotva, ťažko

**bargain** ['ba:gin] *n* **1.** obchod **2.** výhodná kúpa; *v* jednať sa, dohodnúť sa

**bargaining** ['ba:giniŋ] *n* vyjednávanie, handrkovanie sa

**barge** [ba:dž] riečny čln

**bark**[1] [ba:k] *bot.* kôra

**bark**[2] brechať

**barley** ['ba:li] *bot.* jačmeň

**barmaid** ['ba:meid] barmanka

**barman** ['ba:mən] barman

**barmy** [ba:mi] bláznivý, šialený, hlúpy

**barn** [ba:n] stodola

**barometer** [bəro'mitə] tlakomer

**baroque** [bə'rok] *n* barok;
*adj* barokový

**barracks** ['bærəks] kasárne

**barrage** ['bæra:ž] **1.** *(riečna)*
priehrada **2.** príval *(slov)*

**barrel** ['bærəl] sud

**barrel-organ** ['bærəl'o:gən]
verklík

**barren** ['bærən] neplodný

**barricade** ['bæri'keid] *n* ba-
rikáda; *v* zatarasiť

**barrier** ['bæriə] priehrada,
bariéra, zátarasa

**barrister** ['bæristə] advokát;
*BrE* právny zástupca, ob-
hajca

**barrow** ['bæreə] tragač, táč-
ky, fúrik

**barter** ['ba:tə] vymeniť • vý-
menný obchod

**base** [beis] *n* základňa; *v* za-
kladať; *adj* nízky; podlý

**based** [beisd] založený

**baseless** [beizles] neopod-
statnený

**basement** ['beismənt] su-
terén

**bash** [bæš] *n* rana, úder;
dobrá zábava; *v* tresnúť

**basic** ['beisik] základný

**basin** [beisn] **1.** miska **2.**
*geol.* panva, povodie

**basis** ['beisis] základ, základ-
ňa

**bask** [ba:sk] opaľovať sa

**basket** [ba:skit] kôš

**basketball** [ba:skitbo:l] bas-
ketbal

**bass** [beis] *n* bas *(hlas)*; basa
*(hud. nástroj)*; *adj* basový

**bassoon** [bə'su:n] fagot

**bastard** ['bæstəd] *n* pank-
hart; *adj* nemanželský

**baste** [beist] *gastr.* potierať,
podlievať *(mäso a pod.)*

**bastion** [ 'bæstiən] bašta

**bat** [bæt] **1.** netopier **2.** kri-
ketová pálka

**batch** [bæč] dávka, várka

**bated** ['beitid] • *with b. breath*
so zadržaným dychom

**bath** [ba:θ] **1.** *n* kúpeľ; *take a
b.* vykúpať sa **2.** *v* kúpať
sa *(vo vani)* **3.** *adj b. tub*
vaňa **4.** *b-s pl.* kúpele

**bathe** [beið] kúpať sa *(v mo-
ri, rieke)*

**bathing cap** [beiðiŋkæp]
kúpacia čiapka

**bathingsuit** [be sju:t] plavky

**bathroom** ['ba:θru:m] kú-
peľňa

**baton** ['bætən] **1.** *(aj šport.)*
kolík **2.** taktovka **3.** obu-
šok

**batter¹** [bætə] tĺcť, rozbiť,
mlátiť; *b-ed wives/babies*
týrané ženy/deti

**batter²** *gastr.* palacinkové
cesto

**battery** ['bætəri] batéria;
*charge a b.* nabíjať batériu

**battle** [bætl] *voj. n* bitka; *v* bojovať; *b. dress* uniforma

**battlefield** [ˈbætlfiːld] bojisko

**bawdy** [ˈboːdi] vulgárny

**bawl** [boːl] revať, hulákať

**bay** [ˈbei] 1. záliv 2. výklenok 3. oddelenie, kója

**bay leaf** [bei liːf] bobkový list, vavrín

**bay-window** [bei ˈwindəu] arkierové okno

**BBC** [biːbiːsiː] (= **British Broadcasting Corporation**) Britská rozhlasová spoločnosť

**BC** [ˈbiːsiː] (= **before Christ**) pred naším letopočtom

**be\*** [biː] byť, existovať; *b. in* byť doma, *b. out* byť preč, *b. off* odísť, *b. up,* končiť, *b. over* skončiť sa

**beach** [biːč] pláž

**beacon** [ˈbiːkən] 1. signál 2. pobrežný maják

**bead** [biːd] guľôčka, korálik

**beachwear** [biːčweə] oblečenie na pláž

**beak** [biːk] zobák

**beam** [biːm] *n* 1. trám 2. lúč, zväzok lúčov 3. rameno *(váh)* 4. široký úsmev 5. šírka *(lode)*; *v* žiariť; vysielať *(o rádiu)*

**bean** [biːn] 1. bôb, fazuľa 2. zrno

**bear¹** [beə] medveď

**bear²\*** [beə] 1. nosiť, znášať, trpieť 2. rodiť

**bearable** [beərəbl] znesiteľný

**beard** [biəd] *(mužská)* brada

**bearing** [ˈbeəriŋ] 1. správanie 2. ložisko 3. smer, azimut, orientácia

**beast** [biːst] zviera; šelma

**beat¹\*** [biːt] 1. tĺcť, biť, šľahať 2. poraziť *(niekoho)*

**beat²** [biːt] 1. tlkot; tep; takt 2. obchôdzka

**beaten** *see* **beat\***

**beatify** [biˈætifai] *cirk.* blahorečiť

**beautician** [ˈbjutišən] kozmetik, kozmetička

**beautiful** [ˈbjuːtifl] krásny

**beauty** [ˈbjuːti] 1. kráska 2. krásavica; *b. parlour/shop* kozmetický salón

**beaver** [ˈbiːvə] bobor

**beaver-rat** [ˈbiːvəræt] ondatra

**became** *see* **become\***

**because** [biˈkoz] pretože, lebo; *b. of* kvôli, pre

**beckon** [ˈbekən] kývnuť, dávať znamenie

**become\*** [biˈkam ] 1. stať sa *(čímsi)* 2. pristať, slušať

**bed** [bed] 1. posteľ; *go to b.* ísť spať 2. záhon 3. riečisko, dno, koryto

**bed-clothes/-linen** [bed-kləuðz/linin] posteľná bielizeň

**bedding** [bediŋ] posteľná bielizeň, posteľoviny

**bedlam** [bedləm] trma-vr-ma

**bedroom** [bedrum] spálňa

**bedside table** [bedsaid te-ibl] nočný stolík

**bee** [bi:] včela

**beef** [bi:f] hovädzie mäso

**beefsteak** [ˈbi:fsteik] biftek

**beehive** [bi:haiv] úľ

**beech** [bi:č] bot. buk

**been** see **be***

**beer** [beə] pivo

**beet** [bi:t] repa

**beetle** [bi:tl] chrobák

**beetroot** [bi:tru:t] cukrová repa

**before** [biˈfo:] adv skôr, predtým; pred; conj (skôr) ako

**beforehand** [biˈfo:hænd] vopred, dopredu

**beg** [beg] 1. prosiť 2. žobrať

**began** see **begin***

**beggar** [ˈbegə] žobrák

**begin*** [biˈgin] začať

**beginner** [biˈginə] začiatočník

**beginning** [biˈginiŋ] začiatok

**begrudge** [biˈgradž] nepriať, nerád dávať/vidieť

**begun** see **begin***

**behalf** [biˈha:f] on/in b. of v mene (niekoho), kvôli (niekomu)

**behave** [biˈheiv] správať sa; b. on správať sa slušne

**behaviour** [biˈheivjə] správanie

**behead** [biˈhed] sťať (hlavu)

**beheld** see **behold***

**behold*** [biˈhəuld] (u)vidieť, zazrieť

**behind** [biˈhaind] (presne) za; adv vzadu, pozadu

**being** [ˈbi:iŋ] 1. bytie 2. bytosť, tvor; a human b. ľudská bytosť, človek

**belated** [biˈleitid] oneskorený, zastihnutý nocou

**belch** [belč] 1. vyvrhovať, chrliť 2. grgať

**beleaguer** [biˈli:gə] obliehať (mesto)

**belfry** [ˈbelfri] zvonica

**belief** [biˈli:f] viera

**believe** [biˈli:v] 1. veriť 2. myslieť, domnievať sa

**belittle** [biˈlitl] podceňovať

**bell** [bel] 1. zvon, zvonec 2. spiežovec

**belligerent** [biˈlidžərənt] bojachtivý, agresívny

**bellow** [ˈbələu] 1. bučať 2. b-s pl. mechy (kováčske, organu)

**belly** [ˈbeli] hovor. brucho

**bellybutton** pupok

**belong** [biˈloŋ] prináležať, patriť

**belongings** [biˈloŋiŋz] *pl.* majetok

**beloved** [biˈlavd] milovaný

**below** [biˈləu] *adv* dole; *prep* pod

**belt** [belt] **1.** pás, opasok **2.** pásmo

**bench** [benč] lavica, lavička

**bend*** [bend] *v* ohnúť (sa); *n* ohyb; oblúk

**beneath** [biˈni:θ] *prep* pod; *adv* dole

**beneficial** [ˈbeniˈfišl] užitočný; blahodarný

**benefit** [benifit] úžitok, prospech; *unemployment b.* podpora v nezamestnanosti; *b. concert* dobročinný koncert

**benevolent** [biˈnevələnt] láskavý, zhovievavý

**benign** [beˈnain] **1.** láskavý, dobrotivý **2.** benígny

**bent¹** [bent] *see* **bend***

**bent²** *adj* **1.** náchylný **2.** *n* skorumpovaný; *n* sklon

**bereaved** [biˈri:vd] trúchliaci, pozostalí

**beret** [ˈberei] baretka

**berry** [ˈberi] bobuľa

**berth** [bə:θ] **1.** lôžko v kabíne **2.** *(nákl.)* prístavisko

**beside** [biˈsaid] vedľa, pri

**besides** [biˈsaidz] okrem toho, mimo

**besiege** [biˈsi:dž] obliehať

**besom** [ˈbi:zm] metla

**best** [best] *adj* najlepší; *adv* najlepšie

**bestow** [biˈstəu] venovať, udeliť *(titul)*

**bet*** [bet ] *v* stavit sa; *n* stávka

**betray** [biˈtrei] zradiť

**better** [betə] *adj* lepší; *adv* lepšie; *he is b.* je mu lepšie; *I am getting better* darí sa mi

**between** [biˈtwi:n] medzi *(dvoma)*

**beverage** [ˈbevəridž] nápoj

**beware** [biˈweə] *b. of* dať si pozor (na)

**bewilder** [biˈwildə] zmiasť

**bewitch** [biˈwič] očariť, u/očarovať

**beyond** [biˈjond] *adv* na druhej strane; *prep* za, nad; *b. belief* na neuverenie

**bias** [ˈbaiəs] *n* predpojatosť; *v* byť predpojatý, zaujatý, ovplyvniť

**biased** [ˈbaiəst] predpojatý, zaujatý

**biathlon** [ˈbaiæθlən] biatlon

**bib** [bib] podbradník

**Bible** [ˈbaibl] biblia

**bicycle** [ˈbaisikl] bicykel

**bid\*** [bid] *n* snaha, pokus; *v*
**1.** pokúšať sa **2.** navrhnúť
cenu

**bidding** [ˈbidiŋ] *n* licitácia

**big** [big] veľký; populárny; *a*
*b. name* známe meno

**bike** [baik] *n hovor.* bicykel;
*v* ísť na bicykli

**bilateral** [ˈbailætərəl] dvoj-
stranný

**bilberry** [ˈbilbəri] čučoried-
ka

**bile** [bail] žlč

**biliards** [ˈbiˈljədz] *pl.* biliard

**bill** [bil] **1.** plagát **2.** účet **3.**
*(of change)* zmenka **4.**
predloha zákona **5.** *AmE*
bankovka

**billboard** [ˈbilbo:d] plagáto-
vacia plocha

**billingual** [baiˈlinguəl] dvoj-
jazyčný

**billion** [ˈbiljən] **1.** bilión **2.**
*AmE* miliarda

**bin** [bin] nádoba na smeti

**bind\*** [baind] zviazať, spo-
jiť; spútať; obrúbiť • *b. sb.*
*over (práv.)* dať niekomu
podmienku

**binding** [ˈbaindiŋ] záväzný

**binoculars** [binokjulə] *pl. a*
*pair of b.* ďalekohľad

**biography** [baiˈogrəfi] živo-
topis

**biology** [baiˈolədži] biológia

**bird** [bə:d] vták; *b.'s-eye-*

*view* pohľad z vtáčej per-
spektívy

**birch** [bə:č] *bot.* breza

**birth** [bə:d] **1.** narodenie **2.**
vznik, pôvod; *b. certifica-*
*te* rodný list

**birthday** [bə:θdei] narode-
niny

**birthmark** [ˈbə:θma:k] ma-
terské znamienko

**birthplace** [ˈbə:θpleis] mies-
to narodenia

**birthrate** [ˈbə:θreit] pôrod-
nosť

**biscuit** [ˈbiskit] sušienka

**bishop** [ˈbišəp] **1.** biskup **2.**
*šach.* strelec

**bit¹** [bit] **1.** kúsok **2.** trocha,
troška

**bit²** *see* **bite\***

**bit³** *comp.* bit

**bite¹\*** [bait] hrýzť, (po)štípať

**bite²** [bait] **1.** pohryznutie
**2.** kúsok

**bitten** *see* **bite\***

**bitter** [bitə] **1.** horký, trpký
**2.** krutý

**black** [blæk] *adj* čierny; *b.*
*market* čierny trh; *n* **1.**
čerň **2.** černoch

**blackberry** [ˈblækbæri] čer-
nica

**blackbird** [blækbə:d] *zool.*
drozd

**blackboard** [ˈblækbo:d]
*(školská)* tabuľa

**blacken** ['blækən] **1.** černieť **2.** očierniť, ohovoriť

**blackleg** ['blækleg] **1.** štrajkokaz **2.** AmE falošný hráč

**blackmail** ['blækmeil] n vydieračstvo; v vydierať

**blackout** ['blækaut] **1.** výpadok el. prúdu **2.** dočasná strata pamäti

**blacksmith** ['blæksmiθ] kováč

**bladder** ['blædə] mechúr

**blade** [bleid] **1.** steblo **2.** čepeľ, žiletka

**blame** [bleim] n vina; v **1.** hanobiť **2.** viniť

**blank** [blæŋk] adj prázdny; nepopísaný; n prázdnota; medzera

**blanket** ['blæŋkit] prikrývka

**blare** ['bleə] vrieskať

**blast** [bla:st] n **1.** náraz vetra **2.** ťah pece; v vyhodiť do povetria

**blaze** [bleiz] n žiara; v plápolať; žiariť

**bleach** [bli:č] bieliť, odfarbiť

**bleak** [bli:k] pustý, ponurý, chmúrny

**bleat** [bli:t] bľačať

**bled** see **bleed***

**bleed*** [bli:d] krvácať

**blemish** ['blemiš] n **1.** chyba **2.** škvrna; v **1.** poškvrniť **2.** zohyzdiť

**blend*** [blend] v (z)miešať; n zmes

**bless** [bles] žehnať; velebiť

**blessing** ['blesiŋ] požehnanie; milosť

**blew** see **blow***

**blind** [blaind] adj slepý; n roleta; v oslepiť; zatieniť

**blindfold** ['blaindfəuld] so zaviazanými očami

**blink** [bliŋk] **1.** blikať **2.** žmurkať

**blinkers** ['bliŋkəz] pl. **1.** motor. smerovky **2.** klapky na oči

**blip** [blip] pripnutie, cvaknutie

**blister** ['blistə] pľuzgier

**blizzard** ['blizəd] snehová búrka, metelica

**bloated** ['bləutid] **1.** zdutý **2.** nadutý; b. with pride nadutý pýchou

**block** [blok] n **1.** klát **2.** blok domov; b. of flats činžiak; v zatarasiť, blokovať

**blockade** [blo'keid] n blokáda; v blokovať

**blockhead** ['blokhed] hlupák, ťulpas

**block-letters** [blok letəz] pl. verzálky, paličkové písmo

**blond(e)** [blond] plavý, svetlý, blond

**blood** [blad] krv, in cold b.

chladnokrvne; *b. pressure* krvný tlak; *b. count* krvný obraz

**blood-shed** [ bladšed ] krviprelievanie

**blood-stained** [blod steind] zakrvavený, krvavý

**bloodthirsty** [ˈbladˈθəːsti] krvilačný

**blood-vessel** [ˈbladˈvesl] cieva

**bloody** [ˈbladi] 1. krvavý 2. *expr.* prekliaty

**bloom** [bluːm] *n* kvet; *v* kvitnúť

**blossom** [ˈblosəm] *n* kvet/kvety (*na strome, kríku*); *v* kvitnúť

**blot** [blot] *n* škvrna, machuľa; *v* poškvrniť, pošpiniť; *b. out* zatrieť

**blotchy** [bločí] fľakatý, škvrnitý

**blotting paper** [ˈblotiŋˈpeipə] pijak

**blouse** [blauz] blúza

**blow**[1] [ bləu] rana, úder

**blow**[2]* [bləu] duť, fúkať; *b. o's nose* vysiakať sa ; *b. out* sfúknuť, zahasiť; *b. up* vyhodiť do vzduchu

**blow-lamp** [bləu læmp] letovacia lampa

**blown** *see* **blow***

**blue** [bluː] 1. modrý 2. sklúčený, smutný

**blueprint** [ˈbluːˌprint] 1. modrotlač, indigo 2. projekt, plán

**blunder** [ˈblandə] *n (hrubý)* omyl, chyba; *v* tápať

**blunt** [blant] 1. tupý 2. neokrôchaný

**blur** [bləː] *n* škvrna; *v* rozmazať

**blush** [blaš] *n* rumenec; *v* červenať sa; hanbiť sa

**boar** [boː] diviak; brav

**board** [ boːd] *n* 1. doska 2. lepenka 3. strava; *full b.* plná penzia 4. výbor, rada; *v* 1. stravovať (sa) 2. nalodiť sa

**boarding pass** [ˈboːdiŋ kaːd] palubná vstupenka

**boarding-house** penzión

**boarding-school** [ˈboːdiŋskuːl] internátna škola

**boast** [bəust] *n* pýcha; *v* pýšiť sa, chvastať sa

**boat** [bəut] 1. čln, loď 2. miska (*v tvare loďky*)

**bob** [bob] 1. trhnutie; úklon 2. krátky účes; *v* 1. poskakovať 2. nakrátko ostrihať

**bobbin** [ˈbobin] cievka (*s niťou*); *b. lace* čipka

**bobby** [bobi] *hovor.* policajt

**bodice** [ˈbodis] životík; *laced b.* šnurovačka

**body** [ˈbodi] 1. telo; *b.-building* kulturistika 2. karoséria **3.** zbor, orgán *(moci a p.)*

**bodyguard** [ˈbodigaːd] osobný strážca

**bog** [bog] bahno; močarina

**bogus** [ˈbəugəs] falošný

**boil** [boil] **1.** variť (sa) **2.** vrieť

**boiler** [boilə] kotol

**boisterous** [ˈboistərəs] búrlivý; hlučne veselý

**bold** [bəuld] **1.** odvážny, smelý **2.** bezočivý **3.** *b. type* tučne vytlačené

**bolster** [bˈəulstə] *n* podhlavník; *v* podopierat

**bolt** [bəult] *n* **1.** závora **2.** skrutka s maticou; *v* **1.** zavrieť na závoru **2.** utiecť **3.** zhltnúť *(rýchlo)*

**bomb** [bom] *n* bomba, puma; *A-b.* atómová bomba; *v* bombardovať

**bomber** [ˈbomə] bombardér

**bond** [bond] *n* **1.** puto **2.** dlhopis **3.** *v* zaistiť úpisom **4.** *b-s pl.* obligácia; cenné papiere

**bond-holder** [bondhəoldə] majiteľ dlhopisu

**bone** [bəun] kosť; *b. marrow* kostná dreň

**bonfire** [ˈbonˈfaiə] vatra

**bonnet** [bonit] **1.** čepiec **2.** *motor.* kapota **3.** rahno

**bonus** [bəunəs] prémia

**book** [buk] *n* **1.** kniha **2.** zošit; *v* **1.** zapísať do knihy **2.** účtovať **3.** rezervovať (si); objednať

**book-case** [ˈbukkeis] knižnica *(nábytok)*

**booking-office** [ˈbukiŋˈofis] *(stanič./divad.)* pokladnica

**book-keeper** [bukˈkiːpə] účtovník

**booklet** [ˈbuklit] brožúra

**bookseller** [bukˈselə] kníhkupec

**bookshop** [ˈbukšop] kníhkupectvo

**book-stall** [ˈbukstoːl] stánok, kiosk

**boom** [buːm] *n (ekon.)* rozmach, konjunktúra; *v* dunieť

**boost** [buːst] **1.** zdvihnúť **2.** oživiť; podporiť

**booster seat** detská sedačka

**boot** [buːt] **1.** *(vysoká)* topánka **2.** batož. priestor

**booth** [buː ð] búdka; kabína

**bootlace** [ˈbuːtleis] šnúrka do topánok

**booze** [buːz] *hovor.* slopať

**border** [ˈboːdə] *n* **1.** okraj **2.** pohraničie; *v* obrúbiť, ohraničiť

**bore**[1] [boː] *n* **1.** nebožiec **2.** nudný človek; *v* **1.** vŕtať **2.** nudiť sa

**bore**[2] *see* **bear\***

**born**[1] [bo:n] narodený

**born**[2] see **bear\***

**borough** [ˈbarə] obec, mesto so samosprávou

**borrow** [borəu] požičať si

**bosom** [ˈbuzəm] prsia, hruď

**boss** [bos] šéf, pán

**botanical** [botənikəl] botanický

**botany** [ˈbotəni] botanika

**both** [bəuθ] obaja, obe

**bother** [boðə] n ťažkosť; v obťažovať; trápiť

**bottle** [botl] fľaša

**bottleneck** [botlnek] hrdlo fľaše

**bottom** [ˈbotəm] dno; spodok

**bottomless** [ˈbotəmles] bezodný, nevyčerpateľný

**bough** [bau] konár

**bought** see **buy\***

**boulder** [ˈbəuldə] balvan

**bounce** [bauns] odraziť (sa); odskočiť; b. into vbehnúť do

**bouncer** [ˈbaunsə] vyhadzovač

**bound**[1] [baund] n skok; v 1. skočiť 2. ohraničiť

**bound**[2] see **bind\***

**boundary** [ˈbaundəri] hranica

**boundless** [ˈbaundles] nekonečný

**bounty** [ˈbaunti] 1. odmena 2. štedrosť

**bouquet** [ˈbukei] kytica

**bourgeois** [ˈbuəžwa:] buržoázny, meštiacky

**bow**[1] [bau] n poklona, úklon; v 1. zohnúť (sa) 2. pokloniť sa

**bow**[2] [bəu] 1. luk 2. sláčik 3. oblúk 4. stuha

**bow(s)**[3] [bəu] prova (lode)

**bowel** [bəulz] 1. črevo 2. b-s pl. vnútornosti, črevá

**bowl** [bəul] 1. misa 2. čaša 3. b-s pl. hra na tráve s drevenými guľami

**bowling** [bəuliŋ] hra s ťažkou guľou (vnútri)

**box** [boks] n 1. škatuľa 2. div. lóža 3. búdka 4. box; úder 5. bot. zimozeleň; v 1. b. sb.'s ear(s) dať zaucho 2. boxovať

**Boxing-day** [ˈboksiŋdei] druhý sviatok vianočný

**box-office** [ˈboksˈofis] pokladnica

**boy** [boi] chlapec; b. friend priateľ

**bra** [bra:] hovor. podprsenka

**bracelet** [ˈbreislit] 1. náramok 2. b-s pl. hovor. putá

**braces** [ˈbreizis] pl. traky

**branch** [bra:nč] n 1. vetva (napr. stromu, rodiny) 2. odbočka 3. odvetvie, odbor 4. pobočka, filiálka; v rozvetvovať sa, oddeľovať sa

**bracket** [ˈbrækit] *n* **1.** podpora, konzola **2.** zátvorka; *v* dať do zátvorky

**brag** [bræg] chvastať sa

**braid** [breid] *n* vrkoč; *v* zapletať *(vlasy)*

**brain** [brein] **1.** mozog **2.** *b-s pl.* rozum; intelekt; *b. drain* únik mozgov; *b. teaser* hlavolam

**brainstorming** [ˈbreinstoː-miŋ] intenzívna diskusia *(napr. za úč. vymýšľania nápadov)*

**brain-washing** [ˈbreinvošiŋ] vymývanie mozgov, (de)-formovanie myslenia

**brake** [breik] *n* brzda; *v* brzdiť

**brand** [br nd] *n* **1.** značka tovaru **2.** *(vypálené )* znamenie; *v* **1.** vypáliť znamenie **2.** označiť; *b. new* úplne nový

**brandy** [ˈbrændi] koňak

**brass** [braːs] *n* mosadz; *adj* mosadzný; *b. band* dychový orchester

**brave** [ˈbreiv] *adj* statočný; *v* vzdorovať niečomu

**bravery** [ˈbreivəri] statočnosť

**brawny** [ˈbroːni] silný, svalnatý

**breach** [briːč] **1.** prielom, trhlina **2.** porušenie, nedodržanie **3.** prerušenie

**bread** [bred] **1.** chlieb; *b. and butter* chlieb s maslom **2.** *pren.* živobytie

**breadth** [bredθ] šírka

**bread-winner** [ˈbredˈwinə] živiteľ rodiny

**break¹** [breik] prestávka

**break²\*** [breik] *v* **1.** zlomiť (sa), rozbiť (sa), pretrhnúť (sa); *b. down* zrútiť sa **2.** porušiť, nedodržať **3.** *(aj b. off)* prerušiť **4.** prekonať rekord **5.** šetrne oznámiť **6.** skrotiť; *b. out* vypuknúť; *b. up* **1.** *(o schôdzi)* rozísť sa **2.** *(o škole)* končiť sa **3.** *(o počasí)* meniť sa; *n* zrútenie, kolaps; havária

**breakable** [ˈbreikəbl] krehký

**breakage** [ˈbreikidž] zlomenie, poškodenie

**breakfast** [ˈbrekfəst] raňajky

**break-neck** [ˈbreiknek] krkolomný, nebezpečný

**breakwater** [ˈbreik‚woːtə] vlnolam

**breast** [brest] prsia, hruď; *b. stroke* prsia *(plav štýl)*

**breath** [breθ] dych, dýchanie

**breathe** [briːð] dýchať

**breathless** [ˈbreθlis] bez dychu, zadychčaný

**bred** see **breed***
**breed**[1] [ bri:d] **1.** plemeno **2.** rasa **3.** druh
**breed**[2]* [bri:d] **1.** plodiť, rodiť **2.** pestovať **3.** vychovať
**breeze** [bri:z] vánok
**brevity** [ˈbreviti] stručnosť
**brew** [bru:] variť pivo
**brewery** [ˈbru:əri] pivovar
**bribe** [braib] *n* úplatok; *v* podplácať
**bribery** [braibəri] korupcia
**brick** [brik] tehla
**bricklayer** [ˈbrikˈlaiə] murár
**bride** [braid] nevesta
**bride(s)maid** [ˈbridsmeid] družička
**bridegroom** [ˈbraidgru:m] ženích
**bridge** [bridž] **1.** most, mostík **2.** *kart.* bridž
**bridle** [braidl] uzda
**brief** [bri:f] *adj* krátky, stručný; *v* informovať, dať inštrukcie
**brief-case** [ˈbri:fkeis] aktovka
**briefing** [ˈbri:fiŋ] krátka inštrukcia, schôdzka
**briefly** [ˈbri:fli] krátko
**bright** [brait] **1.** jasný **2.** veselý **3.** bystrý **4.** pestrý, živý
**brighten** [braitn] vyjasniť sa
**brillant** [ˈbriljənt] *adj* skvelý, žiarivý; *n* briliant

**brim** [brim] okraj
**brine** [brain] *(slaný)* nálev
**bring*** [briŋ] priniesť; *b. about* spôsobiť; *b. to an end* ukončiť; *b. sb. up* vychovať
**brink** [briŋk] okraj zrázu
**brisk** [brisk] živý, čulý
**brisket** [ˈbriskət] *gastr.* hovädzie mäso, rebro
**bristle** [bristl] *n* štetina; *v* ježiť sa
**brittle** [britl] krehký
**broad** [brəud] široký
**broadcast** [ˈbro:dka:st] *v* vysielať rozhlasom; *n* **1.** rozhlas **2.** vysielanie
**broaden** [bro:dən] rozšíriť sa
**broadminded** [ˌbro:dˈmaindid] znášanlivý, tolerantný, liberálny
**broach** [brouč] **1.** naraziť sud **2.** dať na pretras, zaviesť reč na niečo
**broke** see **break***
**broken** see **break***; *adj b. promise* porušený sľub; *b. health* podlomené zdravie; *speak b. English* hovoriť lámanou angličtinou
**broken-down** polámaný, pokazený
**broker** [brəukə] maklér
**bronchitis** [ˈbroŋˈkaitis] zápal priedušiek, bronchitída

**bronco** [brɘnkɘn] (polo)divoký kôň

**bronze** [bronz] n bronz; adj bronzový

**brooch** [brɘuč] brošňa

**brook** [ bruk] potok

**broth** [broθ] mäsový vývar

**brother** [ˈbraðɘ] brat

**brother-in-law** [ˈbraðɘrinlo:] švagor

**brotherhood** [ˈbraðɘhud] bratstvo

**brought** see **bring***

**brow** [brau] 1. obočie 2. poet. čelo

**brown** [braun] hnedý; b. bread čierny chlieb; b. paper baliaci papier

**browse** [brauz] 1. pásť sa 2. listovať, prezerať si (tovar)

**bruise** [bru:z] n sinka, hrča; v udrieť, potĺcť

**brunch** [branč] raňajky aj obed v jednom

**brush** [braš] n 1. kefa 2. štetec, štetka; v 1. kefovať 2. natrieť • b. up upraviť sa; zdokonaliť (reč)

**Brussels sprout** [brasl spraut] ružičkový kel

**brutal** [ˈbru:tl] brutálny, surový

**brute** [bru:t] zviera, hovädo

**bubble** [babl] n bublina; v bublať

**buck** [bak] 1. samec (antilo-

py a srnca) 2. AmE slang. dolár

**bucket** [bakit] vedro, kýblik

**buckle** [bakl] sponka, pracka

**buck-skin** [ˈbakskin] jelenica (koža)

**buckwheat** [bakwi:t] pohánka

**bud** [bad] n 1. púpä, púčik 2. zárodok; v 1. pučať, klíčiť 2. bot. očkovať

**buddy** [ˈbadi] AmE hovor. kamarát

**budge** [badž] hýbať sa, pohnúť sa

**budgerigar** [ˈbadžɘriga:r] andulka

**budget** [badžit] rozpočet; b. account sporožíro

**buffalo** [ˈbafɘlɘu] byvol, americký bizón

**buffer** [bafɘ] nárazník

**buffet** [ˈbufei] bufet, švédsky stôl

**bug** [bag] 1. ploštica, pren. odpočúvacie zariadenie 2. AmE chrobák

**build*** [ˈbild] stavať; b. up vybudovať

**building** [ˈbildiŋ] 1. budova 2. stavba

**built** see **build***

**bulb** [balb] 1. hľuza 2. žiarovka

**bulk** [balk] 1. lodný náklad

**2.** množstvo, väčšina **3.** objem

**bulky** [balki] objemný

**bull** [bul] býk, bujak

**bullet** [bulit] guľka, strela

**bulletin** [bulitin] správa, bulletin; *b. board* nástenka

**bullet-proof** neprestreľný

**bullfight** [bulfait] býčí zápas

**bullshit** [bulšit] *hovor.* blbosť, somarina

**bully** [buli] *n* **1.** tyran, osoba, ktorá šikanuje **2.** *šport.* vhadzovanie; *v* zastrašovať, tyranizovať

**bumble-bee** [bamblbi:] čmeliak

**bump** [bamp] *n* **1.** rana, náraz **2.** hrča; *v* naraziť

**bumper** [bampə] *AmE* nárazník

**bun** [ban] žemľa *(sladká)*

**bundle** [bandl] balík

**bungalow** [baŋgələu] **1.** chata **2.** rodinný domček

**bunch** [banč] **1.** zväzok, chumáč **2.** kytica

**bunk(bed)** [baŋk] pričňa; poschodová posteľ

**buoy** [boi] **1.** bója **2.** záchranný pás

**burden** [bə:dn] *n* bremeno; *v* **1.** zaťažiť **2.** naložiť

**bureau** [bjuə'rəu] úrad; kancelária

**bureaucracy** [bjuə'rokrəsi] byrokracia

**burger** [bə:gə] fašírka

**burglar** [bə:glə] zlodej, vlamač

**burglary** [bə:gləri] vlámanie

**burial** [beriəl] pohreb

**burn\*** [bə:n] *v* **1.** horieť **2.** páliť **3.** popáliť; *n* popálenina; *b-ed out* vyhorený

**burnish** [bə:niš] leštiť *(kov)*

**burnt** *see* **burn\***

**burp** [bəp] *hovor.* grgať

**bursar** [bə:sə] **1.** pokladník **2.** kvestor univerzity **3.** *(univerzitný)* štipendista

**burst\*** [bə:st] prsknúť, puknúť

**bury** [beri] **1.** pochovať **2.** zakopať

**bus** [bas] autobus

**bush** [ buš] ker, krík

**bushel** [bušl] dutá miera (36,4 l)

**business** [biznis] **1.** zamestnanie **2.** záležitosť **3.** povinnosť **4.** obchod

**businessman** [biznismən] obchodník

**bust** [bast] *n* **1.** poprsie **2.** busta **3.** bankrot, pokles; *v* **1.** zlámať **2.** zničiť **3.** *go b.* zbankrotovať

**bustle** [basl] *n* ruch; *v* **1.** pobiehať **2.** usilovať sa, snažiť sa

**bust-up** [ˈbastap] *(hlasná)* škriepka, rozchod

**busy** [ˈbizi] **1.** zaneprázdnený; *be b.* mať veľa práce **2.** živý, čulý, rušný **3.** obsadený *(telefón)*

**but** [bat] *conj* ale, však; *adv* len; *prenes.* okrem; *b. all* skoro, takmer; *b. for* bez; *last b. one* predposledný

**butcher** [ˈbučə] mäsiar

**butler** [ˈbatlə] lokaj

**butter** [ˈbatə] maslo

**butterfly** [ˈbatəflai] motýľ

**buttock(s)** [ˈbatək] zadok

**button** [batn] *n* gombík; *b. up* zapnúť (sa), pozapínať

**buttonhole** [ˈbatnhoul] gombíková dierka

**buttress** [ˈbatris] *n* opora, podpera; *v* podoprieť

**buxom** [ˈbaksəm] *(žena)* kyprá, baculatá

**buy\*** [ bai] kúpiť; *I'll b. it* to ti verím; *I won't b. that!* na to ti nenaletím! • *b. pig in a poke* kúpiť mačku vo vreci

**buyer** [baiə] kupec, nákupca

**buyout** [ˈbaiaut] skúpenie *(väčšinového podielu)*

**buzz** [baz] *n* bzukot; *v* bzučať

**buzzard** [ˈbazəd] *zool.* kaňa, jastrab

**buzzsaw** [ˈbazsə:] *hovor.* cirkulárka

**buzzer** [ˈbazer] bzučiak, zvonček

**by** [bai] *adv* vedľa; *prenes.* pri, okolo, do, podľa, pomocou; *b. and b.* onedlho; *b. day* vo dne; *one b. one* jeden po druhom; *b. the way* mimochodom; *b. land* po zemi; *b. now* doposiaľ; *put sth. by* odložiť si niečo *(bokom)* pre prípad potreby; *stop/come by* (pri)staviť sa

**bye(-bye)** [bai(-bai)] zbohom

**bygone** [ˈbaigon] **1.** *(dávno)* uplynulý, minulý **2.** *(už)* nepoužívaný; *let b-s be b-s* čo bolo, bolo

**bypass** [ˈbaipas] **1.** obchádzka **2.** *lek.* premostenie poškodenej cievy

**by-product** [baiˈprodəkt] vedľajší produkt

**bystander** [ˈbai,stendə] divák *(obyč. náhodný)*

**byte** [bait] reťazec 8 bitov

**byway** [ˈbaiwei] vedľajšia cesta

**byword** [ˈbaiwə:d] **1.** symbol, typický príklad, stelesnenie **2.** príslovie

# C

**c/o** (= care of) *abbr.* na adresu *(niekoho)*; bytom u...

**cab** [kæb] taxík

**cabbage** [ˈkæbidž] hlávková kapusta; kel

**cabin** [ˈkæbin] **1.** chatrč, chalúpka **2.** kajuta, kabína

**cabinet** [ˈkæbinit] **1.** izbička, kabinet **2.** kabinet, vláda **3.** skrinka, vitrína

**cable** [ˈkeibl] *n* **1.** lano **2.** kábel **3.** telegram; *v* telegrafovať

**cable-car** [keibl ka:] lanovka

**cabman** [ˈkæbmən] taxikár

**cacao** [kəˈka:əu] kakaovník

**caddie** [ˈkædi] nosič palíc *(pri golfe)*

**café** [ˈkæfei] kaviareň

**cafeteria** [ˈkæfiˈtiəriə] samoobslužná reštaurácia, kantína

**cage** [keidž] *n* klietka; *v* zatvoriť do klietky

**cake** [keik] koláč, múčnik, torta

**calamity** [kəˈlæmiti] pohroma

**calculate** [ˈkælkjuleit] počítať, vypočítať; *c. on* spoliehať sa na

**calculation** [ˈkælkjuˈleišn] výpočet

**calendar** [ˈkælində] kalendár

**calf** [ka:f] **1.** teľa **2.** lýtko

**call** [ko:l] *n* **1.** volanie **2.** telefónny hovor **3.** návšteva; *v* **1.** volať, telefonovať **2.** navštíviť **3.** kričať **4.** nazývať; *c. attention to* upozorniť na; *c. for* **1.** vyžadovať **2.** zastaviť sa po; *c. off* odvolať; *c. on* navštíviť; *c. up* **1.** povolať na vojnu **2.** zavolať, zatelefonovať

**caller** [ˈko:lə] **1.** telefonujúci **2.** návštevník

**calling card** [ko:liŋ ka:d] vizitka, navštívenka

**callous** [ˈkæləs] bezcitný; človek s hrošou kožou

**callow** [ˈkæləu] neoperený

**calm** [ka:m] *adj* tichý, pokojný; *n* ticho, pokoj; *v* upokojiť (sa), *c. down* utíšiť sa

**calorie** [ˈkæləri] kalória

**calumny** [ˈkæləmni] ohováranie

**camcorder** [kæmˈko:də] videokamera

**came** *see* **come***

**camel** [ˈkæməl] ťava

**camera** [ˈkæmərə] fotografický aparát, kamera

camouflage [ˈkæmufla:ž] *n* kamufláž, maskovanie; *v* zamaskovať

camp [kæmp] *n* tábor; *v* táboriť

campaign [kæmˈpein] 1. vojenské ťaženie 2. kampaň

campfire [ˈkæmpfaiə] táborák

can¹* [kæn, kən] 1. môcť *(byť schopný)* 2. môcť *(smieť)* 3. vedieť

can² [kæn] *n* 1. kanvica 2. plechovka 3. *AmE* konzerva; *v* konzervovať

canal [ kəˈnæl] *(umelý)* kanál, prieplav

canary [ˈkəneəri] kanárik

cancel [ˈkænsl] prečiarknuť, zrušiť; odvolať

cancer [ˈkænsə] rakovina

candid [ˈkændid] úprimný

candidate [ˈkændideit] kandidát

candle [ˈkændl] sviečka

cane [ kein] 1. trstina 2. palica 3. trstenica

cannibal [ˈkænibəl] ľudožrút

cannon [ˈkænən] delo

cannot [ˈkænot] nemôcť, nevedieť, nedokázať

canoe [kəˈnu:] kanoe

canoeing [kəˈnu:iŋ] kanoistika

cant¹ [kənt] hovoriť pokrytecky

cant² sklon, šikmá plocha; okraj

canteen [kæˈnti:n] kantína, jedáleň *(závodná, školská, vojenská)*

canvas [ˈkænvəs] 1. maliarske plátno 2. lodná plachta

canvass [ˈkænvəs] agitovať

canvassing [ˈkænvəsiŋ] *polit.* predvolebná agitácia

canyon [ˈkænjən] kaňon

cap [kæp] 1. čiapka 2. viečko, uzáver

capability [ˈkeipəˈbiliti] schopnosť

capacity [kəˈpæsiti] 1. kapacita 2. obsah *(množstvo/objem)* 3. funkcia; *in the c. of* ako, vo funkcii

cape [keip] mys

capital [ˈkæpitl] *n* 1. hlavné mesto 2. kapitál; *adj* 1. hlavný 2. hrdelný *(trest)*; *c. letter* veľké písmeno; *c. assets* kapitál, imanie

capitalism [ˈkæpitəlizəm] kapitalizmus

capitalist [ˈkæpitəlist] *n* kapitalista; *adj* kapitalistický

capitulate [kəˈpitjuleit] kapitulovať, vzdať sa

capricious [ kəˈprišəs] vrtošivý, náladový

**Capricorn** [ˈkæpricoːn] as-
tron. Kozorožec

**capsize** [kæpˈsaiz] prevrh-
núť (sa)

**captain** [ˈkæptin] kapitán

**caption** [ˈkæpšən] legenda,
titulok (k obrázku a pod.)

**captivate** [ˈkæptiveit] okúz-
liť, fascinovať

**captive** [ˈkæptiv] n zajatec;
adj zajatý

**capture** [ˈkæpčə] n 1. zaja-
tie 2. dobytie; v 1. chytiť,
zajať 2. upútať (pozornosť)

**car** [kaː] 1. auto 2. voz 3.
AmE vagón; c. park 1. par-
kovisko 2. AmE kryté par-
kovisko

**caravan** [ˈkærəˈvæn] 1. ka-
ravána 2. obytný voz

**caraway** [ˈkærəwei] rasca

**carbon** [ˈkaːbən] uhlík; c.
copy kópia, prepis

**carburettor** [ˈkaːbjuretə]
karburátor

**card** [kaːd] 1. karta 2. vizit-
ka 3. pohľadnica; post-c.
korešpodenčný lístok;
identity c. preukaz, legiti-
mácia

**cardboard** [ˈkaːdboːd] le-
penka, kartón

**cardigan** [ˈkaːdigən] sveter
(na zapínanie)

**cardinal** [ˈkaːdinl] 1. zá-
kladný; najdôležitejší 2.

c. points pl. svetové strany
3. cirk. kardinál

**care** [keə] n starosť; starost-
livosť; c. of na adresu; ta-
ke c. of dávať pozor na; v
starať sa, dbať; I don't c.
nedbám, je mi to jedno

**career** [kəˈriə] 1. kariéra, ži-
votná dráha

**careful** [ˈkeəful] 1. starostli-
vý 2. opatrný

**careless** [ˈkeəlis] 1. bezsta-
rostný 2. nedbanlivý

**caress** [kəˈrəs] n pohladka-
nie; v hladkať, maznať sa

**care-taker** [ˈkeəˈteikə] 1. do-
movník 2. strážca, kustód

**cargo** [ˈkaːgəu] lodný ná-
klad

**carnation** [kaːˈneišən] bot.
klinček, karafiát

**carnage** [ˈkaːnidž] masaker,
krviprelievanie

**carnal** [ˈkaːnl] telesný, živo-
číšny

**carnival** [ˈkaːnivl] karneval

**carnivorous** [ˈkaːnivərəs]
mäsožravý

**carol** [ˈkærəl] koleda

**carp** [kaːp] kapor

**carpenter** [ˈkaːpintə] tesár

**carpet** [ˈkaːpit] koberec

**carriage** [ˈkæridž] 1. voz,
koč 2. železničný vozeň

**carriageway** [ˈkæridžwei]
vozovka, dráha

**carrier** [ˈkærieə] **1.** nosič; nositeľ **2.** dopravca

**carrot** [ˈkærət] mrkva

**carry** [ˈkæri] nosiť; *c. on* pokračovať; *c. out* uskutočňovať, vykonávať

**carry-over** *fin.* prenos, prevod; *mat.* zvyšok

**cart** [ka:t] kára, vozík

**cartoon** [ka:ˈtu:n] karikatúra; *fil.* kreslený film

**cartridge** [ˈka:tridž] **1.** nábojnica, náboj **2.** kazeta, náplň

**carve** [ka:v] **1.** krájať **2.** vyrezávať

**carver** [ˈka:və] rezbár

**case** [keis] **1.** prípad; *in c.* ak; *in any c.* v každom prípade **2.** súdny spor **3.** *gram.* pád **4.** puzdro **5.** škatuľa, debna

**cash** [kæš] *n* hotové peniaze, hotovosť; *v* **1.** preplatiť **2.** inkasovať

**cash-box** [kæš boks] pokladňa

**cash dispenser** bankomat; *AmE* ATM

**cashier** [kæˈšiə] pokladník

**cask** [ka:sk] sud

**casket** [ˈka:skit] **1.** kazeta **2.** *AmE* truhla

**casserole** [ˈkæsəˈrəul] **1.** hrniec s pokrievkou **2.** dusené mäso so zeleninou

**cast¹\*** [ka:st] **1.** hádzať **2.** odliať **3.** obsadiť *(rolu)*

**cast²** [ka:st] *n* odliatok; *adj c. iron* liatina; *plaster c.* sádra

**castaway** [ˈka:stəwei] stroskotanec

**caste** [ka:st] kasta

**castle** [ka:sl] hrad, zámok

**casual** [ˈkæžjuəl] **1.** náhodný, príležitostný **2.** nenútený, neformálny *(o oblečení)*

**casualty** [ˈkæžuəlti] **1.** *(vážna)* nehoda, nešťastie **2.** zranený, poškodený **3.** úrazové oddelenie v nemocnici

**cat** [kæt] mačka

**cataract** [kætərækt] šedý zákal

**catarrh** [kəˈta:] *lek.* katar

**catastrophe** [kəˈtæstrəfi] katastrofa

**catch\*** [kæč] *v* **1.** chytiť, stihnúť **2.** pochopiť; *c. fire* vznietiť sa, vzplanúť; *c. cold* prechladnúť; *n* úlovok, korisť

**catching** [kečiŋ] nákazlivý, prenosný

**category** [ˈkætigəri] kategória

**cater** [ˈkeitə] **1.** zásobovať potravinami **2.** *obraz.* starať sa

**catering** [ˈkeitəriŋ] dodávanie občerstvenia

**caterpillar** [ˈkætəpilə] húsenica

**catfish** [ˈkætfiš] sumec

**cathedral** [kəˈθiːdrəl] katedrála

**cathode** [ˈkæθəud] katóda

**catholic** [ˈkæθəlik] katolícky; *n* C. katolík

**cattle** [ˈkætl] dobytok

**catwalk** [ˈkætwoːk] mólo

**caught** *see* **catch***

**cauliflower** [ˈkoliflauə] karfiol

**cause** [koːz] *n* 1. príčina 2. dôvod 3. súdny spor, vec; *v* 1. spôsobiť 2. zapríčiniť; *ʼcause* pretože

**caution** [ˈkoːšən] *n* 1. opatrnosť 2. výstraha; *v* varovať

**cautious** [ˈkoːšəs] opatrný, obozretný

**cavalary** [kævəlri] kavaléria, jazda; obrnená jednotka

**cave** [keiv] jaskyňa

**cavern** [ˈkævən] jaskyňa

**cavity** [ˈkæviti] dutina

**cease** [siːz] 1. prestať 2. zastaviť

**ceaseless** [ˈsiːslis] neustály

**cede** [siːd] *sth. to sb.* postúpiť niekomu niečo

**ceiling** [ˈsiːliŋ] povala, strop

**celebrate** [ˈselibreit] oslavovať

**celebration** [ˈselibreišən] oslava

**celebrity** [silebriti] slávna osobnosť, celebrita

**celery** [ˈseləri] zeler

**celestial** [siˈlestiəl] nebeský; *c. bodies* nebeské telesá

**cell** [sel] 1. cela 2. bunka; *cell phone* mobilný telefón

**cellar** [ˈselə] pivnica

**cellular** [ˈseljulə] bunkový

**cemetery** [ˈsemətri] cintorín

**censorship** [ˈsensəšip] cenzúra

**censure** [ˈsenšə] *n* 1. hana 2. výčitka, kritika; *v* 1. haniť; karhať 2. odsudzovať

**census** [ˈsensəs] sčítanie ľudu

**cent** [sent], cent stotina dolára *(minca)*

**centenary** [senˈtiːnəri] storočnica

**centipede** [ˈsentipiːd] stonožka

**central** [ˈsentrəl] 1. stredný 2. ústredný; *c. heating* ústredné kúrenie

**centre**, *AmE* **center** [ˈsentə] 1. stred 2. stredisko 3. ústredie

**century** [ˈsenčəri] storočie

**ceramic** [siræmik] *adj* keramický; *n* c-s *pl.* keramika

**cereal** ['siəriəl] **1.** obilnina **2.** potravina z obilnín

**ceremony** ['serəməni] obrad, ceremónia

**certain** ['sə:tn] **1.** istý **2.** určitý; *be* c. byť presvedčený; *for* c. určite

**certainly** ['sə:tnli] iste, zaiste, nepochybne

**certificate** [sə'tifikeit] **1.** osvedčenie **2.** potvrdenie

**certify** ['sə:tifai] potvrdiť

**certitude** [sə:titju:d] istota

**cessation** [se'seišən] zastavenie, prerušenie

**cesspit** [sespit] žumpa

**chaff** [čæf] plevy

**chain** [čein] *n* reťaz; *v* spútať

**chair** [čeə] **1.** stolička **2.** katedra **3.** predsedníctvo

**chair-lift** ['čeəlift] sedačková lanovka

**chairman** ['čeəmən] predseda

**chalet** ['šælei] horská chata

**chalice** ['čælis] kalich

**chalk** [čo:k] krieda

**challenge** ['čælindž] *n* výzva; *v* **1.** vyzvať **2.** vzdorovať **3.** popierať

**chamber** ['čeimbə] **1.** sieň **2.** snemovňa, komora

**chamber-maid** ['čeimbə'-meid] chyžná

**chamois** ['šæmwa:] kamzík

**champion** ['čæmpjən] **1.** majster, šampión **2.** zástanca **3.** bojovník

**championship** ['čæmpjənšip] majstrovsto

**chance** [ča:ns] *n* **1.** náhoda; *by* c. náhodou **2.** šťastie **3.** príležitosť, možnosť; *adj* náhodný

**chancellor** ['ča:nsələ] kancelár

**chandelier** ['šændi'liə] luster

**change** [čeindž] *n* **1.** zmena, premena **2.** výmena **3.** drobné; *v* **1.** meniť (sa) **2.** vymeniť (si) **3.** prezliecť sa **4.** prestúpiť

**changeable** ['čeindžəbl] premenlivý

**channel** ['čænl] **1.** *(prírodný)* prieplav, kanál

**chaos** ['keiəs] chaos, zmätok

**chap** [čæp] *hovor.* chlapík

**chapel** ['čæpl] kaplnka, kostolík

**chapter** ['čæptə] kapitola

**char** [ča:] zuhoľnatieť

**character** ['kæriktə] **1.** povaha, charakter **2.** značka, písmeno **3.** postava *(v hre)*

**charcoal** ['ča:kəul] drevené uhlie

**charge** [ča:dž] *n* **1.** náboj, nálož **2.** poplatok **3.** úkol **4.** dozor **5.** obvinenie; *be in c. of* mať na starosti; *free of c.* zadarmo; *v* **1.** nabiť *(pušku)* **2.** poveriť **3.** obviniť **4.** účtovať, počítať cenu

**charitable** [ˈčæritəbl] dobročinný

**charity** [ˈčæriti] **1.** láska k blížnemu **2.** dobročinnosť

**charm** [ča:m] *n* **1.** kúzlo, čaro **2.** pôvab; *v* okúzliť, očariť

**charming** [ˈča:miŋ] pôvabný, roztomilý

**chart** [ča:t] graf, diagram, rebríček

**charter** [ˈča:tə] *n* charta; *v* (pre)najať loď/lietadlo

**chase**[1] [čeis] *n* poľovačka; *v* **1.** poľovať **2.** prenasledovať

**chase**[2] [čeis] tepať, ryť do kovu

**chaste** [čeist] cudný

**chat** [čæt] *v* hovoriť, rozprávať (sa); *n hovor.* rozprávanie

**chatter** [ˈčætə] tárať

**cheap** [či:p] *adj* lacný; *adv* lacno

**cheat** [či:t] podvádzať

**check** [ček] *n* **1.** kontrola **2.** zadržanie **3.** šach **4.** *AmE* šek; *v* **1.** kontrolovať **2.** zadržať **3.** dať šach **4.** zatrhnúť

**check-in** [čekˈin] zapísanie, registrácia

**check-out** [čekˈaut] odhlásiť sa, výstupná kontrola

**cheek** [či:k] *n* tvár, líce; *v* byť drzý

**cheer** [čiə] *n* **1.** nálada **2.** ovácie, volanie na slávu; *v* **1.** naplniť radosťou **2.** *c. on* povzbudzovať; *ch. up* rozveseliť sa

**cheerful** [ˈčiəful] radostný, veselý

**cheerio** [ˈčiəriˈəu] **1.** *hovor.* ahoj! **2.** na zdravie! *(pri prípitku)*

**cheerleader** [ˈčiəli:ˈdə] *AmE* roztlieskavačka

**cheers** [čiəz] **1.** na zdravie! *(pri prípitku)* **2.** ďakujem **3.** dovidenia

**cheetah** [ˈči:tə] gepard

**chef** [čef] šéfkuchár

**cheese** [či:z] syr

**chemist** [ˈkemist] **1.** chemik **2.** lekárnik

**chemistry** [ˈkemistri] chémia

**cheque**, *AmE* **check** [ček] šek

**cherish** [ˈčeriš] **1.** mať rád **2.** zachovať *(pamiatku)*

**cherry** [ˈčeri] čerešňa

chess [čes] šach

chess-board [ˈčesboːd] šachovnica

chest [čest] 1. prsia, hruď, 2. debna, truhla, *c. of drawers* bielizník

chestnut [česnat] *n* gaštan; *adj* gaštanový

chew [čuː] žuvať

chewing gum [čuːiŋ gam] žuvacia guma

chicken [ˈčikin] kurča

chicken-pox [ˈčikinˈpoks] ovčie kiahne

chief [čiːf] *n* náčelník, veliteľ, šéf; *adj* hlavný

chiefly [ˈčiːfli ] hlavne

child [čaild] dieťa, *pl.* children

childbirth [ˈčaildbəːθ] pôrod

childhood [ˈčaildhud] detstvo

childish [ˈčaildiš] 1. detský 2. detinský

children *pl. od* child

chill [čil] *n* 1. chlad, zima 2. *(slabé)* prechladnutie; *adj* chladný; *v* ochladiť, schladiť

chil(l)i [ˈčili] pálivá paprička

chilly [ˈčili] chladný, mrazivý

chime [čaim] *n* zvonenie; *v* zvoniť, vyzváňať

chimney [ˈčimni] komín

chimney sweep [ˈčimniswiːp] kominár

chimpanze [ˈčimpənˈziː] šimpanz

chin [čin] brada

china [ˈčainə] *n* porcelán; *adj* porcelánový

chink [ˈčiŋk] *n* štrbina; *v* štrngať

chip [čip] *n* 1. trieska, črepina 2. *el.* čip; *c-s pl.* zemiakové lupienky, hranolky; *v* ulomiť, naštrbiť

chiropodist [kiˈropədist] pedikér

chiropractor [kairəˈpræktə] chiropraktik

chirp [čəːp] čvirikať

chisel [čizl] dláto

chivalrous [ˈšivəlrəs] rytiersky, gavaliersky

chlorine [ˈkloriːn] chlór

chocolate [ˈčoklət] čokoláda

choice [čois] *n* voľba, výber; *adj* vybraný

choir [ˈkwaiə] spevácky zbor

choke [čəuk] 1. dusiť (sa) 2. škrtiť 3. *aut.* sýtič

choose* [čuːz] vybrať ši, zvoliť si

chop [čop] *n* kotleta; *v* sekať, štiepať

chord [koːd] 1. struna 2. *mat.* tetiva 3. akord; *spinal*

*c.* miecha; *vocal c-s pl.* hlasivky

**chorus** [ˈkoːrəs] **1.** spevácky zbor **2.** refrén

**chose** *see* **choose***

**chosen** *see* **choose***

**christen** [ˈkrisn] (po)krstiť

**Christianity** [ˈkristiˈæniti] kresťanstvo

**Christmas** [ˈkrisməs] Vianoce

**Christmas Eve** [ˈkrisməsˈiːv] Štedrý večer

**chromium-plated** [ˈkrəmjəm ˈpleitid] pochrómovaný

**chronic** [ˈkronik] chronický

**chronicle** [ˈkronikl] kronika

**chronological** [ˈkronəˈlodžikl] chronologický

**chubby** [ˈčabi] bucľatý, oblý

**chuck** [ˈčak] vyhodiť, odhodiť

**chuckle** [ˈčakl] smiať sa pod fúzy

**chunk** [čaŋk] *(veľký)* kus

**church** [čəːč] **1.** kostol **2.** cirkev; *(všetci)* veriaci

**churchyard** [ˈčəːčˈjaːd] cintorín

**cider** [ˈsaidə] mušt

**cigar** [siˈgaː] cigara

**cigarette** [sigəˈret] cigareta

**cinder** [ˈsində] troska, škvára

**cinema** [ˈsinəmə] kino

**cinnamon** [ˈsinəmən] škorica

**cipher** [ˈsaifə] *n* **1.** nula **2.** šifra; *v* **1.** počítať **2.** šifrovať

**circle** [ˈsəːkl] *n* kruh, krúžok; *v* krúžiť

**circuit** [ˈsəːkit] obeh, kruh; *short c.* krátke spojenie

**circular** [ˈsəːkjulə] *adj* **1.** kruhový, **2.** okružný; *n* obežník *(tlačivo)*

**circulate** [ˈseːkjuleit] obiehať

**circulation** [ˈsəːkjuˈleišn] **1.** obeh **2.** náklad *(novín)*

**circumference** [ˈsəkamfərəns] obvod kružnice

**circumstance** [ˈsəːkəmstəns] okolnosť

**circumstantial** [ˈsəːkəmstænšəl] podrobný, rozvláčny

**circus** [ˈsəːkəs] **1.** cirkus **2.** kruhové námestie

**cistern** [ˈsistən] nádrž na vodu; cisterna

**cite** [sait] citovať

**citizen** [ˈsitizn] občan; mešťan

**city** [ˈsiti] mesto, veľkomesto; *c. hall* radnica

**civic** [ˈsivik] **1.** občiansky **2.** mestský

**civil** [ˈsivil] **1.** občiansky, civilný **2.** zdvorilý; *C.*

*Service* štátna služba/správa

**civilization** [ˈsivilaiˈzeišn] civilizácia

**clad** [klæd] oblečený; pokrytý; *iron. c.* pancierový

**claim** [kleim] *v* 1. požadovať 2. tvrdiť; *n* 1. požiadavka 2. nárok 3. tvrdenie

**clamour** [ˈklæmə] krik, hluk

**clamp** [klæmp] *n* svorka, zverák; *v* zovrieť

**clan** [klæn] rod, klan

**clandestine** [klænˈdestin] tajný, utajený, ilegálny

**clang** [klæŋ] *n* zvonivý zvuk; *v* znieť

**clap** [klæp] *n* úder, rana; *v* klopať, tlieskať

**clarify** [ˈklærifai] vyjasniť, vyčistiť

**clash** [klæš] *n* 1. štrngot 2. zrážka; *v publ.* stretnúť sa, byť v rozpore

**clasp** [kla:sp] *n* háčik, sponka; *v* upevniť, zovrieť

**class** [kla:s] *n* 1. trieda 2. vyučovacia hodina; *adj* triedny; *v* triediť, zaradiť

**classic** [ˈklæsik] *adj* klasický; *n* klasik

**classical** [ˈklæsikl] klasický *(na rozdiel od moderného)*

**classification** [ˈklæsifiˈkeišn] klasifikácia, triedenie

**classify** [ˈklæsifai] klasifikovať, (roz)triediť

**classmate** [ˈklasmeit] spolužiak

**clatter** [ˈklætə] *n* dupot, rinčanie; *v* klopkať, dupať

**clause** [klo:z] 1. klauzula 2. *lingv.* vedľajšia veta

**claw** [klo:] pazúr, klepeto

**clay** [klei] hlina, íl

**clean** [kli:n] *adj* čistý; *adv* celkom, úplne; *v* čistiť; *c. up* usporiadať, vyčistiť • *c. dealings* poctivá *(otvorená)* hra

**cleanly** [kli:nli] *adv* čisto; *adj* čistotný

**clear** [kli:ə] *adj* 1. jasný 2. zreteľný 3. netto; *v* 1. vyčistiť, vyjasniť 2. *c. away* odstrániť

**clearing** [ˈkliəriŋ] čistinka

**cleave** [kli:v] rozštiepiť (sa)

**clench** [klenč] 1. zatnúť *(päsť)* 2. silno zovrieť

**clergy** [ˈklə:dži] duchovenstvo

**clergyman** [ˈklə:džimən] duchovný, kňaz

**clerk** [kla:k] úradník

**clever** [ˈklevə] 1. múdry 2. obratný

**click** [klik] záber, šot

**client** [ˈkliənt] klient, zákazník

**cliff** [klif] útes

**climate** [ˈklaimit] podnebie

**climatic** [klaiˈmætik] klimatický

**climb** [klaim] **1.** šplhať sa **2.** stúpať; *c. down* liezť dolu

**cling\*** [kliŋ] lipnúť

**clink** [kliŋk] štrngať

**clip**[1] [klip] *n* skoba, sponka; *v* zopnúť

**clip**[2] *v* ostrihať; *n* výstrižok *(z filmu)*, klip

**cloak** [kləuk] plášť

**cloakroom** [ˈkləukˈrum] šatňa, úschovňa

**clock** [klok] hodiny

**clockwise** [ˈklokwaiz] *v* smere hodinových ručičiek

**clog** [klog] upchať (sa)

**clone** [kləun] klonovať

**close** [kləus] *adj* **1.** uzatvorený **2.** tesný **3.** dusný; *adv* blízko, tesne pri; *n* koniec, záver; *v* [kləuz] zatvoriť; ukončiť

**closet** [klozit] **1.** komôrka, skriňa *(v stene)* **2.** záchod

**closing** [kləuziŋ] *adj* záverečný, konečný

**clot** [klot] chumáč

**cloth** [kloθ] **1.** látka, súkno **2.** obrus **3.** plátno

**clothe** [kləuð] **1.** obliecť, obliekať **2.** pokryť

**clothes** [kləuðz] *pl.* **1.** šaty **2.** odevy

**cloud** [klaud] *n* mrak, oblak; *v* zatiahnuť sa, zamračiť sa

**cloudburst** [ˈklaudbə:st] prietrž mračien

**cloudless** [ˈklaudlis] bezoblačný, jasný

**cloudy** [ˈklaudi] zamračený

**clove** [kləuv] **1.** klinček *(korenie)* **2.** strúčik *(cesnaku)*

**clover** [ˈkləuvə] ďatelina

**clown** [klaun] šašo, klaun

**club** [klab] **1.** kyjak, palica **2.** klub

**clue** [klu:] kľúč, vodítko

**clumsy** [ˈklamzi] neohrabaný, nemotorný

**clung** *see* **cling\***

**cluster** [ˈklastə] *n* chumáč, strapec; *v* (z)hromaždiť sa

**clutch** [klač] *n motor.* spojka; *v* (s)tisnúť

**coach** [kəuč] *n* **1.** koč **2.** vagón **3.** autokar **4.** tréner; *v* trénovať

**coal** [kəul] uhlie

**coalfield** [ˈkəulfi:ld] uhoľná panva

**coalmine** [ˈkəumlmain] uhoľná baňa

**coarse** [ko:s] hrubý, drsný

**coast** [kəust] *(morský)* breh, pobrežie

**coat** [kəut] *n* **1.** kabát **2.** náter; *v* natrieť; *c. of arms* [ˈkəut əv ˈa:mz] erb

**coax** [kəuks] **1.** lichotiť **2.** prehovárať

**cobble** [ˈkoblə] oblý kameň

**cobweb** [ˈkobweb] pavučina

**cock** [kok] n **1.** kohút **2.** kohútik; v postaviť

**cock-eyed** [ˈkokaid] škuľavý; bláznivý

**cockney** [ˈkokni] **1.** rodený Londýnčan **2.** londýnske nárečie

**cockpit** [ˈkokpit] kabína pilota

**cockroach** [ˈkokrəuč] zool. šváb

**cocktail** [ˈkokteil] koktail; miešaný šalát

**cocky** [ˈkoki] domýšľavý

**cocoa** [ˈkəukəu] kakao

**coconut** [ˈkəukənət] kokosový orech

**cod** [kod] treska

**code** [kəud] n **1.** zákonník **2.** predpisy; v šifrovať

**coerce** [kəuˈəːs] donútiť

**coercion** [kəuˈəːšn] nátlak

**coffee** [ˈkofi] káva

**coffin** [ˈkofin] rakva, truhla

**coherence** [ˈkəuˈhiːərəns] súvislosť; súdržnosť

**coherent** [kəuˈhiərənt] **1.** súvislý **2.** zrozumiteľný

**coil** [koil] n **1.** kotúč, závit **2.** cievka; v skrútiť sa, stočiť (sa)

**coin** [koin] n peniaz, minca; v raziť

**coincide** [ˈkəuinˈsaid] zhodovať sa (časove)

**coincidence** [kəuˈinsidəns] zhoda okolností

**coke** [kəuk] **1.** koks **2.** kokaín; koka

**Col.** abbr. (= **colonel**) plukovník

**cold** [kəuld] adj studený, chladný; I am c. je mi zima; n **1.** chlad, zima **2.** prechladnutie, nádcha; I have a c. som prechladnutý

**collaboration** [kəˈlæbəˈreišən] spolupráca

**collapse** [kəlæps] n zrútenie; v zrútiť sa

**collapsible** [kəˈlæpsibl] sklápací, skladací

**collar** [ˈkolə] **1.** golier **2.** obojok

**collarbone** [ˈkoləbəun] kľúčna kosť

**colleague** [ˈkoliːg] kolega

**collect** [kəˈlekt] **1.** zbierať; zhromaždiť **2.** inkasovať

**collection** [kəˈlekšən] **1.** zbierka **2.** kolekcia **3.** inkaso

**collective** [kəˈlektiv] kolektívny, hromadný

**college** [ˈkolidž] vysoká škola, fakulta; kolégium

collide [kə'laid] zrazit sa

colliery ['koljəri] uhoľná baňa

collision [kə'ližən] zrážka

colloquial [kə'ləukwiəl] hovorový

colon ['kəulən] dvojbodka

colonial [kə'ləunjəl] koloniálny

colony ['koləni] kolónia

colour ['kalə] n farba; v farbiť; c-s pl. zástava

colt [kəult] 1. kolt 2. žriebä 3. mladý, neskúsený človek

column ['koləm] 1. stĺp 2. stĺpec 3. kolóna

comb [kəum] n hrebeň; v česať (sa)

combat ['kombæt] boj

combination ['kombi'neišən] spojenie, kombinácia

combine [kəm'bain] v spojiť (sa); n kombajn

combustible [kəm'bastibl] horľavina

combustion [kəm'basčən] spaľovanie, horenie

come* [kam] prísť; pricestovať; c. about stať sa; c. along ponáhľať sa; c. back vrátiť sa; c. by prísť k niečomu, nadobudnúť niečo; c. in vstúpiť; c. out vyjsť; c. round prísť na náv-

števu; c. to an end skončiť (sa); c. true splniť sa

comedian [kə'mi:diən] komik

comedy ['komidi] komédia

comet ['komit] kométa

comfort ['kamfət] n 1. pohodlie 2. útecha; v utešiť

comfortable ['kamfətəbl] pohodlný

comic ['komik] komický, smiešny

comma ['komə] čiarka

command [kə'ma:nd] n 1. rozkaz 2. velenie 3. ovládanie, znalosť; v 1. rozkazovať 2. veliť 3. ovládať 4. disponovať

commander [kə'ma:ndə] veliteľ

commandment [kə'ma:ndmənt] prikázanie

commemorate [kə'meməreit] pripomínať si

commend [kə'mend] 1. odporúčať 2. chváliť

comment ['koment] n poznámka; komentár; v komentovať

commentator ['komenteitə] komentátor

commerce ['komə(:)s] obchod

commercial [kə'mə:šl] adj obchodný; n reklama

commission [kə'mišn] n 1.

úloha; poverenie, zakáz-
ka **2.** komisia **3.** provízia;
*v* poveriť
**commit** [kəˈmit] **1.** *c. to* odo-
vzdať, zveriť **2.** spáchať
**commitment** [kəˈmitmənt]
záväzok, povinnosť
**committee** [kəˈmiti] výbor;
*reception c.* prijímacia ko-
misia
**commodity** [kəˈmoditi] to-
var; užitočný predmet
**common** [ˈkomən] **1.** obec-
ný **2.** obyčajný; bežný **3.**
spoločný; *c. sense* zdravý
rozum; *c. labour* nekvali-
fikovaná pracovná sila; *c.
law* zvykové právo, nepí-
saný zákon
**commonplace** [ˈkomənple-
is] *n* fráza, banálnosť; *adj*
všedný, otrepaný
**commons** [ˈkomənz] *pl.*
obyčajní ľudia; *the House
of C.* dolná snemovňa
**Commonwealth** [ˈkomən-
welθ] *(British) C. of Nations*
Britské spoločenstvo náro-
dov
**communal** [koˈmju:nl] **1.**
obecný, verejný **2.** spo-
ločný
**communicate** [kəˈmju:ni-
keit] **1.** povedať, oznámiť
**2.** byt v spojení
**communication** [kəˈmju:niˈ-

kejšn] **1.** komunikácia,
spojenie **2.** oznámenie,
správa **3.** *c-s pl.* spoje;
doprava
**communist** [ˈkomju(:)nist] *n*
komunista; *adj* komunis-
tický
**community** [kəˈmju:niti] **1.**
spoločenstvo **2.** obec **3.**
verejnosť
**commute** [kəˈmju:t] **1.** zme-
niť, zameniť **2.** dochá-
dzať, cestovať *(do zamest-
nania)*
**compact** [ˈkompækt] pevný
**companion** [kəmˈpænjən]
**1.** druh, spoločník **2.**
sprievodca *(kniha)*
**company** [ˈkampəni] spo-
ločnosť
**comparable** [ˈkompərəbl]
porovnateľný
**comparative** [kəmˈpærətiv]
*n gram.* druhý stupeň
príd. mien; *adj* **1.** pomer-
ný **2.** porovnávací
**compare** [kəmˈpeə] *c. with*
porovnávať; *c. to* prirov-
návať
**comparison** [kəmˈpærisn]
**1.** prirovnanie; *in c. with* v
porovnaní s **2.** *gram.*
stupňovanie
**compartment** [kəmpa:t-
mənt] oddelenie, kupé
**compass** [ˈkampəs] **1.** ob-

jem, obvod **2.** kompas **3.** *c-es* ['kampəsiz] *pl.* kružidlo

**compassion** [kəm'pæšn] súcit; *out of c.* zo súcitu

**compatible** [kəm'pætəbl] zlučiteľný, zhodný

**compatriot** [kəm'pætriət] krajan

**compel** [kəm'pel] (pri)nútiť, (do)nútiť

**compensate** ['kompenseit] nahradiť, odškodniť

**compensation** ['kompen-seišn] odškodné, náhrada

**compete** [kəm'pi:t] súťažiť, konkurovať, súperiť

**competence** ['kompitəns] **1.** kompetencia, príslušnosť **2.** schopnosť, kvalifikácia

**competition** ['kompi'tišn] súťaž, konkurencia

**competitor** [kəm'petitə] konkurent, súper

**compile** [kəm'pail] skladať, zozbierať, zostaviť

**complain** [kəm'plein] ponosovať sa, sťažovať sa

**complaint** [kəm'pleint] **1.** sťažnosť, reklamácia **2.** žaloba

**complement** ['komplimənt] *gram.* doplnok

**complete** [kəm'pli:t] *adj* úplný; *v* **1.** doplniť **2.** dokončiť

**completely** [kəm'pli:tli] úplne, celkom

**complex** ['kompleks] zložitý, spletitý

**complexion** [kəm'plekšən] pleť

**compliance** [kəm'plaiəns] vyhovovať; *in c. with* v súhlase s, podľa

**complicated** ['komplikeitid] zložitý

**compliment** ['komplimənt] *n* **1.** poklona **2.** pochvala; *v* blahoželať

**comply** [kəm'plai] **1.** prispôsobiť sa, poddať sa **2.** vyhovieť

**component** [kəm'pəunənt] zložka

**compose** [kəm'pəuz] **1.** skladať **2.** komponovať **3.** urovnať spor **4.** *c. os.* uspokojiť sa

**composed** [kəm'pəuzd] pokojný, vyrovnaný

**composer** [kəm'pəuzə] skladateľ

**composition** ['kompə'zišn] **1.** skladba **2.** zloženie **3.** kompozícia

**compound** ['kompaund] *v* miešať; *n* zloženina; zmes; *adj* zložený

**comprehend** [kompri'-hend] **1.** pochopiť **2.** zahrnovať

**comprehensible** [kompri'-hensəbl] zrozumiteľný

**comprehensive** [kompri'-hensiv] podrobný, súhrnný; chápavý; *c. school* všeobecnovzdelávacia škola

**compress** [kəm'pres] *n* obklad; *v* stlačiť

**comprise** [kəm'praiz] obsahovať; skladať sa z

**compromise** ['komprəmaiz] *n* kompromis, vyrovnanie; *v* **1.** dohodnúť sa, urovnať **2.** kompromitovať

**compulsory** [kəm'palsəri] povinný *(zo zákona)*

**compute** [kəm'pju:t] počítať, vypočítať

**computer** [kəm'pju:tə] počítač

**comrade** ['komreid] druh

**con** [kɔn] *hovor.* podviesť; *n* podvod; *the pros and c-s* výhody a nevýhody, pre a proti

**concave** [kɔn'keiv] (vy)dutý

**conceal** [kən'si:l] skryť, zatajiť

**concede** [kən'si:d] **1.** priznať **2.** pripustiť; zaručiť

**conceit** [kən'si:t] namyslenosť

**conceited** [kən'si:tid] namyslený, domýšľavý

**conceive** [kən'si:v] **1.** dostať

nápad **2.** pochopiť **3.** otehotnieť

**concentrate** ['konsentreit] sústrediť (sa); koncentrát

**concentration** ['konsentreišn] sústredenie, koncentrácia; zhustenie

**concentration camp** ['konsen'treišn kæmp] koncentračný tábor

**concept** ['konsept] pojem

**conception** [kən'sepšən] **1.** poňatie **2.** počatie

**concern** [kən'sə:n] *n* **1.** záujem **2.** záležitosť **3.** účasť **4.** koncern; *v* **1.** týkať sa **2.** zaujímať sa o

**concerning** [kən'sə:niŋ] vzhľadom na; čo sa týka

**concert** [konsə:t] **1.** koncert **2.** zhoda, súlad; *in c. with* v súlade s

**concertina** ['konsə'ti:nə] ťahacia harmonika

**concession** [kən'sešn] ústupok; *BrE* zľava

**conciliate** [kən'silieit] zmieriť

**concise** [kən'sais] stručný

**conclude** [kən'klu:d] **1.** skončiť (sa) **2.** uzavrieť

**conclusion** [kən'klu:žn] záver, koniec

**concord** ['koŋko:d] zhoda, harmónia, svornosť

**concrete** ['konkri:t] *n* betón

*adj* **1.** konkrétny **2.** betónový

**concur** [kənˈkə:] **1.** zbehnúť sa **2.** súhlasiť, zhodovať sa

**concussion** [kənˈkašn] otras mozgu

**condemn** [kənˈdem] **1.** odsúdiť; posúdiť **2.** zhabať

**condensation** [ˈkondenˈseišn] zhustenie, zrážanie

**condense** [kənˈdens] zhustiť, kondenzovať

**condescend** [ˈkondiˈsend] znížiť sa

**condescending** [ˈkondiˈsendiŋ] blahosklonný

**condition** [kənˈdišn] **1.** podmienka; *on c. that* iba ak; *on no c.* v žiadnom prípade **2.** stav

**conditional** [kənˈdišənl] *gram.* podmieňovací

**condolence** [kənˈdəuləns] sústrasť; *please accept my c-s* príjmite moju sústrasť

**condom** [kondəm] prezervatív, kondóm

**condone** [kənˈdəun] odpustiť; nahradiť

**conduct** [ˈkondəkt] *n* správanie sa; *v* [kənˈdakt] **1.** viesť **2.** dirigovať

**conductor** [konˈdəktə] **1.** sprievodca **2.** dirigent **3.** *el.* vodič

**cone** [kəun] **1.** kužeľ, kornútok **2.** *bot.* šuška

**confection** [konˈfekšən] sladkosti

**confectioner** [kənˈfekšənə] cukrár; *c's* cukráreň

**confer** [kənˈfə:] **1.** udeliť **2.** radiť sa, diskutovať

**conference** [ˈkonfərəns] konferencia, porada; *be in c.* byť na porade

**confess** [kənˈfes] **1.** priznať **2.** spovedať sa

**confidence** [ˈkonfidəns] **1.** dôvera **2.** sebavedomie; *in strict c.* prísne dôverné

**confident** [ˈkonfidənt] presvedčený

**confidential** [ˈkonfiˈdenšl] dôverný

**confine** [kənˈfain] **1.** obmedziť, pripútať **2.** uväzniť

**confirm** [kənˈfə:m] potvrdiť

**confirmation** [ˈkonfəˈmeišn] potvrdenie

**confiscate** [ˈkonfiskeit] zabaviť, zhabať

**conflict** [ˈkonflikt] *n* **1.** spor **2.** rozpor; *v* [kənˈflikt] byť v rozpore; odporovať si

**confluence** [ˈkonfluəns] sútok *(riek)*

**conform** [kənˈfo:m] vyhovovať; *c. to* prispôsobiť

**conformity** [kənˈfo:miti] zhoda, súhlas; *in c. with* v

súhlase *(zhode)* s, podľa niečoho

**confront** [kənˈfrant ] **1.** konfrontovať **2.** čeliť

**confuse** [kənˈfju:z] zmiasť, popliesť

**confusion** [kənˈfju:žn] zmätok, chaos

**congenial** [kənˈdžiniəl] **1.** spriaznený **2.** príjemný

**congenital** [kəndženitl] vrodený *(o chorobách)*

**congratulate** [kəngrætjuleit] blahoželať

**congratulation** [kəngrætjuˈleišn] *c. on* blahoželanie k

**congress** [ˈkongres] **1.** kongres, zjazd **2.** *C. AmE* parlament

**congressman** [ˈkongrəsmən] *AmE* poslanec

**conifer** [ˈkəunifə] ihličnatý

**conjecture** [kənˈdžekšə] *n* dohad; *v* domnievať sa, dohadovať sa

**conjugal** [ˈkondžugl] manželský

**conjugate** [ˈkondžugeit] *gram.* časovať

**conjunction** [kənˈdžaŋkšn] **1.** spojenie **2.** *gram.* spojka

**conjure** [ˈkəndžuə] **1.** zaprisahať **2.** čarovať

**connect** [kənekt] spojiť

**connection** [kənekšn] **1.** spojenie, styk **2.** *(vlaková)* prípojka

**connivance** [kənaivəns] zhovievavosť

**connive** [kəˈnaiv] *c. at* primúriť oči nad niečím; mlčky schvaľovať

**connoisseur** [ˈkonəˈsə:] znalec; *hovor.* fajnšmeker

**conquer** [ˈkoŋkə] dobyť; premôcť, zvíťaziť

**conqueror** [ˈkoŋkərə] víťaz, dobyvateľ

**conquest** [ˈkoŋkwest] dobytie; víťazstvo; *make a c. (of)* získať náklonnosť

**conscience** [ˈkonšəns] svedomie

**conscientious** [ˈkonšiˈenšəs] svedomitý

**conscious** [ˈkonšəs] **1.** vedomý **2.** *lek.* pri vedomí

**consciousness** [ˈkonšəsnis] vedomie

**conscription** [kənskripšn] **1.** odvody **2.** konfiškát

**consecrate** [ˈkonsikreit] zasvätiť, vysvetiť

**consent** [kənˈsent] *n* súhlas; *v* súhlasiť

**consequence** [ˈkonsikwəns] **1.** následok; *in c. of* následkom niečoho **2.** dôležitosť

**consequently** [ˈkonsikwəntli] a preto, a teda

**conservation** [konsə'veišn] zachovanie, ochrana

**conservative** [kən'sə:vətiv] *adj* konzervatívny; *n* konzervatívec

**conservatory** [kən'sə:vətri] 1. skleník 2. konzervatórium

**conserve** [kən'sə:v] zachovať, konzervovať

**consider** [kən'sidə] 1. uvažovať 2. považovať za

**considerable** [kən'sidərəbl] značný

**considerate** [kən'sidərət] ohľaduplný

**consideration** [kən'sidə-reišn] 1. úvaha; *take into c.* vziať do úvahy 2. ohľad

**consign** [kən'sain] 1. odovzdať; doručiť 2. odoslať

**consignement** [kənsain-mənt] dodávka, zásielka

**consist** [kən'sist] 1. *c. of* skladať sa z 2. *c. in* spočívať v 3. *c. with* byť v súlade s

**consistency** [kən'sistənsy] 1. hustota, konzistencia, súdržnosť 2. dôslednosť

**consistent** [kən'sistənt] dôsledný, zhodný

**consolation** [konsə'leišn] útecha

**console¹** ['konsəul] konzola, nosník; panel

**console²** [kən'səul] (po)tešiť (sa), utešiť

**consolidate** [kən'solideit] 1. upevniť (sa) 2. konsolidovať

**consonant** ['konsənənt] *lingv.* spoluhláska

**conspicuous** [kən'spikjuəs] nápadný, zrejmý

**conspiracy** [kən'spirəsi] sprisahanie

**conspirator** [kən'spirətə] sprisahanec

**conspire** [kən'spaiə] sprisahať sa

**constable** ['kanstəbl] *BrE* strážnik, policajt

**constant** ['konstənt] (neu)stály, ustavičný

**constellation** ['konstə'leišn] súhvezdie

**consternation** ['konstə'neišn] ohromenie, zdesenie

**constipation** ['konsti'peišn] *lek.* zápcha

**constituency** [kən'stitjuən-si] 1. voliči; volebný obvod

**constituent** [kən'stitjuənt] 1. ústavodarný, 2. podstatný

**constitute** ['konsti'tju:t] zriadiť, ustanoviť

**constitution** ['konsti'tju:šn] 1. ústava 2. konštitúcia *(aj telesná)*

**constitutional** ['konsti'tju:šənl] **1.** ústavný **2.** vrodený

**constraint** [kən´streint] donútenie, nátlak

**construct** [kən¹strakt] stavať; zostrojiť

**construction** [kən¹strakšn] konštrukcia, stavba

**consul** [¹konsəl] konzul

**consulate** [¹konsjulət] konzulát

**consult** [kən¹salt] *c. with* radiť sa, poradiť sa s

**consume** [kən¹sju:m ] spotrebovať, minúť

**consumer** [kən¹sju:mə] spotrebiteľ

**consumption** [kən¹sampšn] spotreba

**contact** [¹kontækt] styk; *contact lens* kontaktná šošovka

**contagious** [kən¹teidžəs] nákazlivý, prenosný

**contain** [kən¹tein] obsahovať; potláčať *(city)*

**container** [kən´teinə] **1.** nádoba, škatuľa **2.** prepravník, kontajner

**contaminate** [kən¹tæmineit] nakaziť, zamoriť

**contemplate** [¹kontempleit] zamýšľať, zvažovať

**contemporary** [kæn¹tempərəri] *n* rovesník; *adj* súčasný

**contempt** [kən¹tempt] pohŕdanie, opovrhnutie

**content** [kən¹tent] *adj* spokojný; *v* uspokojiť; *n* spokojnosť; obsah

**contents** [¹kontents] *pl.* obsah; *table of c.* obsah *(knihy)*

**contest** [¹kontest] *n* súťaž, preteky; *v* [kən¹test] **1.** zápasiť **2.** vadiť sa

**contiguous** [kən¹tigjuəs] *gram.* priľahlý; *c. angles* priľahlé *(susediace)* uhly

**continent** [¹kontinənt] pevnina; svetadiel

**continental** vnútrozemský; *c. breakfast* studené raňajky

**continual** [¹kən¹tinjuəl] nepretržitý, ustavičný

**continuation** [kən¹tinju¹eišn] pokračovanie

**continue** [kən¹tinju:] pokračovať

**continuity** [konti¹nju:əti] súvislosť, spojitosť

**continuous** [kən¹tinjuəs] nepretržitý, súvislý

**contract** [kon¹trækt] zmluva

**contraction** [kən¹trækšn] **1.** skrátenie **2.** *lek.* sťah

**contradict** [kontrə¹dikt] **1.** popierať **2.** odporovať (si), protirečiť

**contrary** [¹kontrəri] *adj*

opačný; *n* opak; *on the c.* naopak

**contrast** [ˈkontra:st] *n* opak, protiklad; *v* [konˈtræst] **1.** kontrastovať **2.** líšiť sa

**contribute** [kənˈtribju:t] prispievať

**contribution** [kontriˈbju:šn] príspevok

**contrive** [kənˈtraiv] vynájsť, vymyslieť

**control** [kənˈtrəul] *n* **1.** dozor **2.** kontrola; *v* **1.** viesť **2.** ovládať **3.** kontrolovať

**controversy** [ˈkontrəvə:si] spor, polemika

**convalescence** [konvəˈlesns] rekonvalescencia, uzdravovanie

**convenience** [kənˈvi:njəns] **1.** vhodnosť **2.** pohodlie; vymoženosť

**convenient** [kənˈvi:njənt] vhodný, pohodlný

**convention** [kənˈvenšn] **1.** schôdza, zhromaždenie **2.** dohoda **3.** obyčaj

**conventional** [kənˈvenšənəl] obvyklý

**converge** [kənˈvə:dž] zbiehat sa, zlievať sa

**conversation** [ˈkonvəˈseišn] rozhovor, konverzácia

**converse**[1] [kənˈvə:s] *c. on/about* konverzovať, rozprávať (sa) o

**converse**[2] [ˈkonvə:s] obrátený, striedavý

**convert** [kənˈvə:t] **1.** premeniť **2.** obrátiť *(na vieru)*

**convertible** [kənˈvə:tibl] kabriolet

**convex** [ˈkonveks] vypuklý

**convey** [kənˈvei] **1.** dopravovať **2.** rozvádzať *(teplo)*

**convict** [ˈkonvikt] *n* trestanec; *v* usvedčiť

**convince** [kənˈvins] presvedčiť, ubezpečiť

**convulsion** [ kənˈvalšn] kŕč

**cook** [kuk] *n* kuchár, kuchárka; *v* variť

**cooker** [ˈkukə] varič

**cool** [ku:l] *adj* chladný; *v* ochladiť (sa)

**cooper** [ˈku:pə] debnár

**cooperate** [kəuˈopəreit] spolupracovať

**cooperation** [kəuopəˈreišn] spolupráca

**cooperative** [kəuˈopərətiv] *n* družstvo; *adj* družstevný

**coordinate** [kəuˈo:dnit] *n* súradnica; *adj* súradný; *v* [kəuˈo:dineit] koordinovať

**cop** [kop] *hovor.* policajt

**copious** [ˈkəupjəs] hojný, rozvláčny

**copper** [ˈkopə] meď

**copy** [ˈkopi] *n* **1.** opis, kópia

2. výtlačok, exemplár; v
1. opísať, kopírovať 2. napodobniť

**copyright** [ˈkopirait] autorské právo

**coral** [ˈkorəl] zool. koral

**cord** [koːd] šnúra, kábel

**cordial** [ˈkoːdiəl] srdečný; priateľský

**corduroy** [ˈkoːdəroi] menčester (látka)

**core** [koː] 1. jadro 2. ohryzok

**cork** [koːk] n 1. korok 2. zátka; v c. up zazátkovať

**cork-screw** [ˈkoːkskruː] vývrtka

**corn**[1] [koːn] n 1. zrno 2. obilie 3. AmE kukurica

**corn**[2] kurie oko

**corner** [ˈkoːnə] 1. roh 2. kút

**cornflakes** [ˈkoːnfleiks] kukuričné lupienky

**cornflower** [ˈkoːnflauə] nevädza

**corny** [ˈkoːny] otrepaný

**coronation** [korəˈneišn] korunovácia

**coroner** [ˈkorənə] súdny lekár

**corporal** [ˈkoːpərəl] 1. voj. desiatnik, kaprál 2. telesný

**corporate** [ˈkoːpərət] spoločný, kolektívny; c. culture podniková kultúra

**corporation** [koːpəˈreišn] 1. združenie 2. správa

**corps** [koː] polit., voj. zbor

**corpse** [koːps] mŕtvola

**corpuscle** [ˈkoːpasl] 1. teliesko; blood c. krvinka 2. elektrón 3. atóm

**correct** [kəˈrekt] adj správny; v opraviť (chybu)

**correction** [kəˈrekšn] oprava

**correspond** [korəˈspond] 1. zhodovať sa 2. písať si

**corridor** [ˈkoridoː] chodba

**corrode** [kəˈrəud] rozožierať, rozleptávať

**corrosion** [kəˈrəužn] (chemické) rozožieranie

**corrupt** [kəˈrapt] v 1. skaziť (sa) 2. podplatiť; adj 1. skazený 2. úplatný

**corruption** [koˈrapšn] 1. úpadok, skazenosť 2. úplatnosť

**cortex** [ˈkoːteks] bot. kôra

**cos** BrE hovor. pretože

**cosmic** [ˈkosmik] kozmický

**cost*** [kost] n cena, náklad; v stáť, mať cenu; c. of living životné náklady

**costing** [kostiŋ] rozpočet

**costly** [ˈkostli] drahý; nákladný

**costs** [kosts] pl. útraty

**costume** [ˈkostjuːm] kostým; national c. kroj

**cosy** [ˈkəuzi] útulný

**cot** [kot] **1.** postieľka **2.** koterec pre zvieratá

**cottage** [ˈkotidž] chalupa, víkendový dom

**cottage cheese** tvaroh

**cotton** [kotn] *n* **1.** bavlna **2.** bavlnená látka; *adj* bavlnený

**cotton wool** [kotnwu:l] vata

**cough** [kof] *n* kašeľ; *v* kašľať

**couch** [kauč] pohovka, gauč

**could** *see* **can\***

**council** [ˈkaunsl] **1.** rada, zhromaždenie

**counsel** [ˈkaunsəl] *n (právny)* poradca; *v* radiť

**counselling** poradenstvo

**count** [kaunt ] *n* **1.** počet **2.** gróf; *v* počítať

**countenance** [ˈkauntinəns] **1.** *(duševná)* rovnováha **2.** podpora, súhlas

**counter** [ˈkauntə] **1.** pult **2.** pokladňa; *over the c.* bez predpisu

**counteract** [kauntəˈækt] mariť; paralyzovať

**counter-attack** [ˈkauntəəˈtæk] protiútok

**counterclockwise** [kauntəˈklokwaiz] proti smeru hodinových ručičiek

**counterfeit** [ˈkauntəfit] *n* napodobenina, falzifikát; *v* falšovať

**counterfoil** [ˈkauntəfoil] ústrižok, kupón

**countess** [ˈkauntis] grófka

**countless** [ˈkauntlis] nespočítateľný

**country** [ˈkantri] **1.** krajina **2.** kraj **3.** vidiek; *in the c.* na vidieku

**countryman** [ˈkantrimən] **1.** vidiečan **2.** krajan

**couple** [kapl] pár, dvojica; *a c. of (hovor.)* niekoľko

**courage** [ˈkaridž] odvaha

**courageous** [kəˈreidžəs] odvážny, statočný

**course** [ko:s] **1.** beh; chod; *of c.* samozrejme **2.** dráha **3.** kurz **4.** chod *(pri jedle)*

**court** [ko:t] *n* **1.** dvor **2.** súd **3.** ihrisko; *v* dvoriť

**courteous** [ˈkə:tiəs] zdvorilý

**courtesy** [ˈkə:təsi] zdvorilosť

**court-martial** [ko:tˈma:šl] vojenský súd

**courtship** [ˈko:tšip] dvorenie

**courtyard** [ˈko:tja:d] dvor

**cousin** [kazn] bratranec, sesternica

**cover** [ˈkavə] *n* **1.** pokrývka **2.** viečko **3.** obal **4.** úhrada **5.** úkryt; *v* **1.** (pri)kryť, zakryť **2.** zaujať **3.** hradiť; *c. up* maskovanie, kamufláž

**covet** [ˈkavit] dychtiť, bažiť *(po)*

cow [kau] krava

coward [ˈkauəd] zbabelec

cowardess [ˈkauədis] zbabelosť

coy [koi] cudný, nesmelý

crab [kræb] krab

crack [kræk] n 1. trhlina 2. rana, výstrel; v prsknúť, puknúť

crackdown [krækdaun] záťah, tvrdý zákrok

cracker [ˈkrækə] 1. luskáčik 2. kreker; AmE keks

cradle [kreidl] kolíska

craft [kra:ft] 1. zručnosť 2. remeslo 3. plavidlo

craftsman [ˈkra:ftsmən] remeselník

crag [kræg] skala, útes

cram [kræm] 1. napchávať (sa) 2. hovor. šprtať sa

cramp [kræmp] 1. kŕč 2. skoba

crampon [ˈkræmpən] horolezecká mačka

cranberry [ˈkrænbəri] brusnica

crane [krein] žeriav

crank [kræŋk] 1. kľuka 2. pomätenec

crash [kræš] n 1. pád (vlády, lietadla) 2. rachot; v 1. zrútiť sa 2. naraziť 3. hovor. skrachovať

crater [ˈkreitə] jama, kráter

crave [kreiv] c. for túžiť po

crawl [kro:l] plaziť sa, liezť

crayfish [ˈkreifiš] rak

crayon [kreiən] pastelka

crazy [ˈkreizi] c. about/on bláznivý, pobláznený za

creak [kri:k] škrípať

cream [kri:m] n smotana; krém; adj krémový

crease [kri:s] n záhyb; v krčiť sa ( o látke)

create [kriˈeit] vytvoriť

creation [kriˈeišn] 1. stvorenie, tvorba 2. výtvor

creative [kriˈeitiv] tvorivý

creature [ˈkri:čə] tvor, zver

credentials [krəˈdenšəlz] pl. poverovacie listiny; doklady; reputácia

credit [ˈkredit] n 1. viera; dôvera 2. česť 3. úver; v 1. veriť, dôverovať 2. pripísať k dobru; c. card úverová karta

creditor [ˈkreditə] veriteľ

credulous [ˈkredjuləs] dôverčivý

creed [kri:d] viera, presvedčenie

creek [kri:k] zátoka; AmE potok

creep* [kri:p] liezť, plaziť sa, plížiť sa

crèche [kreiš] detské jasle

cremate [kriˈmeit] spopolniť

crept see creep*

crescent [ˈkresnt] polmesiac

**crest** [krest] **1.** hrebienok, chochol **2.** horský hrebeň

**crevice** [ˈkrevis] puklina, štrbina

**crew** [kru:] posádka, mužstvo

**crib** [krib] **1.** jasličky **2.** tahák

**cricket** [ˈkrikit] **1.** svrček **2.** šport. kriket

**crime** [kraim] zločin

**criminal** [ˈkriminəl] n zločinec; adj zločinný, trestný

**crimson** [krimzn] n karmín; adj karmínový

**cringe** [krindž] **1.** plaziť sa, učupiť sa **2.** podlizovať sa

**cripple** [kripl] n mrzák; v zmrzačiť

**crisis** [ˈkraisis] kríza

**crisp** [ krisp] **1.** krehký, chrumkavý **2.** ostrý, mrazivý **3.** rázny, rozhodný

**criticism** [ˈkritisizm] kritika

**croak** [krəuk] krákoriť

**crockery** [ˈkrokəri] porcelánový riad

**crochet** [krəušei] n háčkovanie; v háčkovať

**crook** [kruk] **1.** hák, háčik **2.** podvodník

**crooked** [ˈkrukid] **1.** zahnutý, krivý **2.** nepoctivý

**crop** [krop] n žatva, úroda **2.** hrvoľ; v **1.** (s)pásť **2.** pristrihnúť **3.** osiať; zožať

**cross** [kros] n kríž; v **1.** krížiť

**2.** prečiarknuť **3.** prejsť, prekročiť **4.** c. out/off vyčiarknuť; adj namrzený; be c. with hnevať sa na

**crossbow** [ˈkrosbəu] kuša

**cross-country running/skiing** [krosˈkantriˈraniŋ] cezpoľný beh, beh na lyžiach

**crossing** [ˈkrosiŋ] **1.** križovatka **2.** prechod **3.** preprava (cez more)

**crossroad** križovatka

**crossword (puzzle)** [ˈkroswəːdˈpazl] krížovka

**crouch** [krauč] prikrčiť sa

**crow** [krəu] vrana

**crowd** [kraud] n zástup, dav; v zhromaždiť sa

**crowded** [ˈkraudid] preplnený

**crown** [kraun] n **1.** koruna **2.** veniec **3.** vrch(ol); v **1.** korunovať **2.** dovŕšiť

**crucial** [ˈkru:šiəl] rozhodujúci, kľúčový

**crucify** [krusifai] ukrižovať

**crude** [kru:d] **1.** surový **2.** hrubý

**cruel** [ˈkruəl] krutý

**cruelty** [ˈkruəlti] ukrutnosť

**cruise** [kru:z] plaviť sa (pre zábavu)

**cruiser** [ˈkru:zə] krížnik

**crumb** [kram] omrvinka

**crumple** [krampl] krčiť (sa); vrásčiť (sa)

crusader [kru:'sedə] križiak

crunchy [kranči] chrumkavý

crush [kraš] n tlačenica; v roztlačiť, rozdrviť

crust [krast] kôra, kôrka

crutch [krač] barla

cry [krai] n 1. krik; pokrik 2. volanie 3. plač; v 1. kričať 2. plakať 3. volať

crystal [kristl] kryštál

crystalline [kristəlain] krištáľový, priehľadný

cub [kab] mláďa

cube [kju:b] 1. kocka 2. tretia mocnina

cuckoo [kuku:] kukučka

cucumber [kju:kambə] uhorka

cudde [kadl] objať, privinúť

cuff [kaf] manžeta

cufflink [kafliŋk] manžetový gombík

cuisine [kwi'zi:n] kuchyňa (spôsob varenia)

culminate [kalmineit] vrcholiť

culprit [kalprit] páchateľ, vinník

cult [kalt] kult, sekta

cultivate [kaltiveit] 1. obrábať 2. pestovať

cultivator [kaltiveitə] 1. kultivátor (stroj) 2. farmár

culture [kalčə] kultúra

cultured [kalčəd] vzdelaný, kultivovaný

cumulation [kju:mju'leišn] hromadenie

cunning [kaniŋ] n chytráckosť; adj prefíkaný

cup [kap] 1. šálka 2. pohár

cupboard [kabəd] kredenc, skriňa (s policami)

curb [kə:b] n 1. uzda 2. okraj chodníka; v držať sa na uzde, brzdiť

curd [kə:d] tvaroh

cure [kju:ə] n 1. liečenie 2. liek; v 1. (vy)liečiť 2. konzervovať

curiosity [kjuəri'ositi] 1. zvedavosť 2. zvláštnosť

curious [kjuəriəs] 1. zvedavý 2. podivný, zvláštny

curl [kə:l] n kader; v kaderiť (sa), vlniť (sa)

curly [kə:li] vlnitý, kučeravý

currant [karənt] 1. hrozienka 2. ríbezle

currency [karənsi] obeživo; mena

current [karənt] n 1. prúd 2. smer; adj 1. súčasný 2. bežný 3. obvyklý

curriculum [kə'rikjuləm] učebné osnovy; študijný program; c. vitae životopis

curse [kə:s] n kliatba; v preklínať

curtain [kə:tn] 1. záclona 2. opona

**curve** [kə:v] *n* krivka; zákruta; *v* kriviť (sa)

**cushion** [ˈkušn] vankúš

**custard** [ˈkastəd] vaječný krém

**custody** [ˈkastədi] opatrovanie, úschova, dohľad

**custom** [ˈkastəm] **1.** zvyk **2.** zákazníctvo

**customer** [ˈkastəmə] zákazník

**custom-made** [ˈkatəmˈmeid] zákazkový

**customs** [ˈkastəms] *pl.* **1.** clo **2.** colnica

**cut\*** [kat] *v* **1.** rezať, krájať **2.** sekať **3.** strihať **4.** znížiť

*(cenu)*; *n* **1.** rez, seknutie **2.** rana škrabnutie **3.** zníženie cien; *cut glass* brúsené sklo

**cute** [kju:t] *hovor.* rozkošný, chutný

**cutlery** [ˈkaltəri] príbor

**cutlet** [ˈkatlit] kotleta, rezeň

**cutting** [ˈkatiŋ] výstrižok; *c. remark* štipľavá poznámka

**cybercafé** [ˈsaibəkæfei] internetová kaviareň

**cycling** [ˈsaikliŋ] cyklistika

**cyclist** [ˈsaiklist] cyklista

**cylinder** [ˈsilində] valec

**cylindrical** [siˈlindrikəl] valcový, valcovitý

# D

**dab** [dæb] *n* **1.** škvrnka **2.** ťuknutie, nanesenie; *v* **1.** ľahko sa dotknúť, ťuknúť **2.** naniesť *(púder/farbu)*

**dabble** [dæbl] **1.** postriekať, namočiť **2.** *d. in* zaoberať sa niečím *(neodborne)*

**dad/daddy** [dæd, ˈdædi] *hovor.* otec, otecko

**daffodil** [ˈdæfədil] žltý narcis

**daft** [da:ft], hlúpy, pochabý

**dagger** [ˈdægə] dýka

**daily** [ˈdeili] *n (noviny)* denník; *adj* denný, každodenný; *prísl* denne

**dainty** [ˈdeinti] **1.** chutný **2.** vyberaný; výberový

**dairy** [ˈdeəri] mliekareň

**daisy** [ˈdeizi] *bot.* sedmokráska, stokráska

**dale** [deil] údolie

**dam** [dæm] *n* hrádza, priehrada; *v* prehradiť

**damage** [ˈdemidž] *n* škoda; *v* poškodiť; *pl. d-s* odškodné, náhrada

**damaging** [ˈdæmidžiŋ] škodlivý

**dame** [deim] *BrE* dáma

**damn** [dæm] zatratiť, preklínať

**damned** [dæmd] prekliaty

**damp** [dæmp] *n* vlhkosť; *adj* vlhký; *v* navlhčiť

**dance** [da:ns] *n* tanec; *v* tancovať

**dancer** [ˈda:ncə] tanečník, tanečnica

**dandelion** [ˈdændiliən] púpava

**dandruff** [ˈdændrəf] lupiny

**dandy** [ˈdændi] švihák

**danger** [ˈdeindžə] nebezpečenstvo

**dangerous** [ˈdeindžərəs] nebezpečný

**dangle** [dængl] 1. hojdať (sa); klátiť *(nohami)* 2. *after/round about* obšmietať sa

**dapper** [ˈdæpə] elegantný, upravený

**dappled** [ˈdæpld] škvrnitý

**dare\*** [deə] 1. odvážiť sa 2. vyzvať

**daring** [ˈdeəriŋ] smelý, odvážny

**dark** [da:k] *n* tma; *adj* tmavý, temný

**darkness** [ˈda:knis] 1. tma 2. nevedomosť

**darling** [ˈda:liŋ] miláčik

**darn** [da:n] zaplátať, štopkať

**dart** [da:t] *n* 1. rýchly pohyb 2. šíp; *v* hodiť, mrštiť, rýchlo bežať

**dash** [dæš] *n* 1. rýchly beh 2. pomlčka; *v* 1. mrštiť, vrhnúť 2. zmariť *(nádej)* 3. *d. off* rýchlo napísať

**dash-board** [ˈdæšbo:d] prístrojová doska *(auta)*

**data** [deitə] údaje, dáta, súbor informácií *(výsek)*; *d. processing* spracovanie dát

**databank** [ˈdeitəbæŋk] databanka, banka údajov

**database** [ˈdeitəbeis] databáza, základné údaje

**date** [deit] *n* 1. dátum 2. obdobie 3. *hovor.* schôdzka 4. datľa; *v* 1. datovať (sa), pochádzať 2. *have a d. hovor.* mať rande 3. *out of d.* zastaralý, nemoderný 4. *up to d.* moderný

**dated** [deitid] nemoderný

**daughter** [ˈdo:tə] dcéra

**daughter-in-law** [ˈdo:tə inlo:] nevesta

**dauntless** [ˈdo:ntlis] nebojácny, neohrozený

**dawn** [do:n] *n* úsvit; *v* rozodnievať sa, brieždiť sa

**day** [dei] *n* deň; *by d.* vo dne; *from d. to d.* zo dňa na deň; *the other d.* minule; *d. and night* vo dne v noci; *the d. before yesterday* predvčerom; *the d. after tomorrow* pozajtra; *some d.* raz, v budúcnosti

**daybreak** [ˈdeibreik] svitanie

**daydreamer** [ˈdeidriːmə] rojko

**daylight** [ˈdeilait] denné svetlo, biely deň

**day-off** deň voľna, voľno

**daytime** [deitaim] *in d.* cez deň

**daze** [deiz] omámiť

**dazzle** [dæzl] oslniť; uchvátiť

**dead** [ded] mŕtvy, neživý; *d. certain* celkom istý; *d. end* slepá ulica

**dead letter** [ˈdedˈletə] nedoručiteľný list

**deaden** [dedn] tlmiť *(bolesť)*

**deadline** [dedlain] posledný termín, lehota

**deadlock** [dedlɔk:] *come to a d.* dostať sa na mŕtvy bod, do patovej situácie

**deadly** [ˈdedli] vražedný, smrteľný

**deaf** [def] hluchý

**deaffen** [defn] ohlušiť

**deaf-mute** [ˈdefmjuːt] hluchonemý

**deal¹\*** [diːl] 1. rozdeliť, rozdať *(karty)* 2. zasadiť *(úder)* 3. konať, vyjednávať 4. *d. in* obchodovať s niečím 5. *d. with* pojednávať o; zaobchádzať s

**deal²** [diːl] časť, množstvo;

*a good d., a great d.* mnoho

**dealer** [ˈdiːlə] obchodník

**dealings** [ˈdiːliŋz] *pl.* rokovanie, obchody

**dealt** *see* **deal\***

**dean** [diːn] dekan

**dear** [diə] drahý, milý; *dear me!* preboha!

**death** [deθ] smrť; *put to d.* popraviť; *d. certificate* úmrtný list; *d. penalty* trest smrti; *d. end* slepá ulica

**death-duty** [deθˈdjuːti] dedičská daň

**death-rate** [deθˈreit] úmrtnosť

**debarcation** [ˈdiːbaːˈkeišn] vylodenie

**debate** [ˈdebeit] *n* debata; *v* debatovať

**debit** [ˈdebit] *n* dlžoba, debet; *v* pripísať na ťarchu

**debris** [debriː] trosky, sutiny

**debt** [det] dlh

**debtor** [ˈdetə] dlžník

**decade** [diˈkeid] desaťročie

**decay** [dikei] *n* rozpad, rozklad, úpadok; *v* 1. rozkladať sa, kaziť sa 2. rozpadávať sa, upadať

**deceased** [diˈsiːst] zosnulý

**deceit** [diˈsiːt] klam, podvod

**deceive** [diˈsiːv] klamať, podvádzať

**December** [di'sembə] *n* december; *adj* decembrový

**decent** ['di:sənt] slušný, mravný; skromný

**deception** [di'sepšn] podvod, klam

**deceptive** [di'septiv] klamný; *appearances are often d.* zdanie často klame

**decide** [di'said] rozhodnúť (sa)

**decimal** ['desiml] desatinný; *the d. system* desatinná sústava; *d. point* desatinná čiarka

**decipher** [di'saifə] rozlúštiť

**decision** [di'sižn] 1. rozhodnutie; *(práv.)* rozsudok, verdikt 2. rozhodnosť; *make a d.* rozhodnúť sa

**decisive** [di'saisiv] 1. rozhodný; rozhodujúci 2. energický, odhodlaný

**deck** [dek] paluba

**deckchair** ['dekčeə] ležadlo

**declaration** ['deklə'reišn] vyhlásenie

**declare** [di'kleə] 1. vyhlásiť 2. precliť; *anything to d.?* máte niečo na preclenie?

**declension** [di'klenšən] *gram.* skloňovanie

**declination** ['dekli'neišən] odchýlka, sklon *(dolu)*

**decline** [di'klain] *n* 1. úpadok 2. svah; *v* 1. odmiet-

nuť 2. upadať, chýliť sa ku koncu 3. skloňovať

**decode** [di:kəud] dešifrovať

**decompose** [dikəm'pəuz] rozložiť

**decorate** ['dəkəreit] 1. ozdobiť 2. maľovať *(dom/ izbu)* 3. vyznamenať

**decoration** ['dekə'reišn] 1. výzdoba 2. vyznamenanie, rád

**decorator** ['dekoreitə] maliar izieb, tapetár

**decoy** ['di:koi] návnada

**decrease** [di:kri:s] *n* úbytok; *v* zmenšiť (sa), ubúdať; *d. in production* pokles výroby

**decree** [di'kri:] *n* dekrét, rozhodnutie; *v* nariadiť, rozhodnúť

**decrepit** [di'krepit] zostarnutý, krehký

**dedicate** ['dedikeit] venovať

**dedication** ['dedi'keišn] venovanie

**deduce** [di'dju:s] odvodzovať

**deduct** [di'dakt] odpočítať, zraziť *(cenu, sumu)*

**deduction** [di'dakšn] *fin.* zľava, zrážka; záver

**deed** [di:d] čin, skutok

**deep** [di:p] hlboký

**deepen** ['di:pən] prehĺbiť

**deep-freeze** [di:pˈfri:z] hlboko zmraziť; mraznička

**deeply** [di:ply] **1.** hlboko, zhlboka **2.** *(o farbe)* intenzívne

**deer** [diə] **1.** jeleň **2.** vysoká zver

**defeat** [diˈfi:t] *n* porážka; *v* poraziť; zničiť

**defect** [diˈfekt] **1.** nedostatok **2.** chyba, závada

**defective** [diˈfektiv] chybný, závadný

**defence** [diˈfens] obrana

**defend** [diˈfend] brániť (sa), hájiť (sa)

**defendant** [diˈfendənt] obžalovaný

**defender** [diˈfendə] obhajca; obranca

**defensive** [diˈfensiv] *n* obrana, defenzíva; *adj* obranný, defenzívny

**defer** [diˈfə:] **1.** odložiť, zdržať **2.** ustúpiť

**defiance** [diˈfaiəns] vzdor

**defiant** [diˈfaiənt] vzdorovitý, spurný

**deficiency** [diˈfišənsi] **1.** nedostatok **2.** schodok, deficit

**deficit** [ˈdefisit] nedostatok

**define** [diˈfain] vymedziť, definovať

**definite** [ˈdefinit] určitý, definitívny, jednoznačný

**definitely** [definitli] určite, definitívne, bezpochyby

**definition** [difiˈnišn] definícia

**definitive** [definətiv] konečný

**deflate** [difleit] vypustiť vzduch, splasnúť

**deflect** [diˈflekt] *from* odvrátiť, *(od priameho smeru)* odbočiť, odkloniť

**deform** [diˈfo:m] znetvoriť, deformovať

**defraud** [diˈfro:d] oklamať

**defrost** [di:ˈfrost] rozmraziť

**deft** [deft] obratný, vrtký

**defy** [diˈfai] **1.** vyzvať **2.** vzdorovať, vzpierať sa

**degenerate** [diˈdženəreit] *adj* degenerovaný; *v* degenerovať; *d. into sth.* zvrhnúť sa na niečo

**degradation** [degrəˈdeišm] degradácia

**degrade** [diˈgreid] degradovať, ponížiť

**degree** [diˈgri:] **1.** stupeň **2.** *(akademická)* hodnosť; *it is five d. below 0* je päť stupňov pod nulou; *to a certain degree* do určitej miery

**dehydrated** [dihaidreitid] *adj* suchý; vysušený; *d. milk* sušené mlieko

**de-ice** [diais] zbaviť námrazy

**deify** ['di:ifai] zbožňovať
**deity** ['di:iti] božstvo
**dejected** [di'džekt] skľúčený
**dejection** [di'džekšn] skľúčenosť, splín
**delay** [di'lei] n odklad, zdržanie; v **1.** oneskoriť (sa); zdržať **2.** odkladať
**delegate** ['deligeit] n delegát, zástupca; v delegovať, vyslať
**delete** [dili:t] vyčiarknuť, vymazať
**deliberate** [di'liberət] zámerný, úmyselný
**delicacy** ['delikəsi] **1.** jemnosť; delikátnosť **2.** lahôdka
**delicate** ['delikit] **1.** jemný, delikátny **2.** chúlostivý **3.** chutný, lahodný
**delicious** [di'lišəs] lahodný
**delightful** [di'laitful] rozkošný, príjemný
**delight** [di'lait] n potešenie, rozkoš; v tešiť (sa), mať radosť
**delirious** [di'liriəs] lek. blúzniaci, bez seba
**deliver** [di'livə] **1.** doručiť, dodať **2.** dať (ranu) **3.** predniesť (reč) **4.** (odo)vzdať; cash on delivery platiť pri dodaní
**delivery** [di'livəri] **1.** dodanie; d. van dodávka; ho-

me d. donáška do domu **2.** lek. pôrod
**dell** [del] údolie
**delude** [di'lu:d] oklamať
**deluge** ['delju:dž] potopa; záplava
**delusion** [di'lu:žn] prelud, klamná predstava
**demand** [di'ma:nd] n **1.** požiadavka **2.** (hospodársky) dopyt; v žiadať, vyžadovať; be in great d. byť veľmi žiadaný
**demanding** [di'ma:ndiŋ] náročný
**demented** [di'mentid] dementný
**demi-** [demi] polo-
**demise** [dimaiz] skon, koniec
**demobilization** ['di:'məubilai'zeišən] demobilizácia
**democracy** [di'mokrəsi] demokracia
**democratic** ['demə'krætik] demokratický
**demolish** [di'moliš] zničiť, zrúcať, zbúrať
**demonstrate** ['demənstreit] **1.** ukázať **2.** demonštrovať
**demonstration** [demən'streišn] **1.** dôkaz; prejav **2.** demonštrácia
**demure** [di'mjuə] skromný
**den** [den] dúpä, brloh
**denial** [di'naiəl] **1.** poprenie **2.** odmietnutie

**denim** [ˈdenim] denim, džínsovina

**denomination** [diˈnomiˈneišn] **1.** pomenovanie **2.** hodnota *(mince/známky)*

**denominator** [diˈnomineitə] *mat.* menovateľ

**denote** [diˈnəut] označiť, znamenať

**denounce** [diˈnauns] **1.** *(policajne)* udať **2.** vypovedať *(zmluvu)*

**dense** [dens] **1.** hustý **2.** hlúpy

**density** [ˈdensəti] hustota

**dent** [dent] *n* prehĺbenina; *v* prehĺbiť

**dental** [ˈdentl] zubný

**dentist** [ˈdentist] zubný lekár

**dentures** [ˈdenčəz] *pl.* umelý chrup

**deny** [diˈnai] **1.** poprieť **2.** odoprieť; *there's no d-ing it* to sa nedá poprieť

**deodorize** [diˈəudəraiz] zbaviť pachu

**depart** [diˈpa:t] **1.** *(from)* odísť, odcestovať **2.** odchýliť sa

**departed** [diˈpa:tid] zosnulý; *the d.* zomretý/í

**department** [diˈpa:tmənt] **1.** oddelenie, úsek **2.** *AmE* ministerstvo; *d. store* obchodný dom

**departure** [diˈpa:čə] **1.** odchod, odjazd **2.** odchýlka

**depend** [diˈpend] **1.** *on/ upon* závisieť od **2.** spoliehať sa na

**dependent** [diˈpendənt] závislý

**depict** [diˈpikt] zobraziť

**deplorable** [diˈplo:rəbl] trestuhodný

**deplore** [diˈplo:] žialiť nad niečím, ľutovať

**deploy** [diˈploi] rozmiestniť

**deport** [diˈpo:t] deportovať

**deportation** [di:po:ˈteišn] poslanie do vyhnanstva, deportácia

**depose** [diˈpəuz] zosadiť

**deposit** [diˈpozit] *n* **1.** vklad **2.** nános, naplavenina **3.** *geol.* ložisko; *v* **1.** položiť **2.** uložiť, zložiť *(peniaze)* **3.** naplaviť; *d. account* depozitný účet

**depot** [ˈdepəu] **1.** skladisko **2.** [di:pəu] *AmE* železničná stanica

**depraved** [diˈpreivd] mravne skazený, zvrátený

**depreciate** [diˈpri:šieit] klesať na cene

**depress** [diˈpres] **1.** stlačiť **2.** skľúčiť

**depression** [diˈprešn] **1.** depresia, kríza **2.** priehlbina **3.** tlaková níž

**deprivation** [depriˈveišən]

núdza, bieda; *d. of sth.* zbavenie sa *(niečoho)*

**deprive** [di'praiv] *d. sb. of sth.* pripraviť niekoho o niečo; *of* zbaviť

**depth** [depθ] hĺbka; *d. gauge* hĺbkomer

**deputy** ['depjuti] **1.** poslanec **2.** zástupca, námestník

**derail** [di'reil] vykoľajiť

**derange** [di'reindž] uviesť do neporiadku; pomiasť

**deregulate** [di'regjuleit] uvoľniť *(ceny ap.)*

**derelict** ['deriklit] opustený

**derisive** [di'raisiv] posmešný

**derivation** [deri'veišn] pôvod, odvodenie

**derivative** [de'rivətiv] odvodený, derivovaný

**derive** [di'raiv] **1.** odvodzovať **2.** pochádzať

**derrick** ['derik] žeriav

**descend** [di'send] **1.** zostúpiť **2.** *d. from* pochádzať od **3.** *d. upon* napadnúť

**descendant** [di'sendənt] potomok

**descent** [di'sent] **1.** zostup **2.** pôvod **3.** náhly útok

**describe** [dis'kraib] **1.** opísať **2.** zobraziť

**description** [dis'kripšn] opis

**descriptive** [dis'kriptiv] opisný

**desert** ['dezət] *n* púšť; *v* **1.** opustiť **2.** dezertovať

**deserve** [di'zəv] zaslúžiť (si)

**deserving** [di'zə:viŋ] zaslúžilý

**desiccate** [desikeit] vysušiť

**design** [di'zain] *n* **1.** nárys, návrh, projekt **2.** vzor; *adv* úmyselne, zámerne; *v* **1.** projektovať **2.** zamýšľať, plánovať **3.** *d. for* určiť

**designate** ['dezigneit] označiť, určiť; predurčiť

**designer** [di'zainə] konštruktér, projektant; návrhár

**desirable** [di'zaiərəbl] žiadúci, vhodný

**desire** [di'zaiə] *n* túžba, želanie; *v* túžiť, želať si, žiadať

**desk** [desk] písací stôl; *(školská)* lavica, recepcia; *d. clerk* [desk kla:k] recepčný

**desolate** ['desəlit] opustený; pustý

**despair** [dis'peə] *n* zúfalstvo; *v d. of sth.* zúfať si nad niečím

**despatch*** *see* **dispatch**

**desperate** ['despərit] zúfalý

**despicable** [dis'pikəbl] bez cti; ohavný, biedny

**despite** [dis'pait] *d. of / in d. of* napriek, navzdory

despise [dis'paiz] opovrhovať, pohŕdať

despondent [dis'pondənt] malomyseľný

despot ['despot] tyran, despota

dessert [di'zə:t] AmE múčnik, dezert (ovocie)

destination [desti'neišn] miesto určenia, cieľ cesty

destine [distain] určiť, predurčiť

destiny ['destini] osud, údel

destroy [dis'troi] zničiť

destroyer [dis'troiə] torpédoborec

destructive [dis'traktiv] ničivý, pustošivý

desultory ['desəltəri] povrchný, nedôsledný

detach [di'tæč] d. from oddeliť, vyčleniť

detached [ditæčt] oddelený, osamote; d. house samostatný dom

detachment [di'tæčmənt] 1. odlúčenie 2. voj. oddiel

detail ['di:teil] n podrobnosť, detail; v podrobne vylíčiť

detain [di'tein] zadržať, zdržať

detect [di'tekt] odkryť, objaviť, zistiť

detective [di'tektiv] detektív; d. story detektívka

deter [di'tə:] odstrašiť

detergent [di'tə:džənt] čistiaci/prací prostriedok

deteriorate [di'tiəriəreit] zhoršiť sa, kaziť sa, upadať

determination [di'tə:mi'-neišn] rozhodnutie, odhodlanie

determine [di'tə:min] 1. určiť 2. rozhodnúť (sa)

deterrent [ditərənt] adj odstrašujúci; n zastrašujúci prostriedok

detest [di'test] hnusiť sa, nenávidieť

detestable [di'testəbl] ohavný, odporný

detonation [detəu'neišn] výbuch, detonácia

detour [dituə] obchádzka, okľuka

detract [ditrækt] from uberať, zmenšovať

detrimental ['detri'mentl] škodlivý

deuce [dju:s] 1. šport. zhoda (v tenise); 2. to the d.! (hovor.) do čerta!

devastate ['devəsteit] spustošiť

develop [di'veləp] 1. vyvinúť (sa) 2. fot. vyvolávať

developing [divə'lopiŋ] rozvojový

development [di'veləpmənt] vývoj, rozvoj

**deviation** [ˈdiːviˈeišn] odchýlka

**device** [diˈvais] 1. plán, nápad 2. zariadenie; prístroj

**devil** [devl] diabol, čert

**devil-may-care** [ˈdevl meiˈkeə] ľahkovážny, bezstarostný

**devious** [ˈdiːviəs] 1. točitý, krivoľaký 2. odľahlý 3. nečestný

**devise** [diˈvaiz] vymyslieť, navrhnúť

**devote** [diˈvəut] venovať sa, oddať sa (niečomu)

**devoted** [diˈvəutid] oddaný

**devotion** [diˈvəušn] oddanosť, vernosť

**devour** [diˈvauə] pohltiť

**devout** [diˈvaut] zbožný; vrúcny

**dew** [djuː] (ranná) rosa

**dexterous** [ˈdekstrəs] obratný, zručný

**diabetes** [daiəˈbiːtiːz] lek. cukrovka

**diagnose** [ˈdaiəgnouz] diagnostikovať

**dial** [ˈdaiəl] n ciferník; v vytočiť číslo; d. ing code predvoľba

**dialect** [ˈdaiəlekt] nárečie

**dialogue** [ˈdaiəlog] rozhovor, dialóg

**diameter** [daiˈæmitə] priemer

**diamond** [ˈdaiəmənd] diamant, kosoštvorec

**diaper** [ˈdaiəpə] AmE detská plienka

**diaphragm** [daiəfræm] 1. anat. bránica 2. tech. membrána

**diarrhoea** [daiəˈriə] hnačka

**diary** [ˈdaiəri] 1. denník 2. vreckový kalendár; keep a d. písať si denník

**dice** [dais] pl. (hra) kocky

**dictate** [dikˈteit] diktovať

**dictation** [dikˈteišn] diktát

**dictatorship** [dikˈteitəšip] diktatúra

**dictionary** [ˈdikšənri] slovník; consult a d. nazrieť do slovníka

**did** see **do***

**die** [dai] 1. zomrieť; d. away odumrieť; dozneiť; d. out vymrieť 2. (hracia) kocka

**diet** [ˈdaiət] 1. strava, jedlo 2. diéta 3. snem

**differ** [ˈdifə] from líšiť sa od; nesúhlasiť

**difference** [ˈdifrəns] rozdiel

**different** [ˈdifrənt] odlišný, iný, rôzny

**differentiate** [ˈdifərenšieit] 1. rozlíšiť, rozlišovať 2. mat. derivovať

**difficult** [ˈdifikəlt] obtiažny

**difficulty** [ˈdifikəlti] obtiaž, ťažkosť, problém

**diffuse** [di'fju:z] vysielať; rozširovať; splývať

**dig\*** [dig] kopať, ryť

**digest** ['daidžest] *n* výber; zhustenie; *v* **1.** [dai'džest] tráviť, zažívať **2.** spraviť prehľad, skrátiť

**digestion** [daidžesčən] trávenie, zažívanie

**digger** ['digə] báger, rýpadlo

**digit** ['didžit] číslica

**digital** ['didžitəl] digitálny

**dignified** ['dignifaid] dôstojný

**dignity** ['dignity] dôstojnosť

**dike** [daik] hrádza

**dilapidated** [di'læpideitid] *(dom/nábytok)* zchátraný

**dilate** [dai'leit] predĺžiť sa, (roz)šíriť sa

**diligent** ['dilidžənt] usilovný

**dill** [dil] kôpor

**dilute** [dai'lu:t] zriediť

**dim** [dim] *adj* šerý, kalný, nejasný; *v* zakaliť, zahmliť

**dimension** [di'menšn] rozmer, aspekt

**diminish** [di'miniš] zmenšiť (sa), zoslabiť

**diminutive** [di'minjutiv] maličký, zdrobnený

**din** [din] hluk, hrmot

**dine** [dain] večerať, *d. out* večerať mimo domov

**dinghy** ['diŋi] malý čln

**dingy** ['dindži] špinavý, ošúchaný

**dining-car** ['dainiŋka:] jedálny vozeň

**dining-room** ['dainiŋrum] jedáleň

**dinner** ['dinə] hlavné jedlo dňa, večera

**dinner-jacket** ['dinədžækit] *BrE* smoking

**dip** [dip] *d. into* ponoriť (sa), namočiť

**diploma** [di'pləumə] diplom

**diplomacy** [di'pləuməsi] diplomacia

**dipper** ['dipə] veľká naberačka; *the Big D. (astron.)* Veľký voz

**direct** [di'rekt, dai'rekt] *adj* priamy; *adv* priamo; *v* **1.** riadiť **2.** namieriť **3.** ukázať cestu **4.** adresovať **5.** nariadiť; *d. current (elektr.)* jednosmerný prúd

**direction** [di'rekšn, dai'rekšn] **1.** smer **2.** riadenie, správa

**directly** [di'rektli,dai'rekti] **1.** priamo **2.** ihneď

**director** [di'rektə, dai'reiktə] **1.** riaditeľ **2.** režisér

**directory** [di'rektori] adresár; *telephone d.* telefónny zoznam

**dirt** [də:t] špina

**dirty** ['də:ti] špinavý; oplzlý

**disability** [ˈdisəˈbiliti] ne-
schopnosť; *d. pension* in-
validný dôchodok

**disabled** [disˈeibld] telesne
postihnutý, invalid

**disadvantage** [ˈdisədˈva:-
ntidž] nevýhoda

**disagree** [ˈdisəˈgri:] 1. ne-
súhlasiť 2. škodiť

**disagreeable** [ˈdisəˈgriəbl]
nepríjemný

**disagreement** [ˈdisəˈgri:-
mənt] nesúhlas, nezhoda

**disappear** [ˈdisəˈpiə] zmiz-
núť, stratiť sa

**disappoint** [ˈdisəˈpoint] skla-
mať

**disappointment** [ˈdisəˈpo-
intmənt] sklamanie

**disapproval** [ˈdisəˈpru:vl]
nesúhlas, odmietnutie

**disapprove** [disəˈpru:v] ne-
súhlasiť, odmietnuť

**disarm** [disˈa:m] ozbrojiť

**disarmament** [disˈa:mə-
mənt] odzbrojenie

**disaster** [diˈza:stə] nešťastie,
katastrofa

**disastrous** [diˈza:strəs]
zhubný; katastrofálny

**disbelieve** [ˈdisbili:v] *in* ne-
veriť, nedôverovať

**disc** [disk] disk, kotúč

**discern** [diˈsə:n] rozoznať,
rozlíšiť *(rozdiel)*

**discharge** [disˈča:dž] *n* 1.

výbuch 2. elektrický vý-
boj 3. výtok; *v* 1. vyložiť
náklad 2. prepustiť 3. vy-
liať 4. vystreliť 5. zaplatiť
6. vykonávať *(povinnosť)*

**discipline** [ˈdisiplin] discip-
lína

**discomfort** [disˈkamfət] ne-
pohodlie, bolesť

**disconnect** [ˈdiskəˈnekt] pre-
rušiť, vypnúť *(spojenie)*

**disconnected** [diskənektid]
odpojený

**discontent** [ˈdiskənˈtent] ne-
spokojnosť

**discord** [diskoːd] nezhoda,
spor

**discount** [ˈdiskaunt] *n* zráž-
ka, zľava; *v* znížiť cenu

**discourage** [disˈkaridž] za-
strašiť, zbaviť odvahy

**discourse** [disˈkoːs] reč,
prednáška

**discover** [disˈkavə] objaviť,
odkryť

**discovery** [disˈkavəri] objav;
zistenie

**discreet** [disˈkri:t] taktný

**discrepancy** [disˈkrepənsi]
nesúlad, rozpor

**discretion** [disˈkrešən] 1.
diskrétnosť; takt 2. voľ-
nosť konania

**discriminate** [disˈkrimineit]
rozlišovať

**discrimination** [disˈkrimiˈneišən] **1.** rozlišovanie **2.** diskriminácia

**discus** [ˈdiskəs] disk

**discuss** [ˈdiskəs] hovoriť o, rokovať, debatovať

**discussion** [disˈkašən] rozhovor; debata, diskusia

**disease** [diˈsiːz] choroba

**disembark** [disimˈbaːk] *from* vylodiť (sa); vystúpiť

**disgrace** [disˈgreis] *n* **1.** nemilosť **2.** hanba; *v* potupiť

**disgraceful** [disˈgreisful] hanebný

**disguise** [disˈgaiz] *n* preoblečenie; maskovanie; *v* preobliecť sa, zamaskovať

**disgust** [disˈgast] *n* odpor, škodlivosť; *v* zhnusiť

**disgusting** [disˈgastiŋ] hnusný, odporný

**dish** [diš] **1.** misa **2.** chod jedla

**dishevelled** [diˈševəld] strapatý, neporiadny

**dishonest** [disˈonist] nepoctivý, nečestný

**dishwasher** [ˈdišvošə] umývačka riadu

**disinfect** [disinˈfekt] dezinfikovať

**disinherit** [disinˈherit] vydediť

**disintegrate** [disˈintegreit] rozpadnúť sa

**diskette** [disˈket] disketa

**dislike** [disˈlaik] *n* nechuť,

neľúbosť, odpor; *v* nemať rád

**dislocate** [ˈdisləkeit] **1.** vytknúť *(členok)* **2.** narušiť

**dismantle** [disˈmæntl] rozmontovať, rozobrať

**dismiss** [disˈmis] zavrhnúť, nebrať do úvahy

**dismissal** prepustenie

**dismissive** [disˈmisiv] pohŕdavý, povýšenecký

**disobey** [disoˈbei] neposlúchať

**disorder** [disˈoːdə] neporiadok

**dispatch** [disˈpæč] *n* **1.** vybavenie, odbavenie **2.** depeša; *v* **1.** odoslať **2.** rýchlo vybaviť

**dispense** [disˈpens] **1.** udeľovať **2.** *with* obísť sa bez

**dispenser** [disˈpensə] automat; *cash d.* bankomat

**disperse** [disˈpəːs] rozptýliť, roztrúsiť

**displace** [disˈpleis] vytlačiť z miesta; premiestniť

**display**[1] [disˈplei] displej, obrazovka

**display**[2] [disˈplei] *n* **1.** výklad **2.** prejav **3.** nádhera; *v* vyložiť, vystaviť

**disposable** [disˈpousəbl] na jednorazové použitie, nevratný

**disposal** [disˈpəuzəl] **1.** dispozícia **2.** kontrola, riadenie; *at your d.* vám k dispozícii

**dispose** [dis'pəuz] **1.** usporiadať **2.** použiť; disponovať **3.** *of* zbaviť sa

**disposed** [dis'pəuzd] *be d. to do sth.* byť ochotný niečo urobiť

**disproportion** [dispro'pə:šən] nepomer

**dispute** [dis'pju:t] *n* spor, hádka; *v* hádať sa

**disqualify** [diskvolifai] diskvalifikovať

**disregard** [disri'ga:d] ignorovať

**dissent** [di'sent] *n* nesúhlas; *v from* nesúhlasiť

**dissertation** [dizə'teišən] doktorská práca

**dissident** ['disidənt] disident

**dissipate** ['disipeit] **1.** rozptýliť (sa) **2.** premárniť

**dissolve** [di'zolv] rozpustiť (sa), rozplynúť sa

**dissolvent** rozpúšťadlo

**distance** ['distəns] vzdialenosť; rozpätie

**distant** ['distənt] vzdialený

**distaste** [dis'teist] nechuť, odpor

**distil** [di'stil] destilovať

**distillery** [dis'tiləri] liehovar

**distinct** [dis'tiŋkt] **1.** zreteľný **2.** odlišný

**distinction** [dis'tiŋkšən] rozlišovanie, rozdiel

**distinctive** [dis'tiŋktiv] zreteľný

**distinguish** [dis'tiŋgwiš] rozlišovať; rozoznávať

**distortion** [dis'to:šən] skreslenie, prekrútenie

**distract** [dis'trækt] *from* odvrátiť pozornosť

**distraction** [dis'trækšən] rozptýlenie

**distress** [dis'tres] **1.** úzkosť, tieseň **2.** núdza, bieda; *d. call* núdzové volanie

**distribute** [dis'tribju:t] rozdeľovať; rozložiť, rozmiestniť

**distribution** ['distri'bju:šən] rozdeľovanie; distribúcia

**district** ['distrikt] okres, obvod, oblasť

**distrust** [dis'trast] *n* nedôvera; *v* nedôverovať

**disturb** [dis'tə:b] rušiť, vyrušovať

**ditch** [dič] priekopa, jarok

**dive*** [daiv] *n* hlavička *(skok do vody)*; *v* **1.** potopiť sa, ponoriť sa **2.** letieť nadol

**diver** ['daivə] potápač

**diverge** [dai'və:dž] *from* rozbiehať, rozchádzať sa

**diversification** [daivə:sifikeišn] modifikácia

**diverse** [dai'və:s] rôzny

**diversion** [dai'və:šən] **1.** odbočka od **2.** rozptýlenie

**diversity** [daivəsit] rozmanitosť

**divert** [dai'və:t] **1.** odkloniť (*napr. tok rieky*) presmerovať **2.** baviť; rozptýliť

**divide** [di'vaid] (roz)deliť (sa)

**divine** [di'vain] *n* duchovný; *adj* božský

**diving** ['daiviŋ] skoky do vody, potápanie

**division** [di'vižn] **1.** delenie; rozdelenie **2.** divízia **3.** *(v parlamente)* hlasovanie

**divorce** [di'vo:s] *n* rozvod; *v* rozviesť sa

**dizzy** ['dizi] závratný; be d. mať závrat

**do\*** [du:] **1.** robiť, činiť **2.** stačiť **3.** mať úspech **4.** upraviť; *do harm* uškodiť; *do a kindness* preukázať láskavosť; *do one's duty* konať svoju povinnosť; *how do you do* dobrý deň; *do away with* skoncovať s; *do up* zapnúť, zaviazať; *do with* uspokojiť sa s; *do without* obísť sa bez

**docile** ['dəusail] učenlivý, poddajný, povoľný

**dock** [dok] **1.** dok, lodenica **2.** lavica obžalovaných

**dock-yard** ['dokja:d] lodenica

**doctor** ['doktə] **1.** lekár **2.** doktor

**document** ['dokjumənt] listina, doklad

**documentary** [dokju'məntəri] dokumentárny film, dokument

**dodge** [dodž] *v* vyhnúť sa; uhnúť; *n* úskok, lesť

**does** *see* **do\***

**dog** [dog] pes

**dogged** [dogid] húževnatý, tvrdošijný

**dole** [dəul] **1.** almužna **2.** *BrE* podpora v nezamestnanosti

**doll** [dol] bábika

**dollar** ['dolə] dolár

**dolphin** ['dolfin] delfín

**dome** [dəum] kupola

**domestic** [də'mestik] domáci, vnútroštátny

**domicile** ['domisail] bydlisko *(trvalé)*

**dominant** ['dominənt] prevládajúci; prevyšujúci

**dominate** ['domineit] **1.** prevládať **2.** *over* ovládať

**dominion** [də'minjən] **1.** (nad)vláda **2.** domínium

**donate** [doneit] darovať, venovať

**done** *see* **do\***

**donkey** ['doŋki] somár, osol

**doom** [du:m] skaza, záhuba

**donor** [dəunə] darca
**doom** [du:m] zánik
**door** [do:] dvere
**doorman** [do:mən] *AmE* vrátnik
**dope** [dəup] droga, narkotikum; *hovor.* ópium
**dormitory** [ˈdo:mitri] nocľaháreň
**dosage** [ˈdəusidž] dávkovanie *(lieku)*
**dose** [dəus] dávka
**dot** [dot] bodka
**double** [dabl] *n* dvojnásobok, dvojník; *v* zdvojiť; *adj* dvojitý, dvojnásobný; *prísl* dva razy, dvojmo; *d. breasted (oblek)* dvojradový; *d. decker (hovor.)* poschodový autobus; *d.-cross* podraz, podfuk
**doubt** [daut] *n* pochybnosť; *v* pochybovať
**doubtful** [ˈdautful] pochybný
**doubtless** [ˈdautlis] bezpochyby
**dough** [dəu] cesto
**doughnut** [ˈdəunat] *AmE* pampúch
**dove** [dav] holub
**down** [daun] *adv* dole; nadol; *prep* dolu, po; *n* páperie; *hovor.* sklúčený
**download** [daunˈləud] *počít.* stiahnuť, presunúť
**downpour** lejak

**downhill** [ˈdaunhil] *šport.* zjazd
**downright** [ˈdaunrait] *adj* priamy, vyložený; *adv* rovno, priamo
**downstairs** [ˈdaunsteəz] na prízemí, dolu schodmi
**downtime** [daunˈtaim] prestoj
**down-to-earth** [daun tuˈə:θ] praktický, vecný
**downtown** [daunˈtaun] *AmE* 1. do mesta 2. centrum
**dowry** [ˈdaueri] veno
**doze** [dəuz] driemať
**dozen** [ˈdazn] tucet
**draft** [dra:ft] *n* 1. koncept 2. zmenka 3. *AmE (voj.)* odvod; *v* načrtnúť
**drag** [dræg] tiahnuť, vliecť
**dragon** [ˈdrægən] drak
**drain** [drein] *n* odtok; stoka; *v* 1. odvodniť 2. vysušiť
**dramatic** [drəˈmætik] dramatický, divadelný
**dramatist** [ˈdræmətist] dramatik
**drank** *see* **drink***
**draught** [dra:ft] 1. ťah 2. dúšok 3. prievan 4. skica
**draw*** [dro:] 1. ťahať 2. kresliť 3. losovať 4. vybrať peniaze z banky 5. čapovať 6. *on* vydať zmenku; *d. bridge* padací most

**drawback** [ˈdro:bæk] tienistá stránka, nevýhoda

**drawer** [dro:(ə)] zásuvka

**drawing** [ˈdro:iŋ] kresba

**drawn** see **draw\***

**dread** [dred] n strach; v báť sa

**dreadful** [ˈdredful] hovor. hrozný, strašný

**dream\*** [dri:m] n sen; spánok; v snívať

**dreamt** see **dream\***

**dregs** [dregs] kal, spodina

**drench** [drenč] zmáčať, premočiť

**dress** [dres] n odev, šaty; v 1. obliecť (sa) 2. upraviť 3. ošetriť; d. rehearsal [dresˈrihə:sl] generálka

**dressing** [dresiŋ] nálev

**dressinggown** župan

**dressmaker** [ˈdresˈmeikə] krajčírka

**drew** see **draw\***

**dribble** [dribl] 1. kvapkať 2. šport. driblovať

**dried** [draid] sušený

**drift** [drift] n závej; v 1. unášať 2. hromadiť (sa)

**drill** [dril] n 1. výcvik 2. vŕtačka 3. nebožiec; v 1. vŕtať 2. podrobiť výcviku

**drink\*** [driŋk] v piť; n nápoj; have a d. napiť sa

**drinkable** [drinkəbe] pitný

**drip** [drip] kvapkať

**drive\*** [draiv] v 1. hnať 2. riadiť 3. jazdiť 4. poháňať; n 1. jazda, vychádzka (autom) 2. cesta, vozovka 3. pohon

**driver** [ˈdraivə] vodič, šofér

**driver's/driving licence** vodičský preukaz

**drizzle** [ˈdrizl] mrholenie

**drop** [drop] n 1. kvapka; 2. pokles; v 1. padať 2. upustiť 3. prestať 4. utrúsiť poznámku 5. napísať pár riadkov 6. in navštíviť, zaskočiť

**drought** [draut] sucho

**drove** see **drive\***

**drown** [draun] utopiť sa

**drowse** [drauz] driemať

**drudge** [dradž] n otrok; v drieť sa

**drudgery** [ˈdradžəri] drina

**drug** [drag] liek, droga; d. addict narkoman

**drum** [dram] n bubon; v bubnovať

**drunk¹** see **drink\***

**drunk²** [draŋk] opitý

**drunkard** [ˈdraŋkəd] opilec, pijan

**dry** [drai] adj suchý; v 1. (u)sušiť 2. schnúť

**dry cleaner´s** [drai ˈkli:nəz] chemická čistiareň

**dryer** [ˈdraiə] sušič, sušička

**dual** [djuəl] dvojitý; d. car-

*riageway* štvorprúdová vozovka

**dubbed** [dabd] dabovaný

**duchess** [ˈdačis] vojvodkyňa

**duck** [dak] *n* kačica; *v* zohnúť sa, skrčiť sa

**duct** [dakt] kanál, potrubie

**due** [dju:] *adj* 1. splatný 2. riadny, náležitý 3. povinný; *adv* presne; *d. to* spôsobený niečím; *the train is d. at* vlak príde podľa cestovného poriadku o; *d-s pl.* poplatky

**dug** *see* **dig***

**duke** [dju:k] vojvoda

**dull** [dal] 1. tupý 2. nudný

**dumb** [dam] nemý

**dumbell** [ˈdambel] činka

**dummy** [dami] atrapa, panák

**dump** [damp] *n* smetisko, skládka; *v* vysypať na smetisko

**dumpling** [ˈdampliŋ] knedľa

**dung** [daŋ] hnoj

**dungeon** [dandžən] *(podzemný)* žalár, kobka

**duplicate** [ˈdju:plikeit] duplikát, odpis; *in d.* dvojmo

**durable** [ˈdjuərəbl] trvanlivý, odolný

**during** [ˈdju:riŋ] počas, v priebehu, za *(o čase)*

**dusk** [dask] šero

**dust** [dast] *n* prach; *v* 1. poprášiť 2. vyprášiť

**dustbin** [ˈdastbin] nádoba na odpadky

**duster** [ˈdastə] prachovka

**dustman** [ˈdastmən] smetiar

**dutiful** [dju:tiful] svedomitý

**duty** [ˈdju:ti] 1. povinnosť 2. služba 3. poplatok; clo

**duty-free** [ˈdju:tiˈfri:] bez cla

**dwarf** [dwo:f] trpaslík

**dwell*** [dwel] 1. zdržiavať sa, ostávať 2. bývať

**dwelling** [ˈdweliŋ] obydlie

**dwelt** *see* **dwell***

**dye** [dai] *n* farba; *v* (od)farbiť

**dye-stuff** [ˈdaistaf] farbivo

**dyke** [daik] hrádza *(protipovodňová)*

**dynamic** [daiˈnæmik] dynamický

**dynamics** [daiˈnæmiks] dynamika

**dynasty** [ˈdainəsti] dynastia

**dyslexia** [disˈleksiə] porucha schopnosti čítať

**dyspepsia** [dispepsia] porucha trávenia

# E

**each** [i:č] každý; *e. other* jeden druhého, vzájomne

**e.g.** [ˈi:dži:] = *(for example)* napr. *(napríklad)*

**eager** [ˈi:gə] *e. for,* dychtivý, horlivý

**eagle** [iˈgl] orol

**ear** [i:ə] **1.** ucho **2.** sluch **3.** klas; *be all ears* natahovať uši, počúvať

**eardrum** [i:ədram] ušný bubienok

**earl** [ə:l] gróf

**early** [ˈə:li] *adj* **1.** včasný, skorý **2.** raný; *adv* zavčasu, skoro

**earmark** [iəmark] *n* značka v uchu *(zvieraťa);* v vyčleniť

**earn** [ə:n] zarobiť si; zaslúžiť si

**earnest** [ˈə:nist] vážny; *in e.* vážne, naozaj

**earnings** [ˈə:niŋz] *pl.* zárobok, príjem

**earphone** [ˈi:əfəun] slúchadlo

**earpiece** [ˈiəpi:s] slúchadlo

**earring** [ˈiəriŋ] náušnica

**earth** [ə:θ] *n* **1.** zem, pevnina **2.** hlina **3.** svet; *v* uzemniť

**earthern** [ˈə:θən] hlinený

**earthernware** [ˈə:θənweə] hlinený, kameninový

**earthing** [ˈə:θiŋ] pozemšťan; *not to have an e.* nemať šancu

**earthly** [ˈə:θli] pozemský; svetský

**earthquake** [ˈə:θkweik] zemetrasenie

**earthworm** [ˈə:θwə:m] dáždovka

**earthy** [ə:θi] zemitý

**ease** [i:z] *n* **1.** pohoda; pokoj **2.** *(stand) at e. (voj.) (stáť)* v pohove; *with e.* bez ťažkostí; *v utíšiť (bolesť),* zmierniť *(napätie); e. off* uľaviť, uľahčiť si

**easel** [i:zl] maliarsky stojan

**easily** [i:zili] ľahko, pokojne

**east** [i:st] *n* východ; *adj* východný; *adv* na východ

**Easter** [ˈi:stə] Veľká noc

**eastern** [ˈi:stən] východný

**eastward** [ˈi:stwəd] smerom na východ

**easy** [ˈi:zi] **1.** ľahký **2.** nenútený **3.** pohodlný; *take it e.* nerobte si starosti

**easy chair** [ˈi:ziˈčeə] kreslo

**easy-going** [i:zigoiŋ] tolerantný, dobrácky

**eat\*** [i:t] **1.** jesť **2.** *(chem.)* zožierať

**eatable** [ˈi:təble] *pl.* požívateľný, jedlý

**eatables** [i:təbl] *pl.* jedlo

**eaten** *see* eat*

**eaves** [i:vz] *pl.* odkvap

**eavesdrop** [i:vzdrop] tajne odpočúvať súkromné hovory

**ebb** [eb] *n* odliv; *at a low e.* v zlom stave; *v* ubúdať

**ebony** [e'boni] eben

**eccentric** [ik'sentrik] výstredný, extravagantný

**ecclesiastic** [ikli:'ziəstik] duchovný

**echo** [ekou] ozvena

**eclipse** [i'klips] *n astron.* zatmenie; *v* zatieniť

**eco-friendly** [i:kou'frendli] priaznivý pre ekológiu

**ecological** [iko'lodžikəl] ekologický

**ecology** [i'kolədži] ekológia

**economic** [i:kə'nomik] hospodársky

**economical** [i:kə'nomikəl] hospodárny, šetrný

**economics** [i:kə'nomiks] *pl.* ekonómia *(veda)*; národné hospodárstvo

**economist** [i:'konəmist] národohospodár; hospodárny *(človek)*

**economize** [i:'konəmaiz] šetrne hospodáriť

**economy** [i:'konəmi] *n* 1. hospodárenie 2. hospodárstvo, ekonomika; *adj*

lacný; *e. class* turistická trieda *(v lietadle)*

**ecstasy** ['ekstəsi] extáza

**ecumenical** [i:kju'menikəl] ekumenický

**eddy** ['edi] *n* vír, krútňava; *v* víriť

**edge** [edž] 1. ostrie 2. hrana, okraj; *on e.* nervózny ; *v* 1. olemovať 2. nabrúsiť 3. pohybovať sa vpred

**edgy** ['edži] nervózny, podráždený

**edible** ['edibl] jedlý

**edit** ['edit] redigovať, zostaviť, upraviť

**edition** [i'dišn] vydanie *(knihy)*

**editor** ['editə] redaktor

**editorial** ['edi'to:riəl] *n* úvodník; *adj* redakčný

**educate** ['edjukeit] vychovávať, vzdelávať

**educated** ['edjukeitid] vzdelaný

**education** ['edju'keišn] výchova, vzdelanie

**educational** ['edju'keišənl] výchovný, učebný, vzdelávací

**eel** [i:l] úhor

**eerie** ['iərik] tajomný, strašidelný

**eery** *see* **eeric**

**effect** [i'fekt] *n* 1. výsledok, účinok; následok 2. dojem; *v* vykonať, previesť, uskutočniť; *pl. effects* [ifekts] účinnosť

**effective** [i'fektiv] účinný

**effeminate** [i'feminit] zoženštený

**efficiency** [i'fišənsi] výkonnosť; účinnosť

**efficient** [i'fišnt] výkonný, zdatný, účinný

**effigy** ['efidži] karikatúra

**effluent** ['efluənt] odtok; odpad vody

**effort** ['efət] úsilie, snaha

**effusive** [i'fju:siv] **1.** vášnivý **2.** efusívny

**egg** [eg] vajce; *scrambled e-s* praženica; *fried e-s* volské oká; *eggnog* vaječný koňak

**egghead** ['eghed] *(nepraktický človek)* intelektuál

**eggplant** [egplænt] baklažán

**eggshell** ['egšel] vaječná škrupina

**ego** ['i:gou] ja, ego

**egoism** ['i:gəuizəm] sebectvo

**egoistic(al)** [egəu'istik(əl)] sebecký

**egotism** [i:gəutizm] samoľúbosť

**eiderdown** ['aidədaun] páperová deka

**eight** [eit] osem

**eighteen** ['eiti:n] osemnásť

**eighteenth** ['eiti:nθ] osemnásty

**eighty** ['eiti] osemdesiat

**either** ['aiðə] **1.** oba **2.** jeden alebo druhý *(z dvoch);* ani; *e. or* bud... alebo...

**eject** ['i:džekt] vypudiť, vyhnať; vytrysknúť

**ejection** [i'džekšən] vypudenie; *e. seat* katapultovacie miesto

**elaborate** [i'læbərət] vypracovaný, podrobný

**elapse** [i'læps] uplynúť *(čas)*

**elastic** [i'læstik] *n* guma *(do bielizne); adj* pružný; *elastic band* gumička

**elated** [i'leitid] hrdý, oduševnený

**elbow** ['elbəu] **1.** lakeť **2.** koleno *(rúry)*

**elder**[1] ['eldə] *n* starešina

**elder**[2] ['eldə] *bot.* baza; *adj* starší *(člen rodiny)*

**elderly** ['eldəli] starší, postarší

**elecromagnetic** [i'lektrəu'mægnetik] elektromagnetický

**elect** [i'lekt] (z)voliť

**election** [i'lekšn] voľba; *general e.* všeobecné voľby

**elector** [i'lektə] volič

**electoral** [i'lektərəl] volebný

**electric** [iˈlektrik] elektrický; *electric appliances* elektrické prístroje; *e. cooker* elektrický šporák; *e. current* elektrický prúd; *e. cut* prerušenie elektrického prúdu

**electrical engineering** [iˈlektrikəl endžiˈniəriŋ] elektroinžinierstvo

**electricity** [ilektrisiti] elektrina, elektrický prúd

**electronic** [iˈlektronik] elektronický; *e. data processing* počítačové spracovanie informácií

**electronics** [ˈiləkˈtroniks] elektronika

**elegant** [ˈeligənt] elegantný, vkusný

**element** [ˈelimənt] prvok

**elementary** [eliˈmentəri] základný; *e. school AmE* základná škola

**elephant** [ˈelifənt] slon

**elevate** [ˈeliveit] zdvihnúť, povýšiť

**elevator** [ˈeliveitə] elevátor; *AmE* výťah

**eleven** [iˈlevn] jedenásť

**eleventh** [iˈlevnθ] jedenásty; *at the e. hour* v poslednom okamihu, v hodine dvanástej

**elf** [elf] škriatok

**eligible** [ˈelidžəbl] **1.** *e. for*

vhodný **2.** voliteľný; *you are e. for a grant* máte právo na štipendium

**eliminate** [iˈlimineit] vylúčiť

**elk** [elk] *zool.* los

**ellipse** [iˈlips] *geom.* elipsa

**elliptical** [iˈliptikəl] eliptický

**elm** [elm] *bot.* brest

**elongate** [ˈiːloŋgeit] predĺžiť

**eloquent** [ˈeləkwənt] výrečný

**else** [els] iný; inde; inam, inak, ešte; *who e.?* kto iný?; kto ešte?; *what e.?* čo ešte?; *where e.?* kde inde?, kam inam?; *how e.?* ako inak?

**elsewhere** [ˈelsweə] *(niekde)* inde, *(niekam)* inam

**elucidate** [iˈluːsideit] objasniť, vysvetliť

**elude** [iˈl(j)uːd] uniknúť, vyhnúť sa

**elusive** [iˈl(j)uːziv] unikajúci, prchavý

**emaciated** [iˈmeišieitid] vyziabnutý, vychudnutý

**e-mail** [imeil] e-mail; *e. address* e-mailová adresa

**emanate** [ˈeməneit] *(from)* vychádzať/vyžarovať *(z)*

**embalm** [imˈbaːm] balzamovať

**embankment** [imˈbæŋkmənt] **1.** hrádza, násyp **2.** nábrežie

**embark** [im'ba:k] **1.** nalodiť (sa) **2.** *e. on* pren pustiť sa do *(čoho)*

**embarrass** ['im'bærəs] **1.** priviesť do rozpakov, zmiasť **2.** dostať sa do finančných ťažkostí

**embargo** [im'ba:gəu] zákaz, embargo

**embassy** ['embəsi] ambasáda, veľvyslanectvo

**embellish** [im'beliš] okrášliť

**embers** ['embəz] *pl.* pahreba, žeravé uhlíky

**embezzle** [im'bezl] spreneveriť, zdefraudovať

**embitter** [im'bitə] roztrpčiť

**emblem** ['embləm] symbol, znak

**embody** [im'bodi] **1.** stelesniť **2.** reprezentovať

**embrace** [im'breis] *n* objatie; *v* **1.** objímať (sa) **2.** zahrnovať, obsahovať

**embroider** [im'broidə] vyšívať

**embroidery** [im'broidəri] výšivka

**embryo** ['embriəu] zárodok

**emerald** ['emərəld] smaragd

**emerge** [i'mə:dž] vynoriť sa; objaviť sa

**emergency** [i'mə:džənsi] núdza; *e. brake* záchranná brzda; *e. exit* núdzový východ

**emery** ['eməri] *n* brúsny papier; *v* brúsiť

**emigrant** ['emigrənt] vysťahovalec, emigrant

**emigrate** ['emigreit] vysťahovať (sa)

**eminent** ['eminənt] vynikajúci, významný

**emission** [i'mišn] **1.** vysielanie **2.** vyžarovanie

**emit** [i'mit] **1.** vysielať **2.** chrliť **3.** vydávať

**emotion** [i'məušn] dojatie; cit

**emotional** [i'məušnəl] citový

**emperor** ['empərə] cisár

**emphasis** ['emfəsis] dôraz

**emphasize** ['emfəsaiz] zdôrazniť

**emphatic** [im'fætik] dôrazný

**empire** ['empaiə] cisárstvo, ríša, impérium

**employ** [im'ploi] **1.** zamestnať **2.** použiť

**employee** [em'ploii:] zamestnanec

**employer** [im'ploiə] zamestnávateľ

**employment** [im'ploimənt] zamestnanie; *out of e.* bez zamestnania; *e. exchange* úrad práce; *employment agency* sprostredkovateľňa práce

**empower** [im'pauə] splnomocniť, oprávniť

**empress** [empris] cisárovná

**emptiness** [emptinis] prázdnota

**empty** ['empti] *adj* prázdny; *v* vyprázdniť

**enable** [i'neibl] 1. dať možnosť 2. urobiť schopným

**enact** [i'nækt] uzákoniť, ustanoviť

**enamel** [i'næməl] 1. smalt; *e. ware* smaltovaný riad 2. sklovina

**enchanted** [in'ča:ntid] okúzlený

**enchanting** [in'ča:ntiŋ] kúzelný, okúzlujúci

**encircle** [in'sə:kl] obklúčiť

**enclose** [in'kləuz] 1. ohradiť 2. priložiť *(do listu)*

**enclosure** [in'kləužə] 1. ohrada 2. príloha

**encore** ['oŋko:] prídavok *(na koncerte)*

**encounter** [in'kauntə] *n* stretnutie; *v* 1. stretnúť sa 2. naraziť *(náhodne)* na

**encourage** [in'karidž] povzbudzovať, posmeľovať

**encroach** [in'krəuč] *e. (up) on* zasahovať do niečoho

**encyclopaedia** [en'saiklo'pi:diə] náučný slovník

**end** [end] *n* koniec; *v* končiť (sa); *no e.* 1. bez prestáv-

ky 2. veľa, nekonečne; *in the e.* nakoniec; *on e.* vzpriamene; *be at an end* byť na konci; *put an end to* skončiť *(niečo)*

**endanger** [in'deindžə] ohroziť

**endeavour** [in'devə] *AmE n* snaženie, *v* snažiť sa

**ending** ['endiŋ] 1. koniec 2. *gram.* koncovka

**endless** ['endləs] nekonečný

**endorse** [in'do:s] 1. potvrdiť, súhlasiť 2. podpísať na rube

**endorsement** [in'do:smənt] policajný záznam *(vo vodič. preukaze)*

**endow** [in'dau] založiť nadáciu, dotovať

**endowment** [in'daumənt] dotácia

**endurable** [in'djuərəbl] znesiteľný

**endure** [in'dju:ə] vydržať, zniesť; trvať

**enemy** ['enəmi] nepriateľ

**energetic** [enə'džetik] energický, rázny

**energy** ['enədži] energia, sila

**enforce** [in'fo:s] 1. vynútiť 2. uplatniť, presadiť; *e. the laws* uviesť zákon do platnosti

**engage** [in'geidž] 1. zamestnať, najať 2. zasnúbiť sa 3. držať, priliehať

**engaged** [in'geidžd] **1.** zasnúbený **2.** obsadený **3.** zaneprázdnený

**engagement** [in'geidžmənt] **1.** záväzok **2.** zasnúbenie **3.** dohovor, schôdzka **4.** stretnutie

**engaging** [in'geidžiŋ] okúzľujúci, pôvabný

**engine** ['endžin] **1.** stroj, motor **2.** lokomotíva, rušeň

**engine-driver** [endžin'draivə] rušňovodič

**engineer** [endži'niə] inžinier, technik

**engineering** [endži'niəriŋ] inžinierstvo; *civil* e. stavebné inžinierstvo; *electrical* e. elektroinžinierstvo; *mechanical* e. strojárske inžinierstvo

**engrave** [in'greiv] (vy)ryť

**engrossed** [in'grəust] celkom zabraný do

**engulf** [in'galf] pohltiť

**enhance** [in'ha:ns] zvýšiť, zväčšiť, zlepšiť

**enigma** ['enig'mə] záhada, tajomstvo

**enjoy** [in'džoi] **1.** tešiť sa (z) **2.** byť obľúbený **3.** (o)chutnať; *did you e. your meal?* Chutilo vám?

**enjoyment** [in'džoimənt] potešenie, radosť (z)

**enlarge** [in'la:dž] **1.** zväčšiť **2.** *e. on* šíriť (sa)

**enlargement** [in'la:džmənt] rozšírenie, zväčšenie

**enlighten** [in'laitn] osvietiť; poučiť, informovať

**enlightenment** [in'laitnmənt] **1.** vysvetlenie **2.** *the* E. osvietenstvo

**enlist** [in'list] **1.** narukovať, odísť na vojnu **2.** získať *(pomoc/sympatie niekoho)*

**enliven** [in'laivn] oživiť

**enormous** [i'no:məs] obrovský

**enough** [i'naf] dosť, dostatok • *that's e.* to stačí

**enquire** *see* **inquire**

**enrage** [in'reidž] rozzúriť

**enrich** [in'rič] obohatiť; zlepšiť

**enrol** [in'rəul] *AmE* e. *in* zapísať *(do zoznamu)*

**enrolment** [in'rəulmənt] zápis, prihlásenie sa

**enslave** [in'sleiv] zotročiť

**ensue** [in'sju:] nasledovať

**ensure** [in'šuə] zaistiť, zaručiť

**entangle** [in'tæŋgl] e. *(on)* zapliesť, zamotať (sa)

**enter** ['entə] **1.** vstúpiť **2.** zapísať sa **3.** e. *for* zúčastniť sa *(niečoho)* **4.** zadať **5.** *výp.* vykonať príkaz

**enterprise** [ˈentəpraiz] **1.** podnik, závod **2.** podnikavosť

**enterprising** [ˈentəpraiziŋ] podnikavý

**entertain** [entəˈtein] **1.** hostiť **2.** baviť

**entertainment** [entəˈteinmənt] zábava

**enthusiastic** [in,θjuːziˈæstik] nadšený

**entice** [inˈtais] nalákať, navnadiť

**entire** [inˈtaiə] všetok, celý, úplný

**entirely** [inˈtaiəli] celkom, úplne

**entitle** [inˈtaitl] **1.** nazvať **2.** oprávniť

**entourage** [ˈontuːraːž] doprovod, suita

**entrails** [ˈentreilzl] *pl.* vnútornosti *(zvieratá)*, črevá

**entrance** [ˈentrəns] **1.** vchod; *e. fee* vstupné; *e. examination* prijímacia skúška **2.** uchvátiť

**entreat** [inˈtriːt] úpenlivo prosiť

**entreaty** [inˈtriːti] prosba

**entrust** [inˈtrast] **1.** zveriť **2.** *e. with* poveriť *(niečím)*

**entry** [ˈentri] **1.** vchod **2.** zápis, záznam **3.** položka; *e.-visa* vstupné víza

**envelop** [inˈveləp] zaobaliť

**envelope** [ˈenveləup] obálka

**enviable** [enˈviəbl] závideniahodný

**envious** [ˈenviəs] závistlivý

**environment** [inˈvaiərənmənt] prostredie, okolie

**environmental** [inˈvaiərənmentəl] ekologický, týkajúci sa životného prostredia; *e. protection* ochrana životného prostredia; *e. pollution* znečistenie životného prostredia

**environs** [ˈenvirənz] *pl.* okolie *(mesta)*

**envisage** [inˈvizidž] **1.** čeliť *(nebezpečenstvu, faktom)* **2.** predstaviť si

**envoy** [ˈenvoi] **1.** vyslanec **2.** posol

**envy** [ˈenvi] *n* závisť; *v* závidieť

**epoch** [ˈiːpok] epocha, obdobie, éra

**epoch-making** [ˈiːpokmeikiŋ] významný, raziaci novú cestu; *e. victory* historické víťazstvo

**equal** [ˈiːkwəl] *adj* rovný, rovnaký; *v* rovnať sa

**equality** [iːˈkwoləti] rovnosť

**equally** [iːˈkwəli] rovnako

**equation** [iˈkweišn] **1.** *mat.* rovnica **2.** vyrovnanie

**equator** [i'kweitə] rovník

**equestrian** [i'kwestriən] jazdecký

**equilibrium** [i:kwi'libriəm] rovnováha

**equinox** ['i:kwinoks] rovnodennosť

**equip** [i'kwip] vybaviť, vystrojiť *(niečím)*

**equipment** [i'kwipmənt] vybavenie, výstroj; výzbroj

**equivalent** [i'kvivələnt] *(to)* rovnocenný

**era** ['iərə] éra, vek

**eradicate** [i'rædikeit] vykoreniť, vyhubiť

**erase** [i'reiz] vymazať, vygumovať

**eraser** [i'reizə] *AmE* guma *(na gumovanie)*

**erect** [i'rekt] *adj* vzpriamený, vztýčený; *v* **1.** vztýčiť **2.** vystavať, vybudovať

**ermine** ['ə:min] **1.** *zool.* hranostaj **2.** hermelín

**erosion** [i'rouʒən] erózia

**erotic** [i'rotik] erotický

**err** [ə:] mýliť sa, chybiť

**errand** [erənd] vybavovanie, pochôdzka

**erratic** [i'rætik] bludný, nevypočítateľný

**error** ['erə] chyba, omyl

**eruption** [i'rapšn] **1.** výbuch **2.** *lek.* vyrážka

**escalator** [e'skəleitə] pohyblivé schody

**escape** [i'skeip] *n* únik, útek; *a narrow e.* únik o vlások; *v* uniknúť, ujsť; vyhnúť sa

**escort** ['esko:t] *n (ozbrojený)* sprievod; *v* [is'ko:t] sprevádzať, eskortovať

**especial** [is'pešəl] (ob)zvláštny

**especialy** [is'pešli] (ob)zvlášť, najmä

**espionage** ['espiə'na:ž] špionáž

**esplanade** [isplə'neid] promenáda

**esquire** [is'kwaiə] *abbr.* **Esq.** zdvorilostný titul na obálku za menom *(Váž. pán)*

**essay** ['esei] esej, písomná práca

**essence** ['esns] **1.** podstata **2.** výťažok, esencia

**essential** [i'senšəl] podstatný, hlavný, dôležitý

**establish** [is'tæbliš] založiť; zriadiť

**establishment** [is'tæblišmənt] **1.** založenie, zriadenie **2.** ústav **3.** podnik

**estate** [is'teit] nehnuteľný majetok; *real e.* nehnuteľnosti; *a housing e.* domová zástavba; *e. car* kombi

**esteem** [is'ti:m] *n* vážnosť, úcta; *v* vážiť si, ctiť

**estimate** [ˈestimit] *n* odhad;
*v* [ˈestimeit] odhadnúť,
oceniť

**estrange** [isˈtreindž] *(from)*
odcudziť sa *(komu)*

**estuary** [ˈestjuəri] ústie rieky
*(do mora)*

**et al.** [ˈetˈæl] *abbr.* a iní

**etc.** (= *et cetera*) [itˈsetrə]
atď. (= *a tak dalej*)

**etch** [eč] leptať

**eternal** [iːˈtəːnəl] večný

**eternity** [iːˈtəːniti] večnosť

**ether** [ˈiːθə] éter

**ethical** [eθikl] etický

**ethics** [eθiks] etika

**ethnic** [eθnik] etnický, folk-
loristický

**ethos** [ˈiːθəs] mravný zá-
klad, étos

**Europe** [ˈjuːrəp] Európa

**European** [juərəˈpiːən] *n*
Európan; *adj* európsky

**evacuate** [iˈvækjueit] vysťa-
hovať; evakuovať

**evade** [iˈveid] vyhnúť sa;
uniknúť

**evaluate** [iˈvæljueit] hodno-
tiť, oceniť

**evaluation** [iˈvæljueišən]
ocenenie, hodnotenie

**evaporate** [iˈvæpəreit] vy-
pariť (sa)

**evaporated** [iˈvæpəreitid]
sušený; *e. milk* sušené
mlieko

**evasive** [iˈveisiv] vyhýbavý

**eve** [iːv] predvečer; *on the e.
(of)* v predvečer

**even** [ˈiːvən] *adj* 1. rovný,
hladký 2. pravidelný 3.
rovnaký 4. párny; *adv* 1.
dokonca 2. ešte; *not e.*
ani; *e. though / e. if* aj keď;
*even so* aj tak

**even-handed** [ˈiːvnˈhændid]
nestranný

**evening** [ˈiːvniŋ] večer; *e.
dress* večerný úbor, frak;
*e. gown* večerné šaty; *e.
class* večerná škola

**event** [iˈvent] 1. udalosť 2.
prípad; *in any e.* v každom
prípade; *at all e-s* rozhod-
ne 3. šport. disciplína

**even-tempered** [ˈiːvntem-
pəd] vyrovnaný

**eventful** [iˈventfl] rušný, bo-
hatý na udalosti

**eventual** [iˈventjuəl] 1. mož-
ný 2. konečný, výsledný

**eventually** [iˈventjuəli] ko-
nečne, nakoniec

**ever** [ˈevə] *(vôbec)* kedy; *for
e.* navždy; *yours e.* Váš/
Tvoj *(zakončenie nefomál-
neho listu); as ever* ako
vždy; *e. since* odvtedy
vždy; *hardly e.* takmer
nikdy

**everlasting** [evəlaːstiŋ] več-
ný, trvalý

**every** [ˈevri] každý; *e. other day* každý druhý deň; *e. now and then* kedy-tedy

**everybody** [ˈevribodi] každý *(človek)*

**everyday** [ˈevridei] každodenný, všedný

**everyone** [ˈevriwan] každý *(človek)*

**everything** [ˈevriθiŋ] všetko

**everywhere** [ˈevriweə] všade; *from e.* odvšadiaľ

**evict** [iːˈvikt] *(from)* vysťahovať *(súdne)*

**evidence** [ˈevidəns] **1.** dôkaz **2.** svedectvo

**evident** [ˈevidənt] zrejmý, jasný

**evil** [iːvl] *n* zlo; *adj* zlý

**evoke** [iˈvəuk] vyvolať

**evolution** [ivəˈluːšn] vývoj

**evolutionary** [iːvəˈluːšnri] evolučný, vývojový

**evolve** [iˈvolv] vyvinúť sa

**ewe** [juː] ovca, bahnica

**exact** [igˈzækt] *adj* presný

**exacting** [iˈgzæktiŋ] náročný

**exactly** [ikˈzæktli] presne

**exaggerate** [igˈzædžəreit] preháňať, zveličovať

**exalted** [igˈzoːltid] **1.** vysoko postavený **2.** exaltovaný, premrštený

**exam** [igˈzæm] *hovor.* see **examination**

**examination** [igˈzæmiˈneišn] **1.** *škol.* skúška **2.** vyšetrenie, kontrola

**examine** [igˈzæmin] **1.** skúšať **2.** vyšetrovať, prezerať

**example** [igˈzaːmpl] príklad; *for e. (= e. g.)* napríklad

**exasperate** [igˈzaːspəˈreit] nahnevať, rozčúliť

**excavate** [ˈekskəveit] vyhĺbiť, vykopať

**excavation** [ˈekskəˈveišn] vykopávka, jama

**excavator** [ˈekskəveitə] báger, rýpadlo

**exceedingly** [ikˈsiːdiŋli] krajne, nesmierne

**exceed** [ikˈsiːd] prekročiť, prevýšiť

**excel** [ikˈsel] vynikať; prevyšovať

**excellency** [ikˈselənsi] excelencia, výsosť; *His E.* Jeho Excelencia

**excellent** [ˈksələnt] skvelý, vynikajúci

**except** [ikˈsept] *v* vyňať; *prep. e. (for)* okrem, mimo *(niečoho)*

**exception** [ikˈsepšn] výnimka

**exceptional** [ikˈsepšənəl] výnimočný

**excerpt** [ˈeksəːpt] výňatok

**excess** [ikˈses] krajnosť; *e.*

*baggage* batožina nad váhu; *e. charge/fee* poplatok navyše

**excessive** [ik'sesiv] nadmerný, prílišný

**exchange** [iks'čeindž] *n* **1.** výmena; *bill of e.* zmenka; *e. rate* výmenný kurz; *foreign e.* valuty **2.** burza; *v* vymeniť; *e. for* výmena za

**exchequer** [iks'čeke] *BrE* štátna pokladnica; *Chancellor of the E. (britský)* minister financií

**excise** [eksaiz] *e. duty* spotrebná daň *(nepriama)*

**excite** [ik'sait] vzrušiť; rozčúliť

**excitement** [ik'saitment] vzrušenie; rozčúlenie

**exclaim** [iks'kleim] zvolať, vykríknuť

**exclamation** [,eksklə'meišn] zvolanie; *e. mark* výkričník

**exclude** [iks'klu:d] *(from)* vylúčiť *(z)*

**exclusive** [iks'klu:siv] výlučný, výhradný

**excrement** [,ekskriment] výkaly, stolica

**excursion** [iks'kə:šn] výlet, exkurzia

**excuse** [iks'kju:z] *v (for)* ospravedlniť, prepáčiť

*(niečo); n* [iks'kju:s] ospravedlnenie; *Excuse me* Prepáčte!

**execute** [,eksikju:t] **1.** vykonať, uskutočniť **2.** popraviť

**execution** [,eksi'kju:šn] **1.** vykonanie; uskutočnenie **2.** poprava

**executioner** [,eksi'kju:šnə] kat

**executive** [ig'zekjutiv] výkonný, riadiaci *(pracovník); the e. (pol.)* exekutíva

**exemplary** [ig'zempləri] príkladný, vzorný

**exemplification** [ig'zemplifikeišən] podloženie príkladmi

**exemplify** [ig'zemplifai] uviesť príklad

**exempt** [ig'zempt] *(from)* oslobodený *(od)*

**exercise** [,eksəsaiz] *n* **1.** cvičenie **2.** písomná úloha **3.** pohyb; *v* **1.** cvičiť **2.** uplatňovať; *e. book* cvičebnica

**exert** [ig'zə:t] **1.** prejaviť, vynaložiť **2.** *e. on* uplatňovať

**exertion** [ig'zə:šn] námaha, vypätie

**exhale** [eks'heil] vydychovať

**exhaust** [ig'zo:st] vyčerpať, unaviť, spotrebovať

**exhaustion** [ig'zo:sčn] *(úplné)* vyčerpanie; únava

**exhibit** [ig'zibit] *n* exponát; *v* **1.** ukázať; preukázať **2.** vystaviť

**exhibition** ['eksi'bišn] výstava

**exhilaration** [ig'ziləreišən] veselosť, veselá nálada

**exile** ['eksail] *n* vyhnanstvo, exil; *v* poslať do vyhnanstva

**exist** [ig'zist] existovať, byť, trvať

**existence** [ig'zistəns] bytie, trvanie, existencia

**exit** ['eksit] východ *(dvere)*

**exodus** ['eksədəs] hromadný odchod, exodus

**exorbitant** [ig'zo:bitənt] premrštený, prehnaný

**expand** [iks'pænd] rozšíriť (sa), rozpínať (sa)

**expansion** [iks'pænšn] **1.** rozpätie **2.** rozpínavosť, expanzia

**expect** [iks'pekt] **1.** očakávať **2.** domnievať sa

**expectation** ['ekspek'teišn] očakávanie

**expedience** [iks'spi:diəns] výhodnosť, účelovosť

**expedient** [ik'spi:diənt] výhodný, vypočítavý

**expedition** ['ekspi'dišn] výprava, expedícia

**expel** [iks'pel] vyhnať, vylúčiť, vypudiť

**expenditure** [iks'pendičə] výdavky, náklady

**expense** [iks'pens] výdavok, útrata; *at my e.* na môj účet

**expensive** [iks'pensiv] drahý, nákladný

**experience** [iks'piəriəns] *n* **1.** skúsenosť **2.** zážitok; *v* **1.** skúsiť **2.** zažiť

**experienced** [iks'piəriənst] skúsený

**experiment** [iks'perimənt] *n* pokus; *v* [iks'perimənt] robiť pokusy

**experimental** [iks'periməntl] pokusný, experimentálny

**expert** ['ekspə:t] *n* odborník, znalec; *adj* zručný, skúsený

**expertise** ['ekspəti:z] **1.** odborné schopnosti, kvalifikácia **2.** expertíza, odborný posudok

**expiration** [ekspi'reišn] **1.** ukončenie, uplynutie **2.** výdych

**expire** [iks'paiə] **1.** vydýchnuť **2.** *(o lehote)* uplynúť, stratiť platnosť

**explain** [iks'plein] vysvetliť

**explanation** ['eksplə'neišn] vysvetlenie, objasnenie

**explicit** [iks'plisit] jasný, jednoznačný

**explode** [iks'pləud] vybuchnúť

**exploit** [ek'sploit] *n* hrdinský čin; *v* [iks'ploit] **1.** využiť **2.** vykorisťovať

**exploitation** ['eksploi'teišn] vykorisťovanie

**exploration** [eksploreišən] prieskum

**explore** [iks'plo:] preskúmať, prebádať

**explorer** [iks'plo:rə] bádateľ

**explosion** [iks'pləužn] výbuch, explózia

**explosive** [iks'pləusiv] *adj* výbušný; *n* výbušnina; *e. expert* pyrotechnik

**export** [eks'po:t] *v* vyvážať; *n* ['ekspo:t] vývoz

**exporter** [iks'po:tə] vývozca

**expose** [iks'pəuz] **1.** vystaviť **2.** odhaliť **3.** exponovať *(film)*

**exposition** [ekspə'zišn] **1.** výklad **2.** výstava

**exposure** [iks'pəužə] **1.** vystavenie *(poveternostným podmienkam)* **2.** odhalenie

**express** [iks'pres] *n* rýchlik, expres; *v* **1.** vyjadriť **2.** vytlačiť; *adj* **1.** výslovný **2.** rýchly

**expression** [iks'prešn] výraz

**expressive** [iks'presiv] **1.** výrazný **2.** výrečný

**expressway** [iks'presvei] *AmE* diaľnica

**expropriate** [eks'prəuprieit] vyvlastniť

**expulsion** [iks'palšn] vyhostenie, vylúčenie

**exquisite** ['ekskwizit] vybraný, skvelý

**extend** [iks'tend] natiahnuť, roztiahnuť

**extension** [iks'tenšn] **1.** predĺženie **2.** roztiahnutie; rozšírenie **3.** *telef.* prípojka, linka, klapka **4.** *elek.* predlžovacia šnúra

**extensive** [iks'tensiv] rozsiahly

**extent** [iks'tent] rozloha, rozsah; *to a great e.* značne, veľmi

**extenuate** [eks'tenjueit] zmierniť, oslabiť; *e.-ing circumstances* poľahčujúce okolnosti

**exterior** [eks'tiəriə] *n* vonkajšok; *adj* vonkajší

**exterminate** [eks'tə:mineit] vyhubiť

**external** [eks'tə:nəl] vonkajší; *e. affairs* zahraničná politika

**extinct** [iks'tiŋkt] **1.** vyhasnutý **2.** vyhynutý

**extinction** [iks'tiŋkšn] zánik

**extinguish** [iks'tiŋgwiš] vyhasiť, zahasiť

**extortion** [iks'to:šən] vydieranie

**extra** ['ekstrə] n osobitná vec; adj zvláštny, ďalší; e. money peniaze navyše; adv zvlášť; e. time predĺženie; e-s prirážka

**extract** ['ekstrækt] n výťažok; v [iks'trækt] vytiahnuť, vybrať

**extraction** ['ekstrækšn] 1. vytiahnutie 2. výťažok 3. pôvod

**extracurricular** [ekstrəkə'rikjulə] mimoškolský

**extramarital** ['ekstrəmæritəl] mimomanželský, nemanželský

**extramural** ['ekstrə'mjuərəl] 1. mimo mesta 2. e. studies kurzy pre verejnosť

**extraordinary** [iks'tro:dnəri] mimoriadny, zvláštny

**extraterrestrial** [ekstrətə'restriəl] mimozemský

**extravagant** [iks'trævəgənt] 1. výstredný 2. prehnaný

**extreme** [iks'tri:m] n krajnosť; adj krajný

**extremity** [iks'tremiti] krajnosť

**exuberant** [ig'zju:bərənt] 1. bujný, veselý 2. (o rastl.) rastúci vo veľkom množstve

**exude** [ig'zju:d] vyžarovať

**exult** [ig'zalt] jasať, plesať

**eye** [ai] n 1. oko 2. očko 3. ucho ihly; v dívať sa, pozorovať; e. shadow očné tiene; be in the public e. byť na očiach verejnosti; keep an e. on dávať pozor na

**eyeball** ['aibo:l] anat. bulva

**eyebrow** ['aibrau] obočie

**eyelashes** ['ailæšiz] pl. mihalnice

**eyelid** ['ailid] očné viečko

**eyesight** ['aisait] zrak

**eyewitness** ['ai'witnis] očitý svedok

# F

**fab** [fæb] fantastický

**fable** ['feibl] bájka

**fabric** ['fæbrik] 1. tkanina 2. štruktúra

**fabricate** ['fæbrikeit] vyrábať

**fabulous** [febju:ləs] fantastický, neuveriteľný

**face** [feis] n 1. tvár; to my f. mne do očí; f. to f. tvárou v tvár 2. líce, predná strana; on the f. of it na prvý pohľad; v **1.** dívať sa tvárou v tvár; *f-ing the engine* v smere jazdy **2.** čeliť *(niečomu)* **3.** *(with)* pokryť vrstvou; *adj* f. *value* nominálna hodnota; *lose* f. stratiť tvár

**facilitate** [fæˈsiliteit] uľahčiť

**facilities** [fəˈsilitiz] *pl.* pomôcky

**fact** [fækt] skutočnosť, fakt; *in* f. naozaj; vlastne; *as a matter of fact* skutočne

**faction** [ˈfækšn] **1.** strana, klika **2.** straníctvo

**factor** [ˈfæktə] činiteľ, faktor

**factory** [ˈfæktəri] továreň

**factual** [ˈfækčuəl] faktický, skutočný; presný

**faculty** [ˈfækəlti] **1.** schopnosť **2.** fakulta

**fade** [feid] **1.** vädnúť **2.** strácať farbu, blednúť **3.** strácať sa, miznúť

**fag¹** [fæg] *n* ťažká práca

**fag²** [fæg] *v* (veľmi) unaviť; *n* **1.** drina **2.** cigareta

**fagend** [fægend] nedopalok, ohorok

**fail** [feil] **1.** chýbať **2.** nedostávať sa, nestačiť **3.** zlyhať **4.** nemať úspech **5.** zabudnúť **6.** prepadnúť *(na skúške)*

**failure** [ˈfeiljə] **1.** zlyhanie **2.** nezdar, neúspech

**faint** [feint] *adj* slabý, mdlý; *v* zamdlieť; *I haven't the faintest idea* nemám ani poňatia

**fair¹** [feə] **1.** výročný trh **2.** veľtrh

**fair²** [ˈfeə] *n* trh, veľtrh; *adj* **1.** spravodlivý, slušný **2.** priemerný **3.** pekný *(o počasí)* **4.** dostačujúci, hojný **5.** svetlý, bledý *(o koži, vlasoch )* **6.** čistý; *f. copy* čistopis

**fairly** [ˈfeəli] **1.** dosť, celkom **2.** spravodlivo

**fairy** [ˈfeəri] víla; *f. tale* rozprávka

**faith** [feiθ] viera, dôvera

**faithful** [ˈfeiθful] verný

**faithless** [feiθləs] neverný, falošný

**fake** [feik] *n* falzifikát; *v* falšovať

**falcon** [ˈfɔːlkən] *zool.* sokol

**fall¹\*** [fɔːl] **1.** padať, klesať **2.** upadať **3.** pripadnúť **4.** vlievať sa **5.** padnúť, zahynúť **6.** *(o noci)* nastať **7.** *(o vetre)* utíšiť sa; *f. apart* rozpadnúť sa; *f. asleep* zaspať; *f. in love* zaľúbiť sa; *f. out with so.* rozhnevať sa s; *fall down* spadnúť; *f. behind* zaostávať; *f. off* spadnúť, klesať; *f. out* vypadnúť, rozísť sa; *f. over* prevrhnúť sa; *f. through* prepadnúť, neuspieť

**fall²** [fo:l] **1.** pád **2.** *AmE* jeseň; *f. out* popol z rádioaktívneho mraku; *f-s pl.* vodopád

**fallen** *see* **fall\***

**false** [fo:ls] **1.** nesprávny, klamný **2.** neverný, falošný; *f. teeth* falošné zuby

**falsehood** [ˈfo:lshud] faloš, klam

**falsify** [ˈfo:lsifai] falšovať

**falter** [ˈfo:ltə] **1.** neisto sa pohybovať **2.** *(o reči, hlase)* kolísať, váhať

**fame** [feim] povesť, sláva, chýr

**familiar** [fəˈmiljə] **1.** *f. to* dobre známy, dôverný **2.** *f. with* oboznámený s

**familiarity** [fəˈmiliæriti] dôvernosť

**family** [ˈfæmili] rodina; *f. allowance* rodinný prídavok; *f. name* priezvisko

**famine** [ˈfæmin] **1.** hladomor **2.** nedostatok

**famished** [ˈfæmišd] vyhladovaný

**famous** [ˈfeiməs] slávny

**fan** [fæn] *n* **1.** vejár **2.** ventilátor **3.** *hovor.* fanúšik, nadšenec; *v* ovievať

**fanatic** [fəˈnætik] *n* fanatik; *adj* fanatický

**fancy** [ˈfænsi] *n* **1.** fantázia, obrazotvornosť **2.** predstava **3.** záľuba; *adj* módny, prepychový; *f. dress* maškarný kostým; *v* predstaviť si, pomyslieť si

**fang** [fæŋ] tesák; jedovatý zub *(hadí)*

**fantastic** [fænˈtæstik] **1.** fantastický **2.** rozprávkový

**fantasy** [ˈfæntəsi] fantázia

**far** [fa:] *adv* ďaleko; *as f. as* až *(o mieste); so f.* až doposiaľ; *adj* ďaleký,vzdialený

**fare** [feə] **1.** cestovné **2.** strava; *bill of f.* jedálny lístok

**farewell** [feəˈwel] rozlúčka

**far-fetched** [fa:ˈfečt] pritiahnutý za vlasy

**farm** [fa:m] *n* hospodárstvo, majetok, gazdovstvo, farma; *v* obrábať

**farmer** [fa:mə] farmár, poľnohospodár

**far-sighted** [fa:ˈsaitid] ďalekozraký

**farther** [ˈfa:ðə] *adv* ďalej; *adj* vzdialenejší

**fascinate** [ˈfæsineit] okúzliť, fascinovať

**fashion** [ˈfæšn] móda

**fashionable** [ˈfæšnəbl] módny; moderný; elegantný

**fast** [fa:st] *v* postiť sa; *n* pôst;

*adj* **1.** pevný, stály **2.** rýchly; *adv* **1.** pevne, tvrdo **2.** rýchlo; *f. food* rýchle občerstvenie

**fasten** ['fa:sn] **1.** upevniť, pripevniť **2.** zatvárať

**fastidious** [fæs'tidiəs] vyberavý, puntičkársky

**fat** [fæt] *adj* **1.** tlstý, tučný **2.** úrodný; *n* tuk, masť

**fatal** ['feitl] osudný

**fate** [feit] **1.** osud **2.** zánik, záhuba

**father** ['fa:ðə] otec

**fatherhood** [fa:ðəhud] otcovstvo

**father-in-law** ['fa:ðərinlo:] svokor

**fathom** ['fæ:ðəm] siaha (= *1.829 m*)

**fatique** [fə'ti:g] *n* únava; *v* unaviť

**fatten** ['fætn] **1.** vykŕmiť **2.** stlstnúť

**fatty** [fæti] tlstý, tučný

**faucet** ['fo:sit] *AmE* kohútik (*vodovodu*)

**fault** ['fo:lt] **1.** chyba **2.** vina

**faultless** ['fo:ltlis] bezchybný, dokonalý

**faulty** [fo:ti] chybný

**favour** ['feivə] *n* **1.** priazeň **2.** láskavosť; *do me a f.* preukážte mi láskavosť **3.** preukázaná služba **4.** prospech; *in f. of* v prospech; *v* **1.** pocit **2.** favorizovať

**favourable** ['feivərəbl] priaznivý

**favourite** ['feivərit] obľúbený

**fax** [fæks] *n* fax; *v* faxovať

**fear** [fiə] *n* strach; *v* báť sa

**fearful** [fiəfl] bojazlivý

**fearless** ['fiəlis] nebojácny

**feast** [fi:st] *n* **1.** slávnosť **2.** hody; *v* hodovať

**feat** [fi:t] (*hrdinský*) čin

**feather** ['feðə] pero, perie

**feather-bed** ['feðəbed] perina

**feature** ['fi:čə] **1.** črta, charakteristická stránka **2.** *f-s pl.* črty tváre; *feature film* hraný film

**February** ['februəri] február

**fed** *see* **feed***

**fed¹** [fed] (*feed*) vykŕmený; *f. up with* otrávený (*mať niečoho dost*)

**fed²** *AmE hovor.* agent FBI

**federal** ['fedərəl] spolkový, federálny

**fee** [fi:] **1.** honorár **2.** poplatok

**feeble** ['fi:bl] slabý

**feeble-minded** [fi:blmaindid] prostoduchý

**feed*** [fi:d] **1.** kŕmiť, živiť **2.** pásť sa **3.** zásobovať (*palivom*)

**feedback** ['fi:dbæk] spätná väzba

**feeder** [fi:də] **1.** podbradník **2.** kŕmidlo; *f. stream* prítok

**feeding bottle** [fiding botl] detská fľaša

**feel\*** [fi:l] **1.** cítiť sa **2.** skúsiť **3.** mať súcit **4.** mať pocit, dojem; *feel about* tápať; *f. bad about* nemať rád; *f. better* cítiť sa lepšie; *f. hungry* byť hladný; *it f-s like* mať chuť *(na niečo)*

**feeling** [fi:ling] pocit, cítenie

**feet** [fi:t] *pl.* od foot

**feign** [fein] predstierať, simulovať

**felicity** [fəlisity] vhodnosť, výstižnosť

**fell¹** [fel] (vy)rúbať, zoťať

**fell²** *see* **fall\***

**fellow** [feləu] **1.** druh, kamarát **2.** človek **3.** člen učenej spoločnosti; *f. traveller* spolucestujúci

**fellowship** [feləušip] **1.** spolok, družnosť **2.** členstvo

**felon** [felən] zločinec

**felt¹** [felt] plsť

**felt²** *see* **feel\***

**female** [fi:meil] *n* žena, samička; *adj* ženský, samičí; *f. impersonator* transvestita

**feminine** [feminin] ženský

**fence¹** [fens] *n* plot; *v* oplotiť

**fence²** [fens] *n* šerm; *v* šermovať

**fencing** [fensing] šermovanie; *šport.* šerm

**fender** [fendə] **1.** ochranná mriežka **2.** nárazník

**ferment** [fə:mənt] *n* kvas, kvasnice; [fə(:)mənt] *v* kvasiť

**fern** [fə:n] *bot.* papraď

**ferocious** [fərəušəs] divoký, krutý

**ferocity** [fərositi] divokosť, krutosť

**ferry** [feri] *v* previezť (sa); *n* prievoz

**ferry-boat** [feri bəut] trajekt

**fertile** [fə:tail] úrodný, plodný

**fertility** [fə:tiliti] úrodnosť, plodnosť

**fertilizer** [fə:tilaizə] umelé hnojivo

**fervent** [fə:vənt] **1.** horúci **2.** *pren.* vrelý, vášnivý

**fester** [festə] *lek.* hnisať, zbierať sa *(rana)*

**festival** [festivəl] **1.** sviatok **2.** festival, slávnosť

**festive** [festiv] **1.** slávnostný **2.** radostný

**fetch** [feč] ísť po niečo, priniesť

**fetter** [fetə] puto; *pl.* okovy

**feud** [fju:d] spor

**feudalism** [fju:dəlizəm] feudalizmus

**fever** [fi:və] horúčka

**feverish** ['fi:vəriš] horúčkovitý

**few** [fju:] málo; *a* f. niekoľko

**fiancé** [fi'a:nsei] snúbenec, ženích

**fiancée** [fi'a:nsei] snúbenica, nevesta

**fibre** ['faibə] vlákno

**fibreglass** ['faibə gla:s] sklené vlákno

**fiction** ['fikšən] 1. výmysel 2. beletria

**fictious** ['fik'tišəs] vymyslený

**fiddle** ['fidl] husle • *as fit as* f. zdravý ako rybička

**fidelity** [fi'deliti] 1. vernosť 2. presnosť

**fidget** ['fidžit] vrtieť sa

**field** [fi:ld] 1. pole, terén; f. *work* práca v teréne 2. oblasť, sféra 3. *šport.* ihrisko

**fieldglass(es)** ['fi:ldgla:siz] *pl.* dalekohľad

**fierce** [fiəs] prudký, divoký, nahnevaný

**fiery** ['faiəri] prchký, temperamentný

**fife** [faif] píšťala

**fifteen** ['fif'ti:n] pätnásť

**fifteenth** ['fif'ti:nθ] pätnásty

**fifth** [fifθ] piaty

**fiftieth** ['fiftiəθ] päťdesiaty

**fifty** ['fifti] päťdesiat

**fig** [fig] figa

**fight** [fait] *n* zápas, boj; *v* bojovať, zápasiť; f. *back* brániť sa; f. *off* zahnať, odraziť

**fighter** ['faitə] 1. zápasník, bojovník 2. stíhačka

**figure** ['figə] *n* 1. číslica (0 – 9) 2. cena 3. obrazec, diagram 4. postava; *v* 1. znázorniť; f. *out* vypočítať si; predstaviť si; *adj* f. *skating* ['figəskeitiŋ] krasokorčuľovanie

**file** [fail] *n* 1. pilník 2. zoznam, kartotéka 3. zástup, šík; *v* 1. píliť 2. zaradiť do kartotéky/registra 3. pochodovať v zástupe, defilovať

**fill** [fil] naplniť; f. *sth. in* vyplniť; f. *up* naplniť

**fillet** ['filit] rezeň, filé *(mäsa/ryby)*

**filling-station** ['filiŋ steišən] benzínová pumpa

**film** [film] *n* 1. tenký povlak 2. film; *v* filmovať

**filter** ['filtə] *n* filter; *v* filtrovať

**filth** [filθ] špina

**filthy** ['filθi] 1. špinavý 2. necudný

**fin** [fin] plutva

**final** ['fainl] *adj* konečný, záverečný; *n* finále

**finalist** ['fainəlist] finalista

**finalize** [fainəˈlaiz] ukončiť

**finally** [ˈfainəli] konečne, nakoniec

**finance** [fiˈnæns] *n* financie; *v* financovať

**financial** [fiˈnænšəl] finančný, peňažný

**finch** [finč] pinka

**find\*** [faind] nájsť, nachádzať; *I f. it difficult* zdá sa mi to ťažké; *f. on* prejaviť sa; *f. out* zistiť, objaviť

**fine¹** [fain] *n* pokuta; *v* pokutovať

**fine²** [fain] **1.** jemný **2.** skvelý, pekný **3.** vybraný, uhladený

**finger** [ˈfiŋgə] prst

**fingernail** [ˈfiŋgəneil] necht

**fingerprint** [ˈfiŋgəprint] odtlačok prsta

**fingertip** [ˈfiŋgətip] konček prsta

**finish** [ˈfiniš] *n* **1.** koniec, záver **2.** posledná úprava **3.** cieľ; *v* dokončiť

**fir** [fə:] jedľa

**fire** [ˈfaiə] *n* **1.** oheň **2.** požiar **3.** streľba; *v* **1.** (pod)páliť **2.** vypaľovať *(hlinu)* **3.** (vy)streliť **4.** *hovor.* prepustiť zo zamestnania

**firearm** [faiəˈa:m] zbraň

**firefighter** [faiəfaitə] hasič, požiarnik

**fireman** [ˈfeiəmən] požiarnik

**fireplace** [ˈfaiəpleis] kozub

**fire-proof** [ˈfaiəpru:f] ohňovzdorný

**firewood** [ˈfaiəwud] palivové drevo

**firework** [ˈfaiəwə:ks] *pl.* ohňostroj

**firm** [fə:m] *n* firma, podnik; *adj* pevný

**first-class** [fə:stˈkla:s] prvotriedny

**first** [fə:st] *adj* prvý; *adv* najprv; *at f.* najprv, spočiatku; *f. of all* predovšetkým

**first-rate** [ˈfə:stˈreit] prvotriedny

**fiscal** [ˈfiskl] finančný, daňový

**fish** [fiš] *n* ryba, ryby; *v* rybárčiť, chytať ryby

**fishhook** [fišhu:k] háčik na ryby

**fisherman** [ˈfišəmən] rybár

**fishmonger** [ˈfišˈmaŋgə] obchodník s rybami; *f.'s* obchod s rybami

**fishy** [ˈfiši] **1.** rybí **2.** pochybný; *hovor.* podozrivý

**fission** [fišən] štiepenie, množenie delením

**fist** [fist] päsť

**fit** [fit] *n* **1.** záchvat **2.** fazóna • *adj* vhodný, zdravý, schopný; *v* **1.** hodiť sa;

padnúť **2.** prispôsobiť, upraviť *(na mieru)*

**fitter** [fitə] **1.** montér **2.** strihač; *scene f.* kulisár

**fitting** [fitiŋ] **1.** skúška u krajčíra **2.** *(pl.)* plynové a elektrické zariadenie **3.** doplnok

**five** [faiv] päť

**fix** [fiks] **1.** upevniť **2.** upútať **3.** fixovať **4.** stanoviť **5.** *AmE* upraviť; *f. up* zariadiť, dať do poriadku, zorganizovať

**fizz** [fiz] **1.** šumieť, syčať **2.** horieť *(túžbou)*

**fizzle** [fizl] zlyhať

**flabbergasted** [ˈflæbəgaːstid] *hovor.* ohromiť, vyviesť z miery

**flabby** [ˈflæbi] ochabnutý; slabý

**flag** [flæg] **1.** vlajka, zástava

**flagrant** [ˈfleigrənt] kriklavý, ohavný

**flagstone** [ˈflægstoun] dlaždica

**flair** [fleə] cit *(pre niečo)*

**flak** [flæk] **1.** protilietadlová obrana **2.** *AmE* ostrá kritika

**flake** [fleik] vločka; *corn f-s pl.* kukuričné lupienky

**flammable** [flæməbl] zápalný, horľavý

**flame** [fleim] *n* plameň; *v* plápolať

**flannel** [ˈflænl] flanel; *f-s pl.* letné nohavice

**flap** [flæp] *n* **1.** plesknutie **2.** klapka; *v* mávať, trepotať (sa)

**flare** [fleə] *n* **1.** trepotavé svetlo **2.** svetelný signál, svetelná raketa; *v* plápolať; *f. up* vzplanúť

**flash** [flæš] *n* zablysnutie; *in a f.* okamžite; *v* zablysnúť sa, sršať **2.** vyžarovať **3.** objaviť sa *(ako blesk)*; blikať **4.** oznámiť rozhlasom

**flashback** [flæšbek] spätný záber, retrospektíva

**flashlight** [ˈflæšlait] záblesk *(svetlo)*; *AmE* baterka

**flask** [flaːsk] fľaša s úzkym hrdlom

**flat** [flæt] *n* **1.** byt **2.** plocha, rovina; *adj* plochý, rovný, vybitý *(batéria)*

**flatten** [flætn] uhladiť, vyrovnať *(žehličkou)*

**flatter** [ˈflætə] lichotiť

**flavour** [ˈfleivə] *n* chuť; *v* okoreniť, ochutiť

**flaw** [flo:] chyba, kaz

**flawless** [ˈflo:lis] bezchybný

**flax** [flæks] ľan

**flea** [fli:] blcha

**fled** *see* **flee\***

**flee\*** [fli:] *f. from* utiecť, ujsť

**fleece** [fli:s] **1.** ovčia vlna **2.** flís

**fleet** [fli:t] loďstvo, flotila

**flesh** [fleš] **1.** živé mäso **2.** telo; zmysly **3.** dužina

**flew** see **fly***

**flex** [fleks] kábel

**flexible** [ˈfleksəbl] ohybný, pružný

**flicker** [ˈflikə] blikať

**flier, flyer** [ˈflaiə] letec

**flight** [flait] **1.** let; *charter f.* špeciál **2.** *f. of stairs* rad schodov **3.** útek; únik *(kapitálu)*

**flimsy** [ˈflimzi] tenký, krehký

**fling*** [fliŋ] hodiť; vrhnúť *(pohľad)*

**flint** [flint] *geol.* pazúrik

**flippant** [ˈflipənt] prostoreký

**flipper** [ˈflipə] plutva *(rybacia aj gumová)*

**flirt** [flə:t] koketovať

**flit** [flit] poletovať

**flit-gun** [flitgan] striekacia pištoľ

**float** [fləut] *n* **1.** plavák **2.** plť; *v* vznášať sa, plávať

**flock** [flok] *n* stádo; *v* zhluknúť sa

**flog** [flog] **1.** bičovať **2.** *hovor.* predať, streliť *(niečo)*

**flood** [flad] *n* záplava, povodeň; *v* zaplaviť

**floor** [flo:] **1.** dlážka **2.** poschodie; *have the f.* mať právo prehovoriť

**flop** [flop] **1.** buchnúť *(sebou)* **2.** nemať úspech

**floppy** [flopi] mäkký, poddajný; *f. disk* disketa

**florist's** [ˈflorists] kvetinárstvo

**flour** [ˈflauə] *n* múka; *v* pomúčiť

**flourish** [ˈflariš] *n* **1.** ozdoba **2.** fanfáry; *v* **1.** kvitnúť, prosperovať **2.** mávať

**flout** [flaut] **1.** pohŕdať; **2.** bagatelizovať

**flow** [fləu] *n* tok, prúd; *v* tiecť

**flower** [ˈflauə] *n* kvet, kvetina; *v* kvitnúť

**flowerbed** [ˈflauəbed] kvetinový záhon

**flowery** [ˈflauəri] kvetnatý, kvetinový

**flown** see **fly***

**flu** [flu:] *hovor.* chrípka

**fluctuate** [ˈflaktjueit] **1.** kolísať, meniť sa **2.** fluktuovať

**fluent** [ˈfluːənt] plynulý

**fluff** [flaf] *n* páper; *v* našuchoriť

**fluid** [ˈfluːid] *n* tekutina; *adj* tekutý

**fluke** [fluːk] šťastná náhoda

**flung** see **fling***

**flurry** [ˈfləri] **1.** prudký závan vetra **2.** intenzívna činnosť

**flush** [flaš] *n* **1.** prúd, príval

**2.** začervenanie; *v* **1.** začervenať sa **2.** prepláchnuť

**flute** [flu:t] flauta

**flutter** [ˈflatə] *n* vzrušenie; *v* trepotať krídlami

**flux** [flaks] prúdenie, premenlivosť

**fly¹** [flai] mucha; *f. agaric* muchotrávka

**fly²\*** [flai] **1.** letieť **2.** utiecť

**flyover** [ˈflaiəuvə] nadjazd

**foal** [fəul] žriebä

**foam** [fəum] pena; *f. rubber* penová guma

**focus** [ˈfəukəs] ohnisko, *pl. foci* [fousai]

**fodder** [fodə] krmivo

**foe** [fəu] *poet.* nepriateľ

**fog** [fog] hmla

**foggy** [fogi] hmlistý

**fold** [fəuld] *n* **1.** záhyb **2.** košiar; *v* zložiť

**foliage** [ˈfəulidž] lístie

**folk** [fəuk] národ, ľud; *f. song* ľudová pieseň; *f-s pl.* ľudia, ľud

**follow** [ˈfoləu] **1.** nasledovať, ísť za **2.** sledovať, riadiť sa niečím **3.** vyplývať **4.** chápať, rozumieť; *as f-s* takto, nasledovne

**follower** [ˈfoləuə] stúpenec, prívrženec

**following** [ˈfoləuiŋ] nasledujúci, ďalší

**folly** [ˈfoli] bláznivosť, pochabosť

**fond** [fond] láskavý, nežný • *be f. of (sth.)* mať rád

**food** [fu:d] jedlo, potrava

**foodstuff** [ˈfu:dstafs] *pl.* potraviny

**fool** [fu:l] *n* **1.** pochábeľ, hlupák, blázon **2.** šašo; *play the f.* robiť hlúpeho, robiť hlúposti; *v* **1.** žartovať **2.** dobehnúť, prejsť cez rozum

**foolish** [ˈfu:liš] pochabý

**foot** [fut] *pl. feet* **1.** noha, chodidlo; *on f.* pešo **2.** stopa *(30,5 cm)* **3.** úpätie

**foot-and-mouth disease** [fut ənd'mauθ disi:z] *vet.* slintačka a krívačka

**football** [ˈfutbo:l] **1.** futbal **2.** futbalová lopta; *f. field* futbalové ihrisko

**footbridge** [fu:tbridž] lávka pre chodcov

**footlights** [ˈfutlaits] *div.* svetlá rámp; herecké povolanie

**footnote** [futnəut] poznámka pod čiarou

**footprint** [fu:tprint] stopa

**footstep** [ˈfutstep] **1.** krok **2.** šľapaj

**footwear** [ˈfutweə] obuv

**for** [fo:] *prep* **1.** pre **2.** za *(čo)* **3.** (smerom) do **4.** čo sa

týka **5.** po *(dobu)* **6.** *(účet)*
na; *conj.* lebo; hoci
**forbade** *see* **forbid\***
**forbear\*** [fo:ˈbeə] zdržať sa
niečoho
**forbid\*** [fəˈbid] zakázať
**forbore** *see* **forbear\***
**force** [fo:s] *n* sila, moc; *armed f-s* ozbrojené sily; *v* nútiť
**forced** [fo:st] nútený
**forcible** [ˈfo:səbl] **1.** nútený
**2.** účinný
**ford** [fo:d] *n* brod; *v* prebrodiť
**forearm** [ˈfo:ra:m] predlaktie
**foreboding** [fo:ˈbəudiŋ] zlá
predtucha
**forecast** [ˈfo:ka:st] *n* predpoveď; *v* predpovedať
**foreground** [ˈfo:graund] popredie
**forehead** [ˈforid] *anat.* čelo
**foreign** [ˈforin] cudzí, zahraničný; *f. exchange* zmenáreň
**Foreign Office** [ˈforinˈofis]
*BrE* ministerstvo zahraničných vecí
**foreigner** [ˈforinə] cudzinec
**foreman** [ˈfo:mən] dielovedúci, vedúci; majster
**foremost** [fo:ˈməust] *adj* popredný, čelný; *adv* najprv, predovšetkým

**forenoon** [ˈfo:nu:n] predpoludnie
**forerunner** [fo:ˈranə] **1.**
predzvesť **2.** predchodca
**foresaw** *see* **foresee\***
**foresee\*** [fo:ˈsi:] predvídať
**forest** [ˈforist] les
**forestry** [ˈforistri] lesníctvo
**foretell\*** [fo:ˈtel] predpovedať
**forever** [fəˈevə] navždy
**foreword** [ˈfo:wə:d] predhovor
**forfeit** [ˈfo:fit] **1.** prepadnúť
*(štátu)* **2.** *(pri hre)* záloha
**forgave** *see* **forgive\***
**forge** [fo:dž] *n* kováčska
dielňa; *v* **1.** kovať **2.** falšovať
**forgery** [ˈfo:džəri] falzifikát
**forget\*** [fəˈget] zabudnúť
**forgetful** [fəˈgetfl] zábudlivý
**forget-me-not** [fəˈgetminot]
nezábudka
**forgive\*** [fəˈgiv] odpustiť
**forgot** *see* **forget\***
**fork** [fo:k] *n* **1.** vidlička **2.**
vidly **3.** rázsocha, rozvetvenie; *v* **1.** rozvetvovať sa
**2.** pracovať vidlami
**forlorn** [fəˈlo:n] opustený,
zúfalý
**form** [fo:m] *n* **1.** tvar, forma
**2.** trieda *(v škole)* **3.** formula **4.** formulár, blanket
**5.** formalita **6.** spôsob,

mrav; *v* **1.** tvoriť; formulo-
vať **2.** utvárať sa
**formal** [ˈfoːməl] formálny
**formality** [ˈfoːmæliti] forma-
lita
**formation** [foːmeišən] **1.** tvo-
renie, utvorenie **2.** útvar
**former** [ˈfoːmə] prvší, pre-
došlý, onen, bývalý
**formerly** [ˈfoːməli] prv; ke-
dysi
**formidable** [ˈfoːmidəbl]
strašný, hrozný
**formula** [ˈfoːmjulə] formula,
vzorec
**formulate** [ˈfoːmjuleit] for-
mulovať
**forsake*** [fəseik] opustiť,
zrieknuť sa
**fort** [foːt] pevnosť
**forth** [foːθ] *and so forth* a tak
ďalej
**forthcoming** [ˈfoːθ'kamiŋ]
pripravený, blížiaci sa
**fortieth** [ˈfoːtiəθ] štyridsiaty
**fortifications** [ˈfoːtifi'kei-
šənz] *pl.* opevnenie
**fortify** [ˈfoːtifai] **1.** posilniť **2.**
opevniť
**fortitude** [ˈfoːtitjuːd] statoč-
nosť, mravná sila
**fortnight** [ˈfoːtnait] 14 dní
**fortress** [ˈfoːtrəs] pevnosť
**fortunate** [ˈfoːčnət] šťastný
**fortunately** [ˈfoːčnətli] na-
šťastie

**fortune** [ˈfoːčən] **1.** osud **2.**
šťastie, šťastná náhoda **3.**
majetok, bohatstvo
**forty** [ˈfoːti] štyridsat
**forward** [ˈfoːwəd] *adj* **1.**
predný **2.** pokročilý **3.** se-
baistý; *adv* vpred; *n* útoč-
ník pri futbale; *v* doručiť;
*počít.* preposlať
**forwards** [foːvəːdz] vpredu
**fossil** [ˈfosl] **1.** fosílny **2.** za-
ostalý
**foster** [ˈfostə] **1.** starať sa
(*o cudzie dieťa*) **2.** podpo-
rovať; *f. parents* pestúni
**foster child** [ˈfostə čaild]
adoptívne dieťa
**fought** *see* **fight***
**foul** [faul] **1.** odporný **2.** špi-
navý **3.** skazený **4.** nečis-
tý, nepoctivý
**found¹** *see* **find***
**found²** [faund] založiť
**foundation** [faun'deišən] **1.**
založenie **2.** základ **3.** na-
dácia
**founder** [ˈfaundə] zaklada-
teľ
**foundling** [ˈfaundliŋ] naj-
dúch
**foundry** [ˈfaundri] zlieváreň
**fountain** [ˈfauntin] prameň,
žriedlo, fontána
**fountain-pen** [ˈfauntinpen]
plniace pero
**four** [foː] štyri

**fourteen** [fo:'ti:n] štrnásť
**fourteenth** [fo:'ti:nθ] štrnásty
**fourth** [fo:θ] štvrtý
**four-way** ['fo:wei] štvorprúdová vozovka
**fowl(s)** [faul] hydina
**fox** [foks] líška; *v hovor.* popliesť
**fraction** ['frækšən] *mat.* zlomok
**fractious** ['frækšəs] podráždený
**fracture** ['frækčə] *n* zlomenina; *v* prasknúť
**fragile** ['frædžail] krehký, lámavý
**fragment** ['frægmənt] úlomok, črepina; kúsok
**fragmentary** ['frægmənəri] útržkovitý; neusporiadaný
**fragrance** ['freigrəns] vôňa
**fragrant** ['freigrənt] vonný
**frail** [freil] krehký, útly
**frame** [freim] *n* 1. konštrukcia, stavba 2. kostra, lešenie 3. rám; *v* 1. utvárať 2. prispôsobiť 3. falošne obviniť 4. zarámovať
**framework** ['freimwə:k] rámec, kostra
**franchise** ['frænčaiz] 1. volebné právo 2. výsada 3. licencia; *v* udeliť licenciu
**frank** [fræŋk] úprimný

**frantic** ['fræntik] šialený, zúfalý, horúčkovitý
**fraternal** [frə'tə:nl] bratský
**fraud** [fro:d] 1. podvod 2. podvodník
**fraudulent** ['fro:djulənt] podvodný, nečestný
**fraught** [fro:t] 1. obťažný 2. *with* plný niečoho
**fray** [frei] *v* 1. napnúť *(nervy na prasknutie)* 2. rozstrapkať sa; *n* ruvačka
**freak** [fri:k] *adj* bizarný, nezvyčajný *n* hovor. fanatik, nadšenec
**freckle** ['frekl] peha
**freckled** ['frekld] pehavý
**free** [fri:] *adj* 1. slobodný, voľný 2. bezplatný 3. dobrovoľný; *v* oslobodiť; *free kick* voľný kop
**freelance** [fri:'la:ns] nezávislý, samostatný; *hovor.* na voľnej nohe
**freeloader** [fri:'loudə] *inf.* príživník
**freemason** [fri:'meisən] slobodomurár
**freeway** [fri:'wei] *AmE* diaľnica
**freeze\*** [fri:z] 1. mrznúť, zamrznúť 2. zmraziť
**freezer** [fri:zər] mraznička
**freight** [freit] 1. náklad 2. doprava 3. dopravné
**frenzy** [frenzi] besnenie

**frequency** [ˈfriːkwənsi] opakovanie, frekvencia

**frequent** [ˈfriːkwənt] *adj* častý; *v* často navštevovať

**fresh** [freš] **1.** čerstvý, svieži **2.** nový **3.** drzý

**freshwater** [ˈfrešˈwoːtə] sladkovodný

**fret** [fret] zžierať sa, trápiť sa

**friar** [ˈfraiə] mních, rehoľník

**friction** [ˈfrikšən] **1.** trenie **2.** trenice, napätie

**Friday** [ˈfraidei] piatok

**fridge** [fridž] chladnička

**friend** [frend] **1.** priateľ **2.** známy

**friendly** [ˈfrendli] priateľsky

**friendship** [ˈfrendšip] priateľstvo

**fries** [frais] *pl.* zemiakové lupienky (= French f.)

**fright** [frait] zľaknutie, úľak

**frighten** [ˈfraitn] naľakať (sa)

**frightful** [ˈfraitfl] strašný

**frigid** [ˈfridžid] studený, chladný

**fringe** [frindž] *n* **1.** ofina **2.** okraj, obruba; *v* olemovať

**frisk** [frisk] *n* poskok; *v* poskakovať

**fritter** [ˈfritə] *n* šiška (smažená); *v (away)* premárniť

**frivolous** [ˈfrivələs] ľahkomyseľný, pochabý

**fro** [frəu] • *to and fro* sem a tam, dopredu a dozadu

**frock** [frok] *zast.* šaty (detské, dámske)

**frog** [frog] žaba

**frolick** [ˈfrolik] šantiť, vystrájať

**from** [from, frəm] od, z

**front** [frant] *n* **1.** predná strana, priečelie **2.** *voj.* front; *adj* predný; *f. door* predné dvere; *in f. of* pred (miestne); *front page* titulná strana

**frontal** [frontl] čelný

**frontier** [ˈfrantjə] hranice

**frost** [frost] mráz

**frostbite** [ˈfrostbait] omrzlina

**frosty** [ˈfrosti] mrazivý

**froth** [froθ] pena

**frown** [fraun] *n* hnevlivý pohľad; *v* mračiť sa

**froze** *see* **freeze**\*

**fruit** [fruːt] ovocie

**fruitful** [ˈfruːtfl] plodný

**fruitless** [ˈfruːtləs] neplodný, márny

**frustrate** [frasˈtreit] zmariť, sklamať, znechutiť

**fry** [frai] smažiť (sa)

**frying-pan** [ˈfraiŋ pæn] panvica, pekáč

**fuck** [fak] *vulg.* do riti; *v* trtkať; *f. off!* odpáľ!

**fuel** [fjuəl] **1.** palivo **2.** pohonná látka

**fulfil** [fulˈfil] splniť, vykonať

**full** [ful] plný; *f. cream* plno-tučný; *full board* plná penzia; *f. stop* bodka

**fully** [fuli] (ú)plne, celkom

**fume** [fju:m] *n* dym, výpary; *v* byt nahnevaný, nepo-kojný

**fun** [fan] žart, zábava • *ma-ke f. of sb.* robiť si z niekoho žarty; *for f.* zo žartu

**function** [ˈfaŋkšən] *n* 1. funkcia *(aj mat.)* 2. čin-nosť; *v* fungovať

**functionalism** [ˈfaŋkšnəri] funkcionalizmus

**fund(s)** [fand] fond, zásoba; peňažné prostriedky

**fundamental** [ˈfandəˈment] základný

**funeral** [ˈfju:nərəl] *n* po-hreb; *adj* pohrebný

**funfair** [ˈfanfeə] lunapark

**funicular** [fju(:)ˈnikjulə] la-nová dráha, lanovka

**funnel** [ˈfanl] 1. lievik 2. lodný komín

**funny** [ˈfani] 1. komický, zá-bavný 2. podivný

**fur** [fə:] kožušina; *f. coat* ko-žuch

**furious** [ˈfjuəriəs] divý, zúri-vý, rozzúrený

**furlogh** [ˈfə:ləu] vojenská dovolenka

**furnace** [ˈfə:nis] *hutn.* pec

**furnish** [ˈfə:niš] zariadit ná-bytkom; *f. with* vybaviť *(niečím)*

**furniture** [ˈfə:ničə] nábytok

**furrier** [fariə] kožušník

**furrow** [farəu] *n* brázda; *v* orať

**further** [ˈfə:ðə] *adv* ďalej, okrem toho; *adj* 1. ďalší 2. vzdialenejší; *v* podpo-rovať

**furtive** [ˈfə:tiv] kradmý, tajný

**fury** [ˈfjuəri] zúrivosť, zbesi-losť, zlosť

**fuse** [fju:z] *n elektr.* poistka; *v* 1. roztaviť (sa) 2. zlúčiť

**fusion** [fju:žn] zmes, fúria

**fuss** [fas] krik, zbytočný roz-ruch • *make a f. over/abo-ut* robiť zbytočný rozruch

**futile** [ˈfju:tail] márny, zby-točný

**future** [ˈfju:čə] *n* budúcnosť; *adj* budúci

**fuzzy** [fazi] nejasný

# G

**gabble** [ˈgæbl] tárat

**gable** [ˈgeibl] štít *(na dome)*

**gadfly** [ˈgædflai] ovad

**gadget** [ˈgædžit] malé me-chanické zariadenie, prí-stroj, vynález

**gag** [gæg] *n* vtip; *v* zapchať ústa

**gaiety** [ˈgeiəti] veselosť, veselie, radovánky

**gaily** [ˈgeili] veselo

**gain** [gein] *v* 1. získať 2. pribrať *(napr. na váhe)* 3. *(o hodinách)* predbiehať sa 4. *g. (up)on* priblížiť sa; *n* g-(s) zisk; príjmy

**gait** [geit] chôdza; krok

**gala** [ˈgaːlə] spoločenská udalosť

**gale** [geil] víchrica

**gall** [goːl] *v* odrieť; dráždiť; *n* 1. drzosť 2. žlč

**gallant** [ˈgælənt] 1. statočný, udatný 2. [gəˈlænt] zdvorilý, dvorný

**gall-bladder** [galbledə] žlčník

**gallery** [ˈgæləri] galéria

**gallon** [ˈgælən] galón *(4,54 l)*

**gallop** [ˈgæləp] cval

**gallows** [ˈgæləuz] *pl.* šibenica

**gallstone** [galstoun] žlčový kameň

**gambit** [ˈgæmbit] 1. prvý ťah *(v hre)* 2. začiatok rozhovoru

**gamble** [ˈgæmbl] *n* hazard; *v* hrať o šťastie; hazardovať

**gambler** [ˈgæmblə] hazardný hráč

**game** [geim] 1. hra *(podľa pravidiel)* 2. zverina

**gander** [ˈgændə] gunár

**gang** [gæŋ] 1. oddiel; skupina 2. banda

**gangway** [ˈgæŋwei] chodba, priechod; mostík *(na loď/lietadlo)*

**gap** [gæp] 1. otvor 2. medzera

**garage** [gəˈraːž] 1. garáž 2. autodielňa 3. benzínová stanica

**garbage** [ˈgaːbidž] odpadky

**garden** [ˈgaːdn] záhrada

**gargle** [ˈgaːgl] kloktať

**garland** [ˈgaːlənd] veniec, girlanda

**garlic** [ˈgaːlik] cesnak

**garment** [ˈgaːmənt] časť odevu; *poet.* rúcho

**garnish** [gaːniš] obloha (k jedlu)

**garret** [ˈgærət] 1. pôjd 2. podkrovná miestnosť, manzardka

**garrison** [ˈgærisn] posádka

**gas** [gæs] plyn

**gash** [gæš] 1. tržná rana 2. trhlina

**gas-meter** [ˈgæsˈmitə] plynomer

**gasolene/-ine** [ˈgæsəliːn] *AmE* benzín

**gasometer** [gæˈsəmiːtə] plynojem

gasp [ga:sp] oddychovať; lapať dych

gasstove [gæs stəuv] plynový sporák

gastank benzínová nádrž *(motor. vozidla)*

gastric [gæstrik] žalúdočný; g. ulcer žalúdočný vred

gasworks [ˈgæeswə:ks] *pl.* plynáreň

gate [geit] brána, vráta

gateway vstupná brána

gather [ˈgæðə] 1. zhromaždiť (sa), zbierať 2. rozumieť

gaudy [go:di] krikľavý, nevkusný

gauge [geidž] 1. miera, norma 2. rozchod koľajníc

gaunt [go:nt] chudý, vyziabnutý

gauze [go:z] gáza

gave *see* give*

gay [gei] *n* homosexuál; *adj* veselý; roztopašný

gaze [geiz] *v (at, on)* uprene, pozorne hľadieť *(na niečo)*, zízať; *n* pohľad

gear [giə] 1. prevodová skriňa 2. súkolie 3. chod *(stroja)*; in g. v chode, zapnutý; out of g. vypnutý

gearshift [ˈgiəšift] riadiaca páka

geese *pl.* goose

gem [džem] drahokam

gender [ˈdžendə] *gram.* rod; pohlavie

general [ˈdženərəl] *n* generál; *adj* 1. všeobecný; 2. obyčajný 3. hlavný; in g. obyčajne; všeobecne povedané; g. practicioner praktický lekár (GP)

generally [ˈdženərəli] všeobecne

generation [ˈdženəˈreišən] generácia, pokolenie

generosity [ˈdženəˈrositi] 1. ušľachtilosť 2. štedrosť

generous [ˈdženərəs] 1. ušľachtilý, veľkomyseľný 2. štedrý, veľkorysý

genetics [genetiks] genetika

genial [ˈdži:njəl] žoviálny, spoločenský, veselý

genitals [dženitls] *pl.* pohlavné orgány

genitive [ˈdženitiv] genitív 2. pád

genius [ˈdži:njəs] 1. nadanie 2. génius

genteel [dženˈti:l] jemný; elegantný

gentle [ˈdžentl] mierny, jemný; láskavý

gentleman [ˈdžentlmən] 1. pán 2. vzdelanec

gently [ˈdžentli] jemne, ľahko

gentry [džentri] nižšia šľachta, panstvo

**genuine** [ˈdženjuin] pravý, nefalšovaný

**geography** [džiˈogrəfi] zemepis

**geology** [džiˈolədži] geológia

**geometry** [džiˈomitri] geometria

**geranium** [džiˈreinjəm] muškát

**germ** [džə:m] 1. zárodok 2. mikrób, baktéria

**germination** [džə:miˈneišən] klíčenie

**gest-house** [gesthaus] penzión

**gesture** [ˈdžesčə] gesto, posunok

**get*** [get] 1. dostať, získať, obstarať (si) 2. stať sa 3. dostať (sa); *have got* mať; *have got to* musieť; *g. so. to do sth.* prinútiť niekoho urobiť niečo; *g. sth. done* dať (si) niečo urobiť; *g. in/into* dostať sa dnu; *g. on* dariť sa; mať sa, mať úspech; *g. off* vystúpiť; *g. out* vystúpiť,odísť; *g. over* prekonať; *g. rid of* zbaviť sa (čoho); *g. up* vstať; *g. sth. up* organizovať; *g. well* uzdraviť sa; *get along* vyjsť; znášať sa; *g. at* narážať (na niečo); *g. back* vrátiť sa; *g. by* prejsť okolo, pre-kíznuť; *g. down* prehltnúť; dopraviť dole, zostúpiť; *g. over* prekonať; dokončiť; *g. together* zísť sa, zhromaždiť sa, dať sa dokopy; *g. through* preniknúť, dostať sa cez;; *g. up to* obliecť sa, vystrojiť sa

**geyser** [gaizə] 1. gejzír 2. prietokový ohrievač vody

**ghastly** [ˈgaːstli] strašný, hrozný, príšerný

**ghost** [gəust] duch, strašidlo

**giant** [ˈdžaiənt] *n* obor; *príd.* obrovský

**gibberish** [ˈdžibəriš] hatlanina, nezrozumiteľná reč

**gibbet** [ˈdžibit] *n* šibenica; *v* obesiť

**giblets** [ˈdžiblits] droby

**giddy** [ˈgidi] : *I am g.* mám závrat, točí sa mi hlava

**gift** [gift] 1. dar 2. nadanie, talent

**gifted** [ˈgiftid] nadaný, talentovaný

**giggle** [ˈgigl] chichotať sa

**gild** [gild] pozlátiť

**gills** [gilz] *pl.* žiabre

**gilt** [gilt] pozlátka

**gimlet** [ˈgimlit] nebožiec

**gimmic** [gimik] trik, lesť

**ginger** [ˈdžindžə] *bot.* zázvor; *g. bread* perník

**gipsy** *(AmE gypsy)* [ˈdžipsi] cigán, cigánka

**giraffe** [ˈžiraːf] žirafa

**girdle** [ˈgəːdl] pás, korzet

**girl** [gəːl] dievča

**girlfriend** [ˈgəːlfrend] priateľka

**gist** [džist] jadro, podstata

**give*** [giv] dať, podať, udeliť, venovať; *g. a cry* vykríknuť; *g. rise to* dať vznik *(čomu); g. way* ustúpiť, povoliť; *g. away* 1. rozdať 2. prezradiť; *g. back* vrátiť; *g. in* ustúpiť; *g. out* distribuovať; *g. up* vzdať sa *(niečoho); g. way* dať prednosť

**given** *see* **give***

**glacier** [ˈglæsiə] ľadovec

**glad** [glæd] 1. potešený 2. potešujúci; *I am g. of it* mám z toho radosť; *I am g. to hear it* to rád počujem

**glamorous** [ˈglæmərəs] čarovný, pôvabný

**glamour** [ˈglæmə] kúzlo, pôvab

**glance** [glaːns] *n (rýchly)* pohľad; *v (at)* zbežne pozrieť

**gland** [glænd] *anat.* žľaza

**glandular** [ˈglændjulə] žľazový; *g. fever* mononukleóza

**glare** [gleə] *n* prenikavé svetlo; *v* zlostne hľadieť

**glass** [glaːs] 1. sklo 2. pohár 3. zrkadlo 4. barometer

**glasses** [glaːsiz] *pl.* okuliare

**glassware** [ˈglaːsweə] sklenený tovar, sklo

**glaucoma** [gloˈkəumə] zelený zákal

**glaze** [gleiz] *v* zasklíť, *n* glazúra

**glazier** [ˈgleiziə] sklenár

**gleam** [gliːm] *n* lesk; *v* lesknúť sa

**glean** [gliːn] 1. zbierať *(fakty)* 2. paberkovať

**glee** [gliː] 1. (škodo)radosť, veselosť 2. viachlasný spev

**glen** [glen] úžľabina

**glib** [glib] ostrý, nabrúsený

**glide** [glaid] 1. kĺzať sa 2. plachtiť

**glider** [glaidə] klzák

**glimpse** [glimps] záblesk; *get/catch a g. of sth.* letmo zazrieť

**glisten** [ˈglisn] lesknúť sa

**glitter** [ˈglitə] *n* lesk; *v* trblietať sa, lesknúť sa

**global** [gloubl] celosvetový

**globe** [gləub] 1. guľa 2. zemeguľa

**gloom** [gluːm] 1. šero, tma 2. melanchólia

**gloomy** [ˈgluːmi] 1. temný 2. ponurý, chmúrny 3. sklúčený

**glorify** [glorifai] velebiť, glorifikovať

**glorious** [ˈgloːriəs] **1.** slávny **2.** nádherný, veľkolepý

**glory** [ˈgloːri] **1.** sláva **2.** nádhera, krása

**gloss** [glos] **1.** vysvetlivka, glosa, komentár **2.** lesk

**glossary** [ˈglosəri] glosár, slovník *(na konci knihy)*

**glossy** [ˈglosi] lesklý

**glove** [glav] rukavica

**glow** [gləu] *n (tlmená)* žiara; *v* **1.** sálať **2.** žhavieť

**glue** [gluː] *n* glej, lepidlo; *v* glejiť

**glum** [glam] skľúčený, zachmúrený

**glutton** [ˈglatn] nenásytník, žrút

**gnat** [næt] komár

**gnaw** [noː] hrýzť, hlodať

**go*** [gəu] **1.** ísť, chodiť **2.** viesť sa **3.** cestovať **4.** odísť, odcestovať **5.** vmestiť sa **6.** povoliť, zrútiť sa • *g. blind* oslepnúť; *g. bad* pokaziť sa; *g. in for* pestovať; venovať sa; *g. on* pokračovať; *g. out* **1.** ísť von **2.** zhasnúť; *go about* ísť okolo; *g. after* ísť za; *g. against* byť nepriaznivý *(pre)*; *g. back* vrátiť sa; *g. by* **1.** míňať, uplynúť **2.** ísť okolo **3.** uniknúť; *g. down* zostúpiť, spadnúť, zrútiť sa, potopiť sa, podľahnúť;

*g. for* **1.** priniesť **2.** pustiť sa do *(niekoho)*; *g. in/into* vstúpiť **1.** preskúmať **2.** nastúpiť; *g. off* vybuchnúť; *g. over* prejsť, prekonať, preskú-šať; *g. through* **1.** prejsť, preniknúť **2.** prijať, schváliť; *g. under* podľahnúť, *hovor.* ísť ku dnu; *g. up* stúpať, ísť hore; *g. with* patriť k

**goal** [gəul] **1.** cieľ **2.** bránka; gól

**goal-keeper** [ˈgəulˈkiːpə] brankár

**goat** [gəut] koza

**gobble** [gobl] pažravo hltať; *(o moriakovi)* hudrovať

**go-between** sprostredkovateľ

**go-cart** skladací kočík, kára

**god** [god] boh

**goddess** [godis] bohyňa

**godfather** [ˈgodfaːðə] krstný otec, kmotor

**godchild** [ˈgodčaild] krstňa

**godmother** [ˈgodmaðə] krstná mama, kmotra

**godparent** [ˈgodpeərənts] krstní rodičia

**goggle** [ˈgogl] vyvaľovať oči

**goggles** [goglz] *pl. (a pair of)* g. ochranné okuliare

**gold** [gəuld] *n* zlato; *adj* zlatý

**golden** [gəuldn] zlatý

**gone** *see* **go***

**gonna** [gano] *hovor.* (= going to)

**good** [gud] *n* prospech; dobro • *for* g. celkom, navždy; *adj* **1.** dobrý, **2.** poslušný **3.** láskavý; *Good Friday* Veľký Piatok

**good-bye** [gud'bai] zbohom, dovidenia; *say* g. rozlúčiť sa

**good-for-nothing** ['gudfɔ-naθiŋ] darmošľap, darmožráč

**good-humoured** ['gudhju:mǝd] **1.** dobromyseľný **2.** v dobrej nálade

**good-looking** ['gud'lukiŋ] pekný, driečny

**good-natured** [gud'neičǝd] dobromyseľný

**goodness** ['gudnis] dobrota, láskavosť • *(my)* g.! preboha!

**goods** [gudz] *pl.* tovar, majetok

**goose**, *pl.* **geese** [gu:s, gi:s] hus

**gooseberry** ['guzberi] egreš

**goose-flesh** ['gu:sfleš] husia koža

**goose-pimples** ['gu:spimplz] *pl. AmE* zimomriavky

**gore** [gɔ:] **1.** klin **2.** preliata krv

**gorge** [gɔ:dž] **1.** roklina **2.** hltanie

**gorgeous** [gɔ:džǝs] nádherný, oslnivý

**gory** [gɔ:ri] krvavý, od krvi

**gosh** [goš] *hovor.* doparoma!

**gospel** ['gospǝl] evanjelium

**gossamer** [gosamǝ] babie leto; pavučinka

**gossip** ['gosip] *n* **1.** klebeta, reči **2.** klebetnica; *v* klebetiť

**got** *see* **get***; *have got* musieť

**gotta** *hovor.* (= *have got to*) musieť

**gourd** [guǝd] tekvica

**gout** [gaut] lámka

**govern** ['gavǝn] **1.** vládnuť **2.** riadiť **3.** ovládať

**governess** ['gavǝnǝs] vychovávateľka

**government** ['gavǝnmǝnt] vláda

**governor** ['gavǝnǝ] guvernér

**gown** [gaun] **1.** šaty *(ženské)* **2.** talár

**grab** [græb] uchopiť, (u)chmatnúť

**grace** [greis] **1.** pôvab, šarm **2.** milosť **3.** elegancia

**graceful** ['greisfl] pôvabný

**gracious** ['greišǝs] milostivý, láskavý, zdvorilý

**grade** [greid] *n* **1.** stupeň, známka **2.** *AmE* trieda; *v* triediť; odstupňovať

**gradient** ['greidiǝnt] gra-

dient, sklon, svah; stúpa-
nie/klesanie

**gradual** [ˈgrædjuəl] postup-
ný

**gradually** [ˈgrædjuəli] po-
stupne, zvoľna

**graduate** [ˈgrædjuit] *n* ab-
solvent univerzity; *v*
[ˈgrædjueit] **1.** byť promo-
vaný **2.** *(from)* AmE absol-
vovať *(školu)*

**graduation** [ˌgrædjuˈeišn]
promócia

**graft** [gra:ft] *n* **1.** štep **2.**
*AmE* úplatky; *v* **1.** štepiť **2.**
transplantovať

**grain** [grein] **1.** zrno **2.** obi-
lie **3.** letokruhy *(v dreve)*

**gram(me)** [græm] gram

**grammar** [ˈgræmə] gramati-
ka

**grammar-school** [ˈgæməs-
ku:l] gymnázium, stredná
škola

**granary** [ˈgrænəri] sýpka;
obilnica

**grand** [grænd] **1.** veľký, veľ-
kolepý **2.** skvelý; *hovor.*
ohromný

**granddad** *see* **grandfather**

**granddaughter** [ˈgrændˈdo:-
tə] vnučka

**grandeur** [ˈgrændžə] veľ-
kosť, vznešenosť, majestát

**grandfather** [ˈgrændfíːə:ðə]
starý otec

**grandchild** [ˈgrændčaild]
vnuk, vnučka

**grandmother** [ˈgrændmaðə]
stará matka

**grandson** [ˈgrændsan] vnuk

**grandstand** [ˈgrændstænd]
*šport.* hlavná tribúna

**granite** [ˈgrænit] žula

**granny** [ˈgræni] *hovor.* ba-
bička

**grant** [gra:nt] *n* dotácia; *v* **1.**
vyhovieť **2.** udeliť, po-
skytnúť; *take for g-ed*
považovať za samozrej-
mé

**granulated** [ˈgrænjuleitid];
*g. sugar* kryštáľový *(cukor)*

**grape** [greip] bobuľa hroz-
na; *bunch of g-s* strapec
hrozna

**grapefruit** [ˈgreipfru:t] grep

**graph** [gra:f] graf

**graphic** [ˈgræfik] grafický

**grasp** [gra:sp] *n* **1.** uchope-
nie **2.** *(o predmete)* ovlá-
danie; *v* **1.** uchopiť **2.** zo-
vrieť **3.** pochopiť

**grass** [gra:s] tráva; *g. widow*
slamená vdova; *g. snake*
užovka

**grasshopper** [ˈgra:shopə]
lúčna kobylka

**grate** [greit] *n* rošt *(mriežka)*;
*v* **1.** strúhať **2.** škrípať

**grateful** [ˈgreitfl] vďačný

**grater** [ˈgreitə] strúhadlo

**gratitude** [ˈgrætitjuːd] vďačnosť

**gratuity** [grætjuiti] dar, odmena; prepitné

**grave** [greiv] *n* hrob; *adj* vážny, dôstojný

**gravel** [ˈgrævəl] štrk; hrubý piesok

**gravestone** [ˈgreivstoun] náhrobný kameň

**graveyard** [ˈgreivjaːd] cintorín

**gravitation** [ˌgræviˈteišən] gravitácia

**gravity** [ˈgræviti] 1. vážnosť, závažnosť 2. váha; ťažoba

**gravy** [ˈgreivi] šťava (*z mäsa*), omáčka

**gray** *see* **grey**

**graze** [greiz] 1. pásť sa 2. škrabnúť, odrieť si

**grease** [griːz] *n* 1. tuk, mastnota 2. mazivo

**greasy** [ˈgriːzi] mastný

**great** [greit] 1. veľký 2. dôležitý, významný; *a g. deal* veľmi veľa

**greatcoat** [ˈgreitkəut] zimník

**great-grandchild** [greitˈgrændčaild] pravnúča

**greatly** [ˈgreitli] veľmi

**greatness** [ˈgreitnis] veľkosť

**greedy** [ˈgriːdi] nenásytný, hladný, pažravý

**green** [griːn] zelený; *have g.*

*fingers* byť šikovný pri práci v záhrade

**green-eyed** [griːnaid] žiarlivý

**greengrocer** [griːngrəusə] zeleninár; *g. 's* ovocie a zelenina (*obchod*)

**greenhouse** [ˈgriːnhaus] skleník; *g. effect* skleníkový efekt

**greet** [griːt] (po)zdraviť

**greeting** [ˈgriːtiŋ] pozdrav

**grenade** [greneit] granát

**grew** *see* **grow***

**grey** [grei] *n* šeď; *adj* šedý, šedivý

**grid** [grid] 1. rozvodná sieť; elektrická/železničná sieť 2. mriežka

**grief** [griːf] zármutok, žiaľ

**grievance** [ˈgriːvəns] sťažnosť; krivda, zlosť

**grill** [gril] *n* ražeň; *v* opekať na ražni, grilovať

**grim** [grim] zúrivý, krutý; bezútešný

**grime** [graim] špina

**grimy** [ˈgraimi] špinavý, umazaný

**grin** [grin] *n* úškľabok; *v* ceriť zuby; škeriť sa, škľabiť sa

**grind*** [graind] 1. mlieť, brúsiť 3. drieť sa na skúšku; *g. one 's teeth* škrípať zubami

**grip** [grip] n uchopenie, stisnutie; v zovrieť

**grisly** ['grizli] strašný, príšerný

**grit** [grit] 1. piesok, štrk, drť 2. výdrž

**grizzly** ['grizli] zool. americký medveď

**groan** [grəun] n ston, úpenie; v stonať

**grocer** ['grəusə] obchodník s potravinami; BrE g. 's potraviny (obchod)

**grocery** ['grəusəri] AmE g. shop obchod s potravinami

**groggy** ['grogi] kolísavý, slabý, neistý

**groin** [groin] anat. slabina

**groom** [gru:m] n 1. paholok 2. ženích; v obsluhovať, čistiť

**groove** [gru:v] žliabok, drážka

**grooved** [gru:vd] ryhovaný

**grope** [grəup] (for, about) tápať, šmátrať, hľadať

**gross** [grəus] n celok; adj 1. tučný 2. hrubý

**ground** [graund] 1. pôda, zem 2. základ, podklad 3. dôvod; g-s pl. 1. zvyšky, usadenina; 2. pozemky 3. dôvody; on health g-s zo zdravotných dôvodov

**ground** see grind*

**ground-floor** ['graund'flo:] prízemie

**group** [gru:p] n skupina; v zoskupiť (sa)

**grove** [grəuv] háj

**grovel** ['grovl] plaziť sa; pren. podlizovať sa

**grow*** [grəu] 1. rásť 2. stať sa 3. pestovať; g. old zostarnúť; g. up vyrásť

**growl** [graul] n (za)vrčanie; v vrčať

**grown** see grow*

**grown-up** ['grəunap] dospelý človek

**growth** [grəuθ] 1. rast 2. výrastok (na tele) 3. porast

**grub** [grab] larva

**grudge** [gradž] n odpor, zlá vôľa; v nežičiť, závidieť

**grumble** ['grambl] reptať, nadávať

**grunt** [grant] n zachrochtanie; v chrochtať

**guarantee** ['gæærən'ti:] n 1. ručiteľ 2. záruka, zábezpeka 3. ručenie; v ručiť

**guard** [ga:d] n 1. stráž, hliadka 2. garda 3. dozorca väzňov; v strážiť

**guardian** ['ga:djən] 1. tútor, poručník 2. dozorca

**guerilla** [gə'rilə] partizán

**guess** [ges] n dohad, odhad; v 1. hádať, uhádnuť 2. tušiť 3. AmE myslieť

**guess-work** ['geswə:k] dohady; *by g.* od oka
**guest** [gest] hosť
**guide** [gaid] *n* **1.** vodca, sprievodca **2.** vodidlo; *v* viesť, riadiť
**guidebook** ['gaidbuk] sprievodca *(kniha)*, príručka
**guild** [gild] cech, spolok
**guilt** [gilt] vina
**guilty** [gilti] *práv.* vinný
**guinea** ['gini] guinea *(st. britská minca = 1,05 libry)*
**guinea-pig** ['ginipig] morča
**guise** [gaiz] maska, preoblečenie
**guitar** [gi'ta:] gitara
**gulf** [galf] zátoka, priepasť, medzera
**gull/seagull** [gal] čajka
**gullet** ['galit] pažerák
**gullibe** [galəbæ] dôverčivý, naivný
**gully** [gali] roklina, prietrž
**gulp** [galp] *n* hlt; *v* hltať
**gum** [gam] *n* **1.** ďasno **2.** guma; *v* gumovať, prilepiť
**gum-boots** ['gambu:ts] *pl. AmE* gumenná obuv
**gun** [gan] strelná zbraň; delo; puška; *AmE* revolver
**gunfight** ['ganfait] prestrelka

**gunpowder** ['ganpaudə] strelný prach
**gunrunning** ['gauraniŋ] pašovanie zbraní
**gurgle** ['gə:gl] **1.** bublať **2.** kloktať
**guru** ['guru:] autorita, odborník
**gust** [gast] závan, poryv
**gut** [gat] *v* vypitvať, vybrať; *n g-s pl.*vnútornosti; črevá; *hovor.* odvaha
**gutter** ['gatə] **1.** odkvap **2.** stoka, kanál
**gutter press** [gatəpres] bulvárna tlač
**guttersnipe** ['gatəsnaip] dieťa ulice, výrastok
**guy** [gai] *n* **1.** lano **2.** *AmE* chlap, chlapík; *a great g.* skvelý chlapík
**guzzle** ['gazl] žrať, slopať
**gym** [džim] telocvičňa, *hovor.* posilňovňa; *g. shoes* cvičky
**gymnasium** [džim'neizjəm] telocvičňa
**gymnastics** [džim'næstiks] *pl.* gymnastika, telocvik
**gynaecology** [gainikolədži] *lek.* ženské lekárstvo
**gypsy** [džipsi] cigán, cigánka

# H

**haberdashery** [ˈhæbədæšəri] galantéria; AmE pánske doplnky

**habit** [ˈhæbit] zvyk, návyk; by/from h. zo zvyku

**habitable** [ˈhæbitəbl] obývateľný

**habitat** [ˈhæbitæt] miesto výskytu, biotop

**habitation** [ˈhæbiˈteišən] bývanie, obydlie

**habitual** [həˈbitjuəl] obvyklý, bežný; h. liar notorický luhár; h. offender recidivista

**hack** [hæk] (roz)sekať

**hacker** [ˈhækə] počítačový pirát

**hackneyed** [ˈhæknid] otrepaný, banálny

**had** see have*

**haft** [ha:ft] porisko, rukoväť

**hag** [hæg] babizňa; čarodejnica

**haggard** [ˈhægəd] chudý, vyziabnutý

**haggle** [hægl] (z)jednávať cenu, dohadovať (sa)

**hail** [heil] n ľadovec; it h-s padajú krúpy; (v) h.! buď pozdravený!

**hair** [heə] 1. vlasy, chlpy 2. srsť; by a h. o vlások; to a h. nachlp

**haircut** [ˈheəkat] strih (vlasov)

**hairdo** [ˈheədu:] hovor. účes

**hairdresser** [ˈheəˈdresə] holič, kaderník

**hairdryer** [ˈheədraiə] fén, sušič vlasov

**hairspray** [ˈheəsprei] lak na vlasy

**hairstyle** [ˈheəstail] účes

**hairy** [ˈheəri] vlasatý, chlpatý

**hale** [heil] zdravý, svieži, zdatný

**half** [ha:f] n polovica; adj polovičný; adv napolo

**half-brother/sister** [ˈha:fˌbraðə/sistə] nevlastný brat/ sestra

**half-done** [ˌha:fˈdan] nedovarený, nedopečený

**half-hearted** [ˈha:fˈha:tid] nesmelý, nerozhodný

**half-moon** [ˈha:fˈmu:n] polmesiac

**half-time** [ˈha:fˈtaim] polčas

**hall** [ho:l] 1. sála, sieň 2. predizba, hala

**hallmark** [ˈho:lma:k] punc, ciacha

**hallo** [həˈləu] ahoj, čau

**halo** [ˈheiləu] 1. kruh okolo mesiaca 2. svätožiara

**Halloween** [ˌhæləuˈi:n]

predvečer sviatku Všetkých svätých

**halt** [ho:lt] *n* zastávka; *v* **1.** zastaviť (sa) **2.** váhať

**ham** [hæm] šunka

**hamlet** ['hæmlit] dedinka

**hammer** ['hæmə] *n* kladivo; *v* tĺcť kladivom, búšiť

**hamster** ['hæmstə] škrečok

**hamper** ['hæmpə] prekážať, brániť v niečom

**hand** [hænd] *podst.* **1.** ruka; *h-s off* ruky preč! nedotýkať sa; *h-s up* ruky hore! **2.** ručička *(hodín)* **3.** rukopis **4.** pracovná sila; *v po-dať • on the other h.* na druhej strane; *h. in/over* odovzdať, vydať *(dalej)*

**hand-bag** ['hændbæg] kabelka; *AmE* purse [pə:s]

**handball** ['hændbo:l] hádzaná

**handbook** ['hændbuk] príručka

**handcuffs** ['hændkafs] putá

**handful** ['hændful] hrsť, priehrštie

**handgrip** ['hændgrip] **1.** stisk ruky **2.** rúčka, porisko

**handicap** ['hændikæp] *n* **1.** nevýhoda **2.** *obraz.* prekážka, znevýhodnenie; *v* poškodiť; *h. person* invalid

**handicraft** ['hændikra:ft] remeslo

**handiness** [hændinəs] zručnosť, šikovnosť

**handkerchief** ['hæŋkəčif] vreckovka

**handle** ['hændl] *n* držadlo, rukoväť; *v* **1.** dotýkať sa niečoho **2.** manipulovať s niečím **3.** zaobchádzať s niečím **4.** obchodovať s niečím; *dog h-er* psovod • *h. with care, glass* pozor, sklo!

**handmade** ['hændmeid] ručne zhotovený, ručná práca

**handout** ['hændaut] **1.** almužna **2.** leták, sylabus *(na skúšku)*

**handrail** ['hænd,reil] zábradlie

**handsfree** ['hændzfri:] bez držania v ruke

**handshake** ['hændšeik] podanie ruky

**handsome** ['hændsəm] **1.** pekný *(muž)* **2.** tučný *(plat)* **3.** značný *(zisk)*

**handwriting** ['hænd,raitiŋ] rukopis

**handy** ['hændi] *adj* **1.** pohodlný **2.** vhodný, užitočný, praktický **3.** obratný; *adv* poruke; vhod; *come in h.* prísť vhod; *be very h.* mať zlaté ruky

**handyman** [ˈhændimən] domáci majster

**hang¹\*** [hæŋ] **1.** zavesiť **2.** visieť • h. around obšmietať sa, postávať; h. on! vydrž!, počkaj! aj: nezavesuj! (slúchadlo); h. out trčať niekde; h. up zložiť, zavesiť (slúchadlo); h. up sth. odložiť, odsunúť

**hang²** [hæŋ] h-ed obesiť

**hangar** [ˈhæŋə] hangár

**hanger** [ˈhæŋə] vešiak

**hang gliding** [ˈhæŋˌglaidiŋ] šport. lietanie na závesnom klzáku, paraglajding

**hangman** [ˈhæŋmən] kat

**hangover** [ˈhæŋˌəuvə] opica (z alkoholu); pozostatok (niečoho)

**hanky** [ˈhæŋki] vreckovka

**hanky-panky** [hæŋkiˈpæŋki] čachre-machre, pletky

**happen** [ˈhæpən] stať sa, prihodiť sa • do you h. to nemáš náhodou?

**happening** [ˈhæpniŋ] **1.** udalosť **2.** umel. podujatie

**happily** [ˈhæpili] **1.** šťastne, spokojne **2.** našťastie, chvalabohu

**happiness** [ˈhæpinis] šťastie

**happy** [ˈhæpi] **1.** šťastný, spokojný **2.** vhodný, priliehavý (slovo); H. Birthday! blahoželám k narodeninám!

**harass** [ˈhærəs] obťažovať, šikanovať, prenasledovať

**harassment** [ˈhærəsmənt] obťažovanie, šikanovanie

**harbour** [ˈhaːbə] n prístav; v **1.** kotviť v prístave **2.** prechovávať

**hard** [haːd] adj **1.** tvrdý **2.** prísny, krutý **3.** ťažký, namáhavý; adv **1.** tvrdo, ťažko **2.** usilovne, namáhavo • have a h. time mať sa zle; drive a h. bargain tvrdo sa jednať (obchodne); h. shoulder spevnená krajnica; try h. (vyna)snažiť sa

**hardback** [ˈhaːdbæk] tvrdá väzba (knihy)

**hard-boiled** [ˌhaːdˈboild] **1.** uvarený natvrdo **2.** bezcitný, cynický

**hard copy** [ˈhaːdˌkopi] výp. vytlačený súbor

**hard currency** [ˈhaːdˌkarənsi] tvrdá mena

**hard disk** [ˈhaːdˌdisk] výp. pevný disk

**hard drugs** [ˈhaːdˌdragz] tvrdé drogy

**harden** [ˈhaːdn] **1.** stvrdnúť **2.** otužiť (sa) **3.** spevniť (ceny)

**hardliner** [ˈhaːdlainə] polit.

stúpenec tvrdej línie, konzervatívec

**hardly** [ˈhaːdli] sotva, ťažko

**hardship** [ˈhaːdšip] **1.** tvrdosť **2.** núdza, útrapy

**hardware** [ˈhaːdweə] **1.** železiarsky tovar **2.** *výp.* technické vybavenie počítača, hardvér

**hard-working** [ˈhaːdwəːkiŋ] pracovitý, usilovný

**hardy** [ˈhaːdi] **1.** otužilý, odvážny **2.** mrazuvzdorný *(rastlina)*

**hare** [heə] zajac

**harm** [haːm] *n* škoda; *v* poškodiť, ublížiť • *come h.* mať ujmu

**harmful** [ˈhaːmful] škodlivý

**harmless** [ˈhaːmlis] neškodný

**harness** [haːnis] *n* postroj; *v* spútať, osedlať

**harp** [haːp] harfa

**harpoon** [haːˈpuːn] harpúna

**harsh** [haːš] **1.** drsný, nevľúdny *(klíma)*, príkry *(slovo)* **2.** ostrý, prenikavý *(svetlo, zvuk)*

**harvest** [ˈhaːvist] *n* žatva; *v* dostať úrodu pod strechu; *obraz.* zbierať plody svojej práce; *grape h.* vinobranie

**harvester** [ˈhaːvistə] **1.** žnec **2.** žací stroj, kombajn

**has** *see* **have\***

**has-been** [ˈhæsbiːn] *pej.* skrachovaná existencia, politická mŕtvola

**hash** [hæš] **1.** mleté mäso **2.** *obr.* zmätok **3.** *výp.* mriežka, dvojkrížik

**hasp** [haːsp] závora, haspra

**hassle** [hæsl] *n* mrzutosť, nepríjemnosť; *v* otravovať

**haste** [heist] *n* chvat, zhon • *make h.* ponáhľaj sa!; *v* ponáhľať sa

**hasten** [ˈheisn] **1.** ponáhľať sa **2.** posúriť

**hastily** [ˈheistili] náhlivo, súrne, chvatne

**hasty** [ˈheisti] chvatný, unáhlený

**hat** [hæt] klobúk • *I'll eat my hat if* zjem kefu, ak; *keep under so.'s h.* tajiť

**hatch** [hæč] vysedieť *(vtáčatá)*; *h. out* (vy)liahnuť sa

**hatchback** [ˈhæčbæk] *auto.* kombi

**hatchet** [ˈhæčit] sekerka

**hate** [heit] nenávidieť • *come h. sb.* zanevrieť na niekoho

**hateful** [ˈheitfl] nenávidený, odporný; *h. crime* ohavný zločin

**hatred** [ˈheitrid] nenávisť

**haughty** [ˈhoːti] povýšenec-

ký, spupný • *h. manners*
panské chútky

**haul** [ho:l] tahať, vliecť • *h.
sb. over the coals* zavolať
na koberec

**haulage** [ˈhoːlidž] nákladná
(kamiónová) doprava

**haunt** [ho:nt] **1.** často navšte-
vovať **2.** prenasledovať **3.**
strašiť; *the house is h-ed* v
dome straší

**have*** [hæv] **1.** mať **2.** do-
stať **3.** vziať si; *h. to* mu-
sieť • *h. a walk* prejsť sa;
*h. sth. done* dať si niečo
urobiť; *h. sth. on* mať
niečo na sebe; *h. a good
time* mať sa dobre; *h. a
good trip!* šťastnú cestu!;
*h. a word with* pohovoriť
si s; *you had better do it*
mali by ste to radšej urobiť

**haven** [ˈheivn] **1.** prístav; **2.**
*obr.* útočište

**havoc** [ˈhævək] trma-vrma

**hawk** [ho:k] jastrab

**hay** [hei] seno; *make a h.* ko-
siť; *h. fever* senná nádcha

**hazard** [ˈhæzəd] *n* **1.** náho-
da **2.** riziko; *v* riskovať,
odvážiť sa

**haze** [heiz] hmlový opar

**hazel** [ˈheizl] *n* lieska; *adj*
orieškovohnedý

**hazelnut** [ˈheizlnat] lieskový
oriešok

**hazy** [ˈheizi] hmlistý, nejas-
ný

**he** [hi:] on; *it´s a h.* je to
chlapec *(novorodenec)*

**head** [hed] *n* **1.** hlava **2.** če-
lo; *at the h. of* na čele
niečoho **3.** riaditeľ, pred-
nosta • *h. over heels* hore
nohami; *use h.* pohnúť ro-
zumom; *v* stáť na čele,
viesť **4.** *h. office* centrála

**headache** [ˈhedeik] bolesť
hlavy; *suffer from h.* mať
často bolesť hlavy

**headband** [ˈhedbænd] če-
lenka

**heading** [ˈhediŋ] záhlavie,
nadpis, názov, titul

**headlight** [ˈhedlait] *auto.* ref-
lektor

**headline** [ˈhedlain] titulok *(v
novinách)*, nadpis; *the h-s*
prehľad správ

**headlong** [ˈhedloŋ] *adv* bez-
hlavo; strmhlav; *adj* ne-
uvážený, prenáhlený

**headmaster** [ˈhedmaːstə]
riaditeľ školy; *AmE* princi-
pal [ˈprinsəpəl]

**headmistress** [ˈhedmistris]
riaditeľka školy *(BrE)*

**headphones** [ˈhedfəunz]
slúchadlá

**headquarters** (= HQ) [ˈhedˈ-
kwotəz] **1.** hlavný stan **2.**
ústredie, centrála

**headstone** [ˈhedstoun] náhrobný kameň

**headway** [ˈhedwei] postup • *make h.* robiť pokroky

**headword** [ˈhedwə:d] heslo *(v slovníku)*

**heal** [hi:l] **1.** liečiť **2.** (za)hojiť sa • *h. a quarrel* urovnať spor

**health** [helθ] zdravie; *your h.!* na vaše zdravie!

**healthresort** [ˈhelθriˈzo:t] kúpele

**healthy** [ˈhelθi] zdravý, prekvitajúci

**heap** [hi:p] *n* kopa, hŕba; *v* nahromadiť; *in/by h-s* hromadne, húfom

**hear*** [hiə] **1.** počuť **2.** načúvať **3.** dozvedieť sa **4.** *h. from* dostať správu od

**hearer** [ˈhiərə] poslucháč

**hearing** [ˈhiəriŋ] **1.** sluch **2.** výsluch, vypočúvanie

**heard** *see* **hear***

**hearsay** [ˈhiəsei] chýry, povesti, zvesti; *by h.* z počutia

**hearse** [ˈhə:s] pohrebný voz

**heart** [ha:t] **1.** srdce **2.** jadro, podstata • *by h.* naspamäť; *lose/take h.* stratiť/nabrať odvahu; *cross my h.!* čestné slovo!; *h. of gold* srdce zo zlata

**heart attack** [ˈha:t,ətæk] infarkt

**heartbreaking** [ˈha:tˈbreikiŋ] srdcervúci

**heartburn** [ˈha:tbə:n] pálenie záhy

**heartfailure** [ˈha:tˈfeiljə] zlyhanie srdca

**hearth** [ha:θ] kozub

**heartless** [ˈha:tlis] nemilosrdný, krutý

**heartwarming** [ˈha:t,wo:miŋ] povzbudivý, potešiteľný

**hearty** [ˈha:ti] **1.** srdečný **2.** riadny, dôkladný **3.** výdatný *(o jedle)*

**heat** [hi:t] *n* **1.** horúčava, teplo, žiar **2.** šport. kolo, beh; *v* **1.** kúriť **2.** rozohriať

**heath** [hi:θ] **1.** *bot.* vres **2.** vresovisko

**heathen** [ˈhi:ðən] *n* pohan; *adj* pohanský

**heather** [ˈheðə] *bot.* vres

**heating** [hi:tiŋ] kúrenie, ohrievanie; *central h.* ústredné kúrenie

**heatstroke** [ˈhi:tstrəuk] úpal

**heave*** [hi:v] dvíhať *(s námahou),* ťahať

**heaven** [ˈhevn] nebo, nebesá; *for h.'s sake!* preboha!; *thank h.!* chvalabohu!; *good h-s!* prepánajána!; *h. help him!* beda mu!

**heavy** [ˈhevi] **1.** ťažký **2.** ťažkopádny **3.** silný; *h. smoker* silný fajčiar; *h. news* zlé správy; *h. rain* prudký dážď

**heavy-current** [heviˈkarənt] silnoprúdový

**heck** [hek] *hovor.* dofrasa, sakra

**heckler** [ˈheklə] provokatér, výtržník

**hedge** [hedž] **1.** živý plot **2.** *obr.* krytie, ochrana • *stop h-ing!* prestaň sa vykrúcať!

**hedgehog** [ˈhedžhog] jež

**heed** [hi:d] starať sa, dbať, všímať si niečo

**heedless** [ˈhi:dlis] nepozorný, nevšímavý; ľahkomyseľný

**heel** [hi:l] **1.** päta **2.** opätok, podpätok; *AmE slang.* lump • *at/on someone's h-s* byť niekomu v pätách

**hefty** [ˈhefti] robustný, statný; *h. bill* mastný účet

**height** [hait] výška, vzrast

**heighten** [ˈhaitn] zvýšiť; zintenzívniť

**heir** [eə] dedič, následník

**heiress** [ˈeəris] dedička

**heirloom** [ˈeəlu:m] rodinná pamiatka *(hodiny ap.)*

**held** *see* **hold***

**helicopter** [ˈhelikoptə] vrtuľník

**hell** [hel] peklo • *go to h.!* choď do čerta!; *for the h. of it* len tak zo zábavy

**hello** [həˈləu] ahoj; *h. there!* zdravím vás!

**helm** [helm] kormidlo

**helmet** [ˈhelmit] helma, prilba

**help** [help] *n* pomoc; *v* **1.** pomôcť, pomáhať **2.** poslúžiť • *h. yourself* poslúžte si, vezmite si; *I can't h. that* nemôžem inak

**helpful** [ˈhelpful] nápomocný, ochotný

**helping** [ˈhelpiŋ] **1.** pomoc **2.** porcia, dávka; *take a second h.* daj si repete

**helpless** [ˈhelpləs] bezmocný, bezradný

**helpline** [ˈhelplain] linka dôvery

**helpmate** [ˈhelpmeit] pomocník

**helter-skelter** [ˈheltə-skeltə] *adv* hlava-nehlava, chaoticky

**hem** [hem] *n* lem, obruba; *v* olemovať

**hemp** [hemp] konope

**hen** [hen] **1.** sliepka **2.** samička *(vtáka)*; *h. party* babinec, dámska jazda

**hence** [hens] **1.** odteraz **2.**

preto, z toho dôvodu; *a week h.* o týždeň

**henceforth** [ˈhensfoːθ] *form.* odteraz, naďalej

**henceforward** [ˈhensˈfoːwəd] *form.* odteraz, naďalej

**henpecked** [ˈhenpekt] pod papučou *(manžel)*

**her(s)** [həː] **1.** ju; **2.** jej; *hovor. it's h.* to je ona

**herald** [ˈherəld] *n* hlásateľ, posol; *v* hlásiť, zvestovať

**herb** [həːb] bylina, rastlina *(liečivá); h. tea* bylinkový čaj

**herd** [həːd] črieda, stádo

**herd-instinct** [ˈhəːdˈinstiŋkt] davová psychóza

**here** [hiə] **1.** tu **2.** sem; *h. and there* kde-tu; *h. you are* tu máš, prosím, nech sa páči

**hereby** [ˈhiəˈbai] týmto; *I h. declare that* týmto vyhlasujem, že

**hereafter** [hiəˈaːftə] ďalej, v budúcnosti

**hereditary** [hiˈreditəri] dedičný; *h. factor* gén; *h. customs* tradičné zvyky

**heredity** [hiˈrediti] dedičnosť

**herein** [ˈhiərˈin] *form.* v tom(to), tu, v prílohe

**heresy** [ˈherəsi] kacírstvo

**heretical** [hiˈretikəl] kacírsky

**herewith** [ˈhiəwið] týmto; *(v obch. listoch) enclosed h. is...* v prílohe vám zasielame...

**heritage** [ˈheritidž] dedičstvo, odkaz

**hermit** [ˈhəːmit] pustovník

**hero** [ˈhiərəu] hrdina; *h. of the hour* hrdina dňa

**heroic** [hiˈrəuik] hrdinský

**heroine** [ˈherəuin] hrdinka; *some h. you are!* ty si mi ale hrdinka!

**heroism** [ˈherəuizm] hrdinstvo

**heron** [ˈherən] volavka

**herring** [ˈheriŋ] sleď

**herself** [həːˈself] **1.** (ona) sama; *she lives by h.* žije sama **2.** sa, sebe, si; *she hurt h.* poranila sa • *she is not h.* nie je vo svojej koži

**hesitate** [ˈheziteit] váhať, zdráhať sa, byť nerozhodný

**hesitation** [ˈheziˈteišən] váhanie, nerozhodnosť

**heyday** [ˈheidei] vrchol, rozkvet; *in his/her/its h.* na vrchole svojej slávy

**hi** [hai] *hovor.* ahoj!, čau(ko)!

**hew*** [hjuː] **1.** sekať **2.** tesať; *h. my way* raziť si cestu

**hibernate** [ˈhaibəːneit] prezimovať, prespať zimu *(o živočíchoch)*

**hiccup** [ˈhikap] čkanie

**hid** *see* **hide\***

**hide¹\*** [haid] skryť (sa); zatajiť

**hide²** koža *(surová)*

**hide-and-seek** [ˈhaidənˈsiːk] hra na schovávačku

**hideous** [ˈhidiəs] odporný, ohavný

**hiding** [ˈhaidiŋ] **1.** *hovor.* bitka, výprask **2.** úkryt

**hiding-place** [ˈhaidiŋpleis] úkryt, skrýša

**high** [hai] *adj* **1.** vysoký **2.** vznešený; *adv* vysoko; *high speed* veľká rýchlosť; *h. noon* pravé poludnie • *live h.* žiť si po pansky

**highbrow** [haibrau] intelektuál *(s náročným vkusom a záujmami)*

**High Court** Najvyšší súd

**high-flier/flyer** [ˌhaiˈflaiə] ambiciózny/úspešný človek

**high-grade** [ˌhaiˈgreid] veľmi kvalitný

**highlands** [ˈhailəndz] vysočina

**highlight** [ˈhailait] *n* **1.** osvetlenie, zvýraznenie **2.** melír *(vlasov)*; *obr.* zlatý klinec programu, vr-

cholná udalosť; *v* zdôrazniť, označiť

**highly** [haili] vysoko, veľmi *(talentovaný ap.)*

**highness** [hainis] výsosť

**high school** [ˈhai skuːl] *AmE* stredná škola

**high-tech** [ˈhaitek] *n* špičková technológia; *adj* najmodernejší

**highway** [ˈhaiwei] hlavná cesta; *AmE* diaľnica; *(BrE) H. Code* pravidlá cestnej premávky

**hijack** [ˈhaidžæk] *n* únos *(lietadla)*; *v* uniesť, prepadnúť *(lietadlo)*

**hike** [haik] ísť na túru, trampovať *(v prírode)*

**hiking** [ˈhaikiŋ] turistika

**hilarious** [hiˈleəriəs] veľmi zábavný; rozjarený

**hilarity** [hiˈlæriti] hlučná veselosť, smiech

**hill** [hil] kopec, vŕšok

**hilly** [ˈhili] kopcovitý, pahorkatý, hornatý

**him** [him] **1.** ho, jeho **2.** jemu; *hovor. it's h.* to je on

**himself** [himˈself] **1.** (on) sám; *he lives by h.* žije sám **2.** sa, sebe, si; *he hurt h.* poranil sa • *he is not h.* nie je vo svojej koži

**hind** [haind] zadný; *h. wheels* zadné kolesá

**hinder** [ˈhində] prekážať, zavadzať

**hindrance** [ˈhindrəns] prekážka

**hinge** [hindž] veraj; pánt

**hint** [hint] n pokyn; slovná narážka; náznak; v **1.** narážať **2.** naznačovať • take a h. dovtípiť sa

**hip** [hip] bok, bedro; hands on h.! ruky vbok!

**hippopotamus** [ˈhipəˈpotəməs] hovor. hroch; hippo

**hire** [ˈhaiə] n (pre)nájom; (pre)najatie; v prenajať si; for h. voľný (taxík)

**hire-purchase** [ˈhaiəˈpəčis] nákup na splátky

**his** [hiz] jeho

**hiss** [his] n syčanie, sykot; v syčať; h. away vypískať niekoho

**historian** [hisˈtoːriən] historik, dejepisec

**history** [ˈhistəri] história, dejiny, dejepis; iron. fine h. pekná historka

**hit*** [hit] v **1.** udrieť **2.** zasiahnuť, trafiť • h. upon an idea dostať nápad; n **1.** úder, rana **2.** zásah

**hitch** [hič] **1.** trhnutie **2.** uzol (námornícky) **3.** zastavenie (prechodné); obr. zádrhel • get a h. chytiť stop

**hitchhike** [ˈhičhaik] stopovať (auto)

**hitherto** [ˈhiðəˈtuː] form. až doteraz, dosiaľ

**hive** [haiv] úľ (včelí)

**hoard** [hoːd] n zásoba, hŕba; v hromadiť

**hoarfrost** [ˈhoːfrost] inovať, srieň

**hoarse** [hoːs] chrapľavý, zachrípnutý

**hoary** [hoːri] šedivý; úctyhodný

**hoax** [ˈhəuks] n **1.** huncútstvo, kanadský žartík **2.** žurn. novinárska kačica; v robiť si z niekoho dobrý deň

**hobble** [ˈhobl] krívať

**hobby** [ˈhobi] koníček, záľuba

**hockey** [ˈhoki] n hokej (pozemný); (v) play h. hrať hokej

**hod** [hod] korýtko (na maltu)

**hoe** [həu] n motyka; v okopávať

**hog** [hog] sviňa, prasa

**hoist** [hoist] zdvihnúť, vytiahnuť; h. a flag vztýčiť vlajku

**hold*** [həuld] **1.** držať **2.** pojať **3.** zachovávať, sláviť **4.** zadržať, zastaviť • h. on pokračovať; h. out vydržať; h. up zastaviť, zadržať; *h. on!* stoj, počkaj!; *h. the line!* nevešaj(te)! *(telefón); h. still!* nehýb sa!; *luggage h.* batožinový priestor; *be held* konať sa; *h. up* zdvihnúť, podopierať

**holder** [ˈhəuldə] 1. držiteľ, vlastník 2. držadlo, rukoväť 3. špička *(na cigarety)*

**holding** [ˈhəuldiŋ] usadlosť, pozemok *(v držaní)*, podiel *(na majetku)*

**holding company** [ˈhəuldiŋ kampəni] obchodná holdingová spoločnosť

**hold-up** 1. ozbrojená lúpež 2. meškanie

**hole** [həul] diera, otvor; *leave in a h.* nechať v štichu

**holiday** [ˈholədi] 1. deň pracovného pokoja 2. dovolenka 3. sviatok

**holidaymaker** [ˈholədimeikə] rekreant, turista

**holidays** [ˈholədiz] *pl.* prázdniny; *AmE* vacations [vəˈkeišənz]

**hollow** [ˈholəu] *adj* dutý; *n* dutina; *v* vydlabať

**holly** [holi] *bot.* cezmína

**holocaust** [ˈholəko:st] genocída, masové vyhladzovanie

**holy** [ˈhəuli] 1. svätý, posvätný 2. nábožný, po-

božný; *the H. Bible* Svätá Biblia; *H. Father* Svätý otec, pápež

**homage** [ˈhomidž] pocta, hold • *pay h.* preukazovať úctu

**home** [həum] *n* 1. domov 2. domovina, vlasť; *adj* 1. domáci, domovský 2. vnútorný *(nie zahraničný napr. obchod)*, vnútrozemský; *h. rule* samospráva • *feel/make oneself at h.* cítiť/správať sa ako doma (urobiť si pohodlie); *H. Office* ministerstvo vnútra

**homeland** [ˈhəumlænd] domovina, vlasť

**homeless** [ˈhəumlis] bezdomovec

**home-made** [həum meid] doma vyrobený

**homesick** [ˈhəumsik] clivý; *I am h.* cnie sa mi po domove

**hometown** [həumtaun] rodné mesto

**homework** [ˈhəumwə:k] domáca úloha

**homicide** [ˈhomisaid] 1. zabitie, vražda 2. vrah

**honest** [ˈonist] (po)čestný, poctivý

**honesty** [ˈonisti] poctivosť, čestnosť • *h. is the best* *policy* s poctivosťou najďalej zájdeš

**honey** ['hani] **1.** med **2.** miláčik

**honeycomb** ['hanikəum] *(včelí)* plást

**honeymoon** ['hanimu:n] svadobná cesta, medové týždne

**honk** [hoŋk] trúbiť *(auto)*

**honorary** ['onərəri] čestný *(=neplatený)*

**honour** ['onə] *n* **1.** česť **2.** pocta; *v* **1.** ctiť **2.** poctiť • *h. the bill* preplatiť zmenku

**honourable** ['onərəbl] **1.** ctihodný **2.** vážený

**honours** ['onəz] *pl.* vyznamenanie

**hood** [hud] **1.** kapucňa **2.** *AmE* kapota

**hoof** [hu:f] kopyto

**hook** [huk] *n* hák, háčik; *v* **1.** zahákovať **2.** zopäť, zopnúť

**hooked** [hukt] ohnutý, krivý

**hooligan** ['hu:ligən] chuligán, výtržník

**hoop** [hu:p] obruč

**hooping-cough** ['hu:piŋkaf] čierny kašeľ

**hoot** [hu:t] húkať, trúbiť

**hoover** ['hu:və] *n* vysávač; *v* vysávať

**hop** [hop] *n* **1.** chmeľ **2.**

(po)skok, hopkanie; *v* poskakovať, hopkať; *slang.* • *h. it!* zmizni!

**hope** [həup] *n* nádej; *(v)* *h. for sth.* dúfať v niečo • *h. against h.* nevzdávať sa nádeje, dúfať v nemožné

**hopeful** ['həupfl] **1.** plný nádeje, dúfajúci **2.** nádejný

**hopeless** ['həuplis] **1.** beznádejný **2.** zúfalý

**horizon** [ho'raizn] horizont, obzor

**horn** [ho:n] **1.** paroh; *pl.* h-s rožky, tykadlá *(hmyzu)* **2.** klaksón

**hornet** ['ho:nit] sršeň

**horrendous** [ho'rendəs] otrasný, hanebný *(zločin)*

**horrible** ['horəbl] strašný, hrozný

**horror** ['horə] hrôza, strach

**hors d'oeuvre** [o:də:v] predjedlo

**horse** [ho:s] kôň

**horseback** ['ho:sbæk]: *on h.* na koni

**horse-chestnut** ['ho:s'česnat] gaštan *(divý)*

**horsefly** ['hos:flai] ovad

**horsehair** ['ho:sheə] konská srsť

**horseman** ['ho:smən] jazdec

**horseradish** ['ho:s'rædiš] chren

**horserace** ['ho:sreis] dostihy *(konské)*

**horseshoe** ['ho:ššu:] podkova

**horticulture** ['ho:tikalčə] záhradníctvo

**hose** [həuz] *n* 1. hadica 2. pančucha; *v* polievať hadicou

**hosiery** ['həužəri] pletený tovar; trikotáž

**hospitable** ['hospitəbl] pohostinný, vľúdny

**hospital** ['hospitl] nemocnica

**hospitality** ['hispi'tæliti] pohostinnosť

**host** [həust] 1. hostiteľ 2. zástup, dav *(ľudí)* 3. TV moderátor

**hostage** ['hostidž] rukojemník

**hostel** ['hostəl] 1. študentský domov 2. nocľaháreň

**hostess** ['həustis] 1. hostiteľka 2. hosteska; *air h.* letuška

**hostile** ['hostail] nepriateľský • *h. looks* nevraživý pohľad

**hostility** [hos'tiliti] nepriateľstvo

**hot** [hot] 1. horúci 2. štipľavý • *h. dog* párok v rožku; *h. news* aktuálne správy • *I'm/feel h.* je mi horúco;

*it's h. today* je teplo; *h. air* slová do vetra, dristy; *h. stuff* ukradnutý tovar; *situation is h-ing up* udalosti sa vyostrujú; *h.-tempered* výbušný, prchký

**hotbed** ['hotbed] parenisko

**hotchpotch** ['hočpoč] mišmaš, gebuzina *(TV program)*

**hotel** [həu'tel] hotel

**hotshot** ['hotšot] *AmE* eso, kanón

**hothouse** [hothaus] skleník, parenisko

**hound** [haund] *n* poľovnícky pes; *v* prenasledovať, štvať • *h. out* vyštvať

**hour** ['auə] hodina; *office h-s* úradné hodiny; *after h-s* po práci; *rush h.* dopravná špička

**house** [haus] *n* 1. dom 2. snemovňa • *H. of Commons/Lords* Dolná/Horná snemovňa *(britská)* 3. rod, dynastia; *v* [hauz] 1. ubytovať (sa) 2. bývať

**houseboat** ['hausbəut] hauzbót, obytný čln

**household** ['haushəuld] domácnosť

**housekeeper** ['haus'ki:pə] gazdiná

**housemaid** ['hausmeid] slúžka, chyžná

**housewife** [ˈhauswaif] žena v domácnosti

**housework** [ˈhauswə:k] práce v domácnosti

**housing** [ˈhauziŋ] 1. bývanie 2. bytová kultúra; *h. estate* sídlisko

**hover** [ˈhovə] vznášať sa

**how** [hau] ako?; *h. much/ many?* koľko?; *h. about?* a čo tak...? *h. are you?* ako sa máš?; *h. old are you?* koľko máš rokov? *h. do you do* teší ma *(pri predstavovaní)*

**however** [hauˈevə] 1. akokoľvek 2. ale, predsa len

**howl** [haul] *v* vyť, zavýjať; *n* vytie

**hue** [hju:] odtieň *(farby)*

**hug** [hag] *v* objať; maznať (sa); *n* objatie, privinutie; *give sb. a hug* objať niekoho

**huge** [ˈhju:dž] obrovský, ozrutný

**hull** [hal] trup lode

**hum** [ham] 1. bzučať, hučať 2. hmkať; *h. a song* pospevovať si

**human** [ˈhju:mən] *adj* ľudský; *(n) h. (being)* človek; *h. resources (HR)* ľudské zdroje; *h. rights* ľudské práva

**humane** [hjuˈmein] humán-ny, ľudský; *h. society* humánna spoločnosť

**humanity** [hjuˈmæniti] 1. ľudstvo 2. ľudskosť; *the h-ies* humanitné vedy

**humble** [ˈhambl] 1. poníže-ný 2. skromný, nenáročný

**humbug** [ˈhambag] 1. podvod, pretvárka 2. nezmysel 3. podvodník

**humid** [ˈhju:mid] vlhký, mokrý

**humidity** [hjuˈmiditi] vlhkosť

**humiliate** [hjuˈmilieit] poní-žiť, pokoriť

**hummingbird** [ˈhamiŋbə:d] kolibrík

**humorous** [ˈhju:mərəs] vtip-ný, žartovný

**humour** [ˈhju:mə] 1. nálada • *out of h.* v zlej nálade 2. humor; *sense of h.* zmysel pre humor

**hump** [hamp] 1. hrb 2. hr-boľ, vyvýšenina

**hunchback** [ˈhančbæk] hr-báč

**hundred** [ˈhandrəd] sto

**hundredfold** [ˈhandrədfo-uld] stonásobný

**hundredth** [ˈhandrədθ] stý

**hung** *see* **hang***

**hunger** [ˈhaŋ] *n* hlad; *v* hla-dovať; *die of h.* umrieť od hladu; *h. for* bažiť po; *h. strike* hladovka

**hungry** [ˈhaŋgri] hladný; *be/feel h.* byť hladný

**hunt** [hant] *v* **1.** poľovať **2.** *h. for* zháňať sa po; *n* poľovačka

**hunter** [ˈhantə] poľovník

**hurdle** [ˈhə:dl] *šport.* prekážka

**hurl** [hə:l] vrhnúť, šmariť

**hurrah, hurray** [huˈra:] hurá!

**hurricane** [ˈharikən] hurikán, uragán, víchrica

**hurry** [ˈhari] chvat; *in a h.* chvatne, narýchlo; *be in a h.* ponáhľať sa; *h. up* ponáhľaj sa!

**hurt*** [hə:t] **1.** poraniť **2.** bolieť; *does it h.?* bolí to?; *I h. all over* všetko ma bolí

**husband** [ˈhazbənd] manžel; *h. and wife* manželia

**hush** [haš] *n* ticho; *v* **1.** umlčať; *h. up* ututlať **2.** zmĺknúť, utíchnuť

**husky** [haski] *v* chrapľavý

**hustle** [ˈhasl] *v* **1.** strkať, sácať **2.** rýchlo konať; *podst.* **1.** tlačenica **2.** ruch, zhon

**hustings** [ˈhastiŋz] *pl. the h.* volebná kampaň

**hustler** [ˈhaslə] podvodník

**hut** [hat] **1.** chatrč, búda **2.** vojenský barak **3.** chata

**hydraulics** [haiˈdro:liks] hydraulika

**hydrogen** [ˈhaidridžən] *chem.* vodík

**hygiene** [ˈhaidži:n] hygiena, čistota

**hygienic** [haiˈdži:nik] hygienický

**hymn** [him] *náb.* hymnus, cirkevná pieseň

**hyphen** [ˈhaifən] spojovacie/rozdeľovacie znamienko, pomlčka

**hypocrisy** [hiˈpokrisi] pokrytectvo, pretvárka

**hypocrite** [ˈhipəkrit] pokrytec, farizej

**hysterical** [hisˈterikəl] hysterický, nepríčetný

**I** [ai] ja

**ibid(em)** [ibid(em)] tamtiež

**ice** [ais] **1.** ľad **2.** zmrzlina • *break the i.* osmeliť sa; *ice rink* klzisko; *black ice* poľadovica; *put sth. on ice* odložiť na neskôr

**iceberg** [ˈaisbə:g] ľadovec, kryha

**icecream** [ˈaisˈkri:m] zmrzlina

**ice hockey** [ˈaishoki] ľadový hokej

**icicle** [ˈaisikl] cencúľ

**icing** [aisiŋ] cukrová poleva

**icon** [ˈaikon] **1.** modla, idol **2.** *výp.* ikonka, piktogram

**icy** [ˈaisi] ľadový

**idea** [aiˈdiə] **1.** pojem **2.** idea, myšlienka, nápad **3.** predstava; *have no i.* nemať poňatia

**ideal** [aiˈdiəl] *adj* ideálny; *n* ideál

**identical** [aiˈdentikəl] totožný, zhodný, rovnaký

**identify** [aiˈdentifai] stotožniť; *i. os. with* stotožniť sa s

**identity** [aiˈdentiti] totožnosť; *i. card* preukaz totožnosti

**idiom** [ˈidjəm] ustálené slovné spojenie, idióm

**idle** [ˈaidl] *adj* **1.** lenivý **2.** nečinný **3.** neúčinný; *v* lenošiť, zaháľať; *i. time* prestoj

**idleness** [ˈaidlnis] nečinnosť, lenivosť

**idler** [ˈaidlə] leňoch, povaľač

**idol** [ˈaidl] modla, idol

**i.e.** [ˈaiˈiː] *(= that is)* t. j. *(to je)*

**if** [if] **1.** ak **2.** či **3.** keby; *as if* akoby • *if and when* ak/pokiaľ by náhodou; *I'll do it if I die* urobím to, aj keby som mal umrieť

**ignition** [igˈnišən] zapálenie; *motor.* zapaľovanie

**ignoble** [igˈnəubl] neurodzený; prostý, nízky; hanebný

**ignominious** [ˈignəˈminiəs] potupný, hanebný

**ignorance** [ˈignərəns] **1.** nevedomosť, neznalosť • *keep in i.* zatajiť

**ignorant** [ˈignərənt] **1.** nevedomý **2.** *i. of sth.* nevedieť o niečom

**ignore** [igˈnoː] ignorovať, nebrať do úvahy

**iguana** [igˈwaːnə] leguán

**ill** [il] **1.** zlý; *look i.* vyzerať zle; *i.-bred* zle vychovaný, nezdvorilý **2.** chorý; *fall i.* ochorieť; *feel i.* cítiť sa zle; *AmE sick* [sik] chorý • *speak i. of sb.* zle o niekom hovoriť **3.** škodlivý; *i. effects* zhubné účinky

**illegal** [iˈliːgəl] nezákonný, protiprávny

**illegible** [iˈledžəbl] nečitateľný

**illegitimate** [iliˈdžitimeit] nemanželský

**illicit** [iˈlisit] nezákonný, zakázaný, nedovolený, pokútny, čierny *(obchod)*

**illiterate** [i'litərit] negramotný

**illness** ['ilnis] choroba; *mental i.* duševná choroba

**ill-treat** [il'tri:t] zle zaobchádzať, týrať

**illuminate** [i'lju:mineit] 1. osvetliť 2. objasniť, vysvetliť

**illusion** [i'lu:žən] ilúzia

**illusory** [i'lu:səri] neskutočný

**illustrate** ['iləstreit] 1. ilustrovať 2. objasniť, vysvetliť

**imaculate** [imækjuleit] nepoškvrnený

**image** ['imidž] 1. obraz, predstava 2. dojem, predstava 3. imidž *(osoby)*, reputácia

**imagination** [i'mædži'neišən] predstavivosť, fantázia

**imagine** [i'mædžin] 1. predstaviť si 2. domnievať sa, myslieť si

**imbalance** [im'bæləns] nerovnováha

**imitate** ['imiteit] napodobniť

**immature** [,imə'tjuə] nezrelý, nevyspelý

**immediate** [i'mi:djət] 1. bezprostredný, naliehavý, akútny 2. okamžitý 3. priamy

**immediately** [i'mi:djətli] ihneď, okamžite

**immense** [i'mens] nesmierny, obrovský

**immerse** [i'mə:s] 1. ponoriť 2. zahĺbiť sa

**immigrant** ['imigrənt] prisťahovalec

**immigrate** ['imigreit] prisťahovať sa

**imminent** ['iminənt] akútny, bezprostredný

**immoral** [i'morəl] nemravný

**immortal** [i'mo:tl] nesmrteľný • *i. fame* večná sláva

**immortality** ['imo:'tæliti] nesmrteľnosť

**immune** [i'mju:n] imúnny, odolný

**immunity** [i'mju:niti] 1. imunita, odolnosť 2. imunita, nedotknuteľnosť *(diplomatická)*

**impact** ['impækt] náraz, úder, zrážka; *on i.* pri náraze; *i. of science* vplyv/dopad vedy

**impair** [im'peə] poškodiť, (z)oslabiť

**impart** [im'pa:t] oznámiť *(správu);* dodať *(príchuť)*

**impartial** [im'pa:šəl] nestranný, objektívny

**impartiality** ['im'pa:ši'æliti] nestrannosť

**impasse** [æmˈpɑ:s] *pren.* slepá ulička, mŕtvy bod

**impatience** [imˈpeišəns] netrpezlivosť

**impatient** [imˈpeišənt] netrpezlivý; *don´t be i.* majte strpenie

**impeach** [imˈpi:č] *AmE* obžalovať zo zneužitia úradnej moci

**impeachment** [imˈpi:čmənt] **1.** obžaloba zo zneužitia úradnej moci **2.** spochybnenie dôveryhodnosti

**impede** [imˈpi:d] *form.* zdržiavať, brzdiť niečo, spomaľovať

**impel** [imˈpel] nabádať do niečoho, podnecovať

**impenetrable** [imˈpenitrəbl] nepreniknuteľný

**imperative** [imˈperətiv] *adj* **1.** *gram.* rozkazovací **2.** naliehavý, nevyhnutný **3.** veliteľský

**imperfect** [imˈpə:fikt] nedokonalý

**imperfection** [ˈimpəˈfekšən] **1.** nedokonalosť, slabina **2.** kaz

**imperial** [imˈpiriəl] cisársky

**imperialism** [imˈpiəriəlizm] imperializmus

**imperil** [imˈperil] ohroziť

**impermeable** [imˈpə:mjəbl] nepremokavý

**impersonal** [imˈpə:sənəl] neosobný

**impertinence** [imˈpə:tinəns] bezočivosť

**impertinent** [imˈpə:tinənt] bezočivý

**imperturbable** [ˈimpə(:)ˈtə:bəbl] pokojný, neochvejný

**implant** [imˈplɑ:nt] *v* vštepiť, naočkovať; *n* implantát

**implement** [ˈimplimənt] náradie, nástroj

**implementation** [ˌimplimenˈteišn] uskutočnenie, realizácia

**implicate** [implikeit] zatiahnuť, zapliesť do niečoho

**implore** [imˈplo:] prosiť, žobroniť

**imploring** [imˈplo:riŋ] prosebný, úpenlivý

**imply** [imˈplai] **1.** navrhovať **2.** zahrnovať **3.** obsahovať

**impolite** [impoˈlait] nezdvorilý, neslušný

**import** [imˈpo:t] *n* [ˈimpo:t] dovoz, import; *free i.* bezcolný dovoz; *i. duty* dovozné clo; *i. licence* dovozné povolenie; *v* dovážať, importovať

**importance** [imˈpo:təns] dôležitosť; význam

**important** [imˈpo:tənt] dôležitý; významný; *it's not i.* na tom nezáleží

**importer** [imˈpoːtə] dovozca, importér

**importune** [imˈpoːtjuːn] naliehavo žiadať

**importunity** [ˈimpoːtjuːniti] dotieravosť

**impose** [imˈpəuz] **1.** uvaliť *(daň)*; *i. a fine* pokutovať **2.** poveriť *(úlohou)* **3.** zneužiť *(pohostinnosť)*

**imposing** [imˈpəuziŋ] impozantný, pôsobivý

**impossibility** [imˌposəˈbiliti] nemožnosť

**impossible** [imˈposəbl] nemožný, beznádejný *(situácia)*

**impostor** [imˈpostə] podvodník, hochštapler

**impotence** [ˈimpotəns] **1.** neschopnosť, nemohúcnosť **2.** impotencia

**impound** [imˈpaund] skonfiškovať, zabaviť

**impoverish** [imˈpovəriš] ožobráčiť, zbedačiť

**impracticable** [imˈpræktikəbl] neuskutočniteľný

**imprecise** [ˌimpriˈsais] nepresný

**impregnable** [imˈpregnəbl] nedobytný *(pevnosť)*

**impregnate** [imˈpregneit] **1.** zúrodniť **2.** impregnovať,

napustiť niečím **3.** oplodniť

**impress** [ˈimpres] **1.** vtlačiť, vtisnúť **2.** urobiť dojem, zapôsobiť

**impression** [imˈprešən] **1.** dojem **2.** výtlačok; *I'm under the i. that* mám dojem, že

**impressive** [imˈpresiv] pôsobivý, pozoruhodný, dojímavý

**imprint** [imˈprint] **1.** odtlačok **2.** tiráž *(prvá strana knihy)*

**imprison** [imˈprizn] uväzniť

**imprisonment** [imˈprizmənt] uväznenie, odňatie slobody; *sentenced to life i.* odsúdený na doživotie

**improbability** [imˌprobəˈbiliti] nepravdepodobnosť

**improbable** [imˈprobəbl] nepravdepodobný

**impromptu** [imˈpromptjuː] improvizovaný; *speak i.* hovoriť bez papiera

**improper** [imˈpropə] nevhodný; neslušný; nesprávny

**improve** [imˈpruːv] zlepšiť (sa), zdokonaliť (sa); *he is i-ing* je mu lepšie

**improvement** [imˈpruːvmənt] zlepšenie, zdokonalenie, pokrok

**imprudent** [im'pru:dənt] nerozvážny, nerozumný

**impudence** ['impjudəns] nehanblivosť, drzosť

**impudent** ['impjudənt] bezočivý, drzý

**impulse** ['impals] podnet, impulz

**impunity** [im'pju:niti] beztrestnosť; with i. beztrestne

**impure** [im'pjuə] nečistý, špinavý; obr. nemravný

**impurity** [im'pju:əriti] nečistota

**impute** [im'pju:t] obviniť, pripisovať (zločin)

**in** [in] prep. v; do; počas; za; adv dnu; in order to (that) aby; in all vcelku; in accordance with podľa; in addition to okrem; in conformity with podľa; in fact naozaj; in front of pred; in front vpredu; in my opinion podľa mňa • take in oklamať; be in byť v móde

**inability** [inə'biliti] neschopnosť; i. to work práceneschopnosť

**inaccessible** ['inæk'sesəbl] neprístupný, nedostupný

**inaccurate** [in'ækjurit] nepresný, nesprávny

**inadequate** [in'ædikwit] neprimeraný, nedostatočný

**inalienable** [in'eiljənəbl] neodcudziteľný

**inane** [i'nein] hlúpy, nezmyselný, neokrôchaný (poznámka)

**inanimate** [in'ænimit] bezduchý, neživý

**inapplicable** [in'æplikəbl] nepoužiteľný; delete where i. nehodiace sa škrtnite

**inappropriate** [,inə'prouprit] neprimeraný, nevhodný, nemiestny

**inaudible** [in'o:dəbl] nečujný, tichý

**inaugurate** [i'no:gjureit] zasvätiť, uviesť do

**inauguration** [i'no:gju'reišən] zasvätenie, uvedenie

**inborn** [in'bo:n] vrodený

**inbox** ['in,boks] výp. prijatý v schránke

**incapable** [in'keipəbl]: i. of neschopný niečoho

**incapability** [in'keipə'biləti] neschopnosť

**incendiary** [in'sendjəri] 1. podpaľačský 2. zápalný

**incentive** [in'sentiv] pohnútka, motív, stimul

**incessant** [in'sesnt] neustály, nepretržitý

**inch** [inč] palec (2,54 cm)

**incidence** ['insidəns] výskyt

**incident** ['insidənt] udalosť, príhoda; prípad

**incidental** [ˈinsiˈdentl] ná-
hodný
**incidentally** [ˈinsiˈdentəli]
mimochodom, náhodou
**incite** [inˈsait] podnecovať,
poštvať, navádzať
**incivility** [insiˈviliti] neslušnosť
**inclination** [ˈinkliˈneišn] 1.
sklon 2. náklonnosť
**incline** [inˈklain] 1. sklonit
(sa), naklonit (sa) 2. mať
sklon
**include** [inˈklu:d] zahrnúť;
obsahovať; *postage i-ed*
vrátane poštovného
**including** [inˈklu:diŋ] vrátane
**inclusive** [inˈklu:siv]: *i. of*
vrátane, zahrňujúc; *all i.*
všetko zahrnuté v cene
**incoherent** [ˈinkəuˈhiərənt]
nesúvislý
**income** [ˈinkəm] príjem,
plat • *live within i.* žiť v
rámci možností; *taxable i.*
príjem podliehajúci zdaneniu; *i. tax* daň z príjmu;
*i.-tax return* daňové priznanie; *gross/net i.*
hrubý/čistý príjem
**incomparable** [inˈkompərəbl] neporovnateľný
**incompatible** [ˈinkəmˈpætəbl] nezlučiteľný
**incompetence** [inˈkompi-

təns] neschopnosť; nekvalifikovanosť
**incompetent** [inˈkompitənt]
neschopný; nespôsobilý
**incomplete** [ˈinkəmˈpli:t]
neúplný, nedokončený
**incomprehensible** [inˈkompriˈhensəbl] nezrozumiteľný, nepochopiteľný
**inconceivable** [ˈinkənˈsi:
vəbl] nepredstaviteľný
**inconsiderate** [ˈinkənˈsidərit] nešetrný, bezohľadný
**inconsistent** [ˈinkənˈsistənt]
nedôsledný (*osoba*); byť v
rozpore, nezhode s nie
čím
**inconsolable** [ˈinkəˈsəuləbl] bezútešný
**inconspicuous** [ˈinkənˈspikjuəs] nenápadný
**inconvenient** [ˈinkənˈvi:njənt] 1. nevhodný, rušivý
2. nepohodlný
**incorporate** [inˈko:pərət]
začleniť, zahrnúť, obsahovať
**incorrect** [ˈinkəˈrekt] nesprávny, chybný
**increase** [inˈkri:s] v zväčšiť
(sa); zvýšiť(sa); rásť; *n* [ˈinkri:s] zväčšenie, zvýšenie; prírastok
**increasingly** [inˈkri:siŋli]
(*stále*) viac, (*čoraz*) častejšie

**incredible** [in'kredəbl] ne-
uveriteľný
**incriminate** [in'krimineit]
obviniť
**incumbency** [in'kambənsi]
*form.* funkčné obdobie
**incumbent** [in'kambənt]: *it
is i. on you* je vašou po-
vinnosťou (to urobiť)
**incurable** [in'kjuərəbl] ne-
vyliečiteľný
**indebted** [in'detid] 1. zadl-
žený 2. *i. to* zaviazaný
komu
**indecent** [in'di:snt] nesluš-
ný, nemravný
**indecision** [indi'sižn] ne-
rozhodnosť, váhavosť
**indeed** [in'di:d] naozaj, iste,
vskutku; *thank you very
much i.* srdečne vám ďa-
kujem
**indefatigable** [indi'fæti-
gəbl] neúnavný
**indefinite** [in'definit] ne-
určitý, nepresný
**indemnify** [in'demnifai]: *i.
from/against* 1. poistiť, za-
bezpečiť 2. *i. for sth.* od-
škodniť za niečo
**indemnity** [in'demniti] od-
škodné, náhrada škody
**independence** [indi'pen-
dəns] nezávislosť, samo-
statnosť
**independent** [indi'pen-

dənt] nezávislý, samo-
statný; *become i.* osamo-
statniť sa
**index** [indeks] 1. *i. finger*
ukazovák *(prst)* 2. ukazo-
vateľ, ručička *(prístroja)* 3.
zoznam, register
**Indian** [indjən] *adj* 1. indic-
ký 2. indiánsky; *n* 1. Ind
2. Indián
**Indian summer** [indjən'sa-
mə] babie leto
**indicate** [indikeit] ukázať;
označiť
**indicative** [indikətiv] *gram.*
oznamovací spôsob
**indicator** [indikeitə] ukazo-
vateľ; *i. light* smerovka
*(auta)*
**indict** [in'dait]: *i. for* obviniť,
obžalovať z niečoho
**indictment** [in'daitmənt]
obvinenie, obžaloba
**indifference** [in'difrəns] ľa-
hostajnosť, apatia
**indifferent** [in'difrənt] 1. ľa-
hostajný, nevšímavý 2.
obyčajný • *be i. to* nevší-
mať si
**indigestion** [indi'džesčn]
zažívacie ťažkosti
**indignant** [in'dignənt] roz-
horčený, pobúrený
**indignation** [indig'neišn]
rozhorčenie, pobúrenie
**indirect** [indi'rekt] nepria-

my; *(gram.) i. speech* ne-
priama reč
**indiscreet** [ˈindisˈkri:t] ne-
taktný, nerozvážny
**indiscretion** [ˈindisˈkrešn]
indiskrétnosť, netaktnosť
**indispensable** [ˈindisˈpen-
səbl] nepostrádateľný,
nevyhnutný
**indisposed** [indisˈpəuzd]
chorý, choľavý
**indisposition** [ˈindispəu-
zišn] 1. choľavosť 2. ne-
chuť, odpor
**indisputable** [indiˈspju:təbl]
nepopierateľný, nesporný
**indistinct** [ˈindisˈtinkt] nejas-
ný; nezreteľný
**individual** [ˈindiˈvidjuəl] *adj*
1. jednotlivý 2. zvláštny,
osobitý; *n* jednotlivec
**indivisible** [ˈindiˈvizəbl] ne-
deliteľný
**indolence** [ˈindoləns] ľaho-
stajnosť, nevšímavosť
**indolent** [ˈindolənt] lenivý;
ľahostajný
**indoors** [ˈinˈdo:z] doma,
vnútri; *go i.* ísť dnu
**indubitable** [inˈdju:bitəbl]
nepochybný
**induction** [inˈdakšn] 1. sláv-
nostné uvedenie do úra-
du 2. navodenie *(spánku)*
**indulge** [inˈdaldž] 1. roz-
maznať *(dieťa)* 2. *i. os.* ho-

vieť si, dožičiť si • *tend for
i.* holdovať alkoholu
**indulgence** [inˈdaldžəns]
pôžitkárstvo; *i. in* záľuba
v; slabosť, neresť
**indulgent** zhovievavý
**industrial** [inˈdastriəl] prie-
myselný; *i. disease* choro-
ba z povolania; *i. safety*
bezpečnosť prevádzky;
*water for i. purposes* úžit-
ková voda
**industrious** [inˈdastriəs] usi-
lovný, pracovitý
**industry** [ˈindastri] 1. prie-
mysel 2. usilovnosť
**inedible** [inˈedibl] nejedlý,
nepožívateľný; nechutný
**ineffective** [ˈiniˈfektiv] ne-
účinný, neschopný
**inefficient** [ˈiniˈfišənt] 1. má-
lo výkonný 2. pomalý
**inept** [iˈnept] absurdný; ne-
vhodný, nešikovný
**inequality** [ˌiniːˈkwoləti] ne-
rovnosť; rozdiel
**inert** [iˈnə:t] nehybný, nere-
agujúci
**inertia** [iˈnə:šiə] 1. nečin-
nosť 2. zotrvačnosť
**inevitable** [inˈevitəbl] nevy-
hnutný, neodvratný *(osud);*
potrebný
**inexcusable** [ˌinikˈskju:zəbl]
neodpustiteľný, neospra-
vedlniteľný

**inexhaustible** [ˈinigˈzo:stəbl] nevyčerpateľný

**inexpensive** [ˌinikˈspensiv] cenovo výhodný, lacný

**inexperienced** [ˈiniksˈpiəriənst] neskúsený

**inexplicable** [inˈeksplikəbl] nevysvetliteľný

**infallible** [inˈfæləbl] neomylný *(osoba)*; spoľahlivý *(test)*

**infamous** [ˈinfəməs] hanebný, vykričaný

**infamy** [ˈinfəmi] hanba, ohavnosť; potupa

**infancy** [ˈinfənsi] detstvo

**infant** [ˈinfənt] dojča, dieťa; *i. school* materská škôlka

**infantry** [ˈinfəntri] pechota; *i. soldier* pešiak

**infatuation** [inˈfætjuˈeišn] zaslepenosť, posadnutosť

**infect** [inˈfekt] nakaziť

**infection** [inˈfekšn] nákaza

**infectious** [inˈfekšəs] nákazlivý

**infer** [inˈfə:] odvodiť, usudzovať z niečoho

**inferior** [inˈfiəriə] *adj* 1. nižší; spodný 2. horší; *n* podriadený

**infernal** [inˈfə:nəl] pekelný

**infertile** [inˈfə:tail] neúrodný

**infest** [inˈfest] zamoriť, zaplieniť

**infidelity** [ˈinfiˈdeləti] nevernosť, nevera, cudzoložstvo

**infinite** [ˈinfinit] nekonečný, neohraničený

**infinitive** [inˈfinitiv] *gram.* infinitív, neurčitý spôsob

**infirm** [inˈfə:m] neduživý, slabý, vetchý

**infirmity** [inˈfə:miti] 1. neduživosť, slabosť 2. nerozhodnosť

**inflammation** [ˈinfləˈmeišn] 1. zapálenie 2. *lek.* zápal

**inflate** [inˈfleit] nafúknuť; napumpovať *(dušu)*

**inflation** [inˈfleišn] 1. *ekon.* inflácia 2. (na)fúknutie

**inflexible** [inˈfleksəbl] 1. nezlomný *(vôľa)* 2. *gram.* nesklonný; neohybný

**inflict** [inˈflikt] uložiť *(pokutu)*, uvaliť *(trest)*

**inflow** [ˈinfləu] prítok, vtok

**influence** [ˈinfluəns] vplyv

**influential** [ˈinfluˈnšəl] vplyvný • *have i. friends* mať styky/konexie

**influenza** [ˈinfluˈenzə] *lek.* chrípka

**influx** [ˈinflaks] *obr.* príliv, záplava; nával *(ľudí)*

**inform** [inˈfo:m] 1. oznámiť, informovať 2. *i. against* udať niekoho

**informal** [inˈfo:məl] neformálny *(správanie)*; hovorový *(jazyk)*

**information** [ˈinfəˈmeišn] informácia, poznatok; *i. leaflet* informačný leták

**informer** [inˈfo:mə] udavač

**infraction** [inˈfrækšn] porušenie *(práva)*; priestupok

**infrequent** [inˈfri:kwənt] zriedkavý, vzácny

**infringe** [inˈfrindž] porušiť, prestúpiť *(zákon)*

**infuse** [inˈfju:z] 1. naliať 2. namočiť; *i. herbs* spariť čaj

**infusion** [inˈfju:žn] 1. infúzia; vtok 2. odvar

**ingenious** [inˈdži:njəs] dômyselný, dôvtipný, vynaliezavý

**ingenuity** [ˈindžiˈnju:iti] duchaplnosť, dômyselnosť

**ingenuous** [inˈdženjuəs] priamy, úprimný; naivný

**ingot** [ˈiŋgət] prút *(zlata)*

**ingrained** [ˈinˈgreind] 1. *(hlboko)* zakorenený *(zvyk)* 2. zažraný *(špina)*

**ingratitude** [inˈgrætitju:d] nevďak, nevďačnosť

**ingredient** [inˈgri:djənt] prísada, prímes

**inhabit** [inˈhæbit] obývať

**inhabitant** [inˈhæbitənt] obyvateľ

**inhale** [inˈheil] vdýchnuť

**inherent** [inˈhərənt] vrodený, prirodzený

**inherit** [inˈherit] zdediť; *i. from sb.* (z)dediť po niekom

**inheritance** [inˈheritəns] dedičstvo; *i. tax* dedičská daň

**inhibit** [inˈhibit] obmedzovať, potlačiť *(city)*; tlmiť, brzdiť *(výrobu)*

**inhuman** [inˈhju:mən] neľudský, krutý

**inimitable** [iˈnimitəbl] nenapodobiteľný

**initial** [iˈnišəl] počiatočný

**initials** [iˈnišəlz] *pl.* monogram, iniciálky

**initiate** [iˈnišieit] 1. začať 2. *i. into* zasvätiť do

**initiative** [iˈnišiətiv] *adj* iniciatívny, priebojný; *n* iniciatíva, podnet, popud; *on his i.* na jeho popud; *take the i.* ujať sa iniciatívy

**inject** [ˈindžekt] vstreknúť, dať injekciu

**injection** [inˈdžekšən] injekcia; *obr.* investícia

**injunction** [inˈdžaŋkšən] súdny príkaz/zákaz

**injure** [ˈindžə] 1. ublížiť, (z)raniť 2. poškodiť *(zdravie, hosp.)* 3. uraziť

**injurious** [in'džuəriəs] **1.** škodlivý **2.** urážlivý

**injury** ['indžəri] **1.** bezprávnosť, krivda **2.** škoda, poškodenie **3.** zranenie, rana

**injustice** [in'džastis] bezprávie, nespravodlivosť; *do an i.* (u)krivdiť

**ink** [iŋk] atrament, tlačiarenská čerň

**inland** ['inlənd] *n* vnútrozemie; *adj* vnútrozemský, domáci

**inmate** ['inmeit] spolubývajúci *(v hoteli, nemocnici)*

**inn** [in] hostinec

**innate** ['ineit] vrodený; *i. intelligence* prirodzená inteligencia

**inner** ['inə] vnútorný; *i. face* rub; *i. tube* duša *(v pneumatike)*

**innkeeper** [in'ki:pə] krčmár

**innocence** ['inəsəns] **1.** nevinnosť **2.** prostota

**innocent** ['inosnt] **1.** nevinný **2.** neškodný **3.** naivný

**innocuous** [i'nokjuəs] neškodný; nevinný

**innovate** ['inouveit] zavádzať novinky, robiť zmeny

**innovation** ['ino'veišn] novátorstvo, nový postup

**inovator** [inəuveitə] novátor, zlepšovateľ

**innumerable** [i'nju:mərəbl] nespočetný

**inoculation** [i'nokju'leišn] očkovanie; *i. against* očkovanie proti

**inoffensive** ['inə'fensiv] neškodný, dobromyseľný *(osoba);* nevinný *(poznámka)*

**inoperative** [in'opərətiv] neúčinný, neplatný • *become i.* zaniknúť

**input** ['input] **1.** *výp.* vstup, vstupná informácia **2.** investícia, vklad **3.** *výp.* ukladanie

**inquest** ['iŋkwest] *(súdne)* vyšetrovanie, podrobná analýza

**inquire** [in'kwaiə] (s)pýtať sa, informovať sa *(about/after)* na/o; *i. into* vyšetriť *(prípad)*

**inquiry** [in'kwaiəri] dopyt, informácia *(about/after)* na; *i. form* dotazník; *public i.* anketa

**inquisition** ['inkwi'zišn] **1.** vyšetrovanie, výsluch **2.** *the i.* inkvizícia

**inquisitive** [in'kwizitiv] zvedavý, všetečný

**insane** [in'sein] šialený, duševne chorý • *drive sb. i.*

doháňať niekoho do šia-
lenstva

**insanity** [inˈsænəti] šialen-
stvo, nepríčetnosť

**iscription** [inˈskripšn] nápis
*(na náhrobku);* venovanie
*(v knihe)*

**insect** [ˈinsekt] hmyz

**insecure** [ˈinsiˈkjuə] neistý,
vratký

**insensible** [inˈsensəbl] **1.**
bezcitný **2.** nevedomý; *be
i. of danger* neuvedomo-
vať si nebezpečenstvo

**insensitive** [inˈsensitiv] ne-
citlivý, ľahostajný, netakt-
ný

**inseparable** [inˈsepərəbl]
neodlučný; neoddeliteľ-
ný; *pl. i-s* nerozluční pria-
telia

**insert** [inˈsəːt] *n* príloha; *v*
vložiť, vsunúť; *i. 5 Sk*
vhoďte 5 korún

**inside** [ˈinˈsaid] *n* vnútro; *adj*
vnútorný; *adv* vnútri, do-
vnútra; *i. of AmE* v • *i. out*
naruby

**insidious** [inˈsidiəs] záker-
ný, zradný

**insight** [ˈinsait] pochopenie,
porozumenie

**insignificant** [ˈinsigˈnifikənt]
bezvýznamný

**insincere** [ˈinsinˈsiə] ne-
úprimný

**insinuate** [inˈsinjueit] na-
značiť, označiť (za)

**insipid** [inˈsipid] bez chuti,
nemastný-neslaný

**insist** [inˈsist] naliehať, trvať;
*i. on* trvať na niečom, tvr-
diť, že

**insolent** [ˈinsələnt] drzý,
bezočivý

**insoluble** [inˈsoljubl] **1.**
*chem.* nerozpustný **2.** ne-
riešiteľný

**insolvency** [inˈsolvənsi] pla-
tobná neschopnosť

**insolvent** [inˈsolvənt] *adj* ne-
schopný platiť, insolvent-
ný; *n* dlžník

**insomnia** [inˈsomniə] ne-
spavosť

**inspect** [inˈspekt] **1.** prehlia-
dať **2.** dozerať na, kontro-
lovať; *i. classes* robiť hos-
pitáciu

**inspection** [inˈspekšn] **1.**
kontrola **2.** *lek.* prehliadka

**inspector** [inˈspektə] dozor-
ca, inšpektor, revízor

**inspire** [inˈspaiə] **1.** nad-
chnúť, inšpirovať **2.**
vdýchnuť

**install** [inˈstoːl] **1.** nastoliť,
uviesť *(do úradu)* **2.**
umiestniť, inštalovať

**instalment** [inˈstoːlmənt]
splátka; *pay sth. in/by i-s*
splácať po splátkach

instance [ˈinstəns] 1. príklad; for i. napríklad 2. prípad

instant [ˈinstənt] okamih; in an i. okamžite, ihneď

instantaneous [ˌinstənˈteinjəs] okamžitý

instead [insˈted] namiesto toho; i. of namiesto niekoho/niečoho

instep [ˈinstep] priehlavok

instigate [ˈinstigeit] navádzať, štvať

instigator [ˈinstigeitə] štváč, iniciátor

instil [inˈstil] vštepiť (zásady ap.)

instinct [ˈinstiŋkt] pud, inštinkt; i. of self-preservation pud sebazáchovy

instinctive pudový, inštinktívny

institute [ˈinstitjuːt] v vytvoriť, založiť; i. a rule zaviesť pravidlo; n ústav

institution [ˌinstiˈtjuːʃn] 1. vytvorenie, založenie 2. inštitúcia, ústav

instruct [inˈstrækt] vyučovať, školiť; dať pokyn

instruction [inˈstrakʃn] príkaz, pokyn; učenie

instructor [inˈstraktə] cvičiteľ, inštruktor

instrument [ˈinstrumənt] nástroj, prístroj

insufferable [inˈsafərəbl] neznesiteľný

insufficient [ˌinsəˈfiʃənt] nedostatočný, nevyhovujúci

insular [ˈinsjulə] 1. ostrovný (klíma) 2. obr. obmedzený, úzkoprsý

insulate [ˈinsjuleit] odlúčiť, izolovať; i. from chrániť pred

insulation [ˌinsjuˈleiʃn] izolačný materiál

insult [ˈinsalt] n urážka; v [inˈsalt] uraziť niekoho

insurance [inˈʃuərəns] poistenie; take out an i. policy uzatvoriť poistku; i. company poisťovňa

insure [inˈʃuə] poistiť

insurgent [inˈsəːdžənt] povstalec, vzbúrenec

insurrection [ˌinsəˈrekʃn] vzbura, povstanie

intact [inˈtækt] nedotknutý, neporušený; bez úhony

integrated [ˈintəgreitid] zjednotený; i. circuit elektrický okruh, obvod

integrity [inˈtegriti] 1. celistvosť 2. bezúhonnosť; a man of i. charakterný človek

intellectual [ˌintəˈlektjuəl] adj 1. rozumový 2. intelektuálny; n intelektuál

intelligence [inˈtelidžəns] 1.

inteligencia **2.** správa, informácia; *I. Service* tajná služba

**intelligent** [in'telidžənt] inteligentný, múdry

**intelligentsia** [in'teli'džentsiə] inteligencia *(spoločenská vrstva)*

**intelligible** [in'telidžəbl] zrozumiteľný, čitateľný *(rukopis)*

**intend** [in'tend] zamýšľať, mať v úmysle; *no offence i-ed* bez urážky; *i. for* vyhradené pre

**intense** [in'tens] prudký, silný, intenzívny

**intensify** [in'tensifai] zosilniť, stupňovať sa

**intensity** [in'tensəti] sila, prudkosť, intenzita

**intention** [in'tenšn] zámer, plán, úmysel; *without i.* neúmyselne

**interact** [ˈintərækt] vzájomne na seba pôsobiť

**intercept** [ˈintəːˈsept] zachytiť, zadržať; odpočúvať *(telefón)*

**interchange** [ˈintəˈčeindž] v **1.** vymeniť, zameniť; n **1.** výmena, zámena **2.** mimoúrovňová križovatka

**intercourse** [ˈintəkoːs] styk, vzťah; *have sexual i.* mať pohlavný styk

**interest** [ˈintrəst] n **1.** záujem, koníček **2.** úroky; v zaujímať; *be i-ed in* zaujímať sa o

**interesting** [ˈintristiŋ] zaujímavý, podnetný

**interface** [ˈintəfeis] *počít.* prepojiť

**interfere** [ˈintəˈfiə] i. in sth. zasahovať, miešať sa do niečoho; *i. with sb.* prekážať niekomu, rušiť *(pri práci)*

**interference** [ˈintəˈfiərəns] **1.** zásah, zasahovanie **2.** rušenie

**interim** [ˈintərim] dočasný, provizórny

**interior** [inˈtiəriə] *adj* vnútorný; n **1.** vnútrajšok **2.** vnútrozemie **3.** vnútro; *i. decorator* bytový architekt

**interjection** [ˈintəˈdžekšn] *gram.* citoslovce

**intermediary** [ˌintəˈmiːdiəri] *adj* sprostredkovací; n sprostredkovateľ

**intermediate** [ˌintəˈmiːdjət] **1.** stredný, stredne pokročilý **2.** prechodný; *i. landing* medzipristátie

**interminable** [inˈtəːminəbl] nekonečný

**internal** [inˈtəːnəl] **1.** vnútorný **2.** vnútrozemský; *i. affairs* interné záležitosti

**international** [ˈintənæʃnəl] medzinárodný

**interplanetary** [ˈintəˈplænitəri] medziplanetárny

**interpose** [intəpəuz] vsunúť; skočiť do reči

**interpret** [inˈtə:prit] **1.** vykladať, vysvetliť **2.** tlmočiť

**interpretation** [inˈtə:priˈteišn] vysvetlenie, prednes

**interpreter** [inˈtə:pritə] tlmočník

**interrogate** [inˈterogeit] vypočúvať, vypytovať sa

**interrupt** [ˈintəˈrapt] prerušiť; *i. sb.* skočiť do reči; *sorry to i. but* prepáčte, že ruším, ale

**interruption** [ˈintəˈrapšn] prerušenie

**intersection** [intəˈsekšn] križovatka; *point of i.* priesečník

**interval** [ˈintəvəl] **1.** medzera *(časová)*; interval **2.** prestávka *(v divadle)*

**intervene** [ˈintəˈvi:n] zakročiť, intervenovať

**intervention** [ˈintəˈvešn] zákrok, intervencia

**interview** [ˈintəvju:] *n* **1.** pohovor **2.** interview, rozhovor; *v* interviewovať; *apply for an i.* prihlásiť sa do konkurzu; *give an i.* poskytnúť interview

**intestines** [inˈtestinz] *pl.* vnútornosti

**intimacy** [ˈintiməsi] dôvernosť; dôverný styk

**intimate** [ˈintimit] dôverný, blízky

**intimidate** [inˈtimideit] zastrašiť

**intimidation** [inˈtimiˈdeišn] zastrašovanie

**into** [ˈintu] **1.** do; *work far i. the night* pracovať neskoro do noci; *translate from Slovak i. English* preložiť zo slovenčiny do angličtiny; **2.** na; *divide i. four parts* rozdeliť na štyri časti

**intolerable** [inˈtelərəbl] neznesiteľný

**intolerant** [inˈtolərənt] neznášanlivý; *be i. of sth.* zle znášať *(liek)*

**intoxicate** [inˈtoksikeit] omámiť; opiť

**intoxication** [inˈtoˈksikeišn] **1.** opojenie **2.** otrava *(alkoholom)*

**intrepid** [inˈtrepid] neohrozený; nebojácny

**intricate** [ˈintrikit] zložitý, zamotaný

**intrigue** [inˈtri:g] intriga, pletka; *v* upútať, zaujať; *backstage i.* špinavá hra

**introduce** [ˈintrəˈdju:s] **1.**

uviesť, zaviesť **2.** predstaviť

**introduction** [ˌintrəˈdakšn] **1.** uvedenie **2.** úvod **3.** predstavenie niekomu; *letter of i.* odporúčací list

**intrude** [inˈtru:d] votrieť sa; rušiť, obťažovať

**intuition** [ˌintjuˈišn] intuícia, inštinkt, predtucha

**inundate** [ˈinandeit] zaplaviť; *i. with* zavaliť *(darmi ap.)*

**invade** [inˈveid] **1.** vpadnúť, vtrhnúť **2.** postihnúť

**invader** [inˈveidə] útočník, votrelec

**invalid** [inˈvælid] *adj* neplatný; *n* [ˈinvəli:d] invalid

**invaluable** [inˈvæljuəbl] neoceniteľný, vzácny

**invariable** [inˈveəriəbl] nemenný, stály

**invasion** [inˈveižn] vpád, invázia

**invent** [inˈvent] vynájsť, vymyslieť; *i. an excuse* vymyslieť výhovorku

**invention** [inˈvenšn] vynález; *pure i.* úplný výmysel

**inventor** [inˈventə] vynálezca

**inventory** [ˈinvəntri] **1.** inventár **2.** inventúra

**inverse** [ˈinˈvə:s] obrátený

**invert** [inˈvə:t] obrátiť

**invest** [inˈvest] investovať

**investigate** [inˈvestigeit] pátrať, vyšetrovať, skúmať

**investigation** [inˌvestiˈgeišn] pátranie, vyšetrovanie

**investment** [inˈvestmənt] investícia, vklad

**invincible** [inˈvinsəbl] nepremožiteľný

**invisible** [inˈvizəbl] neviditeľný

**invitation** [ˌinviˈteišn] pozvanie; *by i. only* len pre pozvaných; *i. card* pozvánka

**invite** [inˈvait] **1.** pozvať **2.** vyzvať; *i. for* pozvať na

**inviting** [inˈvaitiŋ] zvodný, lákavý, príťažlivý

**invoice** [ˈinvois] *n* účet za tovar, faktúra; *v* účtovať, fakturovať

**invoke** [inˈvəuk] vzývať, zaklínať *(zlých duchov)*; *i. spirits* vyvolávať duchov

**involuntary** [inˈvoləntəri] nedobrovoľný; mimovoľný, neúmyselný

**involve** [inˈvolv] **1.** vyžadovať **2.** zapliesť (sa) **3.** zahrňovať, obsahovať; *i-d in debt* zadlžený

**invulnerable** [inˈvalnərəbl] nezraniteľný

**inward** [ˈinwəd] vnútorný

iris [ˈairis] 1. *lek.* dúhovka 2. *bot.* kosatec

irksome [ˈəːksəm] protivný, idúci na nervy

iron [ˈaiən] *n* 1. železo 2. žehlička; *v* žehliť; *adj* železný; pevný • i. out doladiť; the I. Age doba železná

ironical [aiˈronikəl] ironický, uštipačný

ironically paradoxne

ironmonger [ˈaiənˈmaŋgə] obchodník so železom

ironmongery [ˈaiənˈmaŋgəri] železiarstvo

irons [ˈaiənz] *pl. hovor.* železá, putá

ironworks [ˈaiənwəːks] hute, železiarne

irony [ˈairəni] irónia

irradiate [iˈreidieit] ožiariť; vyžarovať

irrational [iˈræʃənl] nelogický

irregular [iˈregjulə] nepravidelný

irregularity [iˈregjuˈlæriti] nepravidelnosť

irrelevant [iˈrelivənt] nezávažný, bezvýznamný

irremediable [ˈiriˈmiːdiəbl] 1. nevyliečiteľný 2. nenahraditeľný

irreparable [iˈrepərəbl] nenapraviteľný

irresistible [ˈiriˈzistəbl] neodolateľný *(kúzlo, túžba)*

irresolute [iˈrezəluːt] nerozhodný, váhavý

irrespective [iˈrispektiv]: i. of bez ohľadu na; bez rozdielu

irresponsible [ˈirisˈponsəbl] nezodpovedný

irresponsibility [ˈirisˈponsəbiliti] nezodpovednosť

irrevocable [iˈrevəkəbl] neodvolateľný, nezmeniteľný

irrigate [ˈirigeit] zavlažovať; *lek.* vypláchnuť

irrigation [ˈiriˈgeiʃn] zavlažovanie; gastric i. výplach žalúdka

irritable [ˈiritəbl] popudlivý

irritate [ˈiriteit] dráždiť, zlostiť, ísť na nervy

irritating [ˌiriteitiŋ] znervózňujúci, nepríjemný

irritation [ˈiriˈteiʃn] podráždenie, rozčúlenie

is *see* be*

island [ˈailənd] ostrov; street i. záchranný ostrovček

isle [ail] ostrov *(v názvoch)*; the British I-s Britské ostrovy

isolate [ˈaisəleit] 1. odlúčiť 2. izolovať

issue [ˈiʃuː] *n* 1. výtok 2. *(o rieke)* ústie 3. výsledok, záver **4.** potomstvo **5.** sporná otázka **6.** vydanie, číslo *(novín); v* **1.** *(o nariadení)* vyjsť **2.** pochádzať **3.** *(o knihe)* vydať

**isthmus** [ˈisməs] úžina, *(zemská)* šija

**it** [it] **1.** to **2.** ono • *take it easy* nič si z toho nerob; *that´s it!* hotovo, presne tak!; *this is it* to je ono; *you are it!* teraz naháňaš ty! *(pri hre)*

**italics** [iˈtæliks] kurzíva, ležaté písmo

**itch** [ič] *n* svrbenie; *v* svrbieť • *itch for* túžiť po

**item** [ˈaitəm] **1.** položka, kus *(na zozname)* **2.** bod **3.** článok **4.** *(koncertné)* číslo; *i. of clothing/furniture* kus odevu/nábytku

**itinerant** [aiˈtinərənt] potulný, kočovný; *n* tulák

**itinerary** [aiˈtinərəri] plán, trasa cesty

**it´ll** = it will

**it´s** = it is, it has

**its** [its] jeho, toho, onoho

**itself** [itˈself] **1.** *(ono)* samo **2.** sa; *by i.* samo od seba; *start by i.* spustiť sa automaticky

**I´ve** = I have

**ivory** [ˈaivəri] slonovina

**ivy** [ˈaivi] brečtan

## J

**jab** [džæb] *n* bodnutie, štuchanec; *v* bodnúť

**jabber** [ˈdžæbə] rapotať, brblať

**jabot** [ˈdžæbəu] volánik

**jack** [džæk] *n* zdvíhadlo, hever; *v* zdvihnúť • *j. in* vykašľať sa na

**jackal** [ˈdžæko:l] šakal

**jackdaw** [ˈdžækdo:] kavka

**jacket** [ˈdžækit] **1.** krátky kabát, sako **2.** šupka • *j. potato* zemiak v šupke

**jackhammer** [džækhæmə] zbíjačka

**jack-of-all-trades** majster na všetko, fušer

**jack-o´-lantern** [džækəlæntən] lampáš z tekvice

**jackpot** [ˈdžækpot] hlavná výhra

**jacuzzi** [džæˈku:zi] bublinkový kúpeľ

**jaguar** [ˈdžægjuə] jaguár

**jail** [džeil] väzenie, žalár

**jailbreak** [džeilbreik] útek z väzenia

**jam** [džæm] *v* **1.** vtlačiť **2.** zapchať **3.** rozgniaviť; *n* **1.** zaváranina, lekvár **2.**

tlačenica, stisk, nával • *be in a j.* byť v úzkych; *traffic jam* dopravná zápcha

**jammed** [džæmd] zaseknutý, napchatý

**jammer** [džæmə] *radio.* ručička

**January** [džænjuəri] *n* január; *adj* januárový

**jar** [dža:] *n* krčah; pohár *(na zaváranie);* v vŕzgať, škrípať • *j. on nerves* trhať nervy

**jaundice** [džo:ndis] **1.** žltačka **2.** *obr.* žiarlivosť, závistlivosť

**javelin** [džævlin] oštep

**jaw** [džo:] čeľusť

**jazz** [džæz] džez • *j. up* dať trochu života do, oživiť • *and all that j.* a všetko, čo k tomu patrí

**jay** [džei] sojka

**jealous** [dželəs] žiarlivý; *be j. of sb.* žiarliť na niekoho

**jealousy** [dželəsi] žiarlivosť; *out of j.* zo žiarlivosti

**jeans** [dži:ns] džínsy, texasky

**jeer** [džiə] v *j. at* posmievať sa; *n* posmech, úškľabok

**jelly** [dželi] rôsol, želé; *royal j.* materská kašička; *shake like a j.* chvieť sa ako osika

**jellyfish** [dželifiš] medúza

**jeopardize** [džepədaiz]

ohrozovať, vystaviť nebezpečenstvu

**jeopardy** [džepədi] nebezpečenstvo • *put in j.* ohroziť

**jerk** [džə:k] *n* **1.** šklbnutie **2.** blbec; v trhnúť, šklbnúť, myknúť (sa) • *halt with a j.* s trhnutím zastaviť *(auto);* *j. forward* poskočiť dopredu *(auto)*

**jerky** [džəki] trhavý

**jest** [džest] *n* žart, fígeľ; v žartovať

**jester** [džestə] šašo *(dvorný)*

**Jesus Christ** [dži:zəs kraist] Ježiš Kristus

**jet** [džet] **1.** prúd *(vody)* **2.** *j. plane/fighter* prúdové lietadlo; *j. lag* pásmová choroba *(pri lete lietadlom)*

**Jew** [džu:] Žid, Židovka

**jewel** [džu:əl] klenot, šperk; *j. box/case* šperkovnica; *crown j-s* korunovačné klenoty

**jeweller** [džu:ələ] klenotník

**Jewess** [džu:is] Židovka

**Jewish** [džu:iš] židovský

**jiffy** [džifi] chvíľočka, okamih • *in a j.* šmahom ruky, raz-dva

**jilt** [džilt]: *j. sb.* pustiť k vode (niekoho), zrušiť zasnúbenie

**jimmy** [džimi] *AmE* hasák

**jingle** [džiŋgl] *n* zvonenie; *v* zvoniť

**jingoism** hurávlastenectvo

**jitter** [ˈdžitə] *the j-s* tréma, nervozita

**job** [džob] **1.** práca, zamestnanie **2.** úloha, robota; *full-time/part-time j.* práca na plný/polovičný úväzok; *j. centre* pracovný úrad • *good j.* veľké šťastie; *that's not my j.* to nie je moja povinnosť; *make the best of the bad j.* zachrániť, čo sa dá

**jobless** [ˈdžobləs] nezamestnaný

**jockey** [ˈdžoki] džokej

**jog** [džog] **1.** drgnúť **2.** klusať; *we must be j-ing* musíme sa pobrať

**jogging** [ˈdžogiŋ] džoging, rekreačný beh

**join** [džoin] **1.** spojiť (sa) **2.** pripojiť (sa), pridať (sa); vstúpiť do; *j. in* pridať sa; *j. up* zlúčiť; *j. a party* vstúpiť do strany; *j. the forces* vstúpiť do armády; *j. the sea* ústiť do mora; *j. the train* pristúpiť do vlaku • *j. the club* nie si sám

**joining fee** [ˈdžoiniŋ fi:] vstupný poplatok

**joiner** [ˈdžoinə] *BrE* stolár

**joint** [džoint] *adj* spoločný; *j. venture* spoločný podnik; *j. stock company* akciová spoločnosť; *n* **1.** kĺb **2.** stehno *(u zvierat)* **3.** marihuanová cigareta • *out of j.* vyvedený z miery

**joke** [džəuk] *n* žart, vtip; *dirty j.* neslušný vtip; *rich j.* podarený vtip; *v* žartovať; *as a j.* zo žartu

**joker** [ˈdžəukə] **1.** vtipkár **2.** žolík

**jolly** [ˈdžoli] veselý; milý; *hovor.* pekný • *have a j. time* výborne sa zabávať

**jolt** [džəult] hádzať, hegať

**jostle** [džosl] strkať, tlačiť (sa)

**jot** [džot] štipka, trocha • *j. down* poznačiť si; *not a j.* ani trošku

**journal** [ˈdžə:nəl] **1.** denník, noviny **2.** časopis

**journalist** [ˈdžə:nəlist] novinár

**journey** [ˈdžə:ni] cesta, jazda; *be on a j.* cestovať • *take/perform a j.* podniknúť cestu

**joy** [džoi] radosť, šťastie

**joyful** [ˈdžoiful] radostný, veselý

**joyride** [ˈdžoiraid] jazda na ukradnutom aute

**joystick** [ˈdžoistik] *výp.* pákový ovládač

**joyous** [ˈdžoiəs] radostný, veselý

**Jr.** *abbr. (junior)* [ˈdžu:njə] ml., *(mladší)* syn

**jubilee** [ˈdžu:bili:] jubileum, výročie

**judge** [džadž] *n* **1.** sudca, člen poroty, rozhodca **2.** znalec; *v* **1.** súdiť **2.** posudzovať, hodnotiť

**judgement** [ˈdžadžmənt] **1.** rozsudok **2.** úsudok; *J. Day* súdny deň

**judicial** [džu:ˈdišəl] súdny; *j. code* právny poriadok

**judicious** [džu:ˈdišəs] múdry, rozvážny

**judo** [ˈdžu:dəu] džudo

**jug** [džag] krčah, džbán

**juggler** [ˈdžaglə] žonglér

**juice** [džu:s] šťava; *we ran out of j.* došiel nám benzín

**juicy** [ˈdžu:si] šťavnatý

**jukebox** [ˈdžu:kboks] hrací automat na platne

**July** [džu:ˈlai] *n* júl; *adj* júlový

**jumble** [ˈdžambl] zmiešať; *j. sale* starinárstvo, bazár

**jumbo** [džambou] mamutí, obrí

**jump** [džamp] *n* skok; *v* skočiť, skákať • *j. at* chopiť sa (niečoho); *j. the queue* predbiehať sa v rade; *j. a child on knees* pohojdať dieťa na kolenách

**jumper** [ˈdžampə] **1.** skokan **2.** pulóver

**jumping** [ˈdžampiŋ] parašutizmus

**jumpy** [ˈdžampi] nervózny, nesvoj, bojazlivý

**junction** [ˈdžankšn] **1.** križovatka *(železničná)* **2.** spojenie, sútok *(riek)*

**June** [džu:n] *n* jún; *adj* júnový

**jungle** [džaŋl] džungľa; *j. gym* detská preliezačka

**junior school** [ˈdžu:niə sku:l] 1. st. základnej školy (7 – 11 rokov)

**junk** [ˈdžaŋk] *v* zahodiť; *n* lacný tovar, haraburdy; *j. food* podradné jedlo; *j. mail* reklama posielaná poštou; *j. yard* skládka

**junkie** [ˈdžaŋki] *slang.* feťák

**jurisdiction** [ˈdžuərisˈdikšn] súdna/úradná právomoc

**juror** [ˈdžuərə] porotca

**jury** [ˈdžuəri] porota

**just** [džast] *adv* **1.** práve **2.** len; *j. now* **1.** práve teraz **2.** pred chvíľou • *j. you dare!* len sa opováž!; *j. coming* už idem

**justice** [ˈdžastis] **1.** spravodlivosť **2.** právo **3.** súdne konanie **4.** sudca; *the*

*Department of J.* minister-
stvo spravodlivosti
**justify** [ˈdžastifai] ospravedl-
niť, zdôvodniť
**justness** [ˈdžastnəs] spra-
vodlivosť

**jute** [džu:t] juta
**juvenile** [ˈdžu:vinail] *adj*
mladý, mladistvý; *n* mla-
dík; *j. delinquency* krimi-
nalita mládeže

# K

**k, K** *abbr.* **kilo** [kiləu] pred-
pona tisíc
**kale, kail** [keil] kel *(kučera-
vý)*
**kangaroo** [ˌkæŋgəˈru:] ken-
gura
**kart** [ka:t] *šport.* motokára
**keel** [ki:l] kýl, základ lodnej
kostry
**keen** [ki:n] **1.** ostrý **2.** silný,
intenzívny **3.** *k. on* dych-
tivý
**keep\*** [ki:p] **1.** zachovávať
**2.** držať **3.** udržiavať **4.**
podporovať **5.** viesť, riadiť
**6.** nechať si **7.** *AmE for k-s*
navždy • *k. back* nepri-
bližovať sa; *k. out/off* ne-
vstupovať; *k. on/up* po-
kračovať, trvať; *k. to the
point* neodbočovať (od
veci); *k. in with* byť za-
dobre s; *k. up with* držať
krok s; *k. it up!* len tak ďa-
lej!; *k. smiling!* vždy s ús-
mevom!; *k. in mind* zapa-
mätať si

**keeper** [ˈki:pə] strážca,
opatrovník, dozorca
**keepsake** [ˈki:pseik] darček
na pamiatku
**keg** [keg] súdok
**kennel** [kenl] psia búda
**kept** *see* **keep\***
**kerb(stone)** [ˈkə:bstəun] ob-
rubník
**kerchief** [ˈkə:či:f] šatka
**kernel** [ˈkə:nəl] zrnko, jadro
**kerosene** [ˈkerosi:n] petrolej
*(na svietenie); AmE* para-
fín; *k.-lamp* petrolejová
lampa
**ketchup** [ˈkečəp] kečup
**kettle** [ketl] kotlík, kanvica;
*put the k. on* postaviť na
čaj/kávu
**key** [ki:] **1.** kľúč **2.** kláves;
*bunch of k-s* zväzok kľú-
čov; *k. pad (výp.)* malá
klávesnica
**keyboard** [ˈki:bo:d] kláves-
nica, klaviatúra
**keyhole** [ˈki:həul] kľúčová
dierka

**khaki** [ˈkaːki] zelenohnedý, kaki

**kick** [kik] v kopnúť, kopať; n kopnutie, kopanec • k. out vykopnúť, vyhodiť (z roboty); k. the bucket otrčiť kopytá

**kickback** [ˈkikbæk] provízia, úplatok

**kickoff** [ˈkikof] začiatok zápasu (výkop)

**kid** [kid] **1.** kozliatko **2.** hovor. dieťa; v prekárať, doberať (si); you must be k-ing! robíš si srandu!

**kidnap** [ˈkidnæp] uniesť (človeka)

**kidney** [ˈkidni] oblička

**kill** [kil] n **1.** zabitie **2.** úlovok; v zabiť, zničiť; be k-ed prísť o život

**killer** [kilə] zabijak, vrah; k. whale kosatka

**killing** [ˈkiliŋ] zabitie, vražda • make a k. urobiť terno

**kilt** [kilt] škótska sukňa

**kin** [kin] príbuzní, členovia rodiny

**kind** [kaind] n **1.** druh, rod **2.** akosť; adj láskavý, priateľský; k. of niečo ako; that's very kind of you to je od vás veľmi milé

**kindergarten** [ˈkindəgaːtn] škôlka

**kind-hearted** [ˈkaindˈhaːtid] dobrosrdečný

**kindle** [ˈkindl] zapáliť, vzplanúť

**kindling** [ˈkindliŋ] triesky

**kindly** [ˈkaindli] adj láskavý; mierny; adv láskavo

**kindness** [ˈkaindnis] láskavosť, dobrota; thank you for your k. ďakujem vám za ochotu

**king** [kiŋ] kráľ; K.'s English spisovná angličtina

**kingdom** [ˈkiŋdəm] kráľovstvo • gone to k. come odobrať sa na večnosť

**kingpin** [ˈkiŋpin] hovor. opora (firmy)

**king-size** [ˈkiŋsaiz] nadmerná veľkosť

**kink** [kiŋk] **1.** slučka **2.** vrtoch

**kinky** [ˈkiŋki] výstredný, čudný, perverzný

**kinship** [ˈkinšip] príbuzenstvo

**kipper** [ˈkipə] údenáč

**kiss** [kis] n bozk; v bozkať, pobozkať

**kit** [kit] **1.** náradie (remeselnícke) **2.** výstroj (športová); first-aid k. lekárnička

**kitchen** [ˈkičən] kuchyňa

**kite** [kait] šarkan, papierový drak; fly a k. púšťať šarkana

**kitten** [kitn] mačiatko

**knack** [næk] zručnosť, grif; *have a k.* byť zručný; *lose the k.* vyjsť z cviku

**knackered** [ˈnækəd] zničený, uťahaný

**knapsack** [ˈnæpsæk] batoh

**knave** [neiv] **1.** darebák **2.** dolník *(v kartách)*

**knead** [niːd] **1.** miesiť, vypracovať **2.** masírovať

**knee** [niː] koleno; *k. bend* drep

**kneel\*** [niːl] kľačať

**kneepad** [ˈniːpæd] nákolenník, chránič kolena

**knell** [nel] umieračik

**knelt** *see* **kneel\***

**knew** *see* **know\***

**knickerbockers** [ˈnikəbokəz] *pl.* pumpky, golfky

**knickers** [ˈnikəz] nohavičky *(dámske)*

**knife** [naif] *pl.* **knives** nôž • *war to the k.* na ostrie noža

**knight** [nait] **1.** rytier **2.** šach. kôň

**knit** [nit] (u)pliesť *(ihlicami)*

**knitwear** [ˈnitweə] pletený tovar

**knob** [nob] gombík *(na zásuvke, na dverách)*; *tuning k.* gombík na rádiu

**knock** [nok] *n* **1.** (za)klopanie **2.** rana, úder; *v* klo-

pať, zaklopať; *k. about/ around* potulovať sa; *k. back* prevrátiť do seba *(drink)*; *k. down* zvaliť, zraziť; *k. off* ísť dolu s cenou; *k. out* poraziť, knokautovať

**knot** [not] *n* uzol; *v* zauzliť (sa); *marriage k.* manželský zväzok; *k. of people* hlúčik ľudí

**know\*** [nəu] **1.** vedieť, poznať **2.** rozoznať **3.** dozvedieť sa; *k. by name/by sight* (s)poznať podľa mena/z videnia • *be in the k.* byť informovaný; *k. all the answers* zjesť všetku múdrosť; *k. by heart* vedieť naspamäť

**know-all** [ˈnəuoːl] mudrlant

**know-how** [ˈnəuhau] **1.** praktické skúsenosti **2.** postup

**knowledge** [ˈnolidž] znalosť, vedomie; *a piece of k.* poznatok; *to my k.* pokiaľ viem

**known** [nəun] známy; *make k.* oznámiť

**knuckle** [nakl] hánka, kĺb *(na prste)* • *near the k.* na hranici slušnosti

**kohlrabi** [ˈkəulraːbi] kaleráb

**kooki** [ˈkuːki] *AmE* pojašený, šibnutý

**kosher** [ˈkəušə] **1.** *náb.* kóšer **2.** korektný
**kudos** [ˈkju:dəs] prestíž, česť, sláva

**Ku-Klux-Klan** [ˈkju:ˈklaks-klæn] Kukluxklan *(proti-černošská organizácia v USA)*

# L

**lab** [læb] *abbr.* laboratory
**label** [leibl] *n* nálepka, štítok; *v* označiť nálepkou
**laboratory** [ləˈborətəri] laboratórium; *l.* hood laboratórny digestor
**laborious** [ləˈbo:riəs] namáhavý, prácny
**labour** [ˈleibə] *n* **1.** práca, námaha; *l.* contract pracovná zmluva; *L.* Exchange pracovný úrad; *l.* force pracovná sila; *l.* hours pracovný čas; *l.* market trh práce; *paid l.* námedzná práca; *be in l.* mať pôrodné bolesti **2.** robotníctvo; *L. Party* labouristická strana; *(v)* pracovať, namáhať sa
**lace** [leis] **1.** šnúrka **2.** čipka; *(v) l.* up zašnurovať *(to-pánky)* • *l.* tea with rum pridať rum do čaju
**lacerate** [ˈlæsəreit] rozškriabať
**lack** [læk] *n* nedostatok; *we l.* money dochádzajú nám peniaze; *v* chýbať, nemať

• *l.* for nothing mať všetkého dostatok
**lackey** [ˈlæki] lokaj
**lacquer** [ˈlækə] lak
**lad** [læd] mládenec, chlapec
**ladder** [ˈlædə] **1.** rebrík; *folding l.* skladací rebrík • *l.* of fame prostriedok k sláve **2.** očko *(na pančuche)*
**laden** [leidn] naložený, obťažkaný *(ovocím)*
**lading** [ˈleidiŋ] náklad
**ladle** [leidl] *n* naberačka *(na polievku); (v) l.* out naberať
**lady** [leidi] dáma, pani; *Our L.* Panna Mária; *l-ies first* dámy majú prednosť; *act the grand l.* hrať sa na veľkú dámu
**lady-bird** [ˈleidibə:d] lienka
**lag** [læg] **1.** zaostávať; zdržať **2.** izolovať *(proti chladu); jet l.* pásmová choroba *(pri lietaní)*
**lager** [ˈla:gə] ležiak, svetlé pivo
**lagoon** [ləˈgu:n] lagúna
**laid** *see* **lay***

**lain** *see* **lie***

**laity** [ˈleiəti] laickosť, neodbornosť

**lake** [leik] jazero; *mountain l.* morské oko • *the Great L.* Atlantický oceán

**lamb** [læm] **1.** jahňa, baranček **2.** jahňacina *(mäso)*; **3.** *obr.* neviniatko; *l. wool* ovčia vlna

**lame** [leim] **1.** chromý, krivý; *he is l. in the left leg* je chromý na ľavú nohu **2.** nepresvedčivý, biedny; *l. excuse* biedna/chabá výhovorka

**lament** [ləˈment] *n* bedákanie; *v* bedákať

**lamp** [læmp] lampa • *to hand on the l.* mať podiel na úspechu

**lampoon** [læmˈpuːn] *n* paródia, pamflet; *v* parodovať, zosmiešňovať

**lampshade** [ˈlæmpʃeid] tienidlo *(na lampu)*

**land** [lænd] *n* **1.** zem, pôda **2.** pevnina **3.** kraj, štát; *v* pristáť; *l. forces* pozemné vojsko; *L. Registry* pozemkový úrad; *l-ed property* pozemkové vlastníctvo; *l. a plane* pristáť s lietadlom; *l. planning* územné plánovanie

**landing** [ˈlændiŋ] **1.** pristá-

tie, vylodenie, dopad **2.** odpočívadlo *(na schodoch)*; *l. stage* mólo; *forced l.* núdzové pristátie

**landlady** [ˈændˈleidi] **1.** pani domáca **2.** gazdiná, hostiteľka **3.** krčmárka

**landlord** [ˈlænloːd] **1.** hospodár **2.** hostinský **3.** domáci pán

**landmark** [ˈlændmaːk] orientačný bod, míľnik

**landowner** [ˈlændəunə] statkár; majiteľ pôdy

**landscape** [ˈlændskeip] krajina; *l. gardening* záhradná architektúra

**lane** [lein] **1.** poľná cesta **2.** ulička **3.** pruh vozovky; *form a l.* utvoriť špalier

**language** [ˈlæŋgwidž] jazyk, reč; *bad l.* nadávky; *finger l.* posunková reč; *watch your l.* dávaj si pozor na jazyk

**languid** [ˈlæŋgwid] mdlý, malátny, chabý

**languish** [ˈlæŋgwiš] **1.** chradnúť **2.** túžiť; *l. for sth.* prahnúť po niečom

**lank** [læŋk] rovný *(vlasy)*; ovisnutý, spľasnutý

**lantern** [ˈlæntən] lampáš; *Chinese l.* lampión

**lap** [læp] **1.** lono **2.** *šport.* kolo, okruh, etapa; *be l-ed* *in sth.* byť obklopený niečím

**lapse** [læps] **1.** poklesok, úpadok; **2.** plynutie, časový úsek, pauza; *be in l.* byť premlčaný; *l. into* upadnúť do *(bezvedomia ap.)*

**laptop** [ˈlæptop] prenosný počítač

**larch** [la:č] červený smrek

**lard** [la:d] *n* bravčová masť; *v* prešpikovať

**larder** [ˈla:də] komora, špajza

**large** [la:dž] veľký, objemný; *at l.* **1.** na slobode **2.** podrobne; *in l. (numbers)* vo veľkom (množstve); *extra l. (XL)* nadmerná veľkosť

**largely** [ˈla:džli] do značnej miery; väčšinou

**lark** [la:k] **1.** škovránok **2.** žart, zábava

**lash** [læš] *n* **1.** bič **2.** švihnutie **3.** mihalnica; *v* bičovať, švihnúť

**lass, lassie** [læs; ˈlæsi] dievča(tko)

**last** [la:st] *adj* **1.** posledný **2.** minulý; *adv* posledný raz, naposledy, minule; *v* **1.** trvať **2.** vystačiť; *at l.* konečne; *l. but not least* posledný, nie však menej

dôležitý; *the l. but one* predposledný; *l. time* minule • *l. out* vydržať

**lasting** [ˈla:stiŋ] trvalý, pevný

**lastly** [ˈla:stli] nakoniec, napokon

**latch** [læč] **1.** závora *(na dverách);* patentná zámka **2.** blokovanie

**latchkey** [ˈlæčki:] domový kľúč *(patentný); l. child* dieťa zamestnaných rodičov ponechané samo na seba

**late** [leit] *adj* **1.** oneskorený **2.** neskorý **3.** zosnulý **4.** bývalý; *adv* neskoro; *be l.* prísť neskoro, oneskoriť sa; *the train is l.* vlak mešká; *keep l. hours* byť hore dlho *(do noci)* • *better l. than never* radšej neskoro ako nikdy

**lately** [ˈleitli] nedávno, v poslednom čase

**latent** [ˈleitənt] skrytý, utajený

**later** [ˈleitə] *adj* neskorší; *adv l. on* neskôr, neskoršie; *see you l.!* dovidenia

**lateral** [ˈlætərəl] postranný, vedľajší

**latest** [ˈleitist] najnovší, posledný; *at the l.* najneskôr

**lath** [la:θ] latka, doštička

**lathe** [leið] sústruh

**lather** [ˈlaːðə] *n* pena *(mydlová)*; *v* mydliť (sa); peniť sa *(pot koňa)*

**Latin** [ˈlætin] *n* latinčina; *adj* latinský; *the L. Church* katolícka cirkev; *the L. peoples* románske národy

**latitude** [ˈlætitjuːd] šírka *(zemepisná)*

**latter** [ˈlætə] **1.** novší; neskorší **2.** druhý *(z dvoch)*; *l. half of the week* druhá polovica týždňa

**laudable** [ˈloːdəbl] chválihodný

**laugh** [laːf] *v* **1.** smiať sa; *l. at sb.* vysmievať sa z niekoho **2.** *n* smiech; *forced l.* neprirodzený smiech; *l. in so. sleeve* smiať sa pod fúzy; *don't make me l.* nedaj sa vysmiať

**laughable** [ˈlaːfəbl] smiešny

**laughter** [ˈlaːftə] smiech; *burst into l.* vybuchnúť do smiechu

**launch** [loːnč] **1.** spustiť na vodu *(loď, čln)* **2.** hodiť *(prudko)*, vypustiť *(raketu)*

**laundry** [ˈloːndri] **1.** práčovňa **2.** špinavá/vypratá bielizeň; *l. soap* pracie mydlo

**laurel** [ˈlorəl] vavrín; *win l-s* sláviť úspechy

**lav** [læv] *see* **lavatory**

**lava** [ˈlaːvə] láva; *river of l.* prúd lávy

**lavatory** [ˈlævətəri] **1.** umyváreň **2.** záchod, toaleta

**lavender** [ˈlævəndə] levanduľa

**lavish** [ˈlæviš] štedrý, *l. of/with* plytvajúci niečím, márnotratný

**law** [loː] zákon; *observe/obey the l.* dodržiavať zákon; *break the l.* porušiť zákon; *common l.* nepísaný zákon; *criminal l.* trestné právo; *martial l.* výnimočný stav; *l. and order* udržiavať právny poriadok; *the l-s of tennis* pravidlá tenisu; *l. student* poslucháč práva; *l. of supply and demand* zákon ponuky a dopytu

**lawcourt** [ˈloːkoːt] súd

**lawful** [ˈloːfl] legálny, právoplatný

**lawless** [ˈloːləs] nezákonný, protiprávny

**lawn** [loːn] trávnik; *AmE l. party = garden-party*

**lawnmower** [ˈloːnməuə] kosačka *(na trávu)*

**lawsuit** [ˈloːsjuːt] súdny spor/proces; *have a l.* súdiť sa

**lawyer** [ˈloːjə] právnik; právny zástupca; *criminal*

*l.* advokát/obhajca v trestných veciach

**lax** [læks] *adj* voľný, nespútaný, neviazaný *(správanie sa)*; *n* hnačka

**lay¹** *see* **lie**\*

**lay²** [lei] laický, neodborný

**lay³** [lei] klásť, položiť; *l. eggs* znášať vajíčka; *l. the table* prestrieť stôl; *l. aside* odložiť; *l. back* sklopiť; *l. on* natrieť, naniesť *(náter)*, usporiadať *(večierok)* • *l. into* pustiť sa do niekoho/niečoho; *l. hands on* privlastniť si • *l. off it!* prestaň!; *l. out* vyložiť

**lay-by** [leibai] parkovisko pri diaľnici, odpočívadlo

**layer** [leiə] vrstva

**layman** [ˈleimən] laik, neodborník

**layout** [ˈleiaut] nákres, návrh, plán, projekt, úprava *(budovy, záhrady)*

**lazy** [ˈleizi] lenivý; *l. person* lenivec; *l. life* záhaľka

**lazybones** [ˈleizi‚bəunz] *hovor.* leňoch, lenivec, darebák, naničhodník

**lead¹** [li:d] **1.** vedenie, iniciatíva **2.** šnúra elektrického vedenia **3.** [led] olovo; *unleaded petrol* bezolovnatý benzín

**lead**\*² [li:d] viesť; *l. a party*

viesť/byť vodcom strany; *l. the fashion* udávať tón v móde • *l. on sb.* podvádzať niekoho; *l. to (London)* viesť, smerovať do (Londýna); *l. up to sth.* viesť, smerovať k niečomu

**leader** [ˈli:də] **1.** vodca, vedúci, čelný predstaviteľ **2.** *šport.* favorit; **3.** úvodník *(v novinách)*

**leadership** [ˈli:dəšip] vodcovstvo, vedenie

**leaf** [li:f] *pl.* **leaves** *bot.* list; *come into l.* zazelenať sa; *turn over a new l.* začať nový život

**leaflet** [ˈli:flit] leták

**leafy** [li:fi] listnatý; *l. wood* listnatý les

**league** [li:g] liga, zväz, spolok; *in l. with* spolu s, spojený s

**leak** [li:k] *n* puklina, štrbina; *v* tiecť, prepúšťať *(vodu)*, presakovať; *l. in* zatekať; *l. out* unikať *(voda)*; *l-ing tap* kvapkajúci kohútik

**lean¹** [li:n] chudý *(aj mäso)*

**lean**\*² [li:n] **1.** nakláňať sa **2.** opierať sa **3.** spoliehať sa; *do not l. out of the window!* nevykláňajte sa z okna!

**leant** *see* **lean**\*

**leap** [li:p] skok, výskok, preskok; *l. in the dark* skok do neznáma

**leap\*** [li:p] skákať • *look before you l.* neprenáhli sa

**leap-year** [ˈli:pjə:] priestupný rok; *l.-day* 29. február

**learn\*** [lə:n] **1.** učiť sa **2.** dozvedieť sa; *l. by heart* (na)učiť sa naspamäť; *l. sth. first-hand* dozvedieť sa o niečom z prvej ruky; *l. up (hovor.)* nabifľovať sa

**learned** [ˈlə:nid] učený, vzdelaný; *look l.* zdať sa vzdelaným; *book-l.* sčítaný

**learning** [ˈlə:niŋ] učenie sa; učenosť; vedomosti

**learnt** *see* **learn\***

**lease** [li:s] *n* nájom, prenájom; *v* prenajať

**leash** [li:š] remeň na psa, vodidlo • *hold in l. sb.* ovládať niekoho

**leasing** [ˈli:siŋ] (pre)nájom nehnuteľností/strojov

**least** [li:st] *adj* najmenší; *adv* najmenej; *at l.* prinajmenšom, aspoň; *not in the l.* vôbec nie, ani najmenej; *last but not l.* v neposlednom rade

**leather** [ˈleðə] *n* koža; *adj* kožený; *l-s* kožené nohavice

**leatherette** [ˌleðəˈret] koženka; imitácia kože

**leave¹** [li:v] **1.** povolenie **2.** dovolenka **3.** rozlúčenie; *by your l.* s vaším dovolením; *on (sick, maternity) l.* na (zdravotnej, materskej) dovolenke; *take l. of* rozlúčiť sa; *take l.* vziať si dovolenku; *take French l.* zmiznúť bez rozlúčky/po anglicky

**leave\*²** [li:v] **1.** nechať **2.** zanechať **3.** opustiť **4.** odísť; *l. for* odcestovať **5.** *AmE* dovoliť; *l. alone* nechať na pokoji • *l. me alone!* daj mi pokoj!; *l. out* vynechať; *l. over* odložiť *(na neskoršie)*; *l. word* odkázať

**leaven** [ˈlevn] kvasnice

**leavings** [ˈli:viŋgz] zvyšky, pozostatky

**lecture** [ˈlekčə] *n* prednáška; *v* prednášať; *give a l.* prednášať • *give sb. a l.* pokarhať niekoho, vyčítať niekomu niečo

**lecturer** [ˈlekčərə] prednášateľ; docent

**led** *see* **lead\***

**ledger** [ˈledžə] *fin.* peňažný denník

**leech** [li:č] pijavica • *stick like a l.* byť dotieravý

**leek** [li:k] *bot.* pór • *eat the l.* prehltnúť urážku

**left**[1] *see* **leave\***; *l. luggage office* [left ˈlagidž ˈofis] úschovňa batožiny

**left**[2] [left] *adj* ľavý; *adv. on the l.* vľavo, naľavo; *turn l.* zabočiť doľava; *keep to the l.* choďte vľavo

**left-handed** [ˈleftˈhændid] **1.** ľavoruký **2.** *obr.* nešikovný

**leg** [leg] **1.** noha *(celá)*; noha stola **2.** stehno *(bravčové, kuracie)* • *be on last legs* mať dušu na jazyku; *give sb. a leg up* podať niekomu pomocnú ruku

**legacy** [ˈlegəsi] dedičstvo, odkaz

**legal** [ˈli:gəl] **1.** zákonitý, zákonný **2.** právny; *l. heir* zákonný dedič; *l. means* právne prostriedky; *take l. advice* poradiť sa s právnikom

**legend** [ˈledžənd] **1.** legenda; *popular l.* ľudová povesť; **2.** popis

**legendary** [ˈledžəndəri] legendárny, povestný

**legible** [ˈledžəbl] čitateľný, zreteľný

**legion** [ˈli:džən] légia

**legislation** [ˈledžisˈleišn] zákonodarstvo, zákony

**legislature** [ˈledžisleičə] zákonodarný zbor

**leg-pull** [ˈlegpul] kanadský žartík

**legitimate** [liˈdžitimit] zákonitý, zákonný; právny

**leguminous** [leˈgju:minəs] : *l. plants* strukoviny

**leisure** [ˈležə] voľný čas, voľno; *at l.* vo voľnom čase; *at your l.* až budeš mať kedy

**leisurely** [ˈležəli] nenútene, pokojne, nenáhlivo

**lemon** [ˈlemən] citrón; *l. juice* citrónová šťava; *AmE* nepodarok

**lemonade** [ˈleməˈneid] limonáda, citronáda

**lend\*** [lend] požičať; *he lent me a book* požičal mi knihu; *l. a hand* pomôcť

**lending** [ˈlendiŋ] výpožička; *l. library* verejná knižnica

**lender** [ˈlendə] veriteľ, požičiavajúci

**length** [leŋθ] dĺžka; *at l.* **1.** nakoniec, napokon **2.** obšírne, podrobne

**lengthen** [ˈleŋθn] predĺžiť (sa), nadstaviť

**lenient** [ˈli:njənt] zhovievavý, mierny; *l. sentence* mierny rozsudok

**lens** [lenz] *fyz.* šošovka

**lent** *see* **lend\***

**Lent** [lent] *náb.* veľký pôst

**lentil** [ˈlentil] šošovica

**leopard** [ˈlepəd] leopard • *a l. cannot change its spots* nebude zo psa slanina

**less** [les] *adj* menší; *adv* menej; *l. and l.* čoraz menej; *more or l.* viac-menej; *prep.* bez

**lessen** [ˈlesn] 1. zmenšiť (sa) 2. znížiť *(zásluhy)*

**lesser** [ˈlesə] 1. menší; *the l. evil* menšie zlo 2. menej dôležitý

**lesson** [ˈlesn] 1. lekcia, vyučovacia hodina; *l-s* vyučovanie 2. ponaučenie; *as a l.* ako výstraha

**let\*** [let] 1. nechať 2. dovoliť 3. prenajať ; *l. us go* poďme!; *l. alone* opustiť, nechať na pokoji; *l. so. know* oznámiť niekomu; *l. me know* daj mi vedieť; *l. in* vpustiť; *l. out* vypustiť, uvoľniť • *l. down* sklamať; *l. off* odpustiť, prepáčiť; *l. on* prezradiť; *l. up* prestať, poľaviť

**lethal** [ˈliːθəl] smrteľný, smrtiaci, smrtonosný

**letter** [ˈletə] 1. písmeno; *block l.* paličkové písmo; *capital/small l.* veľké/malé písmeno 2. list; *business l.* obchodný list; *registered l.* doporučený list • *l. for l.* doslovne, presne; *by l.* písomne

**letter-box** [ˈletəboks] poštová schránka

**lettuce** [ˈletis] hlávkový šalát

**levee** [ˈlevi] vodná hrádza

**level** [ˈlevl] *n* 1. rovina 2. úroveň; *adj* rovný, rovnomerný; *v* 1. vyrovnať 2. *l. at* namieriť na; *(hovor.) on the l.* priamy, úprimný

**lever** [ˈliːvə] *n* páka, páčka; *(v) l. out* vypáčiť

**levy** [ˈlevi] vyberať *(napr. dane)*

**lewd** [luːd] oplzlý, neslušný, neprístojný

**lexical** [ˈleksikəl] lexikálny; slovníkový

**liability** [ˌlaiəˈbiliti] 1. zodpovednosť 2. povinnosť, záväzok, ručenie; *assets and l-ies* aktíva a pasíva

**liable** [ˈlaiəbl] 1. zodpovedný 2. vystavený *(nebezpečenstvu)*; *be l. for tax* podliehať dani

**liar** [ˈlaiə] luhár, klamár

**libel** [ˈlaibl] *n* ohováranie, urážka na cti; *v* ohovárať

**liberal** [ˈlibərəl] *adj* 1. štedrý, veľkorysý 2. liberálny, slobodomyseľný; *n* liberál

**liberate** [ˈlibəreit] oslobodiť, vyslobodiť

**liberty** [ˈlibəti] sloboda, voľnosť; *take the l.* of dovoliť si; *l. of the press* sloboda tlače

**librarian** [laiˈbreəriən] knihovník

**library** [ˈlaibrəri] knižnica; *public l.* verejná knižnica; *(humor.) a walking l.* chodiaca encyklopédia *(o človeku)*

**lice** *pl.* od **louse**

**license** [ˈlaisəns] *n* dovolenie, povolenie; *driving l.* vodičský preukaz; *trade l.* živnostenský list; *off-license* výčapné právo; *v* povoliť

**lichen** [laichən] *bot.* lišajník

**lick** [lik] lízať; *l. up* dočista vylízať

**licking** [ˈlikiŋ] výprask

**lid** [lid] veko, pokrievka; *eye l.* viečko *(oka)*

**lie**¹ [lai] *n* lož; *white l.* nevinná lož; *tell l-s* klamať, luhať; *v* klamať, luhať

**lie*²** [lai] ležať; *l. down* ľahnúť si; *l. about* vyvaliť sa; *l. in wait* striehnuť; *l. in sun* opaľovať sa

**lieutenant** [lefˈtenənt] poručík

**life** [laif] *pl.* **lives** život; *all*

*my l.* po celý život; *for l.* do konca života; *way of l.* životný štýl; *early in l.* za mlada; *l. annuity* doživotná renta; *l. vest* záchranná vesta

**lifebelt** [ˈlaifbelt] záchranné koleso/pás

**lifeboat** [laifbəut] záchranný čln

**lifelong** [ˈlaifloŋ] celoživotný, doživotný

**lifetime** [ˈlaiftaim ] *(celý)* život, trvanie života; *wait a l.* čakať celú večnosť

**lift** [lift] *AmE* **elevator**; *v* zodvihnúť (sa); *l. a ban* zrušiť zákaz; *n* výťah; *ski l.* lyžiarsky vlek; *take the l.* ísť výťahom/vlekom • *give sb. a l.* odviezť niekoho autom

**light**¹ [lait] *n* svetlo; *adj* **1.** svetlý **2.** ľahký; *as l. as air* ľahký ako pierko

**light**² **1.** rozsvietiť **2.** zakúriť **3.** osvetľovať **4.** *l. up* rozjasniť sa

**lightbulb** [ˈlaitbalb] žiarovka

**lighter** [ˈlaitə] zapaľovač

**lighthouse** [ˈlaithaus] maják

**lightning** [ˈlaitniŋ] blesk; *l. conductor* hromozvod; *like l.* bleskovo

**like** [laik] *adj* podobný; *adv*

ako; *v* mať rád; *I l. it* páči
sa mi to; *as you like* ako
chcete; *do you like it?* páči
sa ti to?, chutí ti to?; *what
is he l.?* aký je?

**likelihood** [ˈlaiklihud] prav-
depodobnosť

**likely** [ˈlaikli] pravdepodob-
ný; *he is l. to come* prav-
depodobne príde

**likeness** [ˈlaiknis] podobnosť

**likewise** [ˈlaikwaiz] taktiež,
podobne, rovnako

**liking** [ˈlaikiŋ] záľuba, ná-
klonnosť, sympatie

**lilac** [ˈleilək] orgován

**lily** [ˈlili] ľalia; *l. of the valley*
konvalinka

**limb** [lim] končatina, úd;
*upper/lower l-s* horné/dol-
né končatiny

**lime** [laim] **1.** vápno **2.** cit-
rusový plod; *l. tree* lipa

**limit** [ˈlimit] *n* hranica, me-
dza; *v* obmedziť (sa);
*without l.* neobmedzene;
*speed limit* povolená
rýchlosť; *time l.* lehota;
*go to the l-s* nepoznať
mieru

**limitation** [ˌlimiˈteišn] ob-
medzenie; *l-s* nedostatky

**limp** [limp] *v* krívať; *l.
away/off* odkrivkať; *adj*
ovisnutý *(kvety)*, ochab-
nutý

**limpid** [ˈlimpid] priezračný
*(tekutina, vzduch)*

**line** [lain] *n* **1.** povraz, šnú-
ra **2.** čiara, priamka; *drop
me a l.* napíš mi pár riad-
kov **3.** rad; *l. of people* rad
ľudí; *stand in l. (AmE)* stáť
v rade **4.** šík **5.** trať, linka;
*bus l.* autobusová linka **6.**
odbor; *what's your l. of
business?* v akom odbore
pracuješ?; *v* **1.** linajkovať
**2.** obložiť; podšiť **3.** *l. up*
zoradiť (sa)

**linen** [ˈlinin] **1.** plátno **2.**
bielizeň

**liner** [ˈlainə] **1.** parník; do-
pravné lietadlo **2.** ceruz-
ka; *eye-l.* ceruzka na očné
linky

**linger** [ˈliŋgə] zotrvávať,
otáľať; *l. over* strácať čas
niečím; *l. on* vliecť sa
*(choroba)*

**lingery** [ˈliŋdžeri] *(dámska)*
spodná bielizeň

**linguistics** [liŋˈgwistiks] *pl.*
jazykoveda

**lining** [ˈlainiŋ] podšívka; *fur
l.* kožušinová podšívka;
*pren. silver l.* svetlá strán-
ka

**link** [liŋk] *n* článok *(spojova-
cí)*, spojivo, puto; *cuff-l-s*
manžetové gombíky; *v*
spojiť (sa)

**linkman** [ˈliŋkmən] rozhlasový/televízny koordinátor

**linseed** [ˈlinsi:d] ľanové semienko; *l.-oil* ľanový olej

**lion** [ˈlaiən] lev; *obr.* odvážlivec; *social l.* lev salónov

**lion-hearted** [ˈlaiən,ha:tid] smelý, odvážny

**lip** [lip] pera; *upper/lower l.* horná/dolná pera • *bite so. l.* zahryznúť si do jazyka

**lipstick** [ˈlipstik] rúž

**liquid** [ˈlikwid] *adj* tekutý; *n* tekutina, kvapalina; *fin.* voľný *(kapitál)*

**liquor** [ˈlikə] liehovina

**liquorice** [ˈlikəris] pelendrek

**lisp** [lisp] šušlať; *l. out* zašušlať

**list** [list] *n* zoznam; *l. of names* menoslov; *l. of prices* cenník; *v* spísať, urobiť zoznam, zapísať do zoznamu

**listen** [lisn]: *l. to* počúvať niekoho/niečo, načúvať; *l. in* počúvať rozhlas

**listener** [ˈlisənə] poslucháč *(rozhlasu, hudby)*

**lit** *see* **light***

**literal** [ˈlitərəl] doslovný; *l. translation* doslovný preklad

**literary** [ˈlitərəri] literárny, spisovný

**literate** [ˈlitərit] **1.** gramotný **2.** vzdelaný, kultivovaný

**literature** [ˈlitəriəč] literatúra

**litre** [ˈli:tə] liter

**litter** [ˈlitə] *AmE* garbage; *n* **1.** smeti, odpadky; *do not leave l.* neodhadzujte odpadky **2.** vrh *(mláďat)*; *v l. up* rozhadzovať, robiť neporiadok; *l. (down) a horse* podstlať pod koňa

**little** [litl] *adj* malý; *adv* málo; *(n) a l.* trocha • *in l. v* malom; *l. by l.* postupne

**live** [liv] **1.** žiť **2.** bývať; *adj* [laiv] **1.** živý **2.** *elektr.* nabitý; *long l!* nech žije! • *l. down (a scandal)* prekonať (škandál); *l. on* ostať nažive; *l. out* prežiť, zažiť

**livelihood** [ˈlaivlihud] živobytie, obživa

**lively** [ˈlaivli] živý, plný života; veselý; *become l.* rozjariť sa

**liven up** [laivən ap] oživiť, spestriť

**liver** [ˈlivə] pečeň

**livery** [ˈlivəri] livrej

**livestock** [ˈlaivstok] živý inventár; dobytok

**living** [ˈliviŋ] *n* **1.** živobytie **2.** spôsob života; *right l.* správna životospráva; *adj* živý, žijúci

**living-room** [ˈliviŋruːm] obývacia izba

**living standard** [ˈliviŋ stændəd] životná úroveň

**lizard** [ˈlizəd] jašterica

**load** [ləud] n náklad, bremeno; l-s of money množstvo peňazí; v 1. naložiť; l. a cart naložiť na voz 2. nabiť (zbraň)

**loaded** [ˈləudid] 1. naložený (náklad) 2. nabitý (zbraň) 3. (fotoaparát) so založeným filmom

**loader** [ˈləudə] výp. ukladací (zavádzací) program

**loaf** [ləuf] n bochník, peceň; brown l. peceň čierneho chleba; v povaľovať sa; l. away time zabíjať čas

**loafer** [ˈləufə] povaľač, flákač; AmE mokasín

**loam** [ləum] íl, hlina

**loan** [ləun] pôžička; grant a l. poskytnúť pôžičku; take up a l. vziať si pôžičku

**loathe** [ləuð] štítiť sa niečoho, protiviť sa, mať odpor k

**loathsome** [ləuðsəm] hnusný, odporný; nenávidený

**lobby** [ˈlobi] n 1. vstupná hala, chodba (v hoteli, divadle) 2. hala, kde sa voliči stretávajú s poslanca-

mi (v dolnej snemovni); v lobovať, intervenovať, ovplyvňovať (poslanca)

**lobe** [ləub] lalok; ear l. ušný lalôčik

**lobster** [ˈlobstə] morský rak, homár, langusta

**local** [ləukəl] miestny; l. authority miestna samospráva; l. call miestny hovor

**locality** [ləuˈkæliti] miesto, poloha

**locate** [ləuˈkeit] 1. umiestniť, položiť 2. lokalizovať, určiť (miesto)

**lock** [lok] n 1. kader, kučera 2. zámka 3. stavidlo, splav; v zamknúť; l. away uschovať; l. out vymknúť; l. up zavrieť, viazať

**locksmith** [ˈloksmiθ] zámočník

**locomotive** [ˈləukəˈməutiv] rušeň

**locust** [ləukəst] zool. kobylka

**lodge** [lodž] n 1. vrátnica 2. horáreň 3. brloh, dúpä; Freemason's l. slobodomurárska lóža; v ubytovať

**lodger** [ˈlodžə] (pod)nájomník

**lodgings** [ˈlodžiŋz] pl. podnájom; take l. with sb. ubytovať sa u niekoho

**loft** [loft] povala, podkrovie

**lofty** [ˈlofti] **1.** vysoký **2.** povýšený, povznesený

**log** [log] *n* poleno, klada; *sleep like a l.* spať ako zabitý; *v (výp.) l. in/out* prihlásiť/odhlásiť zo siete

**log-book** [ˈlogbuk] lodný denník

**log-cabin** [ˈlogˈkæbin] zrub, drevenica

**loggerhead** [ˈlogəhed]: • *to be a l. with sb.* poškriepiť sa s niekým

**logic** [ˈlodžik] logika

**logical** [ˈlodžikəl] logický

**loin** [loin] *pl. l-s* bedrá

**loiter** [ˈloitə] ponevierať sa; *l. time away* márniť čas

**loll** [lol] vystierať sa, rozvaľovať sa, hovieť si

**lollipop** [ˈlolipop] lízanka

**Londoner** [ˈlandənə] Londýnčan/ka

**lone** [ləun] osamelý

**lonely** [ˈləunli] osamelý; *become l.* osamieť, osirieť; *I feel l.* je mi clivo

**long** [loŋ] *adj* dlhý; *v* túžiť; *adv* dlho; *l. ago* dávno; *before l.* onedlho, skoro; *as l. as* pokiaľ, kým; *don't be l.!* nebuď dlho, vráť sa skoro! *all day l.* po celý deň; *cut a l. story short* stručne povedané; *l. drink*

miešaný nápoj; *l. live... !* nech žije... !

**long-distance** [ˌloŋˈdistəns] diaľkový; *l. call* medzimestský hovor

**longevity** [lonˈdževəti] dlhovekosť

**longing** [ˈloŋiŋ] túžba; *l. for home* túžba po domove; *adj* túžobný; *secret l.* tajné želanie

**longitude** [ˈlondžitju:d] dĺžka *(zemepisná)*

**long-term** [loŋtə:m] dlhodobý

**look¹** [luk] pohľad; *have a l. round* popozerať si; *let me have a l.* chcem sa pozrieť

**look²** [luk] *v* **1.** *l. at/on* dívať sa, pozerať sa na **2.** *l. as* vyzerať ako **3.** *l. after* starať sa o **4.** *l. for* hľadať **5.** *l. up to* hľadieť s úctou **6.** *l. up* vyhľadať **7.** *l. out* pozerať sa von; **8.** *l. over* prezerať **9.** *l. into* preskúmať, uvážiť **10.** *l. forward to* tešiť sa na **11.** *l. out!* pozor!

**looking-glass** [ˈlukiŋgla:s] zrkadlo

**looks** [luks] vzhľad; *good l.* krása

**loom** [lu:m] *n* tkáčsky stav; *v* rysovať sa *(na obzore)*

**loop** [lu:p] slučka

**loophole** [ˈlu:phəul] **1.** otvor

**2.** tax l. medzera (v daňovom zákone)

**loose** [lu:s] **1.** voľný, uvolnený **2.** roztopašný

**loosen** [lu:sn] uvoľniť (sa), rozviazať

**loot** [lu:t] n ulúpená vec, korisť; v lúpiť

**lop** [lop] obsekať, orúbať

**lord** [lo:d] pán; lord; The L. pán Boh; Good L.! preboha; L's Prayer otčenáš; L. Mayor primátor; live like a l. žiť ako pán, žiť na veľkej nohe

**lorry** [ˈlori] AmE **truck** nákladné auto

**lose*** [lu:z] **1.** stratiť **2.** prehrať; l. so. way zablúdiť; l. out zle pochodiť; l. so. temper rozčúliť sa; l. weight schudnúť

**loss** [los] **1.** strata **2.** škoda; at a l. v rozpakoch

**lost**[1] see **lose***

**lost**[2] [lost] stratený; prehraný

**lot** [lot] **1.** lós **2.** osud **3.** podiel **4.** množstvo **5.** AmE parcela; a l. of mnoho, veľa

**lotery** [ˈlotəri] lotéria

**lotion** [ˈləušn] **1.** roztok (na umývanie) **2.** pleťová voda

**loud** [laud] adj **1.** hlasný **2.** krikľavý; adv hlasno, nahlas

**loudspeaker** [ˈlaudˈspi:kə] amplión, reproduktor

**lounge** [laundž] **1.** promenáda **2.** klubovňa **3.** hala, foyer **4.** čakáreň (na letisku)

**louse** [laus] pl. **lice** voš

**lousy** [lauzi] mizerný

**love** [lav] n láska; for the l. of z lásky k; give him my l. pozdravuj ho odo mňa; in l. with zaľúbený do; v milovať; I would l. to come rád by som prišiel; šport. nula

**lovely** [ˈlavli] rozkošný, pôvabný, nádherný; we had a l. time mali sme sa výborne

**lover** [ˈlavə] milovník, milenec; l. of music milovník hudby

**low** [ləu] adj **1.** nízky **2.** tichý (zvuk); feel l. zle sa cítiť; l. diet jednoduchá strava; l. life skromný život; l. season mŕtva sezóna; adv nízko

**lowbrow** [ˈloubrou] nevzdelaný, prízemný človek

**low-budget** [ləuˈbadžit] úsporný

**lower** [ˈləuə] adj **1.** nižší **2.** tichší; adv nižšie; v znížiť (sa)

**lowlands** [ˈləuləndz] nížina, rovina

**low-necked** [ˌləuˈnekt]: s hlbokým výstrihom

**loyal** [ˈloiəl] lojálny, verný, oddaný; *l. service* verné služby

**loyalty** [ˈloiəlti] vernosť, oddanosť

**lubricant** [ˈlu:brikənt] mazadlo

**lubricate** [ˈlu:brikeit] mazať *(stroj)*

**lucid** [ˈlu:sid] jasný, zdravý *(mysel)*

**luck** [lak] náhoda, osud, šťastie; *good l.* šťastie; *bad l.* smola, neúspech; *for l.* pre šťastie

**luckily** [ˈlakili] našťastie

**lucky** [laki] šťastný

**luggage** [ˈlagidž] batožina; *AmE* **baggage**; *l. van* batožinový vozeň

**lukewarm** [ˈlu:kwo:m] vlažný; *obr.* ľahostajný

**lull** [lal] *v* uspať; *l. a baby* uspať dieťa; *l. pain* utíšiť bolesť; *n* pokoj, oddych

**lullaby** [ˈlaləbai] uspávanka

**lumber** [ˈlambə] drevo *(stavebné)*, rezivo; *AmE* **timber**; *obr.* haraburdy

**luminous** [ˈlu:minəs] svetielkujúci; žiarivý

**lump** [lamp] **1.** kus, hruda

**2.** kocka *(cukru)* • *l. payment* jednorazová platba; *l. sum* paušál

**lunatic** [ˈlu:nətik] *n* šialenec; *adj* šialený

**lunch** [lanč] studený obed; *have l.* obedovať; *l. break* obedňajšia prestávka

**luncheon** [lančən] poludňajšie jedlo; *l. voucher* stravný lístok

**lungs** [laŋgz] *pl.* pľúca

**lurch** [lə:č] tackať sa • *leave in the l.* nechať v kaši

**lure** [ljuə] *polov.*lákať, vábiť

**lurid** [ˈljuərid] **1.** krikľavý *(farba)* **2.** hrozný, strašný *(správy)*

**lurk** [lə:k] striehnuť

**luscious** [ˈlašəs] sladučký; chutný, šťavnatý *(ovocie)*

**lush** [laš] bujný, šťavnatý *(tráva)*

**lust** [last] chtivosť, chlipnosť, žiadostivosť; *l. for power* smäd po moci

**lustre** [ˈlastə] **1.** lesk **2.** sláva

**luxurious** [lagˈzjuəriəs] prepychový, luxusný

**luxury** [ˈlakšəri] prepych, luxus

**lynch** [linč] lynčovať

**lynx** [liŋks] *zool.* rys

**lyre** [ˈlaiə] lýra

**lyrics** [ˈliriks] *pl.* lyrika

**lyrical** [ˈlirikəl] lyrický

# M

**M.A.** [emei] = *Master of Arts* magister umení *(magister filozofických odborov)*

**mac** [mæk] = **mackintosh**

**mace** [meis] palcát; žezlo

**machine** [məˈši:n] (prí)stroj; *vending m.* predajný automat

**machine-gun** [məˈši:ngan] guľomet, samopal

**machinery** [məˈši:nəri] **1.** stroje *(sústava strojov)* **2.** mašinéria

**mackerel** [ˈmækrəl] *zool.* makrela

**mackintosh** [ˈmækintoš] pršiplášť, nepremokavý plášť

**mad** [mæd] **1.** šialený, bláznivý **2.** rozčúlený **3.** *m. about/on* pobláz/nený do; *drive sb. m.* dohnať do šialenstva; *go m.* zblázniť sa; *what a m. thing to do!* aká pochabosť!

**madam** [ˈmædəm] *(v oslovení)* pani, slečna; *Dear M.* vážená pani

**made** *see* **make***

**madhouse** [ˈmædhaus] *hovor.* blázinec

**magazine** [ˈmægəˈzi:n] **1.** časopis *(obrázkový)* **2.** sklad *(vojenský)*, zásobník

**maggot** [ˈmægət] červík, larva; *have a m. in head* mať muchy

**Magi** [ˈmeidžai] *(náb.) the Three M.* Traja králi

**magic** [ˈmædžik] *n* čaro, kúzlo; *adj* čarovný, kúzelný; *m. wand* čarovný prútik

**magician** [məˈdžišn] čarodejník, kúzelník

**magnetic** [mægˈnetik] **1.** magnetický **2.** príťažlivý; *m. pull of music* príťažlivosť/sila hudby

**magnetism** [ˈmægnitizm] **1.** magnetizmus **2.** príťažlivosť, charizma

**magnificient** [mægˈnifisnt] veľkolepý, vznešný; *hovor.* skvelý

**magnify** [ˈmægnifai] **1.** zväčšovať **2.** zveličovať, preháňať; *m. so. difficulties* zveličovať svoje problémy

**magnifying glass** [ˈmægnifaiŋ gla:s] zväčšovacie sklo

**magnitude** [ˈmægnitju:d] **1.** veľkosť, rozsah, objem **2.** dôležitosť, závažnosť

**magpie** [ˈmægpai] straka

**mahogany** [məˈhogəni] *n*

mahagón (drevo, strom);
adj mahagónový
**maid** [meid] **1.** dievča **2.**
slúžka; m.-of-all-work diev-
ča pre všetko
**maiden** [meidn] mladá že-
na (nevydatá); dievča; m.
name dievčenské meno
**mail** [meil] n pošta; v poslať
poštou; air m. letecká poš-
ta; m. order písomná ob-
jednávka; by today's m.
dnešnou poštou; AmE
mailman [meilmən] poš-
tár
**mailbox** ['meilboks] AmE
poštová schránka
**maim** [meim] dokaličiť,
zmrzačiť
**main** [mein] hlavný; m. line
hlavná trať; m. street hlav-
ná ulica; in the m. zväčša,
hlavne
**mainland** ['meinlənd] pev-
nina
**mainly** ['meinli] najmä,
hlavne, zväčša
**maintain** [mein'tein] **1.**
udržovať, zachovávať; m.
friendly relations udržiavať
priateľské styky; m. a build-
ing starať sa o budovu **2.**
vydržiavať, podporovať;
m. a son at school podpo-
rovať syna na štúdiách **3.**
tvrdiť

**maintenance** ['meintinəns]
**1.** podpora **2.** údržba; m.
worker údržbár
**maize** [meiz] kukurica; AmE
corn; ear of m. kukuričný
klas
**majesty** ['mædžisti] majes-
tátnosť, vznešenosť; ve-
ličenstvo
**major** ['meidžə] adj **1.** väčší
**2.** dôležitejší **3.** hud. dur;
n major
**majority** [mə'džoriti] **1.**
väčšina **2.** plnoletosť;
reach so. m. dosiahnuť pl-
noletosť
**make¹\*** [meik] **1.** robiť **2.**
vyrábať; what is it m. of? z
čoho to je vyrobené? **3.**
prinútiť; m. him repeat it
nech to zopakuje; m. the
bed ustlať; m. the fire za-
kúriť; m. tea variť čaj; m.
an appointment dohodnúť
stretnutie; m. a fool of
os./sb. urobiť blázna zo
seba/z niekoho; m. friends
priateliť sa; m. money za-
rábať; m. so. living zarábať
na živobytie; m. ready pri-
praviť (sa); m. war viesť
vojnu; m. progress robiť
pokroky; m. him go prinú-
tiť ho, aby išiel **4.** doplniť
**5.** nahradiť **6.** zostrojiť **7.**
namaľovať sa; m. up so.

*mind* rozhodnúť sa • *m. into* premeniť niečo; *m. out* rozoznať, rozlúštiť; *m. up (a story)* vymyslieť si; *m. up with so.* zmieriť sa s niekým; *self-made man* sám sa vypracoval

**make²** [meik] **1.** výrobok **2.** *m. up* výmysel **3.** *m.-up* líčidlo

**makeover** [ˈmeikəuvə] zmena, premena

**makings** [ˈmeikiŋz] predpoklady

**male** [meil] *adj* mužský; samčí; *n* muž; samec; *m. nurse* ošetrovateľ; *m. goat* cap

**malediction** [ˌmæliˈdikšn] preklínanie, kliatba

**malevolent** [məˈlevələnt] škodoradostný, zlomyseľný

**malice** [ˈmælis] zlomyseľnosť, zloba

**malicious** [məˈlišəs] zlomyseľný; *m. person* zlomyseľník

**malignant** [məˈlignənt] **1.** nenávistný; zlovoľný; *m. glances* zlostné/jedovaté pohľady **2.** zhubný; *m. tumour* zhubný nádor

**malingerer** [məˈliŋgərə] simulant, ulievač

**mall** [mo:l] korzo, prome-

náda; *shopping m.* nákupné stredisko

**malnutrition** [ˌmælnjuˈtrišən] podvýživa

**malt** [mo:lt] slad

**maltreat** [mælˈtri:t] zle zaobchádzať, týrať

**mammal** [ˈmæml] cicavec

**mammoth** [ˈmæməθ] *n* mamut; *adj* obrovský

**mammy** [ˈmæmi] mamička

**man** [mæn] *pl.* **men** *n* **1.** muž, chlap **2.** človek **3.** zamestnanec; *m. of thirty* tridsiatnik; *old man* starý pán; *no man* nikto; *v osadiť mužstvom; *m. os.* vzmužiť sa

**manage** [ˈmænidž] **1.** riadiť, viesť, spravovať niečo; *m. business* viesť obchod **2.** zariadiť **3.** zvládnuť **4.** vedieť si poradiť; *m. without* poradiť si bez niečoho

**management** [ˈmænidžmənt] vedenie, správa; *the business is under new m.* obchod má nové vedenie

**manager** [ˈmænidžə] riaditeľ, správca; *business m.* obchodný riaditeľ; *assistant m.* zástupca riaditeľa; *property m.* správca majetku; *stage m.* inšpicient

**managing director** [mænidžiŋ di'rektə] generálny riaditeľ

**mandate** ['mændeit] mandát, poverenie

**mane** [mein] hriva

**man-eater** ['mæn,i:tə] **1.** ľudožrút, kanibal **2.** ľudožravé zviera

**manful** ['mænful] smelý, rozhodný

**manger** ['meindžə] jasle; koryto, válov

**manhood** ['mænhud] mužný vek; mužnosť

**mania** ['meiniə] mánia, posadnutosť

**manicure** ['mænikjuə] manikúra

**manifest** ['mænifest] adj zrejmý; v **1.** prejaviť (sa) **2.** ukázať sa

**manifesto** ['mæni'festəu] manifest, vyhlásenie

**manifold** ['mænifəuld] mnohonásobný

**manipulate** [mə'nipjuleit] **1.** narábať, manipulovať, obsluhovať **2.** falšovať

**mankind** [mæn'kaind] ľudstvo

**manly** ['mænli] mužný, chlapský

**man-made** ['mænmeid] umelý, syntetický

**manner** ['mænə] spôsob; in this m. takto; in a m. do

určitej miery; official m. formálny spôsob

**manners** ['mænəz] pl. správanie, spôsoby, obyčaje; he has no m. nevie sa správať; company m. spoločenské spôsoby; bad m. nevychovanosť

**manoeuvre** [mə'nu:və] n manéver; v manévrovať

**manor** ['mænə] veľkostatok, panstvo; m.-house panské sídlo, kaštieľ

**manpower** ['mæn'pauə] pracovná sila

**mansion** ['mænšn] rezidencia, panské sídlo

**manslaughter** ['mæn'slo:tə] zabitie, vražda (neúmyselná)

**mantelpiece** ['mæntlpi:s] rímsa nad kozubom

**mantle** [mæntl] **1.** plášť **2.** kryt

**manual** ['mænjuəl] adj ručný; telesný; m. labour fyzická/telesná práca; n príručka, manuál

**manually** [mænjuəli] adv ručne

**manufacture** ['mænju'fækčə] n výroba; m-s výrobky; v **1.** vyrábať **2.** vymyslieť

**manure** [mə'njuə] n hnoj, hnojivo; v hnojiť

**manuscript** [ˈmænjuskript] rukopis

**many** [ˈmeni] *adj* mnohí; početní; *m. of us* mnohí z nás; *adv* mnoho; *I have a few but not m.* mám zopár, no nie mnoho/veľa; *how m.?* koľko?; *a great m.* veľmi veľa; *m. times* veľakrát

**map** [mæp] *n* mapa • *it's on the m.* to je dôležité; *v map out* rozplánovať, rozvrhnúť

**maple** [ˈmeipl] javor; *m. syrup* javorový sirup

**mar** [ma:] kaziť, mariť

**marble** [ˈma:bl] mramor, *cold as m.* studený ako mramor; *play m-s* hrať guľky

**March** [ma:č] *n* marec; *adj* marcový

**march** [ma:č] *v* pochodovať; *n* pochod; *on the m.* na pochode; *m. of time* beh času

**mare** [meə] kobyla

**margarine** [ˈma:džəˈri:n] margarín, umelý tuk

**margin** [ˈma:džin] 1. okraj, kraj, lem 2. rozpätie *(cenové)* 3. prebytok, zvyšok; *m. of profit* minimálny zisk; *profit m.* cenové rozpätie, marža

**marine** [məˈri:n] *adj* morský; námorný; *n* loďstvo; *m. base* námorná základňa; *m. blue* námornícka modrá; *merchant m.* obchodné loďstvo

**mariner** [ˈmærinə] námorník

**marital** [ˈmæritl] manželský; *m. status* manželský stav

**maritime** [ˈmæritaim] 1. prímorský, pobrežný 2. námorný

**marjoram** [ˈma:džərəm] majorán

**mark** [ma:k] *n* 1. znak, značka, škvrna; *birth-m.* materské znamienko; *trade-m.* výrobná značka 2. cieľ, terč *hit/miss the m.* dosiahnuť/nedosiahnuť cieľ 3. známka *(klasifikačná)*; *v* 1. označiť 2. vyznačiť 3. dávať pozor na; *to be m-ed with* byť poznačený niečím; *leave m. on sb.* zanechať stopy na niekom

**marked** [ma:kt] *adj* výrazný, nápadný

**market** [ˈma:kit] trh; *m-ing research* prieskum trhu; *come into the m.* prísť do predaja; *find a m. for* nájsť odbyt pre; *m. economy* trhové hospodárstvo; *m.-place* trhovisko; *m.-price* trhová cena

**marmalade** [ˈmaːməleid] pomarančový džem

**marmot** [maːmot] svišť

**maroon** [məˈruːn] *n* **1.** hnedočervená farba **2.** signálna raketa; *v* vysadiť na pustom ostrove, zostať niekde trčať

**marriage** [ˈmæridž] **1.** manželstvo; *take sb. in m.* zobrať si niekoho za muža/ženu **2.** sobáš; *m. settlement* sobášna zmluva; *m. broker* dohadzovač

**marrow** [ˈmærəu] špik

**marry** [ˈmæri] **1.** oženiť (sa) **2.** vydať (sa); *get m-ied* vydať sa/oženiť sa

**marquee** [maːˈkiː] šapitó

**marsh** [maːš] močiar

**marshal** [ˈmaːšəl] *n* maršal; *v* zoradiť

**marten** [ˈmaːtin] kuna

**martial** [ˈmaːšəl] vojenský; *m. law* stanné právo; *court m.* vojenský súd

**martyr** [ˈmaːtə] *n* mučeník; *v* (u)mučiť

**marvel** [ˈmaːvəl] *n* čudo, div; zázrak; *v* žasnúť

**marvelous** [ˈmaːviləs] úžasný, obdivuhodný

**masculine** [ˈmæskjulin] **1.** mužský; mužný, chlapský **2.** *gram.* mužský rod

**mash** [mæš] *n* miešanina; *v* rozdrviť; *m-ed potatoes* zemiaková kaša

**mask** [maːsk] *n* maska • *throw off a m.* ukázať pravú tvár; *m-ed ball* maškarný ples; *v* maskovať

**mason** [meisn] **1.** kamenár **2.** murár

**masquerade** [ˈmæskəˈreid] maškaráda

**mass** [mæs] *n* **1.** hmota **2.** masa **3.** omša; *Holy M.* svätá omša; *v* hromadiť (sa); *m. meeting* verejné zhromaždenie; *m. media* masovokomunikačné prostriedky; *m. production* veľkovýroba

**massacre** [ˈmæsəkə] masaker, krviprelievanie

**masses** [ˈmæisiz] *pl.* ľud, ľudové masy

**massive** [ˈmæsiv] masívny, masový; pevný, silný

**mast** [maːst] stožiar; žrď

**master** [ˈmaːstə] *n* **1.** pán **2.** učiteľ **3.** kapitán lode **4.** majster **5.** vlastník, majiteľ; *m. mind* skvelá hlava, génius; *v* zvládnuť, ovládať; *m. the English language* ovládať anglický jazyk

**masterful** [ˈmaːstəfl] panovačný, autoritársky
**masterly** [ˈmaːstəli] majstrovský; *adv* odborne
**masterpiece** [ˈmaːstəpiːs] majstrovské dielo, majstrovský kus, veľdielo
**mat** [mæt] rohožka; podložka *(pod hrniec, pivo)*; anglické prestieranie
**match** [mæč] *n* 1. zápalka 2. športový zápas 3. súper, partner; *be a m. for* byť súperom pre 4. partia; *make a good m.* dobre sa oženiť/vydať; *v* 1. pristať, hodiť sa k niečomu; *a tie to m. the suit* viazanka, ktorá pristane k obleku 2. súperiť
**mate** [meit] *n* 1. druh, kamarát, kolega 2. lodný dôstojník 3. partner *(v živočíšnej ríši)* 4. *šach.* mat; *classm.* spolužiak; *v* páriť sa
**material** [məˈtiəriəl] *adj* 1. hmotný 2. závažný; *n* látka, materiál, hmota 3. námet; *raw m.* surovina; *teaching m.* učebné pomôcky
**maternal** [məˈtəːnəl] materský, materinský; *m. feelings* materinský cit
**maternity** [məˈtəːniti] ma-

terstvo; *m. hospital* pôrodnica; *m. leave* materská dovolenka
**mathematics** [ˌmæθəˈmætiks] *pl.* matematika; *slang.* maths [mæθs] matika; *he is good at m.* matematika mu ide dobre
**matriculation** [məˌtrikjuˈleišn] imatrikulácia
**matrimony** [ˈmætriməni] 1. manželstvo 2. *kart.* mariáš
**matrix** [ˈmeitriks] matica, matrica
**matron** [meitrən] 1. hlavná sestra 2. správkyňa 3. väzenská dozorkyňa
**matt** [mæt] matný, nelesklý
**matter** [ˈmætə] *n* 1. hmota 2. záležitosť; *m. of taste* otázka vkusu 3. vec; *money m-s* finančné záležitosti; *take m-s easy* brať veci nahko; *printed m.* tlačivo; *in the m. of* čo sa toho týka; *a m. of course* samozrejmosť; *as a m. of fact* v skutočnosti, vlastne; *no m. who* nezáleží na tom, kto; *what is the m. with you?* čo ti je?; *v* mať význam, dôležitosť; *it doesn't m.* na tom nezáleží
**mattock** [ˈmætək] krompáč
**mattress** [ˈmætris] matrac

**maundy** [ˌmoːndi] *náb.* obradné umývanie nôh; *M. Thursday* Zelený štvrtok

**mature** [mə'tjuə] *adj* zrelý, vyspelý, vyvinutý; *v* dozrieť, vyzrieť, vyspieť

**mauve** [məuv] lila *(farba)*

**maverick** ['mævrik] **1.** *AmE* neoznačený kus dobytka **2.** *obr.* svojrázny, nekonformný *(človek)*

**maw** [moː] pažerák, gágor

**maxim** ['mæksim] zásada *(mravná)*

**maximum** ['mæksiməm] *n* maximum; *adj* maximálny; *m. load* nosnosť, zaťaženie

**May** [mei] *n* máj; *adj* májový; *M. Day* Prvý máj

**may*** [mei] smieť, môcť; *you m. be right* možno máte pravdu; *if I m.?* ak dovolíte?; *m. I come in?* smiem vstúpiť?; *long m. he live!* nech žije!

**maybe** ['meibiː] možno, snáď, azda

**mayday** [meidei] *námor., let.* SOS, núdzové volanie

**mayor** [meə] starosta; *Lord M.* primátor

**maze** [meiz] bludisko, labyrint; *be in a m.* byť v pomykove, byť zmätený

**me** [miː] mňa, mne, mi; *for m. pre mňa; give it to m.* daj to mne, daj mi to; *and what about me?* a čo ja?; *poor me* ja chudák

**meadow** [medəu] lúka

**meagre** [miːgə] chudý; *m. face* vychudnutá tvár; *m. meal* slabá/biedna strava

**meal** [miːl] **1.** jedlo, pokrm *(pravidelné)*; *make a m.* variť, pripravovať jedlo; *dish up a m.* podávať jedlo **2.** hrubá múka

**mean** [miːn] *adj* **1.** nízky, hanebný **2.** skúpy **3.** stredný, priemerný; *n* stred, priemer; *v*\* **1.** znamenať **2.** mieniť **3.** zamýšľať; *what does it m.?* čo to znamená?

**meaning** ['miːniŋ] význam; *of one m.* jednoznačný

**meaningless** ['miːniŋlis] nezmyselný, bezdôvodný

**means** [miːnz] *pl.* prostriedok; *by m. of* pomocou; *by all m.* rozhodne; *not by any m.* v žiadnom prípade; *by any m.* hocijako, tak či tak; *by no m.* nijako, vôbec nie; *pl.* finančné prostriedky; *a man of m.* zámožný človek, boháč

**meant** *see* **mean***

**meantime** ['miːn'taim]: *in the m.* zatiaľ, medzitým

**meanwhile** [ˈmiːˈnˈwail] zatiaľ

**measles** [ˈmiːzlz] osýpky

**measure** [ˈmeʒə] n **1.** miera, rozmer **2.** rytmus **3.** opatrenie; *take m-s* robiť opatrenia, podniknúť kroky; *v* merať

**measurement** [ˈmeʒəmənt] miera; meranie

**measurements** [ˈmeʒəmənts] *pl.* rozmery

**measuring** [ˈmeʒəriŋ]: *m. cup* odmerka; *m. tape* meter

**meat** [miːt] mäso; *m. dish* mäsité jedlo; *m. loaf* sekaná, fašírka; *m. fly* mäsiarka *(mucha)*; *m-less* bezmäsitý

**mechanic** [miˈkænik] n strojník, mechanik; *adj* mechanický

**mechanical** [miˈkænikəl] mechanický, strojový; *m. engineer* strojný inžinier

**mechanics** [miˈkæniks] *pl.* mechanika

**mechanism** [ˈmeˈkənizm] mechanizmus, ústrojenstvo, prístroj, zariadenie

**mechanize** [ˈmekənaiz] (z)mechanizovať

**medal** [medl] medaila

**meddle** [medl]: *m. in* miešať/pliesť sa do

**medial** [ˈmiːdiəl] stredný; priemerný

**mediate** [ˈmiˈdieit] *(between)* sprostredkovať *(medzi)*

**mediation** [ˈmiˈdiˈeišn] sprostredkovanie

**medical** [ˈmedikəl] lekársky, zdravotnícky; *m. student* medik; *m. treatment* lekárske ošetrenie

**medicine** [ˈmedsin] **1.** liek **2.** lekárstvo; *MD (medicine doctor)* MUDr., lekár; *m. man* šaman

**medieval** [ˈmediˈiːvəl] stredoveký

**meditate** [ˈmediteit] uvažovať, premýšľať; *m. upon* hĺbať, rozjímať nad

**meditation** [ˈmediˈteišn] premýšľanie, uvažovanie

**Mediterranean (Sea)** [meditəˈreinjən (siː)] Stredozemné more

**medium** [ˈmiːdiəm] n **1.** prostriedok, spôsob **2.** stred; *the happy m.* zlatá stredná cesta **3.** prostredie **4.** sprostredkovateľ **5.** médium; *adj* priemerný, stredný; *M (medium size)* stredná veľkosť; *m.-term* strednodobý

**medley** [ˈmedli] zmes, miešanina; pestrá spoločnosť

**meek** [mi:k] poddajný, mierny, krotký; trpezlivý

**meet\*** [mi:t] **1.** stretnúť (sa), zísť sa; *we'll m.* at five stretneme sa o piatej; *shall we m.?* uvidíme sa, stretneme sa? **2.** zoznámiť sa; *it was nice to m. you* rád som vás spoznal **3.** uspokojiť; *m. so. wishes* vyhovieť niekoho želaniam **4.** vyrovnať *(účet)*

**meeting** [ˈmi:tiŋ] **1.** schôdza **2.** stretnutie; *call/cancel a m.* zvolať/odvolať schôdzu; *political m.* politické zhromaždenie

**melancholy** [ˈmelənkəli] *n* melanchólia, svetabôľ, zádumčivosť; *adj* melancholický

**mellow** [meləu] zrelý, sladký, mäkký

**melodious** [miˈləudjəs] melodický

**melody** [ˈmelədi] melódia, nápev

**melon** [ˈmelən] melón

**melt\*** [melt] **1.** (roz)taviť **2.** (roz)topiť (sa), rozpúšťať sa; *m. away* roztiecť sa, rozplynúť sa

**member** [ˈmembə] člen; *MP (Member of Parliament)* poslanec; *be a m. of* byť členom, patriť k niečomu

**membership** [ˈmembəšip] **1.** členstvo **2.** členovia; *m. card* preukaz člena; *m. fee* členské

**memo** [memou] (= memorandum) správa, odkaz

**memorable** [ˈmemərəbl] pamätný, pamätihodný, nezabudnuteľný

**memorial** [məˈmo:riəl] **1.** pamätník **2.** pomník; *war m.* vojnový pomník

**memorize** [ˈmeməraiz] učiť sa naspamäť

**memory** [ˈmeməri] **1.** pamäť **2.** spomienka; *by m.* popamäti; *in m. of* na pamiatku niečoho; *m. address counter* čítač adries

**men** *pl. od* **man**

**menace** [ˈmenəs] *n* hrozba; *(v) m. by/with* hroziť, ohroziť

**mend** [mend] opraviť, spraviť, zlepšiť; *m. so. way* polepšiť sa

**mendacious** [menˈdeišəs] lživý, nepravdivý

**menial** [ˈmi:niəl] nízky, ponižujúci; *m. work* podradná robota

**mental** [ˈmentl] duševný; *m. home* ústav pre duševne chorých; *m. test* skúška inteligencie; *m. specialist* psychiater

**mention** [ˈmenšn] v zmieniť
sa o; *don't m. it* niet za čo
*(odpoveď na „ďakujem")*;
*without m-ing/not to m.*
nevraviac už o, nieto eš-
te; n zmienka
**mentor** [ˈmento:] múdry
radca
**menu** [ˈmenju:] **1.** jedálny
lístok **2.** menu, ponuka
v mobilnom telefóne
**mercantile** [ˈmə:kəntail] ob-
chodný
**mercenary** [ˈmə:sənəri] hra-
bivý, zištný; *adj* námedz-
ný; n žoldnier
**merchandise** [ˈmə:čəndaiz]
tovar; *take over m.* prebrať
tovar
**merchant** [ˈmə:čənt] (veľ-
ko)obchodník; *m. navy*
obchodné loďstvo
**merciful** [ˈmə:siful] milosrd-
ný, súcitný, zhovievavý;
*m. God!* milostivý Bože!
**merciless** [ˈmə:siləs] nemi-
losrdný, neľútostný, bez-
citný
**mercury** [ˈmə:kjuri] ortuť;
*the m. is rising* veci sa zlep-
šujú *(počasie, nálada)*
**mercy** [ˈmə:si] súcit, milosr-
denstvo; *have m. on* zmi-
lovať sa; *m. killing* eutaná-
zia
**mere** [miə] púhy, číry, úpl-

ný; *by m. chance* úplnou
náhodou
**merely** [ˈmiəli] iba, len, je-
dine; *I m. looked* iba som
pozrel
**merge** [mə:dž] **1.** splynúť **2.**
spojiť (sa), zlúčiť (sa)
**meridian** [məˈridiən] polud-
ník; *m. of Greenwich* nul-
tý poludník
**merit** [ˈmerit] n **1.** zásluha **2.**
dobrá vlastnosť; v zaslúžiť
(si)
**meritocracy** [ˈmeritokrəsi]
elitárstvo
**mermaid** [ˈmə:meid] mor-
ská panna, siréna
**merman** [ˈmə:mæn] vodník
**merriment** [ˈmerimənt] ve-
selosť, radosť
**merry** [ˈmeri] veselý; *make
m.* zabávať sa; *make sb.
m.* uviesť niekoho do
nálady; *m. Christmas* ve-
selé Vianoce
**merry-go-round** [ˈmerigəu-
raund] kolotoč
**merrymaking** [ˈmeriˈmei-
kiŋ] veselica
**mesh** [meš] oko (siete), oč-
ko, slučka; *m-e* pletivo
**mesmerize** [ˈmezməraiz]
(z)hypnotizovať, *obr.* oča-
riť
**mess** [mes] n **1.** neporiadok,
zmätok; *get into a m.* do-

stať sa do kaše; *in a m.* v neporiadku **2.** kantína *(vojenská, námornícka); (v) m. about* povaľovať sa, flákať sa; *m. up* obrátiť hore nohami, pošpiniť, babrať

**message** [ˈmesidž] správa, odkaz; *leave/take a m.* nechať/prevziať odkaz; *New Year's m.* novoročné posolstvo

**messenger** [ˈmesindžə] kuriér, posol; m. *boy* poslíček

**metal** [metl] kov

**metallic** [miˈtælik] kovový; plechový *(zvuk)*

**metallurgic(al)** [ˈmetəˈlə:džikəl] hutnícky; *m. plant* huta

**metallurgy** [meˈtælədži] hutníctvo

**metalwork** [ˈmetlwə:k] **1.** obrábanie kovov **2.** kovové výrobky

**metaphor** [ˈmetəfə] prirovnanie

**meteoric** [ˌmi:tiˈorik] meteorický; *obr.* oslňujúci; *m. career* závratná kariéra

**meteorite** [ˈmi:tjərait] meteorit

**meter** [ˈmi:tə] merač, meracíí prístroj; *gas-m.* plynomer; *water-m.* vodomer

**method** [ˈmeθəd] metóda, spôsob, postup; *adopt a m.* osvojiť si postup

**methodical** [miˈθodikl] systematický, sústavný, metodický

**meticulous** [miˈtikjuləs] úzkostlivý, puntičkársky

**metre** [ˈmi:tə] **1.** meter *(miera)* **2.** metrum *(verša)*

**metropolis** [miˈtropəlis] metropola

**metropolitan** [ˌmetrəˈpolitən] : *m. city* veľkomesto; *m. police* mestská polícia

**mew** [mju:] **1.** čajka **2.** mňaukanie

**mice** *pl. od* mouse

**microbe** [ˈmaikrəub] mikrób

**microscopic(al)** [ˈmaikrəsˈkopik(əl)] mikroskopický

**microwave** [ˌmaikrəweivˈ] mikrovlnný; *m. oven* mikrovlnná rúra

**mid** [mid] polovica niečoho; *in m. winter* uprostred zimy

**midday** [ˈmiddei] *n* poludnie; *adj* poludňajší; *m. meal* obed

**middle** [midl] *adj* stredný, prostredný; *n* stred; *in the m. of* uprostred niečoho; *m. finger* prostredník *(prst); m. school* druhý stupeň základnej školy; *m. of nowhere* pánubohu za chrbtom

**middle-aged** [ˈmidlˈeidžd] stredného veku *(človek)*

**Middle Ages** [ˈmidleidžiz] *the M.A. n* stredovek

**middle-class** [ˈmidlkla:s] stredná trieda, buržoázia

**mid-line** [ˈmidlain] stredová čiara

**midge** [midž] komár

**midget** [ˈmidžit] trpaslík

**midnight** [ˈmidnait] polnoc; *at m.* o polnoci; *náb. M. Mass* polnočná omša

**midsummer** [midsamə] letný slnovrat; *M. Day* svätojánska noc

**midwife** [ˈmidwaif] pôrodná asistentka, babica

**mien** [mi:n] *form.* výraz tváre, vzhľad, výzor

**might**[1] [mait] *see* **may;** *I m.* mohol by som; *we m. go to* mohli by sme ísť

**might**[2] [mait] moc, sila; *with m. and main* siloumocou

**mighty** [maiti] mocný; mohutný; *m. ocean* mohutný oceán; *that's m. easy* to je hrozne ľahké

**migrate** [maiˈgreit] **1.** sťahovať sa; putovať **2.** presídliť sa

**milage** [ˈmailidž] vzdialenosť v míľach

**mild** [maild] **1.** mierny *(spôsoby, počasie)* **2.** lahodný, jemný *(chuť)* **3.** prívetivý, pokojný *(človek)* **4.** slabý *(cigareta, pivo)* **5.** zhovievavý *(kritika)* **6.** tlmený *(svetlo)*

**mildew** [ˈmildju:] pleseň

**mile** [mail] míľa (1609 m); *m-s better* tisíckrát lepšie

**militancy** [ˈmilitənsi] bojovnosť

**military** [ˈmilitəri] vojenský; *m. service* vojenská služba

**militia** [miˈlišə] milícia

**milk** [milk] *n* mlieko; *v* dojiť; *m. diet* mliečna strava; *m. shake* mliečny koktail; *m.-tooth* mliečny zub; *cleansing m.* pleťové mlieko • *m. the bull* márne sa namáhať

**milky** [ˈmilki] mliečny; *astron. M. Way* Mliečna dráha

**mill** [mil] *n* **1.** mlyn; *waterm.* vodný mlyn **2.** továreň; *paper-m.* papiereň; *v* (zo)mlieť

**miller** [ˈmilə] mlynár

**milliard** [ˈmilja:d] miliarda

**millimetre** [ˈmiliˈmi:tə] milimeter

**milliner** [ˈmilinə] modistka

**million** [ˈmiljən] milión

**millionaire** [ˈmiljəˈneə] milionár

**millipede** [ˈmilipi:d] stonožka

**milt** [milt] mlieč

**mince** [mins] sekať *(na drobno)*; *m-ed meat (AmE ground meat)* mleté mäso

**mind** [maind] *n* **1.** myseľ, pamäť **2.** zmýšľanie • *bear/have in m.* mať na mysli; *to my m.* podľa môjho názoru; *change so. m.* zmeniť názor; *speak so. m.* hovoriť otvorene; *v* **1.** dbať na/o; starať sa **2.** namietať proti • *m. the step* pozor, schod; *m. the dog* pozor, pes; *never m.* to nič, na tom nezáleží; *m. your own business* staraj sa o svoje veci; *if you don't m.* ak ti nevadí, s dovolením

**mine** [main] *pron.* môj; *is this pen m. or yours?* je toto pero moje alebo tvoje? *n* **1.** baňa **2.** mína; *v* **1.** dolovať; *m. coal* ťažiť uhlie **2.** podmínovať

**miner** [ˈmainə] baník

**mineral** [ˈminərəl] *adj* nerastný; *n* nerast, hornina; *m. water* minerálna voda

**mingle** [miŋgl] (po)miešať (sa), prelínať sa *(zvuky)*

**miniature** [ˈminjəčə] *n* miniatúra; *adj* miniatrúny; *m. golf* minigolf

**minimum** [ˈminiməm] *n* minimum; *adj* minimálny; *living m.* životné minimum

**minion** [ˈminiən] *pejor.* pätolízač, poskok

**minister** [ˈministə] **1.** minister **2.** vyslanec **3.** duchovný *(protestantský)*; *the Prime M.* predseda vlády

**ministerial** [ˈminisˈtiəriəl] **1.** ministerský **2.** vyslanecký; *m. order* vládny dekrét; *m. post* ministerské kreslo

**ministry** [ˈministri] ministerstvo; *M. of Health* ministerstvo zdravotníctva

**mink** [miŋk] norka *(zviera, kožušina)*

**minor** [ˈmainə] *adj* **1.** menší, drobný, nepatrný *(zranenie, strata, zložka)* **2.** podradný, druhoradý *(človek)* **3.** bezvýznamný *(rozdiel)* **4.** vedľajší *(cesta, školský predmet)*; *n* neplnoletá osoba

**minority** [maiˈnoriti] menšina; *to be in the m.* byť v menšine; *national m.* národnostná menšina

**mint** [mint] n **1.** bot. mäta **2.** mincovňa; v raziť mince

**minus** [ˈmainəs] bez; mínus; it's m. ten degrees je desať pod nulou

**minute**[1] [ˈminit] minúta; to the m. presne (na minútu); to be ten m-s late meškať desať minút; come in a m. prísť o chvíľu; (gastr.) m. steak minútka

**minute**[2] [majˈnjuːt] **1.** drobný **2.** presný, podrobný; m. description podrobný opis

**minutes** [ˈminits] pl. protokol, zápis; m. of the meeting zápisnica zo schôdze

**miracle** [ˈmirəkl] div, zázrak; to a m. napodiv (dobre)

**miraculous** [miˈrækjuləs] zázračný, nadprirodzený

**mirage** [ˈmiraːž] **1.** fatamorgána; **2.** obr. ilúzia, prelud

**mire** [ˈmaiə] bahno, blato; to be in the m. mať ťažkosti

**mirror** [ˈmirə] n zrkadlo; rear-view m. spätné zrkadlo; v odrážať, zračiť sa

**mirth** [məːθ] veselie; veselosť, radosť

**misadventure** [ˈmisədˈve-nčə] nehoda, nešťastná náhoda; by m. nešťastnou náhodou

**mis-** [mis] prep. zle, nesprávne

**misapply** [ˌmisəˈplai] nesprávne použiť

**misbehave** [ˌmisbiˈheiv] neslušne sa správať, robiť hanbu

**miscarriage** [misˈkæridž] **1.** neúspech **2.** samovoľný potrat **3.** nesprávne doručenie (zásielky)

**miscellaneous** [ˈmisiˈleiniəs] **1.** rozmanitý, rôznorodý **2.** mnohostranný (človek)

**mischief** [ˈmisčif] **1.** darebáctvo **2.** nezbednosť; keep out of m.! nerob neplechu!

**misdeed** [misˈdiːd] zlý skutok

**miser** [ˈmaizə] lakomec, skupáň

**miserable** [ˈmizərəbl] **1.** nešťastný **2.** biedny, úbohý; m. weather zlé počasie

**misery** [ˈmizəri] bieda; live in m. žiť v biede

**misfortune** [misˈfoːčn] nešťastie, nešťastná náhoda; suffer m. mať nešťastie

**misgiving** [misˈgiviŋ] obava, pochybnosť, nedôvera, zlé tušenie

**mishap** [ˈmishæp] nehoda, nešťastie, nešťastná náhoda

**mishear** [ˌmisˈhiə] prepočuť, zle porozumieť

**mislaid** see **mislay***

**mislay*** [misˈlei] založiť (niekam); hovor. zapotrošiť

**mislead*** [misˈliːd] zviesť, zaviesť (na zlú cestu)

**misleading** [misˈliːdiŋ] zavádzajúci, klamný

**misled** see **mislead***

**misplace** [ˈmisˈpleis] založiť (niekam); položiť na nesprávne miesto

**misprint** [misˈprint] tlačová chyba

**miss** [mis] 1. minúť, netrafiť (cieľ) 2. zmeškať; m. the bus zmeškať autobus 3. postrádať; we shall m. you bude nám za tebou smutno 4. m. out vynechať

**Miss** [mis] 1. (pred menom) slečna 2. miss/kráľovná krásy

**missile** [ˈmisail] strela; guided m. riadená strela; medium-range m. strela stredného doletu

**missing** [ˈmisiŋ] 1. chýbajúci, neprítomný 2. postrádaný, nezvestný; to be m. chýbať (v škole)

**mission** [ˈmišn] 1. poslanie; carry out a m. splniť poslanie 2. posolstvo, misia; peace m. mierové posolstvo

**mist** [mist] n hmla, opar; v m. over zahmliť sa, zarosiť sa (sklo, oči slzami)

**mistake¹** [misˈteik] omyl, chyba; make a m. urobiť chybu • by m. náhodou, omylom

**mistake²*:** m. for omylom považovať za; be mistaken byť na omyle, mýliť sa

**Mister** [mistə] = **Mr** pán (pred menom)

**mistletoe** [ˈmisltəu] imelo

**mistook** see **mistake***

**mistress** [ˈmistris] 1. pani 2. učiteľka; history m. učiteľka dejepisu 3. milenka; go to m.! choď k paničke! (pes)

**mistrust** [misˈtrast] v nedôverovať; n nedôvera

**misty** [ˈmisti] hmlistý, zahmlený; m. weather hmlisté počasie; obr. m. idea nejasná myšlienka

**misunderstand*** [ˈmisandəˈstænd] nechápať, nerozumieť

**misunderstanding** [ˈmisandəˈstændiŋ] nedorozumenie

**misunderstood** *see* **misunderstand***

**misuse** ['mis'ju:s] **1.** nesprávne používať **2.** zneužívať

**mitigate** ['mitigeit] zmierniť, utíšiť *(bolesť, žiaľ)*; *m. sentence* znížiť trest

**mittens** [mitnz] palčiaky *(rukavice)*

**mix** [miks] miešať (sa); *m. up* premiešať, zmiešať • *m. him up with his brother* poplieť si ho s jeho bratom; *be m-ed up in sth.* byť zapletený do niečoho

**mixture** ['mikščə] zmes; *smoking m.* fajčiarska zmes

**mix-up** ['miksap] zmätok

**moan** [məun] *n* ston; *v* stonať

**mob** [mob] *n* **1.** masa, dav **2.** zberba; *v* **1.** zhŕknuť sa, zhromaždiť sa **2.** napadnúť niekoho

**mobile** ['məubail] **1.** pohyblivý; *m. library* pojazdná knižnica; *m. phone* mobil, mobilný telefón **2.** čulý

**mobilization** ['məubilai'zeišn] mobilizácia

**mock** [mok] *v* posmievať sa, uškierať sa; *m. sb.* vysmievať sa niekomu; *m. at sth.*

robiť si posmech z niečoho; *adj* falošný, nepravý, strojený, naoko; *m.-up* maketa, model

**mockery** ['mokəri] výsmech, posmech

**modal** [məudl] *gram.* modálny, spôsobový

**mode** [məud] **1.** spôsob **2.** móda

**model** ['modl] *n* vzor, model, maketa; *m. of a house* model domu; *m. agency* modelingová agentúra; *adj* vzorný; *m. driver* vzorný vodič; *v* modelovať

**moderate** ['modərət] umiernený, striedmy; *m. prices* mierne ceny; *be m. in views* mať triezve/umiernené náhľady

**moderation** ['modə'reišn] umiernenosť, striedmosť; *m. in eating and drinking* striedmosť v jedle i pití

**modern** ['modən] moderný, súčasný; *m. pentathlon* moderný päťboj; *m. history* novoveké dejiny; *m. languages* živé jazyky

**modest** ['modist] **1.** skromný **2.** mierny *(zlepšenie)* **3.** prostý, jednoduchý *(dom)*

**modesty** ['modisti] skromnosť, miernosť, jednoduchosť

**modify** [ˈmodifai] upraviť, prispôsobiť, pozmeniť

**moist** [moist] vlhký, navlhnutý, zvlhčený

**moisten** [moisn] navlhčiť, zvlažiť; *m. so. lips* navlhčiť si pery

**moisture** [ˈmoisčə] vlhkosť, vlaha; *absorb m.* pohltiť vlhkosť

**moisturizer** [ˈmoisčəraizə] hydratačný krém

**molar** [məulə] zadný zub, stolička

**mole** [məul] 1. krt • *blind as a m.* slepý ako patrón 2. mólo 3. materské znamienko

**molecular** [məulekjulə] molekulárny

**molest** [moˈlest] obťažovať

**molestation** [məulestˈeišn] obťažovanie

**moment** [ˈməumənt] 1. okamih; *wait a m.* počkaj chvíľku; *every m.* každú chvíľu; *at the m.* (na)teraz, zatiaľ; *at that m.* v tom okamihu; 2. závažnosť, dôležitosť; *it is of no m.* to nie je dôležité

**monarch** [ˈmonək] panovník

**monarchy** [ˈmonəki] monarchia

**monastery** [ˈmonəstri] kláš-

tor; *m. school* kláštorná škola *(pre chlapcov)*

**Monday** [ˈmandei] pondelok; *on M.* v pondelok; *on M-s* každý pondelok

**monetary** [ˈmanitəri] peňažný; *m. reserve* finančná rezerva; *m. policy* menová politika

**money** [ˈmani] peniaze; *ready m.* hotovosť • *time is m.* čas sú peniaze; *not for love or m.* za nič na svete; *m. market* peňažný trh; *m.-order* poštová/peňažná poukážka

**moneymaker** [ˈmanimeikə] 1. výnosný podnik; dobrepredajný výrobok 2. osoba zarábajúca veľa peňazí

**mongrel** [ˈmaŋgrəl] kríženec, miešanec; *pejor.* bastard

**monk** [maŋk] mních; *live like a m.* žiť ako mních

**monkey** [ˈmaŋki] *n* opica; *obr.* huncút, šibal; *v m. about* robiť hlúposti/opičky; *m. business* machinácia, lotrovina

**monkeywrench** [ˈmankirenč] univerzálny/francúzsky kľúč

**monograph** [ˈmonəgra:f] monografia

**monopoly** [mə'nopəli] monopol; *state m.* štátny monopol

**monotonous** [mə'notənə] jednotvárny, nudný

**monotony** [mə'notəni] jednotvárnosť

**monsoon** [mon'su:n] monzún

**monster** ['monstə] netvor, obluda, príšera; *m. ship* obrovská loď

**monstrous** ['monstrəs] hrozný, strašný, odporný, hnusný; ozrutný; *m. crime* hnusný zločin

**month** [manθ] mesiac *(kalendárny)*; *winter m-s* zimné mesiace; *every other m.* každý druhý mesiac; *a m.´s holiday* mesačná dovolenka

**monthly** ['manθli] *adj* mesačný; *m. season ticket* mesačný lístok; *n* mesačník; *adv* mesačne

**monument** ['monjumənt] pamätník; pomník; *national m.* národná pamiatka

**monumental** ['monju'mentl] monumentálny, veľkolepý, mohutný

**mood** [mu:d] **1.** *gram.* spôsob **2.** nálada

**moody** ['mu:di] náladový, vrtošivý, nestály

**moon** [mu:n] mesiac *(na oblohe)*; *full m.* spln • *once in a blue m.* raz za uhorský rok; *v m. about* ponevierať sa; *m. rover* lunochod

**moonlight** ['mu:nlait] *n* mesačný svit; *by the m.* pri mesiačiku; *v* robiť fušku

**moor** [muə] slatina, vresovisko; *v* uviazať *(kotvu)*

**moot** [mu:t]: *m. question/ point* sporná/diskutabilná otázka

**moral** ['morəl] *adj* mravný; *n* mravné ponaučenie

**morale** [mo'ra:l] morálka *(duševný stav, nálada)*

**morals** ['morəlz] *pl.* morálka, mravnosť, etika

**morbid** ['mo:bid] chorobný

**more** [mo:] viac, väčší počet; *m. or less* viac-menej; *once more* ešte raz; *never m.* nikdy viac; *m. times* viackrát

**moreover** [mo:'rəuvə] okrem toho, navyše

**morning** ['mo:niŋ] **1.** ráno **2.** dopoludnie; *good m.!* dobré ráno! (dobrý deň!); *this m.* dnes ráno; *in the m.* ráno, predpoludním; *m. paper* ranné noviny

**morose** [mə'rəus] mrzutý, nevľúdny

**mortal** [mo:tl] *adj* smrteľný; *n* smrteľník; *be in a m. fear* strašne sa báť; *(náb.) m. sin* smrteľný hriech; *the m. remains* telesné pozostatky

**mortality** [mo:ˈtæliti] **1.** smrteľnosť **2.** úmrtnosť

**mortar** [ˈmo:tə] **1.** malta; *the m. hasn't set yet* malta ešte nesadla **2.** mínomet **3.** mažiar

**mortarboard** [ˈmo:təbo:d] univerzitná baretka *(štvorcová)*

**mortgage** [ˈmo:gidž] *n* hypotéka; *v* zaťažiť majetok; zadlžiť; *m. a house* zaťažiť dom hypotékou; *m. deed* úpis, hypotéková listina

**mortify** [ˈmo:tifai] umŕtviť, potlačiť *(vášeň)*; zahanbiť

**mortuary** [ˈmo:tjuəri] márnica

**mosque** [mosk] mešita

**mosquito** [məsˈkitəu] komár, moskyt; *m.-net* sieť proti moskytom

**moss** [mos] mach

**most** [məust] *adj* najväčší; väčšina; *m. people* väčšina ľudí; *adv* najviac *she helped me m.* ona mi pomohla najviac; *at m.* nanajvýš; *m. of all* predo-

všetkým; *the m. beautiful* najkrajší

**mostly** [məustli] väčšinou, hlavne, predovšetkým

**moth** [moθ] **1.** moľ **2.** mora *(motýľ)*

**mother** [ˈmaðə] matka; *the m. country* vlasť; *m. tongue* materinský jazyk, rodná reč; *expectant m.* budúca matka; *single m.* slobodná matka

**motherhood** [ˈmaðəhud] materstvo

**mother-in-law** [ˈmaðərinlo:] svokra

**mother-to-be** [,maðətəˈbi:] budúca matka

**motion** [məušn] **1.** pohyb; *put/set sth. in m.* dať do pohybu, spustiť *(stroj)* **2.** návrh *(na schôdzi); table a m.* podať návrh

**motionless** [məušənlis] nehybný

**motion picture** [ˈməušn ˈpikčə] *AmE* film

**motive** [məutiv] *adj* hybný; *m. force* hybná/hnacia sila; *n* pohnútka, motív

**motley** [motli] pestrý, strakatý, rôznorodý

**motor** [məutə] motor; *turn the m. off* vypnúť motor; *m. racing* atomobilové preteky

**motor-car** [ˈməutəka:] auto

**motorway** [ˈməutə wei] diaľnica; *AmE* freeway

**mould** [məuld] **1.** forma **2.** pleseň

**moulder** [məuldə]: *m. away* práchnivieť, rozkladať sa

**mouldy** [məuldi] plesnivý; *m. bread* plesnivý chlieb; *m. smell* potuchlý zápach; *become m.* splesnivieť, stuchnúť

**mount** [maunt] *n* hora *(pri mene hôr)*; *v* stúpať, vystupovať na

**mountain** [ˈmauntin] vrch, hora; *m. climbing* horolezectvo

**mountaineer** [ˈmauntiˈniə] horolezec

**mountaineering** [ˈmauntəˈniəriŋ] horolezectvo

**mountainous** [ˈmauntinəs] hornatý; *m. country* hornatá krajina

**mourn** [mo:n] smútiť, trúchliť; *m. for sb.* smútiť za niekým

**mourning** [ˈmə:niŋ] **1.** smútok, žiaľ; *be in deep m.* mať hlboký smútok **2.** smútočné šaty

**mouse** [maus] *pl.* **mice** myš

**moustache** [məsˈta:š] fúzy

**mousy** [ˈmausi] fádny

**mouth** [mauθ] **1.** ústa; *stop your m.!* zavri si ústa!; *m. of a bag* otvor tašky; *m. of a bottle* hrdlo fľaše; *m. of a river* ústie rieky

**mouthful** [mauθful] sústo

**mouth-organ** [ˈmauθˈo:gən] fúkacia harmonika

**move** [mu:v] **1.** hýbať (sa), pohybovať (sa) **2.** sťahovať (sa); *m. in* nasťahovať sa, prisťahovať sa; *m. out* odsťahovať sa, vysťahovať sa **3.** dojať; *be m-ed to tears* byť dojatý k slzám **4.** ťah *(v šachu)* • *m. on* postúpiť, prejsť k *(téme)*; pristúpiť k *(ďalšiemu bodu)*; *m. up* povýšiť

**movement** [ˈmu:vmənt] **1.** pohyb; *m. of a watch* chod hodiniek **2.** *lek.* stolica

**movies** [mu:viz] *pl. hovor.* kino; *go to the m.* chodiť do kina

**moving** [ˈmu:viŋ] dojemný, dojímavý

**mow** [məu] kosiť, žať; *m. the grass* kosiť trávu; *m-ing-machine* kosačka

**Mrs** [misis] pani

**much** [mač] **1.** mnoho, veľa; *I don't eat m.* ja nejem veľa; *not m.* nie mnoho, neveľmi; *very m.* veľmi veľa **2.** oveľa; *m. better* oveľa lepší; *how m.? koľ-ko?*; *how m. is it?* koľko to stojí?

**muck** [mak] **1.** špina, hnoj **2.** hlúposť

**mud** [mad] blato, bahno; *stick in the m.* uviaznuť v blate • *throw m. at sb.* očierniť niekoho

**mud-bath** [ˈmadbɑ:θ] bahenný kúpeľ

**muddy** [ˈmadi] zablatený, blatistý; *m. shoes* zablatené topánky

**mudguard** [ˈmadgɑ:d] blatník *(auta)*

**muffin** [ˈmafin] koláčik *(z otrúb)*

**mug** [mag] hrnček; korbeľ; *(v) mug sb.* prepadnúť niekoho

**mulberry** [ˈmalbəri] moruša

**mule** [mju:l] mul(ica); *as obstinate as a m.* tvrdohlavý ako somár

**multiple** [ˈmaltipl] mnohonásobný

**multiplication** [ˌmaltipliˈkeišn] násobenie; *m. table* násobilka

**multiply** [ˈmaltiplai] **1.** násobiť; *m. 3 by 2* násobiť tri dvoma; **2.** rozmnožovať (sa)

**multitude** [ˈmaltitju:d] **1.** množstvo **2.** dav

**mumble** [ˈmambl] mumlať, mrmlať; *m. into so. beard* mrmlať si popod fúzy

**mummy** [ˈmami] **1.** mamička **2.** múmia

**mumps** [mamps] *pl. lek.* príušnice

**mundane** [manˈdein] **1.** svetský, pozemský **2.** obyčajný, bežný

**municipal** [mjuˈnisipəl] komunálny; mestský; obecný

**munitions** [mjuˈnišnz] *pl.* výzbroj; munícia

**murder** [ˈmə:də] *n* vražda; *commit a m.* spáchať vraždu; *m. and robbery* lúpežná vražda; *v* vraždiť

**murderer** [ˈmə:dərə] vrah; *mass m.* hromadný vrah

**murderous** [ˈmə:dərəs] vražedný

**murky** [ˈmə:ki] tmavý, temný *(noc)*; pochmúrny, ponurý *(počasie)*; kalný *(voda)*

**murmur** [ˈmə:mə] *n* **1.** šum *(hovoru)* **2.** šepot; *v* **1.** šumieť, žblnkať *(voda)* **2.** šepkať **3.** bzučať *(včely)* **4.** reptať, šomrať

**muscle** [masl] sval; *develop m-s* posilovať svaly • *don't move a m.!* ani sa nehni!

**muse** [mju:z] *n* múza; *v* uvažovať

**museum** [mju:ˈziəm] múzeum; *m. piece* muzeálny kus

**mushroom** [ˈmašru:m] huba, hríb; *poisonous m.* jedovatá huba; *grow like a m.* rásť ako z vody

**music** [ˈmju:zik] 1. hudba 2. noty; *m. shop* hudobniny; *fond of m.* mať rád hudbu

**musical** [ˈmju:zikəl] 1. hudobný; *m. instrument* hudobný nástroj; 2. *m. comedy* muzikál

**music-hall** [ˈmju:zikho:l] kabaret; *AmE* hudobná sieň

**musician** [mju:ˈzišn] hudobník

**mussel** [masl] mušľa

**must** [mast] 1. *I m.* musím; *I m. be going* mám naponáhlo, musím už ísť; *he m. do it now* musí to teraz urobiť; *he m. be mad* isto sa zbláznil • *it's a m.* je to nevyhnutnosť, to si nemôžem nechať ujsť 2. mušt 3. pleseň

**mustard** [ˈmastəd] horčica

**muster** [ˈmastə] nástup, prehliadka; *pass m.* obstáť, zodpovedať norme

**musty** [ˈmasti] stuchnutý; zastaraný

**mutation** [mju:ˈteišn] premena, mutácia

**mute** [mju:t] 1. tichý 2. nemý 3. nezvučný

**muted** [ˈmju:tid] tlmený

**mutilate** [ˈmju:tileit] dokaličiť, (z)mrzačiť

**mutiny** [ˈmju:tini] *v* vzbúriť sa; *n* vzbura *(vojska, námorníctva)*

**mutter** [ˈmatə] mrmlať, šomrať, reptať; *m. sth. into beard* mrmlať si pod fúzy

**mutton** [matn] baranina, baranie mäso

**mutual** [ˈmju:čuəl] vzájomný; obapolný, spoločný

**muzzle** [mazl] *n* 1. náhubok 2. ňufák; *v* umlčať niekoho, zapchať ústa niekomu

**muzzy** [mazi] zmätený, nejasný

**my** [mai] môj, moja, moje; *m. book* moja kniha; *in m. opinion* podľa mňa

**myself** [maiˈself] 1. (ja) sám 2. sa; *I did it m.* urobil som to sám; *as for m.* čo sa mňa týka; *I'm not m.* nie som vo svojej koži

**mysterious** [misˈtiəriəs] tajomný; záhadný; *m. novel* detektívka

**mystery** [ˈmistəri] tajomstvo, záhada

**mystical** [ˈmistikl] mystický, tajuplný, tajomný

**myth** [miθ] mýtus

# N

**nab** [næb] *hovor.* čapnúť, zbaliť *(zločinca)*; potiahnuť *(vec)*

**nacre** [ˈneikə] perleť

**nag** [næg] *v* hrešiť niekoho; *n. at* rýpať, zapárať do niekoho; *n* **1.** hundroš **2.** *hovor.* mrcina *(kôň)*

**nail** [neil] *n* **1.** necht; *bite so. n.* hrýzť si nechty; *n. polish* lak na nechty **2.** klinec; *as hard as n-s* zdravý ako buk; *v* pribiť • *n. sb. down* prinútiť niekoho k niečomu, pritlačiť niekoho k múru

**naive** [naiˈiːv] naivný

**naked** [ˈneikid] nahý; holý • *with the n. eye* voľným okom; *go n.* byť nahý; *n. truth* holá pravda

**name** [neim] *n* **1.** meno, názov; *what is your n.?* ako sa voláš?; *my n. is* volám sa; *first n.* krstné meno; *maiden n.* dievčenské meno; *family n.* priezvisko; *only by n.* len podľa mena, len z počutia **2.** povesť, prestíž; *good/bad, ill n.* dobré/zlé meno • *call sb. n-s* nadávať niekomu; *v* menovať, pomenovať; *n. the day* určiť deň

**namely** [ˈneimli] totiž, a to, a síce

**nanny** [ˈnæni] pestúnka

**nannygoat** [nænigəut] koza

**nap** [næp]: *take a n.* zdriemnuť si

**nape** [neip] šija, väzy

**napkin** [ˈnæpkiŋ] **1.** servítka, obrúsok **2.** plienka

**nappy** [ˈnæpi] plienka, *AmE* diaper

**narcotic** [naˈkotik] *adj* narkotický; *n* narkotikum

**nark** [naːk] *slang.* donášač, špiceľ

**narrate** [næˈreit] rozprávať, popisovať; *n. adventures* rozprávať o dobrodružstvách

**narrative** [ˈnærətiv] rozprávanie, poviedka, príbeh

**narrator** [nəˈreitə] rozprávač *(vo filme)*

**narrow** [ˈnærəu] **1.** úzky; *n. circle of friends* úzky okruh priateľov • *a n. escape* uniknúť o vlások; **2.** tesný; *n. victory* tesné víťazstvo; *v* zúžiť (sa) • *n. down* obmedziť

**narrow-minded** [ˈnærəu-maindid] úzkoprsý, obmedzený *(duševne)*

**nasal** [ˈneizəl] nosový, nosný

**nasty** [ˈnaːsti] **1.** odporný; *he is a n. piece* to je odporný chlap **2.** protivný, nepríjemný; *don't be n.* nebuď protivný/hrubý **3.** závažný *(zranenie)*

**nation** [ˈneišn] národ; *the United Nations* Spojené národy; *n.-wide* celonárodný, celoštátny

**national** [ˈnæšənl] národný; *the N. Theatre* národné divadlo; *the n. debt* štátny dlh

**nationality** [ˌnæšəˈnæliti] **1.** národnosť; *what is your n.?* akej ste národnosti? **2.** štátna príslušnosť, štátne občianstvo

**nationalization** [ˌnæšnəlaiˈzeišn] znárodnenie

**native** [ˈneitiv] *adj* **1.** rodný; *n. land* rodná zem; *my n. son* môj vlastný syn **2.** domorodý; *go n.* osvojiť si miestne zvyky; *n* domorodec; rodák; *he is n. to Slovakia* pochádza zo Slovenska; *n. wit* zdravý sedliacky rozum

**natural** [ˈnæčrəl] **1.** prírodný; *n. history* prírodopis; *n. sciences* prírodné vedy **2.** prirodzený; *n. selection* prirodzený výber

**naturally** [ˈnæčrəli] priro-

dzene, samozrejme, pravdaže

**nature** [ˈneiəč] **1.** príroda; *n. wakes in spring* príroda sa zobúdza na jar **2.** povaha, charakter, prirodzenosť; *it's not in my n.* to nemám v povahe

**naught** [noːt] *mat.* nula; *obr.* nič

**naughty** [ˈnoːti] nevychovaný, neposlušný, nezbedný; *don't be n.* nebuď zlý, nehnevaj

**naval** [ˈneivəl] námorný; *n. battle* námorná bitka

**navel** [ˈneivəl] pupok; *n. string* pupočná šnúra

**navigable** [ˈnævigəbl] splavný

**navigation** [ˌnæviˈgeišn] **1.** plavba; doprava *(letecká)* **2.** moreplavectvo; *aerial n.* vzduchoplavba

**navy** [ˈneivi] loďstvo *(vojnové)*; *the Royal N.* britské loďstvo; *n.-blue* námornícka modrá

**near** [niə] *adj* blízky; *n. friend* blízky priateľ; *adv, prep.* blízko; *n. sea* (blízko) pri mori; *summer is n.* leto je blízko; *v* blížiť sa • *n. side of the road* ľavá strana cesty; *n. with money* skúpy; *n. at hand* poruke

**nearby** [ˈniəbai] blízky, neďaleký, vedľajší, susedný; *n. village* susedná dedina

**nearly** [ˈniəli] skoro, takmer, temer; *it's n. six* je skoro šesť hodín; *not n.* ani zdaleka nie

**near-sighted** [ˈniəsaitid] krátkozraký

**neat** [niːt] 1. čistý *(izba)* 2. úhľadný *(rukopis)* 3. vkusný, chutný *(šaty)* 4. pôvabný *(postava)*

**nebula** [ˈnebjulə] *astron.* hmlovina

**necessary** [nesəsri] (ne-vyh)nutný, potrebný; *it is n.* je potrebné; *if n.* ak (bude) treba

**necessitate** [nəˈsesiteit] vyžadovať

**necessity** [nəˈsesiti] 1. (ne-vyh)nutnosť 2. potreba; *living n-ies* životné potreby; *be in n.* byť v núdzi

**neck** [nek] krk; hrdlo *(fľaše)*; šija *(zemská)*; *šport. n. and n.* bok po boku • *a stiff n.* strpnutá šija; *low n.* hlboký výstrih; *polo n.* rolák; *be up to so. n.* byť až po krk v niečom; *v milkovať sa*

**necklace** [ˈneklis] náhrdelník

**neckline** [ˈneklain] výstrih

**necktie** [ˈnektai] viazanka, kravata

**need** [niːd] *n* potreba; núdza; *be in n. of/have a n. of* potrebovať; *in case of n.* ak bude treba, v prípade potreby; *no n. to hurry* netreba sa ponáhľať; *be in n.* mať núdzu; *v* potrebovať; *that's all I n.!* to mi ešte bolo treba! • *a friend in n. is a friend indeed* v núdzi poznáš priateľa

**needful** [ˈniːdfl] potrebný; *do what is n.* (u)rob, čo treba

**needle** [ˈniːdl] 1. ihla 2. ihlica *(na pletenie)* 3. ihličie 4. obelisk; *n.'s eye* ucho ihly; *as sharp as a n.* ostrý ako britva • *have n-s* byť nervózny

**needless** [ˈniːdlis] nepotrebný, zbytočný; *n. to say* netreba ani hovoriť

**needy** [ˈniːdi] núdzny, chudobný

**negation** [niˈgeišn] zápor, popieranie

**negative** [ˈnegətiv] *adj* záporný; *n. answer* záporná odpoveď

**neglect** [niˈglekt] zanedbávať, nedbať, nevšímať si; *n. children* nestarať sa o deti

**negligence** [ˈneglidžəns] nedbalosť, zanedbávanie

**negligent** [ˈneglidžənt] nedbanlivý, neporiadny; *be n. of sth.* zanedbávať niečo

**negotiable** [niˈgəušiəbl] speňažiteľný, predajný; *fin.* prevoditeľný

**negotiate** [niˈgəušieit] **1.** vyjednávať, rokovať; *n. a sale* vyjednávať predaj **2.** vybrať *(zákrutu)*

**negotation** [niˈgəušieišn] vyjednávanie, rokovanie; *enter into n. with sb.* začať s niekým rokovať

**negotiator** [niˈgəušieitə] vyjednávač *(mierový)*; sprostredkovateľ *(obchodný)*

**neigh** [nei] erdžať

**neighbour** [ˈneibə] *n* sused; *my next-door n.* môj najbližší sused; *(v) n. upon* susediť, hraničiť s

**neighbourhood** [ˈneibəhud] **1.** susedstvo **2.** okolie; *in the n. of London* blízko Londýna

**neighbouring** [ˈneibəriŋ] susedný, vedľajší, blízky

**neither** [ˈnaiðə] **1.** žiaden, nijaký *(z dvoch)*, ani jeden; *in n. case* v žiadnom prípade **2.** *n. ... nor* ani ... ani...; *nor I n. he* ani ja ani

on; *I don't like it. N. do I.* Nepáči sa mi to. Ani mne.

**nephew** [ˈnefju:] synovec

**nepotism** [ˈnepətizm] rodinkárstvo; *practice n.* pestovať rodinkárstvo

**nerve** [nə:v] **1.** nerv; *iron n-s* železné nervy; *get on sb. n-s* ísť niekomu na nervy **2.** odvaha, trúfalosť; *have the n. to do sth.* mať odvahu, trúfať si

**nervous** [ˈnə:vəs] nervózny, nepokojný, podráždený; *n. system* nervová sústava; *n. breakdown* nervové zrútenie

**nervy** [ˈnə:vi] vynervovaný; nervózny

**nest** [nest] *n* hniezdo; *obr.* **1.** hniezdočko, útulný kutik **2.** pelech, brloh *(zločincov)*; *v* hniezdiť; *take a n.* vyberať hniezda

**nesting** [ˈnestiŋ] *výp.* hniezdovanie, vkladanie do seba

**nestle** [nestl] pritúliť sa, schúliť sa *(do klbka)*

**net** [net] *n* **1.** šport., výp. sieť; sieťka *(taška, na vlasy)* **2.** netto; *adj* čistý *(váha, príjem)*; *n. profit* čistý zisk; *v* **1.** chytať ryby do siete **2.** *n. a river* stavať siete *(do rieky)* **3.** *n. a goal* dať gól

**nettle** ['netl] žihľava; *n. rash* žihľavka

**network** ['netwə:k] sieť *(železničná, rozvodná, dopravná)*; *computer n.* počítačová sieť; *n. connection* pripojenie na sieť

**neuter** ['nju:tə] *gram.* stredný rod

**neutrality** [nju:'træliti] neutralita, nestrannosť

**never** ['nevə] nikdy; *n. again* nikdy viac; *n. before* ešte nikdy, nikdy predtým; *n. in my life* jakživ nie; *he is n. late* vždy chodí načas • *better late than n.* radšej neskoro ako nikdy; *n. mind!* to nič!, nevadí!; *n.!* vylúčené!, to vari nie!; *n.-ending* nekonečný

**nevermore** [,nevə'mo:] (už) nikdy viac

**nevertheless** ['nevəðə'les] predsa, predsa len, však

**new** [nju:] **1.** nový; *in n. clothes* vynovený; *as good as n.* ako nový; *it's n. to me* nepoznám to; *I feel a n. man* cítim sa ako vymenený; *n.-born* novorodený; *n.-made* práve vyrobený; *the n. rich* novozbohatlíci; *the n. look* nová módna línia

**newcomer** ['nju:kamə] **1.**

prišelec, novousadlík **2.** nováčik *(v práci)*

**newly** [nju:li] **1.** novo-; *n.-weds* novomanželia **2.** nedávno

**news** [nju:z] *sg.* i *pl.* správa, správy, novina, novinka; *is there any n.?* čo je nového?; *the latest n.* najnovšia/posledná správa; *that's n. to me* to je pre mňa novinka

**news agency** ['nju:z'eidžənsi] tlačová agentúra

**news-agent** ['nju:zeidžənt] predavač novín *(v stánku)*

**news-boy** ['nju:zboi] kamelot

**newsmaker** ['nju:zmeikə] osoba, o ktorej sa práve píše

**newspaper** ['nju:s'peipə] noviny; *n.-man* novinár

**newsreader** ['nju:zri:də] hlásateľ *(správ TV, rádio)*

**news-reel** ['nju:zri:l] filmový týždenník

**news-stand** ['nju:zstænd] novinový stánok

**newsvendor** ['nju:z'vendo:] kamelot

**newt** [nju:t] mlok

**New Year's Day** ['nju:jə:zdai] Nový rok; *N.Y.'s Eve* Silvester

**next** [nekst ] *adj* **1.** budúci; *n. week* budúci týždeň; *n. time* nabudúce, inokedy; **2.** najbližší; *n. stop* nasledujúca zastávka; *adv* **1.** nabudúce **2.** hneď potom; ďalej; *prep.* hneď vedľa, pri; *it costs n. to nothing* je to skoro zadarmo; *you are n.* ty si na rade; *the n., please* ďalší, prosím

**next-door** [ˈnekstdoː] susedný; *he lives n.* býva vedľa

**nib** [nib] špička *(hrot pera)*

**nice** [nais] pekný *(počasie, deň)*; príjemný, milý *(človek)*; *(it was) n. to meet you* teší ma, že som vás spoznal; *it's n. of you* pekné od teba; *n. and warm* pekne teplo; *n.-looking* pekný, pôvabný, dobre vyzerajúci

**nickel** [nikl] **1.** nikel **2.** *AmE* päť centov

**nickname** [ˈnikneim] *n* prezývka; *v* prezývať, dať prezývku

**niece** [niːs] neter

**niffy** [ˈnifi] *slang.* smradľavý

**niggard** [ˈnigəd] lakomec, skupáň

**nigger** [ˈnigə] *pejor.* neger

**night** [nait] noc; večer; *in the n., at n., by n.,* v noci;

*last n.* včera večer; *day and n.* vo dne v noci; *have a good/bad n.* dobre/zle sa vyspať; *have a n. out* ísť sa zabaviť; *first n.* premiéra

**night-club** [ˈnaitklab] bar, nočný podnik

**nightdress** [ˈnaitdres] **nightgown** [ˈnaitgaun] nočná košeľa

**nightfall** [ˈnaitfoːl] súmrak; *at n.* keď sa zotmie

**nightingale** [ˈnaitiŋgeil] slávik

**nightmare** [ˈnaitmeə] zlý sen, nočná mora

**night-school** [ˈnaitskuːl] večerná škola

**night shift** [ˈnaitʃift] nočná smena

**nightspot** *AmE* nočný podnik

**nil** [nil] *šport.* nič, nula; *3:0 (three-nil)* tri nula

**nimble** [nimbl] čulý, svižný, rýchly; *n. mind* bystrý rozum

**nimbus** [nimbəs] gloriola, svätožiara

**nine** [nain] deväť; *n. times* deväťkrát • *dressed up to the n-s* vyparádený; *a n. days' wonder* krátkotrvajúca senzácia

**ninepins** [ˈnainpin] kolky

**nineteen** [ˈnainˈtiːn] devätnásť; *talk n. to the dozen* táraľ dve na tri

**nineteenth** [ˈnainˈtiːnθ] devätnásty

**ninety** [ˈnainti] deväťdesiat; *(pl.) the nineties* deväťdesiate roky *(storočia, života)*

**ninth** [nainθ] deviaty; *on the n.* deviateho *(v mesiaci)*

**nip** [nip] 1. uštipnutie 2. ostrý mráz 3. glg, dúšok *(pálenky); take a n.* dajte si glg

**nipple** [nipl] 1. bradavka *(prsná)* 2. cumeľ

**nit** [nit] hnida

**nitrogen** [ˈnaitridžən] dusík; *n. fertilizers* dusíkaté hnojivá

**no** [nəu] nie; žiadny; *no, thank you* nie, ďakujem; ďakujem, neprosím; *I have no money* nemám (žiadne) peniaze; *no smoking!* fajčiť zakázané!; *wether or no* tak či onak; *no better* o nič lepšie; *no more* už nie; *no doubt* bezpochyby; *no one* nikto; *no way* v žiadnom prípade

**noble** [ˈnəubl] *adj* 1. vznešený 2. ušľachtilý, šľachetný; *n* šľachtic

**nobleman** [ˈnəublmən] šľachtic, aristokrat

**nobody** [ˈnəubədi] 1. nikto;

*n. else* nikto iný; *n. knows* ktovie 2. nula *(človek)*, niktoš

**no-claim bonus** [nəuˈkleimˈbəunəs] bonus, zľava na poistnom

**nod** [nod] *v* 1. kývať *(hlavou)*, prikývnuť 2. driemať; *n* kývnutie, prikývnutie

**node** [ˈnəud] 1. uzol 2. uzlina

**no-go area** [ˈnəuˈgəueəriə] *polit.,voj.* uzatvorená, zakázaná oblasť

**noise** [noiz] hluk, lomoz; *make a n.* robiť hluk/krik

**noiseless** [ˈnoizləs] *adj* nehlučný, tichý *(stroj)*

**noisy** [ˈnoizi] hlučný, hlasný

**nominate** [ˈnomineit] (vy)menovať, ustanoviť

**nomination** [ˈnomiˈneišn] menovanie

**nominative** [ˈnominətiv] *gram.* prvý pád, nominatív

**nominee** [ˈnomiˈniː] kandidát

**non-** [non-] ne-; *n.-fat* nemastný; *n.-smoker* nefajčiar; *n.-member* nečlen; *n.-profit organization* nezisková organizácia; *n.-stick pan* teflónová panvica; *n.-stop* nepre-

tržitý; *n.-stop flight* priamy
let

**none** [nan] *adj* žiaden; *pron.*
nikto; *adv* nijako; *n. but
the best* iba to najlepšie;
*n. of that!* dosť už toho!

**nonsense** ['nonsəns] ne-
zmysel; *talk n.* tárať ne-
zmysly; *n. verse* riekanka

**noodle** ['nu:dl] 1. *pl. n-s* re-
zance 2. hlupák, trkvas

**nook** [nuk] kút(ik), zákutie,
ústranie

**noon** [nu:n] poludnie,
obed; *at n.* na poludnie

**no one** *see* **nobody**

**noose** [nu:s] 1. slučka, oko
*(na povraze)* 2. pasca

**nor** [no:] ani; *neither ...nor*
ani...ani; *neither he nor I*
ani on, ani ja

**normal** ['no:məl] normálny,
obyčajný

**north** [no:θ] *n* sever; *adj* se-
verný; *adv* na sever(e), se-
verne; *in the n.* na severe;
*n. of* severne od; *n. wind*
severák; *n.-west* severozá-
padný; *N. America* Sever-
ná Amerika; *N. Pole* se-
verný pól

**northern** ['no:ðən] severný;
*n. lights* polárna žiara; *N.
Ireland* Severné Írsko

**nose** [nəuz] 1. nos 2. pre-
dok *(auta, lietadla)* 3. ňu-

fák 4. čuch; *blow so. n.*
vyfúkať si nos; *v n. about/
around* sliediť okolo

**nosebleed** ['nəuzbli:d] krvá-
canie z nosa

**nostril** ['nostril] nozdra, no-
sová dierka

**nosy** ['nəuzi] 1. nosatý 2.
zvedavý, všetečný

**not** [not] nie; *I was n. there*
nebol som tam; *n. at all*
vôbec nie; *n. everybody*
nie každý; *n. once* neraz

**notable** ['nəutəbl] pozoru-
hodný; *n. event* pozoru-
hodná udalosť

**notably** ['nəutəbli] najmä,
obzvlášť, predovšetkým

**notary** ['nəutəri]: *n. public*
notár

**notch** [noč] zárez, vrub,
drážka; stupienok

**note** [nəut] *n* 1. poznámka
2. lístok, list 3. bankovka
4. tón 5. nota 6. značka; *v*
1. konštatovať, brať na ve-
domie 2. všimnúť si; *n.
down* zapísať (si), pozna-
menať (si); *make/take n-s
of* robiť si poznámky, po-
znamenať si

**notebook** ['nəutbuk] zápis-
ník, notes, zošit; *výp.* pre-
nosný počítač

**notepaper** ['nəutpeipə] lis-
tový papier

**noteworthy** [ˈnəutwəːði] pozoruhodný, význačný

**nothing** [ˈnaθiŋ] nič; *n. but* iba, len; *n. much* nemnoho; *for n.* zadarmo; nadarmo; *come to n.* vyjsť nazmar; *n. doing* nič sa nedá robiť

**notice** [ˈnəutis] *n* 1. vyhláška; oznam, oznámenie 2. výpoveď *(zo zamestnania)*; *give a n.* dať výpoveď 3. pozornosť; *take no n.* nebrať na vedomie; *v* všimnúť si; poznamenať

**notice board** [ˈnəutisˈbɔːd] nástenka

**noticeable** [ˈnəutisəbl] zjavný, očividný, badateľný; *n. change* viditeľná zmena

**notify** [ˈnəutifai] oznámiť niekomu niečo, ohlásiť, upovedomiť; *n. birth* oznámiť narodenie

**notion** [ˈnəušn] pojem; predstava; *get a n. to do sth.* dostať chuť niečo urobiť; *I have not the slightest n.* nemám ani potuchy; *AmE n-s* drobnosti, galantéria

**notorious** [nəuˈtɔːriəs] známy *(všeobecne)*; notorický, *(smutne)* preslávený; *it is n. that* je všeobecne známe, že

**nought** [nɔːt] *mat.* nula; *poet.* nič; *bring to n.* zmariť, prekaziť

**noun** [naun] *gram.* podstatné meno

**nourish** [ˈnariš] živiť, vyživovať; *n. the soil* dodávať pôde výživu

**nourishing** [ˈnarišiŋ] výživný; *n. food* výživná strava

**nourishment** [ˈnarišmənt] 1. potrava, strava 2. výživa

**novel** [novl] *adj* nový; neobyklý; *n. idea* zvláštna myšlienka; *n* román; *hero of a n.* románový hrdina

**novelette** [ˈnouvələt] novela

**novelty** [ˈnovəlti] novinka, novota

**November** [nəuˈvembə] *n* november; *adj* novembrový

**now** [nau] teraz; *n.!* už aj!; *till n.* dosiaľ, až doteraz; *from n.* odteraz; *before n.* už skôr; *just n.* práve teraz; *n. and then* občas, kedy-tedy; *n. that* teraz keď; *n. then* tak teda, nuž; *bye for n.* zatiaľ dovidenia; *and what n.?* a čo teraz?; *I must go n.* musím už ísť

**nowadays** [ˈnauədeiz] v dnešnej dobe, dnes; v súčasnosti

**nowhere** [ˈnəuweə] nikde;

nikam; *there is n. to sit* nie je si kam sadnúť

**noxious** [ˈnokšəs] škodlivý; *n. gases* otravné plyny

**nubile** [ˈnjuːbail] na vydaj

**nuclear** [ˈnjuːkliə] jadrový, nukleárny; *n. weapons* jadrové/nukleárne zbrane

**nucleus** [ˈnjuːkliəs] *pl.* **nuclei** [ˈnjuːkliai] jadro

**nude** [njuːd] *adj* **1.** nahý **2.** telovej farby *(bielizeň)*; *n* akt; *swim in the n.* kúpať sa nahý

**nudge** [nadž] šťuchnúť, strčiť, sotiť

**nuisance** [njuːsns] **1.** nepríjemnosť; *what a n.!* to je nepríjemné!; *cause a public n.* budiť verejné pohoršenie **2.** nepríjemný človek

**null** [nal] bezvýznamný; bezvýrazný; neplatný; *n. and void* neplatný *(o zmluve)*

**numb** [nam] **1.** necitlivý, meravý, stŕpnutý; *n. with cold* skrehnutý od zimy **2.** ľahostajný

**number** [ˈnambə] *n* **1.** číslo; *car without n. plate* auto bez poznávacej značky **2.** počet; *n. of* niekoľko, viacero **3.** množstvo, rad *(celý)*; *n. of people* množ-

stvo ľudí **4.** *pl.* počty, aritmetika; *v* **1.** rátať **2.** počítať, zaraďovať **3.** číslovať

**number plate** [ˈnambəpleit] *motor.* poznávacia značka *(auta)*

**numeral** [ˈnjuːmərəl] *gram.* číslovka; *cardinal n-s* základné číslovky; *ordinal n-s* radové číslovky

**numerous** [ˈnjuːmərəs] hojný, početný; *n. family* početná rodina

**nun** [nan] mníška

**nurse** [nəːs] *n* **1.** pestúnka **2.** dojka; ošetrovateľka; sestra *(zdravotná)*; *v* ošetrovať; *put a child out to n.* dať dieťa do opatery; *wet n.* dojka; *male n.* ošetrovateľ

**nursery** [ˈnəːsri] jasle; *n. rhyme* riekanka

**nursing** [ˈnəːsiŋ] ošetrovateľstvo; *n. house* sanatórium, penzión *(pre starých ľudí)*

**nurture** [ˈnəːəč] vychovávať

**nut** [nat] orech, oriešok; *n. cake* orechovník • *be nuts about sb./sth.* byť blázon do niekoho/niečoho; *(obr.) hard n.* tvrdý oriešok

**nut-crackers** [ˈnatˈkrækəz] *pl.* luskáčik

**nutmeg** [natmeg] muškáto-vý oriešok

**nutrition** [nju:'trišn] stravo-vanie, strava, potrava, výživa

**nutritious** [nju:'trišəs] vý-živný

**nutshell** ['natšel] orechová škrupina • *in a n.* stručne

## O

**oak** [əuk] dub; *o. door* du-bové dvere; *cork o.* kor-kový dub

**oar** [o:] veslo; *pair-o.* dvoj-veslica; *four-o.* štvorvesli-ca

**oasis** [əu'eisis] oáza; *pl.* oa-ses

**oat** [əut] ovos; *o. flakes* ov-sené vločky

**oath** [əuθ] prísaha, sľub; *be on o.* byť pod prísahou; *take an o.* odprisahať

**oatmeal** ['əutmi:l] ovsená múka; ovsená kaša

**obedience** [ə'bi:djəns] po-slušnosť

**obedient** [ə'bi:dijənt] po-slušný; *be o.* poslúchať

**obey** [ə'bei] poslúchať, (u)poslúchnuť

**obituary** [ə'bitjuəri] nekro-lóg; úmrtné oznámenie

**object** ['obdžikt] *n* **1.** pred-met; *precious o.* vzácny predmet **2.** cieľ; *have an o. in life* mať životný cieľ **3.** *gram.* predmet; *v* [əb'-džekt] *o. against* namietať *(to* proti*);* nesúhlasiť, pro-testovať

**objection** [əb'džekšn] ná-mietka, protest, nesúhlas; *take o-s* namietať/ohradiť sa proti

**objective** [ob'džektiv] *adj* objektívny; *n* **1.** cieľ, úlo-ha, terč *(najmä vojenský)* **2.** objektív

**obligation** ['obli'geišn] **1.** zaviazanosť; *under o.* byť zaviazaný niekomu **2.** zá-väzok; *meet o-s* splniť zá-väzky

**obligatory** [ə'bligətəri] po-vinný, záväzný; *o. school attendance* povinná škol-ská dochádzka

**oblige** [ə'blaidž] **1.** prinútiť **2.** zaviazať si (niekoho); *I'm much o-ed to you* som vám veľmi povďačný

**obliged** [ə'blaidžd]: *be obliged* musieť; *be obliged to do sth.* musieť/byť po-vinný niečo urobiť

**obliging** [əˈblaidžiŋ] ochotný, úslužný

**oblique** [oˈbliːk] šikmý, naklonený, kosý

**obliterate** [oˈblitəreit] vymazať *(z pamäti)*; zahladiť *(stopy)*; zničiť, zrovnať so zemou

**oblivion** [əˈbliviən] zabudnutie; *Act/Bill of o.* milosť, amnestia

**oblong** [ˈobloŋ] obdĺžnikový, podlhovastý

**obnoxious** [obˈnokšəs] odporný, hnusný

**obscure** [əbˈskjuːə] *adj* **1.** temný, tmavý; *o. corner* tmavý kút **2.** nejasný; *o. view* zastretý/nejasný výhľad; *v* zatemniť, zatieniť

**observance** [əbˈzəːvəns] **1.** zvyk, obyčaj **2.** zachovávanie *(sviatku)*, dodržiavanie

**observation** [ˈobzəːˈveišn] **1.** pozorovanie; *weather o.* meteorologické pozorovanie **2.** *pl. o-s* poznámky, záznamy

**observatory** [əbˈzəːvətri] hvezdáreň, observatórium

**observe** [əbˈzəːv] **1.** pozorovať **2.** zachovávať; *o. good manners* zachovávať

dobré spôsoby **3.** poznamenať

**observer** [əbˈzəːvə] pozorovateľ

**obsession** [əbˈsešn] posadnutosť, mánia, fixná idea; *drinking tea is the English o.* Angličania majú mániu piť čaj

**obsolete** [ˈobsoliːt] zastaraný; *o. customs* prežitky

**obstacle** [ˈobstəkl] prekážka; *place o-s* klásť prekážky

**obstetrics** [obˈstetriks] *pl.* pôrodníctvo

**obstinate** [ˈobstinit] tvrdohlavý, zanovitý, vzdorovitý; *o. resistance* húževnatý odpor; *as o. as a mule* tvrdohlavý ako baran

**obstruct** [əˈbstrakt] zablokovať *(cestu)*, zataraziť; robiť prekážky; *o. the traffic* hatiť premávku; *o. a view* zacláňať

**obtain** [əbˈtein] získať, dostať; *o. experience* získať skúsenosť; *o. by prayer* vymodliť (si)

**obvious** [ˈobviəs] (samo)zrejmý, jasný, očividný; *it is o. that* je jasné, že

**occasion** [əˈkeišn] **1.** príležitosť; *on o.* príležitostne; *on this o.* pri tejto príležitosti **2.** dôvod, príčina; *there is no o. to be afraid* netreba sa báť

**occasional** [əˈkeižənl] **1.** príležitostný **2.** náhodný

**occasionally** [əˈkeižənli] príležitostne, občas, sem-tam, kedy-tedy

**occupation** [ˌokjuˈpeišn] **1.** zamestnanie; *gainful o.* výnosné zamestnanie **2.** okupácia

**occupy** [ˈokjupai] **1.** obývať **2.** *voj.* obsadiť, zabrať *(územie)* **3.** zamestnať; *o-ied in building a road* zamestnaný pri stavbe cesty **4.** *o. os. with* zaoberať sa niečím

**occur** [əˈkə:] **1.** stať sa, prihodiť sa; *when did it o.?* kedy sa to stalo? **2.** vyskytnúť sa **3.** *o. to* napadnúť, prísť na myseľ

**occurence** [əˈkarəns] **1.** udalosť, príhoda, prípad **2.** výskyt; *rare o.* zriedkavý výskyt

**ocean** [əušn] oceán; *the Pacific O.* Tichý oceán; *fly across the o.* preletieť oceán

**o´clock** [ə klok] :*at one o ´c.* o jednej *(hodine)*

**October** [okˈtəubə] *n* október; *adj* októbrový

**octopus** [ˈoktəpəs] chobotnica

**oculist** [ˈokjulist] očný lekár

**odd** [od] **1.** nepárny; *o. months* 31-dňové mesiace **2.** zvyšný, prebytočný; *o. shoe* topánka bez páru; *forty o.* vyše štyridsať; *o. player* nadpočetný hráč **3.** náhodný, príležitostný; *o. jobs* príležitostné práce; **4.** čudný, zvláštny; *o. person* čudák

**odds** [odz] *pl.* **1.** šance, pravdepodobnosť; *the o. are against him* má malé šance; *what´s the o.?* čo na tom záleží? • *o. and ends* maličkosti, drobnosti

**odious** [əudiəs] hnusný, odporný; *become o. to sb.* sprotiviť sa niekomu

**odour** [ˈədəu] **1.** pach; vôňa **2.** povesť, renomé; *be in good/bad o.* mať dobrú/ zlú povesť

**of** [ov] *prep.* **1.** od; *to the west of* na západ od **2.** tvorí druhý pád; *a piece of cake* kus koláča; *one of you* jeden z vás; *both of us* my obaja; *all of us* my všetci; *a table of wood* stôl z dreva; *map of Ireland* mapa Írska; *die of heart at-*

*tack* zomrieť na infarkt; *it's nice of you* je to od vás pekné; *of course* samozrejme

**off** [o(:)f] *adv* **1.** preč; ďaleko **2.** zrušený **3.** vypnutý; *prep.* s, so; od; *be o.* odcestovať; *the engagement is o.* záväzok je zrušený; *the light is o.* svetlo je vypnuté • *he is well o.* dobre sa mu vodí; *hands o.!* ruky preč!; *take a day o.* urobiť si voľný deň; *o. the coast* pri pobreží; *be o. duty* nebyť v službe; *keep o. the grass* nechoďte po tráve; *an o. season* mŕtva sezóna; *I must be o.* musím ísť; *I'm feeling o. today* necítim sa dnes dobre; *radio is o.* rádio je vypnuté; *cut the end o.* odrež koniec; *he is o.* je preč; *milk is o.* mlieko je pokazené

**offal** [ˈofəl] drobky *(vnútornosti)*

**offence** [əˈfens] **1.** urážka; *give o.* uraziť; *take o.* uraziť sa **2.** priestupok, previnenie; *commit an o.* dopustiť sa priestupku

**offend** [əˈfend] **1.** uraziť, dotknúť sa niekoho; *feel o-ed* cítiť sa urazený; *be o.*

*at/by/with sth.* uraziť sa pre niečo **2.** previniť sa; *o. against* previniť sa proti

**offender** [əˈfendə] delikvent, previnilec; *habitual o.* recidivista

**offensive** [əˈfensiv] *adj* **1.** urážlivý; *o. language* urážlivá, hrubá reč; **2.** ofenzívny; *take the o.* prejsť do útoku; *n* ofenzíva

**offer** [ˈofə] *v* ponúkať; *o. sb. tea* ponúknuť niekoho čajom; *o. advice* poskytnúť rady; *o. so. services* ponúkať svoje služby; *n* ponuka; *goods on o.* tovar na predaj

**offhand** [ˈofˈhænd] nepripravený, improvizovaný; *speak o.* hovoriť bez prípravy, spontánne

**office** [ˈofis] **1.** úrad; *post o.* pošta; *o. worker* úradník; *o. hours* úradné hodiny **2.** úloha; funkcia; *be in o.* byť pri moci; *be out of o.* byť v opozícii **3.** služba; *good o-s* dobré služby; *Foreign O.* ministerstvo zahraničia; *Home O.* ministerstvo vnútra **4.** obrad; *O. for the Dead* zádušná omša

**officer** [ˈofisə] **1.** dôstojník; *Naval o.* námorný dôstojník; strážnik *(policajný)* **2.** úradník; *local government o.* úradník miestnej správy

**official** [əˈfišəl] *adj* úradný; oficiálny; *o. duties* úradné povinnosti; *n* úradník; *government o.* štátny úradník

**off-licence** [ˈofˈlaisns] obchod s alkoholickými nápojmi

**off-line** [ˈofˈlain] *výp.* nezapojený, nepriamy

**off-peak** [ofˈpi:k] : *o. heating* vykurovanie na nočný prúd; *o. hours* mimo *(dopravnej)* špičky

**offset** [ˈoˈset] **1.** vyvážiť, vyrovnať **2.** kompenzovať; *o. colours* zladiť farby

**offshoot** [ˈofšu:t] **1.** výhonok *(rastliny)*, odnož **2.** pobočka

**offside** [ofˈsaid] *šport.* ofsajd, postavenie mimo hry

**offspring** [ˈofspriŋ] potomok, dieťa; *their o.* ich ratolesť

**off-taste** [ˈofteist] pachuť

**off-white** [ˈofˈwait] špinavobiely

**often** [o(:)fn] často; veľa ráz; *how o.?* ako často?, koľko ráz?

**ogre** [ˈəugə] **1.** obor, ozruta **2.** chrapúň, grobian

**oh** [əu] *interj.* ach, ó; *oh dear* no zbohom

**oil** [oil] *n* **1.** olej; *vegetable o.* rastlinný olej; *painted in o.* namaľovaný olejovými farbami **2.** nafta; *o. industry* ropný priemysel; *v* mazať, olejovať; *o. the wheels* namazať kolesá

**oil slick** [ˈoil slik] ropná škvrna

**oil tanker** [ˈoilˈtæŋkə] ropný tanker

**oil well** [ˈoil wel] ropný vrt

**oil-field** [ˈoilfi:ld] naftové/ ropné pole

**oil-painting** [ˈoilˈpeintiŋ] olejomaľba

**ointment** [ˈointmənt] *lek.* masť, mastička *(na pokožku)*

**OK, okay** [ˈəuˈkei] *AmE hovor.* dobre, v poriadku, správne • súhlasiť, schváliť

**old** [əuld] starý; *o. age* staroba; *young and o.* mladí i starí, kadekto; *o. maid* stará dievka • *how o. are you?* koľko máte rokov?; *I am ten years o.* mám desať rokov; *grow o.* starnúť; *in the o. days* v minulosti, za dávnych čias; *o. country* stará vlasť; *the same o. story* stará pesnička

**old-fashioned** [ˈəuldˈfæšənd] staromódny, nemoderný

**old-timer** [oldˈtaimə] veterán

**O-level** [əuˈleve] (= Ordina-ry level) skúška na niž-šom stupni strednej školy

**olive** [ˈoliv] *n* oliva; *adj* olivový; *o.-oil* olivový olej

**Olympic** [oˈlimpik] olympijský; *the O. Games* olympijské hry

**omen** [ˈəumen] znamenie

**ominous** [ˈominəs] zlovestný, osudný; *o. sign* zlovestné znamenie

**omission** [oˈmišn] 1. vynechanie 2. obídenie

**omit** [oˈmit] 1. vynechať, vypustiť 2. obísť, opomenúť; *we can o. this part* túto časť môžeme vynechať

**on** [on] *prep.* na; *adv* ďalej; *o. the table* na stole; *rely o. sb.* spoliehať sa na niekoho; *book o. Slovakia* kniha o Slovensku; *o. Sunday/Monday,...* v nedeľu/pondelok...; *o. foot* pešo; *o. time* načas; *o. purpose* úmyselne, naschvál; *o. the other hand* na druhej

strane, naproti tomu; *come on!* poďme; *go o. (reading)* pokračuj, čítaj ďalej; *light is o.* svetlo je zapálené; *what´s o. (TV) (tonight)?* čo dnes dávajú, čo je (na programe) v televízii?; *put the dress o.* obleč si šaty; *and so o.* a tak ďalej; *o. and o.* neprestajne, stále dokola

**on-air** [ˈon eə] vysielaný naživo

**once** [wans] *adv* 1. raz; *o. more* ešte raz; *o. a day* raz za deň; *all at o.* náhle, zrazu; *o. or twice* raz-dvakrát, niekoľkokrát 2. kedysi; *o. upon a time* kedysi; *kde bolo, tam bolo (v rozprávke);* *at o.* ihneď; *conj.* len čo, kedykoľvek

**one** [wan] jeden; *o. hundred* sto; *o. of them* jeden z nich; *chapter o.* prvá kapitola; *o. day in spring* raz na jar; *pron.* 1. človek, neurč. podmet; *it does o. good* človeku to urobí dobre; 2. zastupuje podst. meno životné a počítateľné; *my only o.* môj jediný/moja jediná; *an old man and a young o.* starý človek a mladý; *o. another* jeden druhého, navzájom; *last but* o. predposledný; *all in* o. spolu

**one-off** [wan'of] jednorazový, výnimočný

**oneself** [wan'self] **1.** sa; *hurt* o. poraniť sa; *wash* o. umývať sa; *control* o. ovládať sa **2.** sám; *one must do everything* o. človek musí urobiť všetko sám; *of* o. sám od seba

**one-sided** ['wan'saidid] jednostranný; o. *argument* jednostranný dôkaz

**one-to-one** ['wantə'wan] **1.** vzájomný **2.** individuálny; o. *lesson* hodina učiteľ-žiak

**one-way** ['wan'wei] jednosmerný; o. *street* jednosmerná ulica

**ongoing** ['on'gəuiŋ] pokračujúci, *(práve)* prebiehajúci; súčasný, aktuálny

**onion** ['anjən] cibuľa

**online** ['onlain] *výp.* priamo spojený

**onlooker** ['on'lukə] divák

**only** ['əunli] *adj* jediný; *an* o. *child* jediné dieťa; *adv* **1.** iba, len; o. *you can go* iba/len ty môžeš ísť; *it was* o. *ten* bolo iba/len desať **2.** ešte len, len čo; *he has* o. *just come* práve čo prišiel

**onward(s)** ['onwəd(z)] *vpred*, dopredu; *from this time* o. odteraz

**ooze** [u:z] *n* riedke bahno; *v* presakovať, presiaknuť; vypúšťať; o. *away* strácať sa

**opaque** [əu'peik] nepriezračný, nepriesvitný; o. *glass* matné sklo

**open** ['əupen] *adj* **1.** otvorený; *wide* o. roztvorený **2.** prístupný; *school is* o. *to anybody* škola je prístupná každému; *v* otvoriť (sa); *can I* o. *the window?* môžem otvoriť okno?; *in the* o. *air* vonku; o. *competition* verejná súťaž • o. *out a map* rozvinúť mapu; o. *up a country* sprístupniť krajinu; o. *secret* verejné tajomstvo

**open-air** ['əupn'eə] *v* prírode, pod holým nebom, vonku; o. *school* škola v prírode; o. *theatre* amfiteáter

**opener** ['əupnə]: *tin*-o. otvárač na konzervy

**open-hearted** ['əupn'ha:tid] úprimný, srdečný, láskavý

**opening** ['əupniŋ] *n* **1.** otvor; o. *in wall* otvor/diera v stene **2.** začiatok, otvorenie; *adj* úvodný; o. *per-*

*formance* úvodné predstavenie

**openly** [ˈəupənli] otvorene; úprimne; *speak o.* hovoriť otvorene

**open-minded** [ˈoupnˈmainded] nezaujatý

**opera** [ˈopərə] opera; *o.-house* opera *(budova)*

**operate** [ˈopəreit] **1.** fungovať, pracovať; *lift doesn´t o.* výťah nefunguje **2.** účinkovať *(liek)* **3.** operovať **4.** obsluhovať *(stroj)*

**operating system** [ˈopəreitiŋˈsistim] *výp.* systém obsluhy počítača

**operating theatre** [ˈopəreitiŋˈθiətə] operačná sála

**operation** [ˈopəˈreišn] **1.** pôsobenie; *in o.* v chode; *come into o.* začať pôsobiť, fungovať **2.** platnosť; *in o.* v platnosti; *come into o.* vstúpiť do platnosti **3.** operácia; *banking o.* bankový prevod; *undergo an o.* dať sa operovať; *be in o.* byť v prevádzke

**operator** [ˈopəreitə] **1.** operátor **2.** telefonista, spojovateľ; *AmE* tajný agent

**opinion** [əˈpiniən] mienka, názor; *what´s your o. about it?* aký máš na to

názor?; *in my o.* podľa môjho názoru; *have a low o. of sb.* mať zlú mienku o niekom; *public o.* verejná mienka

**opponent** [əˈpəunənt] protivník, oponent; *šport.* protihráč, súper

**opportune** [ˈopətjuːn] príhodný, vhodný, náležitý

**opportunity** [ˈopəˈtjuːniti] príležitosť; *use every o.* využiť každú príležitosť; *at the earliest o.* pri najbližšej príležitosti; *miss/seize the o.* prepásť šancu/chopiť sa šance

**oppose** [əˈpəuz] **1.** *o. sth. to sth.* postaviť proti sebe; *black is o-d to white* čierne je protikladom bieleho **2.** postaviť sa proti niečomu

**opposite** [ˈopəzit] *adj* **1.** náprotivný, protiležiaci; *on the o. side of the street* na druhej strane ulice **2.** opačný; *they came from o. directions* prišli z opačných strán; *n* opak, protiklad; *o. is true* opak je pravdou; *prep.* oproti; *the house is o. ours* dom oproti nášmu

**opposition** [ˈopəˈzišn] **1.** opozícia; *be in o.* byť v opozícii **2.** odpor; *ene-*

*my met with o.* nepriateľ sa stretol s odporom

**oppress** [ə'pres] utláčať, potláčať, ubíjať; *I'm o-ed with heat* horúčava ma morí

**oppression** [ə'prešn] útlak; *feeling of o.* pocit stiesnenosti

**oppressive** [ə'presiv] **1.** tyranský **2.** dusný; *o. weather* dusno

**opt** [opt] vybrať si, zvoliť si; *o. for* rozhodnúť sa pre

**optical** ['optikəl] optický; *o. illusion* optický klam; *o. instruments* optické prístroje

**optician** [op'tišn] optik

**optics** ['optiks] *pl. aj sg.* optika

**option** ['opšn] voľba *(slobodná),* výber

**optional** ['opšənl] voliteľný, dobrovoľný; *o. subjects* voliteľné/nepovinné predmety

**opulent** ['opjulent] bohatý, zámožný; *o. way of life* okázalý životný štýl **2.** hojný, výdatný; *o. vegetation* bujná vegetácia

**or** [o:] **1.** lebo, alebo, či; *do you want tea o. coffee?* chceš čaj alebo kávu?; *sooner o. later* skôr či neskôr; *two o. three times*

dva alebo/či tri razy; **2.** asi; *I need a hundred o. so* potrebujem asi sto *(korún)*

**oral** ['o:rəl] ústny; *o. exam* pohovor, ústna skúška

**orange** ['orindž] *n* pomaranč; *adj* pomarančový; *o. juice* pomarančová šťava

**orbit** ['o:bit] obežná dráha *(planéty)*

**ordeal** [o:'di:l] skúška *(odvahy, charakteru, trpezlivosti)*

**order** ['o:də] *n* **1.** rad; *O. of Merit* rad za zásluhy **2.** poradie; *in o. of size* podľa veľkosti **3.** poriadok; *in o.* v poriadku, v dobrom stave **4.** rozkaz, príkaz; *o. of payment* platobný príkaz; *money o.* peňažná poukážka **5.** objednávka • *out of o.* pokazený; *made to o.* vyrobený na objednávku; *in o. to aby; v* **1.** nariadiť, rozkázať **2.** objednať; *o. lunch* objednať (si) obed • *o. sb. out* vykázať niekoho

**orderly** ['o:dəli] poriadny, upravený, usporiadaný; *lead an o. life* žiť usporiadaným životom

**ordinal** ['o:dinəl] *adj* radový; *n gram.* radová číslovka

**ordinary** [ˈoːdəneri] obyčajný, zvyčajný, bežný; *o. peo-ple* bežní ľudia

**ore** [oː] ruda; *iron o.* železná ruda; *mine o.* dolovať rudu

**organ** [ˈoːgən] **1.** orgán, ústroj; *o-s of speech* rečové ústroje **2.** *hud.* organ; *mouth o.* ústna/fúkacia harmonika

**organic** [oːgænik] organický; *o. chemistry* organická chémia

**organize** [ˈoːgənaiz] organizovať, usporiadať; *o. an expedition* usporiadať výpravu

**organizer** [ˈoːgənaizə] **1.** organizátor, usporiadateľ **2.** zápisník, diár

**orchard** [ˈoːčəd] ovocná záhrada, sad; *cherry o.* čerešňový sad; *o. man* ovocinár

**orchestra** [ˈoːkistrə] orchester; *chamber o.* komorný orchester

**oriental** [ˌoːriˈentl] orientálny

**orientate** [ˈoːrienteit] *(o. os.)* orientovať (sa); určiť polohu

**orientation** [ˌoːrienˈteišn] orientácia, zameranie, situovanie

**orifice** [ˈorifis] ústie, otvor

**origin** [ˈoridžin] **1.** prameň **2.** pôvod, počiatok; *word of Latin o.* slovo latinského pôvodu

**original** [əˈridžənl] *adj* **1.** pôvodný; počiatočný; *o. inhabitants* pôvodní obyvatelia **2.** originálny; *n* originál; *is it an o. or a copy?* je to originál alebo kópia?; *(náb.) o. sin* dedičný hriech

**originate** [əˈridžineit] vzniknúť, zrodiť sa, vytvoriť; *o. from* pochádzať z

**ornament** [ˈoːnəmənt] ozdoba, okrasný predmet, dekorácia; *for use not for o.* na používanie, nie na ozdobu

**ornate** [oːˈneit] ozdobný

**orphan** [ˈoːfən] *adj* osirotený; *n* sirota; *become o.* osirieť

**orphanage** [ˈoːfənidž] sirotinec

**orthodox** [ˈoːθədoks] ortodoxný, pravoverný; *náb. the O. Church* pravoslávna cirkev

**orthography** [oːˈθogrəfi] pravopis

**oscillate** [ˈosileit] oscilovať, chvieť sa, kmitať; *pren.* váhať, kolísať *(v názoroch)*

**ostensible** [os'tensibl] predstieraný, údajný, zdanlivý

**ostrich** ['ostrič] pštros

**other** ['aðə] iný; *the o.* druhý; ostatný • *the o. day* minule; *some time or o.* raz, niekedy; *some o. time* inokedy; *every o. day* každý druhý deň; *on the o. hand* naproti tomu; *one after the o.* jeden za druhým; *we like each o. (my dvaja)* sa máme radi; *the o. way round* naopak, obrátene

**otherwise** ['aðəwaiz] **1.** ináč, v opačnom prípade **2.** síce

**otter** ['otə] vydra

**ought** [o:t] mať povinnosť; *you o. to go* mal by si ísť; *you o. to have gone* mal si ísť

**ouch** [auč] au!, jaj!, juj!

**ounce** [auns] unca (= 28,35 g)

**our** ['auə] náš; *o. classroom* naša trieda; *o. own* náš vlastný, náš domáci; *in o. place* u nás *(doma)*; *(náb.)* *O. Father* Otčenáš; *O. Lady* Panna Mária

**ours** ['auəz] náš; *our house is big. O. is bigger* náš dom je veľký. Náš je väčší

**ourselves** ['auə'selvz] **1.** my

sami **2.** sa; *let's do it o.* urobme to sami

**oust** [aust] vypudiť

**out** [aut] **1.** von; vonku; *he is o.* je preč, je vonku, odišiel; *go o. of house* vyjsť z domu **2.** vylúčený *(z hry, z práce)*; *o. of work* bez práce; *o. of order* v neporiadku; *o. of reach* mimo dosahu; *we are o. of sugar* minul sa nám cukor; *o. of date* zastaraný; *speak o.* hovor(te) hlasnejšie

**out of doors** ['autəvdo:z] = *outdoors*

**outage** ['autidž] výpadok *(prúdu)*; porucha v dodávke

**outback** ['autbæk] *austrálske* vnútrozemie, buš

**outbalance** [aut'bæləns] prevažovať, prevážiť

**outbox** ['autboks] *výp.* odoslané

**outbreak** ['autbreik] vypuknutie, prepuknutie; *o. of anger* výbuch hnevu

**outcast** ['autka:st] vyvrheľ

**outcome** ['autkam] výsledok, záver

**outcry** ['autkrai] výkrik

**outdo\*** [aut'du:] prekonať, prevýšiť, predstihnúť

**outdoor** ['autdo:] vonkajší,

vonku vykonaný, mimo domu; *o. games* hry v prírode

**outdoors** [aut'do:z] vonku; v prírode; *is it warm o.?* je vonku teplo?

**outer** ['autə] vonkajší; okrajový; *o. London* okrajové časti Londýna

**outfit** ['autfit] **1.** výstroj, výbava **2.** súprava, šaty; *AmE slang.* skupina, partia; *camping o.* kempingová výbava

**outflow** ['autfləu] **1.** odtok, výtok **2.** únik, odlev; *o. of currency* únik peňazí *(z krajiny)*

**outgoing** ['autgəuiŋ] **1.** odchádzajúci, vzďalujúci sa **2.** spoločenský, extrovertný *(osobnost)*

**outgoings** ['aut'gəuiŋz] výdavky, náklady

**outgrow*** [aut'grəu] prerásť, vyrásť z/zo *(šiat)*; *o. the bad habits* zbaviť sa zlých návykov

**outing** [autiŋ] výlet; *go for an o.* ísť na výlet/vychádzku

**outlandish** [aut'lændiš] *pejor.* bizarný, výstredný, extravagantný

**outlay** ['autlei] výdavky, útraty

**outlaw** ['autlo:] osoba postavená mimo zákon; vyhnanec, vydedenec; zbojník, štvanec

**outlet** ['autlet] **1.** odtok, vývod, ventil **2.** firemná predajňa, odbytisko

**outline** ['autlain] *n* **1.** obrys, kontúra **2.** nárys, náčrtok; *in general o.* v hrubých rysoch; *v* **1.** narysovať; načrtnúť **2.** zhrnúť; *in rough o.* v hlavných rysoch; *an o. of Slovak literature* stručný prehľad slov. lit.

**outlive** [aut'liv] prežiť niekoho/niečo

**outlook** ['autluk] **1.** výhľad, rozhľad; *nice o. over the sea* pekný výhľad na more **2.** vyhliadka, perspektíva, nádej; *bad o. for the future* zlé vyhliadky do budúcnosti

**outnumber** ['aut'nambə] prevyšovať *(počtom)*; byť vo väčšine

**out-of-date** neplatný *(pas)*

**out-of-reach** ['autəvri:č] nedostupný, nedosiahnuteľný

**out-of-the-way** ['autəvðə'wei] odľahlý, zastrčený, vzdialený *(dedina)*

**outpatient** ['aut'peišənt] ambulantný pacient; *o. department* ambulancia

**output** [ˈautput] výroba, produkcia; *počít.* výstup

**outrage** [ˈautreidž] *n* **1.** násilie **2.** urážka, krivda; *o. against humanity* priestupok proti ľudskosti; *v* **1.** dopustiť sa *(násilia)* **2.** previniť sa *(proti zákonu)*

**outrageous** [autˈreidžəs] urážlivý, pohoršlivý, hanebný *(správanie)*; násilnícky *(spôsoby)*

**outrank** [autˈræŋk] mať vyššie postavenie, zaradenie *(pracovné)*

**outright** [autˈrait] rovno, priamo; *buy a car o.* kúpiť auto priamo, naraz *(nie na splátky)*

**outset** [ˈautset] začiatok; *at the o.* spočiatku

**outside** [ˈautˈsaid] *n* vonkajšok; *the o. of a building* vonkajšia strana budovy; *adj* vonkajší; *adv* vonku, von; *let's go o.* poďme von; *it's hot o.* vonku je teplo; *prep.* mimo; *o. London* mimo Londýna; *o. the school* pred školou

**outsider** [autˈsaidə] nečlen; nezúčastnená osoba; *špor.* pretekár bez šance

**outspoken** [autˈspəukən] otvorený, priamočiary; *he is very o.* nebrať si servítku

**outskirts** [ˈautskə:ts] *pl.* okraj mesta, periféria

**outstanding** [autˈstændiŋ] vynikajúci *(človek, umelec)*; významný *(vedec)*; výnimočný *(krása)*

**outvote** [autˈvəut] prehlasovať

**outward** [ˈautwəd] vonkajší; *o. things* svet okolo nás

**outworn** [ˈautwo:n] obnosený; *pren.* otrepaný

**oval** [ˈəuvəl] *adj* oválny; *n* ovál

**oven** [avn] rúra *(na pečenie)*, pec

**over** [ˈəuvə] *prep.* nad; cez; po; na druhej strane, na druhú stranu; *bridge o. the river* most cez rieku; *o. there* tamto • *be o.* byť na konci, skončiť; *summer is o.* je po lete; *all o.* celý; *think it o.* rozmysli si to; *all o. the world* na celom svete; *it´s all o.* je po všetkom; *stay o. the weekend* zostať cez víkend; *o. 20 pounds* vyše 20 libier; *cover o.* prikryť

**overall(s)** [ˈəuvəro:lz] *adj* celkový, súhrnný; *pl.* montérky, kombinéza, overal

**overboard** [ˈəuvəbo:d] **1.** muž cez palubu; *man o.!*

**2.** *pren. go o.* preháňať niečo

**overburden** [ˈəuvəbə:dn] pretažiť

**overcame** *see* **overcome\***

**overcast** [ˈəuvəka:st] zatiahnutý, oblačný; *become o.* zamračiť sa

**overcharge** [ˈəuvəˈča:dž] predražiť

**overcoat** [ˈəuvəkəut] zvrchník; zimník, kabát *(dlhý)*

**overcome\*** [ˈəuvəˈkam] prekonať, premôcť • *we shall o.!* víťazstvo bude naše!

**overcook** [ˈəuvəˈkuk] rozvariť

**overcrowd** [ˈəuvəˈkraud] preplniť, prepchať *(ľudmi)*; *the bus was o-ed* autobus bol preplnený

**overdo\*** [ˈəuvəˈdu:] preháňať, zveličovať, zachádzať pridaleko

**overdose** [ˈouvədous] *n* nadmerná dávka *(lieku, drogy)*; *v* predávkovať (sa)

**overdraw\*** [ˈəuvəˈdro:] prečerpať, prekročiť účet *(v banke)*

**overdue** [ˈəuvəˈdju:] **1.** oneskorený; nezaplatený včas; *train is o.* vlak mešká **2.** splatný; *a month o.* splatný pred mesiacom

**overeat\*** [ˈəuvəˈi:t] prejedať sa

**overestimate** [ˈəuvərˈestimeit] preceňovať *(sily)*

**overfeed\*** [ˈəuvəˈfi:d] prekrmovať

**overflow** [ˈəuvəˈfləu] pretekať, prelievať sa; zatopiť, zaliať *(rieka)*

**overgrow\*** [ˈəuvəˈgrou] prerásť, zarásť *(trávou)*; vyrásť, odrásť *(dieťa)*

**overhaul** [ˈəuvəho:l] generálna oprava *(auta)*; dôkladné vyšetrenie *(lekárske)*

**overhead** [ˈəuvəˈhed] nad hlavou; *o. crossing* nadchod; *o. charges* režijné náklady, prevádzkové výdavky

**overhear\*** [ˈəuvəˈhiə] začuť *(náhodou)*; vypočuť, načúvať *(potajomky)*

**overlap** [ˈəuvəˈlæp] prekrývať (sa), presahovať, prečnievať

**overleaf** [ˈəuvəˈli:f] na druhej strane *(listu)*

**overleap\*** [ˈəuvəˈli:p] preskočiť • *o. os.* preceniť sa *(sily, schopnosti)*

**overload** [ˈəuvəˈləud] príliš naložiť, pretažiť

**overlook** [ˈəuvəˈluk] **1.** nezbadať, nevšimnúť si, prehliadnut **2.** odpustiť, prepáčiť, privrieť oko *(nad* *niečím)* **3.** mať výhľad *(z okna)*

**overnight** [ˈəuvəˈnait] cez noc, nočný; *o. journey* nočná cesta

**overpass** [ˈəuvəˈpaːs] *AmE* nadjazd

**over-production** [ˈəuvəprəˈdakšn] nadvýroba

**override** [əuvəˈraid] uhnať

**overrun*** [ˈəuvəˈran] **1.** zaplaviť, zamoriť; *garden is o. with weeds* záhrada je zamorená burinou **2.** pretiahnuť sa *(reč, schôdza)*

**oversea(s)** [ˈəuvəsiː(z)] *adj* zámorský, cudzí; *o. trade* zámorský obchod; *o. representative* zahraničný zástupca; *adv* za more, za morom; v zámorí; *go o.* ísť do zámoria

**overshadow** [ˈəuvəšædəu] zatieniť

**oversight** [ˈəuvəsait] **1.** dozor, starostlivosť **2.** omyl, nedopatrenie

**oversize** [ˈəuvəsaiz] nadmerná veľkosť *(topánok)*

**oversleep*** [ˈəuvəsliːp] *(os.)* zaspať

**overstep** [ˈəuvəstep] prekročiť, prestúpiť *(právomoc)*

**overstrain** [ˈəuvəˈstrein] *n* prepnutie síl; presilenie; *v*

prenínať *(sily)*, presiliť, prepracovať *(sa)*

**overtake*** [ˈəuvəˈteik] **1.** dobehnúť, predbiehať *(autom)* **2.** zastihnúť; pristihnúť; *we were o-n by a storm* zastihla nás búrka

**overthrow*¹** [ˈəuvəˈθrəu] **1.** prevrátiť, prevaliť **2.** zvrhnúť *(vládu)*

**overthrow²** [ˈəuvəθrəu] prevrat *(politický)*

**overtime** [ˈəuvətaim] nadčas; *work o.* pracovať nad čas; *o. pay* príplatok za nadčas

**overture** [ˈəuvətjuə] predohra

**overturn** [ˈəuvəˈtəːn] **1.** prevrhnúť *(sa)*, prevrátiť *(sa)*, zvaliť sa; *the car o-ed* auto sa prevrátilo

**overweight** [ˈəuvəˈweit] tučný, obézny; *be o.* mať nadváhu

**overwhelm** [ˈəuvəˈwelm] **1.** zaplaviť, zmocniť sa, zachvátiť; *she was o-ed by grief* zmocnil sa jej žiaľ **2.** ohromiť, zdrviť

**overwhelming** [ˈəuvəwelmiŋ] ohromujúci, zdrvujúci; *o. loss* zdrvujúca strata

**overwork** [ˈəuvəˈwəːk] **1.** práca nad čas **2.** prepracovanosť, preťaženie (prácou)

**owe** [əu] **1.** byť dlžný; dlhovať; *o. for sth.* byť dlžný za niečo **2.** vďačiť za; *we o. her much* vďačíme jej za veľa

**owing** [ˈəuiŋ] dlžný, nevyrovnaný • *o. to* vzhľadom na niečo, pre niečo, kvôli niečomu

**owl** [aul] sova; *pren. night o.* nočný vták

**own** [əun] *adj* vlastný; *on so. o.* sám bez cudzej pomoci; *o. cousin* priamy bratanec/sesternica; *my o.* môj miláčik; *to be on one's o.* byť nezávislý; *an invention of my o.* môj vlastný vy-

nález; *v* vlastniť, mať • *o. up* pripustiť, priznať (sa)

**owner** [ˈəunə] majiteľ, vlastník

**ownership** [ˈəunəšip] vlastníctvo; *o. in common* spoluvlastníctvo

**ox** [oks] vôl; *as dumb as an o.* sprostý ako teľa

**oxen** [oksən] *pl. od* **ox**

**oxidize** [ˈoksidaiz] okysličiť (sa)

**oxygen** [ˈoksidžən] kyslík; *o. mask* kyslíková maska

**oyster** [ˈoistə] ustrica; *as dumb as an o.* nemý ako ryba

**ozone-friendly** [ˈəuzəunˈfrendli] neškodiaci ozónovej vrstve

# P

**pa** [pa] *neform.* tato, ocko

**pace** [peis] *n* **1.** krok **2.** rýchlosť, tempo; *go at a good p.* ísť rýchlo; ísť dobrým tempom; *put on p.* pridávať do kroku; *v* kráčať

**pacemaker** [ˈpeisˈmeikə] **1.** *šport.* vodič *(udávajúci tempo)* **2.** *lek.* kardiostimulátor, srdcový stimulátor

**pacific** [pəˈsifik] pokojný,

mierumilovný; *the P. (Ocean)* Tichý oceán

**pack** [pæk] *n* **1.** balík *(aj kariet)*, náklad, batoh **2.** svorka *(psov)* **3.** hŕba *(lží)*; *v* **1.** baliť **2.** napchať **3.** *p. up* zabaliť • *p. off!* zmizni!; *p. up* zabaliť, nechať *(robotu)*

**package** [ˈpækidž] **1.** balík, *AmE* balíček **2.** súbor, sada; *p. tour* organizovaný zájazd

**packaging** [ˈpækidžiŋ] obalová technika, balenie

**packet** [ˈpækit] balíček, škatuľka

**packing** [ˈpækiŋ] **1.** balenie **2.** obal; *p. material* obalový materiál

**pact** [pækt] pakt, dohoda; *non-aggression p.* pakt o neútočení; *peace p.* mierová dohoda

**pad** [pæd] *n* podložka, vložka; vankúšik *(na pečiatky)*; *writing p. (poznámkový)* blok; *v* vypchať, podložiť

**padding** [ˈpædiŋ] **1.** vypchávka, výplň *(v nábytku, odeve)* **2.** šport. chránič **3.** „vata" *(literárna)*

**paddle** [pædl] *n* veslo, pádlo; *v* veslovať, pádlovať • *I p. my canoe* som si sebestačný

**padlock** [ˈpædlok] visiaca zámka

**pagan** [ˈpeigən] *n* pohan; *adj* pohanský; *p. god* pohanský boh

**page** [peidž] **1.** strana, stránka *(papiera, listu, knihy)*; *front-p. news* senzácia

**paid** *see* **pay\***

**pain** [pein] *n* bolesť; *be in pain* mať bolesti; *v* bolieť

**painful** [ˈpeinfl] **1.** bolestivý **2.** trápny; *p. memories* bolestné spomienky

**painless** [ˈpeinlis] bezbolestný, nebolestivý; *pren.* ľahký *(rozhodnutie)*

**pains** [peinz] *pl.* námaha; *take p.* snažiť sa, dať si robotu

**painstaking** [ˈpeinzˈteikiŋ] usilovný, dôkladný, starostlivý

**paint** [peint] *n* **1.** farba **2.** náter; *caution, wet p.* pozor, čerstvo natreté; *v* **1.** maľovať **2.** natierať **3.** líčiť • *p. in* primaľovať; *p. out* premaľovať, zatrieť; *p. from nature* maľovať podľa prírody; *p. the table black* natrieť stôl na čierno

**painter** [ˈpeintə] maliar; natierač; *school for p-s* maliarska škola

**painting** [ˈpeintiŋ] maľba *(obraz)*; *small p.* obrázok

**pair** [peə] pár; dvojica; *a p. of trouser/shoes/scissors* nohavice/topánky/nožnice • *the happy p.* manželský párik; *in p-s* po dvoch

**pal** [pæl] *hovor.* kamoš; kolega, kamarát

**palace** [ˈpælis] palác; *Royal P.* kráľovský palác

**palate** [ˈpælit] *anat.* podnebie

**pale** [peil] *adj* bledý; *v* blednúť; *turn p.* zblednúť; *p. green* bledozelený

**pallid** [ˈpælid] bledý

**palm** [pa:m] **1.** dlaň; *read so. p.* veštiť z dlane • *grease so. p.* podplatiť niekoho **2.** palma; *náb. P. Sunday* Kvetná nedeľa

**palmistry** [ˈpa:məstri] veštenie z ruky

**palpable** [ˈpælpəbl] hmatateľný, zrejmý, očividný

**palpitate** [ˈpælpiteit] **1.** chvieť sa; *p. with fear* cvieť sa od strachu **2.** pulzovať, tĺcť, biť *(srdce)*

**palsy** [ˈpo:lzi] *lek.* ochrnutie, paralýza

**paltry** [ˈpo:ltri] bezvýznamný, nepatrný; *p. income* úbohý, biedny príjem

**pamper** [ˈpæmpə] maznať, rozmaznať

**pamphlet** [ˈpæmflit] pamflet, leták; brožúra

**pan** [pæn] panvica; *pots and p-s* riad

**pancake** [ˈpænkeik] palacinka

**pane** [pein] okenná tabuľa

**panel** [ˈpænl] prístrojová doska

**pang** [pæŋ] **1.** prudká bo-

lesť **2.** *the p-s of conscience* výčitky svedomia

**panhandle** [ˈpænhændl] žobrať

**panic** [ˈpænik] panika; *p. fear* panický strach; *don't p.!* nepanikárte!

**pansy** [ˈpænzi] **1.** *bot.* sirôtka **2.** *pejor.* baba, papuča *(muž)*

**pant** [pænt] dychčať; *p. out* zadychčane povedať

**panther** [ˈpænθə] panter; *AmE* puma

**panties** [ˈpæntiz] *pl.* nohavičky *(dámske)*

**pantihose** [ˈpæntihəuz] *AmE* pančuchové nohavice, pančucháče

**pantomime** [ˈpæntəmaim] **1.** nemohra **2.** vianočná rozprávková hra

**pantry** [ˈpæntri] komora, špajza *(na potraviny)*

**pants** [pænts] *pl.* spodky *(pánske); AmE* nohavice

**pap** [pæp] kaša, kašička *(pre deti)*

**papal** [ˈpeipl] pápežský; *p. court* pápežský dvor

**paper** [ˈpeipə] *n* **1.** papier **2.** noviny **3.** *p. money* bankovky **4.** test *(vytlačené skúšobné otázky)* **5.** *odb.* referát, článok; *v* **1.** zabaliť *(do papiera)* **2.** vytapetovať *(izbu)*; *p. bag* papierové vrecko; *do the p. work* vybavovať písomnosti; *sheet of p.* hárok papiera

**paper-mâché** ['pæpjei'mæšei] lepenka

**paper-mill** ['peipəmil] papiereň, továreň na papier

**papers** ['peipəz] *pl.* dokumenty, doklady, preukaz; *your p-s, please!* vaše doklady, prosím!

**paprika** ['pəprikə] mletá paprika; *p. stew* paprikáš

**parable** ['pærəbl] podobenstvo, poučné prirovnanie

**parachute** ['pærəšu:t] padák

**parachutist** ['pærəšu:tist] parašutista

**par** [pa:] roveň; *p. value* nominálna hodnota; *be on a p. with sth./sb.* byť na rovnakej úrovni

**parade** [pə'reid] prehliadka, sprievod; *a mannequin p.* módna prehliadka; *a costume p.* krojový sprievod

**paradise** ['pærədais] raj; *it is p. here* je tu ako v raji; *the Slovak P.* Slovenský Raj

**paragraph** ['pærəgra:f] odstavec, odsek

**parallel** ['pærəlel] *adj* rovnobežný; *n* rovnobežka;

*p. bars* bradlá • *it is without p.* toto nemá obdobu;

**paralyse** ['pærəlaiz] ochromiť, paralyzovať, ochrnúť

**paralysis** [pə'rælisis] ochrnutie; paralýza

**paramedics** ['pærə'mediks] *(zdravotná)* záchranná služba

**paramount** ['pærəmaunt] vrcholný, prvoradý, najvyšší *(autoritou)*, najdôležitejší

**parasite** ['pærəsait] parazit, cudzopasník; *pren.* príživník, darmožráč

**parasitic** ['pærəsitik] príživnícky

**parasol** ['pærə'sol] slnečník

**paratroops** ['pærətru:ps] výsadkárske oddiely

**parcel** [pa:sl] balík, balíček; *p. post* balíková pošta; *registered p.* cenný balík; *p. out* rozparcelovať

**pardon** [pa:dn] *n* odpustenie, prepáčenie; *(I) beg your p.* **1.** prepáčte **2.** prosím? *(nerozumel/nepočul som)* **3.** s dovolením; *v* prepáčiť, odpustiť

**parenthesis** [pə'renθisis] zátvorka

**parents** ['pərənts] *pl.* rodičia

**parch** [pa:č] vysušiť, vyschnúť *(hrdlo)*; vyprahnúť

**parchment** [ˈpaːčmənt] pergamen

**parings** [ˈpeəriŋz] pl. kožky, šupky

**parish** [ˈpæriš] farnosť, fara, obec (cirkevná); p. clerk kostolník

**parity** [ˈpæriti] rovnosť (v hodnosti, postavení, kvalite)

**park** [paːk] n 1. park; p. bench lavička v parku; national p. národný park 2. car p. parkovisko; v parkovať; no p-ing parkovanie zakázané; p-ing meter parkovacie hodiny

**parliament** [ˈpaːləment] parlament; a Member of P., skr. MP poslanec; the Houses of P. budovy Hornej a Dolnej snemovne (v Londýne); in the p. na sneme

**parliamentary** [ˈpaːləˈmentəri] parlamentárny; p. immunity poslanecká imunita

**parlo(u)r** [ˈpaːlə] obývacia izba, salón; AmE beauty p. salón krásy

**parole** [pəˈrəul] práv. prepustiť na podmienku

**parquet** [ˈpaːk(e)it] parkety, parketová podlaha

**parrot** [ˈpærət] papagáj; pren. opica (o človeku)

**parsley** [ˈpaːsli] petržlen

**parson** [ˈpaːsn] farár; duchovný • kuch. p.'s nose „biskup" (trtáč hydiny)

**parsonage** [ˈpaːsənidž] fara

**part** [paːt] n 1. časť; in p-s po častiach 2. súčasť, súčiastka; spare p-s náhradné súčiastky 3. úloha, rola; for my p. čo sa mňa týka; v 1. p. with rozdeliť (sa) 2. p. from rozísť sa, rozlúčiť sa, dať zbohom; take p. in podieľať sa na, zúčastniť sa na; for the most p. zväčša; I have done my p. svoje som si už urobil

**partake*** [paːˈteik] mať podiel, zúčastniť sa

**partial** [ˈpaːšəl] 1. čiastočný, neúplný 2. p. to sth. naklonený niečomu, mať slabosť pre niečo; zaujatý, predpojatý

**partiality** [ˈpaːšiˈæliti] zaujatosť, predpojatosť; p. for sth. záľuba pre niečo

**participant** [paːˈtisəpənt] účastník (kurzu, školenia)

**participate** [paːˈtisipeit]: p. in sth. zúčastniť sa na niečom, podieľať sa na niečom

**participation** [paːˈtisiˈpeišn] (spolu)účasť, podiel

**participle** [ˈpɑːtisipl] *gram.*
príčastie, particípium

**particle** [ˈpɑːtikl] **1.** čiastoč-
ka **2.** *gram.* častica

**particular** [pəˈtikjulə] *adj* **1.**
zvláštny; *for no p. reason*
pre nijakú zvláštnu príči-
nu **2.** podrobný **3.** vybe-
ravý; *be p. about* dať si
záležať na; *n* podrobnosť,
detail; *go into p-s* zachá-
dzať do podrobností/detai-
lov; *in p.* obzvlášť, najmä

**parting** [ˈpɑːtiŋ] **1.** (roz)-
lúčenie, rozchod **2.** pú-
tec, cestička *(vo vlasoch)*

**partisan** [ˈpɑːtizæn] **1.** prí-
vrženec **2.** partizán

**partition** [pɑːˈtišn] **1.** (roz)-
delenie, (roz)členenie **2.**
priehradka, priečka *(v izbe)*

**partly** [ˈpɑːtli] čiastočne,
sčasti, do určitej miery; *p.
cloudy* čiastočne za-
mračené

**partner** [ˈpɑːtnə] spoločník,
partner; *sleeping (AmE si-
lent) p.* tichý spoločník

**partnership** [ˈpɑːtnəšip]
podnikanie dvoch alebo
viacerých osôb

**partook** *see* **partake***

**part-owner** [ˈpɑːtəunə] spo-
lumajiteľ

**partridge** [ˈpɑːtridž] jarabica

**parts** [pɑːts] *pl.* končiny; *I*

*am a stranger in these p.*
som tu cudzí

**part-time** [ˈpɑːt taim] skráte-
ný úväzok; *p-t. job* práca
na čiastočný úväzok

**party** [ˈpɑːti] **1.** politická
strana; *p. committee* stra-
nícky výbor; *p. meeting*
stranícka schôdza **2.**
večierok, spoločnosť;
*birthday p.* narodeninová
oslava; *give a p.* usporia-
dať večierok **3.** stránka *(v
úrade)* **4.** účastník *(p. to
sth.* niečoho)*; p-ies con-
cerned* zúčastnené strany

**pass** [pɑːs] *v* **1.** prejsť; *please,
let me p.* dovoľte mi prej-
sť, prosím **2.** ísť okolo, mi-
núť **3.** prekročiť **4.** (s)tráviť
*(čas)* **5.** *šport.* prihrať *(lop-
tu)* **6.** schváliť; *the bill p-ed*
návrh zákona bol schvá-
lený **7.** meniť sa, prechá-
dzať **8.** podať; *p. me the
salt, please* podajte mi,
prosím, soľ **9.** zložiť, spra-
viť *(skúšku); n* **1.** sprievod-
ný list **2.** priesmyk • *p.
away* zomrieť, pominúť sa
• *p. by* ignorovať niečo •
*p. off* stratiť sa, zmierniť sa
*(bolesť)* • *p. out* omdlieť •
*AmE p. up* prerušiť styky •
*p. on!* nestojte!, posunte
sa!

**passable** [ˈpa:səbl] **1.** zjazdný, priechodný *(cesta, most)* **2.** znesiteľný, prijateľný; *p. knowledge of English* prijateľná znalosť angličtiny

**passage** [ˈpæsidž] **1.** prechod, prejazd, (pre)plavba **2.** chodba **3.** ukážka, pasáž *(z textu)*; *p. of time* tok času; *bird of p.* sťahovavý vták

**passbook** [ˈpa:sbuk] vkladná knižka

**passenger** [ˈpæsindžə] cestujúci, pasažier

**passer-by** [ˈpa:səˈbai] okoloidúci

**passion** [pæʃn] **1.** vášeň, náruživosť; *have a p. for* mať z niečoho pasiu **2.** nadšenie, zápal **3.** zlosť • *fly into a p.* rozčúliť sa **4.** *náb.* The P. pašie

**passionate** [ˈpæʃənit] vášnivý, náruživý; *p. gambler* vášnivý kartár

**passive** [ˈpæsiv] pasívny; *p. smoking* pasívne fajčenie; *gram.* trpný *(rod)*

**passport** [ˈpa:spo:t] cestovný pas; *pren.* priepustka; odporúčanie

**password** [ˈpa:swə:d] heslo

**past** [pa:st] *adj* minulý; *for some time p.* už nejaký čas; *in the p. year* minulý rok; *n* minulosť; *prep.* po; *half p. two* pol tretej; *she is p. seventy* má vyše sedemdesiat; *walk p. the school* ísť okolo školy

**pasta** [ˈpæ:stə] cestovina

**paste** [peist] *n* **1.** cesto *(maslové)* **2.** paštéta **3.** lepidlo; *v* (z)lepiť; *p. up* vylepiť *(plagát)*

**pasteboard** lepenka

**pastel** [ˈpæstəl] pastel *(obraz)*; *p. shades* pastelové odtiene;

**pastime** [ˈpa:staim] zábava, koníček *(vo voľnom čase)*; záľuba, kratochvíľa

**pastry** [ˈpeistri] pečivo; zákusky

**pastry-cook** [ˈpeistrikuk] cukrár

**pasture** [ˈpa:sčə] **1.** krmivo *(z trávy)* **2.** pasienok, paša, pastva; *v* pásť (sa)

**pat** [pæt] potľapkať; *p. on the shoulder* potľapkať po pleci

**patch** [pæč] *n* **1.** záplata **2.** kúsok, fliačik *(zeme)* **3.** náplasť; *v* zaplátať; *hovor.* *p. up* zosmoliť

**patchwork** [ˈpæčwə:k] prikrývka *(z malých kúskov látky)*

**patent** [ˈpeitənt] **1.** patentný, patentovaný; *the P. Office* patentový úrad; *p. medicine* patentovaný liek **2.** *p. leather shoes* lakové topánky

**paternal** [pəˈtəːnəl] otcovský; *p. home* otcovský dom

**path** [paːθ] cesta; cestička, chodníček *(v parku, lese)*

**pathetic** [pəˈθetik] dojemný

**pathfinder** [paːθˈfaində] priekopník; bádateľ

**pathos** [ˈpeiθos] dojatie

**patience** [ˈpeiʃns] trpezlivosť; *the p. of Job* anjelská trpezlivosť

**patient** [ˈpeiʃnt] *adj* trpezlivý; *be p. with sb.* mať s niekým trpezlivosť; *n* chorý človek, pacient; *give a p. a medicine* podať pacientovi liek

**patriot** [ˈpætriət] vlastenec, národovec

**patriotic** [ˌpætriˈotik] vlastenecký; *the Great P. War* Veľká vlastenecká vojna

**patriotism** [ˈpætriətizm] vlastenectvo, láska k vlasti

**patrol** [pəˈtrəul] hliadka, patrola; *be on p.* hliadkovať

**patron** [ˈpeitrən] **1.** ochranca; patrón, priaznivec;

*náb. p. saint of a country* svätý patrón krajiny **2.** zákazník, klient, návštevník *(pravidelný)*

**patronage** [ˈpætrənidž] protekcia, ochrana, podpora

**patronize** [ˈpætrənaiz] **1.** podporovať; *p. a young artist* podporovať mladého umelca **2.** byť *(pravidelným)* kupujúcim; *p. a shop (pravidelne)* nakupovať v *(jednom) obchode* **3.** správať sa povýšenecky k niekomu

**patronizing** [ˈpætrəˈnaiziŋ] povýšený, povýšenecký *(spôsoby)*

**pattern** [ˈpætən] **1.** vzor, príklad *(dobrých vlastností)* **2.** vzorka *(na látke, koberci)*

**pause** [poːz] *n* prestávka, pauza; *v* zastaviť sa; urobiť pauzu; *have a p.* odpočinúť si; *after a short p.* po krátkej prestávke, odmlke

**pave** [peiv] (vy)dláždiť; *streets p-ed in gold* ulice dláždené zlatom *(rozprávka)* • *p. the way for sb.* pripraviť niekomu pôdu/podmienky

**pavement** [ˈpeivmənt] *AmE* sidewalk; **1.** dlažba, dláždenie **2.** chodník; *p. artist* pouličný výtvarník *(kresliaci na chodník)*

**pavilion** [pə'viljən] **1.** pavilón, letohrádok, altán **2.** veľký stan

**paw** [po:] laba; *pren.* paprča

**pawn** [po:n] *n* šach. pešiak; *v* zastaviť *(vec)*, dať do záložne; *my ring is in p.* prsteň mám v záložni; *p. shop* záložňa

**pay¹** [pei] plat, mzda; *p. day* deň výplaty; *p. outs* zrážky z platu

**pay*²** [pei] **1.** platiť; *p. bills* platiť účty; *p. back* splácať *(dlh)*; *p. off* vyplatiť, vyrovnať *(účty)*; *p. up* splatiť, vrátiť *(celý)* dlh; *p. money out* míňať peniaze • *p. sb. out* pomstiť sa, odplatiť sa; *p. phone* telefónny automat

**payable** ['peiəbl] splatný; *p. in cash within a week* splatný v hotovosti do týždňa

**payment** ['peimənt] **1.** pláca, plat **2.** odmena; *p. order* platobný príkaz; *p. slip* výplatná páska

**pea** [pi:] hrach; *green p-s (zelený)* hrášok; *they are as like as two p-s* podobajú sa ako vajce vajcu

**peace** [pi:s] **1.** mier; *make p.*

uzavrieť mier; *p. treaty* mierová zmluva **2.** pokoj; *keep the p.* správať sa pokojne • *leave me in p.!* daj mi pokoj!, nechaj ma!

**peaceable** ['pi:səbl] mierny, pokojný; znášanlivý

**peaceful** ['pi:sful] tichý, pokojný, mierumilovný; *p. holiday* pokojná dovolenka

**peace-loving** ['pi:s'laviŋ] mierumilovný, pokojamilovný

**peacock** ['pi:kok] páv; *as proud as a p.* pyšný ako páv

**peach** [pi:č] broskyňa; *pren.* kráska, fešanda

**peak** [pi:k] vrchol, štít *(hory)* • *at p. hours* v dobe špičky

**peal** [pi:l] *p. of bells* hlahol zvonov, vyzváňanie; *p. of thunder* dunenie hromu; *p. of laughter* búrka smiechu

**peanut** ['pi:nat] arašid; *p. butter* arašidové maslo

**pear** [peə] hruška; *p. brandy* hruškovica

**pearl** [pə:l] perla; *p. fishing* lovenie perál; *false p-s* nepravé perly

**pearl-oyster** ['pə:l'oistə] perlorodka

**peasant** ['peznt] roľník, sedliak; *be a p.* sedliačiť

**peasantry** ['pezntri] roľníctvo, sedliactvo

**peat** [pi:t] rašelina

**peat-bog** ['pi:tbog] *aj* **p.-moss** rašelinisko

**pebble** ['pebl] *(plochý)* kremeň, okruhliak, žabka

**peck** [pek] ďobať, kľuvať *(zobákom)*

**peculiar** [pi'kju:ljə] **1.** svojrázny, svojský, vlastný, typický, charakteristický **2.** mimoriadny, neobyčajný, zvláštny, nezvyčajný **3.** čudný; *style p. to you* štýl vlastný tebe; *p. flavour* zvláštna chuť; *he is a little p.* je trochu čudný

**peculiarity** [pi'kju:li'æriti] zvláštnosť, osobitosť, svojráznosť; *p. of behaviour* svojrázne správanie sa

**pedagogy** ['pedəgodži] pedagogika

**pedal** ['pedl] *n* pedál; *v* stúpať/tlačiť na pedál

**pedantic** [pi'dæntik] pedantný

**pedestrian** [pi'destriən] chodec; *p. crossing* prechod pre chodcov; *p. precinct* pešia zóna; *adj pren.* prozaický, suchopárny

**pedigree** ['pedigri:] rodokmeň

**pedlar** ['pedlə] podomový obchodník

**pee** [pi:] *hovor.* pišať, cikať; *I need a p.* musím ísť cikať

**peek** [pi:k] pozerať *(kradmo)*; *p.-a-boo* hra na schovávačku

**peel** [pi:l] *n* šupa; *orange p.* pomarančová šupa; *v* šúpať, lúpať; *p. away* odlúpiť (sa)

**peep** [pi:p] *v* **1.** nakuknúť, nazerať *(into do )* **2.** pípnuť; *p. at* poškuľovať; *p. out* vykukávať; *n* **1.** kradmý pohľad **2.** (za)pípanie

**peer** [piə] **1.** seberovný **2.** pér *(člen britskej Hornej snemovne)*

**peevish** ['pi:viš] mrzutý, nevrlý

**peg** [peg] štipec *(na šaty)*, kolík *(na stan)*, vešiak; *buy a dress from the peg* kupovať konfekciu

**pellet** ['pelit] guľka; brok *(do brokovnice)*

**pell-mell** ['pel'mel] zmätok, trma-vrma

**pelt** [pelt] *n (stiahnutá)* koža *(zo zvieraťa)*; *v* **1.** hádzať; *p. with snowballs* zasypať snehovými guľami **2.** bubnovať, biť *(dážď)*

**pen** [pen] pero; *write with a p.* písať perom; *ball-point p.* večné pero; *fountain p.* plniace pero; *p. friend* priateľ, s ktorým si píšem

**penal** [ˈpiːnl] trestný; *p. law/code* trestné právo/-ý poriadok

**penalty** [ˈpenəlti] trest; pokuta; *šport.* nevýhoda; *p. kick* pokutový kop

**pen-and-ink** [ˈpenəndˈiŋk] perokresba

**pence** [pens] *pl.* od *penny*

**pencil** [pensl] ceruzka; *mark in p.* označiť ceruzkou; *use up a p.* vypísať ceruzku

**pendant** [ˈpendənt] prívesok *(na retiazke)*

**pending** [ˈpendiŋ] **1.** nevyriešený **2.** *mobil.* nedoručený *(SMS)*

**pendulum** [ˈpendjuləm] kyvadlo

**penetrate** [ˈpenitreit] vniknúť, preniknúť; *p. the Asian market* preniknúť na ázijský trh

**penguin** [ˈpeŋgwin] tučniak

**peninsula** [piˈninsjulə] polostrov

**penknife** [ˈpennaif] vreckový nožík

**penniless** [ˈpenilis] bez haliera

**penny** [ˈpeni] penca *(anglická minca, 100 p. = 1 libra)*; *pretty p.* pekný peniaz; *p. dreadfuls (lit.)* brak

**pension** [ˈpenʃn] penzia, dôchodok; *old-age p.* starobný dôchodok; *disability p.* invalidný dôchodok; *to p. off* penzionovať, dať do dôchodku

**pensioner** [ˈpenʃənə] penzista, dôchodca

**pentathlon** [penˈtæθlon] päťboj

**penthouse** [ˈpenthaus] **1.** prístrešok, prístavba **2.** *(luxusný)* strešný byt

**peony** [ˈpiəni] pivonka

**people** [piːpl] *n* **1.** ľud; národ **2.** ľudia; *who are these p.?* kto je to?; *enough for these p.* dosť pre každého; *p. of London* Londýnčania; *village p.* dedinčania; *my p.* moji, naši • *p. say* vraví sa, hovorí sa; *v* zaľudniť, osídliť

**pepper** [ˈpepə] čierne korenie; *red p.* paprika *(struk)*; *p.-box* korenička

**per** [pə:] **1.** za, na; *p. annum* za rok, ročne; *50 km p. hour* 50 kilometov za hodinu; *p. head* na jednotlivca, na hlavu **2.** cez, prostredníctvom; *p. post*

poštou; *p. rail* železnicou;
*p. cent* percento

**perceive** [pə'si:v] **1.** po-
strehnúť, všimnúť si **2.** po-
chopiť, vnímať

**perception** [pə'sepšn] **1.**
vnímanie, vnímavosť **2.**
vnem, postreh **3.** predsta-
va

**perch** [pə:č] *n* bidielko; *v*
sedieť na bidielku

**percussion** [pə:'kašən]: *p.
instruments* bicie nástroje

**perfect** ['pə:fikt] *adj* do-
konalý, bezchybný; *p.
weather* skvelé počasie; *v*
zdokonaliť; *to p. os. in
English* zdokonaliť sa
v angličtine

**perfection** [pə'fekšn] **1.** do-
konalosť, zdokonalenie
**2.** dokončovanie; *p. of a
building site* dokončova-
nie stavby

**perfidious** [pə:'fidiəs] zrad-
ný, vierolomný, podlý

**perform** [pə'fo:m] **1.** usku-
točňovať, vykon(áv)ať,
splniť **2.** zastávať *(úrad)* **3.**
predvádzať; (za)hrať; *p.
an operation* vykonať
operáciu; *p. tricks* predvá-
dzať kúsky; *p. a play*
(za)hrať hru

**performance** [pə'fo:məns]
**1.** vykonanie, splnenie

*(rozkaz)* **2.** predstavenie
*(hra)*, vystúpenie; *musical
p.* koncert; *p.-related pay*
plat závisiaci na výkone

**perfume** ['pə:fju:m] *n* vo-
ňavka; parfum; vôňa; *v*
[pə'fju:m] navoňať

**perfunctory** [pə'faŋktəri]
zbežný, povrchný, laj-
dácky

**perhaps** [pə'hæps] možno,
snáď, vari, hádam, azda;
*p., p. not* možno áno,
možno nie

**peril** ['peril] nebezpečen-
stvo; *at so. p.* na vlastné
nebezpečenstvo

**perilous** ['periləs] nebez-
pečný, riskantný

**period** ['piəriəd] **1.** obdo-
bie, doba; vyučovacia
hodina **2.** *AmE* bodka (=
*full stop)* **3.** perióda; *pl. p-
s* menštruácia; *p. of rest*
čas oddychu; *pay p.* pla-
tobné obdobie; *p. cos-
tume/furniture* dobový
odev/nábytok

**periodical** ['piəri'odikəl] *adj*
periodický; *n* časopis, pe-
riodikum

**perish** ['periš] zahynúť *(vo
vojne, od hladu)*; uhynúť
*(zviera)*; zaniknúť *(národ)*;
pokaziť sa *(jedlo)*

**perishable** ['perišəbl] podliehajúci skaze *(tovar, jed-lo)*

**periwig** [ˈperiwig] parochňa

**perjure** [ˈpəːdžə] krivo pri-sahať, falošne svedčiť *(na súde)*

**perk** [ˈpəːk] *inf.* = **perquisite** *fin.* výhoda, pôžitky

**perky** [ˈpəːki] bujný, veselý

**perm** [pəːm] *hovor.* trvalá *(ondulácia vlasov)*

**permanent** [ˈpəːmənənt] tr-valý, stály; *p. waves* trvalá ondulácia; *p. address* stále bydlisko

**permission** [pəˈmišn] povo-lenie; *with your kind p.* s vaším láskavým dovole-ním

**permit** [pəˈmit] *v* 1. dovoliť 2. pripustiť; *weather p.* za priaznivého počasia; *smoking is not p-ed here* fajčenie je tu zakázané; *n* [ˈpəːmit] 1. povolenie *(úradné)* 2. priepustka; *ex-port p.* vývozné povolenie

**pernicious** [pəˈnišəs] zhub-ný, škodlivý, ničivý

**perpendicular** [ˈpəːpənˈdik-julə] *adj* 1. kolmý 2. zvis-lý; *n* kolmica

**perpetual** [pəˈpetjuəl] *adj* neustály, večný; *p. mo-tion* perpetuum; *n bot.* tr-valka *(rastlina)*

**perplex** [pəˈpleks] zmiasť, popliesť, priviesť do po-mykova

**persecute** [ˈpəːsikjuːt] 1. stíhať, prenasledovať 2. obťažovať, domŕzať

**persecution** [ˈpəːsiˈkjuːšn] prenasledovanie; *suffer p.* byť prenasledovaný; *p. complex* stihomam

**perseverance** [ˈpəːsiˈviə-rəns] vytrvalosť, húževna-tosť

**persist** [pəˈsist] 1. trvať, zotr-vať 2. nedať sa odradiť; *p. in error* zotrvávať v omyle

**persistent** [pəˈsistənt] vytr-valý, húževnatý; nepre-stajný *(dážď)*; nepoľavujú-ci *(choroba)*; (neu)stály *(sťažnosti)*

**person** [pəːsn] 1. osoba 2. jednotlivec 3. človek; *ar-tificial p.* právnická oso-ba; *natural p.* fyzická oso-ba; *in p.* osobne

**personal** [ˈpəːsnəl] osobný; *p. history* životopis; *p. account* osobný účet; *p. reasons* osobné dôvody; *p. computer* osobný počí-tač

**personality** [ˈpəːsənæliti] osobnosť, veličina, zjav

**personify** [pəˈsonifai] zo-sobniť

**personnel** [ˈpəːsənel] **1.** personál, zamestanci **2.** *p. department* personálne/osobné oddelenie

**perspective** [pəˈspektiv] perspektíva

**perspicuous** [pəˈspikjuəs] jasný, zreteľný, zrozumiteľný

**perspiration** [ˈpəːspəˈreišn] pot; potenie sa

**perspire** [pəsˈpaiə] potiť sa

**persuade** [pəˈsweid] **1.** presvedčiť **2.** *p. into sth.* prehovoriť, nahovoriť, naviesť niekoho na niečo

**persuasion** [pəˈsweižn] **1.** presvedčenie **2.** prehováranie, nahováranie • *by p.* podobrotky; *religious p.* náboženské vyznanie

**pertain** [pəːˈtein] prináležať, patriť; *p. to sth.* patriť k niečomu

**pertinent** [ˈpəːtinənt] vhodný, primeraný, priliehavý, patričný; *p. reply* vhodná odpoveď

**peruke** [pəˈruːk] parochňa *(dlhá)*

**perv(ert)** [pəˈvəːt] zvrhlík, úchylný človek

**perverse** [pəːvəs] zvrátený, zvrhlý, úchylný

**pest** [pest] **1.** mor **2.** škodca

**pet** [pet] **1.** miláčik, maznáčik **2.** domáce zvieratko; *p. name* zdrobnenina *(mena)*, dôverná prezývka; *p. shop* obchod s domácimi zvieratami

**petal** [petl] *bot.* lupeň *(kvetu)*, okvetný lístok

**petition** [piˈtišn] *n* žiadosť, petícia, prosba; *v* podať petíciu; *p. for sth. (ponížene)* žiadať o niečo

**petrify** [ˈpetrifai] skamenieť, zmeravieť, strpnúť • *be p-ied with fear* skamenieť od strachu

**petrol** [ˈpetrəl] *AmE* gas-(olene) benzín; *p. station* benzínová pumpa

**petroleum** [piˈtrəuljəm] nafta

**petticoat** [ˈpetikəut] spodnička

**petty** [ˈpeti] drobný, nepatrný, nepodstatný; malicherný; *p. crime* malý prečin; *p. troubles* drobné starosti

**petulant** [ˈpetjulənt] podráždený, mrzutý, popudlivý

**pew** [pjuː] **1.** lavica *(kostolná)* **2.** miesto *(na sedenie)*; *hovor. take a p.* sadnite si

**pharmacist** [ˈfaːrməsist] lekárnik

**pharmacy** [ˈfaːməsi] **1.** farmácia *(odbor)* **2.** lekáreň

**phase** [feiz] fáza, etapa, obdobie

**phenomenon** [fi'nominən] (pl. **-ena**) jav, úkaz; *natural p.* prírodný úkaz

**phesant** ['feznt] bažant

**phew** [fju:] oh!, jej!, uf!

**philology** [fi'lolədži] filológia

**philosopher** [fi'losəfə] filozof; *p-s´ stone* kameň mudrcov

**philosophy** [fi'losəfi] filozofia; *moral p.* etika

**phone** [fəun] hovor. *n* telefón; *v* telefonovať; *by p.* telefonicky; *may I use your p.?* môžem si od vás zatelefonovať; *p. back* zavolať späť; *TV, radio. p.-in program* program s telefonickou účasťou divákov/poslucháčov; *p. book* telefónny zoznam; *p. box* telefónna búdka

**phonecode** ['fəun'kəud] kód telefónu

**phonetics** [fəu'netiks] pl. fonetika

**photo** ['fəutəu] fotografia; *take a p.* robiť fotografie; *p. shop* vyvolávanie fotografií (služba); *p. studio* fotoateliér

**photocopier** ['fəutəu'kopiə] rozmnožovačka

**photograph** ['fəutogra:f] *n* fotografia; *v* fotografovať

**photographer** [fə'togrəfə] fotograf

**phrase** [freiz] fráza, slovné spojenie, slovný zvrat; *p-s* prázdne slová

**physical** ['fizikl] 1. fyzikálny 2. fyzický, telesný; *p. education* telesná výchova

**physician** [fi'zišn] lekár

**physicist** ['fizisist] fyzik

**physics** ['fiziks] pl. fyzika

**pianist** ['pjænist] klavirista

**piano** ['pjænəu] klavír, piano; *play the p.* hrať na klavíri; *the p. is flat* klavír je rozladený

**pick** [pik] *n* krompáč, čakan; *toothpick* špáradlo (na zuby); *v* 1. rozkopať 2. rýpať (sa); špárať sa (v zuboch) 3. *p. up* zodvihnúť 4. oberať (ovocie); trhať (kvety) 5. *p. out* vyberať si; zistiť (význam); 6. *p. off* dať dole, odtrhnúť • *p. on* sadnúť si na niekoho (v škole); *p. out* rozoznať (postavu, tvár) • *p. up language* pochytiť, osvojiť si jazyk (bez učenia) • *p. so. pocket* ukradnúť niekomu z vrecka

**picking** ['pikiŋ] zber

**pickle** ['pikl] nakladať (do

soli, octu), marinovať; *p-s* nakladaná/zaváraná zelenina

**pick-me-up** [ˈpikmi(:)ap] posilňujúci, povzbudzujúci nápoj

**pickpocket** [ˈpikˈpokit] vreckový zlodej; *beware of p-s!* pozor na zlodejov!

**pick-up** [ˈpikˈap] **1.** dodávkové auto **2.** náhodná známosť

**picture** [ˈpikčə] obraz, zobrazenie, podobizeň, maľba, kresba; *take a p. of* urobiť obrázok, odfotografovať niekoho; *p. palace/theatre* kino; *p. postcard* pohľadnica

**picture-gallery** [ˈpikčəˈgæləri] obrazáreň

**pictures** [ˈpikčəz] *pl.* kino

**picturesque** [ˈpikčəˈresk] malebný; *p. village* malebná dedina

**pie** [pai] **1.** paštéka **2.** ovocný koláč, nákyp; *as easy as a p.* ľahký ako hračka

**piece** [ˈpiːs] kus, kúsok; *have another p. (of cake)* dajte si ešte kúsok (koláča); *p. by p.* jedno po druhom; *p. of paper* list papiera; *p. of news* novinka

**piece-goods** [ˈpiːsgudz] *pl.* kusový tovar

**piecework** [ˈpiːswəːk] úkolová práca

**pier** [piə] **1.** pilier **2.** mólo; prístavná hrádza

**pierce** [piəs] **1.** prepichnúť, prebodnúť **2.** preraziť; *p. into* vniknúť niekam

**pig** [pig] prasa, sviňa; *Guinea p.* morské prasa; *roast p.* pečené bravčové *(mäso)*; *make a p. of os.* prejedať sa, opíjať sa

**pigeon** [ˈpidžin] holub; *carrier/homing-p.* poštový holub

**pigheaded** [ˈpigˈhedid] tvrdohlavý

**pigsty** [ˈpigstai] prasačí chliev ik

**phew** [fjuː] *interj.* uf!

**pike** [paik] šťuka

**pile** [pail] *n* **1.** hŕba, kopa **2.** kôl, pilón *(mosta)*; *(v) p. in* nahrnúť sa, napchať sa *(dnu)*; *p. up* (na)hromadiť, navŕšiť, (na)kopiť

**pilgrim** [ˈpilgrim] pútnik

**pill** [pil] pilulka; *bitter p.* horká pilulka; *to be on the p.* užívať antikoncepciu

**pillar** [ˈpilə] stĺp, pilier

**pillion** [ˈpiljən] tandem *(na motorke)*

**pillory** [ˈpiləri] pranier

**pillow** [ˈpiləu] vankúš, podhlavník

**pillowcase** ['pilləukeis] ob-
liečka *(na vankúš)*
**pilot** ['pailət] *n* **1.** lodivod **2.**
pilot; *fighter p.* stíhací pi-
lot; *v* robiť lodivoda; ria-
diť *(lietadlo)*
**pimple** ['pimpl] vyrážka
**pin** [pin] *n* špendlík; *safety-
pin* zavierací špendlík;
*drawing p.* pripináčik; *v*
prišpendliť, pripäť; *p.
down* pritlačiť; *p. up* vyve-
siť • *I don't care a p.* je mi
to fuk
**pincers** ['pinsəz] *pl.* **1.** klieš-
te **2.** klepetá
**pine** [pain] *n* borovica, sos-
na; *(v) p. away* chradnúť,
upadať; *p. for/after* túžiť
po
**pineapple** ['pain'æpl] ana-
nás
**pinecone** ['painkəun] boro-
vicová šuška
**pinch** [pinč] *v* **1.** uštipnúť **2.**
omínať **3.** *hovor.* ukrad-
núť; *n* štipka
**pink** [piŋk] *n* karafiát, klin-
ček; *adj* ružový • *be in the
p.* byť zdravý ako ryba
**pins and needles** ['pinz ənd
'ni:dlz] mravčenie, stŕ-
pnutie *(končatiny)*
**pint** [paint] pinta (0,57 l)
**pioneer** ['paiə'niə] pionier,
priekopník; *(v) p. new*

meth-ods zavádzať nové
metódy
**pious** ['piəs] zbožný
**pip** [pip] **1.** zrnko *(citrónu,
jablka)* **2.** časový signál
v rádiu **3.** bod(ka) *(na do-
mine, kocke)* **4.** hviezdič-
ka *(voj. odznak)*
**pipe** [paip] **1.** trúbka, rúra,
trubica; *water p.* vodo-
vodná rúra **2.** píšťala **3.**
fajka; *light a p.* zapáliť si
fajku; *v* pišťať, pískať • *p.
down* utíšiť sa
**pipeline** ['paip'lain] ropo-
vod, plynovod
**piping** ['paipiŋ] **1.** potrubie
**2.** piskot
**pirate** ['paiərit] pirát; *play p-
s* hrať sa na zbojníkov
**piss** [pis] *hovor.* cikať • *p.
about* flákať sa; *p-ed* opitý
**pistol** [pistl] pištoľ(a); *toy p.*
detská pištoľa
**piston** ['pistən] piest
**pit** [pit] **1.** jama **2.** šachta **3.**
prízemie v divadle
**pitapat** [pitə'pæt] ťapi-ťap
**piteous** [pitiəs] ľútostivý;
žalostný
**pitfall** ['pitfo:l] jama, pasca,
klepec
**pitch** [pič] *n* **1.** smola **2.**
výška tónu **3.** *šport.* ihris-
ko; *v* **1.** smoliť **2.** postaviť,
rozložiť *(stan)*; **3.** (v)hodiť,

podať *(loptu)*; *p. in* pustiť sa do *(jedla, práce)*

**pitch-dark** [ˈpičˈdaːk] tma ako vo vreci; *as black as a p.* čierny ako žúžoľ

**pitcher** [ˈpičə] *AmE* **1.** džbán, krčah **2.** šport. nahadzovač, rozohrávač *(v baseballe)*

**pitchfork** [ˈpičfoːk] vidly

**pitiable** [ˈpitiəbl] poľutovaniahodný

**pitiful** [ˈpitiful] súcitný; dojímavý

**pitiless** [ˈpitilis] neľútostný, nemilosrdný; bezcitný

**pity** [ˈpiti] *n* **1.** súcit, ľútosť **2.** škoda; *what a p.!* to je škoda; *v* ľutovať; *feel p. for sb.* ľutovať niekoho, mať súcit s niekým

**pivot** [ˈpivət] čap; os

**pixel** [ˈpiksəl] jeden fotografický prvok na TV obraze

**placard** [ˈplækaːd] plagát, transparent

**place** [pleis] *n* **1.** miesto; *take p. in* konať sa v *(niekde)*; *take your p.* sadnite si *(na svoje miesto)*; *get a p.* dostať miesto/zamestnanie; *come round my p.* zastavte sa u mňa; *in the first p.* na prvom mieste, v prvom rade; *v* umiestniť, dať *(niekam)*

**placid** [ˈplæsid] pokojný, mierny

**plague** [pleig] **1.** pohroma **2.** mor, nákaza

**plaid** [plæd] pléd

**plain** [plein] *adj* **1.** jasný; *in p. English* jasne, zreteľne, jasnou rečou **2.** prostý, obyčajný; *p. food* jednoduchá strava; *p. truth* holá pravda; *p. chocolade* horká čokoláda; *p.-clothes* v civile **3.** nepekný; *p. person* nepekný človek; *n* rovina, planina

**plaintiff** [ˈpleintif] žalobca, žalujúca strana, navrhovateľ *(rozvodu)*

**plait** [plæt] vrkoč; *wear hair in p-s* nosiť vrkoče

**plan** [plæn] *n* plán, zámer, úmysel; náčrt; *v* **1.** plánovať **2.** *AmE* zamýšľať; *p. out* pripravovať, organizovať

**plane** [plein] *n* **1.** rovina **2.** plocha **3.** úroveň **4.** lietadlo; *aj* airplane **5.** hoblík; *v* hobľovať

**planet** [ˈplænit] planéta, obežnica

**plank** [plæŋk] doska *(na dlážke)*; lata *(na plote)*

**plant** [plaːnt] *n* **1.** rastlina; *p. food* rastlinná potrava; *house p.* izbová rastlina **2.**

závod, továreň; *power p.*
elektráreň; *v* **1.** (za)sadiť;
*p. out* vysádzať **2.** osídliť
**plantation** [plæn'teišn]
plantáž
**plaster** ['pla:stə] **1.** obklad
**2.** omietka; *p. of Paris* sad-
ra; *p. cast* sadrový obväz
**plastic** ['plæstik] plastický,
umelohmotný; *pren.* tvár-
ny, formovateľný; *p. sur-
gery* plastická chirurgia
**plate** [pleit] **1.** doska **2.** ta-
nier; *dental p.* umelý
chrup; *name p.* menovka
*(na dverách); number p.*
poznávacia značka *(auta);*
*gold p-ed* pozlátený
**plateau** ['plætəu] náhorná
rovina
**platform** ['plætfɔ:m] **1.** ná-
stupište, nástupisko **2.** tri-
búna **3.** stupienok
**platinum** ['plætinəm] plati-
na
**platitude** ['plætitju:d] otre-
paná fráza
**platoon** [plə'tu:n] *voj.* čata
**play** [plei] hra *(divadelná);*
zábava; *fair p.* poctivá
hra, slušné jednanie; *in p.*
žartom, zo zábavy; *come
into p.* začať, uviest, spus-
tiť *(činnosť); v* hrať (sa); *p.
Juliette* (za)hrať Júliu; *p.
with a doll* hrať sa s bábi-

kou • *p. along* predstierať
súhlas; *p. at so./sth.* hrať sa
na niekoho/niečo • *p. sth.
down* znižovať, zľahčovať
význam • *p. up* líškať sa;
*p. a part in sth.* zúčastniť
sa na niečom
**playgoer** ['plei'gо(u)ə] náv-
števník divadla
**playground** ['pleigraund]
ihrisko
**playwright** ['pleirait] drama-
tik
**plea** [pli:] **1.** obhajoba **2.**
prosba
**plead** [pli:d] **1.** obhajovať,
zastupovať *(pred súdom)*
**2.** prihovárať sa, zastávať
sa; *p. quilty* priznať sa **3.**
*p. for* prosiť za
**pleasant** ['pleznt] príjemný,
milý; *p. day* príjemný
deň; *p. taste* príjemná
chuť
**please** [pli:z] **1.** páčiť sa **2.**
uspokojiť; *hard to p. her*
ťažko jej vyhovieť; *be p-d
with* mať radosť z; *as you
p.* ako sa vám páči; **3.**
prosím (vás); *this way,
please* nech sa páči/pro-
sím, tadiaľto; *a cup of tea?
yes, please* šálku čaju?
áno, prosím
**pleasure** ['pležə] radosť, po-
tešenie, pôžitok; *with p.* s

radosťou; *at p.* podľa žela-
nia; *my p.* rado sa stalo

**pleat** [pli:t] záhyb; *p-ed* skirt
skladaná sukňa

**plebiscite** [ˈplebisit] všeo-
becné hlasovanie, plebis-
cit

**pledge** [pledž] *n* **1.** záloha
**2.** závazok; *make a p.* dať
si závazok; *v* **1.** dať do
zálohy **2.** zaviazať sa

**plentiful** [ˈplentifl] hojný

**plenty** [ˈplenti] množstvo,
hojnosť; *p. of* veľa; *p. of
people* množstvo ľudí; *p.
of time* dosť času

**pliable** [ˈplaiəbl] **1.** poddaj-
ný, pružný *(materiál)* **2.**
ústupčivý, prispôsobivý
*(človek)*

**pliers** [ˈplaiəz] *pl.* kliešte

**plight** [plait] nepríjemná si-
tuácia, galiba, mrzutosť

**plod** [plod] plahočiť sa, tr-
mácať sa, vliecť sa

**plot** [plot] *n* **1.** *(malá)* parce-
la, záhon **2.** osnova deja,
zápletka **3.** sprisahanie; *v*
sprisahať sa, kuť plány,
strojiť sprisahanie

**plough** [plau] *n* pluh; *v* orať;
brázdiť *(more)*; *p. through*
prediérať sa

**ploughman** [ˈplaumən] oráč

**pluck** [plak] *v* trhať, oberať;
*(n) hovor.* odvaha, guráž;

*p. up courage* vzchopiť sa,
pozbierať odvahu

**plug** [plag] *n* **1.** zátka, čap
**2.** zástrčka; *v* zapchať, za-
zátkovať • *p. away* drieť
ako kôň; *p. in* zastrčiť zá-
strčku, zapnúť prúd

**plum** [plam] slivka; *p. bran-
dy* slivovica

**plumb** [plam] *n* olovnica; *v*
merať olovnicou

**plumber** [ˈplamə] klampiar;
(vodo)inštalatér

**plump** [plamp] tučný, buc-
ľatý, guľatý; *p. cheeks*
okrúhle líca

**plunder** [ˈplandə] plieniť,
koristiť, drancovať, spus-
tošiť

**plunge** [plandž] *v* ponoriť
(sa); *p. into* strmhlav sko-
čiť; *n* ponorenie, ponor

**plural** [ˈpluərəl] *gram.* množ-
né číslo

**plus** [plas] plus, a; *p. 10 de-
grees* plus 10 stupňov; *20
plus* viac ako 20

**plush** [plaš] plyš

**ply** [plai] hrúbka, vrstva;
*two-p. hankies* dvojvrstvo-
vé vreckovky

**plywood** [ˈplaiwud] preglej-
ka

**p.m.** [ˈpi:ˈem] (post meri-
diem) poobede, popolud-
ní, odpoludnia, podve-

čer, večer; *from 1 p.m. to 12 p.m.* od 13. do 24. hodiny

**pneumonia** [nju'ːməunjə] zápal pľúc

**poach** [pəuč] pytliačiť; *go out p-ing* chodiť pytliačiť; *p. game* chodiť na zverinu

**poacher** ['pəuəč] pytliak

**pocket** ['pokit] *n* vrecko; *pick so. p.* okradnúť niekoho; *v* dať do vrecka; *p.-book* zápisník; *p.-money* vreckové

**pod** [pod] struk

**poem** ['pəuim] báseň; *collection of p-s* zbierka básní; *recite p-s* recitovať

**poet** ['pəuit] básnik

**poetry** ['pəuitri] poézia

**point** [point] *n* **1.** bod **2.** bodka; *full p.* bodka (za vetou) **3.** okamih **4.** vec **5.** svetová strana **6.** špička, hrot; *p. of view* náhľad, stanovisko; *speak to the p.* hovoriť k veci; *his strong p.* jeho silná stránka; *in p. of* pokiaľ ide o; *come to the p.* dostať sa k veci; *what is the p. of that?* čo to má za význam?; *v* ukázať; *p. out* poukázať; zdôrazniť; *p. at so. sth.* (po)ukázať na niekoho/niečo; *p. a gun at* namieriť

pušku na; *p. a pencil* zaostriť/zastrúhať ceruzku

**pointed** [pointid] špicatý, končitý, zahrotený; *p. nose* špicatý nos

**pointless** ['pointləs] zbytočný, nezmyselný

**points** *pl.* výhybky

**poison** [poizn] *n* jed; *v* otráviť; *p. the air* zamoriť vzduch

**poisonous** ['poiznəs] otravný, jedovatý; *p. snake* jedovatý had

**poke** [pəuk] prehrabávať; strkať, štuchať; *p. about* premŕvať sa; *p. through* vykľuť sa; *p. so. nose into* strkať nos do

**poker** ['pəukə] kutáč

**polar** ['pəulə] polárny; *p. bear* ľadový medveď; *p. lights* polárna žiara

**pole** [pəul] **1.** tyč, kôl; *p.-jump* skok o žrdi **2.** pól; *North/South P.* severný/južný pól

**police** [pə'liːs] polícia; *p. station* policajná stanica; *p. raid* policajná razia; *p. are after him* hľadá ho polícia; *call the p.* (za)volať políciu

**policeman** [pə'liːsmən] strážnik, policajt

**policy** ['polisi] **1.** politika;

politická línia; *tax p.*
daňová politika **2.** poist-
ka; *effect an insurance p.*
uzavrieť poistnú zmluvu

**polio** [ˈpoliəu] detská obrna

**polish** [ˈpoliš] *v* (vy)leštiť; *p.*
*furniture* leštiť nábytok •
*p. off* doraziť *(jedlo)* • *p.*
*up* zlepšiť, vybrúsiť *(vedo-*
*mosti); n* **1.** lesk **2.** leštid-
lo; *shoe p.* krém na topán-
ky **3.** uhladenosť

**polite** [pəˈlait] zdvorilý, sluš-
ný, dobre vychovaný

**political** [pəˈlitikəl] politic-
ký

**politician** [ˌpoliˈtišn] **1.** poli-
tik, štátnik **2.** *AmE* politi-
kár

**poll** [pəul] *n* **1.** hlasovanie
*(vo voľbách); a heavy/light*
*p.* veľká/malá účasť vo
voľbách **2.** voľby **3.** *p-ing*
*station* volebná miestnosť;
*v* **1.** zapísať do volebných
záznamov **2.** *p. for* hlaso-
vať pre; *go to the p-s* ísť
hlasovať/voliť

**pollen** [ˈpolin] peľ

**pollute** [pəˈljuːt] znečistiť,
zašpiniť; *p-ed environ-*
*ment* znečistené životné
prostredie; *p-ion level* stu-
peň znečistenia

**poloneck** [ˈpəuləunek]:
*p. sweater* rolák

**pomegranate** [ˈpomgrænit]
granátové jablko

**pomposity** [pomˈpositi] pom-
péznosť

**pond** [pond] rybník

**ponder** [ˈpondə] uvažovať,
premýšľať; *p. over sth.*
rozvažovať o niečom

**pony** [ˈpəuni] poník

**pool** [puːl] **1.** mláka, kaluž;
*swimming p.* bazén **2.** kar-
tel, združenie **3.** spoloč-
ný fond

**pools** [ˈpuːlz] stávka; *do the*
*p.* stávkovať, vsádzať na
*(kone, hokej)*

**poor** [puə] **1.** chudobný **2.**
biedny **3.** úbohý, poľuto-
vaniahodný; *p. quality* zlá
kvalita; *p. food* slabé jed-
lo; *be in p. condition* byť
v biednom stave • *p. little*
*thing* úbožiatko

**pop** [pop] puknúť, buchnúť;
vystreliť *(zátka z fľaše); p.*
*in* prísť na skok; *p. out* od-
skočiť si

**popcorn** [ˈpopkoːn] *AmE*
pukance

**pope** [pəup] pápež

**poplar** [ˈpoplə] topoľ

**poplin** [ˈpoplin] popelín

**poppy** [ˈpopi] mak *(kvet); p.*
*seed* mak *(zrnká)*

**popular** [ˈpopjulə] **1.** ľudový
**2.** obľúbený, populárny;

*be p. with students* byť
obľúbený medzi študent-
mi

**popularity** [ˈpopjuˈlæriti]
populárnosť, obľuba; *win
p.* získať si obľubu

**population** [ˈpopjuˈleišn] **1.**
obyvateľstvo **2.** počet
obyvateľstva

**populous** [ˈpopjuləs] ľudna-
tý

**porcelain** [ˈpo:slin] porce-
lán; *vase made of p.* váza
z porcelánu

**porcupine** [ˈpo:kjupain] di-
kobraz

**pore** [po:] *n anat.* pór; *v* dô-
kladne pozerať; *p. over*
byť zahĺbený do

**porch** [po:č] krytý vchod,
veranda

**pork** [po:k] bravčové mäso

**porous** [ˈpo:rəs] pórovitý,
porézny

**porridge** [ˈporidž] ovsená
kaša

**port** [po:t] prístav

**portable** [ˈpo:təbl] prenosný
*(televízor, počítač)*; kufrí-
kový *(písací stroj)*

**porter** [ˈpo:tə] **1.** vrátnik **2.**
nosič

**portion** [po:šn] **1.** časť,
čiastka **2.** (po)diel, prídel;
*p. of food* prídel/porcia
jedla

**portrait** [ˈpo:trit] portrét, po-
dobizeň; (p)opis *(osoby)*

**portray** [po:ˈtrei] **1.** portré-
tovať **2.** (p)opísať, vykres-
liť *(osobu)*

**pose** [ˈpəuz] *v* **1.** predložiť
*(požiadavku)*, položiť, dať
*(otázku)* **2.** zaujať postoj;
*p. as a friend* vydávať sa
za priateľa; *n* postoj, póza
*(pri fotografovaní)*

**posh** [poš] prepychový, ele-
gantný; *pren.* snobský

**position** [pəˈzišn] **1.** posta-
venie; *change p.* zmeniť
zamestnanie **2.** poloha,
miesto **3.** stav, situácia,
položenie; *awkward p.*
trápna situácia; *be in a p.
to do sth.* môcť, mať mož-
nosť niečo urobiť

**positive** [ˈpozitiv] *adj* **1.**
kladný **2.** nesporný **3.** po-
zitívny; *I am p.* som si istý

**possess** [pəˈzes] **1.** mať,
vlastniť **2.** posadnúť; *be p-
ed with an idea* byť posad-
nutý myšlienkou

**possession** [pəˈzešn] maje-
tok, vlastníctvo; *house in
p. of so.* dom vo vlastníc-
tve niekoho, dom patriaci
niekomu; *my personal p-s*
môj osobný majetok; *pl.*
državy

**possessive** [pəˈzesiv] **1** ma-

jetkový **2.** *gram.* privlast-
ňovací *(zámeno)*

**possibility** [ˈposiˈbiliti] mož-
nosť

**possible** [ˈposibl] možný; *if
p.* podľa možnosti; *come
as soon as p.* príď čo naj-
skôr

**post** [pəust] *n* **1.** stĺp **2.** stráž
**3.** pošta, *AmE* mail; *v* **1.**
vyvesiť vyhlášku, vyhlá-
siť; *p. no bills!* nelepiť pla-
gáty! **2.** dať na poštu, po-
slať poštou; *p. a letter*
poslať list; *p.-code, AmE
zip-code* poštové smero-
vacie číslo

**postage** [ˈpəustidž] poštov-
né; *p.-stamp* poštová
známka

**postal** [ˈpəustəl] poštový; *p.
order* poštová poukážka;
*p. code* poštové smerova-
cie číslo

**postcard** [ˈpəustka:d] koreš-
pondenčný lístok; *picture
p.* pohľadnica; *(AmE iba
pohľadnica)*

**poster** [ˈpəustə] plagát

**posterity** [posˈteriti] potom-
stvo, budúce pokolenie

**postgraduate** [ˈpəustˈgre:d-
juət] *(AmE graduate)* ab-
solvent *(školy)*

**postman** [ˈpəustmən] *AmE*
mailman listár, poštár

**post office** [ˈpəustˈofis] poš-
ta, poštový úrad

**postpone** [ˈpəustˈpəun] od-
ložiť *(na neskôr)*, odsunúť,
oddialiť

**postwar** [ˈpəustˈwo:] povoj-
nový

**pot** [pot] hrniec; *teapot* čaj-
ník; *coffee-p.* konvica na
kávu; *watering-p.* krhla;
*flower-p.* črepník; *night-p.*
nočník

**potato** [pəˈteitəu] zemiak;
*boiled p-es* varené zemia-
ky; *watery p-es* rozvarené
zemiaky; *jacked p.* peče-
ný zemiak v šupke

**potter** [ˈpotə] *n* hrnčiar; *v*
paprať sa; *p. about in the
garden* piplať sa v záhra-
de

**pottery** [ˈpotəri] hrnčiarske
výrobky

**pouch** [pauč] **1.** mešec na
tabak **2.** vak *(u zvierat)*

**poultry** [ˈpəultri] hydina

**pound** [paund] *n* libra *(me-
na i jednotka hmotnosti
453, 6g)*; *it cost 3 p-s* stálo
to 3 libry; *v* **1.** trieskať,
búšiť

**pour** [po:] liať (sa); *p. out* **1.**
vyliať *(tekutinu)* **2.** naliať
*(nápoj)*; *it was p-ing all the
day* lialo celý deň

**poverty** [ˈpovəti] chudoba,

bieda; *pren. intelectual p.* intelektuálna úbohosť

**powder** [ˈpaudə] *n* **1.** prach, prášok **2.** púder; *v* **1.** rozdrviť na prach **2.** pudrovať, posypať práškom; *p-ed sugar* práškový cukor

**power** [ˈpauə] **1.** sila, energia; *electric p.* elektrická energia **2.** moc; *it´s out of my p.* nie je v mojej moci **3.** mocnosť **4.** *mat.* mocnina; *the second p.* druhá mocnina; *p. point* zástrčka, prívod na elektrický prúd

**powerful** [ˈpauəful] silný, mocný, mohutný; vplyvný

**powerless** [ˈpauələs] bezmocný, slabý

**powerplant** [ˈpauəplaːnt] elektráreň

**powerstation** [ˈpauəˈsteišn] elektráreň

**practical** [ˈpræktikəl] **1.** praktický **2.** schopný **3.** uskutočniteľný, možný

**practically** [ˈpræktikəli] takmer, skoro, vlastne

**practice** [ˈpræktis] **1.** prax **2.** cvičenie; *put into p.* uskutočniť, uviesť do praxe

**practise** [ˈpræktis] **1.** praktizovať, vykonávať; *p. medi-* *cine* byť lekárom **2.** cvičiť; *p. the piano* cvičiť na klavíri

**practitioner** [prækˈtišənə]: *general p.* obvodný/praktický lekár

**prairie** [ˈpreəri] préria

**praise** [preiz] *v* chváliť, velebiť; *n* chvála, pochvala; *náb. p-d be* buď pochválen

**praiseworthy** [ˈpreizˈwəːði] chvályhodný, záslužný

**pram** [præm] *AmE* baby carriage; *hovor.* detský kočík *(skr.= perambulator)*

**prawn** [ˈproːn] *(veľká)* kreveta

**pray** [prei] **1.** prosiť *(úpenlivo)* **2.** prosím vás; *I p. you think again* premyslite si to, prosím **3.** (po)modliť sa; *let us p.* pomodlime sa

**prayer** [preə] **1.** modlitba **2.** prosba; *náb. the Lord´s p.* Otčenáš

**preach** [priːč] kázať, mať kázeň

**preacher** [ˈpriːčə] kazateľ

**preamble** [priːˈæmbl] predhovor

**precarious** [priˈkeəriəs] neistý, riskantný, nebezpečný

**precaution** [priˈkoːšn] **1.** opatrnosť **2.** predbežné opatrenie; *take p. against* urobiť bezpečnostné opatrenia

**precede** [pri:'si'd] predchádzať, predísť; mať prednosť

**precedent** ['presidənt] precedens; *without p.* nemajúci obdobu, nebývalý

**preceding** [pri:'si:diŋ] predchádzajúci; *p. speaker* predrečník; *p. day* predošlý deň

**precinct** ['pri:siŋ(k)t] 1. *pl. p-s* okolie mesta 2. *AmE* policajný obvod

**precious** ['prešəs] (draho)-cenný, drahý, vzácny; *p. metals* vzácne kovy

**precipice** ['presipis] priepasť

**precise** [pri'sais] presný, správny; *p. translation* presný preklad; *p. medicaments* správne lieky

**precision** [pri'sižn] presnosť; *p. mechanics* jemná mechanika

**precursor** [pri:'kə:sə] predchodca

**predecessor** ['pri:disesə] 1. predchodca 2. predok

**predestine** [pri(:)'destin] predurčiť

**predicate** ['pridikit] *gram.* prísudok

**predict** [pri'dikt] predpovedať, predvídať; prorokovať

**prediction** [pri'dikšn] predpoveď, prognóza; proroctvo

**predominate** [pri'domineit] prevládať, prevažovať; *p. over sb./sth.* mať prevahu nad niekým/niečím

**prefab** ['pri:fæb] panelák

**preface** ['prefis] predhovor, predslov

**prefer** [pri'fə:] dávať prednosť, uprednostňovať, mať radšej; *I p. tea to coffee* mám radšej čaj než kávu

**preference** [prefərəns] záľuba; prednosť; uprednostňovanie

**prefix** ['pri:fiks] 1. *gram.* predpona 2. *telek.* predvoľba

**pregnancy** ['pregnənsi] ťarchavosť, tehotenstvo

**pregnant** ['pregnənt] 1. ťarchavá, tehotná; *become p.* otehotnieť 2. myšlienkovo bohatý, vynaliezavý

**prejudice** ['predžudis] predsudok, zaujatosť, predpojatosť

**preliminary** [pri'liminəri] 1. predbežný 2. *šport.* vylučovací/kvalifikačný 3. *ho-*

*vor.* prelim prijímacia skúška

**premature** [ˈpremǝˈtjuǝ] predčasný; priskorý

**premier** [ˈpremjǝ] minister-ský predseda

**premises** [ˈpremisiz] *pl.* budova *(s príslušenstvom)*; miestnosti, priestory

**premium** [ˈpriːmjǝm] prémia, odmena; splátka

**prepaid** *see* **prepay\***

**preparation** [ˈprepǝˈreišn] **1.** prípava **2.** prípravok **3.** *škol.* domáca úloha

**preparatory** [priˈpærǝtǝri] prípravný; *p. school* súkromná základná škola

**prepare** [priˈpeǝ] pripraviť (sa), (pri)chystať (sa); *p. for an exam* pripraviť sa na skúšku; *p. meal* pripravovať jedlo; *be p-d* buď pripravený/nachystaný

**prepay\*** [ˈpriːˈpei] predplatiť (si), zaplatiť vopred

**preponderance** [priˈpondǝrǝns] prevaha; presila

**preposition** [ˌprepǝˈzišn] *gram.* predložka

**preposterous** [priˈpostǝrǝs] neprirodzený, zvrátený, nezmyselný, absurdný

**prescribe** [priˈskraib] predpísať, naordinovať; *p. a medicine* predpísať liek

**prescription** [priˈskripšn] predpis, recept; *make up a p.* pripraviť liek *(podľa receptu)*; *p. charge* poplatok za recept

**presence** [prezns] prítomnosť, účasť; výskyt

**present** [ˈpreznt] *n* **1.** prítomnosť; *at p.* teraz, v súčasnej dobe; *for the p.* pre prítomnosť, zatiaľ; **2.** dar; *Christmas p-s* vianočné darčeky; *adj* **1.** prítomný; *be p. at a lesson* byť prítomný na hodine **2.** terajší; *the p. day* dnešný deň; *v* [priˈzent] **1.** predložiť **2.** predstaviť; *p. sb. to sb.* predstaviť niekoho niekomu **3.** predvádzať **4.** darovať

**present tense** [ˈpreznt ˈtens] *gram.* prítomný čas

**present-day** [ˈpreznt ˈdei] súčasný; *p. writer* súčasný spisovateľ

**presenter** [priˈzentǝ] konferenciér

**presentiment** [priˈzentimǝnt] predtucha

**presently** [ˈprezntli] o chvíľu, (i)hneď; *I´m coming p.* hneď prídem

**preservation** [ˈprezǝˈveišn] udržiavanie, uchovanie, konzervácia; *in good p.*

zachovaný; *p. of monuments* ochrana pamiatok

**preserve** [pri'zə:v] *v* **1.** uchovať, chrániť, udržiavať *(v dobrom stave)* **2.** konzervovať, zavárať **3.** hájiť *(zver)*; *n* zaváranina

**preside** [pri'zaid]: *p. over sth.* predsedať niečomu

**presidency** ['presidənsi] **1.** prezidentský úrad **2.** predsedníctvo

**president** ['prezidənt] **1.** prezident **2.** predseda; *elect sb. a p.* zvoliť niekoho za prezidenta/predsedu; *Mr. P.* pán prezident

**press** [pres] *v* **1.** (s)tlačiť; *p. the button* stlačiť gombík *(stroja, prístroja)* **2.** lisovať **3.** žehliť *(šaty)*; *n* **1.** lis **2.** tlač; *daily p.* denná tlač; *book is in the p.* kniha je v tlači **3.** tlačiareň **4.** tlak; *time p-es* čas súri, tlačí (ma) čas; *p. down* stlačiť; *p. on* pridávať *(na rýchlosti)*; *p. out* vytlačiť ● *p. from sb. an information* vymáhať z niekoho informáciu; *press for* urgovať, domáhať sa *(niečoho)*

**pressagency** ['pres'eidžənsi] tlačová agentúra

**presscutting** ['pres'katiŋ] novinový výstrižok

**pressing** ['presiŋ] **1.** naliehavý, súrny **2.** neodbytný

**pressure** ['prešə] **1.** tlak; *air p.* tlak vzduchu; *blood p.* krvný tlak **2.** nátlak; tieseň; napätie

**pressurecooker** ['prešə'kukə] tlakový hrniec

**prestige** [pres'ti:ž] prestíž, dobré meno

**presume** [pri'zju:m] predpokladať, domnievať sa

**presumption** [pri'zampšən] predpoklad; *p. of innocence* prezumpcia neviny

**presumptuous** [pri'zamtjuəs] trúfalý, bezočivý, opovážlivý

**pretence** [pri'tens] zámienka

**pretend** [pri'tend] predstierať; pretvarovať sa; *p. illness* predstierať chorobu

**pretension** [pri'tenšən] **1.** nárok, požiadavka *(neoprávnená)* **2.** náročnosť

**pretentious** [pri'tenšəs] náročný

**pretext** ['pri:tekst] zámienka, výhovorka

**pretty** ['priti] *adj* pekný; *p. girl* pekné dievča; *adv* **1.** *iron.* pekne, dobre; *p. expensive* pekne/dobre drahý; **2.** dosť; *p. good* dosť dobrý

**prevail** [pri'veil] **1.** prevládať; *use of English p-s* prevláda angličtina **2.** víťaziť; *reason p-ed* zvíťazil rozum; *p. upon* presvedčiť

**prevalent** ['prevələnt] prevládajúci, rozšírený, všeobecný, prevažujúci

**prevent** [pri'vent] **1.** predísť, predchádzať niečomu **2.** *p. sb. from doing sth.* zabrániť niekomu v niečom

**prevention** [pri'venšn] predchádzanie, prevencia; ochrana

**preventive** [pri'ventiv] preventívny, ochranný; *p. measures* preventívne opatrenia

**preview** ['pri:vju:] predpremiéra *(uzavretá)*; vernisáž; ukážka *(z budúceho filmu)*

**previous** ['pri:vjəs] *adj* predošlý, predchádzajúci, minulý; *p. experience* predchádzajúce skúsenosti; *adv p. to sth.* pred niečím

**prey** [prei] *n* korisť; *beast of p.* dravec; *(v) p. upon* koristiť z

**price** [prais] cena, hodnota; *p-s are going up* ceny stúpajú; *beyond p.* neoceniteľný; *p. list* cenník; *wholesale p.* veľkoobchodná

cena; *(v) p. down* znížiť cenu; *p. up* zvýšiť cenu

**priceless** ['praisləs] neoceniteľný

**prick** [prik] pichnúť, bodnúť; *p. os.* popichať sa

**prickle** ['prikl] osteň, tŕň, pichliač

**pride** [praid] *n* pýcha; *take p. in so. work* byť pyšný na svoju robotu; *(v) p. os. on sth.* pýšiť sa niečím

**priest** [pri:st] kňaz, farár

**primarily** ['praimərili] v prvom rade, predovšetkým

**primary** ['praiməri] prvotný; pôvodný; *p. school* základná škola; *primary colours* základné farby

**prime** [praim] *adj* hlavný, základný; *P. Minister* ministerský predseda; *p. number* prvočíslo; *p. cost* výrobná cena; *P. Meridian* nultý poludník; *n* rozkvet; *in the p. of life* v najlepších rokoch života

**primer** ['praimə] **1.** šlabikár **2.** základná učebnica, cvičebnica

**primeval** [prai'mi:vəl] praveký

**primitive** ['primitiv] primitívny, prvotný; *p. man* pračlovek; *p. art* naivné umenie

**primrose** [ˈprimrəuz] prvo-
sienka
**prince** [prins] **1.** knieža **2.**
princ
**princess** [prinˈses] princez-
ná
**principal** [ˈprinsipəl] *adj*
hlavný; *p. witness* korun-
ný svedok; *n* šéf, predsta-
vený; *AmE* riaditeľ školy
**principality** [ˈprinsiˈpæliti]
kniežatstvo
**principle** [ˈprinsəpl] zásada,
princíp; *on p.* zo zásady,
zásadne; *in p.* v podstate
**print** [print] *n* **1.** výtlačok **2.**
tlač; *out of p.* rozobraný
*(knihy)* **3.** tlačené písmo
**4.** kópia negatívu **5.** od-
tlačok, stopa; *fingerp-s*
odtlačky prstov; *v* tlačiť,
vytlačiť, okopírovať
**printer** [printə] **1.** tlačiar **2.**
tlačiareň *(prístroj)* **3.** kopí-
rovací stroj, *hovor.* kopír-
ka
**printing** [ˈprintiŋ] *výp.* tlače-
nie, vytlačenie, prebieha
tlač
**prior** [ˈpraiə]: *p. to* pred; *p.
to his arrival* pred jeho prí-
chodom
**priority** [praiˈoriti] prednosť
*(v poradí)*, prvenstvo,
prednostné právo; nalie-
havosť

**prism** [prizəm] hranol
**prison** [prinz] väzenie, väz-
nica; *go to p.* byť uväzne-
ný
**prisoner** [ˈprizənə] **1.** väzeň
**2.** zajatec; *p. of war* voj-
nový zajatec; *take p.* zajať
**privacy** [ˈpraivəsi] súkro-
mie; *right to p.* právo na
súkromie; *in strict p.* prís-
ne v tajnosti
**private** [ˈpraivit] *adj* súk-
romný; *in p.* dôverne,
súkromne; *p. reasons*
súkromné dôvody; *n* oby-
čajný vojak
**privatization** [ˈpraivəˈtaize-
išn] privatizácia
**privilege** [ˈprivilidž] výsada,
privelégium
**privileged** [ˈprivilidžd] privi-
legovaný; *p. classes* privi-
legované vrstvy
**prize** [praiz] *n* **1.** cena, od-
mena **2.** výhra; *award a p.*
udeliť cenu; *v* vážiť si, ce-
niť si
**probability** [ˈprobəˈbiliti]
pravdepodobnosť; *in all
p.* podľa všetkého, s naj-
väčšou pravdepodobnos-
ťou
**probable** [ˈprobəbl] pravde-
podobný
**probably** [ˈprobəbli] prav-
depodobne, asi, azda

**probation** [prəuˈbeišən] skúšobná doba; *be on p.* byť podmienečne prepustený/prijatý na skúšobnú dobu

**probe** [prəub] *lek.* sonda

**problem** [ˈprobləm] problém • *he's a real p.* je s ním kríž; *housing p.* bytový problém; *work out a p.* vyriešiť problém

**procedure** [prəˈsi:džə] postup; konanie *(právne)*

**proceed** [prəuˈsi:d] 1. postupovať; *p. to the rear door!* postúpte k zadným dverám 2. pokračovať 3. *p. from sth.* vychádzať z

**proceeding** [prəˈsi:diŋ] 1. postup 2. rokovanie

**proceeds** [ˈprəusi:dz] *pl.* výťažok, výnos, zisk

**process** [ˈprəuses] 1. proces, dianie 2. postup, priebeh; *in p.* rozrobený, rozpracovaný

**procession** [prəˈsešn] sprievod

**proclaim** [prəˈkleim] vyhlásiť, prehlásiť; oznámiť

**proclamation** [ˌproklə'meišn] vyhlásenie, proklamácia; *p. of the government* vyhlásenie vlády

**procure** [prəˈkjuə] obstarať, zadovážiť

**prodigal** [ˈprodigəl] márnotratný; hýrivý

**prodigious** [prəˈdidžəs] zázračný, ohromný; *p. sum of money* obrovská suma peňazí

**prodigy** [ˈprodidži] zázrak, div; *child/infant p.* zázračné dieťa

**produce** [prəˈdju:s] *v* 1. predložiť; *p. your ticket* predložte lístok/preukážte sa lístkom 2. vyložiť 3. predviesť; *p. a play* predviesť/ uviesť hru 4. vyrobiť; *p. goods* vyrábať tovar; *n* [ˈprodju:s] 1. výroba, produkcia 2. poľnohospodárske výrobky; *p. of Slovakia* vyrobené na Slovensku

**producer** [prəˈdju:sə] 1. výrobca 2. *TV, film.* producent

**product** [ˈprodəkt] 1. výrobok, produkt; *present a new p.* predviesť nový výrobok; *by-p.* vedľajší produkt

**production** [prəˈdakšn] výroba, produkcia, tvorba; *mass p.* hromadná výroba

**productive** [prəˈdaktiv] 1. produktívny, výkonný 2. úrodný, výnosný; *p. fields* úrodné polia

**profess** [prəˈfes] vyznať, priznať, vyjadriť, hlásiť sa k niečomu *(kresťanstvu)*

**profession** [prəˈfešn] **1.** povolanie; *teacher by p.* povolaním učiteľ **2.** vyznanie

**professional** [prəˈfešənəl] *adj* profesionálny, odborný; *p. skill* odbornosť; *n* profesionál, odborník; *p. soldier* vojak z povolania

**professor** [prəˈfesə] profesor *(len univerzitný)*

**proficiency** [prəˈfišənsi] zdatnosť, dokonalosť, spôsobilosť

**proficient** [prəˈfišnt] skúsený, zručný; *be p. in English (dokonale)* ovládať angličtinu

**profit** [ˈprofit] *n* **1.** úžitok, prospech **2.** zisk, výťažok; *sell at a p.* predať so ziskom; *(v) p. by* získať z; *p.-making* zárobkový, rentabilný; *p.-sharing scheme* deľba zisku

**profitable** [ˈprofitəbl] **1.** prospešný, užitočný, osožný; *p. advice* užitočná rada **2.** výnosný; *p. undertaking* výnosné podnikanie

**profiteer** [ˌprofiˈtiə] šmelinár

**profound** [prəˈfaund] hlboký *(vzdych, poklona)*

**program(me)** [ˈprəugræm] **1.** program, relácia; *what's on the p.?* čo je na programe?, čo dávajú? **2.** plán, rozvrh; *p. of study* učebný plán; *be p-ed for Monday* naplánovaný na pondelok

**progress** [ˈprəugres] *n* pokrok; *production is in p.* výroba prebieha; *v* [prəˈgres] postupovať, pokračovať; urobiť pokrok, pokročiť

**progressive** [prəˈgresiv] **1.** postupný **2.** pokrokový

**prohibit** [prəˈhibit] **1.** zakázať; *smoking p-ed* fajčenie zakázané **2.** zabrániť

**prohibition** [ˌprəuiˈbišn] **1.** zákaz **2.** prohibícia

**prohibitive** [prəˈhibitiv] nedostupný *(ceny)*; *p. tax* ochranná daň

**project** [ˈprodžekt] *n* návrh, projekt; *škol.* samostatná práca; *v* [prəˈdžekt] **1.** navrhovať, projektovať **2.** premietať (si) *(film, predstavu)* **3.** vrhať *(lúče)*

**proletariat(e)** [ˌprəuleˈteəriət] proletariát

**pro-life** [prəuˈlaif] presadzujúci právo na život *(proti interrupcii)*

**prolific** [prəˈlifik] plodný, úrodný; produktívny

**prologue** [ˈprəulog] prológ, začiatok, príhovor

**prolong** [prəˈloŋ] predĺžiť; *p. a lecture* pretiahnuť prednášku; *p-ed absence* dlhotrvajúca neprítomnosť

**prolongation** [prəˈloŋˈgeišn] predĺženie

**promenade** [ˈpromiˈnaːd] promenáda, korzo; prechádzka; *p. concert (hovor.* the prom) promenádny koncert

**prominent** [ˈprominənt] vynikajúci, význačný, popredný; *to be p.* vynikať

**promise** [ˈpromis] *n* (prí)sľub; *keep/break p.* dodržať/porušiť sľub; *v* sľúbiť; *she p-d herself* sľúbila si

**promote** [prəˈməut] 1. povýšiť; *he was p-d to be a headmaster* bol povýšený na riaditeľa 2. podporovať; *p. a scheme* podporovať plán

**promotion** [prəˈməušn] 1. povýšenie 2. podpora

**prompt** [prompt] *adj* okamžitý; *p. reply* okamžitá odpoveď; *v* 1. podnietiť, navádzať 2. *div.* našepkať

**prompter** [ˈpromptə] *div.* šepkár

**prone** [prəun] náchylný *(na niečo)*

**pronoun** [ˈpronaun] *gram.* zámeno

**pronounce** [ˈprəˈnauns] vyslovovať, vysloviť; vyjadriť sa; *p. a sentence* vyhlásiť rozsudok

**pronounced** [prəˈnaunst] jasný, zreteľný

**pronunciation** [prəˈnansiˈeišn] výslovnosť; *her p. is excellent* má výbornú výslovnosť

**proof** [pruːf] *n* 1. dôkaz; *in p. of sth.* na dôkaz niečoho 2. skúška 3. korektúra; *p.-reading* korektúra rukopisu; *adj p. against* bezpečný pred; *water-p.* nepremokavý

**proof-reader** [ˈpruːfˈriːdə] korektor

**prop** [prop] *n* opora; *v* podoprieť; *p. a wall* podoprieť múr

**propel** [prəˈpel] poháňať

**propeller** [prəˈpelə] vrtuľa; lodná skrutka

**proper** [ˈpropə] 1. vlastný; *gram. p. name* vlastné meno 2. riadny, poriadny, vhodný; *in p. time* v príhodnom čase; *p. timing* správne načasovaný

**properly** [ˈpropəli] 1. riadne, primerane **2.** správne, slušne, vhodne

**properties** [ˈpropətiz] *pl.* rekvizity

**property** [ˈpropəti] **1.** majetok, vlastníctvo; *personal p.* osobný majetok, hnuteľnosť; *real p.* nehnuteľnosť **2.** vlastnosť, povaha, charakteristika *(železa)*

**prophecy** *n* [ˈprofisi] proroctvo; *v* [ˈprofisai] prorokovať, veštiť

**prophet** [ˈprofit] prorok, veštec; *false p.* falošný prorok

**prophetic** [prəˈfetik] prorocký

**proportion** [prəˈpo:šn] pomer; úmernosť; proporcia; *in p. to sth.* v pomere k niečomu; *pl. p-s* rozmery, veľkosť

**proportional** [prəˈpo:šnəl] pomerný, úmerný

**proposal** [prəˈpəuzəl] **1.** návrh **2.** svadobná ponuka

**propose** [prəˈpəuz] **1.** navrhnúť **2.** ponúknuť sobáš; *he p-ed me* požiadal ma o ruku

**proposition** [ˈpropəˈzišn] návrh; tvrdenie; *mat.* poučka

**proprietor** [prəˈpraiətə] majiteľ, vlastník

**propulsion** [prəˈpalšn] pohon, hnacia sila; *jet p.* prúdový pohon

**pros and cons** [ˈprəuz ən ˈkonz] pre a proti *(dôvody)*

**prosaic** [prəˈzeik] prozaický; všedný, obyčajný

**prose** [prəuz] próza; *p. writer* prozaik

**prosecute** [ˈprosikju:t] **1.** vykonávať *(živnosť)* **2.** stíhať; žalovať; *trespassers will be p-ed* porušenie zákazu sa trestá

**prosecution** [ˈprosiˈkju:šn] **1.** výkon, vykonávanie *(povinnosti)* **2.** súdne stíhanie, žaloba; *witness for the p.* svedok obžaloby

**prosecutor** [ˈprosikju:tə] žalobca, žalujúci; *Public P.* prokurátor

**prospect** [ˈprospekt] *n* **1.** výhliadka; *p-s are good* mať dobrú perspektívu **2.** nádej; *v* [prəˈspekt] hľadať *(zlato)*

**prospective** [prəsˈpektiv] budúci, prípadný; nádejný, očakávaný; *my p. colleague* môj budúci kolega

**prosper** [ˈprospə] prosperovať, prospievať, dariť sa

**prosperity** [prosˈperiti] blahobyt, prosperita; hojnosť

**prosperous** [ˈprospərəs] úspešný, prosperujúci, prospievajúci; priaznivý *(čas)*

**prostitution** [ˈprostiˈtjuːšn] prostitúcia; *pren.* zapredanie, predajnosť *(tlače)*

**prostrate** [prosˈtreit] **1.** ležiaci *(tvárou k zemi)*; *pren.* porazený **2.** zdrvený, premožený *(citom)*

**protect** [prəˈtekt] **1.** chrániť, ochraňovať; *p. yourself from sun* chráň sa pred slnkom **2.** brániť **3.** *výpoč.* zabezpečiť

**protection** [prəˈtekšn] ochrana, chránenie; *šport., šach., voj.* obrana; *environmental p.* ochrana životného prostredia

**protectionism** [prəˈtekšənizəm] reštrikcia importu konkurujúcich výrobkov

**protective** [prəˈtektiv] ochranný; *p. coating* ochranný náter

**protectorate** [prəˈtektərit] protektorát

**protest** [præˈtest] *v* protestovať, namietať; *p. againt sth.* ohradiť sa proti niečomu; *n* [ˈproutest] protest, námietka; *under p.* nedobrovoľne

**Protestant** [ˈprotistənt] *n* protestant, evanjelik; *adj* protestantský

**protractor** [prəˈtræktə] uhlomer

**protrude** [prəˈtruːd] vyčnievať; odstávať *(uši)*

**proud** [praud] *p. of sb./sth.* pyšný, hrdý na niekoho/niečo; *she is p.* ona je namyslená

**prove** [pruːv] **1.** dokázať; *p. sb. guilty* dokázať niekomu vinu **2.** ukázať sa, osvedčiť sa; *p. well* dobre sa osvedčiť **3.** *mat.* vyskúšať; *práv.* preveriť, overiť

**proven** [ˈpruːvn] osvedčený

**proverb** [ˈprovəb] príslovie; *a bird in the hand is worth two in the bush* lepší vrabec v hrsti ako holub na streche

**proverbial** [prəˈvəːbiəl] príslovečný

**provide** [prəˈvaid] **1.** zadovážiť, (za)obstarať; *p. food for homeless people* zaobstarať stravu pre bezdomovcov **2.** poskytovať *(služby)*

**provided** [prəˈvaidid]: *p. that* za predpokladu, že; pod podmienkou

**providence** [ˈprovidəns] prozreteľnosť; prezieravosť; *tempt p.* pokúšať osud

**province** [ˈprovins] **1.** provincia **2.** vidiek

**provincial** [prəˈvinšəl] *adj* **1.** provinčný **2.** provinciálny, vidiecky; *n* vidiečan

**provision** [prəˈvižn] **1.** opatrenie, ustanovenie *(zákona)* **2.** zásoba

**provisional** [prəˈvižənl] provizórny, dočasný, prechodný; *p. government* dočasná vláda

**provisions** [prəˈvižnz] *pl.* potraviny, zásoby potravín; proviant

**provoke** [prəˈvəuk] vyvolať *(lútosť)*, (vy)provokovať *(výtržnosti)*, spôsobiť *(smiech)*

**provoking** [prəˈvəukiŋ] provokatívny, dráždivý, vyzývavý

**prowl** [praul] zakrádať sa, sliediť niekde

**proximity** [prokˈsimiti] blízkosť; *in the p.* blízko

**proxy** [ˈproksi] **1.** náhradník, zástupca; *by p.* prostredníctvom zástupcu **2.** splnomocnenie

**prudent** [ˈpruːdənt] prezieravý, opatrný, rozvážny, uvážlivý

**prune** [pruːn] sušená slivka

**psalm** [saːm] žalm; *Book of P.* kniha žalmov

**pseudonym** [ˈsjuːdəunim] pseudonym, krycie meno

**psychic(al)** [ˈsaikik(l)] psychický; duševný

**psycho** [ˈsaikəu] blázon, šialenec; *hovor.* psychúň

**pub** [pab] *hovor.* krčma, hostinec; *hang around in p-s* chodiť z krčmy do krčmy

**public** [ˈpablik] *adj* verejný; *(n) the p.* **1.** verejnosť **2.** obecenstvo; *p. poll* prieskum verejnej mienky; *p. relations (PR)* styk s verejnosťou; *p. transport* verejná doprava; *open to the p.* verejnosti prístupné; *in p.* verejne

**publication** [ˈpabliˈkeišn] **1.** uverejnenie, vydanie; *year of p.* rok vydania **2.** publikácia

**public-house** [ˈpablikhaus] hostinec

**publicity** [pabˈlisiti] **1.** verejnosť **2.** reklama, publicita

**publish** [ˈpabliš] **1.** uverejniť **2.** vydať; *p. books* vydávať knihy; *p-ed by Longman* vydal Longman

**publisher** [ˈpablišə] vydavateľ, nakladateľ

**publishing house** [ˈpablišiŋ haus] nakladateľstvo

**puck** [pak] puk

**pudding** ['pudiŋ] puding, nákyp

**puddle** [padl] mláka, kaluž(a)

**puff** [paf] n **1.** závan, fúknutie, šluk (cigarety) **2.** obláčik (dymu, pary) **3.** nákyp; v bafkat; p. away odfúknut; p. out a candle sfúknut sviečku

**puke** [pju:k] zvracat

**pull** [pul] v **1.** tahat, potiahnut **2.** p. out vytrhnút; n **1.** tah **2.** dúšok **3.** kľuka (na potiahnutie) • p. a face robit grimasy • p. so. leg utahovat si z niekoho • p. about hrubo zaobchádzat; p. back ustúpit; p. down zbúrat (dom); p. off vyhrat (sútaž); p. on obliect si, natiahnut si; p. through vyviaznut z niečoho

**pulley** ['puli] **1.** kladka **2.** vytahovací šušiak na bielizeň

**pulmonary** ['pamənəri] plúcny

**pulp** [palp] **1.** dužina **2.** rozdrvená kaša, hmota, masa

**pulpit** ['pulpit] kazateľnica

**pulse** [pals] **1.** tep, pulz; feel the p. merat pulz **2.** strukovina

**pulverize** ['pavəraiz] rozdrvit na prach

**pump** [pamp] n pumpa; v pumpovat; p. up napumpovat

**pumpkin** ['pam(p)kin] tekvica

**pun** [pan] n slovná hra; v robit slovné hry

**punctual** ['paŋktjuəl] presný, dochvíľny; be p. príd presne

**punctuality** ['paŋktjuæliti] presnost, dochvíľnost

**punctuation** ['paŋktju'eišn] interpunkcia; p. marks interpunkčné znamienka

**puncture** ['paŋkčə] prepichnutie (pneumatiky); dierka; I had a p. dostal som defekt

**punch** [panč] n **1.** punč **2.** úder; v **1.** udriet **2.** prepichnút, preštiknút; P. and Judy Gašparko a Marienka

**punish** ['paniš] (po)trestat

**punishment** ['panišmənt] trest; capital p. trest smrti

**punt** [pant] plt

**pupil** [pju:pl] **1.** žiak, žiačka, školák, školáčka; first-grade p. prvák **2.** zornička, zornica (oka)

**puppet** ['papit] bábka; p. show bábkové divadlo

**puppy** [ˈpapi] šteňa; *det. p. dog* havko

**pure** [pjuə] čistý; rýdzi; číry; *p. and simple* jednoducho

**purebred** [ˈpjuːəbred] čistokrvý *(pes)*

**purgatory** [ˈpəːgətəri] *náb.* očistec

**purge** [pəːdž] *v* **1.** očistiť sa *(od viny)* **2.** vyprázdniť *(čreva)*; *n* **1.** preháňadlo **2.** čistka

**purchase** [ˈpəːčəs] *v* kúpiť, (na)kupovať; *n* nákup, kúpa

**purchaser** [ˈpəːčəsə] kupec *(kupujúci)*

**purity** [ˈpjuəriti] čistota *(mravná)*; ušľachtilosť; nevinnosť

**purple** [pəːpl] *n* purpur; *adj* červenofialový, purpurový

**purpose** [ˈpəːpəs] účel, cieľ; zámer, úmysel; *on p.* úmyselne, schválne; *to no p.* zbytočne, nadarmo; *for what p.?* prečo?

**purposely** [ˈpəːpəsli] schválne, zámerne, náročky, naschvál

**purr** [pəː] priasť *(mačka)*

**purse** [pəːs] peňaženka; *AmE* kabelka; *fat p.* plná peňaženka; *the public p.* štátna pokladnica

**pursue** [pəˈsjuː] **1.** (prena)sledovať **2.** zaoberať sa niečím

**pursuit** [pəˈsjuːt] **1.** prenasledovanie **2.** činnosť, zamestnanie

**pus** [pas] hnis

**push** [puš] *v* tlačiť (sa), postrčiť; *stop p-ing!* netlačte sa! • *p. for* domáhať sa niečoho • *p. off!* vypadni odtiaľto!; *p. on* poponáhľať sa; *p. through* presadiť, pretlačiť *(požiadavku)*; *p. together* stlačiť dokopy/spolu; *n* (po)strk, (po)tisnutie, (po)sotenie

**pushchair** [ˈpuščeə] *AmE stroller* športový/skladací kočík, bugina

**pushing** [ˈpušiŋ] podnikavý

**puss** [pus] *aj* **pussy** mačička, micka, cica

**put*** [put] **1.** dať *(niekam)*, položiť, postaviť, klásť niečo; *p. to bed* dať spať; *p. in order* dať do poriadku **2.** *p. down* zapísať si **3.** *p. off* odložiť; vyzliecť; vyzuť **4.** *p. on* obliecť **5.** *p. out* dať von • *p. out a cigarette* zahasiť cigaretu **6.** *p. up* ubytovať (sa) *(at a hotel* v hoteli) • *p. up with sth.* znášať, zmieriť sa, uspokojiť sa s niečím; **7.**

*can you p. me through Mr Smith?* môžete ma spojiť s pánom Kováčom? *(telefonicky)*

**putrefy** [ˈpjuːtrifai] hniť, rozkladať sa, zahnívať

**putter** [ˈpʌtə] *šport.* **1.** vrhač **2.** jedna z golfových palíc

**putty** [ˈpʌti] git, tmel *(sklenársky)*

**puzzle** [pazl] *n* **1.** záhada **2.** hádanka; *v* zmiasť, popliesť; *be p-d* byť v pomykove; *p. out* vyriešiť, rozlúštiť, uhádnuť

**pygmy** [ˈpigmi] trpaslík

**pyjamas** [pəˈdʒaːməz] *pl.* pyžama

**pyramid** [ˈpirəmid] pyramída

# Q

**quack** [kwæk] *n* šarlatán; *pren.* podvodník; *v* kvákať *(kačica)*; *pren.* tárať

**quadrangle** [kwoˈdræŋgl] **1.** štvoruholník **2.** *archit.* štvorcové nádvorie

**quadruped** [ˈkwodruped] štvornožec *(zviera)*

**quadruple** [ˈkwodruːpl] *adj* štvornásobný; *n* štvornásobok; *16 is the q. of 4* šestnásť je štvornásobkom štyroch

**quadruplets** [ˈkwodruplits] štvorčatá

**quaff** [ˈkwaf] logať, hltavo piť

**quail** [ˈkweil] chvieť sa ; *her heart q-ed* srdce sa jej zachvelo

**quaint** [kweint] podivný, zvláštny; *q. old village* svojrázna stará dedina

**quake** [kweik] triasť sa, zachvieť sa; otriasať sa *(od zemetrasenia)*

**qualification** [ˌkwolifiˈkeišn] **1.** kvalifikácia, spôsobilosť **2.** vymedzenie, obmedzenie, výhrada *(bližšími podmienkami)*

**qualify** [ˈkwolifai] **1.** kvalifikovať (sa); nadobudnúť, získať *(kvalifikáciu)*; byť oprávnený; *she is q-ied to teach English* je kvalifikovaná vyučovať angličtinu **2.** vymedziť *(bližšími podmienkami)*

**qualitative** [ˈkwoliteitiv] kvalitatívny, akostný

**quality** [ˈkwoliti] **1.** akosť, kvalita; *top/poor q.* najlepšia/zlá kvalita **2.** vlastnosť

**qualm** [kwoːm] **1.** nevoľ-

nosť, ťažoba **2.** pochyb-
nosti, výčitky svedomia
**quandary** [ˈkwoːndəri] roz-
paky, pochybnosti; *be in
q.* byť v pomykove
**quantitative** [ˈkwontitətiv]
kvantitatívny
**quantity** [ˈkwontiti] **1.** množ-
stvo, kvantita; *we had
q-ies of rain* príliš veľa
nám pršalo **2.** *mat.* veliči-
na; *finite q.* konečná ve-
ličina
**quarantine** [ˈkworəntiːn] ka-
ranténa; *put sb. in q.* dať
niekoho do karantény
**quarrel** [ˈkworəl] *n* **1.** spor;
*family q-s* rodinné spory
**2.** hádka, škriepka; *v
(po)vadiť sa, hádať sa; ha-
ve a q. with sb.* pohádať sa
s niekým
**quarrelsome** [ˈkworəlsəm]
hádavý, hašterivý, zá-
drapčivý
**quarry** [ˈkwori] kameňolom;
*q. miner* míner
**quart** [kwoːt] (= 2 pints [pa-
ints]) štvrť galónu *(1,13 lit-
ra)*
**quarter** [ˈkwoːtə] *n* **1.** štvrť;
*it's q. past two* je štvrť na
tri; *it's q. to three* je tri štvr-
te na tri; *q. of a town*
mestská štvrť; *a bad q. of
an hour* nepríjemná

chvíľa **2.** kvartál **3.** štvrť-
dolár **4.** miesto; *in the
highest q-s* na najvyšších
miestach *(spoločnosti); v*
**1.** rozštvrtiť, rozdeliť na
štyri **2.** *voj.* ubytovať *(voj-
sko)*
**quarterback** [ˈkwoːtəbæk]
*šport.* obranca, zadák
**quarterdeck** [ˈkwoːtədek]
horná zadná paluba *(lo-
de)*
**quarterly** [ˈkwoːtəli] štvrť-
ročne; *q. magazine* štvrť-
ročne vychádzajúci časo-
pis
**quarters** [ˈkwoːtəz] *pl.* byt,
bydlisko; *arrest in q.* do-
máce väzenie
**quartet(te)** [kwoːˈtet] kvar-
teto
**quay** [kiː] nábrežie, prístav-
ná hrádza
**queen** [kwiːn] kráľovná;
*Long live the q.!* nech žije
kráľovná!; *q. mother* krá-
ľovná matka; *beauty q.*
kráľovná krásy
**queer** [kwiə] čudný, divný,
zvláštny • *feel q.* nebyť vo
svojej koži • *q. fish* vý-
stredný človek
**quench** [kwenč] **1.** uhasiť,
utíšiť *(smäd)* **2.** ochladiť,
schladiť *(vodou)*; uhasiť
*(oheň)*

**querulous** [ˈkweruləs] **1.** reptavý, hádavý, hašterivý **2.** plačlivý, ufňukaný

**query** [ˈkwiəri] *n* otázka, dopyt; *v* opýtať sa, informovať sa

**quest** [kwest] *n* hľadanie, pátranie, vyhľadávanie *(vedecké, odborné)*

**question** [kweščn] *n* otázka; *q. mark* otáznik; *ask sb. a q.* dať niekomu otázku; *it is out of the q.* je vylúčené; *it's a q. of time* je to otázka času; *beyond q.* nepochybne; *the q. is...* ide o to...; *v* **1.** dávať otázky, pýtať sa **2.** vypočúvať **3.** pochybovať

**questionable** [ˈkweščənəbl] problematický; sporný, otázny

**questionnaire** [ˈkwestiə-neə] dotazník

**queue** [kju:] *n* rad, zástup *(ľudí)*; *jump the q.* predbiehať sa v rade; *v* stáť v rade; *q. up for a tram* stáť v rade na električku

**quibble** [ˈkwibl] slovná hra; vtip

**quiche** [ki:š] *kuch.* kiš *(zeleninovo-vajcové jedlo)*

**quick** [kwik] *adj* rýchly; *be q.!* ponáhľaj sa!; **2.** bystrý, pohotový; *q. child* bystré dieťa; *adv* rýchlo; *he is q. to understand* on rýchlo chápe; *výp. q. keys* klávesové skratky; *výp. q. menu* skrátená ponuka

**quick-and-dirty** [kwikˈən-dəti] *výp.* rýchle riešenie *(počítača)*

**quicken** [ˈkwikən] **1.** oživiť (sa) **2.** zrýchliť, urýchliť

**quickly** [ˈkwikli] rýchlo; *come q.* rýchlo prísť; *do sth. q.* urobiť niečo rýchlo, šmahom ruky, svižne

**quicksilver** [ˈkwikˈsilvə] ortuť, živé striebro

**quicktempered** [ˈkwikˈtempəd] prchký, popudlivý

**quiet** [ˈkwaiət] *n* ticho, pokoj; *the patient needs q.* pacient potrebuje pokoj; *adj* tichý, pokojný; *q. evening* tichý večer; *be q.!* buď ticho!, mlč!; *v* upokojiť, utíšiť (sa); *q. down* upokojiť sa

**quiff** [kwif] ofina

**quill** [kwil] **1.** vtáčie pierko **2.** brko *(na písanie)*

**quilt** [kwilt] prešívaná prikrývka

**quinine** [kwiˈni:n] chinín

**quintuple** [ˈkwintjupl] päťnásobný

**quisling** [ˈkwizliŋ] kolaborant

**quit** [kwit] opustiť, zanechať, vzdať sa čoho; *AmE* zastaviť; *q. that!* prestaň!, nerob to! • *give notice to q.* dať výpoveď; *q. work* vystúpiť z roboty; *q. smoking* dofajčiť

**quite** [kwait] celkom, úplne; *I'm q. alone* som úplne sám; *q. a lot of people* pomerne dosť ľudí; *q. often* dosť/pomerne často

**quiver** [ˈkwivə] *v* chvieť sa; *q. with cold* chvieť sa od zimy; *n* chvenie

**quiz** [kwiz] *v AmE* vypytovať sa, skúšať; *n* kvíz

**quizzical** [ˈkwizikl] smiešny, žartovný

**quota** [kwəutə] kvóta, prídel, penzum

**quotation** [kwəuˈteišn] **1.** citát; *q. marks* úvodzovky **2.** udanie ceny, cenová ponuka

**quote** [kwəut] **1.** citovať; *q. examples* citovať príklady; *q-s* úvodzovky **2.** udať cenu

# R

**rabbit** [ˈræbit] králik; *go r-ing* ísť na králiky

**rabble** [ˈræbl] zberba, chamraď

**rabid** [ˈræbid] besný *(zviera)*; *pren.* zúrivý, divoký

**rabies** [ˈreibi:z] besnota; *dog suspected of r.* pes podozrivý na besnotu

**race** [reis] *n* **1.** pretek(y), súťaž; *speed r.* rýchlostné preteky; *hurdle r-s* prekážkové preteky; *relay r.* štafetový beh **2.** rasa, plemeno, pôvod; *r. hatred* rasová nenávisť; *human r.* ľudstvo; *v* pretekať, náhliť sa

**rase-course** [ˈreisko:s] pretekárska/dostihová dráha

**races** [ˈreisiz] *pl. the r.* dostihy

**racial** [ˈreišəl] rasový; *r. equality* rasová rovnoprávnosť; *r. violence* rasové nepokoje

**racialist** [ˈreišəlist] *aj* **racist** [ˈreisist] rasista

**rack** [ræk] **1.** polica, stojan, podstavec; *book-r.* polička na knihy; *newspaper r.* stojan na noviny **2.** vešiak, sieť *(na batožinu)*; *towel-r.* vešiak na uteráky; *clothes r.* sušiak na prádlo **3.** záhradka *(na aute)*;

*AmE slang. r. of bones* kosť a koža

**racket** [ˈrækit] **1.** hluk, lomoz, hrmot **2.** *AmE hovor.* vydieračstvo **3.** raketa *(tenisová)*

**racketeer** [ˌrækiˈtiə] vydierač; *hovor.* výpalník

**radar** [ˈreidɑ:] radar, rádiolokátor

**radiance** [ˈreidiəns] žiarenie, vyžarovanie

**radiant** [ˈreidiənt] žiariaci; sálavý; svetlý, jasný

**radiate** [ˈreidieit] žiariť *(radosťou)*; vyžarovať *(svetlo, teplo)*

**radiation** [ˌreidiˈeišn] vyžarovanie; *solar r.* slnečné žiarenie

**radiator** [ˈreidieitə] **1.** radiátor, výhrevné teleso **2.** chladič *(auta)*

**radical** [ˈrædikəl] *n* radikál **2.** *mat.* odmocnina; *adj* **1.** základný **2.** radikálny

**radio** [ˈreidiəu] rádio, rozhlas; *switch/turn the r. on* zapnúť rádio; *switch/turn the r. off* vypnúť rádio; *broadcast by r.* vysielať v rozhlase; *listen to the r.* počúvať rádio

**radioactivity** [ˈreidiəuæktiviti] rádioaktivita

**radiograph** [ˈreidiəugræf] **1.**

rádiogram **2.** röntgenová snímka

**radiology** [ˌreidiˈolədži] rádiológia, röntgenológia

**radish** [ˈrædiš] reďkovka; *horse r.* chren

**radius** [ˈreidiəs] *pl.* **radii 1.** polomer **2.** rádius; dosah, okruh; *within a r. of one km* v okruhu jedného kilometra

**raffish** [ˈræfiš] samopašný

**raft** [rɑ:ft] **1.** plť **2.** prievoz **3.** *šport.* raft; *go r-ing* splavovať na rafte *(gumovom člne)*

**rag** [ræg] handra, zdrap; *r-s* handry *(šaty)*; *be in r-s* byť otrhaný

**rage** [reidž] *n* **1.** zlosť, zúrivosť; *be in a fit of r.* mať záchvat zúrivosti **2.** posadnutosť; *have a r. for fishing* byť vášnivým rybárom **3.** veľmi módna vec; *v zúriť*

**ragged** [ˈrægid] otrhaný, ošúchaný; *r. coat* obnosený kabát; neupravený *(vlasy)*; drsný, hrboľatý *(povrch)*

**rag-time** [ˈrægtaim] synkopovaný tanečný rytmus

**raid** [reid] **1.** vpád; nájazd; *r. on a bank* prepad banky **2.** nálet; *air-r.* nálet, letecký útok **3.** razia *(policajná)*

**rail** [reil] **1.** zábradlie; ohrada **2.** koľajnice; *by r.* železnicou; *the tram got off the r-s* električka sa vykoľajila

**railing** [ˈreiliŋ] zábradlie; plot

**railroad** [ˈreilrəud] *AmE* železnica

**railway** [ˈreilwei] *AmE* railroad železnica; *r. carriage* železničný vagón; *r. compartment* kupé

**rain** [rein] *n* dážď; *heavy r.* lejak; *the r-s* obdobie dažďov; *r. forest* dažďový prales; *v* pršať; *pren.* padať, tiecť *(slzy)*; *it is r-ing heavily today* dnes poriadne leje • *it's r-ing cats and dogs* leje sa ako z krhly • *it never r-s but it pours* nešťastie nechodí samo; *r. in the house* zatekať do domu

**rainbow** [ˈreinbəu] dúha

**raincoat** [ˈreinkəut] nepremokavý plášť; *hovor.* pršiplášť

**rainfall** [ˈreinfoːl] vodné zrážky; *the yearly r. in England* ročné množstvo zrážok v Anglicku

**rainy** [ˈreini] daždivý *(poča-*

*sie)*; *r. summer* mokré leto **2.** dažďový *(mrak)*

**raise** [reiz] **1.** *r. up* zdvíhať *(predmety, závažie)* **2.** zvýšiť *(plat, hlas)* **3.** vzbúriť, vyvolať *(nepokoje, smiech)* **4.** chovať *(zvieratá)*, pestovať *(rastliny)*; *r. a family* vychovávať deti; *r. money for sth.* zbierať peniaze na niečo; *let's r. our glasses* pripime si **5.** postaviť *(sochu, pomník)*

**raisin** [reizn] hrozienko *(sušené)*

**rake** [reik] *n* **1.** hrable **2.** spustlík; *v* hrabať; *r. up hay* pohrabať seno; *r. the magazines* hrabať sa v časopisoch

**rally** [ˈræli] *n* **1.** zhromaždenie, zraz, zjazd **2.** zotavenie *(po chorobe)*; *v* **1.** zhromaždiť sa **2.** zotaviť sa, nabrať sily, vzchopiť sa; *the market r-ied* trh sa oživil

**ram** [ræm] *n* baran; *v* natlačiť, napchať; *r. clothes into a suitcase* napchať šaty do kufra

**ramble** [ræmbl] *n* potulka, prechádzka *(bez cieľa)*; *v* **1.** túlať sa **2.** nesúvisle hovoriť; preskakovať *(z témy na tému)*

**ramp** [ræmp] rampa; naklonená plocha; spád, sklon

**ran** *see* **run\***

**ranch** [ra:nč] *AmE* ranč, farma, gazdovstvo *(na chov dobytka)*

**rancid** [ˈrænsid] stuchnutý, skazený *(maslo, olej)*; *become r.* stuchnúť, pokaziť sa

**random** [ˈrændom] náhodný; *r. remark* náhodná poznámka; *at r.* naslepo

**rang** *see* **ring\***

**range** [reindž] *n* 1. rad, retaz; *mountain r.* horská retaz 2. strelnica 3. rozsah, dosah; *temperature r.* teplotné rozpätie 4. dostrel 5. sporák, piecka; *kitchen r.* kuchynský sporák; *v* 1. zoradiť (sa) *(vojsko)* 2. siahať, prestierať sa *(hory, moria)*; *r. the hills* pochodiť hory

**rank** [ræŋk] *n* 1. rad, šík; *taxi-r.* stanovište taxíkov 2. spoločenské postavenie; hodnosť; *first r. politician* prvotriedny politik; *r. and file* radoví vojaci; *v* radiť sa; *r. among* patriť medzi

**rankle** [ræŋkl] sužovať sa, zožierať sa, umárať sa *(závisťou, spomienkami)*

**ransack** [ˈrænsæk] 1. (pre)kutrať, (po)prehŕňať (sa) 2. plieniť, drancovať

**ransom** [ˈrænsəm] *n* výkupné; *v* vykúpiť, vyplatiť *(výkupné)*; *hold sb. to r.* žiadať výkupné od niekoho

**rap** [ræp] 1. (za)klopať; *r. at/on the door* zaklopať na dvere 2. *r. out* skríknuť, vyšteknúť

**rapacious** [rəˈpəišəs] chamtivý, dravý

**rape** [reip] *n* znásilnenie; *v* znásilniť

**rapid** [ˈræpid] rýchly, prudký *(nárast)*, bystrý *(rieka)*

**rapidity** [rəˈpiditi] rýchlosť, prudkosť; rýchly spád

**rapids** [ˈræpidz] *pl.* prúdy, riava, pereje

**rapt** [ræpt]: *r. in* zaujatý niečím, pohrúžený do niečoho; uchvátený niečím

**rapture** [ˈræpčə] oduševnenie, nadšenie; *be in r-s* byť unesený niečím

**rare** [reə] 1. neobvyklý, zriedkavý, výnimočný 2. vzácny; *r. gases* vzácne plyny 3. *hovor.* skvelý 4. riedky *(vzduch)*; *AmE* nedopečený; *r. steak* krvavý biftek

**rarely** [ˈreəli] zriedkavo, zriedkakedy

**rarity** [ˈreəriti] vzácnosť, zriedkavosť

**rascal** [ˈraːskəl] **1.** darebák, lump **2.** šibal, huncút, lapaj (dieťa)

**rash** [ræš] n vyrážka; get a r. vyhádzať sa, vysypať sa; adj prudký, prenáhlený

**rasher** [ˈræšə] plátok opečenej slaniny

**rasp** [raːsp] rašpľa, pilník

**raspberry** [ˈraːzbəri] malina; r. juice malinovka

**rat** [ræt] **1.** potkan **2.** pren. podliak, zradca, špinavec • smell a r. mať podozrenie, tušiť niečo zlé

**rate** [reit] n **1.** rýchlosť **2.** miera, množstvo; birth r. pôrodnosť **3.** kurz, sadzba (poštová, hodinová, poistná); excess baggage r. sadzba za nadváhu batožiny; r. of exchange kurz valút **4.** dávka; r-s and taxes dávky a dane • at any r. v každom prípade, za každú cenu, rozhodne; v (o)hodnotiť, oceňovať

**rate of return** [reitəv riˈtəːn] návratnosť investícií

**rather** [ˈraːðə] **1.** radšej; I had r. go mal by som radšej ísť **2.** dosť; the weather was r. bad počasie bolo dosť zlé

**ratification** [ˈrætifiˈkeišn] potvrdenie

**ratify** [ˈrætifai] potvrdiť, schváliť (zmluvu)

**rating 1.** ohlas, popularita **2.** klasifikácia (AmE)

**ratio** [ˈreišiəu] **1.** pomer (veličín); r. of two to four pomer dvoch ku štyrom **2.** podiel, proporcia

**ration** [ræšn] prídel, dávka

**rational** [ˈræšnəl] rozumný; rozumový, racionálny

**rattle** [rætl] n **1.** štrngot, hrmot, rachot **2.** hrkálka, rapkáč **3.** džavot; v **1.** štrngať, rapkať, rinčať **2.** džavotať; r. on tárať, mlieť • r. sth. off vysypať zo seba niečo

**rattlesnake** [ˈrætlsneik] zool. strkáč

**raucous** [ˈroːkəs] chraplavý, chripľavý, chrčivý, škrípavý (zvuk)

**ravage** [ˈrævidž] spustošiť, vyplieniť, vydrancovať; r-s ničivé účinky • r. of time zub času

**rave** [reiv] blúzniť; r. about rojčiť o niečom

**raven** [reivn] krkavec

**ravenous** [ˈrævinəs] vyhladnutý, pažravý

**raw** [roː] surový (zelenina, ovocie, mäso); r. fish surová/nevarená ryba; *r. material* surovina; nepálený *(tehla)*; drsný, nevľúdny *(počasie)*; otvorený *(rana)*; neskúsený *(človek)*; čistý *(alkohol)*

**ray** [rei] lúč; *X-r-s* röntgenové lúče; *r.-treatment* ožarovanie

**rayon** [ˈreiən] umelý hodváb

**raze** [reiz] zrovnať *(so zemou)*

**razor** [ˈreizə] britva; *safety r.* holiaci strojček; *electric r.* elektrický holiaci strojček; *r.-blade* žiletka; *r.-sharp* ostrý ako britva

**re-** [ˈriː] *(predpona pri slovesách, ktorá značí opakovanie)* znova, opäť; *TV replay* opätovný záznam

**reach** [riːč] *n* dosah; *within easy r.* dostupný, na dosah ruky; *out of r.* mimo dosahu; *(v) r. out for* 1. siahať, dosiahnuť; *r. old age* dosiahnuť starobu 2. podať; *can you r. me that glass* môžeš mi podať ten pohár; *your letter r-ed me yesterday* včera som dostal tvoj list

**react** [riːˈækt] reagovať; *r. to sth.* reagovať na niečo

**reaction** [riːˈækšn] reakcia

**reactionary** [riːˈækšənəri] *n*

spiatočník; *adj* spiatočnícky, reakčný

**read\*** [riːd] čítať; *I have no time to r.* nemám čas čítať; *r. a book through* prečítať knihu; *r. so. mind* čítať niekoho myšlienky; *r. on* pokračuj, čítaj ďalej; *r. out* (pre)čítať nahlas; *r. up* preštudovať si, prečítať si

**reader** [ˈriːdə] 1. čitateľ 2. lektor *(vo vydavateľstve)* 3. čítanka 4. *výp.* snímač, čítač; 5. docent *(na univerzite)*

**reading** [ˈriːdiŋ] 1. čítanie, predčítanie 2. údaj *(prístroja)*

**reading-room** [ˈriːdiŋruːm] čitáreň

**ready** [ˈredi] 1. pripravený, hotový; *supper is r.* večera je hotová 2. ochotný; *r. to help* ochotný pomôcť 3. pohotový; *get r.* pripraviť sa; *make r. for* pripraviť sa na; *r. money* hotovosť *(peniaze)*; *r. for use* hotový, pripravený *(na použitie)*; šport. *r., steady, go!* pripraviť sa, pozor, teraz!

**ready-made** [ˈrediˈmeid] konfekčný *(odev)*, hotový *(polotovar, jedlo)*

**real** [riəl] 1. skutočný, pravý, ozajstný; *r. friend* pravý priateľ; *r. event* skutočná udalosť **2.** nehnuteľný; *r. estate* nehnuteľnosť

**reality** [ri:ˈæliti] skutočnosť, realita; *in r.* v skutočnosti, vskutku

**realization** [ˈreəlaiˈzeišn] **1.** uskutočnenie, realizácia **2.** uvedomenie si, pochopenie, poznanie **3.** *obch.* predaj, speňaženie

**realize** [ˈriəlaiz] **1.** uskutočniť, splniť, vykonať **2.** uvedomiť si, pochopiť; *I r-d it was not her* uvedomil som si, že to nebola ona

**really** [ˈriəli] skutočne, naozaj; *do you r. think that?* naozaj si to myslíš?; *I r. don't know* ja naozaj neviem

**realm** [relm] kráľovstvo, ríša; *r. of darkness* ríša temna; *pren. r. of politics* sféra politiky

**reap** [ri:p] žať, zožať, kosiť; *r. fruit(s)* žať úrodu

**reaper** [ˈri:pə] **1.** žnec **2.** žací prístroj

**rear** [riə] *n* **1.** zadná časť, zadná strana; *parking in the r. yard* parkovisko na zadnom dvore; *r.-view mirror* spätné zrkadlo *(auta)* **2.** pozadie **4.** zadný voj, tyl *(vojska)*; *in the r.*

vzadu; *v* **1.** vztýčiť sa, zdvihnúť *(hlavu)* **2.** pestovať *(hydinu)*

**reason** [ri:zn] *n* **1.** dôvod, príčina; *give so. r-s* vysvetliť dôvody, uviesť príčiny; *for what r.?* pre akú príčinu?, z akého dôvodu?; *for no r.* len tak **2.** rozum; *there is r. in what you say* je rozumné, čo hovoríte, to má hlavu i pätu; *v* **1.** uvažovať **2.** presviedčať, odôvodňovať; *r. out* premyslieť si

**reasonable** [ˈri:zənəbl] **1.** rozumný; *be r.!* maj rozum! **2.** primeraný, slušný, znesiteľný, dostupný *(cena)*

**reassure** [ˈri:əˈšuə] znovu uistiť, ubezpečiť; upokojiť

**rebel** [rebl] *n* vzbúrenec, povstalec, burič; *v* [riˈbel] búriť sa, odporovať

**rebellion** [riˈbeljən] vzbura; *work up a r.* vyvolať vzburu

**rebuff** [riˈbaf] odmrštiť; odmietnuť, odbiť niekoho

**rebuke** [riˈbju:k] *n* výčitka, napomenutie; *v* karhať, vyhrešiť; *r. sb. for* karhať niekoho za niečo

**recall** [riˈko:l] *n* odvolanie, prepustenie *(z miesta)*; *v*

**1.** odvolať **2.** pripomenúť (si), rozpamätať sa **3.** vypovedať *(úver)*

**recapitulate** [ˈriːkəˈpitjuleit] stručne zopakovať

**recede** [riˈsiːd] odstúpiť, ustúpiť, cúvnuť; vzdialiť sa; opadnúť *(voda)*; klesnúť *(cena, význam)*

**receipt** [riˈsiːt] **1.** recept *(kuchársky)* **2.** príjem *(peňazí)* **3.** potvrdenka

**receive** [riˈsiːv] **1.** dostať *(list, peniaze); r. a good education* dostať dobrú výchovu **2.** prijať *(hostí); r-ed opinion* všeobecný názor

**receiver** [riˈsiːvə] **1.** prijímateľ, príjemca **2.** prijímač *(rozhlasový)* **3.** slúchadlo *(telefónne)*

**recent** [ˈriːsnt] nedávny; *in r. years* v posledných rokoch; nový, moderný, súčasný; *r. fashions* najnovšia móda

**recently** [ˈriːsntli] nedávno, naposledy, v poslednom čase

**reception** [riˈsepšn] **1.** prijatie, privítanie; *warm r.* srdečné prijatie **2.** *TV, radio.* príjem; *r. was poor* bol zlý príjem; **3.** recepcia *(v hoteli)*

**recession** [riˈsešn] odstúpenie, odchod, ústup; *AmE obch.* úpadok

**recharge** [riːˈčaːdž] dobiť, znovu nabiť *(batériu)*

**rechargeable** [ˈriːˈčaːdžəbl] (znovu) nabíjateľný *(batéria)*

**recipe** [ˈresipi] recept, *(kuchársky)* predpis, návod

**recipient** [riˈsiːpient] príjemnca, prijímateľ

**reciprocal** [riˈsiprəkəl] vzájomný, obojstranný; *šport.* odvetný

**recital** [riˈsaitl] **1.** rozprávanie **2.** hudobný prednes

**recite** [riˈsait] **1.** recitovať, prednášať **2.** vymenúvať; *(náb.) r. a prayer* predriekať modlitbu

**reckless** [ˈreklis] **1.** bezstarostný, ľahkomyseľný **2.** bezohľadný, nedbanlivý; *r. driver* bezohľadný vodič

**reckon** [ˈrekən] **1.** *r. up* počítať, vypočítať; *r. up the bill* spočítať účet **2.** (pred)pokladať, nazdávať sa; *I r., it wasn't him* predpokladám, že to nebol on **3.** *r. (up)on* spoliehať sa na niekoho/niečo **4.** *r. with* vziať do úvahy; počítať s niečím; zúčtovať s

**recognition** [ˈrekəɡˈnišn] **1.** spoznanie **2.** uznanie

**reclaim** [riˈkleim]: *baggage r.* vyzdvihnutie batožiny *(na letisku)*

**recognize** [ˈrekəɡnaiz] **1.** spoznať; *he couldn't r. me* nespoznal ma **2.** uznať, uznávať, oceniť, oceňovať; *r. services* oceniť služby

**recollect** [ˈrekəˈlekt] spomenúť (si), rozpomenúť sa, pripomenúť; *as far as I r.* pokiaľ sa pamätám

**recollection** [ˈrekəˈlekšn] spomienka

**recommend** [ˈrekəˈmend] odporučiť, doporučiť; *I can r. the hotel to you* odporúčam ti ten hotel

**recompense** [ˈrekəmpens] *n* odmena; náhrada, odškodné; *v* odmeniť (sa), odplatiť (sa)

**reconcile** [ˈrekənsail] (u)zmieriť sa

**reconstruct** [ˈriːkənsˈtrakt] znovu vybudovať, prebudovať, prestavať, rekonštruovať

**record** [riˈkoːd] *v* zaznamenať, zapísať; *n* [ˈrekoːd] **1.** záznam *(páska, film)*, zápis; *be on r.* byť zapísaný **2.** gramofónová platňa; *r.*

*shop* obchod s platňami **3.** rekord; *break/beat the r.* prekonať rekord; *AmE off the r.* neoficiálny

**recount** [riˈkaunt] (vy)rozprávať, rozpovedať

**re-count** [ˈriːˈkaunt] znovu (pre)počítať *(hlasy vo voľbách)*

**recover** [riˈkavə] **1.** získať, dostať späť, znovu nadobudnúť; *r. consciousness* prísť k vedomiu **2.** *r. from* zotaviť sa, uzdraviť sa; *he r-ed slowly* pomaly sa zotavoval

**recovery** [riˈkavəri] **1.** obnova **2.** opätovné získanie **3.** uzdravenie, zotavenie; *we wish you speedy r.* želáme skoré uzdravenie

**recreation** [ˈrekriˈeišn] rekreácia, osvieženie, oddych, zotavenie

**re-create** [ˈriːkriˈeit] preškoliť sa; *re-creational course* preškolovací kurz

**recruit** [riˈkruːt] *n* regrút, branec; nováčik; *v* verbovať; získať nových členov

**rectangle** [ˈrektæŋɡl] obdĺžnik, pravouholník

**rectangular** [rekˈtæŋɡjulə] obdĺžnikový, pravouhlý

**rectum** [ˈrektəm] *anat.* konečník

**recumbent** [ri'kambənt] le-
žiaci; opretý

**recur** [ri'kə:] vracať sa *(v myš-
lienkach, v reči)*; opakovať
sa, znovu sa vyskytovať

**recycle** [ri:'saikl] recyklovať,
znovu využiť; *made from
r-d paper* vyrobený z re-
cyklovaného papiera

**red** [red] červený; *R. Cross*
Červený kríž; *r. meat* tma-
vé mäso *(hovädzie)* • *have
r. hands* mať krvavé ruky
• *r. tape* byrokracia • *be
in the r.* stratový, zadĺžiť
sa • *r. herring* falošná sto-
pa

**redden** [redn] **1.** načerveniť
**2.** očervenieť; červenať sa

**redeem** [ri'di:m] **1.** vykúpiť,
oslobodiť *(väzňa)* **2.** na-
praviť *(chybu)*

**redemption** [ri'dem(p)šn] **1.**
vykúpenie *(zo záložne)* **2.**
splatenie, umorenie **3.**
spasenie; oslobodenie

**red-handed** ['red'hændid]:
• *be caught r.* byť prichy-
tený pri čine

**redial** [ri:'daiəl] *mobil.* opa-
kovanie volania

**red-letter day** ['red'letə:]: *r.
day* sviatočný, pamätný
deň

**redouble** [ri'dabl] zdvojná-
sobiť; zväčšiť, zosilniť

**redskin** ['redskin] *pejor.* čer-
venokožec *(Indián)*

**reduce** [ri'dju:s] **1.** zmenšiť,
znížiť; *r. speed* znížiť
rýchlosť **2.** podrobiť **3.**
prinútiť **4.** previesť, pre-
meniť na; *r. pounds to
pennies* zmeniť libry na
pence

**reduction** [ri'dakšn] **1.**
zníženie, zmenšenie; *r.
in/of numbers* zníženie
počtu **2.** zľava; *great r. in
prices* veľké zníženie cien

**redundant** [ri'dandənt] **1.**
prebytočný, nadbytočný,
nepotrebný; *he was made
r.* bol prepustený z roboty
**2.** hojný

**reed** [ri:d] trstina, tŕstie; *pl.
r-s* slama *(na strechu)*

**reef** [ri:f] útes, bralo, skala
*(nad/pod morom)*; *coral r.*
koralový útes

**reel** [ri:l] *n* **1.** cievka *(pre niť)*
**2.** filmový pás; *news r.* fil-
mový týždenník, žurnál;
*v* **1.** tackať sa, krútiť sa • *it
was r-ing pickled* valila sa
pohroma **2.** navíjať; *r. off*
odvinúť *(niť)* • *r. sth. off*
odrapkať, odrapotať nie-
čo

**refectory** [ri'fektri] školská
jedáleň

**refer** [ri'fə:] **1.** prisudzovať,

pripisovať, pričítať *(nieko-mu/niečomu)* **2.** r. to odvo-lávať sa na **3.** poukazo-vať; *don't r. to it again* už viac o tom nehovor **4.** tý-kať sa, vzťahovať sa na; *it r-s to you* padá to na teba

**referee** ['refə'riː] *šport.* roz-hodca *(futbalový)*; *práv.* zmierovací sudca

**reference** ['refrəns] **1.** vzťah; *in/with r. to sth.* čo sa týka, pokiaľ ide o niečo **2.** zmienka **3.** od-kaz *(na niečo)*; *make r. to sth.* odvolávať sa na niečo; *r. book* príručka; *r. library* príručná knižnica

**refine** [ri'fain] **1.** rafinovať *(olej, cukor)*; čistiť, prečis-ťovať **2.** kultivovať, zdo-konalit, cibriť

**reflect** [ri'flekt] **1.** odrážať, zrkadliť (sa) **2.** premýšľať, uvažovať, hĺbať • *r. up/upon* vrhať zlé svetlo na

**reflection** [ri'flekšn] **1.** od-raz; *r. of light* odraz svetla **2.** premýšľanie; úvaha; *lost in r.* zadumaný

**reflexive** [ri'fleksiv] *gram.* zvratný; *r. verb* zvratné sloveso

**reflux** ['riː'flaks] odliv

**reform** [ri'foːm] *n* reforma, náprava, zlepšenie; *v* (z)reformovať, napraviť, zlepšiť

**reformation** ['refə'meišn] re-forma, náprava; reformá-cia

**refractory** [ri'fræktəri] **1.** vzdorný, vzdorovitý **2.** odolný *(materiál)*

**refrain** [ri'frein]: *r. from sth.* zdržať sa niečoho; *r. from smoking* teraz nefajčite

**refresh** [ri'freš] osviežiť, občerstviť; *r. os. with a cup of tea* občerstviť sa, posilniť sa šálkou čaju; *r. so. memory* osviežiť nie-komu pamäť

**refreshment** [ri'frešmənt] osvieženie, občerstvenie *(jedlo, nápoj)*; *r. room* bu-fet

**refrigerator** [ri'fridžəreitə] *skr.* **fridge** [fridž] chlad-nička

**refuge** ['refjuːdž] **1.** útočište; prístrešie, útulok; *take r. in the mountains* ukryť sa v horách **2.** útočisko; *find r. in religion* nájsť si útočis-ko vo viere

**refugee** ['refju'dži:] utečenec; emigrant

**refund** [ri:'fand] nahradiť, vyplatiť náhradu

**refusal** [ri'fju:zəl] odmietnu-tie, zamietnutie

**refuse** [ˈrefjuːs] *n* odpadky, zvyšky; *r. pit* odpadová jama; *v* [riˈfjuːz] odmietnuť, zamietnuť; odoprieť; *r. to help* odmietnuť pomoc

**refute** [riˈfjuːt] vyvrátiť *(tvrdenie, dôkaz)*

**regain** [riˈgein] znovu získať; *r. consciousness* opäť nadobudnúť vedomie, prebrať sa z bezvedomia; *r. so. health* uzdraviť sa

**regal** [ˈriːgəl] kráľovský

**regard** [riˈgaːd] *n* 1. ohľad, zreteľ; *in r. to* čo sa týka, pokiaľ ide o; *pay no r. to sth.* nebrať na niečo ohľad 2. úcta; *out of r. for sb.* z úcty ku niekomu 3. *pl. r-s* pozdravy; *give him my kindest r.* srdečne ho odo mňa pozdravujte; *v* 1. považovať za niekoho *(napr. hrdinu)* 2. dívať sa, pozerať sa *(uprene)* 3. dbať o niečo *(radu)* 4. týkať sa; *as r-s* čo sa týka

**regardless** [riˈgaːdlis]: *r. of sth.* bez ohľadu na niečo

**regenerate** [riˈdženəreit] obrodiť (sa) *(duševne)*; obnoviť (sa), oživiť (sa), (z)regenerovať (sa)

**regiment** [ˈredžimənt] *voj.* pluk, batalión

**region** [ˈriːdžən] 1. kraj, oblasť, končina, územie; *the Arctic R-s* polárne oblasti 2. oblasť *(časť tela)*; *in the abdominal r.* v oblasti brucha

**regional** [ˈriːdžənəl] krajský, oblastný, územný, miestny

**register** [ˈredžistə] *n* zoznam, register; *v* zaznamenať, zapísať (sa) *(do školy)*; prihlásiť sa *(na polícii, v hoteli)*; *r-ed letter* doporučený list

**regret** [riˈgret] *n* ľútosť; *I heard with r. that* s ľútosťou som sa dopočul, že; *v* ľutovať; *I r. that I cannot come* ľutujem, že nemôžem prísť; *he has no r-s* neľutuje, nemrzí ho to

**regretable** [riˈgrətəbl] poľutovaniahodný, nešťastný

**regular** [ˈregjulə] pravidelný, riadny; *have (no) r. work* (ne)mať stále zamestnanie

**regularity** [ˌregjuˈlæriti] pravidelnosť

**regulate** [ˈregjuleit] 1. regulovať 2. prispôsobiť; *r. a watch* napraviť (si) hodinky

**regulation** [ˌregjuˈleišn] 1. regulácia, prispôsobenie

**2.** *r-s pl.* predpisy; *fire r-s* požiarne predpisy

**rehabilitation** [ˈriːəˈbiliˈteišn] obnova; rehabilitácia

**rehearsal** [riˈhəːsəl] skúška *(divadelná)*; *dress r.* generálka

**rehearse** [riˈhəːs] opakovať; skúšať, nacvičovať *(hru)*

**reign** [rein] *n* vláda, panovanie, kraľovanie; *in/ under r. of* za vlády/panovania niekoho; *v* vládnuť, panovať

**reimburse** [ˈriːimˈbəːs] nahradiť, uhradiť *(výdavky)*

**reindeer** [ˈreindiə] *zool.* sob

**reinforce** [ˈriːinˈfoːs] zosilniť, posilniť; *r-d concrete* železobetón

**reins** [reinz] *pl.* uzda

**reiterate** [riːˈitəreit] stále opakovať *(triedu, čin, div., TV hru)*

**reject** [riˈdžekt] odmietnuť, zamietnuť; *r. food* odmietať stravu; *r. a request* zamietnuť žiadosť

**rejection** [riˈdžekšn] odmietnutie

**rejoice** [riˈdžois]: *r. over/at sth.* radovať sa z, potešiť sa z niečoho

**relapse** [riˈlæps] recidíva, opakovanie *(choroby, prečinu)*

**relate** [riˈleit] **1.** rozprávať **2.** *r. to* týkať sa; *be r-d* súvisieť; *be r-d to sb.* byť spríbuznený s niekým

**relation** [riˈleišn] **1.** rozprávanie **2.** vzťah, pomer; *have business r-s with sb.* mať s niekým obchodné styky **3.** príbuzný; *what r. is he to you?* aká ti to je rodina?; *public r-s (PR)* styk s verejnosťou

**relationship** [riˈleišnšip] príbuzenstvo, rodinný vzťah

**relative** [ˈrelətiv] *n* príbuzný; *r-s* príbuzenstvo, rodina; *adj* **1.** pomerný **2.** vzájomný **3.** *gram.* vzťažný; *be r. to sth.* týkať sa niečoho

**relax** [riˈlæks] **1.** uvoľniť (sa); *r. muscles* uvoľniť svaly **2.** oddýchnuť si; *have a r.* odpočinúť si

**relaxation** [ˈriːlækˈseišn] **1.** uvoľnenie **2.** odpočinok, zotavenie

**relay** [riˈlei] smena; *šport. r. race* štafetový beh

**release** [riːˈliːs] *n* **1.** uvoľnenie, vyslobodenie **2.** prepustenie *(z miesta)*; povolenie *(na vytlačenie knihy)* **3.** rúčka, páčka; *r. latch* západka na uvoľnenie niečoho; *v* **1.** uvoľniť, prenechať, prepustiť *(inému)* **2.** prepustiť *(väzňa)*

**relent** [riˈlent] povoliť, popustiť, byť ústupnejší

**relentless** [riˈlentlis] nemilosrdný, neúprosný, neústupčivý

**relevant** [ˈrelivənt] závažný, dôležitý, významný

**reliability** [riˈlaiəˈbiliti] spoľahlivosť

**reliable** [riˈlaiəbl] spoľahlivý, dôveryhodný, seriózny *(v obchode)*

**reliance** [riˈlaiəns]: *r. on/in* **1.** spoľahnutie sa **2.** dôvera

**relic** [ˈrelik] **1.** pamiatka **2.** relikvia

**relief** [riˈliːf] **1.** úľava; *it is a r. to me to find you safe* odľahlo mi, keď som vás videl v poriadku **2.** pomoc; podpora; *old-age r.* starobná podpora **3.** striedanie *(stráže)* **4.** reliéf

**relieve** [riˈliːv] **1.** uľaviť, uľahčiť, zmierniť **2.** *r. of sth.* zbaviť niečoho **3.** vyslobodiť **4.** vystriedať *(stráž)*

**religion** [riˈlidžn] náboženstvo, viera, vierovyznanie

**religious** [riˈlidžəs] pobožný, nábožný, zbožný; veriaci

**relinquish** [riˈliŋkwiš] opus-

tiť, zanechať, vzdať sa *(nádeje)*

**relish** [ˈreliš] *n* chuť • *hunger is the best r.* hlad je najlepší kuchár; *v* vychutnávať; *eat with r.* pochutnávať si na jedle

**reluctance** [riˈlaktəns] odpor, neochota; *with r.* neochotne

**reluctant** [riˈlaktənt] **1.** neochotný **2.** vzdorný

**rely** [riˈlai]: *r. on/upon sb./ sth.* spoľahnúť sa na niekoho/niečo; *I r. on you* spolieham sa na teba

**remain** [riˈmein] zostať, zotrvať; zvýšiť; *r. a week in London* zostať týždeň v Londýne; *it'll r. in my memory* ostane mi to v pamäti

**remainder** [riˈmeində] zvyšok, ostatok; *r-s of meal* zvyšky jedla; *r-s of a temple* zvyšky chrámu

**remake** [riːˈmeik] nová verzia *(staršieho)* filmu

**remark** [riˈmaːk] *n* poznámka; *make a r.* poznamenať, povedať; *v* **1.** spozorovať **2.** poznamenať

**remarkable** [riˈmaːkəbl] pozoruhodný, zvláštny, neobyčajný

**remedy** [ˈremidi] *n* **1.** liek;

*good r. for a cold* dobrý liek proti nachladeniu **2.** náprava; *v* napraviť; *be r. for sth.* byť pomocou pre niečo

**remember** [ri'membə] **1.** pamätať si; *I don't r. his address* nepamätám si jeho adresu **2.** spomenúť si; *r. me to your parents* pozdravuj odo mňa rodičov; *do you r. to post the letter?* nezabudneš poslať ten list?; *as far as I can r.* pokiaľ si pamätám

**remembrance** [ri'membrəns] **1.** spomienka **2.** pamiatka; *in r. of sth.* na pamiatku niečoho

**remind** [ri'maind] pripomenúť; *r. me to water the plants* pripomeň mi poliať kvety; *you r. of your mother* pripomínate mi vašu matku

**reminder** [ri'maində] pripomienka, spomienka; upomenutie, upomienka

**remit** [ri'mit] **1.** prepáčiť, odpustiť *(hriechy, trest)* **2.** poukázať *(peniaze)*; *r. by check* posielať peniaze šekom

**remittance** [ri'mitəns] poukázanie *(peňazí)*; peňažná zásielka

**remnant** ['remnənt] zvyšok, pozostatok

**remorse** [ri'mo:s] výčitky svedomia; *feel r.* pociťovať ľútosť

**remote** [ri'məut] vzdialený, odľahlý; *in the r. future* v ďalekej budúcnosti; *r. control* diaľkový ovládač *(na TV)*

**removal** [ri'mu:vəl] **1.** odstránenie **2.** presťahovanie, premiestnenie; *r. van* sťahovací voz

**remove** [ri'mu:v] **1.** premiestniť **2.** odstrániť; *r. make-up* odlíčiť sa; *r. fat from sth.* odtučniť niečo **3.** prepustiť **4.** presťahovať (sa); *I'm r-ing from London to Bath* znovu sa sťahujem z Londýna do Bathu

**remuneration** [ri'mju:nə'reišn] odmena, mzda

**renascence** ['ri'næsns] obrodenie

**render** ['rendə] **1.** vrátiť; odplácať; *r. good for evil* oplatiť zlo dobrom **2.** preukázať; *r. tribute* vzdať poklonu; *r. a service* poskytnúť službu **3.** predviesť *(úlohu)*

**renew** [ri'nju:] obnoviť, oživiť

**renounce** [ri'nauns] zriecť

sa; *r. a right* zriecť sa práva

**renovation** ['reno'veišn] obnova; renovácia

**renowned** [ri'naund] slávny, chýrny, renomovaný

**rent** [rent] *n* 1. štrbina, trhlina 2. nájomné; *v* (pre)najať; *r. a room* prenajať izbu

**repaid** *see* **repay***

**repair** [ri'peə] *n* oprava; *in good r.* v dobrom stave; *be under r.* byť v oprave; *r. shop* opravovňa; *r. service* poruchová služba; *shoe r.* oprava topánok; *r-s done while you wait* opravy na počkanie; *v* opraviť

**repay*** [ri:'pei] splatiť, oplatiť; *r. money* vrátiť peniaze; *r. kindness* odvďačiť sa za láskavosť

**repeal** [ri'pi:l] *n* zrušenie *(zákon)*; odvolanie; *v* zrušiť

**repeat** [ri'pi:t] opakovať; *r. after me!* opakujte po mne!

**repeatedly** [ri'pi:tidli] opätovne, znovu, často

**repel** [ri'pel] zahnať; odpudiť; *r. an offer* odmietnuť ponuku

**repellent** [ri'pelənt] odpudivý, odpudzujúci

**repent** [ri'pent] ľutovať, kajať sa

**repentance** [ri'pentəns] ľútosť, pokánie

**repetition** ['repi'tišn] opakovanie • *r. makes perfect* opakovanie matka múdrosti

**replace** [ri:'pleis] 1. vrátiť na miesto 2. nahradiť; *r. sth. by sth.* nahradiť/zameniť niečo niečím

**reply** [ri'plai] *n* odpoveď; *in r. to sth.* ako odpoveď na niečo; *v* odpovedať; *r. to sth.* odpovedať na niečo; *r. for sb.* odpovedať namiesto niekoho

**report** [ri'po:t] *n* 1. povesť 2. správa, zvesť 3. referát; *make a r.* podať správu, referovať o 4. vysvedčenie; *v* 1. hlásiť 2. oznámiť 3. referovať 4. *r. to sb.* hlásiť sa niekomu

**repose** [ri'pəuz] *n* odpočinok; *v* odpočívať

**reprehend** ['repri'hend] karhať, hrešiť, vyčítať

**represent** ['repri'zent] 1. predstavovať; *what does the picture r.?* čo ten obraz predstavuje? 2. vysvetliť 3. zastupovať; *all countries were r-ed at the Olympic Games* všetky krajiny boli zastúpené na Olympijských hrách

**representation** [ˌreprizenˈteišn] **1.** znázornenie **2.** zastúpenie; *business r.* obchodné zastupiteľstvo **3.** predstavenie

**representative** [ˌrepriˈzentətiv] *n* predstaviteľ, zástupca; *sales r.* obchodný zástupca; *adj* **1.** znázorňujúci **2.** typický

**repression** [riˈprešn] potlačenie; útlak

**reprimand** [ˈreprimaːnd] výčitka, pokarhanie *(úradné)*

**reproach** [riˈprəuč] *n* výčitka; *v* vyčítať; *r. os. for sth.* vyčítať si niečo, robiť si výčitky pre niečo

**reproachful** [riˈprəučfl] vyčítavý

**reproduce** [ˌriːprəˈdjuːs] reprodukovať, (roz)množiť (sa)

**reprove** [riˈpruːv] pokarhať; *r. a child for sth.* vyhrešiť dieťa za niečo

**reptile** [ˈreptail] plaz

**republic** [riˈpablik] republika; *the Slovak Republic* Slovenská republika

**repudiate** [riˈpjuːˈdieit] **1.** zapudiť **2.** nehlásiť sa k, zriecť sa; *r. so. friends* zriecť sa svojich priateľov

**repugnance** [riˈpagnəns] odpor, nechuť

**repulse** [riˈpals] *n* odmietnutie; *v* **1.** odraziť, zahnať *(nepriateľa)* **2.** odmietnuť

**repulsion** [riˈpalšn] odpor

**repulsive** [riˈpalsiv] odporný; *r. sight* odporný pohľad; *fyz.* odpudivý

**reputation** [ˌrepjuːˈteišn] dobrá povesť, vážnosť; *he is a man of good r.* on má dobrú povesť; *ill r.* zlé meno, zlá povesť

**request** [riˈkwest] *n* žiadosť; *r. stop* zastávka na znamenie; *by r.* na požiadanie; *v* žiadať; *visitors are r-ed not to touch the exhibits* žiadame návštevníkov, aby sa nedotýkali exponátov

**require** [riˈkwaiə] **1.** potrebovať **2.** požadovať, vyžadovať; *it r-s education* vyžaduje si to vzdelanie

**requirement** [riˈkwaiəmənt] požiadavka, príkaz; potreba

**rescue** [reskjuː] *n* záchrana; *r. boat* záchranný čln; *come to the r.* prísť na pomoc; *v* zachrániť; *r. from sth.* zachrániť pred niečím

**research** [riˈsəːč] *n* bádanie, výskum; *do r. on sth.* robiť výskum v niečom; v bádať, skúmať

**researcher** [riˈsəːčə] výskumník, bádateľ

**resemblance** [riˈzembləns] podoba, podobnosť; *close r.* blízka podobnosť

**resemble** [riˈzembl] podobať sa, ponášať sa

**resent** [riˈzent] cítiť odpor k, neznášať niečo; *he r-s criticism* neznáša kritiku

**resentment** [riˈzentmənt] odpor, nechuť, nevôľa; rozhorčenie

**reservation** [ˈrezəˈveišn] **1.** výhrada; *without r.* bez výhrad **2.** *AmE* rezervácia, chránená oblasť **3.** *AmE* rezervovanie izby; *make r-s at a hotel* rezervovať si, zaistiť si hotel; *BrE to book a hotel* rezervovať si, zaistiť si hotel

**reserve** [riˈzəːv] *n* **1.** záloha, rezerva; *r. of food* zásoba jedla; *šport.* náhradník **2.** výhrada **3.** rezervovanosť; *v* **1.** rezervovať (si) *(hotel, lístky)* **2.** vyhradiť (si); *all rights r-ed* všetky práva vyhradené **3.** našetriť si, utvoriť si zásoby

**reserved** [riˈzəːvd] **1.** zdržanlivý, uzavretý **2.** vyhradený, rezervovaný, ob-

sadený; *r. road* vyhradená cesta

**reset** [riːˈset] *výp.* vynulovanie, znovunastavenie; obnovenie

**reside** [riˈzaid] **1.** *r. in/at* bývať; *r. abroad* žiť, zdržiavať sa v cudzine **2.** *r. in* spočívať v

**residence** [ˈrezidəns] bydlisko, sídlo; *place of r.* bydlisko; *summer r.* letný byt

**resident** [ˈrezidənt] **1.** obyvateľ *(stály)*, usadlík **2.** *(človek)* usadený, žijúci *(v mieste)*

**residue** [ˈrezidjuː] zvyšok, pozostatok

**resign** [riˈzain] **1.** vzdať sa niečoho, odstúpiť, rezignovať; *r. office* vzdať sa úradu **2.** *r. os. to sth.* zmieriť sa s niečím

**resignation** [ˈrezigˈneišn] **1.** odstúpenie, rezignácia **2.** odovzdanosť

**resigned** [riˈzaind] odovzdaný, pokorný

**resin** [ˈrezin] živica

**resist** [riˈzist] **1.** odolávať **2.** odporovať niečomu, vzdorovať; *r. temptation* odolávať pokušeniu; *he couldn't r. a cigarette* nemohol si odoprieť cigaretu

**resistance** [riˈzistəns] **1.** od-

por; *break down r.* zlomiť
odpor **2.** odolnosť; *heat r.*
tepelná odolnosť

**resolute** [ˈrezəljuːt] odhodlaný, pevný; rozhodný

**resolution** [ˌrezəˈljuːšn] **1.**
odhodlanie **2.** rezolúcia
**3.** ráznosť; *make a r.* pevne sa rozhodnúť; *New
Year r-s* novoročné predsavzatia

**resolve** [riˈzolv] **1.** rozhodnúť sa; *be r-ed* byť pevne
rozhodnutý **2.** objasniť,
vysvetliť; *r. a problem* rozriešiť problém **3.** *r. into*
rozkladať sa, rozpadať sa
*(na časti)*

**resort** [riˈzoːt] *n* východisko,
útočište; *health r.* kúpele;
*mountain r.* horské stredisko; *summer r.* letovisko;
*(v) r. to* uchýliť sa, utiekať
sa k niečomu

**resound** [riˈzaund] zvučať,
ozývať sa, znieť, rozliehať
sa *(zvuk)*

**resource** [riˈsoːs] **1.** *pl. r-s*
prostriedky, zdroje; *natural r-s* prírodné bohatstvo **2.** zábava; *fishing is
my great r.* rybačka je mojím veľkým potešením **3.**
vynaliezavosť

**resourceful** [riˈsoːsfl] vynaliezavý, vynachádzavý;

duchaprítomný, pohotový

**respect** [risˈpekt] *n* **1.** úcta,
vážnosť; *out of r. to sb.* z
úcty voči niekomu; *I have
no r. for him* nevážim si
ho **2.** zreteľ, ohľad; *in r. of*
čo sa týka; *in this r.* v tomto ohľade; *v* **1.** ctiť, vážiť
si; *r. the law* ctiť si, rešpektovať zákon **2.** brať
ohľad na

**respectable** [risˈpektəbl] **1.**
vážený, slušný **2.** solídny

**respectful** [risˈpektfl] úctivý, zdvorilý

**respective** [risˈpektiv] príslušný, dotyčný

**respiration** [ˌrespəˈreišn] dýchanie, dych

**respite** [ˈrespait] **1.** uvoľnenie; prestávka **2.** odklad
*(trestu)*

**respond** [risˈpond] **1.** odpovedať; *r. to* reagovať na **2.**
oplácať, oplatiť; odplatiť
sa

**responce** [risˈpons] **1.** odpoveď **2.** reakcia; odozva; *in
r. to sth.* ako odpoveď/reakcia na niečo

**responsibility** [risˌponsəˈbiliti] zodpovednosť; *take the
r.* prevziať zodpovednosť

**responsible** [risˈponsəbl]
zodpovedný; *be r. for sth.*

byť zodpovedný za nie-
čo, zodpovedať za niečo;
*hold sb. r. for sth* klásť nie-
komu vinu za niečo
**responsive** [ris'ponsiv]: *r. to*
vnímavý, citlivý na
**rest** [rest] *n* **1.** odpočinok;
*have a r.* odpočívať; *take a
r.* odpočinúť si **2.** podpe-
ra, vidlica *(na telefóne)*,
opora, opierka, podsta-
vec **3.** zvyšok; *the r. of
money* zvyšok peňazí; *for
the r.* čo sa ostatného tý-
ka; *the r.* ostatní; *v* **1.** od-
počívať **2.** *r. on* oprieť (sa)
**3.** zostať; byť; spočívať;
*R.I.P. (R. in Peace)* odpočí-
vaj v pokoji; *r. assured*
buďte uistený
**restaurant** ['restəront] reš-
taurácia; *it's a hip r.* to je
módna/vychytená reštau-
rácia; *r. car* jedálenský
vozeň *(vo vlaku)*
**restless** ['restlis] nepokojný;
*r. night* bezsenná noc •
*he is r.* žerú ho mrle
**restore** [ris'to:] obnoviť, reš-
taurovať; *r. a building* zre-
štaurovať/vynoviť budovu
**restrain** [ris'trein] krotiť, tl-
miť, držať na uzde
**restraint** [ris'treint] **1.** obme-
dzenie **2.** zdržanlivosť
**restrict** [ris'trikt] obmedziť,

ohraničiť; *r-ed area* uza-
vretá/ohraničená oblasť
**restriction** [ris'trikšn] obme-
dzenie; *speed r.* obme-
dzená rýchlosť
**result** [ri'zalt] *n* výsle-
dok; následok, dôsledok;
*achieve good r-s* dosiahnuť
dobré výsledky; *v* vyplý-
vať; *r. in* mať za následok,
spôsobiť niečo; *r. from* vy-
plynúť z niečoho
**resume** [ri'zju:m] **1.** opäť
vziať, znovu zaujať *(mies-
to)* **2.** opäť začať; po-
kračovať; *r. skiing* začať
opäť lyžovať *(po preruše-
ní)* **3.** zhrnúť *(fakty)*
**resurrection** ['resə'rekšn]
*náb.* vzkriesenie, zmŕt-
vychvstanie
**retail** ['ri:teil] *n* maloob-
chod, obchod v malom;
*r. prices* maloobchodné
ceny; *v* predávať v ma-
lom; *do you buy whole-
sale or r.?* nakupujete vo
veľkom alebo v malom?
**retailer** [ri:'teilə] maloob-
chodník, predajca v
drobnom
**retain** [ri'tein] ponechať (si),
podržať si, zachovať si
*(schopnosti)*; zachytávať
*(vodu)*
**retaliation** [ri'tæli'eišn] od-

plata, odveta; *war of r.* odvetná vojna

**retard** [ˈriːtaːˈd] oneskoriť, zdržať; spomaliť *(vývin)*

**retch** [reč] dáviť, mať ťažobu *(žalúdočnú)*

**reticence** [ˈretisəns] mlčanlivosť, zamĺknutosť, málovravnosť; zdržanlivosť

**retire** [riˈtaiə] **1.** vzdialiť sa, stiahnuť sa *(do ústrania); r. into os.* uzavrieť sa do seba **2.** penzionovať, odísť *(na odpočinok, do penzie); I will r. at 60* pôjdem do penzie, keď budem mať 60

**retired** [riˈtaiəd] **1.** odľahlý *(oblasť)* **2.** v penzii; *he is r. on* je v penzii

**retirement** [riˈtaiəmənt] **1.** odchod *(do penzie)*, penzia, dôchodok; *r. pension insurance* dôchodkové poistenie **2.** súkromie; ústranie; *live in r.* žiť utiahnuto

**retort** [riˈtoːt] odvrknúť, odseknúť

**retreat** [riˈtriːt] *n* ústup; *be in r.* byť na ústupe; *v* ustúpiť, cúvať, stiahnuť sa

**retrieve** [riˈtriːv] **1.** aportovať *(pes)* **2.** znova nadobudnúť **3.** napraviť *(chybu)*

**retry** [ritrai] *výp.* zopakovať

**return** [riˈtəːn] *n* **1.** návrat; *on r. home* pri návrate domov **2.** výnos *(daní); in r. for* odmenou za; *by r. of post* obratom pošty; *many happy r-s of the day* všetko najlepšie k narodeninám; *r. ticker* spiatočný lístok; *r. match* odvetný zápas; *v* **3.** vrátiť sa; *r. home* vrátiť sa domov **2.** dať späť **3.** opätovať **4.** vyslať do parlamentu

**returns** [ritəːnz] výnos

**reunion** [ˈriːˈjuːnjən] stretávka *(školská)*

**reveal** [riˈviːl] odhaliť, prezradiť; zjaviť (sa)

**revel** [revl] veseliť sa, hýriť; *they r-led all night long* zabávali sa celú noc • *r. away* premárniť *(peniaze, čas)*

**revelation** [ˈreviˈleišn] **1.** zjavenie; *náb. r. of a saint* zjavenie sa svätého **2.** odhalenie; *what a r.!* aké prekvapenie

**revenge** [riˈvendž] *n* pomsta; odplata; *(v) r. on* pomstiť (sa) • *r. is sweet* pomsta je sladká

**revenue** [ˈrevinjuː] príjem, dôchodok; *the Inland R.* daňový úrad reverence ['revərəns] hlboká/zbožná úcta

reverse [ri'və:s] n 1. opak; *quite the r.* pravý opak 2. neúspech; porážka 3. rub *(mince); adj* opačný, obrátený; *r. gear* spiatočka, spiatočná rýchlosť *(auta); v* 1. obrátiť 2. zrušiť, zvrátiť 3. cúvať *(auto)*

revert [ri'və:t] vrátiť (sa) *(do predošlého stavu); r. to old customs* vrátiť sa k starým zvykom

review [ri'vju:] n 1. prehliadka 2. prehľad; *r. of events* prehľad udalostí 3. recenzia, referát *(o knihe); have good r-s* mať dobré kritiky 4. revue *(časopis); v* 1. prezerať 2. revidovať 3. recenzovať

revise [ri'vaiz] 1. opraviť, zrevidovať, (s)korigovať 2. opakovať (si), pripravovať sa *(na skúšku)*

revision [ri'vižn] 1. oprava, revízia, prepracovanie, korektúra 2. opakovanie *(učiva); I'm doing the r-s* učím sa na skúšky

revival [ri'vaivəl] oživenie, obnovenie, obrodenie *(myšlienok, ideálov); r. of play* obnovená inscenácia hry

revive [ri'vaiv] 1. ožiť, prebrať sa *(k životu),* precitnúť 2. oživiť, kriesiť, priviesť k vedomiu; *lek.* resuscitovať

revoke [ri'vəuk] odvolať, zrušiť *(rozsudok, sľub)*

revolt [ri'vəult] n povstanie, vzbura; v vzbúriť sa; *r. against sb.* povstať proti niekomu; *r. at/from* mať odpor voči, byť poburený

revolution ['revə'lu:šn] 1. obrátka, otáčka; *number of r-s a minute* počet otáčok za minútu 2. revolúcia

revolutionary ['revə'lu:šənəri] n revolucionár; adj revolučný

revolve [ri'volv] otáčať (sa), krútiť (sa), točiť (sa), obiehať *(okolo slnka); revolving credit* dlhodobý úver

revue [ri'vju:] divadelná revue

reward [ri'wo:d] n odmena; v odmeniť

rhetorical [ri'torikəl] rečnícky; *r. question* rečnícka otázka

rheumatism ['ru:mətizm] reuma, reumatizmus

rhinoceros ['rai'nosərəs] aj *skr.* rhino nosorožec

rhubarb ['ru:ba:b] rebarbo-

ra; *stewed r.* rebarborový
kompót
**rhyme** [raim] *n* rým; *put in r.*
zrýmovať; *nursery r-s* det-
ské rýmovačky; *v* rýmovať
(sa); *r. with* rýmovať sa s
**rhythm** [riðm] rytmus, tem-
po
**rhythmic(al)** [ˈriðmik(əl)]
rytmický
**rib** [rib] *anat.* rebro; *r. cage*
hrudný kôš; *gastr.* rebier-
ko
**ribald** [ˈribəld] hrubý, ne-
slušný, grobiansky
**ribbon** [ˈribən] stuha, stužka
*(do vlasov)*; páska *(do písa-
cieho stroja)*; pás, pruh
*(látky)*
**ribbons** [ˈribənz] *pl.* opraty
**rice** [rais] ryža; *r. pudding*
ryžový nákyp
**rich** [rič] **1.** bohatý; *become
r.* zbohatnúť **2.** hojný,
úrodný, výnosný; *land r.
in coal* krajina bohatá na
uhlie **3.** tučný, výživný
*(jedlo)*; *r. soup* sýta poliev-
ka
**riches** [ˈričiz] *pl.* bohatstvo;
hojnosť
**rickets** [ˈrikits] krivica
**rid*** [rid] zbaviť • *get r. of
sth.* zbaviť sa niečoho; *be
rid of sb./sth.* mať nieko-
ho/niečo z krku

**ridden** *see* **ride***
**riddle** [ridl] **1.** hádanka,
hlavolam; záhada; *it's a r.
to me* je to pre mňa záha-
dou **2.** sito, riečica
**ride*1** [raid] ísť, jazdiť *(na
koni, bicykli)*; *r. a bike/
horse* bicyklovať sa/jazdiť
na koni; cestovať, viezť sa
*(vlakom)*; *r. down* dobeh-
núť, dochytiť niekoho *(na
koni)*
**ride2** [raid] jazda; *go for a r.*
povoziť sa, zajazdiť si
**rider** [raidə] jazdec
**ridge** [ridž] hrebeň *(pohoria,
strechy)*
**ridicule** [ˈridikju:l] *n* po-
smech, výsmech; *v* zo-
smiešniť, vysmievať sa,
posmievať sa
**ridiculous** [riˈdikjuləs] smieš-
ny, komický; absurdný,
nezmyselný; *don't be r.*
nedaj sa vysmiať
**riff-raff** [ˈrifræf] spodina,
zberba
**rifle** [raifl] *n* puška; *r. man*
strelec; *v* ozbíjať, obrať *(o
peniaze)*
**rift** [rift] trhlina, štrbina,
puklina
**rig** [rig] **1.** výstroj *(lode, lie-
tadla)* **2.** výzor, zovňajšok
**right** [rait] *n* **1.** právo, ná-
rok; *be in the r.* byť v prá-

ve; *all r-s reserved* všetky práva vyhradené; *r. of way* prednosť v jazde **2.** pravá strana; *on your r.* po tvojej pravici; *adj* správny; pravý; *get sth. r.* správne, úplne niečo pochopiť; *you are r.* máš pravdu; *on the r. side* vpravo; *all r.* dobre, v poriadku; *r. thing* správna vec; *adv* **1.** vpravo; *look r.* pozri sa vpravo **2.** (i)hneď, priamo; *I'll call him r. away* ihneď ho zavolám; *r. behind you* hneď za tebou; *r. at the end* na samom konci **3.** správne • *serves him r.* dobre mu tak; *v* napraviť

**righteous** [ˈraičəs] poctivý, statočný; riadny; *r. anger* spravodlivý hnev

**right-handed** [ˈraitˈhændid]: *r. person* pravák

**rigid** [ˈridžid] strnulý, nehybný; neústupný, neoblomný

**rigorous** [ˈrigərəs] prísny; precízny, dôkladný

**rim** [rim] lem, obruba; obruč *(kolesa)*

**rind** [raind] kôra *(stromu)*; šupa, šupka *(syra, melóna)*

**ring*¹** [riŋ] **1.** zvoniť; *there was a r. at the door* niekto zazvonil **2.** znieť *(slová)* **3.**

*r. up* zatelefonovať; *r. off* ukončiť *(telef. hovor)*; *give me a r.* zavolaj mi

**ring²** [riŋ] **1.** prsteň; *r. finger* prsteník **2.** okruh **3.** kruh, krúžok *(na kľúče)* **4.** šport. ring **5.** zvonenie, zazvonenie

**rink** [riŋk] klzisko; dráha pre kolieskové korčule

**rinse** [rins] vypláchnuť *(ústa, nádobu)*, pláchať *(šaty)*; vymyť, premyť

**riot** [ˈraiət] **1.** výtržnosť **2.** hýrenie

**riotous** [ˈraiətəs] **1.** výtržnícky **2.** hýrivý

**rip** [rip] roztrhnúť, rozpárať; *r. off* odtrhnúť, odpárať; *r. open a letter (prudko)* roztvoriť list

**ripe** [raip] zrelý, dozretý; vyvinutý, vyspelý; *become r.* dozrieť; *r. age* zrelý vek; *r. for sth.* súci na niečo

**ripen** [ˈreipən] zrieť, dozrievať; nechať dozrieť

**rise*¹** [raiz] **1.** vstať *(zo stoličky, od stola)* **2.** stúpať *(ceny, plat)* **3.** vychádzať *(slnko)* **4.** prameniť *(rieka)* **5.** vznikať

**rise²** [raiz] **1.** vyvýšenina, kopček, vŕšok **2.** vzostup *(slávy)* **3.** stúpanie *(teploty)*

**4.** zvýšenie; *ask for a r.* požiadať o zvýšenie platu **5.** pôvod, vznik

**risen** *see* **rise***

**rising** [ˈraiziŋ] **1.** stúpanie *(prílivu)* **2.** východ *(slnka)* **3.** povstanie, vzbura

**risk** [risk] riziko, nebezpečenstvo; *at so. own r.* na vlastné nebezpečenstvo; *run the r.* riskovať; *I'll take the r.* ja to risknem, ja sa na to odvážim

**risky** [ˈriski] riskantný, nebezpečný

**rival** [ˈraivəl] *n* súper, sok; *šport.* protivník; *v* súperiť

**river** [ˈrivə] rieka; *house on the r.* dom pri rieke; *on the left bank of the r. Danube* na ľavom brehu Dunaja

**river-bed** [ˈrivəˈbed] riečište, koryto rieky

**rivet** [ˈrivit] *n* nit, svoreň; *v* **1.** nitovať **2.** (u)pútať *(pozornosť)*

**rivulet** [ˈrivjulit] potôčik

**road** [rəud] cesta; *take the r.* vydať sa na cestu; *r. map* automapa; *r. tax* cestná daň; *rule of the r.* dopravné pravidlá

**road-hog** [ˈrəudhog] nedisciplinovaný vodič

**roadway** [ˈrəudwei] vozovka

**roam** [rəum] potulovať sa, túlať sa; pochodiť *(lesy)*, pocestovať *(svet)*

**roaming** [ˈrəumiŋ] *mobil.* možnosť používať mobilný telefón v zahraničí

**roar** [ro:] *n* **1.** rev *(leva)*; hučanie, dunenie *(mora, auta)* **2.** výbuch *(smiechu, hnevu)*; *v* revať; hučať, dunieť; *r. out* zakričať, zaspievať *(hlasno)*

**roaring trade** [ro:riŋˈtreid] vynikajúci obchod

**roast** [rəust] *v* piecť (sa), opekať (sa); *adj* pečený; *r. chicken* pečené kurča

**rob** [rob] olúpiť, okradnúť *(človeka)*, vylúpiť *(banku)*

**robber** [ˈrobə] lupič, zlodej

**robbery** [ˈrobəri] lúpež, krádež; *daylight r.* lúpež za bieleho dňa

**robe** [rəub] **1.** róba, dámske šaty **2.** rúcho

**robin** [robin] *zool.* červienka

**robust** [rəuˈbast] statný, robustný, zdravý

**rock** [rok] *n* skala; útes, bralo; *r.* candy tvrdý cukrík; *whisky on the r-s* whisky s ľadom; *v* kolísať (sa), hojdať (sa)

**rocking chair** [ˈrokiŋ čeə] hojdacie kreslo

**rocket** ['rokit] *let., voj.* raketa; *r. missiles* raketové strely; *set off a r.* vypáliť raketu

**rocky** ['roki] kamenistý, skalnatý; *r. coast* skalnaté pobrežie

**rod** [rod] **1.** prút; *fishing r.* udica, rybársky prút **2.** žrď, tyč

**rode** *see* **ride\***

**rodent** ['rəudənt] hlodavec

**roe** [rəu] **1.** srna **2.** ikra

**roebuck** ['rəubʌk] srnec

**rogue** [rəug] darebák; šibal; *play the r.* vystrájať huncútstva

**roguery** ['rəugəri] darebáctvo; šibalstvo

**roll** [rəul] *n* **1.** zvitok *(papiera)* **2.** zoznam **3.** valec **4.** žemľa; *ham r.* žemľa so šunkou **5.** dunenie; *v* **1.** valiť sa **2.** váľať (sa) **3.** kolísať sa **4.** vlniť sa **5.** dunieť **6.** stočiť, zvinúť • *years r-ed by/on* roky plynuli/míňali sa; *r. in* (na)hrnúť sa; *r. out* rozvaľkať *(cesto)*; *r. over* prevaľovať sa *(v posteli)*; *r. up* prihrnúť sa *(ľudia)*

**roller** ['rəulə] **1.** valec **2.** *(veľká morská)* vlna

**roller-skates** ['rəuləskeits] *pl.* kolieskové korčule

**romance** [rə'mæns] **1.** romanca **2.** dobrodružný román **3.** romantika

**romantic** [ro'mæntik] *n* romantik; *adj* romantický; *r. novel* romantický román

**romanticism** [ro'mæntisizm] romantizmus

**romp** [romp] šantiť, vyčíňať *(deti)*

**roof** [ru:f] *n* strecha; *leaking r.* zatekajúca strecha; *live under the same r.* žiť pod jednou strechou • *hit the r.* vyskakovať po plafón *(od zlosti)*; pokryť *(strechou)*

**rook** [ruk] **1.** havran **2.** podvodník **3.** *šach.* veža

**room** [rum, ru:m] *n* **1.** miesto, priestor; *there's plenty of r. here* je tu dosť miesta; *make r. for sb./sth.* uvoľniť miesto pre niekoho/niečo **2.** miestnosť, izba; *living/sitting r.* obývačka; *dining r.* jedáleň; *share r. with sb.* bývať s niekým v jednej izbe; *(v) AmE* bývať *(v prenajatej izbe)*

**roomer** ['rumə] *AmE* (pod)nájomník

**roommate** ['rummeit] spolubývajúci

**roomy** ['rumi] priestranný, priestorný, rozľahlý *(byt)*

**roost** [ru:st] *n* **1.** žŕdka **2.** kurín; *v* sedieť na žŕdke; *pren.* ísť spať

**rooster** [ˈru:stə] kohút

**root** [ru:t] *n* **1.** koreň; *r-s* koreňová zelenina; *take/strike r.* pustiť korene, začať rásť; *pren.* zakoreniť sa, uchytiť sa *(zvyk)* **2.** *mat.* odmocnina; *the second/square r.* druhá odmocnina; *v* **1.** zakoreniť (sa) **2.** *r. out* vytrhnúť *(s koreňom)*; *pren.* vykoreniť, vykynožiť, zničiť, vyhladiť

**rope** [rəup] lano; povraz; *be on the r.* byť priviazaný *(horolezec)* • *to know the r-s* vyznať sa • *r. in* pritiahnuť do *(hry, práce)*; *r. sth. off* oddeliť, prehradiť niečo

**rosary** [ˈrəuzəri] ruženec

**rose¹** *see* **rise***

**rose²** [rəuz] **1.** ruža **2.** ružová farba; *r. show* výstava ruží • *under the r-s* dôverne, potajomky; *the r. of the town* najkrajšia žena v meste • *no r. without a thorn* niet ruže bez tŕňa

**rose-hip** [ˈrəuzhip] *bot.* šípka; *r. tea* šípkový čaj

**rosemary** [ˈrəuzməri] rozmarín

**rosin** [ˈrozin] živica; kolofónia

**rostrum** [ˈrostrəm] rečnícka tribúna

**rosy** [ˈrəuzi] ružový

**rot** [rot] *n* **1.** hniloba **2.** *hovor.* nezmysel; *don't talk r.!* netáraj hlúposti!; *v* hniť; *r. off* zhniť, odpadnúť hnilobou

**rotation** [rəuˈteišn] **1.** otáčanie; *r. of the Earth* obeh Zeme **2.** striedanie; *by/in r.* striedavo

**rotten** [rotn] **1.** hnilý *(ovocie)*, skazený *(zub)*, smradľavý *(vajce)* **2.** hanebný, podlý, ničomný; *I felt r. at that time* vtedy som sa cítil podlo

**rouble** [ru:bl] rubeľ

**rouge** [ru:ž] rúž

**rough** [raf] **1.** drsný; *hockey is a r. sport* hokej je drsný šport; *r. life* tvrdý život; *r. sea* rozbúrené more **2.** hrubý; *r. translation* hrubý preklad **3.** neotesaný **4.** približný; *r. estimate* približný odhad

**round** [raund] *n* **1.** kruh; *gather in a r.* zhromaždiť sa do kruhu **2.** okruh; *šport.* two *r-s to go* ešte dve kolá **3.** rad; cyklus; *it's my r.* ja som na rade;

*all the year r.* po celý rok **4.** salva; dávka; *adj* **1.** guľatý; okrúhly **2.** okružný; *travel r. the world* cestovať po svete; *adv* okolo; *r. 20 degrees* okolo 20 stupňov; *r. the corner* za rohom; *r. sth. off* zaokrúhliť niečo • *r. up friends* zohnať priateľov
**roundabout** [ˈraundəbaut] **1.** *motor.* kruhový objazd **2.** okľuka **3.** vyhýbavá odpoveď **4.** kolotoč; *AmE* merry-go-round
**rouse** [rauz] (zo)budiť; zburcovať; *r. from sleep* strhnúť sa zo sna; *r. sb. from sleep* vytrhnúť niekoho zo spánku
**rout** [raut]: *put to r.* poraziť *(na hlavu)*
**route** [ru:t] cesta, trať; *which r. did you take?* ktorou cestou ste šli?; *air r.* letecká dráha, letecký koridor
**routine** [ru:ˈti:n] rutina, mechanickosť, zotrvačnosť; *what are your daily r-s?* aký máš denný režim?, čo robievaš pravidelne každý deň?
**rove** [rəuv] túlať sa; potulovať sa, ponevierať sa
**row**[1] [rəu] *n* **1.** rad; *ticket to the first r., please* prosím si

lístok do prvého radu **2.** *r-ing* veslovanie; *v* veslovať; *can you r. a boat?* vieš veslovať?
**row**[2] [rau] *n* ruvačka, zvada, výtržnosť; *v* vadiť sa; *she had a r. with him* pohádala sa s ním
**rowdy** [ˈraudi] **1.** hlučný, hrubý **2.** výtržník, zurvalec
**royal** [ˈroiəl] **1.** kráľovský; *r. family* kráľovská rodina; *r. palace* kráľovská palác **2.** veľkolepý, majestátny, vznešený; *r. welcome* veľkolepé privítanie
**royalty** [ˈroiəlti] **1.** kráľovská rodina **2.** kráľovská moc; kráľovská dôstojnosť; kráľovský úrad **3.** honorár *(autorský)*
**rub** [rab] *n* ťažkosť, prekážka • *there's the r.* v tom je háčik; *v* **1.** trieť (sa); *r. dry* utrieť do sucha; *r. so. eyes* šúchať si oči **2.** drieť (sa); zodrať (sa) • *r. along* prebíjať sa životom • *don't r. it in* nepripomínaj to, nerozmazávaj to; *r. sth. out* zmazať, zotrieť
**rubber** [ˈrabə] **1.** guma; kaučuk; *bot. r. plant* fikus **2.** guma *(na gumovanie)*; *AmE* eraser

**rubbers** [ˈrabəz] *pl.* prezuvky, galoše

**rubbish** [ˈrabiš] **1.** odpadky, smetie; *r. tip* smetisko; *dump r.* (vy)sypať smetie **2.** nezmysel • *don't talk r.!* nerozprávaj hlúposti!

**ruby** [ˈru:bi] rubín

**rucksack** [ˈruksæk] batoh, plecniak

**rudder** [ˈradə] *let., námor.* kormidlo

**rude** [ru:d] hrubý, bezočivý, nezdvorilý; nevychovaný; *don't be r.!* nebuď drzý!

**rudiments** [ˈru:dimənts] *pl.* základy, základné princípy; *learn the r. of a language* naučiť sa základy jazyka

**rueful** [ˈru:ful] lútostivý, kajúci

**ruffian** [ˈrafjən] darebák, lotor; surovec, grobian

**ruffle** [rafl] **1.** čeriť sa *(voda)* **2.** vystatovať sa, chvastať sa **3.** naberať *(látku)* **4.** našuchoriť *(vlasy, perie u vtáka)*

**rug** [rag] **1.** prikrývka, deka *(vlnená)* **2.** koberček, predložka *(pri posteli)*

**rugged** [ˈragid] drsný *(krajina)*; nepravidelný, nerovný *(terén)*; hrubý *(tvár)*

**ruin** [ˈruin] *n* skaza, zánik • *bring to r.* priviesť na mizinu; *v* zničiť; skaziť; *r. so. health* zničiť si zdravie

**ruins** [ruinz] *pl.* zrúcaniny; *be/lie in r.* byť v troskách *(hrad, pren. človek)*

**rule** [ru:l] *n* **1.** pravidlo; *as a r.* spravidla; *by r.* podľa predpisov **2.** vláda; nadvláda; *v* **1.** vládnuť; *r. a country* vládnuť krajine; ovládať; *r. so. husband* ovládať manžela **2.** linajkovať • **1.** *r. sb./sth. out* vylúčiť niekoho/niečo *(ako možnosť)* **2.** prečiarknuť pravítkom

**ruler** [ˈru:lə] **1.** vládca **2.** pravítko

**rum** [ram] rum; *AmE* liehovina

**rumble** [rambl] **1.** dunieť, hrmieť *(hrom, auto)* **2.** škvrčať, škŕkať *(črevá)*

**rumour** [ˈru:mə] povesť; reči(čky), chýry; *r. has it that* povráva sa, že; chodia reči, že

**rump** [ramp] **1.** zadok *(zvierata)* **2.** zvyšok

**rumple** [rampl] pokrčiť, skrčiť; postrapatiť

**run*¹** [ran] **1.** bežať, utekať; *r. away* utiecť; *for two days r-ning* dva dni po sebe **2.**

jazdiť, chodiť **3.** tiecť **4.** znieť **5.** viesť *(cesta)* **6.** viesť *(podnik)*; r. *a travel agency* viesť/riadiť cestovnú kanceláriu • r. *across sb.* náhodou sa s niekým stretnúť • r. *at sb.* vybehnúť/zaútočiť na niekoho; r. *down* zastaviť sa *(hodiny, stroj)*, prestať fungovať • r. *out of* vyčerpať/spotrebovať zásoby; *we ran out of petrol* došiel nám benzín; r. *over sb.* prejsť *(autom)*, zraziť niekoho

**run²** [ran] **1.** beh; *go for a r.* ísť si zabehať; *be on the r.* byť na úteku **2.** priebeh • *in the long r.* koniec koncov

**runaway** [ˈranəwei] **1.** utečenec **2.** útek

**rung¹** *see* **ring***

**rung²** [raŋ] priečka, stupeň, stupienok

**runner** [ˈranə] bežec, pretekár v behu; dostihový kôň

**runners** [ˈranəz] tenisky

**run-in** *hovor.* hádka

**running** [ˈraniŋ] *n* beh(anie), chod; *adj* bežiaci, priebežný, súčasný, bežný; r. *costs* prevádzkové náklady

**run-up** predloha, začiatok

**runway** [ˈranwei] *let.* štartovacia a pristávacia dráha

**rupture** [ˈrapəč] **1.** prerušenie, prasklina, trhlina **2.** *lek.* prietrž

**rural** [ˈruərəl] vidiecky, dedinský; r. *customs* vidiecke zvyky

**rush** [raš] *n* **1.** ruch, chvat, zhon; r. *of city life* zhon mestského života; *gold r.* zlatá horúčka **2.** nával, príval *(vody)*; *v* hnať (sa), rútiť (sa)

**rush-hours** [ˈrašˈauəz] *pl.* hodiny zvýšenej premávky, dopravná špička

**rusk** [rask] suchár

**rust** [rast] *n* hrdza; *adj* hrdzavý; r.-*free* nehrdzavejúci; *v* hrdzavieť; r. *up* zájsť hrdzou

**rustic** [ˈrastik] *n* vidiečan, dedinčan; *adj* **1.** vidiecky **2.** prostý, jednoduchý

**rustle** [ˈrasl] *n* šum, šuchot, šelest; *v* šuchotať, šušťať, šumieť

**rustproof** [ˈrastˈpruːf] nehrdzavejúci, hrdzovzdorný, antikoro

**rusty** [ˈrasti] hrdzavý; hrdzavejúci

**rut** [rat] **1.** ruja **2.** vychodená koľaj

**ruthless** [ˈruːθlis] bezohľadný, neľútostný, nemilosrdný, krutý

**rye** [rai] raž; *r.-bread* ražný

chlieb; *r. brandy* ražná pálenka

# S

**sabotage** [ˈsæbotaːž] *n* sabotáž; *v* sabotovať

**sabre** [ˈseibə] šabľa

**sachet** [sæšei] sáčok

**sack** [sæk] *n* vrece • *get the s.* byť prepustený *(z práce); v* **1.** prepustiť, *hovor.* vyhodiť **2.** rabovať

**sacred** [ˈseikrid] **1.** posvätný **2.** nedotknutý

**sacrifice** [ˈsækrifais] *n* obeť; *v* obetovať

**sad** [sæd] smutný

**saddle** [ˈsædl] *n* sedlo; *v* osedlať

**sadness** [sædnis] smútok

**safe** [seif] *adj* **1.** bezpečný **2.** neporušený; *n* bezpečnostná schránka, trezor, sejf

**safeguard** [ˈseifgaːd] *n* záruka; *v* **1.** zaistiť **2.** ochraňovať

**safe-deposit** [ˈsefˈdipozit] bankový trezor

**safe-keeping** [ˈseifˈkiːpiŋ] úschova

**safety** [ˈseifti] bezpečnosť

**safety-pin** [ˈseiftipin] zatváracií špendlík

**sag** [sæg] **1.** prehýbať sa **2.** ovisnúť

**sagacious** [səˈgeišəs] prezieravý, múdry

**sage** [seidž] mudrc

**said** *see* **say***

**sail** [seil] *n* **1.** plachta **2.** loď **3.** plavba; *v* **1.** plaviť sa, plávať **2.** vyplávať **3.** plachtiť **4.** *s. in sth.* pustiť sa do niečoho s veľkou energiou; *s. into so.* napadnúť, hrešiť niekoho

**sailboarding** [seilboːdiŋ] plachtenie

**sailboat** [seilbəut] plachetnica

**sailor** [ˈseilə] námorník

**saint** [seint] *n* svätec; *adj* svätý

**sake** [seik]: *for the s. of* kvôli, pre; *for my s.* kvôli mne

**salad** [ˈsæləd] šalát

**salami** [səˈlaːmi] saláma

**salary** [ˈsæləri] plat

**sale** [seil] (vý)predaj; *for s.* na predaj

**salesman** [ˈseilzmən] predavač; *s. girl (lady, woman)* predavačka

**sales manager** obchodný riaditeľ

**sales promotion** propagácia predaja

**salient** [ˈseiljənt] vyčnievajúci; vynikajúci

**saliva** [səˈlaivə] slina

**sallow** [ˈsæləu] bledý; žltkavý (o pleti)

**salmon** [ˈsæmən] losos

**saloon** [səˈluːn] spoločenská miestnosť; hotelová hala; AmE krčma

**salt** [soː(ː)lt] n soľ; adj slaný; v soliť, nasoliť, osoliť

**saltcellar** [ˈsoːltˈselə] soľnička

**salt-water** [ˈsoːltˈwoːtə] morský (ryby)

**salutation** [ˈsæljuː(ː)ˈteišən] 1. pozdrav 2. oslovenie (v liste)

**salute** [səˈluːt] n 1. pozdrav 2. salutovanie 3. salva; v pozdraviť; salutovať

**salvage** [ˈsælvidž] n 1. záchrana ohrozeného majetku 2. zber odpadových surovín; v 1. ochrániť (pred ohňom, stratou) 2. zbierať odpadové suroviny

**salvation** [sælˈveišən] spása; S. Army Armáda spásy

**same** [seim]: the s. ten istý;

all the s. time súčasne; all the s. predsa, rovnako

**sample** [ˈsaːmpl] vzorka

**sanction** [ˈsænkšn] n 1. sankcia 2. povolenie; v dať povolenie, sankcionovať

**sand** [sænd] piesok

**sandal** [ˈsændl] sandála

**sandbag** [ˈsændbæg] vrece s pieskom

**sandbank** [ˈsændbænk] nános piesku, plytčina

**sand-bar** [ˈsændbaː] piesčina

**sandpaper** [ˈsændpeipə] sklený papier

**sandstone** [ˈsændstəun] pieskovec

**sandwich** [ˈsændwidž] obložený chlieb, sendvič

**sane** [sein] (duševne) zdravý, normálny; rozumný

**sang** see **sing***

**sanguinary** [ˈsæŋgwinəri] krvavý, krvilačný

**sanitary** [ˈsænitəri] zdravotnícky, hygienický

**sanitation** [ˈsæniˈteišn] kanalizácia

**sanity** [ˈsæniti] zdravý rozum, duševné zdravie

**sank** see **sink***

**sap** [sæp] n 1. miazga; v podkopať

**sapphire** [ˈsæfaiə] zafír

**sarcastic** [sa:'kæstik] sarkastický
**sardine** [sa:'di:n] sardinka
**sash** [sæš] šerpa
**sash-window** ['sæšwindəu] posunovacie okno
**sat** see **sit***
**satellite** ['sætəlait] 1. družica 2. satelit
**satchel** ['sæčəl] taška
**satiate** ['seišieit] nasýtiť
**satin** ['sətin] satén, atlas
**satire** ['sætaiə] satira
**satirist** ['sætərist] satirik
**satisfaction** ['sætis'fækšən] uspokojenie; spokojnosť
**satisfactory** ['sætis'fæktəri] uspokojivý
**satisfy** ['sætisfai] 1. uspokojiť 2. ubezpečiť • I am s-ied that... nepochybujem, že...
**saturate** ['sæčəreit] nasýtiť, saturovať
**Saturday** ['sætədei] sobota
**sauce** [so:s] omáčka
**saucepan** ['so:spən] rajnica
**saucer** ['so:sə] tanierik
**sauciness** ['so:sinis] drzosť, prostorekosť
**saucy** ['so:si] bezočivý, prostoreký
**sauerkraut** ['sauəkraut] kyslá kapusta
**sausage** ['sosidž] klobása; s. dog jazvečík; s. roll zapekaná klobása

**savage** ['sævidž] n divoch; adj 1. divý, necivilizovaný 2. surový, brutálny
**save** [seiv] 1. zachrániť 2. šetriť, sporiť 3. našetriť
**savings account** [seiviŋs əkaunt] úspory
**savings-bank** ['seiviŋzbænk] sporiteľňa
**saviour** ['seivjə] záchranca; spasiteľ
**savoury** ['seivəri] pikantný
**savvy** ['sævi] dôvtip, zdravý sedliacky rozum; use your savvy! pohni závitmi!
**saw¹** see **see***
**saw²** [so:] 1. píla 2. porekadlo
**saw³** [so:] píliť
**sawdust** ['so:dast] piliny
**sawmill** [so:mil] píla (podnik)
**sawn** see **saw***
**saxophone** ['sæksəfəun] saxofón
**say*** [sei] povedať
**scab** [skæb] 1. chrasta 2. štrajkokaz
**scabies** ['skeibii:z] svrab
**scaffolding** ['skæfəldiŋ] lešenie; tubular s. rúrkové lešenie
**scald** [sko:ld] 1. obariť 2. variť mlieko
**scale** [skeil] 1. šupina 2. miska váh 3. stupnica; škála 4. mierka (mapy)

**scales** [skeilz] *pl.* váhy
**scalp** [skælp] koža na hlave, skalp
**scam** [skæm] podvod
**scan** [skæn] **1.** letmo nahliadnuť **2.** kriticky preskúmať **3.** *lek.* vyšetriť ultrazvukom
**scandal** [ˈskændl] **1.** škandál **2.** ohováračka
**Scandinavia** [ˌskændiˈneivjə] Škandinávia
**scanty** [ˈskænti] skromný, sotva dostačujúci
**scapegoat** [ˈskeipgəut] *obr.* obetný baránok
**scar** [skaːʳ] jazva
**scarce** [skeəs] nedostačujúci, vzácny, zriedkavý
**scarcely** [ˈskeəsli] sotva, ťažko
**scare** [skeə] *n* panika; *v* postrašiť, vystrašiť
**scarecrow** [ˈskeəkrəu] strašiak *(v poli)*
**scarf** [skaːf] šál
**scarlet** [ˈskaːlit] *n* šarlát; *adj* šarlátový
**scary** [ˈskeæri] desivý, hrozivý
**scatter** [ˈskætə] **1.** rozhadzovať; rozsypávať **2.** rozprášiť, rozohnať **3.** rozptýliť sa
**scarlet fever** [ˈskaːlit ˈfiːvə] šarlach
**scavenger** [ˈskævindžə] **1.**

zametač **2.** zviera, ktoré sa živí zdochlinami
**scenario** [siˈnaːriəu] scenár
**scene** [siːn] **1.** scéna • *make a s.* urobiť scénu **2.** dejisko **3.** javisková výprava • *behind the s-s* za kulisami
**scenery** [ˈsiːnəri] **1.** javisková výprava **2.** scenéria; príroda
**scent** [sent] *n* **1.** pach **2.** stopa **3.** čuch **4.** voňavka; *v* **1.** ňuchať, cítiť **2.** navoňať
**sceptic** [ˈskeptik] skeptik
**sceptre** [ˈseptə] žezlo
**schedule** [ˈšedjuːl] **1.** plán, rozvrh, program • *ahead of s.* pred termínom **2.** *AmE* [ˈskedjuːl] cestovný poriadok
**scheme** [skiːm] *n* schéma, plán; *v* kuť plány, úklady
**schematic** [skiˈmætik] schematický
**scholar** [ˈskolə] učenec, vedec
**scholarship** [ˈskoləšip] **1.** učenosť **2.** štipendium
**school** [skuːl] škola
**school-book** [ˈskuːlbuk] učebnica
**schoolboy** [ˈskuːlboi] školák
**schoolgirl** [ˈskuːlgəːl] školáčka
**schoolmaster** [ˈskuːlˌmaːstə] učiteľ

**schoolmate** [ˈskuːlmeit] spolužiak

**schoolmistress** [ˈskuːlˈmistris] učiteľka

**schoolroom** [ˈskuːlrum] trieda

**sciatica** [saiˈætikə] *lek.* ischias

**science** [ˈsaiəns] veda • *man of s.* vedec, bádateľ

**scientific** [ˈsaiənˈtifik] vedecký

**scientist** [ˈsaiəntist] (prírodo)vedec

**scintillate** [ˈsintileit] iskriť

**scissors** [ˈsizəz] *pl.* nožnice

**scoff** [skof]: *at sth.* posmievať sa niečomu

**scold** [skəuld] hrešiť niekoho, hádať sa s niekým

**scoop** [ˈskuːp] **1.** naberačka; lopatka **2.** guľka zmrzliny

**scooter** [ˈskuːtə] **1.** kolobežka **2.** skúter

**scope** [ˈskəup] **1.** rozhľad; rozsah **2.** príležitosť, východisko

**score** [skoː] *n* **1.** zárez, vrub **2.** výsledok zápasu, skóre **3.** dvadsiatka **4.** partitúra; *v* **1.** urobiť zárezy **2.** nalinajkovať **3.** skórovať **4.** *s. a success* mať úspech **5.** *s. off sb.* poníž iť niekoho

**scorch** [skoːč] popáliť, spáliť

**scorn** [skoːn] *n* opovrhnu-

tie; *v* opovrhovať niečím, pohŕdať niečím

**scoundrel** [ˈskaundrəl] darebák, naničhodník

**scout** [skaut] skaut; vyzvedač

**scowl** [skaul] mračiť sa

**scrab** [skræb] štrajkokaz

**scramble** [ˈskræmbl] liezť *(štvornožky);* ruvať sa • *scrambled eggs* praženica

**scrap** [skræp] *n* **1.** kúsok **2.** zdrap **3.** staré železo **4.** *pl. s-s* zvyšky; *s. iron.* železný šrot; *v* dať do starého železa

**scrape** [skreip] škriabať (sa); pozbierať

**scratch** [skræč] *v* **1.** škrabnúť, škrabať (sa) **2.** vzdať sa *(zápasu); v* škrabnutie

**scrawl** [skroːl] *v* čarbať, driapať; *n* čarbanie

**scream** [skriːm] *n* výkrik, jačanie; *n* jačať, pišťať

**screen** [skriːn] *n* **1.** zástena, stena **2.** plátno *(premietacie)* **3.** clona; *v* **1.** cloniť, zacloniť **2.** chrániť, skryť **3.** premietať *(na plátno)*

**screwed up** [skruːd ap] neurotický

**scruffy** [skrafi] úbohý, špinavý

**screw** [skruː] *n* skrutka; *v* skrutkovať

**screw-driver** [ˈskur:ˈdraivə] skrutkovač

**scribble** [ˈskribl] čarbať

**script** [skript] scenár

**scrub** [skrab] drhnúť *(kefou)*

**scrupulous** [ˈskru:pjuləs] ohľaduplný

**scrutiny** [ˈskru:tini] podrobná prehliadka

**scuba diving** [ˈskju:ba daiviŋ] potápanie sa s prístrojom

**scuffle** [skafl] biť sa

**scull** [skal] veslo

**sculptor** [ˈskalptə] sochár

**sculpture** [ˈskalpčə] **1.** sochárstvo **2.** skulptúra, plastika

**scum** [skam] pena; nečistota

**scurf** [skə:f] lupiny

**scuttle** [ˈskatl] uhliak

**scythe** [saið] kosa

**sea** [si:] more

**sea lion** [ˈsi: ˈlaiən] *zool.* levúň

**seating** [si:tiŋ] **1.** miesta, sedadlá **2.** zasadací poriadok

**seaweed** [si:wi:d] morská riasa

**seagull** [ˈsi:gal] čajka

**seal** [si:l] *n* **1.** tuleň **2.** pečať **3.** plomba; *v* **1.** zapečatiť **2.** utesniť

**sealevel** [si:levl] morská hladina

**seam** [si:m] **1.** šev **2.** žila *(horniny)*

**seaman** [ˈsi:mən] námorník

**seamstress** [ˈsemstris] krajčírka, šička

**seaplane** [ˈsi:plein] hydroplán

**sear** [siə] prudko opiecť

**search** [sə:č] *n* hľadanie, pátranie; *v* **1.** hľadať **2.** prezerať

**searchlight** [ˈsə:člait] reflektor

**seashore** [ˈsi:ˈšo:] morský breh

**seasick** [ˈsi:sik]: *be s.* mať morskú chorobu

**seaside** [ˈsi:ˈsaid] pobrežie *(morské); at the s.* pri mori

**season** [ˈsi:zn] *n* ročné obdobie, sezóna; *v* okoreniť

**seasoning** [ˈsi:zniŋ] korenie

**seat** [si:t] *n* **1.** sedadlo **2.** sídlo **3.** miesto *(na sedenie)* • *take a s.* sadnúť si; *v s. os.* **1.** usadiť sa **2.** pojať

**seaworthy** [si:ˈwə:ði] schopný plavby

**seasonticket** [ˈsi:znˈtikit] preukaz *(na vlak, električku)*

**second** [ˈsekənd] *n* **1.** sekunda **2.** druhý

**secondary** [ˈsekəndəri] druhotný; *s. school* stredná škola

**second-best** [sekəndbest] druhý najlepší

**second-hand** [ˈsekəndˈhænd] použitý; antikvárny; z druhej ruky

**second-rate** [ˈsekəndˈreit] podradný

**secrecy** [ˈsiːkrisi] tajnosť; diskrétnosť

**secret** [ˈsiːkrit] *adj* tajný; *n* tajomstvo

**secret service** spravodajská služba

**secretary** [ˈsekrətri] 1. tajomník, sekretár 2. minister; *Home S.* minister vnútra; *Foreign S.* minister zahraničia

**secretive** [siːkrətiv] tajnostkársky

**section** [ˈsekšn] úsek, oddiel, časť; sekcia, oddelenie

**sector** [ˈsektə] 1. *mat.* výsek 2. sektor

**secular** [ˈsekjulə] svetský

**secure** [siˈkjuːə] *adj* 1. istý 2. zabezpečený; *v* 1. zabezpečiť, zaistiť 2. zadovážiť, zohnať

**securities** [siˈkjuəritiz] *pl.* cenné papiere

**security** [siˈkjuəriti] 1. bezpečnosť, istota 2. záruka

**sedentary** [ˈsedentəri] sedavý; *s. occupation* sedavé zamestnanie

**sedition** [siˈdišən] poburovanie

**seduce** [siˈdjuːs] zviesť, zvádzať

**see*** [siː] 1. vidieť; *s. through* odhaliť *(zámery)* 2. navštíviť 3. chápať 4. dozerať; *I s.* rozumiem, chápem; *s. to it* dozri na to, aby; *s. sb. home* odprevadiť niekoho domov; *s. sb. off* odprevadiť niekoho *(pri cestovaní)*; *s. out* vyprevadiť; *let me s.* ukážte; počkajte, pozriem sa

**seed** [siːd] semeno

**seedy** [ˈsiːdi] *hovor.* nesvoj, chorý

**seek*** [siːk] 1. hľadať 2. *s. for* usilovať sa o niečo, snažiť sa • *much sought after* veľký dopyt po

**seem** [siːm] zdať sa

**seeming** [siːmiŋ] zdanlivý

**seen** *see* **see***

**seep** [siːp] presiaknuť, vyvierať

**seethe** [siːð] vrieť, kypieť

**seesaw** [siːsoː] hojdačka

**seize** [siːz] 1. uchopiť za; pochopiť 2. zmocniť sa niečoho, zabaviť

**seizure** [ˈsiːžə] 1. konfiškácia, exekúcia 2. využitie,

uchopenie; *heart s.* srdcový záchvat

**seldom** [ˈseldəm] zriedkakedy, zriedkavo

**select** [siˈlekt] *adj* vybraný; *v* vybrať (si)

**selection** [siˈlekšən] výber

**self** [self] 'ja' • *your better s.* tvoje lepšie ja; *predpona* samo-, seba-

**self-adhesive label** [ˈselfədˈhi:siv] samolepka

**self-assured** [ˈselfəˈšuəd] sebaistý

**self-catering** [selfˈkeitəriŋ] samozásobovanie

**self-complacence** [ˈselfkəmˈpleisns] samoľúbosť

**self-confidence** [selfˈkonfidəns] sebadôvera

**self-conscious** [selfˈkonšəs] ostýchavý, nesmelý

**self-control** [ˈselfkənˈtrəul] sebaovládanie

**self-defence** [ˈselfdiˈfens] sebaobrana

**self-government** [ˈselfˈgavəmənt] samospráva

**selfish** [ˈselfiš] sebecký

**self-preservation** [ˈselfprezəˈveišən] sebazáchova

**self-respect** [ˈselfrisˈpekt] sebaúcta

**self-satisfaction** [ˈselfˈsætisˈfækšən] samoľúbosť

**sell\*** [sel] predávať, predat

**seller** [ˈselə] predávajúci • *best-s.* kniha, ktorá ide na dračku

**sellout** [selaut] výpredaj

**semicircle** [ˈsemiˈsəːkl] polkruh

**semicolon** [semiˈkəulen] bodkočiarka

**semidetached** [ˈsemidiˈtæčt] spojený jedným múrom; *s. house* dvojdom

**seminar** [ˈseminaː] seminár *(vysokoškolský)*

**seminary** [ˈseminəri] seminár *(kňažský)*

**Semitic** [siˈmitik] semitský

**semolina** [ˈseməˈliːnə] krupica; *s. pudding* krupičná kaša

**senate** [ˈsenit] senát

**senator** [ˈsenətə] senátor

**sender** [ˈsendə] 1. odosielateľ 2. vysielač

**send\*** [send] 1. poslať 2. vysielať *(rozhlasom)*

**senile** [ˈsiːnail] senilný

**senior** [ˈsiːnjə] 1. starší 2. nadriadený

**sensation** [senˈseišn] 1. pocit 2. rozruch, senzácia

**sensational** [senˈseišnl] senzačný

**sense** [sens] rozum; zmysel; *make s.* dávať zmysel; *common s.* zdravý rozum

senseless [ˈsenslis] **1.** nezmyselný **2.** v bezvedomí
sensibility [ˈsensiˈbiliti] citlivosť *(emočná)*
sensible [ˈsensəbl] **1.** rozumný **2.** citeľný
sensitive [ˈsensitiv] citlivý
sensual [ˈsensjuəl] **1.** zmyslový **2.** zmyselný
sensuality [ˈsensjuˈæliti] zmyselnosť
sent *see* send*
sentence [ˈsentəns] *n* **1.** veta **2.** rozsudok; *v* odsúdiť
sentiment [ˈsentimənt] cit
sentinel [ˈsentinl] stráž, hliadka
sentry [ˈsentri] stráž, hliadka
separate [ˈsepəreit] *v* **1.** oddeliť (sa) **3.** rozísť sa; *adj* [ˈseprət] oddelený
separation [ˈsepəˈreišən] **1.** oddelenie, rozdelenie **2.** rozchod, rozlúčka
September [səpˈtembə] *n* september; *adj* septembrový
sequin [si:kwin] flitre
sequel [ˈsi:kwəl] **1.** pokračovanie **2.** následok
sequence [ˈsi:kwəns] poradie, súslednosť
serenade [ˈseriˈneid] serenáda
serene [siˈri:n] jasný; pokojný

serenity [siˈreniti] jasnosť, pokoj
serf [sə:f] nevoľník
serfdom [sə:fdəm] nevoľníctvo
sergeant [ˈse:džənt] seržant
series [ˈsiəri:z] rad, séria
serious [ˈsiəriəs] vážny
sermon [ˈsə:mən] kázeň
serpent [ˈsə:pənt] had
serpentine [ˈsə:pəntain] kľukatý
servant [ˈsə:vənt] sluha; *public s.* verejný zamestnanec; *civil s.* štátny úradník
serve [sə:v] **1.** slúžiť **2.** obslúžiť **3.** servírovať **4.** odsedieť si trest ● *it s-s you right* dobre ti tak
server [sə:və] **1.** servujúci **2.** *výpoč.* server
service [ˈsə:vis] **1.** služba **2.** obsluha **3.** podávanie jedla, servírovanie **4.** servis
servile [ˈsə:vail] servilný; otrocký
servitude [ˈsə:vitju:d] otroctvo
session [ˈsešən] **1.** zasadanie **2.** školský rok na univerzite
set¹ [set] **1.** súprava **2.** sada **3.** skupina **4.** prístroj, aparát

set[2]* [set] 1. dať niekde, položiť, postaviť 2. dať *(úlohu, príklad)* 3. nastaviť *(hodiny)* 4. usadiť sa 5. zapadnúť *(slnko)* 6. s. off/out vydať sa *(na cestu)*

setback [ˈsetˈbæk] neúspech, prekážka

sets [ sets] množiny

settee [seˈtiː] pohovka, diván

setting [ˈsetiŋ] 1. zasadanie 2. prostredie

settle [ˈsetl] 1. usadiť (sa) 2. osídliť 3. urovnať, vyriešiť 4. zaplatiť, vyrovnať *(dlžobu)*

settlement [ˈsetlmənt] 1. osada 2. vyrovnanie 3. úhrada

settler [ˈsetlə] osadník

set-up [setap] 1. držanie tela 2. zdatnosť 3. situácia 4. sada nástrojov/zariadenia

seven [ˈsevn] sedem

seventeen [ˈsevnˈtiːn] sedemnásť

seventy [ˈsevnti] sedemdesiat

sever [ˈsevə] 1. oddeliť 2. prerušiť

several [ˈsevrəl] niekoľko

severe [siˈviə] 1. prísny 2. krutý, drsný; s. *competition* tvrdá konkurencia

severity [siˈveriti] 1. prísnosť 2. krutosť, drsnosť

sewer [ˈsjuə] stoka

sewerage [ˈsjuəridž] kanalizácia

sewing-machine [ˈsəuiŋməˈšiːn] šijací stroj

sewn *see* sew*

sex [seks] pohlavie

sexton [ˈsekstən] kostolník

sexual [ˈseksjuəl] pohlavný, sexuálny

shabby [ˈšæbi] ošarpaný, obnosený

shack [šæk] chata

shackle [ˈšækl] n puto; v spútať

shackles [ˈšæklz] okovy

shade [šeid] n 1. tieň 2. odtieň 3. tienidlo; v 1. zatieniť 2. odtieniť

shadow [ˈšædəu] n tieň *(vrhnutý, neskutočný)*; v sledovať, špehovať; s. *cabinet* [kəbinit] *BrE* tieňový kabinet

shady [ˈšeidi] 1. tienistý 2. podozrivý, pochybný

shaft [šaːft] 1. držadlo 2. žrď 3. lúč 4. šachta 5. hriadeľ

shake[1]* [šeik] 1. potriasť, triasť (sa) • s. *hands with sb.* potriasť rukou niekomu 2. otriasť

shake[2] [šeik] otras, trasenie

shaken *see* shake*

shaky [ˈʃeiki] trasľavý, roztrasený; neistý

shall [ʃæl, ʃəl, ʃl, l] **1.** pomocné sloveso na tvorenie budúceho času **2.** spôsobové sloveso vyjadrujúce povinnosť

shallow [ˈʃæləu] *adj* plytký; *n* plytčina

sham [ʃæm] nepravý, predstieraný

shame [ʃeim] *n* **1.** stud **2.** hanba; *v* zahanbiť

shameful [ˈʃeimfl] hanebný

shameless [ˈʃeimlis] nehanebný

shampoo [ˈʃæmˈpuː] *n* šampón; *v* umývať hlavu

shape [ʃeip] *n* **1.** tvar, útvar, forma **2.** podoba; *v* utvárať, dať tvar

shapeless [ˈʃeiplis] beztvárny

shapely [ˈʃeipli] dobre stvárnený, urastený

share [ʃeə] *n* **1.** podiel **2.** akcia; *v* **1.** rozdeliť si **2.** podieľať sa na

shareholder [ˈʃeəˈhəuldə] akcionár

shark [ʃaːk] žralok

sharp [ʃaːp] **1.** ostrý **2.** prenikavý, bystrý

sharpen [ˈʃaːpən] nabrúsiť, naostriť

shatter [ˈʃætə] **1.** rozšíriť

(sa) **2.** podlomiť *(zdravie)* **3.** rozbiť *(na malé kúsky)*

shave[1] [ʃeiv] holenie

shave[2]* [ʃeiv] holiť (sa)

shaven [ˈʃeivn] oholený

shaving cream [ʃeviŋ kriːm] krém na holenie

shaving-brush [ˈʃeiviŋbraʃ] štetka na holenie

shavings [ʃeiviŋz] *pl.* stružliny

shawl [ʃoːl] šál

she [ʃi; ʃiː] ona

sheaf [ʃiːf] snop

shears [ʃiəz] *pl.* nožnice *(veľké, záhradné)*

sheath [ʃiːθ] pošva, puzdro

shed[1] [ʃed] kôlňa

shed[2] [ʃed] **1.** zhadzovať *(napr. parohy)* **2.** roniť *(slzy)*

sheep [ʃiːp] ovca

sheepdog [ˈʃiːpdog] ovčiarsky pes

shear* [ʃiə] strihať

sheep-fold [ˈʃiːpfəuld] košiar

sheer [ʃiə] číry, púhy

sheet [ʃiːt] **1.** plachta **2.** hárok papiera **3.** tabuľa *(skla, plechu)*; payroll s. mzdový list; s. music partitúra; *hovor.* between the s-s v posteli

shelf [ʃelf] polica, regál

shell [ʃel] *n* **1.** škrupina **2.** struk **3.** lastúra **4.** náboj-

nica **5.** šrapnel; v **1.** vy-
lupnúť **2.** bombardovať,
ostreľovať
**shellfish** [šelfiš] mäkkýš
*(jedlý)*
**shelter** ['šeltə] n kryt, úkryt;
útočište • *take s. from
ukryť sa;* v chrániť, ukryť
(sa)
**shepherd** ['šepəd] pastier
**sheriff** ['šerif] šerif
**shield** [ši:ld] n štít; v chrániť
**shift** [šift] n smena *(pracov-
ná);* v posunovať (sa)
**shilling** ['šiliŋ] šiling
**shimmer** ['šimə] trblietať sa
**shin** [šin] holeň
**shine**[1] [šain] svit; lesk, žiara
**shine**[2]* [šain] svietiť, žiariť,
lesknúť sa
**ship** [šip] n loď; v **1.** naloďiť
**2.** dopraviť *(lodou)*, poslať
**shipment** ['šipmənt] **1.** do-
prava loďou **2.** lodná zá-
sielka
**shipwreck** ['šiprek] n vrak; v
stroskotať
**shipyard** ['šipja:d] lodenica
**shirk** [šə:k] vyhýbať sa, uhý-
bať niečomu
**shirt** [šə:t] košeľa
**shiver** ['šivə] v chvieť sa,
triasť sa; n chvenie, mra-
zenie
**shoal** [šəul] **1.** plytčina **2.**
množstvo *(rýb)*

**shock** [šok] n **1.** rana **2.**
otras; v otriasť niekým;
pohoršiť
**shocking** [šokiŋ] odporný,
hrozný
**shod** *see* **shoe***
**shoddy** [šodi] **1.** z odpado-
vej vlny **2.** odpad, brak
**shoe**[1] [šu:] **1.** poltopánka,
topánka
**shoe**[2]* [šu:] **1.** zaobuť **2.**
okovať
**shoe-lace** ['šu:leis] šnúrka
*(do topánok)*
**shoe-maker** ['šu:'meikə]
obuvník
**shone** *see* **shine***
**shook** *see* **shake***
**shoot**[1] [šu:t] **1.** výstrel **2.**
výhonok
**shoot**[2]* [šu:t] **1.** strieľať **2.**
zastreliť **3.** vyraziť *(rastli-
na)* **4.** fotografovať, točiť
*(film)*
**shooting** ['šu:tiŋ] športová
streľba
**shop** [šop] n **1.** obchod,
predajňa • *talk s.* rozprá-
vať o svojom odbore **2.**
dielňa; v nakupovať; *go
s-ping* ísť nakupovať
**shop-assistant** ['šopə'sis-
tənt] predavač
**shopkeeper** ['šop'ki:pə] ob-
chodník, majiteľ obcho-
du

**shop-window** [ˈšop-ˈwindəu] výkladná skriňa

**shore** [šo:] breh, pobrežie

**shorn** *see* **shear***

**short circuit** [ˈšo:tˈsə:kit] krátke spojenie

**short** [šo:t] **1.** krátky **2.** malý *(o ľuďoch)* • be s. of sth. mať nedostatok niečoho

**shortage** [ˈšo:tidž] s. of sth. nedostatok niečoho

**shortcoming** [šo:tˈkamiŋ] nedostatok, chyba

**shorten** [ˈšo:tn] skrátiť (sa)

**shorthand** [ˈšo:thænd] rýchlopis, stenografia

**shortly** [ˈšo:tli] **1.** krátko, stručne **2.** zanedlho, skoro

**shorts** [šo:ts] *pl.* šortky, trenírky

**short-sighted** [ˈšo:tsaitid] krátkozraký

**short-term** [šo:tə:m] krátkodobý

**shot**[1] *see* **shoot***

**shot**[2] [šot] **1.** výstrel **2.** brok **3.** strelec **4.** *film.* záber

**shot-put** [ˈšot put] vrh guľou

**should** [šud] **1.** pomocné sloveso na tvorenie 1. osoby kondicionálu; *s. anything happen to me* keby sa so mnou niečo stalo **2.** spôsobové sloveso vyjadrujúce mravnú zá-

väznosť; *you s. resign* radšej by si mal rezignovať

**shoulder** [ˈšəuldə] *n* plece, rameno; *v* **1.** vziať na plecia **2.** prevziať **3.** raziť si cestu; *hard s.* spevnená krajnica

**shoulder-blade** [ˈšəuldəbleid] lopatka *(kosť)*

**shout** [šaut] *n* výkrik, krik, volanie; *v* volať, kričať

**shove** [šav] strčiť, rypnúť

**shovel** [ˈšavl] lopata

**show**[1] [šəu] **1.** prehliadka **2.** výstava **3.** divadelná revue

**show**[2]* **1.** preukázať, prejaviť **2.** predvádzať **3.** s. in uviesť *(dovnútra)* **4.** s. off vychvaľovať sa **5.** s. round previesť *(napr. po meste)*

**shower** [ˈšauə] *n* **1.** spŕška, prehánka, dážď **2.** sprcha; *v* liať (sa)

**showground** [ˈšəugraund] výstavný areál

**shown** *see* **show***

**showroom** [ˈšəuru:m] výstavná miestnosť

**show-window** [ˈšəuwindəu] výklad *(obchodu)*

**showy** [ˈšəui] veľkolepý

**shred** [red] zdrap

**shrew** [šru:] zlá žena

**shrewd** [šru:d] bystrý, obozretný

**shriek** [šri:k] *n* výkrik; *v* vykríknuť

**shrill** [šril] prenikavý, ostrý, škrípavý *(zvuk)*

**shrimp** [šrimp] morský rak

**shrine** [šrain] svätyňa

**shrink*** [šriŋk] **1.** zraziť sa, zbehnúť sa **2.** *s. from* uhýbať pred

**shroud** [šraud] rubáš

**Shrovetide** [ˈšrəuvtaid] *n* fašiangy *(posledné 3 dni)*

**shrub** [šrab] ker

**shrug** [šrag] *s. so. shoulders* pokrčiť plecami

**shrunk** *see* **shrink***

**shudder** [ˈšadə] *n* zachvenie; *v* otriasť sa *(hrôzou);* hroziť sa

**shuffle** [ˈšafl] **1.** posunúť **2.** miešať *(karty)*

**shun** [šan] vyhýbať sa, varovať sa

**shunt** [šant] **1.** výhybka **2.** *elektr.* prípojka

**shut*** [šat] zatvoriť, zavrieť; *s. off* uzatvoriť, zastaviť *(vodu); s. out* vylúčiť; *s. up* zmĺknuť; • *hovor. shut up!* čuš!

**shutter** [ˈšatə] **1.** okenica, roleta **2.** *fot.* uzávierka

**shuttle** [ˈšatl] *(tkáčsky)* člnok

**shy** [šai] *adj* plachý, nesmelý; *v* plašiť sa

**Siberia** [saiˈbiəriə] Sibír

**sick** [sik] chorý • *I am s.* je mi zle *(od žalúdka); I am s. of it* už toho mám dosť

**sicken** [ˈsikn] chorľavieť

**sickening** [sikniŋ] nepríjemný, odporný

**sickle** [ˈsikl] kosák

**sickly** [ˈsikli] chorobný, nezdravý

**sickness** [ˈsiknis] **1.** choroba **2.** nevolnosť *(od žalúdka)*

**side** [said] *n* **1.** strana • *take s-s* rozhodnúť sa pre jednu stranu **2.** bok • *s. by s.* po boku; *(v) s. with sb.* držať niekomu stránku

**sideboard** [saidbo:d] príborník

**sidewalk** [ˈsaidwo:k] *AmE* chodník

**sideways** [ˈsaidveis] zboku

**siege** [si:dž] obliehanie

**sieve** [si:v] sito, rešeto

**sift** [sift ] presiať, preosiať

**sigh** [sai] *n* vzdych; *v* vzdychať

**sight** [sait] *n* **1.** zrak **2.** pohľad • *catch s. of* zazrieť; *at first s.* na prvý pohľad; *see the s-s* prezrieť si pamätihodnosti *(mesta); v* uvidieť, zazrieť

**sign** [sain] *n* **1.** znak **2.** známka, značka **3.** vývesný štít, firma **4.** posunok; *v* podpísať signal [ˈsignl] n signál, znamenie; v signalizovať

signature [ˈsigničə] podpis

sign-board [ˈsainbo:d] vývesná tabuľa

significance [sigˈnifikəns] význam

signify [ˈsignifai] značiť, znamenať

silence [ˈsailəns] n mlčanie, ticho; v umlčať

silent [ˈsailənt] mlčiaci, tichý

silent the signal [sailənt ðə signəl] vypnúť (signál)

silently [ˈsailəntli] mlčky

silk [silk] hodváb

silkworm [ˈsilkwə:m] hodvábnik

silly [ˈsili] hlúpy, pochabý

silo [ˈsailəu] silo, silážna jama

silt [silt] naplavenina

silver [ˈsilvə] n striebro; adj strieborný

silver foil [silvəfoil] alobal

similar [ˈsimilə] podobný

similarity [ˈsimiˈlæriti] podobnosť

simile [ˈsimili] prirovnanie

simmer [ˈsimə] bublať; slabo vrieť; (pren.) s. with rage kypieť hnevom

simper [ˈsimpə] uškŕňať sa

simple [ˈsimpl] prostý, jednoduchý

simple-minded [ˈsimplˈmaindid] prostoduchý

simplicity [simˈplisiti] prostota, jednoduchosť

simplify [ˈsimplifai] zjednodušiť

simulate [ˈsimjuleit] predstierať, simulovať

simultaneous [ˈsiməlˈteinjəs] súčasný

sin [sin] n hriech; v hrešiť, zhrešiť, prehrešiť sa

since [sins] prep. od (o čase); conj. 1. od toho času 2. pretože; adv odvtedy

sincere [sinˈsiə] úprimný

sincerity [sinˈseriti] úprimnosť

sinew [ˈsinju:] šľacha

sinful [ˈsinful] hriešny

sing* [siŋ] 1. spievať 2. ospevovať

singe [sindž] opáliť, spáliť, obškvŕknuť

singer [siŋə] spevák

single [siŋgl] adj 1. jednotlivý; jednoduchý 2. slobodný (neženatý, nevydatá); n šport. singel; (v) out vybrať (a určiť pre niečo)

single-handed [ˈsiŋglˈhændid] bez pomoci, sám

single-parent [siŋglpeərənt] osamotený rodič

singly [ˈsiŋgli] jeden po druhom, jednotlivo

**singsong** [ˈsiŋsoŋ] **1.** spev v krúžku **2.** monotónny prednes

**singular** [ˈsiŋgjulə] *adj* výnimočný, mimoriadny; *n gram.* jednotné číslo

**sinister** [ˈsinistə] zlovestný

**sink¹\*** [siŋk] **1.** klesat **2.** potopit (sa) **3.** zvesit hlavu

**sink²** [siŋk] výlevka

**sip** [sip] sŕkat

**sir** [sə:] pán

**sirloin** [ˈsə:loin] sviečkovica

**sissy** [sisi] slaboch

**sister** [ˈsistə] sestra

**sister-in-law** [ˈsistəinlo:] švagriná

**sit\*** [sit] **1.** sedieť **2.** zasadat **3.** *s. down* sadnúť si, posadiť sa; *s. up* zostať hore, neísť spať

**sitcom** [sitkom] situačná komédia

**site** [sait] **1.** poloha **2.** stavebné miesto, parcela; *launching s.* odpaľovacia rampa, raketodróm

**sitting** [sitiŋ] zasadanie

**sitting-room** [sitiŋrum] obývacia izba

**situated** [ˈsitjueitid] položený, umiestnený

**situation** [ˈsitjuˈeišn] **1.** situácia **2.** poloha **3.** miesto, zamestnanie

**six** [siks] šesť

**sixteen** [ˈsiksˈti:n] šestnásť

**sixteenth** [ˈsiksˈti:nθ] šestnásty

**sixth** [siksθ] šiesty

**sixtieth** [ˈsikstiiθ] šesťdesiaty

**sixty** [ˈsiksti] šesťdesiat

**size** [saiz] **1.** veľkosť, rozmer **2.** číslo *(napr. rukavíc)*

**sizzle** [ˈsizl] syčať *(ako pri vysmážaní)*

**skate** [skeit] *n* korčuľa; *v* korčuľovat (sa)

**skateboard** [skeitbo:d] skeitbord

**skatingrink** [ˈskeitiŋriŋk] klzisko

**skeleton** [ˈskelitn] kostra; *s. key* paklúč

**sketch** [skeč] *n* **1.** náčrtok, skica **2.** skeč; *v* načrtnúť, skicovať

**ski** [ski:] *n* lyže; *v* lyžovať sa

**skid** [skid] kĺzať, šmýkať; dostať šmyk

**skiing** [ˈskiiŋ] lyžovanie

**skilful** [skilful] obratný, zručný

**ski-lift** [ˈski:lift] lyžiarsky vlek

**skill** [skil] zručnosť, šikovnosť, obratnosť

**skilled** [skild] kvalifikovaný; vyučený

**skim** [skim] zberať, odstrediť *(mlieko)*

**skimmed milk** [skimd milk] odtučnené mlieko

**skimp** [skimp] dávať málo; *s. on sth.* šetriť na *(niečom)*

**skin** [skin] *n* 1. koža 2. šupka; *v* stiahnuť *(zviera)*

**skin-diving** [ˈskinˈdaiviŋ] potápanie sa bez prístroja

**skinny** [ˈskini] vyziabnutý, chudý

**skintight** [ˈskinˈtait] vypasovaný ( *na telo*)

**skip** [skip] 1. poskakovať 2. preskočiť, vynechať

**skipping-rope** [skipiŋˈrəup] švihadlo

**skirack** [skiræk] nosič lyží

**skirmish** [ˈskəːmiš] šarvátka, potýčka

**skirt** [skəːt] sukňa

**skull** [skal] lebka

**sky** [skai] obloha, nebo

**skylark** [ˈskailaːk] škovránok

**skyline** [ˈskailain] silueta, horizont

**skyscraper** [ˈskaiˈskreipə] mrakodrap

**slab** [slæb] doska *(z kameňa, kovu)*

**slacken** [ˈslækn] ochabnúť, povoliť

**slacks** [slæks] *pl.* nohavice *(široké, pracovné)*

**slag** [slæg] škvara

**slam** [slæm] tresknúť, buchnúť

**slander** [ˈslaːndə] *n* ohováračka; *v* ohovárať

**slanderous** [ˈslaːndərəs] ohováračský

**slang** [slæŋ] slang

**slant** [slaːnt] svah; *AmE* stanovisko

**slanting** [slaːntiŋ] šikmý

**slap** [slæp] udrieť *(dlaňou)*; potľapkať

**slash** [slæš] 1. rozpárať 2. bičovať 3. odsudzovať

**slate** [sleit] *n* bridlica; *v* pokryť bridlicou

**slaughter** [ˈsloːtə] *n* 1. porážka *(dobytka)* 2. masaker, krviprelievanie; *v* 1. porážať *(zvieratá)* 2. masakrovať

**slaughter-house** [ˈsloːtəhaus] bitúnok

**Slav** [slaːv] *n* Slovan; *adj* slovanský

**slave** [sleiv] otrok

**slavery** [ˈsleivəri] otroctvo

**slaw** [sloː] šalát z kapusty

**slay** [slei] zabiť

**slack** [slæk] chabý, mdlý

**sledge** [sledž] *šport.* sánky

**sleek** [sliːk] 1. ulízaný 2. úlisný 3. hladký, lesklý

**sleep¹** [sliːp] spánok

**sleep²\*** [sliːp] spať

**sleeper** [sliːpə] 1. spáč 2. *AmE* spací vozeň 3. podval

**sleeping-bag** [ˈsli:piŋbæg] spací vak

**sleeping-car** [ˈsli:piŋka:] spací vozeň

**sleeping-draught** [ˈsli:piŋdra:ft] prášok na spanie

**sleepwalker** [ˈsli:pwo:kə] námesačník

**sleet** [sli:t] sneh s dažďom

**sleeve** [sli:v] rukáv

**sleigh** [slei] sane *(s koňom)*

**slender** [ˈslendə] štíhly

**slept** *see* **sleep***

**slice** [slais] plátok; *a s. of bread* krajec chleba

**slid** *see* **slide***

**slide** [slaid] **1.** pokĺznutie, šmyknutie; šmýkačka **2.** diapozitív

**slide*** [slaid] kĺzať (sa), šmýkať sa

**slide-rule** [ˈslaidru:l] logaritmické pravítko

**slight** [slait] **1.** drobný, krehký; nepatrný **2.** nezáväzný

**slim** [slim] štíhly

**slime** [slaim] sliz, hlien

**slimy** [ˈslaimi] slizký; úlisný

**sling**[1] [sliŋ] **1.** prak **2.** slučka

**sling**[2]* [sliŋ] mrštiť

**slip** [slip] *n* **1.** pokĺznutie, pošmyknutie **2.** omyl, prehliadnutie **3.** kombinačka **4.** obliečka na vankúš **5.** prúžok, kúsok; *s. of*
*paper* kúsok papiera; *v* **1.** kĺzať **2.** pošmyknúť sa **3.** uniknúť **4.** zasunúť, nasadiť **5.** pomýliť sa

**slipper** [ˈslipə] papuča

**slippery** [ˈslipəri] klzký, šmykľavý

**slit*** [slit] rozpárať

**slobber** [ˈslobə] slintať

**slogan** [ˈsləugən] heslo

**slope** [sləup] svah

**sloppy** [slopi] neupravený, neporiadny

**slops** [slops] *pl.* splašky

**slot** [slot] štrbina

**slotmachine** [ˈslotməši:n] automat na mince

**slot meter** [ˈslotˈmi:tə] počítač *(mincí, plynu)*

**slovenly** [ˈslavnli] nedbalý, nečistý

**slow** [sləu] *adj* **1.** pomalý • *the watch is s.* hodinky meškajú **2.** ťažko chápavý **3.** nudný; *(v) s. (down)* spomaliť (sa)

**sluggish** [ˈslagiš] lenivý, pomalý

**slum** [slam] špinavá, preplnená štvrť chudoby, brloh

**slumber** [slambə] driemať

**slump** [slamp] klesnutie cien; kríza

**slung** *see* **sling***

**slush** [slaš] blato so snehom, čľapkanica

**sly** [slai] ľstivý, prefíkaný

**smack** [smæk] **1.** mľaskať **2.** plesknúť

**small** [smo:l] malý • *s. change* drobné *(peniaze)*; *s. hours* skoré ráno

**smallpox** [ˈsmo:lpoks] kiahne

**small-talk** [ˈsmo:lto:k] spoločenská konverzácia

**smart** [sma:t] **1.** ostrý **2.** bystrý; pohotový **3.** elegantný

**smash** [smæš] *n* smeč; *v* **1.** rozbiť, roztrieštiť (sa) **2.** smečovať

**smear** [smiə] *n* škvrna; *v* zašpiniť, zamazať, zaúľať

**smell**[1] [smel] **1.** čuch **2.** pach, zápach

**smell**[2]* [smel] páchnuť, zapáchať

**smelt**[1] *see* smell*

**smelt**[2] [smelt] taviť

**smile** [smail] *n* úsmev; *v* usmievať sa

**smith** [smiθ] kováč

**smithy** [ˈsmiði] kováčska dieľňa

**smock** [smok] pracovný plášť

**smog** [smog] smog

**smoke** [sməuk] *n* dym; *v* **1.** fajčiť **2.** údiť **3.** kadiť, dymiť

**smoker** [sməukə] **1.** fajčiar **2.** *hovor.* fajčiarsky vozeň

**smoking-carriage** [ˈsməukiŋˈkæridž] fajčiarsky vozeň

**smoking-compartment** [ˈsməukiŋkəmˈpa:tmənt] oddelenie pre fajčiarov

**smoke abatement** [əˈbeitmənt] zadymenie ovzdušia

**smoky** [ˈsməuki] zadymený

**smooth** [smu:ð] *adj* **1.** rovný, hladký **2.** mierny; zmierlivý; *v* vyhladiť, vyrovnať

**smother** [smaðə] dusiť (sa)

**smoulder** [ˈsməuldə] tlieť *(oheň)*

**smudge** [smadž] *n* škvrna; *v* rozmazať

**smuggle** [ˈsmagl] pašovať

**smut** [smat] sadza

**snack** [snæk] rýchle občerstvenie • *mid-morning s.* desiata; *s-bar* automat, bufet

**snail** [sneil] slimák

**snake** [sneik] had

**snap** [snæp] **1.** uchytiť, chňapnúť **2.** prasknúť, pretrhnúť (sa) **3.** cvaknúť **4.** *fot.* urobiť momentku **5.** *s. so. fingers at* lusknúť prstami na **6.** *s. up* oddeliť

**snapshot** [ˈsnæpšot] momentka

**snare** [sneə] oko *(na zver)*; osídlo, nástraha

**snarl** [sna:l] *n* zavrčanie; *v* vrčať, ceriť zuby

**snatch** [snæč] chňapnúť

**sneak** [sni:k] prikrádať sa; donášať *(študentský žargón)*

**sneer** [sniə] *n* posmešok; výsmech; *(v) s. at* ironicky sa usmievať, robiť si posmešky

**sneeze** [sni:z] *n* kýchnutie; *v* kýchnuť, kýchať

**sniff** [snif] **1.** poťahovať nosom **2.** vdychovať nosom **3.** čuchať **4.** *s. at sth.* ohŕňať nos nad niečím

**sniper** [snaipə] záškodník

**snivel** [snivl] fňukať

**snob** [snob] snob

**snobbery** [snobəri] snobstvo, snobizmus

**snobbish** [snobiš] snobský

**snore** [sno:] *n* chrápanie; *v* chrápať

**snout** [snaut] **1.** rypák **2.** hlaveň zbrane

**snow** [snəu] *n* sneh; *(v) it s-s, it is s-ing* sneží

**snow tyre** [snəutaiə] zimná pneumatika

**snowball** [snəubo:l] snehová guľa

**snowboarding** [snəubo:diŋ] snowboarding

**snowdrift** [snəudrift] snehový závej

**snowdrop** [snəudrop] snežienka

**snowflake** [snəufleik] snehová vločka

**snowman** [snəumæn] snehuliak

**snow-shoe** [snəušu:] snežnica

**snowstorm** [snəusto:m] fujavica

**snub** [snab] ignorovať, kritizovať

**snuff** [snaf] šňupavý tabak

**snuffle** [snafl] **1.** poťahovať nosom **2.** huhňať

**snug** [snag] pohodlný, útulný, teplučký

**so** [səu] tak; a tak; takto; *s. far* až dosiaľ; *I think s.* myslím, že áno; *an hour or s.* hodinu alebo tak nejako; *s. sorry* prepáčte; *s. to speak* aby som tak povedal; *hovor. s. long* dovidenia

**soak** [səuk] namočiť, premočiť (sa), presiaknuť

**so-and-so** [səuənsəu] tak a tak

**soap** [səup] *n* mydlo; *v* mydliť

**soap opera** [səupopərə] sentimentálny rozhlasový/televízny seriál

**soap-suds** [ˈsəupsadz] *pl.* mydliny

**sober** [ˈsəubə] triezvy

**so-called** [ˈsəuˈkoːld] takzvaný

**soccer** [ˈsokə] *AmE* futbal

**sociable** [ˈsəušəbl] spoločenský, družný

**social** [ˈsəušəl] **1.** spoločenský **2.** sociálny

**socialist** [ˈsəušəlist] *adj* socialistický; *n* socialista

**socialize** [ˈsəušəlaiz] stýkať sa s ľuďmi

**society** [səˈsaiəti] spoločnosť

**sociology** [ˈsəusiˈolədži] sociológia

**sock** [sok] ponožka; *AmE (hovor.) s. away* našetriť, mať v pančuche

**socket** [ˈsokit] **1.** *eye-s.* očná jamka **2.** *elektr.* zásuvka

**soda** [ˈsəudə] sóda; *s. water* sódovka

**sofa** [ˈsəufə] pohovka, diván

**soft** [soft] **1.** mäkký **2.** tlmený **3.** tichý • *AmE a s. drink* nealkoholický nápoj

**soft-boiled** [ˈsoftˈboild] **1.** uvarený na mäkko **2.** mierny, jemný

**soft-hearted** [ˈsoftˈhaːtid] dobromyseľný

**softly** [softli] **1.** mäkko; **2.** ticho, ľahko

**software** [softweə] softvér, programové vybavenie počítača

**soil** [soil] *n* pôda, prsť; *v* zašpiniť sa, zamazať sa

**sojourn** [ˈsodžəːn] *(in, at)* pobyt

**solace** [ˈsoləs] útecha

**solar** [ˈsəulə] slnečný; *s. eclipse* zatmenie slnka; *s. panel* slnečný kolektor

**sold** *see* **sell\***

**soldier** [ˈsəuldžə] vojak

**sole** [səul] *adj* výhradný; jediný *n* **1.** chodidlo **2.** podošva; *v* podraziť *(topánky)*

**solemn** [ˈsoləm] slávnostný

**solicit** [səˈlisit] vyžiadať si

**solicitor** [səˈlisitə] právny poradca

**solicitous** [səˈlisitəs] starostlivý

**solicitude** [səˈlisitjuːd] starostlivosť, starosť

**solid** [ˈsolid] *adj* **1.** pevný **2.** masívny **3.** solídny **4.** spoľahlivý; *n* **1.** hmota **2.** teleso

**soluble** [ˈsoljuːbl] rozpustný

**solution** [səˈluːšəːn] **1.** riešenie **2.** roztok

**solve** [solv] riešiť; rozriešiť

**sombre** [ˈsombə] ponurý

**some** [sam] **1.** nejaký, niektorý **2.** niekoľko; trocha; *s. more* ešte trocha

**somebody** ['sambədi] niekto

**somehow** ['samhau] nejako

**someone** ['samwan] niekto

**someplace** [sampleis] niekde, niekam

**somersault** [saməso:t] kotrmelec

**something** ['samθiŋ] niečo

**sometimes** ['samtaimz] niekedy

**somewhat** ['samwot] (tak) trocha

**somewhere** ['samweə] niekde

**son** [san] syn

**song** [soŋ] pieseň • buy for a s. lacno kúpiť

**son-in-law** ['saninlo:] zať

**sonorous** [sə'no:rəs] zvučný

**soon** [su:n] skoro • as s. as hneď ako

**soot** [sut] sadze

**soothe** [su:ð] upokojiť, čičíkať, utíšiť

**sophisticated** [si'fistikeitid] rafinovaný

**soporific** ['sopə'rifik] uspávací

**soppy** [sopi] premočený, mokrý

**sorcerer** ['so:sərə] čarodejník, strigôň

**sordid** ['so:did] špinavý

**sore** [so:] adj boľavý • I have a s. throat bolí ma hrdlo; n boľačka

**sorrowful** ['sorəufl] žalostný, smutný

**sorrow** ['sorəu] 1. žiaľ, zármutok 2. ľútosť

**sorry** ['sori] be s. ľutovať • (I am) s. prepáčte!

**sort** [so:t] n druh, akosť; v triediť, oddeliť

**sought** see **seek***

**soul** [səul] duša; človek

**sound** [saund] adj 1. zdravý 2. poriadny, riadny; n zvuk; v 1. rozozvučať 2. vysloviť 3. sondovať

**sound-proof** ['saundpru:f] zvukotesný

**soup** [su:p] polievka; clear s. hnedá polievka; thick s. biela polievka

**soup kitchen** [su:p kičn] vývarovňa pre chudobných

**soup-plate** ['su:ppleit] hlboký tanier

**sour** ['sauə] kyslý; trpký; turn s. skysnúť

**source** [so:s] 1. prameň 2. zdroj

**south** [sauθ] n juh; adj južný; adv na juh, južne • north and s. všade

**southern** ['saðən] južný; z juhu

**souvenir** ['su:vəniə] suvenír

**sovereign** ['sovrin] 1. panovník **2.** stará zlatá minca v hodnote jednej libry

**sovereignty** ['sovrənti] zvrchovanosť

**sow¹\*** [səu] siať, rozsievať

**sow²** [sau] sviňa, ošípaná

**sown** see **sow\***

**soya beans** [so:ja bi:ns] sója

**spa** [spa:] kúpele

**space** [speis] **1.** priestor; *s. ship* vesmírna loď, raketa **2.** obdobie, interval

**spacecraft** [speiskra:ft] = *spaceship* kozmická loď

**space-saving** [speisseiviŋ] šetriaci miesto

**spacious** ['speišəs] priestranný, rozľahlý

**spade** [speid] rýľ

**span¹** [spæn] *n* rozpätie; *v* preklenúť

**span²** see **spin\***

**spank** [spæŋk] zbiť *(dieťa)*

**spar** [spa:] stožiar

**spare** [speə] *adj* **1.** nadbytočný **2.** rezervný; *s. parts* náhradné súčiastky; *v* ušetriť ● *can you s. me a moment?* môžete mi venovať chvíľku?

**spark** [spa:k] *n* iskra; *v* iskriť

**sparking-plug** ['spa:kiŋplag] zápalná sviečka

**sparkle** ['spa:kl] iskriť, sršať

**sparrow** ['spærəu] vrabec

**spasm** ['spæzəm] kŕč

**spat** see **spit\***

**spat** [spæt] *n* ľahký úder, facka; *spats of mud* fľaky od blata

**spatial** ['speišəl] priestorový

**spawn** [spo:n] **1.** ikry **2.** podhubie

**speak\*** [spi:k] hovoriť, rozprávať; *s. the truth* hovoriť pravdu; *s. several languages* hovoriť niekoľkými jazykmi

**speaker** [spi:kə] **1.** tlmočník, zástupca **2.** rečník **3.** *the S.* predseda Dolnej snemovne

**speak one's mind** [spi:k wans maind] povedať svoju mienku

**speak up/out** [spi:k ap/aut] hovoriť nahlas

**speaksperson** [spi:kspə:sn] hovorca/hovorkyňa

**spear** [spiə] kopija

**spear gun** ['spiəgan] harpúna

**special** ['spešl] **1.** zvláštny **2.** špeciálny

**specialist** ['spešəlist] **1.** odborník, špecialista **2.** odborný lekár

**specialise** ['spešəlaiz]: *s. in* špecializovať sa na

**species** ['spi:ši:z] *(v prírodovede)* druh

**specific** [spi'sifik] **1.** presný a podrobný **2.** špeciálny

**specify** [ˈspesifai] presne určiť, vymedziť, špecifikovať

**specimen** [ˈspesimin] ukážka, vzorka

**speck** [spek] škvrnka, smietka; *a s. of dust* zrnko prachu

**spectacle** [ˈspektəkl] pohľad

**spectacles** [ˈspektəklz] *pl.* okuliare

**spectacular** [spekˈtækjulə] veľkolepý

**spectator** [spekˈteitə] divák

**spectre** [ˈspektə] strašidlo, duch

**speculate** [ˈspekjuleit] 1. premýšľať 2. špekulovať

**speculation** [ˈspekjuˈleišən] 1. premýšľanie 2. špekulácia

**sped** *see* **speed***

**speed**[1] [spi:d] rýchlosť; *at full s.* plnou rýchlosťou

**speed**[2]* [spi:d] uháňať, ponáhľať sa; *s. up* urýchliť, zrýchliť

**speed skating** [ˈspi:d skeitiŋ] rýchlokorčuľovanie

**speedboat** [spi:dbəut] rýchločln

**speedometer** [spi:ˈdomitə] rýchlomer, tachometer

**speedy** [spi:di] súrny, rýchly

**speech** [spi:č] 1. reč 2. prejav

**speechless** [ˈspi:člis] nemý, neschopný slova

**speech recognition** rozpoznávanie reči

**spell**[1] [spel] 1. kúzlo 2. obdobie, doba

**spell**[2]* [spel] 1. písať pravopisne 2. hláskovať

**spellbound** [ˈspelbaund] očarený, okúzlený

**spelt** *see* **spell***

**spendthrift** [ˈspendθrift] márnotratník

**spend*** 1. vydať, utratiť *(peniaze)* 2. spotrebovať 3. tráviť, stráviť *(čas)*

**spent** *see* **spend***

**sphere** [sfiə] 1. guľa 2. oblasť, odbor pôsobnosti, sféra 3. zemeguľa

**spherical** [ˈsferikəl] guľovitý, sférický

**spice** [spais] *n* korenie; *v* koreniť

**spick and span** [ˈspikəndˈspæn] upravený, čistučký

**spider** [ˈspaidə] pavúk

**spike** [spaik] 1. špička, bodec; tŕň; *s. heel* ihličkový podpätok 2. klas

**spill** [spil] 1. rozliať (sa) 2. rozsypať (sa)

**spilt** *see* **spill***

**spin*** [spin] 1. priasť, spriadať 2. točiť (sa), víriť

**spinach** [ˈspinidž] špenát

**spinal** ['spainl] chrbtový; *s. column* chrbtová kosť; *s. cord* miecha

**spindle** ['spindl] vreteno

**spin-drier** ['spin'draiə] žmýkačka, odstredivka

**spine** [spain] **1.** chrbtová kosť **2.** osteň

**spinning-wheel** ['spiniŋwi:l] kolovrat

**spinster** ['spinstə] nevydatá žena; *pejor.* stará panna

**spiral** ['spaiərəl] *n* špirála; *adj* špirálovitý

**spire** ['spaiə] *(špicatá)* veža

**spirit** ['spirit] **1.** duch **2.** lieh, alkohol

**spirited** ['spiritid] živý, duchaplný, ohnivý

**spirits** [spirits] *pl.* **1.** nálada, rozpoloženie • *be in high/ low, poor s.* mať dobrú/zlú náladu **2.** liehoviny

**spiritual** ['spiritjuəl] *adj* duchový, duchovný; *n* spirituál

**spit**[1]* [spit] **1.** pľuť, pľuvať **2.** prskať, chrlič

**spit**[2] [spit] ražeň

**spite** [spait] *(n) in s. of* napriek; *v* rozhnevať

**spiteful** [spaitfl] hnevlivý, nevraživý, potmehúdsky

**spittoon** [spi'tu:n] pľuvadlo

**splash** [splæš] *n* **1.** špliecha-nie; čľapot **2.** škvrna; *v* striekať, (po)špliechať

**spleen** [spli:n] **1.** *anat.* slezina **2.** melanchólia

**splendid** ['splendid] skvelý, nádherný

**splendour** ['splendə] lesk, nádhera

**splint** [splint] dlaha

**splinter** ['splintə] črepina; trieska

**split**[1] [split] **1.** rozštiepenie **2.** trhlina **3.** rozkol

**split**[2]* [split] **1.** štiepať **2.** rozštiepiť

**spoil** [spoil] *v* **1.** kaziť, pokaziť **2.** rozmaznať , hýčkať; *n* korisť

**spoke** [spəuk] spica *(kolesa);* priečka *(rebríka)* • *put a spoke in so. wheel* hádzať niekomu polená pod nohy

**spoke** see **speak***

**spokesman** ['spəuksmən] tlačový tajomník

**spokeswoman** ['spəukswumən] tlačová tajomníčka

**sponge** [spandž] *n* špongia; *v* **1.** umývať špongiou **2.** *s. on sb.* žiť ako príživník na niekom

**sponge-cake** ['spandž'keik] piškótový múčnik

**spongy** ['spandži] špongiový, pórovitý

**sponsor** [ˈsponsə] *n* **1.** ručiteľ **2.** kmotor; *v* podporovať

**spontaneous** [sponˈteinjəs] samovoľný, spontánny

**spook** [spuːk] *hovor.* strašidlo

**spool** [spuːl] cievka

**spoon** [spuːn] lyžica

**spoonful** [ˈspuːnful] lyžica *(niečoho)*

**sport** [spoːt] *n* **1.** šport **2.** zábava; *v* zabávať sa, hrať sa

**sportsman** [ˈspoːtsmən] športovec

**sportsmanlike** [ˈspoːtsmənlaik] športový, t. j. dôstojný športovca

**spot** [spot] **1.** škvrna **2.** miesto • *on the s.* hneď

**spotless** [ˈspotlis] bez poškvrny

**spotlight** [ˈspotlait] svetlomet

**spout** [spaut] **1.** hrdlo, výlevka, chrlič **2.** trysk

**sprain** [sprein] vytknúť (si), vyvrtnúť (si) *(napr. členok)*

**sprang** *see* **spring***

**sprawl** [sproːl] natiahnuť sa, rozvaľovať sa

**spray** [sprei] *n* **1.** vetvička **2.** postrek; *v* postrekovať

**spread²** [spred] nátierka

**spree** [spriː] veselica; *s. shopping* nákup vo veľkom

**springy** [ˈspriŋi] elastický

**spread¹*** [spred] **1.** rozťahovať, rozširovať **2.** rozprestierať (sa) **3.** potierať, natierať **4.** rozostrieť, prestrieť **5.** šíriť sa

**spreadsheet** [ˈspredʃiːt] pracovný hárok, dvojhárok

**spring¹** [spriŋ] **1.** jar **2.** skok **3.** prameň **4.** pružnosť **5.** pružina

**spring²*** [spriŋ] **1.** skákať; skočiť; vyskočiť; **2.** *s. from* pochádzať; *s. up* vyrážať *(o rastlinách)*

**springboard** [ˈspriŋboːd] odrazový mostík

**sprinkle** [ˈspriŋkl] postriekať, pokropiť, posypať

**sprint** [sprint] šprint

**sprite** [sprait] škriatok

**sprout** [spraut] *(v) s. up* pučať; *n* výhonok; *Brussels s-s* ružičkový kel

**spruce** [spruːs] **1.** smrek **2.** drevo ihličnatých stromov

**spun** *see* **spin***

**sprung** *see* **spring***

**spur** [spəː] *n* ostroha; *v* **1.** dať ostrohy **2.** poháňať, naháňať

**spurn** [spəːn] odsotiť

**spurious** [ˈspjuəriəs] falošný, podvrhnutý

**spurt** [spəːt] *n* **1.** náhle vzplanutie **2.** zrýchlenie, špurt; v **1.** náhle vzplanúť; vytrysknúť **2.** zrýchliť, špurtovať

**spy** [spai] n špeh, špión; v špehovať; špiclovať

**spy-glass** [ˈspaigla:s] ďalekohľad

**squad** [skwod] čata

**squadron** [ˈskwodrən] vojenská eskadra

**squalid** [ˈskwolid] špinavý, zanedbaný

**squalor** [ˈskwolə] špina

**squander** [ˈskwondə] premrhať, premárniť

**square** [skweə] adj **1.** štvorhranný **2.** pravouhlý **3.** poctivý, riadny; n **1.** štvorec **2.** (štvorcové) námestie **3.** druhá mocnina; kvadrát; v **1.** umocniť **2.** vyrovnať do pravého uhla **3.** uviesť do súladu

**squash** [skwoš] v rozpučiť, rozdrviť; n **1.** stisk **2.** ovocná šťava

**squat** [skwot] **1.** sedieť v drepe; drepieť **2.** nasťahovať sa niekde bezprávne

**squeak** [skwi:k] pískať, vŕzgať

**squeamish** [ˈskwi:miš] chúlostivý, citlivý, precitlivený

**squeeze** [skwi:z] n **1.** stisnutie **2.** tlačenica **3.** odtlačok; v **1.** stlačiť **2.** zo-

vrieť **3.** vytlačiť **4.** pretlačiť (sa)

**squint** [skwint] n škuľavosť, škúlenie; v škúliť

**squire** [ˈskwaiə] statkár, vidiecky šľachtic, 'pán gróf'

**squirrel** [ˈskwirəl] veverica

**stab** [stæb] v bodnúť; n bodnutie, (bodná) rana

**stability** [stəˈbiliti] stálosť, pevnosť, stabilnosť

**stable** [ˈsteibl] adj stály, pevný, stabilný; n stajňa

**stack** [stæk] n stoh, kopa; v naskladať

**stadium** [ˈsteidiəm] štadión

**staff** [sta:f] **1.** palica **2.** štáb **3.** personál; osadenstvo; (učiteľský) zbor

**stag** [stæg] jeleň

**stage** [steidž] n **1.** javisko • s. fright tréma **2.** štádium, obdobie, etapa; v uviesť na scénu; režírovať

**stagger** [ˈstægə] **1.** tackať sa **2.** omráčiť, ohromiť **3.** rovnomerne rozdeliť

**stagnation** [stægˈneišən] stagnácia; viaznutie

**stain** [stein] v poškvrniť, pošpiniť; n škvrna

**stainless** [ˈsteinləs] **1.** nepoškvrnený **2.** nehrdzavejúci; s. steel nehrdzavejúca oceľ

**stair** [steə] schod

**staircase** [ˈsteəkeis] schodisko

**stake** [steik] *n* 1. kôl 2. stávka • *his life at s.* ide mu o život

**stale** [steil] starý, zvetraný, uschnutý *(chlieb)*; opotrebovaný

**stalemate** [ˈsteilˈmeit] 1. pat *(v šachu)* 2. *obr.* slepá ulička

**stalk** [sto:k] *n* stvol, byľ; *v* 1. vkrádať sa 2. vykračovať si

**stall** [sto:l] *n* 1. stánok *(predavačský)* 2. kreslo *(v divadle)*; *v* vynechať, prestať pracovať *(motor)*

**stallion** [ˈstæljən] žrebec

**stamina** [ˈstæminə] energia, životná sila

**stammer** [ˈstæmə] jachtať, zajakávať sa

**stamp** [stæmp] *n* 1. dupnutie 2. pečiatka 3. *(poštová)* známka 4. kolok; *v* 1. dupať 2. drviť 3. pečiatkovať 4. nalepiť známku, frankovať 5. *s. out* násilne potlačiť; zničiť

**stand** [stænd] tribúna

**stand¹\*** [stænd] 1. stáť 2. postaviť 3. vydržať, zniesť 4. zaplatiť za niekoho; *come to a s.* zastaviť sa; *s. for* znamenať; *s. up* vstať; *s. up for sth.* zastávať niečo

**stand²** [stænd] 1. stanovisko 2. stojan 3. stánok 4. zastávka; *bring to a s.* zastaviť

**stand up for (sb.)** [stænd ap for] zastať sa niekoho

**standard** [ˈstændəd] *n* 1. zástava, štandarda 2. meradlo 3. úroveň, štandard; *s. of living* životná úroveň; *adj* štandardný

**standard lamp** [ˈstændəd læmp] stojatá lampa

**standby mode** [stændbai məud] pohotovostný režim

**standpoint** [ˈstændpoint] stanovisko

**standstill** [ˈstændstil]: *be at a s.* byť v pokoji, byť na mŕtvom bode

**stank** *see* **stink\***

**staple** [ˈsteipl] *n* 1. skoba 2. hlavná plodina; *adj* hlavný, základný

**star** [sta:] *n* hviezda; *v* hrať alebo uvádzať v hlavnej úlohe

**starboard** [sta:bəd] pravá strana lode/lietadla

**stare** [steə] *n* uprený pohľad; *v* uprene hľadieť, zízať

**starch** [sta:č] *n* škrob; *v* škrobiť

**starling** [ˈsta.liŋ] škorec

**starry** [ˈstaːri] hviezdnatý

**start** [staːt] v **1.** trhnúť **2.** začať **3.** poplašiť **4.** vydať sa (na cestu) **5.** spustiť; odštartovať n **1.** strhnutie **2.** začiatok **3.** štart

**starter** [ˈstaːtə] štartér, iniciátor

**starting point** [ˈstaːtiŋpoint] východisko

**startle** [ˈstaːtl] vystrašiť, vyplašiť

**startling** [ˈstaːtliŋ] prekvapujúci, znepokojujúci

**starvation** [staːˈveišən] hladovanie; smrť hladom; s. diet drastická diéta

**starve** [staːv] **1.** hladovať, umierať hladom **2.** mučiť hladom, vyhladovať niekoho **3.** s. for túžiť po niečom

**state** [steit] n **1.** stav **2.** štát; v ustanoviť, vyhlásiť, konštatovať

**State Department** [steit diˈpaːtmənt] AmE ministerstvo zahraničia

**stately** [ˈsteitli] majestátny

**statement** [steitmənt] vyhlásenie, výpoveď; s. of account výpis z účtu

**statesman** [ˈsteitsmən] štátnik

**statesmanship** [ˈsteitsmənšip] štátnické umenie

**static** [ˈstætik] statický

**static charge** [stætik čaːdž] statický náboj

**station** [ˈsteišən] n **1.** stanica **2.** centrála **3.** postavenie **4.** stanovisko; v prideliť niekoho niekde; poslať ako posádku

**station master** [ˈsteišənmaːstə] prednosta stanice, náčelník stanice

**stationary** [ˈsteišnəri] nehybný, stály

**statistics** [stəˈtistiks] pl. štatistika

**stationery** [ˈsteišnəri] **1.** papiernický tovar **2.** písacie potreby

**statue** [ˈstætjuː] socha

**stature** [ˈstæčə] postava, vzrast, výška

**status** [ˈsteitəs] postavenie, stav; married s. manželský stav

**statute** [ˈstætjuːt] **1.** zákon **2.** stanovy, štatút

**staunch** [stoːnč] verný, oddaný, spoľahlivý

**stave off** [steiv of] odvrátiť, zmariť

**stay** [stei] v **1.** zostať **2.** zotrvávať, zdržiavať sa **3.** bývať; s. at a hotel v hoteli; s. with sb. u niekoho **4.** zaraziť, zastaviť **5.** podoprieť; n **1.** pobyt **2.** zastavenie **3.** opora, podpora

**steadfast** [ˈstedfɑ:st] stály, pevný, neochvejný

**steady** [ˈstedi] adj **1.** pevný **2.** stály, neustály • s.! pomaly!; v upevniť (sa); upokojiť (sa)

**steak** [steik] rezeň (najmä hovädzí)

**steal\*** [sti:l] **1.** kradnúť **2.** s. up to zakrádať sa

**stealthily** [stelθili] kradmo, tichučko

**steam** [sti:m] n para; v **1.** variť v pare **2.** vypúšťať paru, dymiť **3.** ísť plnou parou

**steamboat** [ˈsti:mbəut] parná loď, parník

**steam-engine** [ˈsti:mˈendžin] parný stroj

**steamer** [ˈsti:mə] parník

**steam-roller** [ˈsti:mˈrəulə] parný valec

**steamship** [ˈsti:mšip] parník

**steamy** [sti:mi] zaparený, orosený

**steel** [sti:l] n oceľ; adj oceľový

**steel-works** [ˈsti:lwə:ks] oceliareň

**steep** [sti:p] príkry, strmý

**steepen** [ˈsti:pən] prudko sa zvažovať

**steeple** [ˈsti:pl] špicatá veža

**steeplechase** [sti:plčeis] prekážková dostihová jazda na koni

**steer** [stiə] kormidlovať, viesť; s-ed economy riadené hospodárstvo

**steerage** [sti:ridž] vedenie

**steering wheel** [ˈstiəriŋ wi:l] volant

**steersman** [stiəzmən] kormidelník

**stellar** [ˈstelə] hviezdny

**stem** [stem] n kmeň, peň; byľ, stonka; v zaraziť, zastaviť

**stench** [stenč] zápach

**step** [step] n **1.** krok **2.** schod **3.** stupeň; v urobiť krok, kráčať; stúpiť

**stepbrother** [ˈstepˈbraðə] nevlastný brat

**stepladder** [ˈstepˈlædə] dvojitý rebrík

**stepmother** [ˈstepˈmaðə] macocha

**stepsister** [ˈstepˈsistə] nevlastná sestra

**sterile** [ˈsterail] neplodný, sterilný

**sterilisation** [ˈsterilaiˈzeišən] sterilizácia

**stern** [stə:n] adj prísny, tvrdý, tuhý; n zadok (lode)

**stew** [stju:] v dusiť (pri varení); n dusené mäso; s-ed fruit kompót

**steward** [ˈstju:əd] **1.** steward **2.** správca (hospodárstva), šafár

**stewardess** [stjuə'dəs] letuška, stewardka

**stick**¹ [stik] **1.** palica, tyčka **2.** tabuľa *(čokolády ap.)* **3.** taktovka

**stick**²* [stik] **1.** prepichnúť **2.** strčiť **3.** prilepiť, nalepiť **4.** tkvieť, lipnúť, držať sa; *s. to sth.* držať sa niečoho, byť niečomu verný; *s. together* držať spolu, stáť pri sebe; *s. out* odstávať *(uši)*

**sticking plaster** ['stikiŋ pla:stə] leukoplast

**sticky** ['stiki] lepkavý

**stiff** [stif] **1.** tuhý, neohybný **2.** meravý *(časť tela)* **3.** odmeraný, upätý

**stiffen** ['stifn] stuhnúť; vystužiť

**stifle** ['staifl] dusiť (sa), zadusiť (sa)

**stifling** ['staifliŋ] dusný, nedýchateľný

**stiletto** [sti'letəu] malá dýka; *s. heels* ihličkové podpätky

**still** [stil] *adj* nehybný; tichý, pokojný; *adv* **1.** ešte, ešte stále **2.** ale jednako, predsa len; *v* **1.** upokojiť, utíšiť **2.** uspokojiť

**stillborn** [stil'bo:n] mŕtvonarodený

**still life** [stil laif] zátišie

**stilts** [stilts] *pl.* chodúle

**stimulant** ['stimjulənt] *adj* dráždivý, povzbudzujúci; *n* dráždidlo, povzbudzujúci prostriedok

**stimulate** ['stimjuleit] podráždiť, podnietiť; povzbudiť

**stimulus** ['stimjuləs] podnet, popud

**sting**¹ [stiŋ] pichnúť, pustiť žihadlo

**sting**² [stiŋ] **1.** žihadlo **2.** pichnutie, bodnutie

**stingy** ['stindži] lakomý

**stink**¹ [stiŋk] zápach

**stink**²* [stiŋk] zapáchať, smrdieť

**stint** [stint] obmedzovať, *s. on sth.* žgrlošiť

**stipulate** ['stipjuleit] vymieniť si, stanoviť

**stipulation** [stipjuleišn] výhrada, výnimka

**stir** [stə:] *v* **1.** hýbať (sa); pohnúť (sa) **2.** *s. up* miešať, pomiešať **3.** pobúriť; *n* **1.** pohyb **2.** rozruch; *make a s.* budiť všeobecný záujem

**stirrup** ['stirəp] strmeň

**stitch** [stič] *n* **1.** pichanie, bodavá bolesť **2.** steh, šev; *v* stehovať, šiť

**stock** [stok] *n* **1.** rod **2.** zásoba; inventár **3.** akciový kapitál **4.** cenné papiere, akcie; *v* **1.** zásobiť **2.** mať na sklade

**stock exchange** [ˈstokiksˈčeindž] burza cenných papierov

**stock fish** [ˈstokfiš] sušená treska

**stock holder** [stokhəuldə] akcionár

**stockbroker** [ˈstokˈbrəukə] dohodca, maklér

**stocking** [ˈstokiŋ] pančucha

**stock-keeper** [ˈstokˈkiːpə] skladník

**stock-market** [ˈstokˈmarkit] burza

**stock-taking** [ˈstokˈteikiŋ] inventúra

**stodgy** [stodži] *obr.* nestráviteľný

**stoker** [stəukə] kurič

**stole** *see* **steal\***

**stolid** [ˈstolid] tupý, neživý, bez života

**stomach** [ˈstamək] *n* žalúdok; *(v)* *pren.* znášať

**stomachache** [staməkeik] bolesť žalúdka

**stomach upset** [staмək apset] nevoľnosť žalúdka

**stone** [stəun] *n* **1.** kameň, skala **2.** kôstka; *adj* kamenný; *v* **1.** kameňovať **2.** vykôstkovať

**stood** *see* **stand\***

**stool** [stuːl] **1.** stolička *(bez operadla)* **2.** stolica *(vyprázdňovanie čriev)*

**stoop** [stuːp] *v* **1.** zohnúť sa, zhrbiť sa **2.** znížiť sa, ponížiť sa ; *n* zohnutý chrbát

**stop** [stop] *n* **1.** prestávka **2.** zastávka; *full s.* bodka; *v* **1.** zastaviť (sa) **2.** prestať **3.** zadržať **4.** upchať, zaplombovať *(zub)*

**stopper** [stopə] zátka

**stopwatch** [ˈstopwoč] stopky

**storage** [stoˈridž] skladovanie, uskladnenie; *s. space* priestor na skladovanie

**store** [stoː] *n* **1.** zásoba **2.** sklad **3.** obchodný dom; *AmE* predajňa, obchod • *set great s. by* považovať za dôležité; *v* **1.** zásobiť **2.** uskladniť

**store-house** [ˈstoːhaus] skladisko

**store-keeper** [ˈstoːˈkiːpə] skladník; *AmE* majiteľ obchodu

**storey** [ˈstoːri] poschodie

**stork** [stoːk] bocian

**storm** [stoːm] *n* **1.** búrka **2.** útok, nápor; *v* **1.** búriť, burácať; zúriť **2.** *hovor.* vziať útokom

**story** [ˈstoːri] **1.** história **2.** príbeh, historka **3.** rozprávanie, poviedka **4.** poschodie (= storey)

**story-teller** [ˈstoːritelə] rozprávač

**stout** [staut] **1.** tučný, korpulentný **2.** neohrozený, nepoddajný

**stove** [stəuv] kachle, piecka

**stow** [stəu] napchať

**stowaway** [ˈstəuəwei] čierny pasažier

**straddle** [ˈstrædl] stáť/sedieť rozkročmo

**straight** [streit] adj **1.** rovný, priamy **2.** poctivý; adv rovno, priamo; keep a s. face ostať vážny

**straighten** [ˈstreitn] narovnať (sa), vyrovnať

**straightforward** [streitˈfoːwəd] priamočiary, úprimný, poctivý

**strain** [strein] v **1.** s. at napnúť, napínať **2.** namáhať (sa); n námaha, napätie, vypätie

**strainer** [ˈstreinə] cedidlo

**strait** [streit] **1.** úžina **2.** tieseň

**straitjacket** [ˈstreitdžækit] zvieracia kazajka

**stranded** [ˈstrændid] uviaznutý (na plytčine)

**strange** [streindž] **1.** cudzí, neznámy **2.** zvláštny, čudný, nezvyčajný

**stranger** [ˈstreindžə] cudzí človek, neznámy • he is a s. to this place je tu cudzí

**strangle** [ˈstræŋgl] (za)škrtiť,; potlačiť (odpor, slobodu)

**strap** [stræp] n remeň; v **1.** zviazať remeňom **2.** zbiť remeňom

**straphanger** [ˈstræpˌhæŋə] cestujúci stojaci v električke/autobuse

**strapless** bez ramienok (šaty)

**strategic** [strəˈtiːdžik] strategický

**stratosphere** [ˈstrætəusfiə] stratosféra

**stratum** [ˈstreitəm] vrstva (kamenná ap.)

**straw** [stroː] n **1.** slama **2.** slamka; adj slamený

**strawberry** [ˈstroːbəri] jahoda

**stray** [strei] v zatúlať sa, zabehnúť sa; adj zatúlaný, zblúdený; s. bullet zblúdená guľka

**streak** [striːk] **1.** pruh, šmuha **2.** geol. žila

**streaky** [ˈstriːki] **1.** pruhovaný **2.** prerastené (mäso)

**stream** [striːm] n prúd; tok; v **1.** prúdiť, tiecť **2.** viať

**streamer** [ˈstriːmə] malá vlajka

**streamline** [ˈstriːmlain] n prúdnica; v zefektívniť

**street** [striːt] ulica, cesta •

*the man in the s.* typický občan

**streetcar** [ˈstriːtkaː] *AmE* električka

**streetwear** [ˈstriːtweə] každodenný odev

**streetwise** [ˈstriːtwaiz] *hovor.* znalý miestnych pomerov

**strength** [streŋθ] sila; *fyz.* intenzita

**strengthen** [ˈstreŋθən] zosilniť, posilniť, upevniť

**strenuous** [ˈstrenjuəs] namáhavý; energický

**stress** [stres] *n* 1. tlak 2. tieseň 3. dôraz; prízvuk 4. napätie; *v* 1. zdôrazniť 2. prízvukovať

**stretch** [streč] *v* 1. natiahnuť; roztiahnuť (sa); tiahnuť (sa), rozkladať (sa); *n* 1. roztiahnutie, natiahnutie 2. úsek

**stretcher** [strečə] nosidlá

**strew** [struː] posypať, pokryť

**stricken** [ˈstrikən] postihnutý; *terror s.* prestrašený

**strict** [strikt] 1. prísny 2. presný

**strictly prohibited** [ˈstriktli proˈhibited] prísne zakázaný

**stride**[1]* [straid] vykračovať si; prekročiť *(priekopu)*

**stride**[2] dlhý krok

**strident** [ˈstraidnt] prenikavý, škrípavý *(zvuk)*

**strife** [straif] zvada, spor

**strike**[1] [straik] 1. udrieť 2. raziť *(mincu)* 3. naraziť na *(cestou)* 4. prekvapiť 5. škrtnúť *(zápalku)* 6. biť *(hodiny)* 7. štrajkovať

**strike**[2] [straik] štrajk; *go on s.* nastúpiť štrajk ; *general s.* generálny štrajk

**strike-breaker** [ˈstraikˈbreikə] štrajkokaz

**string**[1] [striŋ] 1. povrázok, motúzik 2. šnúra 3. struna 4. rad

**string**[2] [striŋ] 1. navliekať na šnúru 2. napnúť, natiahnuť 3. vypliesť *(raketu)* 4. vybičovať

**strip** [strip] *v* 1. olúpať 2. vyzliecť (sa); *n* pruh

**stripe** [straip] pruhovaný, prúžkovaný

**strive*** [straiv] 1. snažiť sa, usilovať sa 2. bojovať, zápasiť

**striven** *see* **strive***

**stroke** [strəuk] *n* 1. rana, úder 2. kúsok • *a s. of luck* šťastná náhoda 3. tempo 4. ťah 5. pohladenie; *v* pohladiť

**stroll** [strəul] *v* prechádzať sa, ponevierať sa; *n* prechádzka

**strong** [stroŋ] silný; *s. drink* alkoholický nápoj

**stronghold** [ˈstroŋhəuld] *(nevojenská)* pevnosť, bašta

**strove** see **strive***

**structure** [ˈstrakčə] **1.** štruktúra **2.** stavba; konštrukcia

**struggle** [ˈstragl] *(v) s. against, with, for; v* zápasiť, bojovať; usilovať sa; *n* zápas, boj

**strung** see **string***

**strut** [strat] vykračovať si, vystavovať sa, naparovať sa

**stub** [stab] **1.** kýpeť **2.** ohorok

**stubble** [ˈstabl] strnisko

**stubborn** [ˈstabən] tvrdošijný, tvrdohlavý; húževnatý, úporný

**stuck** see **stick***

**stud** [stad] **1.** hrot, kolík **2.** manžetová gombička **3.** žrebčinec, stajňa

**student** [ˈstjuːdənt] **1.** študent; vysokoškolák **2.** bádateľ, učenec

**studio** [ˈstjuːdiəu] **1.** ateliér **2.** *(rozhlasové)* štúdio

**studious** [ˈstjuːdjəs] snaživý

**study** [ˈstadi] *n* **1.** štúdium **2.** predmet štúdia **3.** *(maliarska)* štúdia **4.** študovňa; *v* **1.** študovať **2.** učiť sa **3.** snažiť sa

**stuff** [staf] *n* materiál, látka; *v* **1.** napchať **2.** naplniť plnkou *(napr. kačicu)* **3.** vypchať

**stuffing** [ˈstafiŋ] **1.** plnka **2.** vypchávka

**stuffy** [stafi] dusný

**stumble** [ˈstambl] potknúť sa

**stumbling-block** [stambliŋblok] kameň úrazu

**stump** [stamp] **1.** peň **2.** kýpeť

**stun** [stan] omráčiť; otriasť

**stung** see **sting***

**stunk** see **stink***

**stunt**[1] [stant] zastaviť vo vývine

**stunt**[2] [stant] šikovný kúsok; zvláštnosť; *s. flying* akrobacia

**stunted** [stantid] zakrpatený

**stuntman** [stantmən] kaskadér

**stupefy** [ˈstjuːpifai] otupiť, ohromiť

**stupid** [stjuːpid] hlúpy, sprostý

**stupidity** [stu(ː)ˈpiditi] hlúposť, sprostosť

**sturdy** [ˈstəːdi] silný, pevný, odolný

**stutter** [statə] zajakávať sa

**sty** [stai] **1.** chliev *(pre svine)* **2.** jačmeň *(na oku)*

**style** [stail] **1.** sloh; štýl **2.** móda

**suave** [sweiv] prívetivý
**subconscious** [sabˈkonšəs] podvedomý
**subdue** [səbˈdju:] 1. podrobiť, potlačiť 2. zmierniť, stlmiť
**subheading** [ˈsabˈhediŋ] podtitulok
**subject** [ˈsabdžikt] adj 1. poddaný 2. podrobený, vystavený (to sth. niečomu); náchylný; n 1. občan 2. predmet 3. gram. podmet 4. téma; v 1. podrobiť 2. vystaviť (to sth. niečomu)
**subjection** [sabˈdžekšən] poddanstvo; podrobenie
**subjective** [sabˈdžektiv] subjektívny
**subject-matter** [ˈsabdžiktˈmætə] téma; látka
**subjugate** [ˈsabdžugeit] podrobiť
**subjunctive** [səbˈdžaŋktiv] gram. konjunktív
**sublime** [səˈblaim] vznešený, majestátny
**submarine** [ˈsabməri:n] adj podmorský; n ponorka
**submerge** [səbˈmə:dž] ponoriť (sa)
**submission** [səbˈmišən] podrobenie sa; pokora
**submit** [səbˈmit] 1. podrobiť sa 2. predložiť

**subordinate** [səˈbo:dinit] podriadený
**subscribe** [səbˈskraib] 1. s. to sth. prispieť na niečo 2. s. to sth. predplatiť si niečo 3. súhlasiť; s. to a view súhlasiť s názorom
**subscriber** [səbˈskraibə] predplatiteľ
**subscription** [səbˈskripšən] 1. predplatné 2. príspevok
**subsequent** [ˈsabsikwent] nasledujúci
**subsequently** [ˈsabsikwentli] potom
**subservience** [səbˈsə:viəns] podlízavosť, servilnosť
**subservient** [səbˈsə:viənt] podlízavý, servilný
**subsidiary** [səbˈsidjəri]: s. to pomocný, dodatočný
**subsidise** [ˈsabsidaiz] subvencovať
**subsist** [səbˈsist]: s. on jestvovať, existovať; udržať sa nažive
**subsistence** [səbˈsistəns] obživa; jestvovanie
**substance** [ˈsabstəns] 1. podstata 2. jadro 3. imanie
**substantial** [səbˈstænšəl] 1. hmotný 2. podstatný 3. dôkladný, poriadny 4. zámožný

**substitute** [ˈsabstitjuːt] *n* **1.** náhradník **2.** náhradka; *v* zastúpiť; *s. for* nahradiť

**subtenant** [səbˈtenənt] podnájomník

**subterranean** [ˈsabtəˈreinjən] podzemný

**subtitle** [ˈsabˈtaitl] podtitul

**subtle** [ˈsatl] **1.** jemný, subtilný **2.** prenikavý, bystrý **3.** zákerný

**subtlety** [ˈsatlti] jemnosť, subtílnosť

**subtract** [səbˈtrækt] odčítať

**subtraction** [səbˈtrækšən] odčítanie

**subtropical** [ˈsabˈtropikəl] subtropický

**suburb** [ˈsabəːb] predmestie

**suburban** [səˈbəːbən] predmestský

**subversion** [səˈbvəːšn] podvratná činnosť

**subversive** [sabˈvəːsiv] podvratný

**subway** [ˈsabwei] **1.** podchod **2.** *AmE* podzemná dráha, metro

**subzero** [sabˈziərəu] pod nulou, pod bodom mrazu

**succeed** [səkˈsiːd] **1.** nasledovať, nastúpiť *(sb., to sb.* po niekom) **2.** *s. in* mať úspech • *I s-ed* podarilo sa mi

**success** [səkˈses] úspech

**successful** [səkˈsesful] úspešný

**succession** [səkˈsešən] **1.** nastúpenie *(po niekom)* **2.** dedičstvo **3.** *(celý)* rad, zástup

**successive** [səkˈsesiv] postupný

**successor** [səkˈsesə] nástupca

**succumb** [səˈkam]: *s. to* podľahnúť

**suck** [sak] cicať

**suckle** [sakl] dojčiť

**suckling** [ˈsakliŋ] dojča

**suction** [ˈsakšən] cicanie, nasávanie

**sudden** [ˈsadn] nepredvídaný, náhly; *all of a s.* znenazdajky, zrazu

**suddenly** [ˈsadnli] zrazu, naraz, náhle

**suds** [sadz] *pl.* mydliny

**sue** [sjuː] žalovať *(niekoho na súde)*

**suede** [sweid] semiš

**suet** [sjuit] loj

**suffer** [ˈsafə] **1.** trpieť *(from sth.* niečím) **2.** utrpieť **3.** strpieť, dovoliť

**suffering** [ˈsafəriŋ] utrpenie

**sufficient** [səˈfišənt] dostatočný, postačujúci

**suffix** [ˈsafiks] *gram.* prípona

**suffocate** [ˈsafəkeit] **1.** udusiť, zadusiť, zahrdúsiť **2.** dusiť sa

**suffrage** [ˈsafridž] **1.** hlasovanie **2.** volebné právo; *universal s.* všeobecné volebné právo

**sugar** [ˈšugə] cukor

**sugar bowl** [ˈšugə bəul] cukornička

**sugar lump** [ˈšugə lamp] kocka cukru

**sugar-basin** [ˈšugəˈbeisn] cukornička

**sugar-beet** [ˈšugəbi:t] cukrová repa

**sugar-cane** [ˈšugəkein] cukrová trstina

**suggest** [səˈdžest] **1.** podnietiť, dať podnet **2.** navrhovať, odporúčať **3.** poukazovať na

**suggestion** [səˈdžeščən] **1.** návrh, podnet **2.** náznak

**such** [sač] taký; *s. as* taký... ako...

**suicide** [ˈsjuisaid] **1.** samovražda; *commit s.* spáchať samovraždu **2.** samovrah

**suit** [sju:t] *n* **1.** oblek, šaty **2.** žiadosť, prosba **3.** uchádzanie sa o ruku **4.** súdny proces; *v* **1.** hodiť sa k niečomu **2.** vyhovieť, vyhovovať **3.** prispôsobiť **4.** pristať

**suitable** [ˈsju:təbl] vhodný

**suitcase** [ˈsju:tkeis] *(príručný)* kufor

**suite** [swi:t] **1.** suita, sprievod **2.** súprava *(nábytku)*

**sulky** [salki] namrzený, šomravý

**sullen** [ˈsalən] chmúrny

**sulphur** [ˈsalfə] síra

**sultana** [səlˈta:nə] hrozienko *(určitý druh)*

**sultry** [ˈsaltri] dusný, horúci

**sum** [sam] *n* **1.** súčet **2.** čiastka, suma **3.** *mat.* úloha; *(v) s. up* **1.** spočítať **2.** zhrnúť

**summarise** [ˈsaməraiz] zhrnúť, rekapitulovať

**summary** [ˈsaməri] *adj* súhrnný; *n* **1.** zhrnutie **2.** výťah *(z niečoho)*

**summer** [ˈsamə] leto

**summit** [ˈsamit] vrchol, vŕšok; *s. talks* schôdzka na najvyššej úrovni

**summon** [ˈsamən] **1.** predvolať *(k súdu)* **2.** vyzvať **3.** zvolať zhromaždenie; *s. up courage* dodať si odvahy

**summons** [ˈsamənz] predvolanie

**sumptuous** [ˈsamptjuəs] nákladný; prepychový

**sun** [san] slnko

**sunbathe** [ˈsanbeið] slniť sa

**sunblind** [ˈsanblaind] roleta, žalúzia

**sunburnt** ['sanbə:nt] spálený (od slnka)

**Sunday** ['sandei] nedeľa

**sundial** ['sandaiəl] slnečné hodiny

**sundown** ['sandaun] AmE západ slnka

**sunflower** ['san'flauə] slnečnica

**sung** see **sing\***

**sunglasses** ['san'gla:siz] slnečné okuliare, okuliare proti slnku

**sunk** see **sink\***

**sun-lamp** ['san'læmp] horské slnko

**sunlight** ['sanlait] slnečné svetlo

**sunny** ['sani] 1. slnečný 2. radostný, veselý

**sunrise** ['sanraiz] východ slnka

**sunset** ['sanset] západ slnka

**sunshade** ['sanšeid] slnečník

**sunshine** ['sanšain] n slnečný svit; slnko; adv slnečno

**sunstroke** ['sanstrəuk] úpal

**suntanned** ['san'tænd] opálený (od slnka)

**suntan lotion** ['santæn ləušn] mlieko na opaľovanie

**superb** [sju(:)'pə:b] nádherný, úžasný

**superficial** ['sju(:)pə'fišəl] 1. povrchový 2. povrchný

**superficiality** ['sju(:)pə'fiši'æliti] povrchnosť

**superfluous** ['sju(:)pə:'fluəs] prebytočný, nadbytočný

**superhuman** ['sju:pə'hju:mən] nadľudský

**superimpose** ['sju:pərim'pəuz]: s. on položiť, postaviť na seba; vrstviť

**superintendent** ['sju(:)pərin'tendənt] dozorca

**superior** [sju(:)'piəriə] adj 1. vyšší 2. lepší; n nadriadený; šéf

**superiority** [sju(:)'piəri'oriti] nadriadenosť

**superlative** [sju(:)'pə:lətiv] gram. superlatív, tretí stupeň

**superman** ['sju:pəmən] nadčlovek

**supernatural** ['sju:pə'næčrəl] nadprirodzený

**supersede** ['sju(:)pə'si:d] nahradiť

**supersonic** ['sju:pə'sonik] nadzvukový; at s. speed nadzvukovou rýchlosťou

**superstition** ['sju(:)pə'stišən] povera

**superstitious** ['sju(:)pə'stišəs] poverčivý

**superstructure** ['sju(:)pə'strakčə] nadstavba

**supervise** [ˈsjuːpəvaiz] dozerať na

**supper** [ˈsapə] večera

**supplant** [səˈplɑːnt] nahradiť *(niekoho, niečo)*

**supple** [ˈsapl] ohybný, pružný, poddajný

**supplement** [ˈsaplimənt] *n* doplnok, dodatok; *v* [ˈsapliment] doplniť

**supplementary** [ˌsapliˈmentəri] dodatočný, dodatkový

**supplicate** [ˈsaplikeit]: *s. for* prosiť o niečo, naliehať

**supplier** [səˈplaiə] dodávateľ

**supplies** [səˈplaiz] *pl. voj.* zásobovanie; zásoby

**supply** [səˈplai] *v* 1. zásobovať 2. dodávať; *n* zásoba, dodávka

**supply teacher** [səˈplai tiːčə] zastupujúci učiteľ

**support** [səˈpoːt] *v* 1. podporovať 2. zniesť, znášať; *n* podpora, podpera

**supportable** [səˈpoːtəbl] 1. podporovateľný 2. znesiteľný

**supporter** [səˈpoːtə] podporovateľ; prívrženec

**suppose** [ˈsəˈpəuz] predpokladať, domnievať sa, myslieť

**supposition** [ˌsapəˈzišən] predpoklad, domnienka

**suppress** [səˈpres] potlačiť

**suppression** [səˈprešən] potlačenie

**suppurate** [ˈsapjuəreit] hnisať

**supremacy** [sjuˈpreməsi] najvyššia moc; nadvláda

**supreme** [sjuˈ(:)ˈpriːm] najvyšší; zvrchovaný

**sure** [šuə] *adj* 1. istý 2. presvedčený 3. spoľahlivý; *adv* iste

**surely** [ˈšuəli] iste, určite; predsa

**surety** [ˈšuəti] 1. záruka 2. ručiteľ

**surf** [səːf] príboj

**surface** [ˈsəːfis] povrch

**surfboard** [ˈsəːfboːd] surf, plavák, doska

**surfing** [ˈsəːfiŋ] vyhľadávanie (na internete)

**surge** [səːdž] *n* príboj; *v* vzdúvať sa

**surgeon** [ˈsəːdžən] 1. chirurg 2. *(lodný, vojenský)* lekár

**surgery** [ˈsəːdžəri] 1. chirurgia 2. ordinácia

**surly** [səːli] nevrlý

**surmise** [səːˈmaiz] dohad

**surmount** [səːˈmaunt] prekonať

**surname** [ˈsəːneim] priezvisko

**surpass** [səːˈpɑːs] prevyšovať; vynikať nad

**surplus** [ˈsə:pləs] *n* prebytok; *adj* prebytočný • *s. value* nadhodnota

**surprise** [səˈpraiz] *n* prekvapenie; *v* prekvapiť

**surrender** [səˈrendə] *v* 1. vzdať sa niečoho 2. vzdať sa *(niekomu)*; *n* vzdanie sa, kapitulácia

**surround** [səˈraund] obklopiť, obkľúčiť

**surrounding** [səˈraundiŋ] okolitý

**surroundings** [səˈraundiŋz] *pl.* 1. okolie 2. prostredie

**survey** [ˈsə:vei] *n* prehľad; *v* [sə:ˈvei] 1. prezrieť 2. mapovať

**surveying** [sə:ˈveiiŋ] zememeračstvo

**survival** [səˈvaivəl] 1. prežitie 2. zvyšok, pozostatok

**survive** [səˈvaiv] prežiť; zostať na žive

**suspect** [səsˈpekt] *v* podozrievať; *adj* [ˈsaspekt] podozrivý

**suspend** [ˈsəsˈpend] 1. zavesiť 2. zastaviť; prerušiť

**suspenders** [səsˈpendəz] *pl.* podväzky; *AmE* traky

**suspension** [səsˈpenšən] 1. zavesenie 2. zastavenie; prerušenie

**suspicion** [səsˈpišən] podozrenie

**suspicious** [səsˈpišəs] 1. podozrivý 2. podozrenie

**sustain** [səsˈtein] 1. podopierať 2. podporovať

**swaddle** [ˈswodl] zabaliť, zavinúť *(napr. do perinky)*

**swagger** [ˈswægə] 1. pyšne si vykračovať 2. vystavovať sa obdivu

**swallow** [ˈswoləu] *v* prehltať, prehltnúť; *n* 1. prehltnutie 2. hlt 3. lastovička

**swam** *see* **swim\***

**swamp** [ˈswo:mp] *n* barina, močiar; *v* zaplaviť

**swan** [swon] labuť; *s. song* labutia pieseň

**swank** [swæŋk] *hovor.* vystatovať sa

**swap** [swop] vymeniť niečo za niečo

**swarm** [swo:m] *n* 1. kŕdeľ 2. roj; *v* 1. rojiť sa 2. *s. with* hemžiť sa

**sway** [swei] *v* kolísať sa, hojdať sa ; *n* 1. kymácanie 2. vláda, nadvláda

**swear¹** [sweə] kliatba, zakliatie; zahrešenie

**swear²\*** [sweə] 1. prisahať 2. *s. by* odprisahať 3. kliať

**sweat** [swet] *n* pot; *v* 1. potiť sa 2. vykorisťovať

**sweater** [ˈswetə] sveter

**sweatshirt** [ˈswetšə:t] tričko

**sweaty** [ˈsweti] spotený

**sweep¹** [swi:p] **1.** dosah, dostrel **2.** mávnutie, rozmach **3.** kominár

**sweep²\*** [swi:p] zametať

**sweeper** [swi:pə] zametač, zametací stroj

**sweeping** [ˈswi:piŋ] radikálny, dôkladný

**sweet pea** [ˈswi:tpi:] bot. hrachor

**sweet** [swi:t] adj **1.** sladký **2.** milý; n AmE múčnik

**sweet chestnut** [swi:t čestnət] jedlý gaštan

**sweeten** [ˈswi:tn] osladiť

**sweetheart** [ˈswi:tha:t] milenec, milenka; miláčik

**sweetmeat** [ˈswi:tmi:t] cukrík

**sweets** [swi:ts] pl. sladkosti, cukrovinky

**swell¹\*** [swel] **1.** nadúvať (sa) **2.** opúchať

**swell²** [swel] skvelý

**swelling** [sweliŋ] opuch

**swept** see **sweep\***

**swerve** [swə:v] uhnúť, odchýliť sa

**swift** [swift] rýchly

**swim suit** [ˈswimsju:t] aj s. costume plavky

**swim** [swim] plávať

**swimmer** [ˈswimə] plavec

**swimming** [ˈswimiŋ] plávanie

**swimming-bath** [ˈswimiŋba:θ] krytý bazén

**swindle** [swindl] v podviesť, okabátiť; n podvod

**swine** [swain] **1.** sviňa **2.** darebák, lump

**swing¹** [swiŋ] **1.** kolísanie **2.** kolísavá chôdza **3.** rozmach; rytmus; tempo **4.** hojdačka

**swing²\*** [swiŋ] **1.** kolísať sa **2.** mávať niečím

**swing door** [swiŋ do:] otáčacie dvere

**swirl** [swə:l] n vírenie; v víriť

**switch** [ˈswič] n **1.** vypínač **2.** AmE výhybka **3.** trstenica; v **1.** prepnúť **2.** šľahať (bičom); s. off vypnúť; s. on zapnúť

**swivel-chair** [ˈswivlčeə] otáčacia stolička

**swollen** [ˈswəulən] adj opuchnutý; (v) see **swell\***

**swoon** [swu:n] n mdloba; v omdlieť

**swoop** [swu:p]: s. down on zniesť sa strmhlav na

**sword** [so:d] meč

**swore** see **swear\***

**swot** [swot] drieť sa; štud. žarg. bifľovať (sa)

**swum** see **swim\***

**swung** see **swing\***

**syllable** [ˈsiləbl] slabika

**symbol** [ˈsimbl] symbol; znak

**symbolise** [ˈsimbəlaiz] symbolizovať
**symmetry** [ˈsimitri] súmernosť, symetria
**sympathetic** [ˌsimpəˈθetik] **1.** súcitný, útrpný **2.** solidárny; *s. strike* solidárny štrajk; *be s. to/towards sb.* súcitiť s niekým
**sympathise** [ˈsimpəθaiz] **1.** sympatizovať *(with sb.* s niekým), mať pochopenie *(with sb.* pre niekoho) **2.** prejaviť sústrasť
**sympathy** [ˈsimpəθi] účasť, pochopenie; sústrasť
**symphonic** [simˈfonik] symfonický

**symptom** [ˈsimptəm] príznak, symptóm
**syncopated** [ˈsiŋkəpeitid] synkopovaný
**syndicate** [ˈsindikit] syndikát
**synchronise** [ˈsiŋkrənaiz] synchronizovať
**synopsis** [siˈnopsis] prehľad
**synthesis** [ˈsinθəsis] syntéza
**syphilis** [ˈsifilis] syfilis
**syringe** [ˈsirindž] injekčná striekačka
**syrup** [ˈsirəp] sirup
**system** [ˈsistim] systém, sústava
**systematic** [ˌsistiˈmætik] sústavný, systematický

# T

**ta** [ta:] *hovor.* ďakujem
**table** [ˈteibl] *n* **1.** stôl; *be at t.* jesť; *keep a good t.* dobre variť; *lay/clear the t.* prestrieť/odpratať zo stola **2.** tabuľka; *v* **1.** odložiť; *t. a motion (a bill)* odložiť diskusiu o návrhu *(návrhu zákona)* **2.** zaradiť do tabuľky
**tablecloth** [ˈteiblkloθ] obrus
**tablespoon** [ˈteiblspu:n] polievková lyžica
**tablet** [ˈtæblit] **1.** tabuľka, doska **2.** tabletka

**table talk** rozhovor pri stole
**table tennis** [ˈteibltenis] stolný tenis, pingpong
**tabloid** [ˈtæbloid] bulvárne noviny
**taboo** [təˈbu:] tabu, zákaz
**taciturn** [ˈtæsitə:n] zamĺknutý, mlčanlivý
**tackle** [ˈtækl] chopiť sa niečoho, pustiť sa do niečoho; *t. the problem/ work* riešiť problém/prácu
**tacky** [ˈtæki] lepkavý; nie suchý
**tactful** [ˈtæktful] taktný

**tactics** [ˈtæktiks] taktika

**tactless** [ˈtæktlis] netaktný

**tadpole** [ˈtædpəul] žubrienka

**taffeta** [ˈtæfitə] taft

**tag** [tæg] ceduľka; prívesok, visačka

**tail** [teil] chvost

**tail-coat** [ˈteilˈkəut] frak

**tailor** [ˈteilə] krajčír

**tailor-made** [ˈteiləmeid] šitý na mieru

**taint** [teint] n 1. škvrna 2. nákaza; v nakaziť

**take*** [teik] 1. uchopiť 2. vziať 3. zmocniť sa 4. t. away odviesť 5. zapôsobiť 6. (liek) zabrať 7. merať (teplotu) 8. trvať; t. in (newspapers) odoberať (noviny); t. down zapísať; t. after sb. ponášať sa na niekoho; t. a seat posadiť sa; t. it easy nerozčuľovať sa; t. into so. head vziať si do hlavy; t. leave of sb. rozlúčiť sa; t. off vyzliecť, odstrániť • t. off štartovať, vzlietať; t. out vybrať; t. part in sth. zúčastniť sa na niečom; t. place konať sa; t. stock robiť inventúru; t. the lead ujať sa vedenia; t. to heart vziať si k srdcu • be t-n in byť oklamaný; t. into account vziať do úva-

hy • t. up with sb. spriateliť sa

**takeaway** [ˈteikəvei] jedlo podávané na ulici, odnesené domov

**takeover** [teikəuvə] vykúpenie akcií, fúzia

**tale** [teil] rozprávanie, historka

**talent** [ˈtælənt] talent, nadanie

**talk** [to:k] v rozprávať; n rozhovor, hovor; talk sb. out of sth. prehovoriť niekoho • t. so. head off veľa hovoriť

**talk back** [to:k bæk] odvrávať

**talk through** [to:k θru:] diskutovať

**talkative** [ˈto:kətiv] zhovorčivý

**tall** [to:l] vysoký, veľký (ľudia)

**tallow** [ˈtæləu] loj

**tally** [tæli] hodiť sa k sebe, súhlasiť

**tame** [teim] adj krotký; nudný; v krotiť, skrotiť

**tan** [tæn] adj žltohnedý; hnedý (opálený); get a good t. pekne sa opáliť; v 1. vyrobiť kožu 2. opáliť sa

**tangerine** [ˈtændžəˈri:n] mandarínka

**tangible** [ˈtændžəbl] 1.

hmatateľný **2.** jasný; skutočný

**tangle** [ˈtæŋgl] *n* spleť; zmätok; *v* zamotať (sa); *t-d hair* strapaté vlasy

**tank** [tæŋk] **1.** nádrž, cisterna **2.** tank; *hot water t.* bojler

**tanker** [tænkə] cisternová loď

**tanned** [ˈtænd] opálený *(dohneda)*

**tantrum** [tæntrəm] zlá nálada; záchvat zúrivosti

**tap** [tæp] *v* klopať, poklepať; *n* **1.** kohútik *(vodovodu)* **2.** klopanie, ťuknutie

**tap dance** [ tæp daːns] step

**tape** [teip] páska • *pren. red t.* úradný šimeľ

**tape loops** [teipluːps] páskové kotúče

**taper** [ˈteipə] *n* voskovaný knôt; veľmi tenká sviečka; *v* zužovať sa

**tar** [taː] *n* dechet; *v* dechtovať

**target** [ˈtaːgit] terč **2.** smerné číslo *(pri plnení plánu)*

**tape-recorder** [ˈteipriˈkoːdə] magnetofón

**tariff** [ˈtærif] tarifa, sadzobník, cenník, clo

**tarmac** [ taːmæk] asfaltový povrch; rozjazdová dráha

**tarn** [taːn] pleso

**tart** [taːt] *n* **1.** ovocná torta **2.** *slang.* prostitútka; *adj* kyslý, ostrý *(chuť)*

**tartan** [ˈtaːtən] škótska kockovaná látka

**task** [taːsk] úloha

**taste** [teist] *n* **1.** chuť **2.** vkus; *v* **1.** chutiť **2.** cítiť *(chuť)* **3.** okúsiť, ochutnať

**tasteful** [ˈteistful] vkusný

**tasteless** [teistlis] **1.** bez chuti **2.** nevkusný

**tasty** [teisti] chutný

**tatter** [ˈtætə] *obyč.* handra, zdrap látky/papiera

**tattoo** [təˈtuː] *n* tetovanie; *v* tetovať

**taught** *see* **teach***

**tavern** [ˈtævən] krčma

**tax** [tæks] *n* daň; *v* uložiť daň, zdaniť

**taxation** [tækˈseišən] zdanenie

**tax-deductible** [ˈtæksdiˈdaktəbl] odpočítateľný z dane

**taxi** [ˈtæksi] taxi, taxík

**taxpayer** [ˈtæksˈpeiə] poplatník

**tea** [tiː] čaj; olovrant

**tea towel** [tiːtauəl] utierka

**teacup** [ˈtiːkap] šálka na čaj

**tealeaves** [tiːliːvz] čajové lístočky; *read sb. fortune from the t.* predpovedať osud z čajových lístkov

**team** [tiːm] **1.** mužstvo, tím **2.** pracovná čata

**teamwork** [ˈtiːmwəːk] skupinová práca

**team-mate** [ˈtiːmmeit] spolupracovník

**teapot** [ˈtiːpot] čajová kanvica

**teach*** [tiːč] učiť, vyučovať

**teacher** [ˈtiːčə] učiteľ, učiteľka

**tea-cloth** [ˈtiːkloθ] **1.** obrus **2.** utierka

**tear¹** [tiə] **1.** slza **2.** diera, trhlina; *in t-s* v slzách; *burst into t-s* prepuknúť v plač

**tear²*** [tiə]: *t. out, down, off* trhať, roztrhnúť, vytrhnúť

**tearful** [ˈtiəful] uplakaný, plačlivý, slzavý

**tear-gas** [ˈtiəˈgæs] slzotvorný plyn

**tea-room** [ˈtiːrum] *(hotelová)* čajovňa; reštaurácia; jedáleň

**tease** [tiːz] *v* hnevať, doberať si, dobiedzať; *n* vtipkár

**tea-service** [ˈtiːˈsəːvis] čajová súprava

**teaspoon** [ˈtiːspuːn] kávová lyžička

**teastrainer** [ˈtiːˈstreinə] sitko na čaj

**tea-table** [ˈtiːteibl] konferenčný stolík

**tee off** [tiːof] *šport.* odpáliť loptičku *(golf)*

**teem** [tiːm] hemžiť sa *(with sth.* niečím)*

**teenager** [ˈtiːneidžə] mládež od 13 do 19 rokov

**teens** [tiːnz]: *he is still in his t.* ešte nemá dvadsať

**teeth** [tiːθ] *pl.* od **tooth**

**teetotaller** [tiːˈtəutlə] abstinent

**telecast** [ˈtelikaːst] *n* televízne vysielanie, program; *v* vysielať televíziou

**technical** [ˈteknikəl] technický

**technique** [tekˈniːk] technika

**technology** [tekˈnolədži] technológia

**tedious** [ˈtiːdiəs] únavný, nudný

**telegram** [ˈteligræm] telegram

**telegraph** [ˈteligraːf] *n* telegraf; *v* telegrafovať

**telephone** [ˈtelifəun] *n* telefón; *v* telefonovať

**telephone booth/box** [buːθ, boks] telefónna búdka/kabína

**telephone directory** [ˈtelifəun diˈrektəri] telefónny zoznam

**telephone exchange** [iksˈčeindž] telefónna centrála; *t. call* tel. hovor; *t.*

*number* tel. číslo; *t. rates* poplatky za telefón

**telescope** [ˈteliskəup] ďalekohľad *(vytahovací)*

**televise** [ˈtelivaiz] vysielať televíziou

**television** [ˈteliˈvižən] televízia; *t. set (TV set)* televízor

**television guide** televízny časopis

**tell*** [tel] **1.** povedať **2.** rozprávať **3.** uvádzať čas • *t. off sb.* **1.** strčiť, vyčleniť **2.** vynadať niekomu; *t. on sb.* prezradiť niekoho

**temper** [ˈtempə] **1.** povaha **2.** nálada • *keep so. t.* ovládať sa; *out of t.* rozčúlený

**temperate** [ˈtempərit] umiernený; mierny

**temperature** [ˈtempričə] teplota

**tempest** [ˈtempist] búrka

**temple** [ˈtempl] **1.** chrám **2.** spánky *(na hlave)*

**temporary** [ˈtempərəri] dočasný, prechodný

**tempt** [tempt] zvádzať, pokúšať

**temptation** [tempˈteišn] pokušenie

**tempting** [ˈtemptiŋ] lákavý, zvodný

**ten** [ten] desať; *t. to one* veľká pravdepodobnosť

**tenable** [ˈtenəbl] udržateľný

**tenant** [ˈtenənt] **1.** nájomca **2.** nájomník

**tend** [tend] **1.** mať sklon; smerovať **2.** starať sa *(o niekoho)*, bdieť *(nad niečím)*

**tender** [ˈtendə] *adj* nežný, jemný, útly; mäkký *(mäso)*; *n* ošetrovateľ/ka, pestúnka

**tendon** [ˈtendən] anat. šľacha

**tenement** [ˈtenimənt] byt *(v dome)*; obytný dom; nehnuteľnosť; *hovor. t. house* činžiak

**tenfold** [ˈtenfəuld] desaťnásobný

**tennis** [ˈtenis] tenis

**tennis-ball** [ˈtenisbo:l] tenisová loptička

**tennis-court** [ˈteniskо:t] tenisový kurt

**tenor** [ˈtenə] **1.** znenie, zmysel, význam **2.** tenor; tenorista

**tense** [tens] *adj* napätý; strnulý; *gram. (n)* slovesný čas

**tension** [ˈtenšən] napätie

**tenpin bowling** [tenpin bouliŋ] kuželky

**tent** [tent] stan

**tent pole** [ˈtentpəul] tyč na stan

**tentacle** [ˈtentəkl] chápadlo

**tentpeg** [ˈtentpeg] stanový kolík

**tentative** ['tentətiv] pokusný, nezávazný, provizórny

**tepid** ['tepid] vlažný

**term** [tə:m] **1.** termín **2.** semester **3.** lehota, obdobie

**terminal** ['tə:minl] *adj* konečný, koncový; *n* zakončenie; konečná stanica

**terminate** ['tə:mineit] **1.** zakončiť **2.** končiť

**termination** ['tə:mi'neišən] zakončenie, ukončenie; koncovka

**terminus** ['tə:minəs] konečná stanica

**terms** [tə:mz] *pl.* **1.** podmienky **2.** vztah; pomer • *on good/bad t.* byť zadobre/nie za dobre s niekým **3.** *in t. of* pokiaľ ide o..., čo sa týka...

**terrace** ['terəs] terasa

**terrace(d)house** [terəs(t)-haus] radový dom

**terrible** ['teribl] **1.** hrozný, strašný **2.** úžasný

**terrific** [tə'rifik] hrozný, strašný

**terrify** ['terifai] vydesit, naplniť hrôzou

**territorial** ['teri'to:riəl] **1.** územný **2.** teritoriálny • *t. army* domobrana

**territory** ['teritəri] územie

**terror** ['terə] **1.** hrôza **2.** teror

**terrorise** ['terəraiz] terorizovať

**test** [test] *n* skúška; *v* skúšať; vyskúšať

**testament** ['testəmənt] : *the Old/the New T.* Starý/Nový zákon

**testify** ['testifai] svedčiť, dosvedčiť

**testimonial** ['testi'məunjəl] osvedčenie, posudok, certifikát

**testimony** ['testiməni] svedectvo

**test-tube** ['testju:b] skúmavka

**textbook** ['tekstbuk] učebnica; príručka

**textile** ['tekstail] *adj* textilný; *n* textil

**text-message** [tekstmesidž] *mobil.* SMS

**text messaging** [tekstmesidžiŋ] posielať SMS-ky

**texture** ['teksčə] tkanina, štruktúra

**Thames** ['temz] *the T.* Temža

**than** [ðən, ðæn] než, ako *(pri porovnaní)*

**thank** [θæŋk] ďakovať, poďakovať

**thanks** [θæŋks] *pl.* vďaka, poďakovanie; *t. to you* vďaka vám, vašou zásluhou

**thankful** ['θæŋkfl] vďačný

**thanksgiving** [θæŋksgiviŋ]

vzdávať vďaku; *AmE T. Day* Deň Vďakyvzdania

**that** [ðæt, ðət] *pron.* **1.** tam(ten) **2.** ktorý; *conj.* **1.** že **2.** aby

**thatch** [θæč] *n* slamená strecha; *v* pokryť slamou, rákosím

**thatched** [θæčt] pokrytý slamou

**thaw** [θo:] *v* topiť sa *(sneh)*, rozpúšťať sa; *n* topenie, odmäk

**the** [ðə, ði] **1.** určitý člen **2.** *t.-t.* čím-tým; *the more – the better* čím viac, tým lepšie

**theatre** [ˈθiətə] divadlo

**theatre-goer** [θiətəgəuə] návštevník divadla

**theft** [θeft] krádež

**their** [ðeə], **t-s** [ðeəz] ich

**them** [ðem] *4. pád. osob. zám.*, ich; *3. os. pl.* im

**theme** [θi:m] téma

**theme park** [θi:m pa:k] zábavný park

**themselves** [ðəmˈselvz] **1.** *(oni)* sami **2.** seba, sa

**then** [ðen] **1.** potom **2.** vtedy **3.** teda

**theology** [θiˈolədži] teológia

**theorem** [ˈθiərəm] poučka, veta

**theory** [ˈθiəri] teória

**therapeutic** [ˈθerəˈpju:tik] terapeutický, liečebný

**therapist** [θerəpist] terapeut

**there** [ðeə, ðə] tam; *t. is, t. are* je, sú

**thereabouts** [ˈðeərəbauts] v blízkosti; tak nejako, približne

**thereby** [ˈðeəˈbai] tým

**therefore** [ˈðeəˈfo:] preto

**thereupon** [ˈðeərəˈpon] **1.** *(hneď)* potom **2.** následkom toho

**thermal** [ˈθə:məl] termálny; *t. springs* termálne pramene

**thermometer** [θəˈmomitə] teplomer

**thermos** [θə:məs]: *t. flask* termoska

**these** *pl. od* **this**

**thesis** [ˈθi:sis] **1.** téza **2.** dizertácia

**they** [ðei] oni, ony; *t. say* hovorí sa

**thick** [θik] **1.** tučný, hrubý **2.** hustý

**thicken** [ˈθikən] **1.** zhustnúť **2.** zahustiť

**thicket** [ˈθikit] húštie; húšťava

**thickness** [ˈθiknis] **1.** tučnota, hrúbka **2.** hustota

**thief** [θi:f] zlodej

**thieves** [θi:vz] *pl. od* **thief**

**thieving** [θi:viŋ] krádež

**thigh** [θai] stehno

**thimble** [θimbl] náprstok

**thin** [θin] **1.** tenký **2.** chudý **3.** riedky

**thing** [θiŋ] vec; *not a t.* nič; *poor t.* chudáčik, chúdatko; *that sort of t.* čosi také

**think\*** [θiŋk]: *t. of* myslieť *(na)*; *t. about* premýšľať; *t. ahead* myslieť dopredu; *t. back* rozpamätať sa; *t. through* domyslieť, rozriešiť; *t. up* vymyslieť

**third** [θə:d] tretí

**third-party liability/insurance** [ˈθə:dˈpa:ti ˌlaiəˈbiliti] zákonné poistenie

**thirst** [θə:st] *n* smäd; *(v) t. for* prahnúť po niečom

**thirsty** [ˈθə:sti] smädný; *be t.* byť smädný

**thirteen** [ˈθə:ˈti:n] trinásť

**thirteenth** [θə:ˈti:nθ] trinásty

**thirtieth** [ˈθə:tiiθ] tridsiaty

**thirty** [ˈθə:ti] tridsať

**this** [ðis] tento

**thistle** [ˈθisl] bodliak

**thorn** [θo:n] tŕň; • *a t. in your side* niekto al. niečo, čo otravuje

**thorny** [ˈθo:ni] **1.** tŕnistý **2.** chúlostivý

**thorough** [ˈθʌrə] **1.** úplný **2.** dokonalý

**thoroughfare** [ˈθʌrəfeə] dopravná tepna; *no t.* zákaz vjazdu

**those** [ðəuz] *pl. od that*

**though** [ðəu] hoci; *as t.* akoby; *adj* predsa len

**thought** *see* think\*

**thought** [θo:t] **1.** myslenie **2.** myšlienka; názor

**thoughtful** [ˈθo:tfl] **1.** zamyslený **2.** hĺbavý **3.** ohľaduplný, pozorný

**thoughtless** [ˈθo:tlis] **1.** bezmyšlienkovitý **2.** bezohľadný, nepozorný

**thousand** [ˈθauzənd] tisíc

**thousandth** [ˈθauzəntθ] tisíci

**thousandfold** [ˈθauzəndfəuld] tisícoraký

**thrash** [θræš] bit, tĺct, nabiť; *t. out a problem* vyriešiť problém debatou

**thread** [θred] *n* niť, vlákno; *v* **1.** navliecť *(niť)* **2.** predierať sa *(zástupom)* **3.** *t. with* pretkať *(niečím)*

**threadbare** [ˈθredbeə] odretý, ošarpaný, ošúchaný; otrepaný

**threat** [θret] hrozba

**threaten** [ˈθretn] hroziť; ohrozovať

**three** [θri:] tri

**three-D, three dimensional** [ˈθri:diˈmenšənl] trojrozmerný

**threefold** [ˈθri:fəuld] trojnásobný

**three-four** [ˈθri:fo:] *hud. in t. time* v trojštvrťovom takte

**thresh** [θreš] **1.** mlátiť *(obilie)* **2.** *see* **thrash**

**threshing** [θrešiŋ] **1.** výprask, bitka **2.** mlatba; *t. machine* mláťačka

**threshold** [ˈθrešhəuld] prah

**threw** *see* **throw***

**thrice** [θrais] trikrát

**thrift** [θrift] šetrnosť

**thrifty** [ˈθrifti] šetrný, hospodárny

**thrill** [θril] *n* napätie, vzrušenie; *v* vzrušiť, napäť

**thriller** [ˈθrilə] triler

**thrilling** [θriliŋ] napínavý, vzrušujúci

**thrive*** [θraiv] dariť sa, mať úspech, rozkvitať

**thriven** *see* **thrive***

**throat** [θrəut] hrdlo; *I have a sore t.* bolí ma hrdlo

**throb** [θrob] bit, tĺcť, búšiť, pulzovať

**throes** [θrəuz] *pl.* bolesti, muky

**throne** [θrəun] trón

**throng** [θroŋ] *n* tlačenica; *v* tlačiť sa, tiesniť sa

**throttle** [ˈθrotl] *v* škrtiť; *n tech.* škrtiaca klapka

**through** [θru(:)] **1.** cez **2.** prostredníctvom; *adj* priamy *(napr. vlak)*; *get t. to sb.* dostať *(telefónne)* spojenie

**throughout** [θru(:)ˈaut] *adv* všade; *t. the night* po celú noc; *t. the country* po celej krajine

**throve** *see* **thrive***

**throw away** odhodiť

**throw*** [θrəu] hádzať, hodiť

**thrown** *see* **throw***

**thrush** [θraš] drozd

**thrust¹*** [θrast] vraziť, strčiť, sotiť

**thrust²** [θrast] posotenie, výpad; tlak; náraz

**thud** [θad] dupot *(koní)*

**thug** [θag] bitkár, násilník

**thumb** [θam] palec *(na ruke)*

**thumbtack** [θamtæk] pripináčik

**thump** [θamp] *v* mlátiť, búšiť; *n* rana, úder

**thunder** [ˈθandə] *n* hrom, hrmenie; *a peal/clap of t.* zahrmenie; *v* hrmieť, dunieť

**thunderbolt** [ˈθandəbəult] blesk

**thunderclap** [ˈθandəklæp] zahrmenie

**thunder-storm** [ˈθandəsto:m] búrka

**thunderstruck** [ˈθandəstrak] ohromený

**Thursday** [ˈθə:zdei] štvrtok

**thus** [ðas] tak, takto

**thwart** [θwo:t] mariť, kaziť; krížiť *(plány)*

**thyme** [taim] *bot.* tymian

**thyroid** [ˈθairoid] štítna žľaza

**tick** [tik] *n* **1.** tikot, tikanie **2.** *zool.* kliešť; *v* tikať

**tick off** [tik of] zaškrtnúť

**ticket** [tikit] **1.** lístok; vstupenka; cestovný lístok **2.** *AmE* zoznam kandidátov

**ticket machine** [tikit mæši:n] automat na lístky

**tickle** [ˈtikl] šteklíť

**ticklish** [ˈtikliš] **1.** šteklivý **2.** chúlostivý

**tide** [taid] **1.** príliv a odliv; *high t.* vrchol prílivu; *low t.* vrchol odlivu **2.** prúd

**tidy** [taidi] *adj* **1.** úpravný, úhľadný, uprataný **2.** pekný *(hovor. o peniazoch); v* upratať, upraviť

**tie** [tai] *v* zaviazať, zviazať, priviazať; *n* **1.** viazanka, kravata **2.** puto **3.** nerozhodný výsledok *(zápasu)*

**tier** [tiə] **1.** rad **2.** vrstva **3.** rad v divadle

**tiff** [tif] malá hádka; *have a t.* vadiť sa

**tiger** [ˈtaigə] tiger

**tight** [tait] **1.** napnutý **2.** tesný

**tighten** [ˈtaitn] napnúť (sa); utiahnuť

**tights** [taits] *pl.* trikot; pančuchové nohavice

**tile** [tail] *n* **1.** dlaždica **2.** škridla; *v* pokryť dlaždicami/škridlami

**till** [til] do, až do; kým, pokiaľ nie; *v* obrábať *(pôdu)*

**tillage** [tilidž] orba

**tilt** [tilt] nakloniť (sa)

**timber** [ˈtimbə] stavebné drevo; trám

**time** [taim] *n* **1.** čas, doba; *in t.* načas; *in good t.* mať dosť času; *at the same t.* súčasne; *this t.* tentoraz; *in no t.* okamžite, hned; *what is the t.?* koľko je hodín? **2.** lehota; *v* **1.** urobiť niečo v pravý čas **2.** merať na čas, merať stopkami **3.** načasovať

**time consuming** [ˈtaimkənˈsju:miŋ] časovo náročný

**timekeeper** [ˈtaimki:p] časomerač

**timely** [ˈtaimli] včasný, aktuálny

**times** [taimz] krát

**time saving** [ˈtaimˈseiviŋ] časovo úsporný

**time sheet** [ˈtaimši:t] prezenčná listina

**time switch** [ˈtaimswič] časový spínač

**timetable** [ˈtaimˈteibl] **1.** cestovný poriadok **2.** rozvrh hodín

**time work** [ˈtaimwə:k] práca na čas

**timid** [ˈtimid] bojazlivý, plachý

**tin** [tin] *n* **1.** cín **2.** plech **3.** plechovka, konzerva; *v* **1.** pocínovať **2.** konzervovať
**tinfoil** [ˈtinˈfoil] staniol, alobal
**tinge** [tindž] nádych
**tinker** [ˈtiŋkə] *n* drotár; *v* fušovať
**tinkle** [ˈtiŋkl] cengať, zvoniť
**tin opener** [ˈtinəupənə] otvárak na konzervy
**tinsmith** [ˈtinsmiθ] klampiar
**tint** [tint] *n* odtieň, nádych *(farby)*; *v* zafarbiť
**tiny** [ˈtaini] nepatrný, malý, drobný
**tip** [tip] *n* **1.** konček, špička, cíp **2.** *hovor.* prepitné **3.** tip, rada; *v* **1.** *(up)* prevrátiť **2.** *hovor.* dať prepitné
**tipsy** [ˈtipsi] *hovor.* opitý
**tiptoe** [ˈtiptəu]: *on t.* po špičkách
**tip-up seat** [ˈtipapˈsiːt] skladacie sedadlo
**tire** [ˈtaiə] *n* pneumatika; *v* ustať, unaviť (sa)
**tired** [ˈtaiəd] ustatý; *be t. of* byť vyčerpaný, mať niečoho dosť
**tireless** [ˈtaiəlis] neúnavný
**tiresome** [ˈtaiəsəm] únavný, nudný, protivný
**tissue** [ˈtisjuː] tkanivo, tkanina
**tissue paper** [ˈtisjuːpeipə] hodvábny papier

**tit** [tit] sýkorka; *pl. t-s* ženské prsia, bradavky; *BrE vulg.* sprosté prasa *(človek)*
**tit for tat** [tit fətæt] odplatiť rovnakým, oko za oko
**titbit** [ˈtitbit] pochúťka
**title** [ˈtaitl] **1.** titul, názov **2.** nárok
**title page** [ˈtaitlpeidž] titulná strana
**titter** [ˈtitə] smiať sa pod fúzy, chichotať sa
**to** [tuː; tu] **1** *(miestne)* do, ku, na **2.** *nahrádza slov.* **3. pád;** *t. you* tebe **3.** *(časové)* do **4.** *predl. pred infinitívom; t. be* byť **5.** *my wife to be* moja budúca žena
**toad** [təud] ropucha
**toadstool** [ˈtəudstuːl] muchotrávka
**toast** [təust] *n* **1.** opekaný chlieb, hrianka **2.** prípitok; *v* **1.** opekať chlieb **2.** pripiť *(na zdravie)*
**tobacco** [təˈbækəu] tabak
**tobacconist's** [təˈbækənists] trafika
**toboggan** [təˈbogən] *n* sánky; *v* sánkovať sa
**today** [təˈdei] dnes
**toddle** [ˈtodl] batoliť sa
**toe** [təu] **1.** prst na nohe; *big (great) t.* palec na nohe **2.** špička *(topánky, ponožky)*
**toffee** [ˈtofi] karamelka

**together** [tə'geðə] spolu, dokopy

**toil** [toil] v zodierať sa, lopotiť sa; n drina, námaha, lopota

**toilet** ['toilit] **1.** obliekanie, toaleta **2.** záchod

**token** ['təukən] **1.** znamenie; symbol; *t. strike* manifestačný štrajk **2.** *in t. of* ako dôkaz **3.** poukážka, žetón

**told** *see* **tell***

**tolerable** ['tolərəbl] **1.** znesiteľný **2.** dosť dobrý, pekný

**tolerance** ['tolərəns] znášanlivosť

**tolerate** ['toləreit] znášať, trpieť *(niekoho, niečo)*

**toll** [təul] n mýto • *the t. of the roads* straty na životoch na cestách; v vyzváňať *(umieráčikom)*

**toll call** [təulko:l] medzimestský hovor

**tomato** [tə'ma:təu] paradajka

**tomb** [tu:m] hrob; hrobka

**tombstone** ['tu:mstəun] náhrobný kameň

**tomcat** ['tom'kæt] kocúr

**tomorrow** [tə'morəu] zajtra

**ton** [tan] tona

**tone** [təun] tón

**tongs** [toŋz] *pl.* kliešte; *sugar t.* kliešte na cukor

**tongue** [taŋ] jazyk

**tongue-twister** ['taŋtwistə] jazykolam

**tonight** [tə'nait] dnes večer

**tonnage** ['tanidž] tonáž

**tonsillitis** [,tonsi'laitis] angína

**tonsils** ['tonslz] *pl.* mandle *(v hrdle)*

**too** [tu:] **1.** *(pred adj)* príliš **2.** *(na konci vety)* tiež

**took** *see* **take***

**tool** [tu:l] nástroj

**tools** [tu:lz] *pl.* náradie *(remeselnícke)*

**toot** [tu:t] húkať, trúbiť

**tooth** [tu:θ] zub

**toothache** ['tu:θeik] bolesť zuba

**toothbrush** ['tu:θbraš] zubná kefka

**toothpaste** ['tu:θpeist] zubná pasta

**toothpick** ['tu:θpik] špáradlo

**top** [top] n **1.** vršok, vrchol **2.** povrch; *adj* vrchný; v prevýšiť, prekonať

**top hat** ['top'hæt] cylinder *(klobúk)*

**topic** ['topik] téma, námet, predmet *(hovoru)*

**topical** ['topikəl] aktuálny

**topless** ['topləs] hore bez

**topmost** ['topməust] nanajvýš

**topsy-turvy** [,topsi'tə:vi] hore nohami, poprevracaný, rozhádzaný

**torch** [to:č] pochodeň, fakľa; *electric t.* baterka

**tore** *see* **tear\***

**torment** [to:'mənt] *n* muky, trápenie; *v* mučiť, trápiť

**torn** *see* **tear\***

**torrent** ['torənt] príval; bystrina

**torrential** [to'renšəl] prudký

**torrid** ['torid] horúci, suchý, tropický

**torsion** ['to:šən] torzia, krútenie

**tortoise** ['to:təs] korytnačka *(suchozemská)*

**tortoiseshell** ['to:təšsel] pancier korytnačky

**torture** ['to:čə] *n* mučenie; *v* mučiť

**toss** ['tos] **1.** mrštiť, hodiť **2.** zmietať sa **3.** natriasať (sa)

**total** ['təutl] *adj* celkový, úplný, totálny; *n* súčet, úhrn; *v* zhrnúť, sčítať

**totalitarian** ['təutæli'teəriən] totalitný

**touch** [tač] *v* dotknúť sa, dotýkať sa; *n* **1.** dotyk **2.** hmat **3.** styk

**touching** [tačiŋ] dojemný

**touchy** ['tači] nedotklivý

**total abstinence** [æbstinəns] úplná abstinencia

**tough** [taf] **1.** tuhý **2.** silný **3.** húževnatý **4.** obtiažny

**touch screen** [tač 'skri:n] dotyková obrazovka

**track suit** ['træksju:t] tréningový úbor

**tour** [tuə] *n* cesta, turné, túra; *v* cestovať, precestovať

**tourist** ['tuərist] turista

**tournament** ['tuənəmənt] turnaj

**tow** [təu] *v* vliecť; *n* lano; *take in t.* vziať do vleku

**tow truck** [təu trak] odťahovacie auto

**toward(s)** ['tə'wo:dz] *(smerom)* ku

**towboat** [taubəut] remorkér

**towel** ['tauəl] uterák

**towelling** [tauəliŋ] froté

**tower** ['tauə] *n* veža; *v* týčiť sa, čnieť

**town** [taun] mesto

**town council** ['taun'kaunsl] magistrát

**town hall** [taun ho:l] radnica

**toxic** ['toksik] otravný, toxický

**toy** [toi] hračka

**toyshop** ['toišop] hračkársky obchod

**trace** [treis] *n* stopa; *v* **1.** sledovať, stopovať **2.** *t. from* odvodiť od

**track** [træk] *n* **1.** stopa **2.**

dráha **3.** koľaj **4.** trať; *v* sledovať, stopovať

**track events** bežecké disciplíny

**track shoe** [trækšu:] tretra

**track-and-field events** [træk ənd fi:ld i'vents ] ľahkoatletické disciplíny

**tractor** ['træktə] traktor

**trade** [treid] *n* **1.** obchod **2.** živnosť; *v* obchodovať

**trademark** ['treidma:k] obchodná značka, známka

**trade balance** ['treidbæləns] obchodná bilancia

**trade bill** ['treidbil] obchodná zmenka

**trade licence** ['treid 'laisəns] živnostenský list

**tradesman** ['treidzmən] obchodník; živnostník

**tradeunion** ['treidjuniən] odborová organizácia

**trading certificate** [treidiŋ sə:tifikit] obchodná koncesia

**tradition** [trə'dišən] tradícia

**traffic** ['træfik] *n* **1.** premávka, dopravný ruch **2.** *t. in* ilegálny(e) obchod(ovanie); *adj* dopravný; *pl. t. lights* svetelný signál, semafor

**tragedy** ['trædžidi] tragédia

**tragic** ['trædžik] tragický

**trail** [treil] *v* **1.** vliecť (sa) **2.**

stopovať **3.** *t. over* popínať sa; *n* cestička; stopa

**trailer** [treilə] prívesný voz, vlečný voz

**train** [trein] *n* **1.** vlak **2.** vlečka **3.** sprievod; *v* **1.** cvičiť, školiť **2.** trénovať

**train service** [treinsə:vis] vlakové spojenie

**trainee** [trei'ni:] frekventant kurzu, cvičenec

**trainer** ['treinə] cvičiteľ

**training** [treiniŋ] **1.** cvik, školenie **2.** tréning

**trait** [trei] črta *(na tvári)*

**traitor** ['treitə] zradca

**tram** [træm] električka

**tramcar** ['træmka:] vozeň električky

**tramline** ['træmlain] trať električky

**tramp** [træmp] *v* **1.** pochodovať **2.** túlať sa; *n* **1.** dupot **2.** dlhá vychádzka **3.** tulák **4.** parník *(nákladný, naviazaný na určitú trať)*

**trample** ['træmpl] stúpať, šliapať, dupať

**trampoline** [træmpəli:n] trampolína

**tramway** ['træmwei] električka

**trance** [tra:ns] tranz, vytrženie

**tranquil** ['træŋkwil] pokojný

**tranquilizer** [træŋkwilaizə]

prášok na upokojenie, sedatívum

**transcription** [træns'kripšən] prepis

**transfer** ['transfə(:)] v 1. t. from preniesť; t. to premiestniť 2. prestupovať; n 1. prevod, prenos 2. odsun

**transform** [træns'fo:m] premeniť, pretvoriť

**transformation** ['trænsfə'meišən] premena

**transfuse** [træns'fju:z] preliať; dať transfúziu

**transfusion** [træns'fju:žən] transfúzia

**transient** ['trænziənt] adj prechodný, krátky; n AmE hosť v hoteli

**transistor** [træn'sistə] tranzistor

**transit** ['trænsit] prechod, prejazd, preprava, tranzit

**transition** ['træn'zišən] prechod

**transitive** ['træ:nsitiv] gram. prechodný

**translate** [træ:ns'leit]: t. from/into preložiť, prekladať z/do

**translation** [træ:ns'leišən] preklad

**transmission** [trænz'mišən] vysielanie (rozhlasové), relácia; odoslanie

**transmit** [trænz'mit] odovzdať, doručiť; preniesť

**transparent** [træns'peərənt] priehľadný, jasný

**transpire** [træns'paiə] rozchýriť sa, preniknúť (správa); stať sa

**transport** ['trænspo:t] n doprava; v dopravovať

**trap** [træp] n pasca; v chytať do pasce

**trapdoor** ['træp'do:] padacie dvere

**trash** [træš] brak; AmE odpadky

**trashcan** ['træš'kæn] AmE nádoba na odpadky

**travel** ['trævl] v 1. cestovať 2. pohybovať sa; n cestovanie, cesta

**traveller** ['trævlə] cestovateľ, cestujúci

**traverse** ['trævə(:)s] v prejsť krížom, prekročiť; adj priečny

**trawler** ['tro:lə] rybárska loď

**travolator** [trævəleitə] pohyblivý chodník

**tray** [trei] podnos, tácňa

**treacle** ['trikl] sirup

**tread*** [tred] šliapnuť, stúpiť

**treason** ['tri:zn] velezrada; zrada

**treacherous** ['trečərəs] zradný

**treachery** ['trečəri] zrada

**treasure** [ˈtreʒə] *n* poklad; *v* vážiť si niečo; chovať ako poklad

**treasurer** [ˈtreʒərə] pokladník

**treasury** [ˈtreʒə-ri]: *the* T. štátna pokladnica v Británii; *AmE* T. *Secretary* minister financií

**treasury bill** [treʒəri] zmenka, dlžobný úpis

**treat** [triːt] *v* 1. zaobchádzať s 2. hostiť niekoho 3. *t. of* pojednávať 4. liečiť; *n* pôžitok; *it is my t.* ja platím

**treatise** [ˈtriːtiz] pojednanie

**treatment** [triːtmənt] 1. zaobchádzanie 2. liečba, liečenie

**treaty** [ˈtriːti] zmluva; dohoda

**tree** [triː] strom

**trek** [trek] postupovať s námahou

**tremble** [ˈtrembl] 1. chvieť sa 2. báť sa

**tremendous** [triˈmendəs] strašný; obrovský; ohromný

**trench** [trenč] zákop

**trend** [trend] sklon, tendencia

**trendy** [trendi] módny

**trespass** [ˈtrespəs] prehrešiť sa; *t. on sb./sth.* zneužiť

**trial** [ˈtraiəl] 1. skúška; pokus 2. pojednávanie *(na súde)*, proces

**triangle** [ˈtraiæŋgl] trojuholník

**tribe** [traib] 1. kmeň *(napr. domorodcov)* 2. rod

**tribunal** [triˈbjuːnl] súd, tribunál

**tributary** [ˈtribjutəri] prítok

**tribute** [ˈtribjuːt] 1. daň 2. *t. to sb.* pocta niekomu

**trick** [trik] *n* trik; úskok, podvod; *v* podviesť

**trickle** [ˈtrikl] kvapkať; tiecť cícerkom

**tricky** [triki] klamlivý, rafinovaný

**trifle** [ˈtraifl] *n* maličkosť, drobnosť; *(v) t. with sb.* neprejaviť rešpekt voči niekomu

**trigger** [ˈtrigə] kohútik *(pušky)*, fot. spúšť

**trim** [trim] *adj* upravený, úhľadný; *v* 1. pristrihnúť, zastrihnúť 2. upraviť, zdobiť

**trinity** [ˈtriniti] trojica

**trinket** [ˈtriŋkit] čačka

**trip** [trip] *v* 1. cupkať 2. *t. up/over* zakopnúť; *n* 1. výlet 2. zakopnutie

**tripe** [traip] 1. držky 2. nezmysel; *hovor.* hlúposť

**triple** [ˈtripl] trojitý

**tripod** [traipod] *fot.* statív
**trite** [trait] otrepaný, banálny
**triumph** [ˈtraiəmf] *n* triumf; *v* triumfovať
**triumphant** [traiˈampfənt] **1.** víťazný **2.** víťazoslávny
**trivial** [ˈtriviəl] obyčajný, bezvýznamný
**trod** *see* **tread***
**trolley** [ˈtroli] *(servírovací, nákupný)* vozík; drezina; *AmE* električka
**trolleybus** [ˈtrolibas] trolejbus
**troops** [tru:ps] *pl.* vojsko, oddiely
**trophy** [ˈtrəufi] trofej, korisť
**tropic** [ˈtropik] obratník
**tropical** [ˈtropikəl] tropický
**tropics** [ˈtropiks] *pl.* trópy
**trot** [trot] *n* klus; *v* klusať
**trouble** [ˈtrabl] *n* **1.** neklud **2.** starosť, ťažkosť **3.** bolesť **4.** námaha; *v* obťažovať, trápiť, hnevať; *have t. with* mať problémy s niečím
**troublemaker** [ˈtrablˌmeikə] ten, kto spôsobuje ťažkosti, problematický človek
**troubleshooter** [ˈtrablˌšu:tə] ten, kto urovnáva spory, vyjednávač
**troublesome** [ˈtrablsəm] nepríjemný, rušivý

**trough** [tro(:)f] koryto *(nádoba)*
**trouser suit** [ˈtrauzəˈsjuit] nohavicový kostým; *t-wear* nohavice
**trousers** [ˈtrauzəs] *pl.* nohavice
**trousseau** [ˈtru:səu] výbava *(nevesty)*
**trout** [traut] pstruh
**truck** [trak] nákladný vagón; *AmE* nákladné auto
**true** [tru:] **1.** verný **2.** pravdivý **3.** naozajstný; *it is t.* to je pravda; *come t.* vyplniť sa, uskutočniť sa
**truffle** [trafl] *bot.* hľuzovka *(huba)*
**truly** [ˈtru:li]: *yours t.* s úctou váš *(na záver listu)*
**trump** [tramp] **1.** tromf **2.** dobráčisko **3.** trúbenie
**trumpery** [ˈtrampəri] gýč, brak
**trumpet** [ˈtrampit] trúbka
**truncate** [ˈtraŋkeit] odseknúť, skrátiť
**truncheon** [ˈtrančən] obušok
**trunk** [traŋk] **1.** kmeň **2.** trup **3.** chobot *(slona)* **4.** kufor *(lodný)*
**trunk road** hlavná dopravná tepna
**trunkcall** [traŋkko:l] medzimestský telefónny hovor

**trunkline** [ˈtraŋklain] hlavná trať; hlavná linka

**trust** [trast] *n* **1.** dôvera **2.** trast; *v* **1.** *t. to* dôverovať **2.** *t. in* dúfať

**trustee** [trasˈti:] poverenec

**trustworthy** [ˈtrastˈwə:ði] dôveryhodný

**truth** [tru:θ] pravda

**truthful** [ˈtru:θful] pravdivý; pravdovravný

**try** [trai] **1.** *t. to* pokúsiť sa **2.** *t. for* snažiť sa **3.** vyskúšať **4.** súdiť; *t. on* skúšať *(šaty)*

**T-shirt** [ˈti:šə:t] tričko

**tub** [tab] **1.** džbán **2.** vaňa **3.** sud

**tube** [tju:b] **1.** trúbka, trubica, rúra **2.** hadica **3.** duša *(pneumatiky)* **4.** *the T.* podzemná dráha/metro v Londýne **5.** elektrónka

**tuberculosis** [tju(:)bə:kjuˈləusis] tuberkulóza

**tuck** [tak] zriasiť, založiť, zabrať *(látku); t. in(to)* s chuťou sa najesť

**Tuesday** [ˈtju:zdei] utorok

**tuft** [taft] chumáč

**tug** [tag] *v (prudko)* ťahať; *n* **1.** *(silné)* ťahanie; *a t. of war* preťahovanie lanom **2.** remorkér

**tuition** [tju(:)išən] vyučovanie; poplatky za vyučovanie

**tulip** [ˈtju:lip] tulipán

**tumble** [ˈtambl] rútiť sa, rozpadnúť sa

**tumbledown** [ˈtambldaun] (polo)rozpadnutý, na spadnutie

**tumbler** [ˈtamblə] pohár *(obyčajný)*

**tummy** [ˈtami] *hovor.* bruško

**tumultuous** [tju(:)ˈmaltjuəs] divý, búrlivý

**tuna** [tu:nə] tuniak

**tune** [tju:n] *n* melódia; *out of t.* rozladený, falošný; *v t. up* ladiť, naladiť; *t. into* naladiť na stanicu *(rádio)*

**tunnel** [tanl] tunel; *the Channel T.* tunel pod Kanálom La Manche

**turbid** [ˈtə:bid] **1.** zakalený, mútny **2.** zmätený, popletený

**turbine** [ˈtə:bin] turbína

**turbulent** [ˈtə:bjulənt] nepokojný; búrlivý

**tureen** [tjuˈri:n] polievková misa

**turf** [tə:f] **1.** trávnik **2.** rašelina **3.** *(the) t.* dostihy

**turkey 2** [ˈtə:ki] moriak

**Turkish** [ˈtə:kiš]: *T. bath* parný kúpeľ; *t. towel* froté uterák

**turmoil** [ˈtə:moil] vrava

**turn** [tə:n] *v* **1.** otočiť (sa), obrátiť (sa) **2.** dosiahnuť **3.**

menit, premieňať **4.** stať sa
*(niečím); t. red* očervenieť;
*t. off* vypnúť *(plyn ap.); t.
on* zapnúť *(plyn ap.); t. out*
vyhnať; *t. over* prevrátiť
(sa), listovať *(v knihe)*, po-
stúpiť niečo niekomu; *t.
up* vyhrnúť

**turncoat** [ˈtə:nkəut] odpad-
lík, prevracač kabátov

**twister** [ˈtwistə] tornádo

**turner** [ˈtə:nə] sústružník,
tokár

**turning point** [ˈtə:niŋpoint]
kritický bod

**turnip** [ˈtə:nip] repa *(biela)*

**turnover** [ˈtə:nˈəuvə] obrat
*(obchodný)*

**turpentine** [ˈtə:pəntain] ter-
pentín

**turquoise** [ˈtə:kwoiz] tyrkys,
tyrkysová farba

**turtle** [ˈtə:tl] korytnačka
*(vodná)*

**turtle dove** [ˈtə:tldav] hrd-
lička

**tusk** [task] kel, tesák

**tutor** [ˈtju:tə] **1.** vychováva-
teľ, súkromný učiteľ **2.**
školiteľ poslucháča

**tutorial** [tju(:)ˈto:riəl] kon-
zultácia s tútorom *(in-
štruktorom)*

**tuxedo** [takˈsi:dəu] smoking

**tweed** [twi:d] hrubá vlnená
látka

**tweezers** [ˈtwi:zəz] *pl.* pin-
zeta

**twelve** [twelv] dvanásť

**twenty** [ˈtwenti] dvadsať

**twice** [twais] dvakrát

**twig** [twig] vetvička

**twilight** [ˈtwailait] šero

**twinkle** [ˈtwiŋkl] **1.** mihotať
sa **2.** žmurkať

**twinning** [twiniŋ] družba

**twins** [twinz] *pl.* dvojčatá

**twirl** [twə:l] krútiť, točiť (sa)

**twist** [twist] *v* krútiť (sa),
stáčať (sa), zvinovať (sa)
**2.** prekrúcať; *n* **1.** zvitok
**2.** pokrivenie *(povahy)*

**twitter** [ˈtwitə] čvirikať, šte-
botať

**two** [tu:] dva

**type** [taip] *n* **1.** typ **2.** sym-
bol **3.** vzor **4.** písmo; *v* pí-
sať na stroji

**typewriter** [ˈtaipraitə] písací
stroj

**typhoid** [ˈtaifoid] *t. fever* tý-
fus

**typhoon** [taiˈfu:n] tajfún

**typical** [ˈtipikəl] typický

**typist** [ˈtaipist] pisár(ka) na
stroji

**typographical** [ˈtaipoˈgræ-
fikəl] typografický

**tyranny** [ˈtirəni] tyrania, ty-
ranstvo

**tyrant** [ˈtaiərənt] tyran

**tyre** [ˈtaiə] pneumatika

# U

**ubiquitous** [ju:ˈbikwitəs] všadeprítomný

**udder** [ˈadə] *zool.* vemeno

**UFO** [ˌjuːeˈfəu] *(= unidentified flying object)* UFO *(neurčený lietajúci predmet)*

**ugly** [ˈagli] škaredý, nepekný

**ulcer** [ˈalsə] vred

**ultimate** [ˈaltimit] konečný

**ultimatum** [ˈaltiˈmeitəm] ultimátum, posledné slovo

**ultimo** [ˈaltiməu] minulý mesiac; *the 20th u.* 20 minulý mesiac

**ultrasound** [ˈaltrəˈsaund] *n* ultrazvuk; *adj* nadzvukový

**umbilical cord** [ˈambilikl koːd] pupočná šnúra

**umbrella** [amˈbrelə] dáždnik

**umpire** [ampaiə] *šport.* rozhodca *(tenis)*

**un-** [an] predpona vyjadrujúca zápor

**unable** [anˈeibl] neschopný

**unacceptable** [ˈanəkˈseptəbl] neprijateľný

**unaccomplished** [ˈanəˈkompliš̌t] nedokončený

**unaccountable** [ˈanəˈkauntəbl] nevysvetliteľný

**unalterable** [anˈoːltərəbl] nemenný; nezmeniteľný

**unambiguous** [ˈanæmˈbigjuəs] jednoznačný, nedvojzmyselný

**unanimous** [juˈnæniməs] jednomyseľný

**unarmed** [anˈaːmd] neozbrojený

**unattained** [anˈəˈteind] nedosiahnuteľný

**unattainted** [ˈanəˈteintid] 1. nepoškvrnený, bezúhonný 2. nekontaminovaný

**unauthorised** [anˈoːθəraizd] neoprávnený

**unavoidable** [ˈanəˈvoidəbl] nevyhnutný

**unaware** [ˈanəˈweə] neznalý; *I was u. of it* nič som o tom nevedel, neuvedomil som si, nebol som si vedomý

**unawares** [ˈanəˈweəz] 1. neočakávane 2. neuvedomene

**unbalanced** [anˈbælənst] nevyrovnaný

**unbearable** [anˈbeərəbl] neznesiteľný

**unbeaten** [anˈbiːtn] neporazený, nepremožený, neprekonaný

**unbecoming** [anˈbikamiŋ]

**1.** nesvedčiaci *(napr. klo-búk)* **2.** *u. to/for* nevhodný, neprístojný

**unbelievable** [ˈanbiˈliːvəbl] neuveriteľný

**unbias(s)ed** [anˈbaiəst] nezaujatý, nepredpojatý

**unbroken** [anˈbrəukən] nezlomený; neprerušený

**unbutton** [anˈbatn] rozopnúť

**uncalled-for** [anˈkoːldˈfoː] nežiadúci; nevhodný

**unchangeable** [ˈančeidžebl] nepremeniteľný

**uncared-for** [anˈkeədfoː] zanedbaný, bez opatery

**uncertain** [anˈsəːtn] **1.** menlivý; nespoľahlivý **2.** *u. about/of* neistý

**unclaimed** [anˈkleimd] **1.** nevyžiadaný **2.** nedoručiteľný

**uncle** [aŋkl] strýc

**unclear** [anˈkliə] nejasný

**unclose** [ˈanˈkləuz] otvoriť (sa)

**uncomfortable** [anˈkamfətəbl] nepohodlný

**uncommon** [anˈkomən] neobyčajný, nezvyčajný

**uncommunicative** [ˈankəˈmjuːnikeitiv] nezhovorčivý, zamĺknutý

**uncompromising** [anˈkomprəmaiziŋ] nekompromisný, neústupný

**unconcerned** [ˈankənˈsəːnd] ľahostajný, bez záujmu; bezstarostný

**unconditional** [ˈankənˈdišənəl] bezpodmienečný, bezvýhradný

**unconfirmed** [ˈankonˈfəːmd] nepotvrdený, neschválený

**unconnected** [ˈankəˈnektid] nespojený, nesúvislý

**unconquerable** [anˈkoŋkərəbl] nepremožiteľný

**unconscious** [anˈkonšəs] **1.** neúmyselný **2.** v bezvedomí

**unconvinced** [ˈankənˈvinst] nepresvedčený

**uncord** [ˈanˈkoːd] rozviazať

**uncork** [ˈanˈkoːk] odzátkovať

**uncover** [anˈkavə] od(o)kryť, odhaliť

**uncut** [ˈanˈkat] nerozrezaný

**undamaged** [anˈdæmidžd] nepoškodený

**undaunted** [anˈdoːntid] smelý

**undecided** [andiˈsaidid] nerozhodnutý, váhavý

**undemanding** [andiˈmaːndiŋ] nenáročný

**undeniable** [ˈandiˈnaiəbl] nepopierateľný, nesporný

**under** [ˈandə] **1.** pod **2.** za, pri **3.** menej ako • *road u. repair* cesta sa opravuje

**underage** [andə'eidž] maloletý

**underarm** ['andəa:m] predlaktie

**undercharge** ['andə'ča:dž] málo účtovať

**underclothes** ['andəkləuðz] pl. spodná bielizeň

**underdeveloped** ['andədi'veləpt] nedostatočne vyvinutý, menej vyvinutý

**underdone** ['andə'dan] nedovarený, nedopečený

**underestimate** ['andər'estimeit] podceňovať

**underfed** ['andə'fed] podvyživený

**undergo*** ['andə'gəu] podrobiť sa niečomu, podstúpiť niečo

**undergone** see **undergo***

**undergraduate** ['andə'grædjuit] univerzitný študent, vysokoškolák

**underground** ['andə'graund] (n) the U. podzemná dráha, metro; adj podzemný; pod zemou

**underline** ['andə'lain] 1. podčiarknuť 2. zdôrazniť

**undermine** ['andə'main] 1. podmínovať 2. podkopať 3. u. by podlomiť

**underneath** ['andə'ni:θ] prep. pod; adj dole, naspodku

**underpass** ['andəpa:s] podchod; podjazd

**underpay** [andə'pei] n nízka/neadekvátna mzda; v málo platiť

**undersea** podmorský

**understand** ['andə'stænd] rozumieť, chápať; dozvedieť sa • make os. u-stood dorozumieť sa

**understanding** ['andə'stændiŋ] porozumenie, pochopenie

**understatement** [andə'steitmənt] nedostatočný údaj

**undertaking** ['andə'teikiŋ] 1. podujatie 2. pohrebný ústav

**underwear** ['andə'weə] spodná bielizeň

**underworld** ['andəwə:ld] podsvetie

**undeserved** ['andi'ze:vd] nezaslúžený

**undesirable** ['andi'zaiərəbl] nežiaduci

**undetermined** ['andi'tə:mind] nerozhodn(ut)ý

**undid** see **undo***

**undisciplined** [an'disiplind] nedisciplinovaný

**undo*** ['an'du:] 1. rozviazať 2. odčiniť

**undoing** ['an'du:iŋ] skaza

**undone** see **undo***

**undoubted** [an'dautid] ne-
pochybný
**undress** ['an'dres] vyzliecť
(sa) • *u-ed wound* neob-
viazaná rana
**undue** ['an'dju:] nevhodný
**undulate** ['andjuleit] vlniť sa
**undying** [an'daiŋ] večný,
nesmrteľný
**unearth** ['an'ə:θ] vykopať,
vyhrabať; *obr.* objaviť
**unearthly** ['an'ə:θli] nadpo-
zemský
**uneasy** [an'i:zi] **1.** nepoho-
dlný; *be u.* byť nesvoj **2.**
úzkostlivý
**uneducated** ['an'edjukeitid]
nevzdelaný
**unemployed** ['anim'ploid]
nezamestnaný
**unemployment** ['anim'plo-
imənt] nezamestnanosť;
*u. benefit* podpora v neza-
mestnanosti
**unendurable** ['anin'djuə-
rəbl] neznesiteľný
**unequal** ['an'i:kwəl] **1.** ne-
rovný **2.** neprimeraný
**uneven** [an'i:vn] **1.** nerovný
**2.** nepárny
**uneventful** ['ani'ventfl] jed-
notvárny, nudný
**unexpected** ['aniks'pektid]
neočakávaný
**unfailing** [an'feiliŋ] spoľah-
livý, neomylný

**unfair** [an'feə] nespravodli-
vý; *(v hre)* nepoctivý
**unfairness** [an'feənis] ne-
slušnosť, nečestnosť
**unfaithful** ['an'feiθful] ne-
verný
**unfaltering** [an'fo:ltəriŋ] ne-
otrasiteľný
**unfamiliar** [anfə'miliə] ne-
známy
**unfavourable** ['an'feivərəbl]
nepriaznivý
**unfinished** [an'finišt] nedo-
končený
**unfit** [an'fit]: *u. for* nevhod-
ný, nesúci
**unfold** [an'fəuld] roztvoriť
sa, rozvinúť (sa), odhaliť
**unforgettable** [anfə'getəbl]
nezabudnuteľný
**unforgivable** [anfə'givəbl]
neodpustiteľný
**unfortunate** [an'fo:čnit] ne-
šťastný
**unfortunately** [an'fo:čnitli]
bohužiaľ, naneštastie
**unfriendly** [an'frendli] ne-
priateľský
**unfurnished** [an'fə:ništ] ne-
zariadený
**ungrateful** [an'greitful] ne-
vďačný
**unhandy** [an'hændi] neši-
kovný
**unhappy** [an'hæpi] nešťast-
ný

**unharmed** [anˈhaːmd] ne-
zranený, nepoškodený
**unhealthy** [anˈhelθi] ne-
zdravý
**unheard-of** [anˈhəːdˈov] ne-
slýchaný
**unhook** [anˈhuk] zvesiť
*(z vešiaka, z háku),* rozo-
pnúť háčik
**unhurt** [anˈhəːt] nezranený,
nepoškodený
**unicorn** [ˈjuːnikoːn] jedno-
rožec
**uniform** [ˈjuːnifoːm] *n* uni-
forma; *adj* jednotný, rov-
naký
**unify** [ˈjuːnifai] zjednotiť
**uninhabited** [ˈaninˈhæbitid]
neobývaný
**unintelligible** [ˈaninteli-
džəbl] nepochopiteľný
**unintentional** [ˈaninˈtenšənl]
nezámerný
**uninterested** [anˈintristid]
nezaujímavý; nezúčast-
nený
**uninterrupted** [ˈanˈintəˈrap-
tid] neprerušený
**union** [ˈjuːnjən] **1.** jednota;
zväz **2.** odborová orga-
nizácia
**Union Jack** [junjən džæk]
zástava Veľkej Británie
**unionist** [juːnjənist] odborár
**unique** [juːˈniːk] jedinečný
**unit** [ˈjuːnit] jednotka; ce-

lok; *(various) kitchen u-s*
jednotlivé kusy kuchyn-
ského zariadenia; *u. furni-
ture* sektorový nábytok
**unite** [juːˈnait] spojiť, zjed-
notiť (sa)
**United Kingdom of Great
Britain and Northern Ire-
land** Spojené kráľovstvo
Veľkej Británie a Severné-
ho Írska
**United States of America**
Spojené štáty americké
**unity** [ˈjuːniti] jednota; zho-
da
**universal** [juːniˈvəːsəl] všeo-
becný, univerzálny
**universe** [ˈjuːnivəːs] vesmír
**university** [ˈjuːniˈvəːsiti] uni-
verzita
**unjust** [ˈanˈdžast] nespra-
vodlivý
**unjustified** [anˈdžastifaid]
neopodstatnený, ne-
oprávnený
**unjustly** [anˈdžastli] neprá-
vom
**unkempt** [anˈkemt] roztra-
patený; neupravený
**unkind** [anˈkaind] neláska-
vý, zlý
**unknown** [ˈanˈnəun] nezná-
my
**unleaded** [anˈledid] bez-
olovnatý
**unless** [ənˈles] ak nie

**unlike** [ˈanˈlaik] *adj* nepodobný; *prep.* na rozdiel od

**unlikely** [anˈlaikli] nepravdepodobný

**unlimited** [anˈlimitid] neobmedzený

**unlisted** [anlistid] neuvedený v (tel.) zozname

**unload** [anˈləud] vyložiť *(náklad)*

**unlock** [ˈanˈlok] odomknúť

**unlucky** [anˈlaki] nešťastný; *hovor.* be u. mať smolu

**unmanned** [anˈmænd] bez posádky

**unmarried** [ˈanˈmærid] slobodný, neženatý, nevydatá

**unmoved** [anˈmu:vd] nepohnutý

**unnatural** [anˈnæčrəl] neprirodzený

**unnecessary** [anˈnesəsəri] zbytočný, nepotrebný

**unnerve** [anˈnə:v] vyviesť z rovnováhy

**unnoticed** [anˈnəutist] bez povšimnutia

**unobservant** [anəbˈzə:vənt] nevšímavý

**unobtainable** [ˈanəbˈteinəbl] nedosažiteľný

**unoccupied** [anˈokjupaid] neobsadený; nezamestnaný

**unpack** [anˈpæk] vybaliť, rozbaliť

**unpalatable** [anˈpælətəbl] nechutný

**unparalleled** [anˈpærəleld] bezpríkladný

**unpardonable** [anˈpa:dənəbl] neodpustiteľný

**unpleasant** [anˈpleznt] nepríjemný

**unplug** [anˈplag] vytiahnuť zo zástrčky, odpojiť

**unpopular** [anˈpopjulə] nepopulárny, neobľúbený

**unpractical** [anˈpræktikəl] nepraktický

**unprecedented** [anˈpresidəntid] bezpríkladný

**unprejudiced** [anˈpredžudist] nezaujatý; bez predsudkov

**unprepared** [ˈanpriˈpeəd] nepripravený

**unpretending** [ˈanpriˈtendiŋ] skromný; nepredstierajúci

**unprofitable** [anˈprofitəbl] nevýhodný, nevýnosný

**unqualified** [ˈanˈkvolifaid] nekvalifikovaný

**unravel** [anˈrævəl] rozmotať, rozpárať; rozlúštiť

**unreadable** [anˈri:dəbl] nečitateľný

**unreal** [anˈriəl] neskutočný

**unreasonable** [anˈriːzənəbl] nerozumný

**unreliable** [ˈanriˈlaiəbl] nespoľahlivý

**unrest** [anˈrest] nepokoj

**unrestricted** [ˈanriˈstriktid] neobmedzený

**unripe** [anˈraip] nezrelý

**unrivalled** [anˈraivəld]: *u. in* bez konkurencie, bez súpera

**unsafe** [anˈseif] nebezpečný

**unsaid** [anˈsed] nevyslovený

**unsanitary** [anˈsænitəri] nehygienický

**unsatisfactory** [ˈanˈsætisˈfæktəri] neuspokojivý

**unsavoury** [anˈseivəri] nechutný, bez chuti

**unseen** [anˈsiːn] nevídaný

**unselfish** [ˈanˈselfiš] nesebecký

**unsettled** [ˈanˈsetld] 1. nestály 2. nezaplatený 3. nevybavený

**unshaven** [ˈanˈšeivn] neoholený

**unshrinkable** [ˈanˈšriŋkəbl] nezbiehajúci sa *(napr. pri praní)*

**unskilled** [anˈskild] nekvalifikovaný

**unsociable** [anˈsəušəbl] nespoločenský

**unsold** [anˈsəuld] nepredaný

**unsolicited** [ansəˈlisitid] nežiadaný

**unspoiled** [anˈspoilt] nepokazený; nerozmaznaný

**unstable** [anˈsteibl] nestály

**unsteady** [ˈanˈstedi] nestály, nepevný

**untainted** [anˈteintid] 1. neskazený 2. *pren.* čistý, bezúhonný

**untidy** [anˈtaidi] neporiadny; neupravený

**until** [ənˈtil] *prep.* až do; *conj.* kým

**untimely** [anˈtaimli] predčasný, nevhodný

**untiring** [anˈtaiəriŋ] neúnavný

**unusual** [anˈjuːžuəl] neobyčajný; nezvyčajný

**unveil** [anˈveil] odhaliť *(sochu, spiknutie ap.)*.

**unwelcome** [anˈwelkəm] nevítaný

**unwell** [ˈanˈwel] nezdravý; *I am u.* je mi zle od žalúdka

**unwilling** [ˈanˈwiliŋ] neochotný

**unwind*** [anˈwaind] odkrútiť, odvíjať sa, plynúť

**unworthy** [anˈwəːði] nehodný; nedôstojný

**unwrap** [anˈræp] vybaliť

**unyielding** [anˈjiːldiŋ] nepoddajný, neústupčivý

**up** [ap] *adv* hore; *up and down* hore-dolu; *prep.* hore, do

**upbringing** [ˈapˈbriŋiŋ] vychovávanie

**upcoming** [ˈapkamiŋ] nastávajúci, blížiaci sa, nový

**update** [apˈdeit] aktualizovať, modernizovať

**upgrade** [apˈgreid] povýšiť, vylepšiť

**upheaval** [apˈhi:vəl] **1.** prevrat **2.** *geol.* zdvihnutie

**upholster** [apˈhəulstə] (vy)čalúniť

**upholsterer** [apˈhəulstərə] čalúnnik

**upkeep** [ˈapki:p] údržba

**up-market** výberový, prvotriedny *(tovar)*

**upon** [əˈpon] = on; *u. my word* čestné slovo; *once u. a time* kde bolo tam bolo; *u. the whole* vcelku

**upper** [ˈapə] horný, vrchný; *u. arm* rameno; *u. brain* veľký mozog

**upright** [ˈaprait] **1.** vzpriamený; priamy **2.** poctivý

**uprising** [apˈraiziŋ] povstanie

**uproar** [ˈapro:] **1.** vrava **2.** pobúrenie

**uproot** [apˈru:t] vykoreniť, vykynožiť

**upset** [apˈset] **1.** prevrátiť

(sa), prevrhnúť **2.** rozrušiť (sa)

**upside-down** [ˈapsaidˈdaun] hore nohami, obrátene

**upstairs** [apˈsteəz] hore, hore po schodoch; [ˈapsteəz] na prvom poschodí

**upstart** [ˈapsta:t] povýšenec

**upstream** [apˈstri:m] proti prúdu

**uptake** [ˈapteik]: *quick/slow on the u.* rýchlo/pomaly chápať

**uptight** [aptait] nervózny, vydesený

**up-to-date** [ˈaptəˈdeit] moderný

**upturn** [apˈtə:n] *ekon.* rozmach, vzostup

**upward** [ˈapwəd] stúpajúci, smerujúci hore

**upwards** [ˈapwədz] hore; *u. of* viac ako

**uranium** [juəˈreiniəm] urán

**urban** [ˈə:bən] mestský

**urge** [ə:dž]: *u. on/onward/forward* nabádať, naliehať, poháňať, povzbudzovať; *upon* presviedčať

**urgent** [ˈə:džənt] naliehavý

**urinate** [ˈjuərineit] močiť

**urine** [ˈjuərin] moč

**urn** [ə:n] urna

**us** [as, əs] nám, nás; nami

**usage** [ˈju:sidž] **1.** užívanie **2.** zvyk

**use** [ju:s] *n* **1.** užívanie, použitie **2.** úžitok; *it is of no u.* to je na nič; *it is no u. talking* nemá zmysel o tom hovoriť; *v* [ju:z] **1.** užívať; použiť **2.** *u. up* spotrebovať; *I u-d to see him often* často som ho vídal

**used** [ju:st] **1.** zvyknutý; *you will soon get u. to it* na to si čoskoro zvykneš **2.** [ju:zd] opotrebovaný, starý

**useful** [ˈju:sful] užitočný; *hovor.* schopný

**useless** [ˈju:slis] neužitočný, zbytočný; márny

**user guide** [ˈju:zəgaid] návod na obsluhu

**userer** [ˈju:zərər] úžerník

**usery** [ˈju:zəri] úžerníctvo

**usher** [ˈašə] *n* uvádzač (*v kine*); *v* uviesť, ohlásiť

**usual** [ˈju:žuəl] obvyklý, zvyčajný; *as u.* ako obvykle

**usurp** [ju:ˈzə:p] uchvátiť

**utensil** [ju:ˈtensl] riad, potreba pre domácnosť; *writing u-s* písacie potreby

**utility** [ju:ˈtiliti] užitočnosť, prospešnosť; *public u-ies* komunálne/verejné služby

**utilize** [ˈju:tilaiz] využiť, zužitkovať

**utmost** [atməust] *n pren.* vrchol; maximum; *at the u.* nanajvýš; *do so. u.* snažiť sa zo všetkých síl; *adj* krajný, vrcholný

**utter** [ˈatə] *adj* úplný, číry; *u. havoc* úplný blázinec *v* **1.** vydať (*zvuk*) **2.** vyjadriť, vysloviť

**utterly** [ˈatəli] celkom, úplne

**U-turn** [ˈju:tə:n] obrat o 180˚; *motor.* obrat do protismeru (*aj názorovo*)

**UV (= ultraviolet)** [altrəˈvaiolet] ultrafialový

# V

**vacancy** [ˈveikənsi] **1.** prázdnota **2.** voľné miesto

**vacant** [ˈveikənt] prázdny, voľný

**vacate** [vəˈkeit] **1.** vyprázdniť **2.** vzdať sa vlastníctva

**vacation** [vəˈkeišn] **1.** vyprázdnenie; **2.** prázdniny; *be on v.* tráviť prázdniny

**vaccinate** [ˈvæk-sineit]: *v. against sth.* očkovať

**vaccine** [ˈvæksi:n] vakcína, očkovacia látka

**vacuum bottle** ['vækjuəm- botl] termoska

**vacuum cleaner** ['vækjuəm- kli:nə] vysávač

**vacuum packed** vákuovaný, vákuovo zabalený

**vagrant** ['veigrənt] *n* tulák; *adj* potulný

**vague** [veig] neurčitý, hmlistý

**vain** [vein] 1. márny 2. *of* v. márnivý; *v. in* márne, na- darmo

**vale** [veil] údolie

**valentine** ['væləntain] ľu- bostný lístok, valentínka

**valid** ['vælid] platný, právo- platný

**validity** ['vælidəti] platnosť

**valley** ['væli] údolie

**valuable** ['væljuəbl] cenný, hodnotný

**valuables** ['væljuəblz] *pl.* cennosti, šperky

**valuation** ['vælju'eišən] ohodnotenie, ocenenie, odhad

**value** ['væ'lju:] *n* hodnota; *surplus* v. nadhodnota; cena; *v. added tax* DPH; *v* 1. oceniť, odhadnúť 2. vážiť si, ceniť si

**valve** [vælv] 1. záklopka 2. ventil 3. elektrónka 4. chlopňa

**vampire** ['væmpaiə] upír

**van** [væn] dodávkový voz, vozeň *(nákladný)*

**vandalism** ['vændəlizm] barbarstvo, vandalizmus

**vanguard** ['vænga:d] pred- voj

**vanilla** [və'nilə] vanilka

**vanish** ['væniš] miznúť, roz- plynúť sa

**vanity** ['væniti] 1. márni- vosť 2. domýšľavosť 3. *v. bag/case* kozmetická taška

**vanquish** ['vænkwiš] pre- môcť, zdolať, zvíťaziť

**vapid** ['væpid] bez chuti; nezaujímavý; *v. conversa- tion* prázdne reči

**vaporisation** ['veipərai'zei- šən] odparovanie, vypa- rovanie

**vapour** ['veipə] para; ľahká hmla

**variable** ['veəriəbl] *n mat.* premenná veličina; *adj* premenlivý, nestály

**varicose veins** ['værikəus veinz] *pl.* kŕčové žily

**variety** [və'raiəti] 1. rozma- nitosť; *v. show* variété 2. *biol.* odroda

**various** ['veəriəs] rôzny, rozličný

**varnish** ['va:niš] *n* lak, náter; *v* nalakovať

**vary** ['veəri] 1. meniť sa 2. kolísať

**vase** [va:z] váza

**vast** [va:st] obrovský, nesmierny

**vat** [væt] kaďa, sud

**vault** [vo:lt] 1. klenba 2. krypta

**vaulting horse** [ˈvo:ltiŋho:s] kôň (v telocvični)

**veal** [vi:l] teľacie mäso

**vegetable** [ˈvedžitəbl] n zelenina; pl. rastlinný, zeleninový

**vegetation** [ˌvedžiˈteišn] rastlinstvo, vegetácia

**vehicle** [ˈvi:ikl] vozidlo, dopravný prostriedok

**veil** [veil] n závoj; v zahaliť

**vein** [vein] 1. žila 2. nálada

**velocity** [viˈlositi] rýchlosť, v. of light rýchlosť svetla

**velvet** [ˈvelvit] zamat

**venal** [ˈvi:nəl] predajný, úplatný, korupčný

**vendor** [ˈvendo:] predajca, obchodník

**vending machine** automat

**veneer** [veˈni:ə] 1. dyha 2. pozlátka (predstieraná úctivosť)

**venerable** [ˈvenərəbl] úctyhodný, ctihodný

**venereal** [viˈniəriəl] pohlavný

**vengeance** [ˈvendžəns] pomsta; with a. v. veľmi energicky

**venison** [venizn] zverina (mäso)

**venom** [ˈvenəm] jed (hadí); with v. nenávistne

**venomous** [ˈvenəməs] otravný, jedovatý

**vent** [vent] otvor, prieduch; give v. to sth. dať niečomu voľný priechod

**ventilate** [ˈventileit] 1. vetrať 2. pretriasať (otázku)

**ventricle** [ˈventrikl] komora (srdca), dutina

**venture** [ˈvenčə] n podnik, projekt; v odvážiť sa; riskovať

**venue** [ˈvenju:] 1. miesto konania 2. rande

**Venus** [ˈvi:nəs] Venuša

**veracity** [vəˈræsəti] pravdivosť, vierohodnosť

**veranda(h)** [vəˈrændə] veranda

**verb** [və:b] sloveso

**verbal** [ˈvə:bl] 1. ústny 2. doslovný 3. slovesný

**verdict** [ˈvə:dikt] rozsudok, konečný názor

**verdure** [ˈvə:džə] (svieža) zeleň

**verge** [və:dž] n okraj (napr. cesty); on the v. of sth. na pokraji niečoho; v 1. kloniť sa 2. v. on hraničiť

**verify** [ˈverifai] overiť, potvrdiť (správnosť)

**verification** [verifi'keišn] overenie, preskúšanie

**veritable** ['veritəbl] pravý, naozajstný

**vermin** ['və:min] **1.** škodná zver **2.** hmyz *(parazit)* **3.** háveď *(ludia)*

**versatile** ['və:sətail] mnohostranný *(činnosť)*

**verse** [və:s] **1.** verš **2.** strofa

**version** [və:šn] **1.** preklad **2.** verzia

**vertebra** ['və:tibrə] stavec

**vertical** ['və:tikəl] *n* kolmica; *adj* kolmý, zvislý

**vertigo** ['və:tigəu] závrat

**verve** [və:v] elán, energia

**very** [veri] *adv* veľmi; *adj* pravý; *that is the v. thing we want* to je práve to, čo potrebujeme

**vessel** [vesl] **1.** nádoba **2.** plavidlo, loď

**vest** [vest] *n* **1.** vesta **2.** tričko, košeľa

**vet** [vet] *abbr.* veterinár, zverolekár

**veteran** ['vetərən] veterán, vyslúžilec

**veterinary** ['veterinəri] zverolekársky; *v. surgeon* veterinár

**veto** ['vi:təu] *n* veto; znemožnenie uskutočniť niečo; *v* zabrániť uskutočneniu

**vex** [veks] trápiť, sužovať, hnevať

**vexation** [vek'seišn] trápenie, súženie

**via** ['vaiə] *(smerom)* cez, prostredníctvom

**viability** [vaiə'biləti] životnosť

**vibrate** [vai'breit] chvieť sa, kmitať

**vice** [vais] **1.** neresť **2.** miesto-, vice- **3.** zverák

**vice-chairman** námestník, podpredseda

**vice-chancellor** rektor univerzity

**viceroy** ['vaisroi] miestokráľ

**vice versa** [vaisi'və:sə] naopak, obrátene

**vicinity** [vi'siniti] susedsvo; blízkosť

**vicious** ['višəs] **1.** brutálny **2.** zlomyseľný; *v. circle* začarovaný kruh

**vicissitude** [vi'sisitju:d] nestálosť, premenlivosť

**victim** ['viktim] obeť

**victorious** [vik'to:riəs] víťazný

**victory** ['viktəri] víťazstvo, výhra

**victuals** ['vitlz] *pl. zast.* potraviny, jedlo

**view** [vju:] *n* **1.** prehliadka **2.** pohľad **3.** názor; *point of v.* stanovisko, hľadisko; *v* **1.** prezrieť si **2.** pozerať

na niečo; mať názor na niečo
**vigilance** [ˈvidžiləns] bdelosť, ostražitosť
**vigorous** [ˈvigərəs] silný, energický, prudký, vášnivý
**vigour** [ˈvigə] sila, energickosť
**vile** [vail] podlý, nízky
**village** [ˈvilidž] dedina
**villain** [ˈvilən] darebák, lotor
**vine** [vain] vínna réva, vinič
**vinegar** [ˈvinigə] ocot
**vineyard** [ˈvinjəd] vinica, vinohrad
**vintage** [ˈvintidž] 1. n vinobranie 2. ročník (vína), rok výroby (auta); adj 1. starodávny 2. akostný, kvalitný
**violate** [ˈvaiəleit] 1. porušiť 2. znesvätiť 3. znásilniť
**violence** [ˈvaiələns] 1. prudkosť 2. násilie; násilnosť
**violent** [ˈvaiələnt] 1. prudký 2. násilný, násilnícky
**violet** [ˈvaiəlit] n fialka; adj fialový
**violin** [ˈvaiəˈlin] husle, v. clef husľový kľúč
**violinbow** husľový slák
**violinist** [ˈvailinist] huslista
**violoncello** [ˈvaiələnˈčeləu] violončelo

**viper** [ˈvaipə] zmija
**viral** [ˈvairəl] vírusový; v. infection vírusová infekcia
**virgin** [ˈvəːdžin] n panna; adj panenský, v. tape nepoužitá páska, v. paper nepoužitý papier
**virginity** [vəˈdžənəti] nevinnosť, panenstvo/panictvo
**virtual** [ˈvəːtjuəl] skutočný, v. reality zdanlivá realita
**virtually** prakticky, fakticky
**virtue** [ˈvəːtjuː] 1. cnosť 2. účinnosť; moc
**virtuoso** [ˈvəːtjuˈəuzəu] virtuóz
**virtuous** [ˈvəːtjuəs] cnostný, poctivý
**virus** [vairəs] vírus (aj v počítači)
**virulent** [ˈvirulənt] prudký, prudko nákazlivý
**visa** [ˈviːzə] vízum; get so. passport v-ed before going to Poland dostať vízum do Poľska
**visibility** [ˈviziˈbiliti] viditeľnosť; poor v. slabá viditeľnosť
**visible** [ˈvizəbl] viditeľný
**vision** [vižn] 1. zrak 2. videnie, vízia 3. field of v. zorné pole
**visit** [ˈvizit] n návšteva; v navštíviť

**visiting card** vizitka, navští-
venka
**visitor** [ˈvizitə] návštevník;
*health v.* opatrovník/-čka
**visual** [ˈvizjuəl] 1. zrakový
2. viditeľný; *v. angle* zor-
ný uhol; *v. arts* výtvarné
umenie
**visual aids** optické pomôcky
**visualise** [ˈvizjuəlaiz] pred-
staviť si
**vital** [vaitl] 1. nevyhnutný
2. životne dôležitý 3. roz-
hodujúci
**vitality** [vaiˈtæliti] života-
schopnosť, vitalita
**vitamin** [ˈvitəmin] vitamín
**viva voce** [vaivəˈvəuči] úst-
na skúška; obhajoba
**vivid** [ˈvivid] živý, jasný, čulý
**vivify** [ˈvivifai] oživiť
**vixen** [ˈviksn] 1. líška *(suka);*
2. hádavá žena, fúria
**vocabulary** [vəˈkæbjuləri]
1. slovníček 2. slovná zá-
soba
**vocal** [ˈvəukəl] hlasový; *v.
chords* hlasivky
**vocation** [vəuˈkeišn] povo-
lanie; *náb.* poslanie
**vocational** týkajúci sa po-
volania
**vocational advisor** výchov-
ný poradca *(v škole)*
**vocational disease** choroba
z povolania

**vocational school** odborná
škola, učňovská škola
**vogue** [vəug] obľuba; mó-
da; *be in v.* byť v móde,
stať sa populárnym
**voice** [vois] 1. hlas 2. *gram.*
slovesný rod; *give v. to*
vyjadriť sa o
**voice mail service** [vois
meil səːvis] hlasová pošta
**void** [void] prázdny, pustý;
*null and v.* neplatný
**volatile** [ˈvolətail] prchavý;
nestály *(človek)*
**volcanic eruption** výbuch
sopky
**volcano** [volˈkeinəu] sopka
**volley** [ˈvoli] 1. salva 2. od-
razenie lopty, volej
**volleyball** [ˈvolibɔːl] volej-
bal
**voltage** [ˈvəultidž] elektric-
ké napätie
**volte-face** [voltˈfaːs] úplná
zmena názorov, obrat
o 180°
**voluble** [ˈvoljubl] zhovorči-
vý; veľavravný
**volume** [ˈvoljum] 1. zväzok
*(knihy)* 2. objem 3. hlasi-
tosť; *v. control* ovládanie
hlasitosti
**voluntary** [ˈvoləntəri] dob-
rovoľný; *v. work* brigáda;
*v. settlement* mimosúdne
urovnanie sporu

**volunteer** [ˈvolənˈtiə] n dobrovoľník; v dobrovoľne sa hlásiť

**vomit** [ˈvomit] n zvratky, v zvracať, dáviť

**voracious** [voˈreišəs] žravý, hltavý

**vote** [vəut] n **1.** hlasovanie **2.** hlasovacie právo **3.** hlas (vo voľbách) **4.** hlasovací lístok; v. for/against hlasovať za/proti; v. down/out zamietnuť

**vote of (no) confidence** vyjadrenie (ne)dôvery

**vouch** [vauč] v. for sth. ručiť, zaručiť sa za niečo

**voucher** [ˈvauəč] **1.** záruka **2.** poukaz; luncheon v. stravný lístok

**vow** [vau] n (slávnostný) sľub, prísaha; v (slávnostne) sľúbiť; take a v. zložiť sľub

**vowel** [ˈvauəl] samohláska

**voyage** [voidž] plavba, cesta

**vulgar** [ˈvalgə] vulgárny, nevychovaný; v. fractions zlomky

**vulnerable** [ˈvalnərəbl] zraniteľný

**vulture** [ˈvalčə] zool. sup; (obr. aj o ľudoch)

# W

**wad** [wod] n vypchávka; v **1.** vypchať **2.** zapchať

**wadded jacket** [ˈwodid ˈdžækit] prešívaný kabátik

**wade** [weid] brodiť sa

**wafer** [ˈweifə] oblátka

**waffle** [wofl] **1.** AmE oblátka **2.** táranie, drístanie

**wag** [wæg] vrtieť (sa); w. the tail vrtieť chvostom (pes); w. so. finger hroziť prstom

**wage** [weidž] **1.** viesť (vojnu) **2.** mzda

**wages** [ˈweidžis] pl. mzda;

living w. existenčné minimum

**wagecut** [ˈweidžˈkat] zníženie miezd

**wage earner** [ˈweidžˈəːnə] námedzný robotník, živiteľ (rodiny)

**waggle** vrtieť chvostom/bokmi; hroziť prstom

**wag(g)on** [ˈwægən] nákladný voz, vagón

**wail** [weil] n nárek; (v) w. for kvíliť, nariekať

**waist** [weist] driek, pás

**waistcoat** [ˈwestkət, ˈweis(t)kəut] vesta

**waist-deep** [ˈweistdiːp] po pás *(vo vode)*

**wait** [weit] **1.** *for* čakať *(na); lie in w. for* striehnuť **2.** *w. up/on* obsluhovať **3.** *w. out* čakať na koniec **4.** *w. up for* zostať hore, bdieť; *this can w. until* to môže čakať; *w. so. turn* čakať kým príde na rad

**wait-and-see** opatrne

**waiter** [ˈweitə] čašník

**waiting list** čakacia listina, poradovník

**waiting-room** [ˈweitiŋruːm] čakáreň

**waive** [weiv] zrieknuť sa, upustiť od niečoho

**wake¹\*** [weik] **1.** *w. up* zobudiť sa, precitnúť

**wake²** [weik] **1.** stopa za lodou, brázda **2.** *in the w. of* po *(niekom)*

**wakeful** [ˈweikful] bdelý; *pass a w. night* prebdieť noc

**waken** [ˈweikən] zobudiť (sa)

**walk** [woːk] *n* **1.** prechádzka **2.** chôdza; *go for a w.* ísť na prechádzku; *v* **1.** ísť pešo; chodiť, prechádzať sa **2.** *AmE w. out* začať štrajk **3.** *w. sb. home* odprevadiť niekoho domov **4.** *w. off so. feet* unaviť sa

**walker** [ˈwoːkə] chodec, *(peší)* turista

**walkie-talkie** [ˈwoːkiˈtoːki] príručná vysielačka

**walkway** [ˈwoːkwei] chodník, cestička v záhrade

**wall** [woːl] múr, stena, hradba • *drive sb. up the w.* rozzúriť niekoho do nepríčetnosti • *go up the w.* rozhnevať sa

**wall chart** nástenná mapa, diagram

**wall-to-wall carpeting** koberec od steny po stenu

**wallet** [ˈwolit] náprsná taška *(pánska)*

**wallow** [ˈwoləu] *n* bahnisko; *v* váľať sa

**wallpaper** [ˈwoːlpeipə] tapeta

**walnut** [ˈwoːlnət] *(vlašský)* orech

**walrus** [ˈwoːlrəs] mrož

**waltz** [woːls] valčík

**wan** [won] **1.** poblednutý **2.** bledý *(svetlo, obloha)*

**wander** [ˈwondə] putovať, blúdiť, *w. off* zatúlať sa

**wane** [wein] ubúdať, zmenšovať sa

**want** [wont] *n* **1.** nedostatok **2.** núdza **3.** potreba; *be in w. of* potrebovať; *v* **1.** potrebovať **2.** chcieť **3.** *w. of trying* nepokúsiť sa

**war** [wo:] *n* vojna; *adj* vojnový

**ward** [wo:d] **1.** poručníctvo, tútorstvo **2.** mestská štvrť **3.** nemocničná izba; *keep watch and w.* strážiť a chrániť

**warden** [ˈwo:dn] **1.** strážca **2.** správca v študentskej nocľahárni; *traffic w.* dopravný strážnik

**warder** [ˈwo:də] dozorca *(väzenský)*

**wardrobe** [ˈwo:drəub] **1.** šatník, skriňa **2.** garderóba

**wares** [weəz] *pl.* tovar

**warehouse** [ˈweəhaus] **1.** skladisko **2.** obchodný dom

**warfare** [ˈwo:feə] vojnový stav; *guerilla w.* partizánska vojna

**warily** [weərili] obozretne

**warm** [wo:m] *adj* **1.** teplý **2.** srdečný; *v* hriať; *w. up* zohriať (sa), rozcvičiť (sa)

**warm-hearted** dobrosrdečný, veľkorysý

**warmonger** [ˈwo:ˈmaŋgə] vojnový štváč

**warmth** [wo:mθ] **1.** teplo **2.** srdečnosť

**warn** [wo:n] **1.** upozorniť **2.** varovať; *w. off* odradiť; odvrátiť

**warn light** výstražné svetlo

**warn triangle** výstražný trojuholník

**warning** [ˈwo:niŋ] **1.** upozornenie, varovanie **2.** výstraha **3.** ponaučenie *(lekcia)*

**warrant** [ˈworənt] *n* **1.** *w. for* oprávnenie; plná moc **2.** zatykač; *v* **1.** oprávniť **2.** zaručiť

**warranty** [ˈworənti] garancia, záruka; *it's under w.* je to v záruke; *w. certificate* záručný list

**warrior** [ˈworiə] bojovník; *the Unknown W.* neznámy vojak

**warship** [ˈwo:šip] vojnová loď

**wart** [wo:t] bradavica

**wary** [ˈweəri] ostražitý, obozretný

**was** *see* **be**\*

**wash** [woš] *v* **1.** umývať (sa) **2.** prať **3.** *w. off/out/ away* zmyť; vymliať *(prúdom vody)* **4.** *w. up* umývať riad; *n* **1.** pranie, umývanie **2.** pomyje; *be w-ed out* vyčerpaný

**washable** [ˈwošəbl] prací *(šaty, látka)*, umývateľný

**wash-and-wear** [ˈwošən-weə] rýchloschnúci, nežehlivý

**washbasin** [ˈwošbeisn] umývadlo
**washing** [ˈwošiŋ] bielizeň
**washing-up liquid** prostriedok na umývanie riadu
**washout** [ˈwošaut] fiasko, skrachovaná existencia *(osoba)*
**wash-tub** [ˈwoštab] koryto *(na pranie)*
**wasp** [wosp] *zool.* osa
**waste** [weist] *n* **1.** mrhanie, plytvanie **2.** odpadok **3.** púšť *v;* **1.** mrhať, plytvať, márniť **2.** spustošiť; *w. away* chradnúť; *adj* **1.** pustý **2.** odpadový
**wasteland** púšť, pustatina, úhor *(neobrobené pole)*
**wasteful** [ˈweistful] márnotratný; nehospodárny
**waste-paper basket** [ˈweistˈpeipəˈbaːskit] kôš na odpadky
**waste pipe** odtok
**watch** [woč] *n* **1.** hodinky **2.** hliadka; stráž; *be on the w. for* mať sa na pozore pred; očakávať niekoho; *keep w.* byť na stráži; *v* **1.** bdieť **2.** strážiť **3.** pozorovať
**watchdog** strážny pes
**watchful** [ˈwočful] bedlivý
**watchmaker** [ˈwočˈmeikə] hodinár

**watchman** [ˈwočmən] *(nočný)* strážca
**watchstrap** remienok na hodinky
**watchword** [ˈwočwəːd] heslo, slogan
**water** [ˈwoːtə] *n* voda; *v* polievať; *make w.* močiť; *take the w-s* liečiť sa v kúpeľoch
**water but** sud, nádoba na dažďovú vodu
**water cannon** vodné delo
**water closet** [ˈwoːtəˈklozit] WC, splachovací záchod
**watercolour** [ˈwoːtəˈkalə] akvarel
**watercourse** [ˈwoːtəkoːs] riečisko, koryto *(rieky)*
**water-diviner** [ˈwoːtədivainə] prútikár
**watered-down** [woːtədˈdaun] pančovaný, zriedený
**waterfall** [ˈwoːtəfoːl] vodopád
**water-ga(u)ge** [ˈwoːtəgeidž] vodomer
**watering can** [ˈwoːtəriŋkæn] krhla na polievanie
**water jacket** [ˈwoːtəˈdžekit] *motor.* chladič
**water lily** [ˈwoːtəˈlili] lekno
**water main** hlavný prívod vody
**watermark** [ˈwoːtəmaːk] **1.**

vodotlač **2.** čiara vodného stavu

**waterplane** [ˈwoːtəˈplein] hydroplán

**water polo** [ˈwoːtə pəuləu] vodné pólo

**water power** [ˈwoːtəˈpauə] vodná energia; *w. p. plant* hydroelektráreň

**waterproof** [ˈwoːtəpruːf] *n* kabát do dažďa; *v* impregnovať; *adj* nepremokavý

**water rat** [ˈwoːtəræt] ondatra

**water softener** zmäkčovač vody

**water-soluble** rozpustný vo vode

**water supply** [ˈwotəsəplai] **1.** zásoba vody **2.** *(mestský)* vodovod

**watertight** [ˈwoːtətait] nepremokavý, vodotesný

**water wings** plávacie krídelká *(pre neplavcov)*

**waterworks** [ˈwoːtəwəːks] vodáreň

**wave** [weiv] *n* **1.** vlna **2.** mávnutie, kývnutie; *v* **1.** vlniť sa **2.** mávať, kývať **3.** ondulovať

**wavelength** [ˈweivleŋθ] *fyz.* vlnová dĺžka

**wavy** [ˈweivi] vlnitý, zvlnený

**wax** [wæks] *n* vosk; *v* **1.** voskovať **2.** dorastať *(mesiac)*; *adj* voskový

**waxwork** vosková figurína

**way** [wei] **1.** cesta; *over the w.* na druhej strane; *this w.* tadiaľto; *a long w.* daleko; *by the w.* mimochodom **2.** postup, spôsob; *in a w.* určitým spôsobom, do určitej miery • *get one own's w.* presadiť svoju vôľu **3.** *give w. to* ustúpiť niečomu **4.** *go out of so. w.* usilovať sa **5.** *have it your own w.* nech je po tvojom **6.** *get under w.* dať sa do pohybu, rozbehnúť sa

**wayward** [ˈweiwəd] spurný; vrtošivý

**weak** [wiːk] slabý *(fyzicky)*, krehký *(zdravie)*, chatrný *(stolička)*, úbohý *(vedomosti)*

**weaken** [ˈwiːkən] **1.** oslabiť, znížiť **2.** slabnúť *(choroba)*

**weakling** [ˈwiːkliŋ] slaboch

**weak-minded** [ˈwiːkmaindid] **1.** slabomyseľný **2.** nerozhodný

**weakness** [ˈwiːknis] slabosť

**wealth** [welθ] bohatstvo

**wealthy** [ˈwelθi] bohatý, zámožný

**weapon** [ˈwepən] zbraň

**wear*** [weə] **1.** nosiť *(na se-
be)*, mať oblečené **2.** w.
out obnosiť, ošúchať (sa)
**3.** w. out vyčerpať (sa)
**weariness** [ˈwiərinis] únava
**wearisome**	[ˈwiərisəm]
únavný, nezáživný
**weary** [ˈwiəri] v **1.** unaviť
(sa) **2.** nudiť sa; otravovať
sa; adj **1.** ustatý **2.** únav-
ný; protivný
**weasel** [wi:zl] lasica
**weather** [ˈweðə] n počasie;
v **1.** podliehať účinkom
počasia **2.** prežiť, prestáť
**weather bureau** [ˈweðəbju-
ro:] meteorologická stani-
ca
**weather forecast** [ˈweðə-
fo:ka:st] predpoveď poča-
sia
**weave*** [wi:v] **1.** tkať **2.** viť,
pliesť *(veniec)*
**weaver** [ˈwi:və] tkáč
**web** [web] **1.** pradivo **2.** pa-
vučina **3.** blana *(plávacia)*
**wedding** [ˈwediŋ] sobáš; w.
breakfast svadobná hosti-
na
**wedge** [wedž] n klin; v vkli-
niť
**wedlock** [ˈwedlok] manžel-
stvo • be born out of w.
narodiť sa ako nemanžel-
ské dieťa
**Wednesday** [ˈwenzdei] stre-

da; Ash W. popolcová
streda
**wee** [wi:] maličký, nepatr-
ný; a w. bit troška
**weed** [wi:d] n burina; v plieť
**weeding** [ˈwi:diŋ] pletie *(bu-
riny)*
**week** [wi:k] týždeň
**weekday** [ˈwi:kdei] pracov-
ný deň
**weekend** [ˈwi:kˈend] víkend,
koniec týždňa
**weekly** [ˈwi:kli] adj týžden-
ný; adv týždenne; n týž-
denník
**weep*** [wi:p] plakať
**weigh** [wei] **1.** vážiť (sa) **2.**
vážiť *(mať váhu)*
**weight** [weit] **1.** váha **2.** zá-
važie **3.** bremeno **4.** zá-
važnosť
**weightlifting**	[ˈweitliftiŋ]
vzpieranie
**weighty** [ˈweiti] závažný
**weir** [wiə] hrádza
**weird** [wiəd] **1.** osudný;
nadprirodzený **2.** hovor.
čudný, zvláštny
**welcome** [ˈwelkəm] n priví-
tanie, prijatie; v privítať;
w.! vitaj(te)!; adj vítaný
**weld** [weld] zvárať, stmeliť
**welder** [ˈweldə] zvárač
**welfare** [ˈwelfeə] blaho,
prospech, prosperita; pub-
lic w. verejný prospech;

*child w.* starostlivosť o dieťa; *w. work* sociálna starostlivosť; *w. payments* sociálne dávky; *w. state* sociálny štát

**well** [wel] *n* 1. studňa 2. šachta *(výťahu)*; *adv* dobre; no, nože; tak teda; *adj* zdravý; *I am very w.* mám sa veľmi dobre; *as w.* takisto; *as w. as* rovnako ako; *w. done!* výborne!

**well-bred** [ˈwelˈbred] dobre vychovaný

**well-known** [ˈwelˈnəun] známy, chýrny

**well-meant** [ˈwelˈment] dobre mienený

**well-off** [ˈwelˈoːf] zámožný

**well-read** [ˈwelˈred] sčítaný

**well-to-do** [ˈweltəˈduː] zámožný

**well-tried** [welˈtraid] vyskúšaný, osvedčený

**well-wisher** [ˈwelˌwiʃə] gratulant; priaznivec

**well-worn** [ˈwelˈwoːn] obnosený, vychodený

**went** *see* **go***

**wept** *see* **weep***

**were** *see* **be***

**west** [west] *n* západ; *adj* západný; *adv* na západe, na západ

**western** [ˈwestən] západný

**westward(s)** [ˈwestwədz] (smerom) na západ

**wet** [wet] *adj* 1. mokrý, vlhký; *get w.* zmoknúť 2. daždivý; *v* máčať

**whale** [weil] veľryba

**wharf** [woːf] prístavisko; prístavná hrádza

**what** [wot] 1. čo 2. aký 3. ktorý; *w. for?* prečo, načo?; *come w. may* nech sa stane čokoľvek

**whatever** [wotˈevə] čokoľvek; všetko, čo

**wheat** [wiːt] pšenica

**wheel** [wiːl] *n* koleso; *v* 1. tlačiť, postrkovať 2. viesť • *go on wheels* ísť ako po masle

**wheelbarrow** [ˈwiːlˈbærəu] fúrik

**wheeze** [wiːz] chripieť

**when** [wen] 1. kedy 2. keď 3. až

**whenever** [wenˈevə] kedykoľvek; vždy, keď

**where** [weə] kde; kam

**whereabouts** [ˈweərəbauts] približné miesto pobytu; *can you tell me his w.?* môžete mi povedať, kde ho asi nájdem?

**whereas** [weərˈæz] zatiaľ čo; kým

**whereby** [weəˈbai] pomocou/podľa ktorého, čím

**wherever** [weə'evə] kamkoľvek, kdekoľvek

**whet** [wet] brúsiť, ostriť

**whether** ['weðə] či

**which** [wič] 1. ktorý 2. aký 3. kto, čo

**whiff** [wif] 1. zavanúť 2. bafkať

**while** [wail] n. chvíľa; *for a w.* na chvíľu; *adv* 1. zatiaľ čo, kým 2. hoci

**whim** [wim] vrtoch, rozmar

**whimsical** ['wimzikəl] vrtošivý, náladový

**whine** [wain] kňučať; bedákať

**whip** [wip] n bič; v 1. bičovať 2. šľahať

**whirl** [wə:l] krútiť sa, krúžiť

**whirlpool** ['wə:lpu:l] vír, krútňava

**whirlwind** ['wə:lwind] tornádo, cyklón

**whisk** [wisk] n gastr. metlička na šľahačku; v šľahať, ušľahať *(sneh)*

**whiskers** ['wiskəz] pl. fúzy *(mačacie)*; bokombrady

**whisper** ['wispə] n šepot; v šepkať

**whistle** [wisl] n 1. piskot, pískanie 2. píšťala; v pískať, hvízdať

**white** [wait] n 1. bledosť; *w. of the eye* bielko *(oka)* 2. beloch; *adj* biely; *w.-col-*

lar crime hosp. kriminalita; *w. lie* nevinná lož

**whitewash** ['waitwoš] 1. bieliť *(vápnom)* 2. ututlať; *the game was 6:0 w.* bol to výprask 6:0

**who** [hu:] 1. kto 2. ktorý

**whoever** [hu:'evə] ktokoľvek; každý, kto

**whole** [həul] n celok; *on the w.* celkom, vcelku; *w. milk* plnotučné mlieko; *adj* celý

**wholehearted** ['həul'ha:tid] bezvýhradný, úplný

**wholesale** ['həuseil] n veľkoobchod; *adj* veľkoobchodný; *adv* vo veľkom

**wholesome** ['həulsəm] zdravý; užitočný; *w. respect* povinná úcta

**wholly** ['həuli] (ú)plne, celkom, výhradne

**whoopingcough** ['hu:piŋkof] čierny kašeľ

**whortleberry** ['wə:tlberi] čučoriedka

**why** [wai] prečo; *adv* akože, však

**wicked** ['wikid] zlý, skazený, zlomyseľný

**wicker** ['wikə] prútie *(na pletenie)*

**wide** [waid] *adj* 1. široký 2. šíry; *adv* široko; *far and w.* široko-ďaleko

**widen** [ˈwaidn] rozšíriť, zväčšiť
**widespread** [ˈwaidspred] rozšírený, natiahnutý
**widow** [ˈwideu] vdova
**widower** [ˈwideueə] vdovec
**width** [widθ] šírka
**wife** [waif] manželka; *husband and w.* manželia
**wig** [wig] parochňa
**wigwam** [ˈwigwæm] vigvam
**wild** [waild] *n* divočina; *adj* divý, divoký
**wilderness** [ˈwildənis] divočina; pustatina
**wildlife** [ˈwaildlaif] zver a rastlinstvo; divá zver
**wile** [wail] úskok, lesť
**wilful** [ˈwilful] 1. zámerný, úkladný 2. tvrdohlavý, zanovitý
**will** [wil] *n* 1. vôľa 2. posledná vôľa; *v* 1. pomocné sl. na tvorenie budúceho času 2. modálne sl., ktoré vyjadruje želanie, ochotu, vôľu
**willing** [wiliŋ] ochotný
**willow** [ˈwileu] vŕba; *weeping w.* smútočná vŕba
**willy-nilly** [ˈwiliˈnili] voľky-nevoľky
**wily** [ˈwaili] ľstivý, prefíkaný
**win*** [win] 1. vyhrať 2. získať
**wince** [wins] zvíjať sa *(od bolesti)*

**winch** [winč] kľuka, hriadeľ
**wind¹** [wind] vietor
**wind²*** [waind] 1. točiť (sa), vinúť (sa) 2. *w. up* nakrútiť *(stroj)* 3. *w. up* zakončiť *(debatu)*
**winding** [ˈwaindiŋ] točitý, kľukatý
**windmill** [ˈwindmil] veterný mlyn
**window** [ˈwindeu] okno
**windowpane** [ˈwindeupein] okenná tabuľa, sklo
**window sill** [ˈwindeusil] okenná rímsa
**windpipe** [ˈwindpaip] *anat.* priedušnica
**windy** [windi] veterný
**wine** [wain] víno
**wine glass** [ˈwaingla:s] pohár na víno
**wing** [wiŋ] 1. krídlo 2. *voj.* peruť 3. *the w-s (postranné)* kulisy; *w. mirror* spätné zrkadlo
**wingspan** rozpätie krídel
**wink** [wiŋk] *v* žmurkať; *n* žmurknutie • *not get a w. of sleep* ani oko nezažmúriť
**winker** [ˈwiŋkə] *motor.* smerovka
**winner** [ˈwinə] víťaz, výherca
**winter** [ˈwintə] *n* zima; *v* prezimovať
**wipe** [waip] 1. utierať; zo-

triet **2.** *w. out* vytriet **3.** *w. out* zničit, rozdrviť

**wiper** [ˈwaipə] *motor.* stierač

**wire** [ˈwaiə] *n* **1.** drôt **2.** telegram; *v* telegrafovať

**wireless** [ˈwaiəlis] *n* rozhlas, rádio; *adj* **1.** bezdrôtový **2.** rozhlasový

**wisdom** [ˈwizdəm] múdrosť, uvážlivosť

**wise** [waiz] múdry, učený

**wish** [wiš] *(v) w. for.* želať (si); chcieť; *n* želanie, túžba

**wistful** [ˈwistful] clivý; roztúžený

**wit** [wit] **1.** dôvtip **2.** vtip, vtipnosť

**witch** [wič] čarodejnica

**witchcraft** [ˈwičkra:ft] čary

**with** [wið] **1.** s, so **2.** u; *he lives w. his parents* býva u rodičov; **3.** *(v slovenčine 7. pád bez predložky); eat w. a spoon* jest lyžicou • *away w. him!* von s ním!

**withdraw*** [wiðˈdro:] **1.** odíst **2.** vziat spät **3.** vybrať peniaze *(z banky)*

**withdrawal** [wiðˈdro:əl] **1.** ústup **2.** odvolanie

**wither** [ˈwiðə] *(up, away)* vädnúť, schnúť

**withheld** *see* **withhold*** [wiðˈhəuld] odoprieť; zadržať

**within** [wiðˈin] **1.** na dosah, vnútri; *w. reach* na dosah ruky **2.** za; *w. a year* za rok, do roka; *n* vnútro; *from w.* zvnútra

**without** [wiðˈaut] bez, bezo

**withstand*** [wiðˈstænd] **1.** odporovať **2.** odolať

**witness** [ˈwitnis] *n* svedok; *v* **1.** *w. to sth.* svedčiť o niečom **2.** byt svedkom niečoho **3.** dosvedčiť; *w-box/ -stand* svedecká lavica

**witty** [ˈwiti] vtipný

**wives** *pl. od* **wife**

**wizard** [ˈwizəd] čarodej

**woke, woken** *see* **wake***

**woman** [ˈwumən] žena

**womanhood** [ˈwumənhud] ženstvo, ženy

**womb** [wu:m] maternica

**women** [ˈwimin] *pl. od* **woman**

**won** *see* **win***

**wonder** [ˈwandə] *n* **1.** div, zázrak **2.** údiv, čudo; *no w.* nie div; *v* **1.** diviť sa, čudovať sa **2.** byt zvedavý

**wonderful** [ˈwandəful] skvelý, báječný; podivuhodný

**wont** [wəunt] návyk

**won't = will not**

**woo** [wu:] dvoriť, usilovať sa o niečo

**wood** [wud] **1.** drevo **2.** les, hora

**woodcutter** [ˈwudˌkatə] drevorubač

**woodpecker** [ˈwudˈpekə] ďateľ

**wool** [wul] vlna

**woollen** [ˈwulin] vlnený

**word** [ˈwəːd] n slovo; správa; w. for w. doslova; v štylizovať

**word alignment** [əˈlainmənt] výp. zarovnávanie slov v texte

**wording** [ˈwəːdiŋ] štylizácia; znenie

**wordy** [ˈwəːdi] rozvláčny

**wore** see **wear\***

**work** [wəːk] n 1. práca 2. dielo; v 1. pracovať, robiť 2. pôsobiť

**worker** [ˈwəːkə] pracovník; robotník

**workman** [ˈwəːkmən] robotník

**works** [wəːks] pl. 1. stroj 2. závod, továreň; a w. council, a w. committee závodný výbor

**workshop** [ˈwəːkšop] dielňa; pracovný seminár, tvorivá dielňa

**worksheet** pracovný list

**world** [wəːld] n svet; all over the w. na celom svete; adj svetový

**worldwide** [ˈwəːldwaid] svetový

**worm** [wəːm] červ • the w. of conscience hryzenie svedomia

**worm-eaten** [ˈwəːmˈiːtn] červivý; červotočový

**worn** see **wear\***

**worry** [ˈwari] (v) w. about/over sužovať (sa), trápiť (sa); n starosť, trápenie

**worse** [wəːs] adj horší; adv horšie

**worsen** [ˈwəːsn] zhoršiť sa

**worship** [ˈwəːšip] n 1. uctievanie, kult 2. bohoslužba; v uctievať, klaňať sa

**worst** [wəːst] adj najhorší; adv najhoršie; at (the) w. prinajhoršom

**worsted** [ˈwustid] vlnená priadza/látka

**worth** [weːθ] n cena, hodnota; a shilling w. of apples za jeden šiling jabĺk; adj majúci cenu; be w. mať cenu, stáť; it is/isn't worthwhile while stojí/nestojí to zato

**worthless** [ˈwəːθlis] bezcenný

**worthy** [ˈwəːði] 1. dôstojný 2. w. of sth. hodný čoho

**would** [wud] 1. pomocné sloveso na vyjadrenie podmieňovacieho spôsobu 2. minulý čas od will

**wound**[1] see **wind\***

**wound²** [wu:nd] *n* **1.** rana, zranenie **2.** *pren.* urážka; *v* (z)raniť, ublížiť

**WP (word processing)** *výp.* spracovanie, editovanie textu

**wrap** [ræp] *v* baliť; *w. up (in)* zabaliť; zahaliť; *n* **1.** obal **2.** šál; prikrývka

**wrapper** ['ræpə] **1.** *(poštová)* páska **2.** obal *(na knihu)* **3.** *(ľahký)* župan

**wrath** [ro:θ] hnev

**wreath** [ri:θ] **1.** veniec **2.** okruh, kotúč *(dymu)*

**wreck** [rek] *n* **1.** stroskotanie *(lode)* **2.** vrak; *v* **1.** zničiť **2.** stroskotať

**wreckage** ['rekidž] trosky

**wrench** [renč] *v* **1.** vykrútiť, vyvrtnúť; *give so. ankle a w.* vyvrtnúť si členok **2.** prekrútiť; *n* **1.** vyvrtnutie **2.** *(duševná)* bolesť **3.** francúzsky kľúč

**wrestle** [resl] *n (atletický)* zápas, preteky; *(v) w. with sb.* zápasiť, pretekať sa

**wrestling** ['resliŋ] zápasenie

**wretch** [reč] **1.** chudák, úbožiak **2.** naničhodník

**wretched** ['rečid] **1.** nešťastný; úbohý **2.** naničhodný

**wriggle** [rigl] krútiť sa, vrtieť sa

**wring\*** [riŋ] **1.** krútiť **2.** *w. out* žmýkať

**wringer** [riŋə] žmýkačka

**wrinkle** [riŋkl] *n* vráska; *v* vraštiť sa

**wrist** [rist] zápästie

**wrist watch** ['rist'woč] náramkové hodinky

**write\*** [rait] **1.** písať **2.** *w. down* zapísať, spísať

**writer** ['raitə] **1.** pisateľ **2.** spisovateľ

**writing desk** ['raitiŋ'desk] písací stôl

**writing paper** ['raitiŋ'peipə] listový papier

**written** *see* **write\***

**wrong** [roŋ] *adj* nesprávny; zlý, pokazený; *sth. is w.* niečo nie je v poriadku; *you are w.* nemáte pravdu; *adv* nesprávne, zle; *n* zlo, krivda; *v* (u)krivdiť • *go w.* pokaziť sa

**wrongful** nespravodlivý

**wrote** *see* **write\***

**wrought iron** ['ro:t'airən] tepané železo

**wrung** *see* **wring\***

**wry** [rai] ironický, uštipačný; *a w. smile* trpký úsmev

# X

**Xmas** [ˈkrisməs] (= **Christmas**) Vianoce

**X-rated** [eksˈreitid] neprístupný pre mládež do 18 rokov (film)

**X-ray** [ˈeksˈrei] röntgenovať; have an x. taken podrobiť sa rtg. vyšetreniu

**X-rays** [ˈeksˈreiz] pl. röntgenové lúče

**xenial** [ziːnjəl] pohostinný; x. customs zvyky

**xenophobia** [zenəˈfəubiə] nenávisť k cudzincom, strach zo všetkého cudzieho

**xenograft** [zenəugraːft] štep z cudzieho tkaniva, transplantácia z iného živočíšneho druhu

**Xerox** [ziəroks] v xeroxovať; n xeroxová kópia

**xylography** [zaiˈlogrəfi] drevorytectvo

**xylophone** [ˈzailəfəun] xylofón

# Y

**yacht** [jot] jachta

**yahoo!** [jaːˈhuː] **1.** hovor. hovädo, chrapúň **2.** internetový portál

**yak** [jæk] zool. jak divoký; hovor. brblať, tárať

**yank** [jæŋk] trhnúť, šklbnúť; y. out vytrhnúť; y. off/out násilím strhnúť, vyšklbnúť

**Yankee** [ˈjæŋki] n hovor. Američan; adj americký

**yap** [jæp] štekať; pren. odvrávať

**yard** [jaːd] **1.** dvor, nádvorie, **2.** záhrada, **3.** yard (91cm); the Y., Scotland Y. veliteľstvo londýnskej kriminálnej polície

**yarn** [jaːn] **1.** priadza **2.** hovor. anekdota, historka

**yawn** [joːn] v zívať; n zívanie, zívnutie; what a y.! to je ale nuda!

**year** [jəː,jiə] rok; all the y. round po celý rok; leap y. priestupný rok

**yearbook** [ˈjəːbuk, ˈjiəbuk] ročenka

**yearlong** [ jiəˈloŋ] celoročný

**yearn** [jəːn] y. for/after túžiť po/za (niekým, niečím)

**yeast** [jiːst] kvasnice

**yell** [jel] n (prenikavý) krik, vresk; v jačať, vrešťať

**yellow** ['jeləu] adj žltý; n žltá farba; v zafarbiť na žlto

**yellowback** lacný román, podradná literatúra

**yellow-belly** ['jeləubeli] zbabelec, strachopud

**yellow jacket** sršeň

**yelp** [jelp] skríknuť, zhíknuť

**yeoman** ['jəumən] zeman; Y. of the Guard člen kráľovskej osobnej stráže

**yes** [jes] áno; say y. súhlasiť

**yes-man** ['jesmæn] pritakávač

**yesterday** ['jestədei] včera

**yet** [jet] adv 1. ešte 2. už (v otázke); not y. ešte nie; and y. a predsa; ale, predsa však

**yew** [ju:] bot. tis

**yield¹** [ji:ld] zisk, výťažok; y. of wheat výnos pšenice

**yield²** [ji:ld] v 1. dávať, rodiť (plody), prinášať (zisk); poskytovať 2. AmE dať prednosť; y. to sth. ustúpiť pred niečím; (n) ekon. výnos, výťažok

**yoga** [jəugə] joga

**yoke** [jəuk] jarmo , chomút

**yolk** [jəuk] žĺtok

**you** [ju:, ju] vy, vám; ty, tebe; y. never know nikdy si nemôžeš byť istý

**young** [jaŋ] mladý; y. and old každý, všetci

**youngster** ['jaŋstə] dieťa, mladík, mládenec; výrastok

**your** [jo:, juə] váš; tvoj

**yours** [jo:z] váš, tvoj; y. sincerely/y. truly so srdečným pozdravom

**yourself** [jo:'self, juə'self] 1. vy sami; ty sám 2. sa, seba; all by y. celkom sám, bez pomoci; help y. obslúž(te) sa (sami), ponúknite sa

**youth** [ju:θ] 1. mladosť 2. mládež 3. mladík, mládenec

**youthful** ['ju:θfl] mladistvý

**yumy-yumy** [jami-jami] mňam, mňam

**yu(c)k** [jak] interj. (hovor.) fuj!

**yuppie, yuppy** ['japi] mladý muž s imidžom úspešného človeka

# Z

**zap** [zæp] *n* energia, elán, *v výp.* odhadnúť; *z-ing* striedavo prepínať TV kanály

**zapped** [zæpt] *hovor.* vyšťavený, veľmi unavený

**zapper** [ˈzæpə] *hovor.* diaľkové ovládanie *TV*

**zappy** [ˈzæpi] energický, dynamický

**zeal** [ziːl] horlivosť, nadšenie, zápal

**zealous** [ˈzeləus] horlivý

**zebra** [ˈziːbrə] zebra

**zebra crossing** prechod pre chodcov

**zenith** [ˈzeniθ] zenit, vrchol

**zero** [ˈziərəu] nula, *z. gravity* stav beztiaže; *z. rated* nezdaniteľný

**zeroize** [ˈziərouˈaiz] vynulovať, vrátiť na nulu

**zest** [zest] **1.** bujarosť; *be full of z.* mať veľa elánu *hovor.* mať šmrnc

**zestful** radostný, nadšený

**zigzag** [ˈzigzæg] cik-cak,

kľukato; *z. ruler* skladací meter

**zinc** [ziŋk] *n* zinok; *adj* zinkový; *v* pozinkovať

**zine** [ziːn] *slang.* časopis

**zip** [zip] *n* zips; *v* otvoriť/zatvoriť na zips; *Zip code* PSČ

**zippy** [zipi] živý, energický

**zodiac** [ˈzəudiæk] zverokruh

**zombie** [ˈzombi] **1.** oživená mŕtvola, mátoha **2.** zadubenec, niktoš

**zone** [zəun] pásmo; oblasť

**zoo** (= **zoological garden**) [zuː] *hovor.* zoologická záhrada

**zoology** [zəuˈolədži] zoológia

**zoom** [zuːm] *v* **1.** rýchlo stúpať, **2.** rútiť sa; *n* **1.** *bot.* približovačka, približovanie **2.** lupa **3.** bzučanie

**zucchini** [zuˈkiːni] *AmE* cukina

# GRAMATIKA – GRAMMAR

## 1 ANGLICKÁ ABECEDA – ENGLISH ALPHABET

| | | | | | |
|---|---|---|---|---|---|
| a | [ei] | j | [džei] | s | [es] |
| b | [bi:] | k | [kei] | t | [ti:] |
| c | [si:] | l | [el] | u | [ju:] |
| d | [di:] | m | [em] | v | [vi:] |
| e | [i:] | n | [en] | w | [dablju:] |
| f | [ef] | o | [ou] | x | [eks] |
| g | [dži:] | p | [pi:] | y | [wai] |
| h | [eič] | q | [kju:] | z | [zed] |
| i | [ai] | r | [a:] | | |

## 2 SLOVNÉ DRUHY – PARTS OF SPEECH

### 2.1 PODSTATNÉ MENÁ – NOUNS

#### 2.1.1 Členy – Articles

*Neurčitý – Indefinite*
• **a** [ə] – pred vyslovovanou spoluhláskou,
• **an** [ən] – pred vyslovovanou samohláskou,
• len v singulári pred post. menom, ktoré uvádzame prvýkrát.

*Určitý – Definite*
• **the** [ð] – pred vyslovovanou spoluhláskou,
• **the** [ði:] – pred vyslovovanou samohláskou,
• v singulári a pluráli pred už známym podst. menom.

*Žiadny člen – Zero article*
• ak je pred podst. menom zámeno,
• ak je to vlastné podst. meno,
• nespočítateľné podst. meno,
• v ustálených slovných spojeniach,
• pri názvoch mesiacov, dní, sviatkov, jedál, farieb, hier ap.

## 2.1.2 Rod – Gender

V angličtine je prirodzený rod.

### *Mužský – Masculine*
* osoby mužského pohlavia
* zvieratá mužského pohlavia

### *Ženský – Feminine*
* osoby a zvieratá ženského pohlavia
* názvy lodí, krajín pri vyjadrení citového vzťahu

### *Stredný – Neuter*
* veci
* zvieratá bez ohľadu na pohlavie

## 2.1.3 Číslo – Number

* *Jednotné – Singular*
* *Množné – Plural*

Tvorí sa zväčša pravidelne koncovkou **-s/-es,** ktorá sa vyslovuje ako:
– [s] po neznelých spoluhláskach, napr. *books*
– [z] po znelých spoluhláskach a samohláskach, napr.: *days*
– [iz] po sykavkách, napr. *watches*

### *Nepravidelné množné číslo*
* po koncovom **-o** sa pridáva **-es,** napr.: *potato – potatoes* (ale: *photos, pianos);*
* koncové **-f/-fe** sa mení na **-ves,** napr.: *wife – wives* (ale: *roofs);*
* koncové **-y** po spoluhláske sa mení na **-ies,** napr.: *baby – babies* (ale: *boys);*
* mení sa kmeňová samohláska, napr.: *man – men, mouse – mice;*
* niektoré podst. mená majú rovnaký tvar v singulári aj v pluráli, napr.: *fish, sheep;*
* niektoré priberajú v pluráli koncovku **-en,** napr.: *children, oxen;*

• mnohé prebraté podst. mená latinského a gréckeho pôvodu majú plurál ako v pôvodnom jazyku, napr.: *datum – data, analysis – analyses, radius – radii* (ale: *serum – sera, serums* atď.).

## 2.1.4 Počítateľnosť – Countabiliky

• *Počítateľné – Countable* možno spočítať, t. j. majú tvar sg. a pl. Môže pred ním stáť:
– **člen:** *a table – tables; the ship – the ships*
– **číslovka:** *one name – two names*
– **zámeno:** *a window – some windows, many windows, few vindows* atď.

• *Nepočítateľné – Uncountable* nemajú plurál, nestojí pred nimi člen, napr.: *oil, rain,* ale môže pred nimi stáť zámeno, napr.: *some cheese, little experience, much snow.*
V konkrétnej situácii sa niektoré nepočítateľné stávajú počítateľnými, napr.: *Would you like some ice-cream? Yes, we'd like three ice-creams, please.*

## 2.1.5 Pád – Case

• *Common Case* (všeobecný) 1., 3. a 4. pád;
• *Possessive Case* (privlastňovací) 2. pád sa tvorí pridaním **'s** k životnému menu v sg.; v pl., napr.: *brother's friend, girls'school* alebo pomocou predložky **of.**
Skloňovanie *(Declination)* závisí od postavenia podst. mena vo vete, t. j. buď bezpredložkové, alebo pomocou predložky. Napr.: *A teacher told the students about his life.*

**Najfrekventovanejšie predložky na vyjadrenie pádov:**

| | |
|---|---|
| Nominatív | – *a/the* boy |
| Genitív | – *of* the city, *from* the girl |
| Datív | – *to* the station |
| Akuzatív | – *about* the king, *for* the queen |
| Lokál | – *about* the animals, *in* the kitchen |
| Inštrumentál | – *with* the friends, *by* train |

## 2.2 PRÍDAVNÉ MENÁ – ADJECTIVES

Nemenia tvar v rode, čísle ani páde, iba pri stupňovaní, napr: *a young woman, of the old lady, nice kids.*

### 2.2.1 Stupňovanie – Comparison
• Pravidelné – *Regular*
• Nepravidelné – *Irregular*

#### 2.2.1.1 *Pravidelné stupňovanie*

Majú ho jednoslabičné a dvojslabičné príd. mená s prízvukom na druhej slabike, spravidla zakončené na *-y, -ow, -er, -le.* Druhý stupeň *(Comparative)* tvoríme podľa zakončenia koncovkou *-r/-er*, tretí stupeň *(Superlative)* sprevádza určitý člen *the* a pridáva sa koncovka *-st/-est.*

Pri viacslabičných príd. menách dávame pred základný tvar príd. mena v 2. stupni *more* a v 3. stupni *the most.*

| (1. st.) Positive | (2. st.) Comparative | (3. st.) Superlative |
|---|---|---|
| short | short**er** | **the** short**est** |
| nice | nic**er** | **the** nic**est** |
| lazy* | laz**ier** | **the** laz**iest** |
| big** | big**ger** | **the** big**gest** |
| beautiful | **more** beautiful | **the most** beautiful |

\* Ak sa prídavné meno končí na *-y*, pred ktorým je spoluhláska, *y* sa mení na *i* a priberá koncovku *-er/-est.*
\*\* Ak sa končí na spoluhlásku, pred ktorou je prízvučná krátka samohláska, koncová **spoluhláska sa zdvojuje.**

### 2.2.1.2 *Nepravidelné stupňovanie*

| Positive | Comparative | Superlative |
|----------|-------------|-------------|
| *good* | *better* | *the best* |
| *bad* }<br>*ill* } | *worse* | *the worst* |
| *late* { | *later*<br>*latter* | *the latest* (najnovší)<br>*the last* (minulý, predposledný) |
| *many* }<br>*much* } | *more* | *the most* |
| *few* }<br>*little* } | *less* | *the least* |
| *far* { | *farther*<br>*further* | *the farthest* (vzdialenosť)<br>*the furthest* (poradie) |
| *near* | *nearer* { | *the nearest* (najbližší)<br>*the next* (nasledujúci, budúci) |
| *old* { | *older*<br>*elder* | *the oldest*<br>*the eldest* (členovia rodiny) |

### 2.2.2 Porovnávanie prídavných mien

| Positive | Comparative | Superlative |
|----------|-------------|-------------|
| ***as... as***<br>*taký... ako\**<br>Napr.: *She is as*<br>*happy as her*<br>*friend.* | ***than***<br>*ako, než*<br>*He is taller than me.* | ***of, from, in...***<br>*z, v...*<br>*Joe is the best*<br>*student in the*<br>*class.* |

\* **Nie taký ako** sa vyjadruje: ***not as... as***, alebo ***not so... as.***

## 2.3 ZÁMENÁ – PRONOUNS

### 2.3.1 Osobné – Personal

Majú podmetový tvar, t. j. v nominatíve fungujú ako podmet vždy vo vete pred slovesom, napr.: *He is a good fellow.*

V predmetovom páde plnia funkciu predmetu a iných vetných členov vždy za slovesnom, napr.: *I like him.*

| Podmet *Subject* | I* | you | he | she | it | we | you | they |
|---|---|---|---|---|---|---|---|---|
| Predmet *Object* | me | you | him | her | it | us | you | them |

\* Zámeno **I** sa píše vždy s veľkým písmenom.

### 2.3.2 Prívlastkové a privlastňovacie – Possessive Adjectives and Possessive Pronouns

*Prívlastkové* majú funkciu prívlastku, t. j. stoja pred podst. alebo prídavným menom alebo pred slovom *own:* Nestoja pred nimi člen, ukazovacie zámeno alebo zámeno *no.* Napr.: *in my room, his own car.*

Na vyjadrenie slovenského *svoj* sa používa výlučne privl. zámeno príslušnej osoby. Napr.: *He likes his dog.*

*Privlastňovacie zámená* stoja samostatne (samostatné privlastňovacie zámená) vždy na konci vety. Napr.:

*This place is **mine.***

| Personal Pronoun | I | you | he | she | it | we | you | they |
|---|---|---|---|---|---|---|---|---|
| Possessive Adjective | my | your | his | her | its | our | your | their |
| Possessive Pronoun | mine | yours | his | hers | ius | ours | yours | theirs |

### 2.3.3 Zvratné – Reflexive

Tvoria sa nimi zvratné slovesá, napr.:

*I shave myself. – Holím **sa**.*

Zdôrazňujú podst. meno alebo zámeno a prekladajú sa slovom **sám**. Napr.: *I can do everything **myself**.*

| Person | Singular | Person | Plural |
|--------|----------|--------|--------|
| 1. I | myself | 1. we | ourselves |
| 2. you | yourself | 2. you | yourselves |
| 3. he | himself | 3. they | themselves |
| she | herself | | |
| it | itself | | |

## 2.3.4 Ukazovacie – Demonstrative

sa vzťahujú na blízky alebo vzdialený objekt. V angličtine sú len dve. Napr.: *This room is nice. Pass me that cup.*

| Číslo | Blízky objekt | Vzdialený objekt |
|-------|---------------|------------------|
| Singular | this (tento) | that (tamten) |
| Plural | these (títo) | those (tamtí) |

## 2.3.5 Opytovacie – Interrogative

**Who** (kto) – v podmetovom i predmetovom páde, kde sa ešte používa aj tvar **whom** (koho), napr.:
   *Who are you? Whom did you meet?*
**What** (čo) – vo všetkých pádoch, napr.: *What is it?*
   – (aký) – ak stojí pred podst. menom: *What colour is it?*
**Which** (ktorý) – pri vymedzení z počtu, napr.:
   *Which season do you like?*
**Whose** (čí) – napr.: *Whose child is it?*
   Pri skloňovaní sa spravidla príslušná pádová predložka dáva za sloveso, napr.:
   *What does she look for? Who are you talking about?*

## 2.3.6 Vzťažné – Relative

   Stoja na začiatku vedľajšej vety. Za životným podstatným menom sa prívlastková veta začína s *who/that/whose,* za neživotnými zámenami *which/that.* Napr.:

*The person, **who/that** you met, was my neighbour. I know a nice spot **which/that** is nearby.*

Ak vzťažné zámeno neplní funkciu podmetu v danej vete, často sa vynecháva. Napr.: *The person you met, was my neighbour.*

### 2.3.7 Neurčité – Indefinite

sa v originálnych gramatikách nazývajú aj **Quantifiers.** Patria k nim:

| | |
|---|---|
| **all** | – všetci, celý |
| **another** | – ďalší, druhý |
| **any** | – nijaký, akýkoľvek |
| **anybody** | – niekto, ktokoľvek |
| **anyone** | – niekto, ktokoľvek |
| **anything** | – niečo, čokoľvek |
| **both** | – obaja, oboje |
| **each** | – každý (z určitého počtu) |
| **either** | – jeden alebo/aj druhý |
| **every** | – každý (bez výnimky) |
| **everybody** | – každý, všetci |
| **everyone** | – každý, všetci |
| **everything** | – všetko |
| **few** | – málo |
| **many** | – mnoho |
| **much** | – mnoho |
| **little** | – málo |
| **neither** | – ani jeden |
| **no** | – žiadny |
| **nobody** | – nikto |
| **none** | – nikto, žiaden |
| **nothing** | – nič |
| **one** | – zástupné zámeno |
| **other** | – iný, druhý |
| **several** | – niekoľko |
| **some** | – nejaký |
| **whole** | – celý |

**Použitie:**

| | | |
|---|---|---|
| **another** | – We've got another chance. | – Máme ďalšiu šancu. |
| **the other/ others** | – The others have left. | – Ostatní odišli. |
| **each-other** | – They love each other. | – Navzájom (2) sa ľúbia. |
| **one-another** | – We must introduce one-another. | – Musíme (3 a viac) sa navzájom predstaviť. |
| **any** | – I like any cakes. | – Mám rád akékoľvek koláče. |
| | – I **don't** like **any** cakes. | – Nemám rada nijaké koláče. |
| | **not + any** | = žiadny |
| **both** | – Both my parents died. | – Obaja moji rodičia zomreli. |
| | Both my mother and father died. | – Aj moja mama aj otec zomreli. |
| **either** | – There are two books. You can have either of them. | – jeden alebo druhý |
| **either... or...** | – He plays either the flute or the trumpet. | – buď..., alebo... |
| **few** | – I know just few English words. | – málo (s počít. podst. m.) |
| **a few** | – Tell me just a few words. | – zopár (s počít. podst. m.) |
| **many** | – You have many books. | – veľa (s počít. podst. m.) |
| **much** | – But you haven't got much money. | – veľa (s nepočít. podst. m.) |
| **little** | – I've got very little time. | – málo (s nepočít. podst. m.) |
| **a little** | – There is a little milk there. | trochu (s nepočít. podst. m.) |

| | | |
|---|---|---|
| **neither** | – Neither of us knows him. | – ani jeden z dvoch |
| **neither... ...nor** | – They have neither been to US nor to GB. | – ani... ani |
| **no** | – She has no problems with it. Alebo: She doesn't have any problems with it. | – žiadny (1 zápor) |
| **none** | – Do you have children? No, I have none. | – žiadny (samostatne) |
| **one** | – One must earn money. | – človek (= ľudia) |
| | – Do you like this chocolate or that one? | – zastupuje slovo chocolate |
| **some** | – I met some nice people there. | – nejaký (spočít. podst. m. v pl.) v kladnej vete |
| | – I'll have some beer. | – nejaký (s nepoč. podst. m.) |
| | Ale: Did you meet any nice people there? | – any namiesto some v otázke a zápore |

Použitie **some, any, no:**

| Kladná veta | Otázka | Zápor |
|---|---|---|
| **some** | **any** | **not + any / no** |
| **something** | **anything** | **anything / nothing** |
| **someone** | **anyone** | **anyone / none** |
| **somebody** | **anybody** | **anybody / nobody** |

## 2.4 ČÍSLOVKY – NUMERALS

### 2.4.1 Základné – Cardinal

| 0 | **nought** (mat.), **zero** (stupne, rovnice), **nil** (šport. výsledky), **o** [ou] (telefon., po desat. čiarke) | | | | | |
|---|---|---|---|---|---|---|
| 1 | **one** | 11 | **eleven** | 21 | **twenty-one** |
| 2 | **two** | 12 | **twelve** | ⋮ | |
| 3 | **three** | 13 | **thirteen** | 30 | **thirty** |
| 4 | **four** | 14 | **fourteen** | 40 | **forty** |
| 5 | **five** | 15 | **fifteen** | 50 | **fifty** |
| 6 | **six** | 16 | **sixteen** | 60 | **sixty** |
| 7 | **seven** | 17 | **seventeen** | 70 | **seventy** |
| 8 | **eight** | 18 | **eighteen** | 80 | **eighty** |
| 9 | **nine** | 19 | **nineteen** | 90 | **ninety** |
| 10 | **ten** | 20 | **twenty** | 100 | **a/one hundred** |

Pozor!
- medzi desiatkami a jednotkami sa píše **spojovník**
- medzi stovkami a nasledujúcou číslicou sa číta **and:** napr. 333 – three hundred **and** thirty-three
- ak za číslovkami: 100 (**a hundred**), 1 000 (**a thousand**), 1 000 000 (**a million**), 1 000 000 000 (**a milliard** (UK) = **a billion** (US)) stojí určitá číslovka, nemajú koncovku plurálu, t. j. **seven thousand** people
  Ale: **thousands of** people

- **Roky – Years**
  1800 – eighteen hundred
  1996 – nineteen (hundred) ninety-six
  1905 – nineteen o [ou] five
  2005 – two thousand and five

- **Desatinné čísla – Decimal Numbers**
  10.56 – ten point five six

1.02    – *one point **o*** [ou] *two*

0.0043 – *zero (nought) point zero zero or **oo*** [ou, ou] *four three*

## Matematické úkony – Mathematical Calculation

- *Sčitovanie – Addition*

  $2 + 8 = 10$     – *2 plus/and 8 makes/equals/is 10*

- *Odčitovanie – Substraction*

  $11 – 5 = 6$     – *11 minus 5 equals 6*

                  – *5 from 11 leaves 6*

- *Násobenie – Multiplication*

  $5 \times 6 = 30$     – *5 times 6 makes/equals 30*

                 – *5 multiplied by 6 is/are 30*

- *Delenie – Division*

  $12 : 3 = 4$     – *12 divided by 3 equals 4*

                – *3 into 12 goes 4 times*

- *Zlomky – Fractions*

  Čitateľ *(numerator)* sa číta ako základná číslovka a menovateľ *(denominator)* ako radová. Ak používame výrazy *divided by* alebo *over*, vyjadria sa základnou číslovkou.
  Napr:

  $1/6$, $\dfrac{1}{6}$ – *one sixth, one devided six, one over six;*

  $1\dfrac{2}{5}$     – *one and two fifths;*

  $\dfrac{a + b}{c}$    – *a plus b over c*

- *Mocniny a odmocniny – Powers and Roots*

  $2^2$      – *two squared*

  $4^3$      – *four cubed*

  $6^4$      – *six to the power (of) four*

  $\sqrt{9}$      – *the square root of nine*

$\sqrt[3]{27}$    *– the cube root of twenty-seven*
$\sqrt[n]{5}$    *– the n th root of five*

## 2.4.2 Radové – Ordinal

Tvoria sa zo základných čísloviek pomocou prípony **-th** okrem výnimiek – prvý, druhý a tretí. Pred číselným vyjadrením sa nepíše ale vyslovuje určitý člen **the.**

| | | | | | |
|---|---|---|---|---|---|
| $1^{st}$ | *– first* | $9^{th}$ | *– ninth* | $21^{st}$ | *– twenty-first* |
| $2^{nd}$ | *– second* | $10^{th}$ | *– tenth* | $30^{th}$ | *– thirtieth* |
| $3^{rd}$ | *– third* | $11^{th}$ | *– eleventh* | $32^{nd}$ | *– thirty-second* |
| $4^{th}$ | *– fourth* | $12^{th}$ | *– twelfth* | $40^{th}$ | *– fortieth* |
| $5^{th}$ | *– fifth* | $13^{th}$ | *– thirteenth* | $43^{rd}$ | *– forty-third* |
| $6^{th}$ | *– sixth* | $14^{th}$ | *– fourteenth* | $50^{th}$ | *– fiftieth* |
| $7^{th}$ | *– seventh* | $15^{th}$ | *– fifteenth* | $100^{th}$ | *– hundredth* |
| $8^{th}$ | *– eighth* | $20^{th}$ | *– twentieth* | $1\ 000^{th}$ | *– thousandth* |

- Zmeny nastávajú pri: *five – fifth, eight – eigth, nine – ninth, twelve – twelfth;* a pri koncovom **-y,** ktoré sa mení na **-ie + th.**
- Číselné poradie sa značí za poslednou číslicou
  $333^{rd}$ *– the three hundred and thirty-thi**rd***

- **Dátum – Date**
  *What's the date? – Koľkého je (dnes)?*
  **$29^{th}$ October 2005** *– the twenty-ninth of October*
                               *two thousand and five/(twenty o five)*
  **February $21^{st}$ 1998** *– February the twenty-first*
                               *nineteen ninety-eight*
  Pozor!: **09/10/2005 (UK) = $9^{th}$ October 2005**
          **09/10/2005 (US) = $10^{th}$ September 2005**

## 2.4.3 Násobné – Multiplied

Násobnosť sa vyjadruje slovom **times** okrem:
raz     – **once**
dvakrát – **twice**,   ale už   trikrát – **three times** atď.

- Ak chceme vyjadriť frekvenciu v určitom časovom úseku, za slovo *times* kladieme neurčitý člen *a* alebo predložku *in.* Napr.: *three times a week; five times in two hours;*
- Prídavné mená a príslovky sa tvoria pridaním *-fold.* Napr. twofold, thousandfold (dvojnásobný/e; tisícnásobný/e).

### 2.4.4 Čas – Time

*What's the time? What time is it? – Koľko je hodín?*
Pri presnom hlásení času, v cestovných poriadkoch, technickej praxi atď., existuje digitálny čas. Napr.:

| | |
|---|---|
| **4.25** | *– It's four twenty-five* |
| **21.10** | *– It's twenty-one* (o'clock) *ten* (minutes) |

Čas sa spravidla vyjadruje pomocou časti hodiny **quarter** (štvrť) a **half** (pol) alebo počtom minút po predchádzajúcej alebo nasledujúcej celej hodine.

Čas po celej predchádzajúcej hodine – *minutes, quarter* až po *half* vyjadrujeme pomocou predložky **past** a od pol do nasledujúcej hodiny pomocou predložky **to.**

Celé hodiny čítame jednoducho, napr.: *It's five o'clock.*

| | |
|---|---|
| 5.05 | *– 5 (minutes) past 5 (o'clock)* |
| 5.10 | *– 10 past 5* |
| 5.15 | *– quarter past 5* |
| 5.20 | *– 20 past 5* |
| 5.30 | *– half past 5* |
| 5.40 | *– 20 to 6* |
| 5.45 | *– quarter to 6* |
| 5.50 | *– 10 to 6* |
| 5.57 | *– 3 to 6* |
| 6.00 | *– 6 o'clock (= of the clock)* |

Deň sa delí na 2x12 hodín. Od polnoci do poludnia sa pridáva za časový údaj *a. m. (ante meridiem)* – predpoludnie a od poludnia do polnoci *p. m. (post meridiem)* – popoludnie.

## 2.5 SLOVESÁ – VERBS

Slovesá v angličtine majú pomerne málo tvarov. Okrem rozkazu a zvolania sa so slovesom musí použiť podmet, lebo časovanie závisí len od formálnej zhody slovesa s ním. Sloveso v neurčitku (infinitíve) má vždy pred sebou *to*, výnimku tvoria len spôsobové slovesá *can*, *may* a *must*. Slovesné tvary majú len 3 prípony: *-ed, s/-es, -ing,* tvoria však mnoho variácií s pomocnými slovesami.

### 2.5.1 Delenie slovies

Podľa významu delíme slovesá na:

* *plnovýznamové*
  – pravidelné
  – nepravidelné
* *pomocné*
* *spôsobové* (modálne)

| *Full Verbs* (plnovýzn.) | *Auxilieries\** (pomocné) | *Modals\** (spôsobové) |
|---|---|---|
| *to work* *to help* *to run* atd... | *to have, to be, to do, will, shall* Používajú sa na tvorenie jednotlivých časov, otázok a záporov. | *can, may, must, need, ought to, used to, dare* Obmieňajú význam plnovýznam. slovesa. |

Poznámka:
\* Slovesá uvádzané bez *to* nemajú infinitív.

### 2.5.2 Osoba – Person

Angličtina má tiež 3 osoby a časovanie *(Conjugation)* spočíva na formálnej zhode s ňou – podmetom. Iba sloveso *byť* – *to be* je odlišné. Napr.: *to play:*

| to play | | to be | | | |
|---|---|---|---|---|---|
| I play | we play | I | **am** | we | **are** |
| you play | you play | you | **are** | you | **are** |
| he/she/it plays | they play | he/she/it | **is** | they | **are** |

### 2.5.3 Čas – Tense

Angličtina má relatívne veľa časov, základných je 6. Každý z nich je jednoduchý a priebehový, takže spolu ich je 12. Relatívne však vychádzajú zo skladby troch základných časov.

### PREHĽAD ČASOV PLNOVÝZNAMOVÝCH SLOVIES

Model verbs: **to work** *(pravidelné)*, **to speak** *(nepravidelné)*

| | Simple Jednoduchý | Continuous Priebehový |
|---|---|---|
| **Present** **Prítomný** | I work I speak | I **am** working I **am** speaking |
| **Past** **Minulý** | I work**ed** I **spoke** | I **was** working I **was** speaking |
| **Future** **Budúci** | I will work I will speak | I **will be** working I **will be** speaking |

|  | Perfect | Perfect continuous |
|---|---|---|
| Present Prítomný | *I have worked* *I have spoken* | *I have been working* *I have been speaking* |
| Past Minulý | *I had worked* *I had spoken* | *I had been working* *I had been speaking* |
| Future Budúci | *I will have worked* *I will have spoken* | *I will have been working* *I will have been speaking* |

## 2.5.3.1 *Prítomný jednoduchý čas – Present Simple Tense*

**Použitie:**

Používa sa na vyjadrovanie dejov alebo tvrdení, ktoré všeobecne platia, sú obvyklé alebo sa opakujú. Napr. *They play tennis* (**every** Sunday, **usually, always, sometimes, never**). Používa sa aj v oznamoch a športových komentároch. V tomto čase sa používajú aj slovesá zmyslového vnímania, slovesá vyjadrujúce city a pocity, ktoré v podstate nemajú priebehový charakter, napr.: *like, taste, feel, know, agree, forget, mean, realize* atd.

**Tvorenie:**

Tvorí sa z prítomného infinitívu *(to say)*. V kladnej oznamovacej vete sa dáva jednoducho infinitív bez *to* za zámeno, resp. podmet. V **3. os. j. č.** sa pridáva koncovka *-s/-es*, pričom platí pravidlo o zmenách ako pri tvorení plurálu podst. mien. Napr.: *We drive to work. He flies business class. She watches TV.*

• Ak sa sloveso v neurčitku končí na **spoluhlásku + y**, napr.: *hurry, study,...* potom je **3. osoba j. č.** so zmenou, a to: *he hurries, he studies.*

Ale!

• Ak sa sloveso v neurčitku končí na **samohlásku + y**, napr.: *play*, potom je **3. osoba j. č.** bez zmeny, a to: *he plays.*

- Ak sa sloveso v neučitku končí na **nemé e**, napr. **write,** potom **3. osoba j. č.** je **-e(es)**, a to: **he writes.**
- Ak sa sloveso v neurčitku končí na **-x, -ss, -ch, -sh**, napr.: **box, kiss, watch, wash,** potom **3. osoba j. č.** má koncovku **-es**, a to: **he boxes, he kisses, he watches, he washes** a pod.

Časovanie pomocných slovies **be** a **have** (a ich skrátené tvary) a modálnych slovies **can, may, must.**

| Person | to be | | to have | | can | may | must |
|---|---|---|---|---|---|---|---|
| I | am | ('m) | have | ('ve) | can | may | must |
| you | are | ('re) | have | ('ve) | can | may | must |
| he, she, it | is | ('s) | has | ('s) | can | may | must |
| we | are | ('re) | have | ('ve) | can | may | must |
| you | are | ('re) | have | ('ve) | can | may | must |

Sloveso **to have** je aj plnovýznamové sloveso, používa sa vo význame *mať*, ale frekventovanejším výrazom sa však stalo spojenie **to have got (I've got, he's got),** v ktorom sa **have** správa ako pomocné sloveso.

**Otázka – Question:**
Pri slovesách **to be, to have got, can, may, must, will** sa otázka tvorí inverziou (vymení sa slovosled). Napr.:

| | |
|---|---|
| He must go there! | Must he go there? |
| They have got two children. | Have they got...? |
| Ale: They have two children. | Do they have two children? |
| We are busy. | Are you busy? |
| We will be there. | Will we be there? |

Pri plnovýznamových slovesách zachovávame slovosled kladnej vety, teda pred podmet jednoducho kladieme pomocné sloveso **do,** ktoré má v 3. os. j. č. tvar **does.** Keďže toto pomocné sloveso preberá koncovku 3. os. j. č., za podmetom nasleduje už len infinitív bez **to**. Napr.:

You want a new house.     **Do** you want a new house?
He lives here.            **Does** he live here?
She has dark hair.        **Does** she have dark hair?

Pri tvorení otázky treba dávať pozor na výrazy **some, someone, somebody, something...,** ktoré sa menia na **any, anyone, anybody, anything...** Napr.:

I try **something** new.     Do you try **anything** new?

Ak sa pýtame na podmet, resp. podmetovú časť opytovacími zámenami **(Who, Which, Which of, Whose, How many, How much)**, otázka sa tvorí bez pomocného slovesa, lebo tieto zámená plnia funkciu podmetu, a teda nasledujúce sloveso sa s ním musí zhodovať v osobe. Napr.:

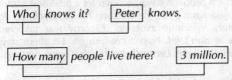

Who knows it?   Peter knows.

How many people live there?   3 million.

## Zápor – Negative:

Pomocné sloveso **do** používame aj pri tvorení záporu. Má dva tvary **do not = don't** a v 3. os. j. č. **does not = doesn't.** Obdobne za ním kladieme infinitív plnovýznamového slovesa bez **to**. Napr. : She **doesn't** have much time. I **don't** understand. V prípade slovesa **to be** nepoužívame pomocné sloveso, tak ako to robíme pri ostatných pomocných slovesách. Často používame skrátené tvary.

I am not = I'm not
you, we, they are not = aren't
he, she, it is not = isn't
I, you, we, they have not = haven't
he, she, it has not = hasn't
I cannot = can't (not píšeme spolu s can!)

*Pozor!*
V anglickej vete existuje len **jeden zápor.** Napr.:
*They never speak about her. Nobody knows it. She doesn't say anything.* (Kladné *some* na any).

*Rozkaz – Imperative:*
• Rozkaz v 2. os. sa tvorí jednoducho holým infinitívom.
  Napr.: *Stop. Go left.*
  – Málokedy dávame výkričník, iba pri veľkom dôraze
    alebo emotívnom podfarbení. Napr.: *Shut up!*
  – Záporný rozkaz, resp. zákaz, sa tvorí pridaním **don't.**
    Napr.: *Don't do it.*
  – Treba mať na zreteli, že v spisovnej angličtine neexistujú dva zápory v jednej vete, teda nie: *Never ask for nothing,* ale: *Never ask for anything.*
• V ostatných osobách dávame slovo **let** a príslušné zámeno v objektovom páde. Prekladáme ho ako **nech,** čo do istej miery vyjadruje zvolanie. Záporný tvar takýchto výrazov je **don't let.** Napr.: *Let him go. Let them stay. Don't let me leave. Let us* **(Let's)** *buy her some flowers.*

### 2.5.3.2 Prítomný priebehový – Present Continuous
**Použitie:**
  Používame ho na vyjadrenie deja, ktorý práve prebieha alebo je časovo blízky *(now, at the moment)* alebo je jasne naplánovaný do budúcnosti *(tomorrow, next week).* Môžeme ním vyjadriť aj časté opakovanie deja v prítomnosti, ak je citovo podfarbené. Napr.:
  *I'm sitting* **now.**
  **Tomorrow** *I'm having an English lesson.*
  *My mother is* **always** *shouting at me.*

**Tvorenie:**
  Tvorí sa pomocou prít. času slovesa **to be + príčastie prítomné (= present participle.)** Sloveso **to be** je pomocné,

a preto sa spravidla používa v skrátenej forme.

*Príčastie prítomné* sa tvorí z plnovýznamového slovesa pridaním prípony *-ing.* Napr. *asking.*

- Ak je v slovese **koncová spoluhláska, ktorej predchádza jedna krátka prízvučná samohláska**, dochádza k **zdvojeniu koncovej spoluhlásky**; napr.:
  *stop – stopping, plan – planning.*
- Ak sa sloveso v neurčitku končí na tzv. **nemé e,** to sa pridaním *-ing* vynecháva; napr.:
  *write – writing.*
- Ak sa sloveso v neurčitku končí na *-y,* pripojí sa k nemu koncovka *-ing* **bez zmeny;** napr.:
  *study – studying, play – playing.*
- Ak sa sloveso v neurčitku končí na *-ie (die, tie)*, potom sa *-ie* mení pred koncovkou *-ing* na *y;* napr.
  *die – dying, lie – lying, tie – tying.*

*Poznámka:*
Priebehové tvary slovesa sa používajú len pre priebeh činnosti. Niektoré slovesá vyjadrujú činnosť, napr.: *like, know...* Sú to tzv. **stavové slovesá,** teda slovesá, ktoré vyjadrujú stav človeka. **Tieto v angličtine nemajú priebehový tvar.** Platí to pre priebehové tvary vo všetkých priebehových časoch. Sú to napr. slovesá:
**like, love, hate, want, need, prefer, know, realise, suppose, mean, understand, believe, depend, see.**

*Všimnite si:*
   **have** = vlastniť  *I have a brother!*
   **have** = proces  *I am having an English lesson now.!*

## Otázka – Question:
Tvorí sa pomocou pomocného slovesa *to be,* ktoré sa kladie pred podmet. V kladnej forme musí byť v plnom tvare.

**Zápor – Negative:**
Tvorí sa pridaním *not* k pomocnému slovesu. Používa sa
**v skrátenom tvare.**

| Positive | Interrogative | Negative |
|----------|---------------|----------|
| I´m standing. | Are you standing? | I´m not standing. |
| He´s running. | Is he running? | He isn´t running. |
| They´re dancing. | Are they dancing? | Thay aren´t dancing. |
| She´s crying. | Is she crying? | She isn´t crying. |

### 2.5.3.3 *Minulý jednoduchý – Past Simple*
**Použitie:**
   Vyjadruje dej, ktorý sa začal aj skončil v minulosti (napr.
*last year, yesterday, in 1999 a pod.*).

**Tvorenie:**
   Pre všetky osoby existuje len 1 tvar daného slovesa. Pri
nepravidelných slovesách sa uvádza príslušný tvar v
zozname nepravidelných slovies (pozri str. 439). Ostatné
slovesá tvoria minulý čas pravidelnou príponou *-ed/d*.
Niekedy dochádza k zmenám koncovej hlásky.
* Koncové *-y* po spoluháske sa mení na *-i + ed* (*study –
   studied*);
* Koncové *-y* po samohláske sa nemení (*play – played*);
* Koncová spoluháska sa zdvojuje, ak jej predchádza
   jedna krátka prízvučná samohláska alebo je to **l, r**.
   Napr.: *travel – travelled*

| Present Simple | I carry | He stops | she plays | they travel |
|----------------|---------|----------|-----------|-------------|
| Past Simple | I carried | He stopped | she played | they travelled |

**Otázka – Question:**

Tvorí sa tiež z prít. času jednoduchého. Pomocné sloveso *do* preberá kategóriu min. času a má tvar *did* pre všetky osoby. Napr.:

|  | **1. os. sg.** | **3. os. sg.** | **Plural** |
|---|---|---|---|
| **Present Simple** | *Do* I wash? | *Does* he go? | *Do* they swim? |
| **Past Simple** | *Did* I wash? | *Did* he go? | *Did* they swim? |

**Zápor – Negative:**

Tvorí sa analogicky z prít. času, teda *don´t* a *doesn´t* sa menia na *didn't.* Napr.:

| **Present Simple** | They go there. | They don't go there. |
|---|---|---|
| **Past Simple** | They **went** there. | They **didn't go** there. |

V prípade pomocného slovesa *to be* poznáme dva tvary podľa zoznamu nepravidelných slovies. Keď vychádzame z prítomného času, *is* a *am* majú tvar *was; are* má min. čas *were.* Sloveso *can* má tvar *could.*

*Otázka* a *zápor* sa tvoria pomocou nich, napr.:

*Was* he at home? Where *were* you? He *couldn't* sing.

Sloveso *have got/have* má minulý čas **had.** Otázka a zápor sa tvoria ako pri plnovýznamových slovesách, napr.:

*Did* you *have* enough time?

### 2.5.3.4 Minulý priebehový – Past Continuous

**Použitie:**

Používa sa na vyjadrenie:

• súčasne prebiehajúcich dejov v minulosti, napr.: *I was living* in Paris and my family *was staying* in Slovakia.

- činnosti v minulosti, ktorá trvala určitú dobu, napr.: *It was snowing from the midnight.*
- činnosti, ktorá sa začala pred inou činnosťou v minulosti, napr.: *She was making dinner when we arrived.*
- činnosti, ktorá prebiehala v danom čase, napr.: *What were you doing at 8 o'clock last night?*

**Tvorenie:**

Tvorí sa z prítomného času priebehového, t. j. sloveso *to be* pretransformujeme do min. času. Za podmet dávame *was/were + príč. prítomné.* Napr.:

| Present Continuous | I am working | we are sleeping |
|---|---|---|
| Past Continuous | I **was** work**ing** | we **were** sleep**ing** |

**Otázka – Question:**
    ... **was** I working?    ... **were** you sleeping?
**Zápor – Negative:**
    I **wasn't** working    we **weren't** working

### 2.5.3.5 *Predprítomný jednoduchý – Present Perfect*

**Použitie:**

Používa sa na vyjadrovanie:
- deja, ktorý sa odohral v minulosti, ale svojimi následkami zasahuje do prítomnosti, napr.:
  *I can't call Paul. I've forgotten his number.*
- deja, ktorý sa začal v minulosti a trvá doteraz, resp. ešte sa neskončil, napr.: *She has visited us many times.*
- deja, o ktorom nevieme, **kedy** sa v minulosti stal. Dôležité je, že sa uskutočnil v minulosti aspoň raz.

**Do slovenčiny** sa tieto minulé deje vyjadrené v angličtine *predprítomným časom* prekladajú:
– **časom prítomným**, napr:
  **Poznám** ho 10 rokov. – *I have known him for 10 years.*
  **Žijem** tu od roku 1999. – *I have lived here since 1999.*

Alebo:
– **časom minulým,** napr.:
**Bola** som už v Londýne. – *I have (already) been to London.*
ALE: *I was in London in 1999.*

Pre tento čas sú typické výrazy: *ever, never, already, since, just, so, for, yet.* Napr.: *They haven't seen her yet.*

**Tvorenie:**
Tvorí sa pomocou pomocného slovesa **have + min. príčastie** významového slovesa, t. j. z minulého neurčitku.

*Minulé príčastie – Past Participle* sa pri nepravidelných slovesách tvorí nepravidelne (pozri zoznam neprav. slovies str. 439). Pravidelné slovesá majú tvar trpného príčastia zhodný s minulým časom, t. j. pôvodné sloveso priberá koncovku **-ed.** Napr.:

| Regular verb | we **have** clean**ed** | he **has** travel**led** |
|---|---|---|
| Irregular verb | they **have** written | she **has** said |

**Otázka – Question:**
Tvorí sa zámenou (inverziou) podmetu a pomocného slovesa.
*Have I bought?*          *Has he come?*

**Zápor – Negative:**
Tvorí sa pridaním **not** k pomocnému slovesu **have,** t. j. **haven't, hasn't.** Napr.:
*I haven't heard.*          *She hasn't got.*

### 2.5.3.6 *Predprítomný priebehový – Present Perfect Continuous*

**Použitie:**
Vyjadruje dej:
• ktorý sa začal v minulosti a trvá doteraz alebo ešte trvá a môže pokračovať do budúcnosti. Zväčša sa prekladá

prít. časom a obvykle máva časový údaj *(since..., for...)*.
Napr.: *It's been raining since five. I've been waiting for 3
hours.* (ešte prší, ešte čakám);
*Predprít. priebehový* čas sa používa zväčša po otázke,
ktorú kladieme **v prítomnosti.** Napr.:
*How long **have** you **been** waiting?* – Ako dlho čakáš?
• ktorý trval dlhšiu dobu v minulosti a jeho následky sú evidentné v súčasnosti. Môže sa ním vyjadriť aj isté znepokojenie, ktorého následky sú evidentné aj teraz. Napr.:
*She has been working all the night. (She is very tired);
Have you been lying in my bed? (I can't stand it.)*

**Tvorenie:**

Tvorí sa znova pomocným slovesom ***have + been + príč.
prítomné.*** Napr.:

| I, you, we, they | **have** | + **been** | + play**ing** |
|---|---|---|---|
| he, she, it | **has** | | |

**Otázka – Question:**

Tvorí sa inverziou, napr.:
*How long **has** he **been** living here?*

**Zápor – Negative:**

Tvorí sa pomocou ***haven't,*** napr.:
*You **haven't been** wearing this shirt since Christmas.*


### 2.5.3.7 Predminulý jednoduchý – Past Perfect Simple

**Použitie:**

Vyjadruje dej, ktorý sa skončil pred istým časovým
bodom v minulosti alebo pred začiatkom iného deja v
minulosti. Napr.:
*It was two years after I **had seen** her.
I **had copied** your message and sent it to him.*

**Tvorenie:**

Tvorí sa z predprítomného času jednoduchého tak, že
pomocné sloveso ***have/has*** má tvar min. času ***had.***
Analogicky sa tvorí aj **otázka** a **zápor.** Napr.:

| Present Perfect Simple | I have washed | have you washed...? | I haven't washed |
|---|---|---|---|
| Past Perfect Simple | I had washed | had you washed...? | I hadn't washed |

## 2.5.3.8 Predminulý priebehový – Past Perfect Continuous

**Použitie:**

Vyjadruje sa ním priebeh trvania deja v minulosti až do istého časového bodu v minulosti.

**Tvorenie:**

Tvorí sa z predprítomného priebehového času, avšak pomocné sloveso má tvar *had.* Napr.:

When I noticed it, she *had been driving* my car.

**Otázka – Question:**

vzniká, ak sloveso *had* dáme pred podmet.

**Zápor – Negative:**

tvoríme tvarom *hadn't.*

## 2.5.3.9 Budúci jednoduchý – Future Simple

**Použitie:**

Používa sa na vyjadrenie jednorazového budúceho deja alebo stavu, resp. domnienky o budúcnosti. Vyjadrujeme ním aj zdvorilú žiadosť alebo návrh. Napr.:

She *will wait* here. *Will* you *open* the window?

**Tvorenie:**

Tvorí sa pomocou *will + prít. infinitív* bez *to.* Pomocné sloveso *will* sa často skracuje. V 1. os. sg. a pl. sa používal donedávna tvar **shall,** v súčasnosti funguje len pri výzve alebo návrhu, napr.: *Shall we buy* her a ring?, s ostatnými osobami vyznieva ako oznámenie, že sa niečo má alebo musí stať, napr.: He *shall come* tomorrow.

**Otázka – Question:**
nesmie mať stiahnutý tvar **will**, lebo toto pomocné sloveso stojí pred podmetom.

**Zápor – Negative:**
tvoríme pridaním **not** k pomocnému slovesu, bežne má skrátený tvar **will not = won't**. Napr.:

| Positive | I **will** buy them. | I'**ll** buy them. |
|---|---|---|
| Interrogative | **Will** you buy them? | – |
| Negative | I **will not** buy them. | I **won't** buy them. |

### 2.5.3.10 Budúci priebehový – Future Continuous
**Použitie:**
Používa sa na vyjadrenie budúceho času, ktorý bude prebiehať a trvať v určitom bližšom určenom čase, alebo na vyjadrenie zámeru či istoty hovoriaceho o budúcnosti.

**Tvorenie:**
Tvorí sa budúcim časom slovesa **to be + príčastie prítomné**, t. j. **will be + verb -ing.** Napr.:
He **will be** starting school soon.

**Otázku** a **zápor** znova tvoríme pomocou **will** tak, ako pri čase jednoduchom budúcom. Napr.:
**Will** they **be** starting? No, they **won't be** starting.

### 2.5.3.11 Predbudúci jednoduchý – Future Perfect Simple
**Použitie:**
Používa sa zriedka. Vyjadruje sa ním dej, ktorý bude ukončený pred určitým okamžikom v budúcnosti. Čas je často vymedzený predložkou **by** (do) alebo celou časovou vetou.

**Tvorenie:**
Tvorí sa pomocou **will have + past participle** slovesa. Napr.:
I **will have** finished it by Monday.

**Otázka – Question:**
  *Will you have finished it by Monday?*

**Zápor – Negative:**
  *I won't have finished it by Monday.*

### 2.5.3.12 *Predbudúci priebehový – Future Perfect Continuous*

**Použitie:**
  Používa sa veľmi zriedka, a to len vtedy, keď chceme zdôrazniť v predbudúcom čase trvanie, priebeh deja.

**Tvorenie:**
  Tvoríme ho pomocou *will have been + present participle.*
  Napr.: *Next year I will have been teaching for 20 years.*

**Otázka – Question:**
  *Will you have been teaching for 20 years next year?*

**Zápor – Negative:**
  *I won't have been teaching.*

### 2.5.3.13 *Vyjadrovanie budúcnosti*

• pomocou budúcich časov (pozri 2.5.3.9 – 2.5.3.12);
• pomocou tvaru *be going to,* za ktorým nasleduje plnovýznamové sloveso. Vyjadrujeme tak dej, ktorý sa **stane onedlho** a ktorý má **hovoriaci v úmysle vykonať.** Má hovorový tvar *gonna.* Napr.:
  *They are going to build a house.*
  *I'm gonna call her.*
• pomocou prít. času priebehového na vyjadrenie **vopred naplánovaného deja.** Napr.:
  *This evening they are having a party.*

### 2.5.3.14 *Vyjadrenie časov pri modálnych slovesách*

  Základné spôsobové (modálne) slovesá *can, may* a *must* nemajú infinitív, teda majú neúplné slovesné kategórie. Len

**can** a **may** majú minulý čas – **could, might.** Ostatné časy tvoria opisom:

| can | – to be able to... (byť schopný) | I'm able to drive. (Som chopná šoférovať.) |
|---|---|---|
| may | – to be allowed to... (mať dovolené, smieť) | He's allowed to leave. (Smie odísť.) |
| must | – to have to / to be to... (musieť) | They had to do it. (Museli to urobiť.) |

Plnovýznamové sloveso, ktoré nasleduje po slovesách **can, may, must** je v infinitíve bez **to** (I can go...).

**Can (could) – vedieť, môcť** vyjadruje:
• Schopnosť – *ability (I can speak English.)*
• Možnosť – *possibility (I can help you.)*
• Dovolenie – *permission (You can go.)*
• **Could** je minulý čas od **can** a vyjadruje všeobecnú schopnosť, napr.: *I could do it.*
**Be able to do something** je opisný tvar modálneho slovesa **can** a používa sa v zmysle: – podarilo sa mi to urobiť *(I managed to do it – I was able to do it.)*
• **Zápor: I cannot (I can't); not able to do something, could not, couldn't.**

**May (might) – smieť** vyjadruje:
• Možnosť – *possibility (Next year we may come.)*
• Dovolenie – *permission (May I come to see you tomorrow?)*
• **Zápor: may not (might not/mightn't).**

**Must – musieť** vyjadruje:
• Silný príkaz *(You must learn.)*
• Osobnú vôľu. *(I must go.)* (Musím ísť, lebo ja chcem.)
• **Zápor: mustn't – nesmieš!** vyjadruje silný zákaz, napr.: *You mustn't smoke here!*

**To have to do something**  vyjadruje:
- Opisný tvar na vyjadrenie povinnosti všeobecne, napr.:
  *You have to stop on red.*
- Zápor **don't (doesn't) have to do something** – **nemusíš**, (ale môžeš), napr.:
  *You don't have to help, I can manage to do it.*
- **Needn't** – znamená to isté ako *don't have to do something*.

## 2.5.3.15 Súslednosť časov – Shifting of Tenses

Súslednosť časov nemá ekvivalentný jav v slovenčine, preto mu treba venovať pozornosť pri preklade. Existuje v podraďovacích súvetiach, najčastejšie s vedľajšou vetou predmetovou alebo podmetovou, resp. pri transfere priamej reči do nepriamej alebo naopak. Jej logický základ **spočíva v posune časov vo vedľajšej vete, ak sa v hlavnej vete hovorí v rámci minulého času,** napr.: *he said, they believed; she thought, he didn't realize; we couldn't understand,* atd. Pri zmene priamej reči na nepriamu často dochádza aj k zmene zámen, ako vidieť na príkladoch.

| Priama reč – Direct Speech | Posunutie časov Shifting of Tenses | | Nepriama – reč Indirect Speech |
|---|---|---|---|
| He said: | | | He said (that) |
| "I **like** him." | present ———→ | past | he **liked** him. |
| "She **wanted** it." | past ———→ | past perfect | she **had wanted** it. |
| "They **have** known her." | present perfect ———→ | past perfect | they **had known** her. |
| "I **will do** it." | future (will) ──→ | would | he **would do** it. |
| "We **would do** it." | would present ———→ | would perfect | they **would have done** it. |

*Poznámka:*
Súslednosť sa neuplatňuje v prípade, keď sa vedľajšou vetou vyjadruje zákonitosť alebo niečo všeobecne platné. Napr.:
*I didn't realize (that) sea water is so salty.*

## 2.5.3.16 Podmienkové súvetia – Conditionals

- V jednoduchých vetách sa **slovenské „by"** dá vyjadriť pomocou:
  - **would** *He would go home.* (Išiel **by** domov.)
  - **should** *You should go home.* (Mal **by** si ísť domov.)
  - **could** *You could go home.* (Mohol **by** si ísť domov.)
  - **might** *You might go home.* (Snáď **by** si mohol ísť domov.)
- Rozoznávame 3 podmienkové súvetia:
  1. **Reálna v prítomnosti – Zero Conditional**
     má v hl. vete **will + neurčitok plnovýznamového slovesa** bez **to**, vo vedľajšej vete **present tense**. Napr.:
     *You **will get** there easier if you **go** by car.*
     (Dostaneš sa tam ľahšie, ak pôjdeš autom.)
  2. **Nereálna v prítomnosti – First Conditional**
     má v hl. vete **would + neurčitok plnovýznamového slovesa** bez **to**, vo vedľajšej vete **past tense**. Napr.:
     *You **would get** there easier if you **went** by car.*
     (Dostal by si sa tam ľahšie, keby si išiel autom.)
  3. **Nereálna v minulosti – Second Conditional**
     má v hl. vete **would have + past participle plnovýznamového slovesa**, vo vedľajšej vete **past perfect**. Napr.:
     *You **would have got** there easier if yon **had gone** by car.*
     (Bol by si sa tam dostal ľahšie, keby si bol išiel autom.)

## 2.5.4 Rod – Voice

Slovesný rod má angličtina dvojaký, a to:
- činný *(Active)*
- trpný *(Passive)*.

**Použitie:**
je obdobné ako v slovenčine, avšak trpný rod sa v angličtine vyskytuje oveľa častejšie. Používame ho vtedy, keď je pôvodca deja neurčitý, neosobný, nie je potrebné ho zdôrazniť. V prípade, ak naň kladieme dôraz, použijeme ho v trpnom rode po predložke *by*. Napr.:

- *Active* – They often invite us.
- *Passive* – We are often invited (*by them*).

**Tvorenie:**
Ak vychádzame z príkladu, je zrejmé, že predmet z vety v činnom rode sa stáva pasívnym podmetom, za ním nasleduje tvar slovesa *to be + past participle.*

| Tense | Active | Passive |
|---|---|---|
| **Present Simple** | somebody calls you | you are called |
| **Past Simple** | somebody called you | you were called |
| **Present Perfect Simple** | somebody has called you | you have been called |
| **Past Perfect Simple** | somebody had called you | you had been called |
| **Future Simple** | somebody will call you | you will be called |
| **Future Perfect Simple** | somebody will have called you | you will have been called |
| **Present Continuous** | somebody is calling you | you are being called |
| **Past Continuous** | somebody was calling you | you were being called |
| *can, may, must* | somebody can call you | you can be called |
| *could, might, would* | somebody could call you | you could be called |

**Otázka** a **zápor** sa tvoria pomocou pomocných slovies, ktoré v kladnej vete nasledujú za podmetom. Napr.:
*Are you called? You haven't been called.*

### 2.5.5 Neurčitok a -ing-ový tvar – *Infinitive and -ing form*

• Angličtina má dva infinitívy – **prítomný** a **minulý.**

| Infinitive | | | |
|---|---|---|---|
| **Present** | | **Past** | |
| Bare* | to-infinitive | Bare* | to-infinitive |
| *go* | *to go* | *have gone* | *to have gone* |

\* Častica **to** sa nedáva pred infinitív, vtedy hovoríme o holom (prostom) **bare** infinitíve, ktorý sa používa:
  – po pomocných a modálnych slovesách, napr.: *You will see it. He must go there. You might have done it.*
  – prítomný prostý infinitív sa používa pri tvorení rozkazovacieho spôsobu, napr.: *Listen.*
  – po určitých slovesách, ako sú napr.: **let, make, have,** napr.: *Let's go. She makes me cry.*
  – po väzbách: **would rather, better, sooner** atd., napr.: *I would rather swim.*
  – po slovesách zmyslového vnímania typu: **see, watch, observe, hear, feel** atd., napr.: *I saw her sit there.*

• **-ing-ový tvar** môže mať viacero fukcií. Najčastejšie sa však používa ako: *príčastie prítomné, príd. meno a gerundium.*

– **Príčastie prítomné – *Present Participle***
  Používa sa pri tvorení priebehových časov, napr.:
  *He is walking.*

– **Prídavné meno – *Adjective***
  Používa sa vo funkcii prívlastku, ak vyjadruje účel podst. mena, napr.: *walking stick, dancing shoes, writing table.*

**– Gerundium**
- má funkciu nášho *slovesného podst. mena*, napr.: *Walking is healthy.* Vyskytuje sa po tzv. pocitových slovesách typu **like, dislike, love, hate** a pod., napr.: *I like walking.* Ako podstatné meno sa používa po niektorých ustálených spojeniach s prídavnými menami, napr.: **proud of, used of, worth, interested in**, napr.: *I'm interested in painting.*
- plní funkciu *prechodníka* v polovetných konštrukciách, čo sa v slovenčine prekladá ako vedľ. veta, napr.: *Walking down the street, I saw her car.*
- je súčasťou činných i trpných príčastí, napr.: *walking, having walked, being walked, having been walked.*

## 2.5.6 Skrátené hovorové tvary slovies

| | | | |
|---|---|---|---|
| **gimme** [gimə] | – give me | **ain't** [aint] | – am not, |
| **gonna** [gonə] | – going to | | is not, |
| **gotta** [gotə] | – got to | | are not |
| **wanna** [wanə] | – want to | | – have/has not |
| (**won't** [wənt] | – will not) | | |

## 2.6 PRÍSLOVKY – ADVERBS

### 2.6.1 Príslovky miesta – Adverbs of Place
Napr.: **here, there, inside, outside, where, dorov, above, below** ap..

### 2.6.2 Príslovky času – Adverbs of Time
Napr.: **today, yesterday, this/next/lost week, on Monday, at 5 o'clock, now, then, still, yet.**

### 2.6.3 Príslovky spôsobu – Adverbs of Manner
Tvoríme ich z prídavných mien pridaním koncovky **-ly**, napr.: *bad – bad**ly**, slow – slow**ly**.*

Pred koncovým **-y,** ktorému predchádza spoluhláska, dochádza k zmene na **-i + ly,** napr.: *heavy – heavily, easy – easily.*

- Niektoré prídavné mená, najmä tie, ktoré boli vytvorené z podst. mien, majú rovnaký tvar ako príslovky, napr.: **friendly, frankly, funny, monthly.**
- S rovnakým tvarom príd. mena a príslovky **bez koncovky -ly** vystupujú napr.: **better, best, worse, worst, early, hard, high, last, late, near, wide** atd.
- Môžeme ich tvoriť aj opisom – pomocou slov **manner, way,** napr.: *in a professional manner; in a funny way;*
- spojením predložky s podst. menom, napr.: **with** *difficulty;*
- predponou **a-** + **podst. meno,** napr.: *aboard, across.*

## 2.6.4 Príslovky frekvencie – Adverbs of Frequency

Zvyčajne odpovedajú na otázku: *How often?* (Ako často?) Patria sem: **always, generally, usually, normally, often, frequently, sometimes, rarely, seldom, hardly ever, not... ever, never** atd.

Majú tri základné postavenia vo vete:

a) po slovese **to be,** napr.: *I'm* **always** *late.*

b) po prvom pomocnom alebo modálnom slovese, napr.: *I would* **always** *have been late.*

c) pred plnovýznamovým slovesom, ak je hneď za podmetom, napr.: *You* **never tried** *hard enough.*

Niekedy môžu stáť aj v inej pozícií, zvyčajne na začiatku alebo konci vety: *frequently, generally, normally, often, sometimes* a *usually,* napr.: **Usually,** *I bring work home.*

## 2.6.5 Príslovky miery – Adverbs of Degree

Patria sem: **quite, fairly, rather, almost, much, far, too, extremely** atd., napr.:

*The film was* **quite** *good.*

Niektoré sa dajú stupňovať ako prídavné mená, napr.:

| (1. st.) Positive | (2. st.) Comparative | (3. st.) Superlative |
|---|---|---|
| fast | fast**er** | fast**est** |
| early | earl**ier** | earl**iest** |
| generously | **more** generously | **most** generously |

## 2.7 PREDLOŽKY – PREPOSITIONS

Predložky sú v angličtine jedným z problematických slovných druhov, ktoré sa ťažko porovnávajú so slovenčinou.
- Niektoré sa zhodujú s príslovkami, a predložkami sú vtedy, ak za nimi stojí predmet – *across, over, up, down, about, among, above, inside, near, of, past, round, without* atd. Napr.:
  *We drove round the city. We drove round.*
- Sú však aj tzv. rýdze predložky, ktoré sa viažu výlučne na predmet – *against, among, at, beside, during, except, for, from, into, on top of, out of, till, since, with,* napr.:
  *Sit beside me.*
- Niektoré predložky plnia aj funkciu spojok – *after, as, before, since,* napr.:
  *Let's have our meeting after we have had lunch.*

### 2.7.1 Predložky miesta a smeru – Prepositions of Place and Movement

- **at** – na určitom mieste, napr.: *at school, at work, at home, at the bank, at the library*
- **in** – na určitom území, napr.: *in the bank, in Slovakia, in bed, in chapel*
- **on** – na povrchu, napr.: *on the table*
- **to** – smerom do, napr.: *to Texas*
- **into** – smerom dovnútra, napr.: *into my room*
- **out of** – smerom von, napr.: *out of the garage*

## 2.7.2 Predložky času – Prepositions of Time

- **at** – at 7 o'clock, at lunch, at Christmas, at night, at the age, at midnight;
- **on** – on Monday, on 1st October, on your birthday;
- **in** – in the morning, in March, in spring, in the year 1997, in the 20th century.

V angličtine majú veľký význam **predložkové spojenia** ako:

| | |
|---|---|
| **according to** | – podľa |
| **apart from** | – okrem |
| **as for/to** | – pokiaľ ide o... |
| **because of** | – pre, kvôli |
| **by means of** | – pomocou |
| **due to** | – vďaka, kvôli |
| **in accordance with** | – podľa, v zhode s... |
| **in addition to** | – okrem, mimo |
| **in agreement with** | – v súhlase s... |
| **in case of** | – v prípade, že... |
| **in consequence of** | – následkom |
| **in favour of** | – v prospech |
| **in front of** | – pred |
| **in spite of** | – napriek |
| **instead of** | – namiesto |
| **in the event of** | – v prípade, že |
| **owing to** | – pre, v dôsledku |
| **on behalf of** | – za, v mene |
| **thanks to** | – vďaka (niečomu) |
| **with regard to** | – pokiaľ ide o... |

*Prehľad predložiek* – pozri strany 435 – 438.

## 2.8 SPOJKY – CONJUNCTIONS

Možno ich deliť podľa typu súvetia alebo viacnásobných vetných členov. Angličtina sa spolieha na slovník, preto len informatívne:

- priraďovacie spojky:
  *and, both... and, as well as, but, yet, still, either... or, neither... or, so, thus, therefore, for* atd.
- podraďovacie spojky:
  *as soon as, after, before, when, still, untill, where, wherever, how, but, however, because, for, since, as, if, unless, that, except, even, in order to* atd.

## 2.9 CITOSLOVCIA – INTERJECTIONS

Anglický pojem *interjection* vystihuje predovšetkým *zvolania*, napr.: *ouch!* – ach!, *wow!* – joj!, *bleech!* – fuj! Patria sem aj *zvukomalebné – (onomatopoeic)* slová, napr.: *splash* – čľup; *bang* – buch; *bow-wow* – hav, hav a pod.

# 3 SLOVOSLED – WORD ORDER

Na rozdiel od slovenčiny sa anglický slovosled striktne riadi postavením slova vo vete, čo vyplýva z jeho funkcie.

## 3.1 OZNAMOVACIA VETA

V oznamovacej vete je usporiadanie nasledujúce:

> **podmet – prísudok – priamy predmet – nepriamy predmet – prísl. určenie spôsobu, miesta, času**

Napr.: *She gave it to her sister secretly in her car last night.* Príslovkové určenie času však môže stáť aj na začiatku vety, t. j. veta sa môže začať napr.: *Last night she...*

### 3.1.1 Formálny podmet

Ak chceme umiestniť na začiatok vety príslovkové určenie miesta, zvyčajne používame *formálny podmet:* **There is a..., There are...** Napr.: *There is a fridge in my kitchen.*

## 3.2 OTÁZKY – QUESTIONS

### 3.2.1 Priame otázky – Direct questions

• **Wh-questions,** napr.: **Why** *do you ask? Because I want to know...*
• **Yes/No questions,** napr.: **Do** *you speak English?* **Yes, I do/No, I don't.**

### 3.2.2 Nepriame otázky – Indirect questions

Začínajú sa uvádzacou vetou, napr.: **I'd like to know...** Po nej nasleduje otázka, ktorej **slovosled je ako v oznamovacej vete, t. j. podmet – prísudok** a začína sa na:
• Buď **wh-** *(why, where, when...),* napr.: *I'd like to know* **where** *you are from.*
• Alebo **if/whether,** napr.: *I'd like to know* **if/whether** *you can help me.*

### 3.2.3 Koncové otázky – Question tags

Napr.: *Jim you understand,* **don´t you?**
*Jim you don't know,* **do you?**

### 3.2.4 Tvorenie otázky

#### 3.2.4.1 *Pýtame sa na podmet*

Podmet v oznamovacej vete vymeníme za opytovacie zámeno *who, what* v nominatíve, ktorý sa stáva podmetom v opytovacej vete. Sloveso má tvar 3. os. sg.
• **I** *am here.* **Who** *is here?*
• **They** *come.* **Who** *comes?*

• **You** have been here. **Who** has been here?

### 3.2.4.2 *Pýtame sa na ostatné vetné členy*

Otázka sa začína opytovacím zámenom typu **Wh-** alebo **how,** za ktorým nasleduje **pomocné sloveso** alebo sloveso byť – **to be.**
• **Where** do you live? In Slovakia.
• **Who** did you look for? My son.
• **What** have you read? A magazine.

## PREHĽAD PREDLOŽIEK

V angličtine patria medzi najťažšie. Dôraz sa preto kladie na memorovanie ich použitia v konkrétnych prípadoch.

### 1. MIESTO A POLOHA

| | |
|---|---|
| **in** | – v, vo *(vnútri)* |
| | – v *(ulica, mesto, krajina)* |
| | – na *(svetové strany; miesto, ktoré má 3 rozmery)* |
| **at** | – na, v *(presné miesto, adresa)* |
| | – u, pri *(miesto na nejakom bode)* |
| **on** | – na *(poloha, plocha, poschodie, pobrežie a pod.)* |
| **in front of** | – pred, vpredu *(čelne)* |
| **behind** | – za, vzadu *(čelne)* |
| **before** | – pred *(časovo)*, vpredu |
| **after** | – za, po, vzadu |
| **on top of** | – na vrchole |
| **over** | – nad *(vertikálne)* |
| **under** | – pod *(vertikálne)* |
| **above** | – nad *(vyššie ako)* |
| **below** | – pod *(nižšie ako)* |

| underneath | – pod *(niečím)* |
|---|---|
| **next (to)** | – vedľa, tesne, pri |
| **beside** | – blízko *(veľmi)*, vedľa |
| **by** | – blízko, pri, vedľa |
| **near** | – blízko *(pomerne)*, pri |
| **opposite** | – naproti |
| **out** | – vonku, mimo |
| **between** | – uprostred *(medzi dvomi)* |
| **among** | – uprostred *(medzi viacerými)* |
| **about** | – o, okolo |
| **around (round)** | – okolo, po, za |
| **up** | – hore |
| **beneath** | – pod *(knižne)* |
| **beyond** | – za, mimo, nad |
| **from** | – z, zo, od *(pôvod)* |

## 2. POHYB

| for | – do, smerom do (po: *leave, depart, start, set off*) |
|---|---|
| **onto** | – na *(na otázku kam? niekde)*, |
| | – do *(niečoho)* |
| **up** | – hore, po, nahor |
| **down** | – dole *(smerom)* |
| **from** | – z |
| **out of** | – von z |
| **into** | – dovnútra *(lesa, vody a pod.)*, |
| | – do *(cudzieho jaz.)* |
| **over** | – nad, ponad, cez, po |
| **through** | – cez *(od začiatku do konca)* |
| **across** | – cez, napriek, krížom *(cez)* |
| **along** | – pozdĺž, po |
| **around** | – okolo, po *(rôznymi smermi)* |
| **past** | – preč, cez, po *(ďalej ako)* |
| **off** | – mimo, preč, z, zo |

| **toward(s)** | – smerom k, ku, voči |
| **to** | – k, až ku, do *(bez slovies vyjadrujúcich pohyb: **arrive at/in/on!**)* |
| **behind** | – vzadu, za |
| **by** | – okolo, popri |

## 3. ČAS

| **after** | – po |
| **at** | – v *(presný čas)* |
| | – v *(noc)* |
| | – v *(víkend, sviatok)* |
| **in** | – za *(nejaký čas)* |
| | – *(ráno, odpoludnia, večer)* |
| | – v *(roky, mesiace, ročné obdobia)* |
| **on** | – *(názvy dní v týždni)* |
| **before** | – pred *(v poradí)* |
| **since** | – odkedy *(od minulosti po prítomnosť)* |
| **from** | – od |
| **for** | – *(ako dlho?)* |
| **till/until** | – do, až do, pokým, do |
| **by** | – časový limit *(**by nine** – na deviatu nie neskôr ako...!)* |
| **from... until** | – od... do |
| **during** | – počas, cez |
| **ago** | – pred *(východiskový bod je prítomnosť)* |
| **before** | – pred *(východiskový bod je všeobecný)* |
| **through** | – cez, počas, po |
| **throughout** | – po *(celý čas od začiatku do konca)* |

*Poznámka:*
Predložky nedávame pred:
- *today, tomorrow, yesterday*
- *this, next, last* + *week (weekend)*

## 4. OSTATNÉ

| | |
|---|---|
| **about** | – o *(niekom, niečom)* |
| | – asi, približne, okolo *(časove)* |
| **after** | – podľa *(niekoho, niečoho)* |
| **against** | – proti |
| **by** | – *(s činiteľom deja)* |
| **in** | – v *(farby, oblečenie)* |
| | – čo má vnútrajšok *(je nižšie ako my)* |
| **on** | – *(pešo, na koni)* |
| | – čo má plošinu *(je vyššie ako my)* |
| **with** | – s *(vlasy, brada, fúzy, okuliare)* |
| | – s, so |
| **without** | – bez |
| **unlike** | – na rozdiel od |
| **above** | – viac ako, nad, vyše |
| **apart from/but/ except (for)** | – okrem, mimo, až na |
| **because of** | – kvôli |
| **beside(s)** | – mimo, okrem, bez, popri |
| **but** | – okrem, mimo *(The last but one – Predposledný)* |
| **for** | – za, pre, po; kvôli, pre, za |
| **under** | – menej než, pod |
| **over** | – nad, ponad, cez, za |

# ZOZNAM NEPRAVIDELNÝCH SLOVIES – THE LIST OF IRREGULAR VERBS

P – značí, že sloveso má aj pravidelný tvar (s príponou -ed).

• – nemení sa

| Neurčitok – Infinitive | Minulý čas – Past Tense | Trpné príčastie – Past Participle | Slov. význam |
|---|---|---|---|
| abide [ə'baid] | abode [ə'bəud], P | abode [ə'bəud], P | – zniesť, strpieť |
| arise [ə'raiz] | arose [ə'rəuz] | arisen [ə'rizn] | – vzniknúť, povstať |
| awake [ə'weik] | awoke [ə'wəuk] | awoke [ə'wəuk] | – prebudiť sa |
| bear[1] [beə] | bore [bɔ:] | borne [bɔ:n] | – (z/u)niesť (plody) |
| bear[2] [beə] | bore [bɔ:] | born [bɔ:n] | – rodiť |
| beat [bi:t] | beat [bi:t] | beaten [bi:tn] | – biť, poraziť |
| become [bi'kam] | became [bi'keim] | become [bi'kam] | – stať sa |
| befall [bi'fɔ:l] | befell [bi'fel] | befallen [bi'fɔ:ln] | – postihnúť |
| begin [bi'gin] | began [bi'gæn] | begun [bi'gan] | – začať |
| behold [bi'həuld] | beheld [bi'held] | beheld [bi'held] | – vidieť, zočiť |
| bend [bend] | bent [bent] | bent [bent] | – ohnúť, skloniť sa |
| beseech [bi'si:ch] | besought [bi'sɔ:t] | besought [bi'sɔ:t] | – naliehavo prosiť |
| bet [bet] • | bet [bet] | bet [bet] | – staviť sa (o niečo) |
| bid [bid] • | bid [bid] | bid [bid] | – ponúknuť |
| bid [bid] | bade [beid] | bidden [bidən] | – vyvrať |

| bind [baind] | bound [baund] | bound [baund] | – (z)viazať |
|---|---|---|---|
| bite [bait] | bit [bit] | bitten [bitn] | – (po)hrýzť |
| bleed [bli:d] | bled [bled] | bled [bled] | – krvácať |
| blend [blent] | blent [blent], P | blent [blent], P | – miešať |
| blow [blou] | blew [blu:] | blown [bloun] | – fúkať |
| break [breik] | broke [brouk] | broken [broukn] | – zlomiť, rozbiť |
| breed [bri:d] | bred [bred] | bred [bred] | – chovať, množiť (sa) |
| bring [briŋ] | brought [bro:t] | brought [bro:t] | – priniesť |
| build [bild] | built [bilt] | built [bilt] | – stavať |
| burn [bə:n] | burnt [bə:nt], P | burnt [bə:nt], P | – horieť, (s)páliť |
| burst [bə:st]• | burst [bə:st] | burst [bə:st] | – prasknúť |
| buy [bai] | bought [bo:t] | bought [bo:t] | – kúpiť |
| cast [ka:st]• | cast [ka:st] | cast [ka:st] | – hodiť, vrhnúť |
| catch [kæč] | caught [ko:t] | cought [ko:t] | – chytiť |
| choose [ču:z] | chose [čeuz] | chosen [čeuzn] | – vybrať (si), zvoliť |
| cling [kliŋ] | clung [klaŋ] | clung [klaŋ] | – lipnúť |
| come [kam] | came [keim] | come [kam] | – prísť |
| cost [kost]• | cost [kost], P | cost [kost], P | – stáť (o cene) |
| creep [kri:p] | crept [krept] | crept [krept] | – plaziť sa |
| cut [kat]• | cut [kat] | cut [kat] | – rezať, krájať, strihať |
| dare [dea] | durst [da:st], P | dared [deed] | – odvážiť sa |
| deal [di:l] | dealt [delt] | dealt [delt] | – rokovať, zaoberať sa |
| dig [dig] | dug [dag] | dug [dag] | – kopať, vyhĺbiť |

| | | | |
|---|---|---|---|
| **do** [du:] | did [dıd] | done [dʌn] | – robiť |
| **draw** [dro:] | drew [dru:] | drawn [dro:n] | – kresliť, ťahať |
| **dream** [dri:m] | dreamt [dremt], P | dreamt [dremt], P | – snívať |
| **drink** [drıŋk] | drank [dræŋk] | drunk [drʌŋk] | – piť |
| **drive** [draıv] | drove [drəuv] | driven [drıvn] | – ísť autom |
| **dwell** [dwel] | dwelt [dwelt], P | dwelt [dwelt], P | – žiť, bývať |
| **eat** [i:t] | ate [eıt] | eaten [i:tn] | – jesť |
| **fall** [fo:l] | fell [fel] | fallen [fo:ln] | – padnúť |
| **feed** [fi:d] | fed [fed] | fed [fed] | – kŕmiť |
| **feel** [fi:l] | felt [felt] | felt [felt] | – cítiť (sa) |
| **fight** [faıt] | fought [fo:t] | fought [fo:t] | – bojovať, zápasiť |
| **find** [faınd] | found [faund] | found [faund] | – nájsť |
| **fit** [fıt]• | fit [fıt], P | fit [fıt], P | – hodiť sa |
| **flee** [fli:] | fled [fled] | fled [fled] | – ujsť, uniknúť |
| **fling** [flıŋ] | flung [flʌŋ] | flung [flʌŋ] | – hodiť, vrhnúť |
| **fly¹** [flaı] | fled [fled] | fled [fled] – | – utekať |
| **fly²** [flaı] | flew [flu:] | flown [fləun] | – letieť |
| **forbid** [fə'bıd] | forbade [fə'beıd] | forbidden [fə'bıdn] | – zakázať |
| **forecast** [fo:ka:st]• | forecast [forecast], P | forecast [fo:ka:st], P | – predpovedať |
| **foresee** [fo:si:] | foresaw [fo:so:] | foreseen [fo:si:n] | – predvídať |
| **forget** [fə'get] | forgot [fə'got] | forgotten [fə'gotn] | – zabudnúť |
| **forsake** [fə'seık] | forsook [fə'suk] | forsaken [fə'seikn] | – opustiť |
| **freeze** [fri:z] | froze [frəuz] | frozen [freuzn] | – (za)mrznúť |

| | | | |
|---|---|---|---|
| **get** [get] | got [got] | got [got], *AmE hovor.* gotten | – dostať, získať |
| **give** [giv] | gave [geiv] | given [givn] | – dať |
| **go** [gəu] | went [went] | gone [gon] | – ísť |
| **grind** [graind] | ground [graund] | ground [graund] | – (zo)mlieť, (roz)drviť |
| **grow** [grəu] | grew [gru:] | grown [grəun] | – pestovať, (vy)rásť |
| **hang** [hæŋ] | hung [haŋ] | hung [haŋ] | – visieť, zavesiť |
| **have** [hæv] | had [hæd] | had [ed] | – mať |
| **hear** [hiə] | heard [hə:d] | heard [hə:d] | – počuť |
| **heave** [hi:v] | hove [həuv], P | hove [həuv], P | – zdvihnúť (sa), hodiť |
| **hew** [hju:] | hewed [hju:d] | hewn [hju:n], P | – (o)tesať |
| **hide** [haid] | hid [hid] | hidden [hidn] | – skryť (sa), (u)schovať |
| **hit** [hit]• | hit [hit] | hit [hit] | – udrieť |
| **hold** [həuld]• | held [held] | held [held] | – držať |
| **hurt** [hə:t]• | hurt [hə:t] | hurt [hə:t] | – (z)raniť, bolieť |
| **keep** [ki:p] | kept [kept] | kept [kept] | – držať, (po)nechať (si) |
| **kneel** [ni:l] | knelt [nelt], P | knelt [nelt], P | – kľaknúť (si) |
| **knit** [nit]• | knit [nit], P | knit [nit], P | – štrikovať |
| **know** [nəu] | knew [nju:] | known [nəun] | – poznať, vedieť |
| **lay** [lei] | laid [leid] | laid [leid] | – položiť |
| **lead** [li:d] | led [led] | led [led] | – viesť |
| **lean** [li:n] | leant [lent], P | leant [lent], P | – oprieť, nakloniť (sa) |

| | | | |
|---|---|---|---|
| **leap** [li:p] | leapt [lept], P | leapt [lept], P | – **(vy)skočiť** |
| **learn** [lə:n] | learnt [lə:nt], P | learnt [lə:nt], P | – **učiť sa** |
| **leave** [li:v] | left [left] | left [left] | – **opustiť, odísť, (za)nechať** |
| **lend** [lend] | lent [lent] | lent [lent] | – **požičať** *(niekomu)* |
| **let** [let]* | let [let] | let [let] | – **nechať, dovoliť** |
| **lie** [lai] | lay [lei] | lain [lein] | – **ležať** |
| **light** [lait] | lit [lit], P | lit [lit], P | – **zapáliť, svietiť** |
| **lose** [lu:z] | lost [lost] | lost [lost] | – **stratiť, prehrať** |
| **make** [meik] | made [meid] | made [meid] | – **robiť, zhotoviť** |
| **mean** [mi:n] | meant [ment] | meant [ment] | – **znamenať, mieniť** |
| **meet** [mi:t] | met [met] | met [met] | – **stretnúť, zoznámiť sa** |
| **mow** [məu] | mowed [məud] | mown [məun], P | – **kosiť** |
| **overcome** [,əuvə'kam] | overcame [,əuvə'keim] | overcome [,əuvə'kam] | – **prekonať** |
| **pay** [pei] | paid [peid] | paid [peid] | – **platiť** |
| **prove** [pru:v] | proved [pru:vd] | proven[pru:vn], P | – **dokázať** *(dať dôkaz)* |
| **put** [put]* | put [put] | put [put] | – **dať, položiť** |
| **quit** [kwit] | quit [kwit], P | quit [kwit] | – **prestať** *(s niečím)*, **vzdať sa** *(niečoho)* |
| **read** [ri:d] | read [red] | read [red] | – **čítať** |
| **rid** [rid]* | rid [rid], P | rid [rid] | – **zbaviť sa** |
| **ride** [raid] | rode [rəud] | ridden [ridn] | – **jazdiť** |

| | | | |
|---|---|---|---|
| **ring** [riŋ] | rang [ræŋ] | rung [raŋ] | – zvoniť |
| **rise** [raiz] | rose [reuz] | risen [rizn] | – vstať, zdvihnúť (sa) |
| **run** [ran] | ran [ræn] | run [ran] | – bežať |
| **saw** [so:] | sawed [so:d] | sawn [so:n], P | – píliť |
| **say** [sei] | said [sed] | said [sed] | – povedať, hovoriť *(niečo)* |
| **see** [si:] | saw [so:] | seen [si:n] | – vidieť |
| **seek** [si:k] | sought [so:t] | sought [so:t] | – (vy)hľadať |
| **sell** [sel] | sold [seuld] | sold [seuld] | – predať |
| **send** [send] | sent [sent] | sent [sent] | – poslať |
| **set** [set]• | set [set] | set [set] | – položiť, dať, nastaviť |
| **sew** [seu] | sewed [seud] | sewn [seun], P | – šiť |
| **shake** [šeik] | shook [šuk] | shaken [šeikn] | – (po)triasť |
| **shear** [šiə] | shore [šo:], P | shorn [šo:n], P | – (o)strihať |
| **shed** [šed]• | shed [šed] | shed [šed] | – zhodiť, roniť |
| **shine** [šain] | shone [šon] | shone [šon] | – svietiť, žiariť |
| **shoe** [šu:] | shod [šod] | shod [šod] | – podkuť |
| **shoot** [šu:t] | shot [šot] | shot [šot] | – strieľať |
| **show** [šeu] | showed [šeud] | shown [šeun], P | – ukázať, predviesť |
| **shrink** [šriŋk]• | shrank [šræŋk] | shrunk [šraŋk] | – zraziť sa (scvrknúť sa) |
| **shut** [šat]• | shut [šat] | shut [šat] | – zavrieť, zatvoriť |
| **sing** [siŋ] | sang [sæŋ] | sung [saŋ] | – spievať |

| | | | |
|---|---|---|---|
| **sink** [siŋk] | sank [sæŋk], | sunk [saŋkn], sunken | – **potopiť sa** |
| **sit** [sit] | sat [sæt] | sat [sæt] | – **sedieť** |
| **slay** [slei] | slew [slu:] | slain [slein] | – **zabiť** |
| **sleep** [sli:p] | slept [slept] | slept [slept] | – **spať** |
| **slide** [slaid] | slid [slid] | slid [slid] | – **kĺzať (sa), šmýkať (sa)** |
| **sling** [sliŋ] | slung [slaŋ] | slung [slaŋ] | – **vrhať, hádzať** |
| **slink** [sliŋk] | slung [slaŋ] | slung [slaŋ] | – **zakrádať sa** |
| **slit** [slit]• | slit [slit] | slit [slit] | – **rozrezať, rozstrihnúť** |
| **smell** [smel] | smelt [smelt], P | smelt [smelt], P | – **(za)voňať** |
| **sow** [seu] | sowed [seud] | sown [seun], P | – **siať** |
| **speak** [spi:k] | spoke [speuk] | spoken [speukn] | – **hovoriť** |
| **speed** [spi:d] | sped [sped] | sped [sped] | – **ísť rýchlo, uháňať** |
| **spell** [spel] | spelt [spelt], P | spelt [spelt], P | – **hláskovať** |
| **spend** [spend] | spent [spent] | spent [spent] | – **(s)tráviť, míňať** |
| **spill** [spil] | spilt [spilt], P | spilt [spilt], P | – **rozliať** |
| **spin** [spin] | spun [span], span [spæn] | spun [span] | – **priasť** |
| **spit** [spit]• | spat [spæt], AmE spit | spat [spæt], AmE spit | – **pľuvať** |
| **split** [split] | split [split] | split [split] | – **(roz)štiepiť** |
| **spoil** [spoil] | spoilt [spoilt], P | spoilt [spoilt], P | – **pokaziť, rozoznať** |
| **spread** [spred]• | spread [spred] | spread [spred] | – **rozprestrieť** |
| **spring** [spriŋ] | sprang [spræŋ] | sprung [spraŋ] | – **vyskočiť** |

| | | | |
|---|---|---|---|
| **stand** [stænd] | stood [stud] | stood [stud] | – stáť |
| **steal** [sti:l] | stole [stəul] | stolen [stəuln] | – kradnúť |
| **stick** [stik] | stuck [stak] | stuck [stak] | – (pri)lepiť, (za)bodnúť |
| **sting** [stiŋ] | stung [staŋ] | stung [staŋ] | – pichnúť, uštipnúť |
| **stink** [stiŋk] | stank [stæŋk], | stunk [staŋk] | – páchnuť |
| **strew** [stru:] | strewed [stru:d] | strewn [stru:n], P | – (roz)hádzať, roztrúsiť |
| **stride** [straid] | strode [straud] | stridden [stridn], | – kráčať |
| **strike** [straik] | struck [strak] | struck [strak], AmE stricken | – udrieť, trafiť |
| **string** [striŋ] | strung [straŋ] | strung [straŋ] | – navliecť, napnúť |
| **strive** [straiv] | strove [strəuv] | striven [strivn] | – usilovať sa |
| **swear** [sweə] | swore [swo:] | sworn [swo:n] | – (za)prisahať, (za)kliať |
| **sweep** [swi:p] | swept [swept] | swept [swept] | – zametať |
| **swell** [swel] | swelled [sweld] | swollen [sweuln], P | – opuchnúť |
| **swim** [swim] | swam [swæm] | swum [swam] | – plávať |
| **swing** [swiŋ] | swung [swaŋ] | swung [swaŋ] | – hojdať (sa), kývať (sa) |
| **take** [teik] | took [tuk] | taken [teikn] | – vziať, uchopiť |
| **teach** [ti:č] | taught [to:t] | taught [to:t] | – (na)učiť (niekoho) |
| **tear** [teə] | tore [to:] | torn [to:n] | – (roz)trhať |
| **tell** [tel] | told [tauld] | told [tauld] | – povedať (niekomu) |
| **think** [θiŋk] | thought [θɔ:t] | thought [θɔ:t] | – myslieť |
| **throw** [θrəu] | threw [θru:] | thrown [θrəun] | – hodiť, vrhnúť |

| | | | |
|---|---|---|---|
| **thrust** [θrʌst]• | thrust [θrʌst] | thrust [θrʌst] | – vraziť, vstrčiť |
| **tread** [tred] | trod [trod] | trodden [trodn], trod | – (za)šliapnuť |
| **understand** [ˌʌndəˈstænd] | understood [ˌʌndəˈstud] | understood [ˌʌndəˈstud] | – (po)rozumieť |
| **wake** [weik] | woke [wəuk] | woken [wəukn] | – zobudiť |
| **wear** [weə] | wore [wɔ:] | worn [wɔ:n] | – nosiť (oblečené) |
| **weave** [wi:v] | wove [wəuv], P | woven [wəuvn], P | – tkať, spriadať |
| **weep** [wi:p] | wept [wept] | wept [wept] | – plakať |
| **win** [win] | won [wan] | won [wan] | – vyhrať, získať |
| **wind** [waind] | wound [waund] | wound [waund] | – točiť, vinúť |
| **withdraw** [wiðˈdrɔ:] | withdrew [wiðˈdru:] | withdrawn [wiðˈdrɔ:n] | – odstúpiť, vziať späť |
| **withhold** [wiðˈhəuld] | withheld [wiðˈheld] | withheld [wiðˈheld] | – odoprieť |
| **wring** [riŋ] | wrung [rʌŋ] | wrung [rʌŋ] | – (vy)žmýkať |
| **write** [rait] | wrote [rəut] | written [ritn] | – písať |

## NÁZVY KRAJÍN, SVETADIELOV A NÁRODNOSTÍ
## NAMES OF COUNTRIES, CONTINENTS AND NATIONALITIES

Afghan [ˈæfgæn] afgánsky
African [ˈæfrikən] africký
Albanian [ælˈbeinien] albánsky
Algerian [ælˈdʒiərien] alžírsky
American [əˈmerikən] americký
Antarctic [ænˈtɑːktik] antarktický
Arctic [ˈɑːktik] arktický
Argentinian [ɑːdʒənˈtinien] argentínsky

Armenian [ɑːˈmiːnien] arménsky
Asian [ˈeiʃən] ázijský
Australian [ɔˈstreilien] austrálsky

Austrian [ˈostrien] rakúsky
Belorussian [bjeleˈrašen] bieloruský
Belgian [ˈbeldʒien] belgický
Bosnian [ˈboznien] bosniansky

Brazilian [brəˈziliən] brazílsky
Bulgarian [balˈgerien] bulharský
Canadian [kəˈneidien] kanadský

---

Afghan(n) [ˈæfgæ(n)] Afghánec
African [ˈæfrikən] Afričan
Albanian [ælˈbeinien] Albánec
Algerian [ælˈdʒiərien] Alžírec
American [əˈmerikən] Američan
Antarctic [ænˈtɑːktik] antarktický
Arctic [ˈɑːktik] arktický
Argentinian [ɑːdʒənˈtiːnien] Argentínčan

Armenian [ɑːˈmiːnien] Armén
Asian [ˈeiʃən] Ázijčan
Australian [ɔˈstreilien] Austrálčan

Austrian [ˈostrien] Rakúšan
Belorussian [bjeleˈrašen] Bielorus

Belgian [ˈbeldʒien] Belgičan
Bosnian [ˈboznien] Bosniak

Brazilian [brəˈziliən] Brazílčan
Bulgarian [balˈgeerien] Bulhar
Canadian [kəˈneidien] Kanadan

---

Afganistan [æfˈgænesta:n] Afganistan
Africa [ˈæfrikə] Afrika
Albania [ælˈbeinie] Albánsko
Algeria [ælˈdʒiərie]
America [əˈmerikə] Amerika
Antarctic [ænˈtɑːktik] Antarktída
Arctic [ˈɑːktik] Arktída
Argentina [ɑːdʒənˈtiːne] Argentína

Armenia [ɑːˈmiːnie]
Asia [ˈeiʃə] Ázia
Australia [ɔˈstreilie] Austrália

Austria [ˈoːstrie] Rakúsko
Belarus [ˌbjeleuˈrus] Bielorusko

Belgium [ˈbeldʒəm] Belgicko
Bosna Herzegovina [ˌboznie,heːtsegəuˈviːne] Bosna a Hercegovina
Brazil [brəˈzil] Brazília
Bulgaria [balˈgeerie] Bulharsko
Canada [ˈkænedə] Kanada

Chechenia [čeˈčenia] Čečensko
Chile [ˈčili] Čile
China [ˈčaina] Čína
Croatia [krəuˈeišə] Chorvátsko
Cuba [ˈkjuːbə] Kuba
Cyprus [ˈsaiprəs] Cyprus
Czechia [ˈčekiə] Česko

Denmark [ˈdenmaːk] Dánsko
Egypt [ˈiːdžipt] Egypt
England [ˈingland] Anglicko

Estonia [iˈstəunia] Estónsko
Europe [ˈjuərəp] Európa
Finland [ˈfinlənd] Fínsko
France [fraːns] Francúzsko

Germany [ˈdžeːməni] Nemecko
Georgia [ˈdžoːdžə] Gruzínsko
Greece [griːs] Grécko
Holland [ˈhələnd] Holandsko

Chechenian [čeˈčenien] Čečen
Chilean [ˈčilien] Čílan
Chinese [ˌčaiˈniːz] Číňan
Croatian [krəueišən] Chorvát
Cuban [ˈkjuːbən] Kubánec
Cypriot [ˈsipriət] Cyperčan
Czech [ček] Čech

Dane [dein] Dán
Egyptian [iˈdžipšən] Egypťan
Englishman, -woman
[ˈinglišmən, -wumən]
Angličan, A-ka, (národ)
English [ˈindgliš] Angličania
Estonian [iˈstəunien] Estónec
Europian [ˌjuerpiːən] Európan
Finn [fin] Fín
Frenchman, -woman [ˈfrenčmən,
-wumən] Franzúz/-ka
(národ) French Francúzi

German [ˈdžeːmən] Nemec
Georgian [ˈdžoːdžjən] Gruzínec
Greek [griːk] Grék
Dutch [dač] Holandan

Chechenian [čeˈčenien] čečenský
Chilean [ˈčilien] čílsky
Chinese [ˌčaiˈniːz] čínsky
Croatian [krəuˈeišn] chorvátsky
Cuban [ˈkjuːbən] kubánsky
Cypriot [ˈsipriət] cyperský
Czech [ček] český,
(Bohemian) len o Čechách
Danish [ˈdeiniš] dánsky
Egyptian [iˈdžipšən] egyptský
English [ˈingliš] anglický

Estonian [iˈstəunien] estónsky
European [ˌjuerəˈpiːən] európsky
Finnish [ˈfiniš] fínsky
French [frenč] francúzky

German [ˈdžeːmən] nemecký
Gerogian [ˈdžoːdžjən] gruzínsky
Greek [griːk] grécky
Dutch [dač] holandský

| | | |
|---|---|---|
| Hungary ['hʌngeri] Maďarsko | Hungarian [ˌhʌŋˈgeeriən] Maďar | Hungarian [ˌhʌŋˈgeeriən] maďarský |
| Iceland ['aislənd] Island | Icelander ['ailəndə(r)] Islanďan | Iceladic ['ailændik] islandský |
| India ['indiə] Indie | Indian ['indiən] Ind | Indian ['indien] indický |
| Indonesia [ˌindəˈniːʒə] Indonézia | Indonesian [ˌindəˈniːʒən] Indonézan | Indonesian [ˌindəˈniːʒen] indonézsky |
| Iran [iˈrɑːn] Irán | Iranian [iˈreiniən] Iránec | Iranian [iˈreinien] iránsky |
| Iraq [iˈrɑːk] Irák | Iraqui [iˈrɑːki] Iráčan | Iraqi [iˈrɑːki] iracký |
| Ireland ['aiələænd] Írsko | Irishman, -woman ['aiərišmən, -wumen] Ir/-ka (národ) Irish fri | Irish ['aieriš] írsky |
| Israel ['izreil] Izrael | Israeli ['izreilj] Izraelčan | Israeli [izˈreilj] izraelský |
| Italy ['itəli] Taliansko | Italian [iˈtælien] Talian | Italian [iˈtælien] taliansky |
| Japan [dʒəˈpæn] Japonsko | Japanese [dʒæpəˈniːz] Japonec | Japanese [dʒæpəˈniːz] |
| Kórea, North [ˌnɔːθ kəˈriə] | North Korean [ˌnɔːθ kəˈriən] Severokórejčan | North Korean [ˌnɔːθ kəˈrien] severokórejský |
| Kórea, South [sauθ kəˈriə] | South Korean [ˌsauθ kəˈriən] Juhokórejčan | South Korean [ˌsauθ kəˈrien] juhokórejský |
| Kuwait [kuˈweit] Kuvajt | Kuwaiti [kuˈweiti] Kuvajtan | Kuwaiti [kuˈweiti] kuvajtský |
| Latvia ['lætviə] Lotyšsko | Latvian ['lætvien] Lotyš | Latvian ['lætvien] lotyšský |
| Liechtenstein ['liktənstain] Lichteštajnsko | Liechtensteiner ['liktənstaine] Lichtenštajňan | Liechtenstein ['liktenstain] lichtenštajnský |
| Lithuania [ˌliθjuːˈeiniə] Litva | Lithuanian [ˌliθjuˈeiniən] Litovčan | Lithuanian [ˌliθjuˈeinien] litovský |

**Luxemburg** ['laksembə:g]
Luxembursko
**Macedonia** [,mæsi'dəunia]
Macedónia
**Madagascar** [,mæde'gæske]
Madagaskar
**Malaysia** [me'leizia] Malajzia
**Malta** ['mo:ltə] Malta
**Mexico** ['meksikəu] Mexiko
**Monaco** ['monəkəu] Monako

**Mongolia** [moŋ'gəulie] Mongolsko

**Morocco** [mə'rokəu] Maroko
**Nepal** [ni'po:l] Nepál
**(the) Netherlands** ['neðələndz]
Nizozemsko (Holandsko)

**New Zealand** [nju:'zi:lənd]
Nový Zéland

**Nicaragua** [,nikə'rægiuə] Nikaragua

**Norway** ['no:wei] Nórsko

**Luxemburger** ['laksembə:ge]
Luxemburčan
**Macedonian** [,mæsi'dəunien]
Macedónec
**Madagascan** [,mæde'gæsken]
Madagaskarčan
**Malaysian** [me'leiʒen] Malajčan
**Maltese** [,mo:'ti:z] Malťan
**Mexican** ['meksiken] Mexičan
**Monégasque** [,moni'gæsk]
Monačan, Monacan
**Mongol(ian)** ['mongol,
mongəulien] Mongol
**Moroccan** [mə'roken] Maročan
**Nepalese** [,nepə'li:z] Nepálčan
**Dutchman, -woman** ['dačmen,
-wumən]Holandan/-ka
(národ) **Dutch** [dač] Holandania
**New Zelander** [nju:'zi:lende]
Novozélanďan

**Nicaraguan** [,nikə'rægiuen]
Nikaragujčan
**Norwegian** [no:'wi:dʒen] Nór

**Luxemburg** ['laksembə:g]
luxemburský
**Macedonian** [,mæsi'dəunien]
macedónsky
**Malagasy** [,mæle'gæsi]
madagaskarský
**Malaysian** [me'leiʒen] malajzijský
**Maltese** [,mo:'ti:z] maltézsky
**Mexican** ['meksiken] mexický
**Monégasque** [,moni'gæsk]
monacký
**Mongolian** [moŋ'gəulien]
mongolský
**Moroccan** [mə'roken] marocký
**Nepalese** [,nepə'li:z] nepálsky
**Dutch** [dač] holandský

**New Zealand, Maori** [nju:
zi:lənd, mauəri] novozéland-
ský, maorský
**Nicaraguan** [,nikə'rægiuen]
nikaragujský
**Norwegian** [,no:'wi:dʒen] nórsky

| | | |
|---|---|---|
| **Palestine** [ˌpæləstain] Palestína | **Palestinian** [ˌpæləˈstinian] Palestínčan | **Palestinian** [ˌpæləˈstinian] palestínsky |
| **Peru** [pəruː] | **Peruvian** [peruːvian] Peruánec | **Peruvian** [peruːvian] Peruánsky |
| **(the) Philippines** [ˈfilipiːnz] Filipíny | **Philippino** [filiˈpiːnəu] Filipínec | **Philippine** [filipiːn] filipínsky |
| **Poland** [ˈpəulənd] Poľsko | **Pole** [pəul] Poliak | **Polish** [pəuliš] poľský |
| **Portugal** [ˈpɔːtʃugəl] Portugalsko | **Portuguese** [pɔːˈtʃugiːz] Portugalčan, Portugalec | **Portuguese** [pɔːˈtʃugiːz] portugalský |
| **Romania** [ruːˈmeiniə] Rumunsko | **Romanian** [ruːˈmeiniən] Rumun | **Romanian** [ruːˈmeiniən] rumunský |
| **Russia** [ˈrašə] Rusko | **Russian** [ˈrašen] Rus | **Russian** [ˈrašen] ruský |
| **Saudi Arabia** [ˌsaudi əˈreibiə] Saudská Arábia | **Saudi (Arabian)** [ˌsaudi əˈreibiən] Saudský Arab | **Saudi Arabian** [ˌsaudi əˈreibiən] saudskoarabský |
| **Scotland** [ˈskotlənd] Škótsko | **Skot** [Skot] Škót/-ka, alebo **Scotsman, -woman** [ˈskotsmən, -wuman] | **Scottish** [ˈskotiš] škótsky |
| **Serbia** [seːbiə] Srbsko | **Serb(ian)** [səːb(iən)] Srb | **Serbian** [ˈsəːbiən] srbský |
| **Slovakia** [ˈsləuvækiə] Slovensko | **Slovak** [ˈsləuvæk] Slovák | **Slovak** [ˈsləuvæk] slovenský |
| **Slovenia** [ˈsləuˈviːniə] Slovinsko | **Slovene** [ˈsləuviːn] Slovinec | **Slovenian** [sləuviːniən] slovinský |
| **South Africa** [sauθ ˈæfrikə] Južná Afrika | **South African** [sauθ ˈæfrikən] Juhoafričan | **South African** [sauθ ˈæfrikən] juhoafrický |
| **Spain** [spein] Španielsko | **Spaniard** [ˈspænjəd] Španiel | **Spanish** [ˈspæniš] španielsky |
| **Sweden** [ˈswiːtsn] Švédsko | **Swede** [swiːd] Švéd | **Swedish** [ˈswiːdiš] švédsky |
| **Switzerland** [ˈswiceland] Švajčiarsko | **Swiss** [swis] Švajčiar | **Swiss** [swis] švajčiarsky |
| **Thailand** [ˈtailænd] Thajsko | **Thai** [tai] Thajčan | **Thai** [tai] thajský |
| **Turkey** [ˈtɜːki] Turecko | **Turk** [tɜːk] Turek | **Turkish** [ˈtɜːkiš] turecký |

Ukraine [ju:ˈkrein] Ukrajina

United Kingdom of Great Britain and Northern Ireland [ju:ˈnaitid ˈkiŋdəm əv greit ˈbritən ænd ˈnɔ:ðən ˈaiələnd] Spojené kráľovstvo Veľkej Británie a Severného Írska

Vietnam [ˌvjetˈnæm] Vietnam

Wales [weils] Wales

---

Ukrainian [ju:ˈkreiniən] Ukrajinec

Briton [ˈbritən] Brit, (národ) Briti
British [ˈbritiš] Briti

Vietnamese [ˌvjetnəˈmi:z] Vietnamec
Welsh [welš] Walesan, Welshman, -woman Walesan,-ka

---

Ukrainian [ju:ˈkreiniən] ukrajinský

British [ˈbritiš] britský

Vietnamese [ˌvjetnəˈmi:z] vietnamský
Welsh [welš] waleský

## ROZDIELY MEDZI BRITSKOU A AMERICKOU ANGLIČTINOU – DIFFERENCES BETWEEN BRITISH AND AMERICAN ENGLISH

• **Pravopisné rozdiely:**

| BrE | AmE | Slovenský význam |
|---|---|---|
| centre | center | – stred, centrum |
| metre | meter | – meter |
| theatre | theater | – divadlo |
| colour | color | – farba |
| behaviour | behavior | – správanie |
| favour | favor | – priazeň, láskavosť |
| honour | honor | – česť |
| programme | program | – program |
| dialogue | dialog | – rozhovor |
| catalogue | catalog | – katalóg |
| defence | defense | – obrana |
| licence | license | – povolenie, licencia |

• **Rozdiely v slovnej zásobe:**

| BrE | AmE | Slovenský význam |
|---|---|---|
| aerial | antenna | – anténa |
| autumn | fall | – jeseň |
| bankrote | bill | – bankovka |
| bill | check | – účet |
| bobby | cop | – policajt |
| bonnet | hood | – kapota (auta) |
| booking office | ticket office | – pokladňa |
| boot | trunk | – kufor (auta) |
| braces | suspenders | – traky |
| caretaker | janitor | – školník |
| car-park | parking lot | – parkovisko |
| cinema | movies | – kino |
| company | corporation | – spoločnosť |
| cooker | stove | – varič |

| crisps | chips | – *slané zemiačky* |
| crossroads, junction | intersection | – *križovatka* |
| curtains | drapery | – *záclony* |
| drawing-pin | thumb-tack | – *pripináčik* |
| driving licence | driver's license | – *vodičský preukaz* |
| dry biscuits | crackers | – *slané sušienky* |
| dustbin | garbage can | – *nádoba na smeti* |
| earth | ground | – *zem* |
| flat | apartment | – *byt* |
| flyover | overpass | – *nadjazd* |
| form | grade | – *trieda, školský ročník)* |
| fortnight | two weeks | – *14 dní* |
| ground floor | first floor | – *prízemie* |
| handbag | purse | – *kabelka* |
| headmaster | principal | – *riaditeľ školy* |
| hire | rent | – *prenajať* |
| holidays | vacations | – *prázdniny* |
| chap, fellow | guy | – *chlapík* |
| chemist's | drugstore | – *drogéria + lekáreň* |
| chips | French fries | – *hranolky* |
| ice-lolly | Popsicle | – *nanuk* |
| ill | sick | – *chorý* |
| lift | elevator | – *výťah* |
| litter | garbage | – *odpadky* |
| lorry | truck | – *nákladné auto* |
| luggage | baggage | – *batožina* |
| maize | corn | – *kukurica* |
| minced meat | ground meat | – *mleté mäso* |
| motorway | freeway/express-way | – *diaľnica* |
| nappy | diaper | – *plienka* |
| nail varnish | nail polish | – *lak na nechty* |
| parcel | package | – *balíček* |
| pavement | sidewalk | – *chodník* |

| petrol | gas (gasolene) | – *benzín* |
|--------|----------------|-----------|
| post | mail | – *pošta* |
| post-code | zip-code | – *PSČ* |
| postgraduate | graduate | – *absolvent* |
| postman | mailman | – *poštár* |
| pram | baby carriage | – *detský kočík* |
| pub | bar, club, saloon | – *hostinec* |
| railway | railroad | – *železnica* |
| refrigerator | ice-box | – *chladnička* |
| roundabout | merry-go-round | – *kruhový objazd, kolotoč* |
| rubber | eraser | – *guma* |
| shop | store | – *obchod* |
| shop-assistant | salesperson, clerk | – *predavač* |
| spanner | wrench | – *kľúč (na matice)* |
| stand in a queue | stand in a line | – *stáť v rade* |
| stone | rock | – *kameň* |
| surgery | doctor´s office | – *ordinácia* |
| sweet biscuits | cookies | – *sladké sušienky* |
| sweet | dessert | – *zákusok* |
| sweets | candies | – *cukrovinky* |
| tap | faucet | – *vodovodný kohútik* |
| tights | pantyhose | – *pačucháče* |
| tin | can | – *konzerva* |
| torch | flashlight | – *ručná baterka* |
| tram | streetcar | – *električka* |
| trousers | pants | – *nohavice* |
| underground, tube | subway | – *metro* |
| valve | tube | – *elektrónka* |
| waistcoat | vest | – *vesta* |
| windscreen | windshield | – *predné sklo auta* |
| zebra crossing | pedestrian crossing | – *prechod pre chodcov* |
| zip | zipper | – *zips* |

• **Be especialy careful when using the big numbers!**

| BrE | AmE | Slovenský význam |
|---|---|---|
| million | million | – milión ($10^6$) |
| milliard | billion | – miliarda ($10^9$) |
| (thousand million) | | |
| billion | trillion | – bilión ($10^{12}$) |

## INTERPUNKCIA – PUNCTUATION

| | | |
|---|---|---|
| `.` | – full stop *(BrE)*<br>– period *(AmE)* | – bodka |
| `,` | – comma | – čiarka |
| `:` | – colon | – dvojbodka |
| `;` | – semicolon | – bodkočiarka |
| `?` | – question mark | – otáznik |
| `!` | – exclamation mark *(BrE)*<br>– exclamation point *(AmE)* | – výkričník |
| `'` | – apostrophe | – apostrof |
| `-` | – hyphen | – spojovník<br>(rozdeľovník) |
| `–` | – dash | – pomlčka |
| `...` | – dots (ellipsis) | – tri bodky |
| `/` | – slash (obligue) | – lomka |
| `" "` | – quotation marks | – úvodzovky |
| `()` | – brackets (parenthesis) | – zátvorky |
| `[]` | – square brackets | – hranaté zátvorky |

# SLOVENSKO-ANGLICKÁ
## ČASŤ

# SLOVAK-ENGLISH

# A

**ea** and; plus • *a tak ďalej* and so on; *atď.* etc. *(čítaj and so on); od a do z* from first to last, from A to Z

**abeceda** alphabet, ABC

**abecedný** alphabetic(al)

**abnormálny** abnormal

**abonent** subscriber

**absencia** absence

**absentér** absentee

**absolútny** absolute

**absolvent** graduate ['grædjuət]

**absolvovať 1.** *(odbaviť)* go through **2.** *(školu)* finish one's studies; *AmE* graduate ['grædjueit] (from)

**abstinent** teetotaller [ti:'təutlə]

**absurdný** absurd, inept

**aby** that, in order to (that)

**adaptácia** adaptation ['ædæp'teišn]

**adaptovať** adapt

**adoptovať** adopt; *a-ané dieťa* foster child

**adresa** address, direction • *na a-u (prechodné bydlisko)* c/o (= care of)

**adresár** directory

**adresovať** address, direct *sth. to so.*

**advokát 1.** *BrE* solicitor; *AmE* attorney **2.** *(obhajca)* barrister; *AmE* counsel **3.** *(právny zástupca)* lawyer

**aerodynamický** streamline(d)

**afektovaný** affected

**aféra** scandal, affair

**africký** African

**agát** accacia, locust tree

**agenda 1.** *(program)* agenda **2.** *(každodenná)* routine (work) [ru:'ti:n]

**agent** agent • *a. provokatér* agent provocateur; *tajný a.* secret agent

**agentúra** agency; *tlačová a.* press-agency

**agilný 1.** *(čulý)* active, agile **2.** *(podnikavý)* enterprising

**agitácia 1.** agitation **2.** *(volebná)* election campaign, canvassing

**agitátor** agitator, canvasser

**agitovať 1.** agitate **2.** *(pri voľbách)* canvass

**agónia** agony

**agrárny** agrarian

**agresia** aggression, *ozbrojená a.* armed aggresion

**agresívny** agresive, militant

**agresor** aggresor, invader

**agronómia** agronomy(-icks)

**ah, ach** oh, ah

**ahoj** hallo, *hovor.* hi

**AIDS (= Acquired Immune Deficiency Syndrome)** AIDS

**aj 1.** and, *nielen..., ale aj...* not only...but also...; *aj keď* (even) though, although **2.** too, as well

**ak** if, in case

**akadémia** academy • *A. vied* Academy of Siences

**akademický** ascademic(al) [ˌækəˈdemik(əl)] • *a-á hodnosť* degree

**akademik 1.** academician **2.** *(študent)* undergraduate

**akcent** accent; *(dôraz)* emphasis

**akcia 1.** *(činnosť)* action **2.** *(obchodná)* share **3.** *(dobročinná)* charity

**akcionár** shareholder [ˈʃeəhəuldə], stockholder

**akciový** stock • *a. kapitál* joint-stock; *a-á spoločnosť* joint-stockcompany

**ak nie** unless

**ako 1.** *(v otázke)* how, what • *ako sa máš?* how are you? **2.** *(pri porovnávaní)* as, like, than; *tak... ako as ... as; nie tak ... ako* not so ... as

**akoby** as if

**akokoľvek** *(hocijako)* however, no matter how

**akord** *(hudobný)* chord; *(úkol)* piecework

**akosi** somewhat

**akosť** quality

**akože** why?, what?

**akreditív** letter of credits

**akreditovať** accredit

**akrobat** acrobat, tumbler

**akt 1.** *(spis)* act, document **2.** *(obraz)* nude **3.** *(divadelný)* act

**aktív** meeting

**aktíva** assets *pl.*; *a. a pasíva* assets and liabilities

**aktivita** activity

**aktívny** active

**aktovka 1.** briefcase; attaché-case **2.** *(hra)* one-act play

**aktualita** topical/recent news/event

**aktualizácia** updating

**aktuálny** topical; current

**akumulácia** accumulation

**akumulovať** accumulate, gather, collect

**akustický** acoustic

**akurát** just; *(vhodný)* fit, suited

**akútny** acute [əˈkjuːt]; *(naliehavý)* pressing, urgent

**akvarel** watercolour (painting) [ˈwoːtəkələ]

**aký 1.** *(opytovacie)* what **2.** *(v porovnaní) aký... taký* such... such, as ... as, like

... like • *aká matka taká
Katka* like mother, like
daughter **3.** *(zvolanie)*
what!, how!; *a. krásny deň!*
what a lovely day!
**akýkoľvek** any, whatever
**akýsi** a, (a) certain, some
**aký-taký** passable, not bat,
tolerable
**albín** albino
**album** album ['ælbəm]
**ale** but; *a. áno* oh yes, of
course
**alebo** or; *bo... a.* either ... or
**alegória** allegory
**aleja** alley ['æli], *AmE* ave-
nue ['ævinju:]
**algebra** algebra ['ældžibrə]
**aliancia** alliance, union
**alibi** alibi ['æləbai]; *dokázať
a.* prove one's alibi
**alimenty** alimony ['æli-
məni]
**alkohol** alcohol ['ælkəhol];
*a. nápoje* spirits *pl.*
**alkoholik** alcoholik, *(pijan)*
drunkard
**almanach** almanac ['o:lmə-
næk]
**almužna** alms [a:mz]
**alobal** foil
**alt** alto ['æltəu]
**altán** summerhouse
**altista** alto-singer
**alternatíva** alternative
**amatér** amateur [ˌæməˈtə:]

**ambícia** ambition
**ambulancia 1.** *(sanitka)* am-
bulance **2.** *(v nemocnici)*
out-patients'department
**3.** *(pre ranených)* casualty
ward
**americký** American; *hovor.*
Yankee
**amfiteáter** amphitheatre
**amnestia** amnesty; *všeobec-
ná a.* general pardon
**amplión** loudspeaker
**amputovať** amputate
**analfabet** illiterate (person);
*(nevzdelanec)* ignorant
**analógia** analogy [əˈnælə-
dži]
**analytický** analitic(al)
**analýza** analysis; *a. nákla-
dov a výnosov* cost-bene-
fit analysis
**analyzovať** analyse ['ænə-
laiz]
**ananás** pineapple
**anarchia** anarchy ['ænəki]
**anatómia** anatomy
**anekdota** anecdote; *(žart)*
joke
**anektovanie** annexation
**angažovať sa** be engaged
(in); *(zapojiť sa)* involve
**angína** tonsilitis
**Anglicko** England
**anglický** English
**Angličan** Englishman
**Angličania** the English

**Angličanka** Englishwoman
**angličtina** English (language)
**Anglosas** Anglo-Saxon
**ani** not even; either; a... a., neither... nor • *a. ryba a. rak* neither fish, nor fowl; *a. v najmenšom* not in the least
**anjel** angel; *a. strážny* guardian angel
**anjelský** angelic
**anketa** *(prieskum)* inquiry, survey; *verejná a.* public inquiry
**áno** yes; *(správne)* right
**anonymný** anonymous
**anorganický** inorganic
**anténa** aerial; *(odborne)* antenna
**antibiotikum** antibiotic [‚æntibai'otik]
**antika** antiquity
**antický** antique [æn'ti:k]
**antifašista** anti-fascist
**antikoncepcia** contraception
**antikoro** stainless steel
**antikvariát** second-hand bookshop
**antimón** antimony
**antipatia** antipathy; *(odpor)* aversion
**antiseptický** antiseptic
**anulovať** annul, nullyfy, cancel

**aparát 1.** *(prístroj)* apparatus **2.** *(foto)* camera
**apartmán** suite [swi:t]
**apelovať** *(vyzývať)* appeal; *voj.* roll-call
**aplauz** applanse ['əplo:z]
**aplikovať** use; *a. na niečo* apply to sth.
**aportovať** retrieve
**apostrof** apostrophe [ə'postrəfi]
**apoštol** apostle
**apretúra** finish, dressing
**apríl** April • *prvý a.* All Fools' Day; *a-ový žart* April-fool joke
**arabský** Arabian; *(napr. číslica)* Arabic
**aranžér** window-dresser, decorator
**aranžovať** arrange [ə'reindž]; *(výklad)* dress
**arašid** peanut
**arcibiskup** archbishop
**areál** area; *(študentský)* campus; *(nákupný)* mall [mo:l]; precinct [pri:siŋkt]
**argument** reason, argument
**archaický** archaic
**archeológia** archeology [‚a:ki'olədži]
**architekt** architect [‚a:kitekt]
**architektúra** architecture [‚a:ki'tekəč]
**archív** archives ['a:kaivz] *pl.*
**aristokracia** *(privileg. spol.*

*vrstva)* aristocracy; *(šľachta)* the nobility, the upper cless

**aritmetický** arithmetical [ˌærit'mətikl]

**aritmetika** arithmetic(s) [ˌærit'mətik(s)]

**arktický** arctic

**armáda** army; *(ozbroj. sily)* the forces *pl.;* vstúpiť do a. join the army; *(vojsko)* troops

**arogantný** arrogant, haughty [ho:ti]

**aróma** aroma; *(vôňa)* fragrance

**artista** artiste [a:'ti:st]

**arzén** arsenic

**arzenál** armoury; *(zásoba)* arsenal

**asfalt** asphalt ['æsfælt]

**asi 1.** *(azda)* perhaps, maybe ['meibi'] **2.** *(približne)* about, some • *kto to a. bol* I wonder who it was

**asimilovať** assimilate

**asistent 1.** *(pomocník)* assistant **2.** *(vysokoškolský)* lecturer

**asketický** ascetic [ə'setik]

**asociácia** association

**asociál** antisocial

**aspoň** at least, but

**astronaut** astronaut

**astronóm** astronomer

**ašpirant 1.** candidate **2.** *(vy-*

*sokoškolský)* post-graduate, research student

**atď.** etc. [etsetera], and so on

**ateista** atheist ['eitəist]

**ateliér** studio

**atentát** attempt to assassinate, murderous attack

**atlas 1.** atlas **2.** *(látka)* satin

**atlét** athlete ['ætli:t]

**atletika** athletics [æt'letiks] *pl.*

**atmosféra** atmosphere

**atmosferický** atmospheric(al)

**atóm** atom

**atómový** atomic; *a-á bomba* A-bomb; *a. reaktor* atomic pile; *a dážď* (atomic) outfall

**atrakcia** attraction; *hlavná a. večera* the highlight of the programme

**atrament** ink

**atrapa** dummy [dami]

**august** August

**aula** university hall

**auto 1.** (motor)-car; *AmE* automobile **2.** *(nákladné)* truck, lorry

**autobiografia** autobiography

**autobus** motor-coach; *hovor.* bus; *poschodový a.* double-decker; *(diaľkový)* coach

**autogram** autograph
**autokar** (sight-seeing) coach
**automat** 1. *(stroj)* automatic machine 2. *(na mince)* slot-machine, vending machine 3. *(napodobnenina človeka)* automaton 4. *(zbraň)* tommy gun; *(hudobný)* jubox [džu:boks]
**automatický** automatic
**autonehoda** trafic/motor accident
**autonómia** autonomy, self-government
**autonómny** autonomous
**autoportrét** self-portrait
**autor** author [ˈoːtə] • *a-ský honorár* royalty; *a-ské právo* copyright

**autorita** authority; *(uznávaná osobnosť)* celebrity
**autoritatívny** authoritative
**autorstvo** authorship
**autostop** hitchhiking; *a.-om* by hitchhiking
**autostráda** motorway; *AmE* highway, expressway
**autoškola** driving-school
**avízo** *(správa)* advice (note); *(oznámenie)* notice
**avizovať** advice, notify
**avšak** but, however
**azbest** asbestos
**azda** perhaps, maybe [ˈmeibiː], possibly
**azyl** asylum [əˈsailəm]
**až** 1. *(časove)* till, until 2. *(miestne)* to, up to, as far as

# B

**ba** of course, sure; *b. dokonca* even
**bába** *(hračka)* doll
**baba** 1. *pej.* old hag, old woman 2. *(zbabelec)* coward 3. *(pôrodná)* midwife 4. *(dievča)* chick, bird
**babička** grandmother, *hovor.* granny
**babie leto** Indian summer; *(pavučina)* gossamer
**bábika** doll
**bábka** puppet *b.-kové divad-*lo puppet show; *b.-á vláda* puppet government
**babračka** *(piplačka)* tedious work
**babrák** bungler
**babrať sa** to dirty; *(s niekým)* to monkey; *(kutiť)* to potter
**babský** womanish, unmanly; *b-é reči* tittle-tattle
**bacil** bacillus, germ; *bacilonosič* germ carrier
**bača** shepherd [ˈʃepəd]

**bádanie** research; *(vedecké)* investigation

**bádať** *(vedecky)* investigate, research into sth.; *(zemepisne)* explore

**badať** notice; *(postrehnúť)* observe

**bádateľ** investigator, research; *(zemepisný)* explorer

**bafkať** puff

**baganča** heavy boot

**bager** excavator; *(na lodi)* dredger

**bahno** march, swamp; *(blato)* mire, mud; *b. -ový kúpeľ* mudbath/-pack

**bachratý** paunchy, pot-bellied

**báječný** wonderful, fabulous

**bájka** fable, fiction; *(báj)* myth, legend

**bakalár** *(akad. titul)* bachelor [ˈbæčələ]

**bakalár** *(umení, titul)* BA, B. A. (= Bachelor of Arts)

**baklažán** eggplant, aubergine

**balada** ballad

**balenie** packing, wrapping

**balet** ballet [ˈbælei]

**baletka** ballet-dancer [ˈbælei-da:nsə]

**baliaci** packing, wrapping; *b. papier* brown paper

**balíček** packet, (small) parcel; *b. cigariet* packet of cigarettes

**balík** parcel; *AmE* package; *(lisovaný)* bale

**baliť** pack, wrap • *b. dievča* to pick sb. up

**balkón** balcony; *(v divadle)* (dress) circle

**balón** balloon

**baloniak** mackintosh, mac(k)

**balvan** boulder, rock

**balzam** balm [ba:m]

**bambus** bamboo [bæmˈbu:]

**baňa** mine, pit; *zlatá b.* goldmine

**banálny** trite, trivial

**banán** banana [bəˈna:nə]

**banda** gang

**bandita** bandit, gangster

**baník** miner

**banka** bank

**bankomat** ATM (= automated teller machine)

**bankovka** (bank)note, paper-money; *AmE* bill

**bankrot** bankruptcy

**bankrot** bankruptcy [ˈbænkrəpsi]

**bankrotár** bankrupt

**bar** (night)club; *denný b.* snack bar

**bár(s)** *kniž. (kiežby)* if only; *(hoci)* although, even if

**barak** *(drevený)* hut; *(vojenský)* barrack

**baran** ram; *obetný b.* scape-goat; *(znamenie)* Aries
**baranček** lamb
**baranica** fur cap, sheepskin cap
**baranina** mutton
**baretka** beret
**barikáda** barricade
**barina** swamp [swomp]
**barla** crutch [krač]
**barok** baroque [be'rəuk]
**barometer** barometer
**barón** baron
**bas** bass [beis]
**basa** contrabass ['kontrə'-beis]
**báseň** poem; *lyrická b.* a lyric
**basketbal** basketball
**básnický** poetical
**básnik** poet
**bašta** fortification, bastion; *(val)* bulwark
**báť sa** be* afraid of, be frightened (of); *(veľmi)* dread; *(triasť sa)* tremble
**batéria** battery; *kúpelňová b.* tap
**baterka** torch, flash-lamp/light; *na b-u* battery powered
**batoh** backpack, bundle, rucksack ['ruksæk]
**batoh** rucksack; *AmE* back-pack
**batoľa** toddler

**batoliť sa** toddle
**batožina** luggage; *AmE* baggage ['bægidž]; *úschovňa b.* left-luggage office
**baviť** amuse, entertain; *b- sa* amuse os. • have a good time; *(tešiť)* enjoy
**bavlna** cotton
**baza** elder
**bazár** bazaar, second-hand shop
**bázeň** fear; *(úctivá)* awe [o:]
**bazén** swimming-pool
**bažant** pheasant
**bažiť** *(po)* crave(for), hunger (for/after); *b. po moci* be power-hungry
**bdelosť** watchfulness, vigilance ['vidžiləns]
**bdelý** watchful, vigilant ['vi-džilənt], alert
**bdieť 1.** *nad niečím* watch ower sth. **2.** *(byť hore)* be* awake
**beda** alas [ə'la:s], woe • *b. mi* woe me
**bedákať** lament [lə'ment]
**bedliť** watch over sth.
**bedminton** badminton
**bedro** loin
**beh 1.** *(priebeh)* course **2.** run; *(preteky v behu)* race, *(aj na dlhé vzdialenosti)* run; *(na krátke vzdialenosti)* sprint **3.** *(fungovanie, chod)* wooting, operation

**beh na lyžiach** cross-contry skiing

**behať** run* (*túlať sa*) run* about, roam • *b. za dievčatami* run* after girls; (*ako cvičenie*) jog

**behúň 1.** runner **2.** (*koberec*) carpet- runner

**bejzbal** baseball

**belasý** blue, azure [ˈæžə]

**beletria** fiction, belles-lettres [ˈbelˈletə] *pl.*

**belieť sa** show/grow white

**beľmo** cataract [ˈkætərækt]

**beloch** white(man)

**belosť** paleness whiteness

**benzín** petrol; *AmE* gasolene [ˈgæsolin]; (*na čistenie*) benzine; *b-ová pumpa* (gas-) filling station; *spotreba b-u* fuel consumption

**beseda** chat, talk

**besedovať** have a friendly chat, talk

**besnota 1.** furious, mad **2.** (*choroba*) rabies

**beštia** (*zviera*) beast, (*žena*) bitch

**betón** concrete

**betónový** concrete

**bez(o) 1.** without *hore b.* topless **2.** (*matematicky*) minus [ˈmainəs], less **3.** (*suma, cena*) exclusive; free

**bezbolestný** painless

**bezbranný** defenceless

**bezcenný** worthless, of no value; *b. človek AmE* trash

**bezcieľny** aimless

**bezcitný** insensible, heartless, cold

**bezdetný** childless

**bezdôvodný** groundless

**bezdrôtový** cordless, wireless

**bezduchý 1.** (*neživý*) inanimate, dead **2.** (*prázdny*) vacant; (*hlúpy*) silly

**bezhlavý** headless, foolish

**bezcharakterný** unprincipled, unscrupulous

**bezchybný** faultless, perfect

**bezmála** almost, nearly

**bezmocný** helpless, powerless

**bezmračný** cloudless

**bezmyšlienkovitý** thoughtless, vacant

**beznádejný** hopeless, desperate

**bezočivý** rude, insolent, cheeky

**bezodkladne** without delay, urgently

**bezohľadnosť** recklessness, carelessness

**bezohľadný** inconsiderate, reckless; *b. vodič* road-hog

**bezpečnosť** safety, security

**bezpečnostný** safety; *b. opatrenia* safety precau-

tions; *B-á rada* Security
Council; *b. pás* safety belt
**bezpečný** safe, secure
**bezplatný** free (of charge),
gratis
**bezpodmienečný** uncondi-
tional, absolute
**bezpochyby** doubtless
['dautlis], (with) no doubt
**bezprávie** injustice, law-
lessness
**bezpredmetný** groundless,
without reason, irrele-
vant
**bezpríkladný** unparalleled,
unprecedented
**bezprizorný** *(bez domova)*
homeless; *(dieťa)* waif •
*cítiť sa ako b.* be down
and out
**bezprostredný** immediate;
*(úprimný)* sincere
**bezradný** helpless, emba-
rassed
**bezstarostný** careless, ca-
refree, hapy-go-lucky
**beztak** *hovor.* anyway, any-
how, in any case
**beztrestne** with impunity
**beztrestnosť** impunity
**beztvárny** shapeless
**bezúčelný** aimless, point-
less, useless
**bezúhonnosť** blameless, in-
tegrity
**bezúhonný** spotless, clean

**bezúročný** bearing no inte-
rest, non-interest bearing
**bezútešný** disconsolate, de-
solate
**bezváhový** *(stav)* zero G,
weightless state
**bezvedomie** unconsious-
ness; *v b-í* unconscious,
senseless
**bezvetrie** calm, zero wind
**bezvýchodiskový** hopeless,
desperate
**bezvýznamný** unimportant,
insignificant
**bezzásadový** unscrupulous,
unprincipled
**bežať** run* *(pretekať sa)* race;
*(fungovať)* work
**bežec** runner
**bežiaci pás** conveyor belt
**bežky** cross-country skis
**bežný** current, *(obyčajný)*
common, ordinary, eve-
ryday; *(všeobecný)* gene-
ral
**biatlon** biathlon
**biblia** Bible
**bicykel** bicycle, *hovor.* bike
• *ísť na b-i* ride* a bike
**bič** whip
**bičovať** whip, lash, slash
**bidielko** perch
**bidlo** *(žŕdka)* pole, bar
**bieda** *(núdza)* poverty; *(trá-
penie)* misery
**biedny** miserable, poor • *b-a*

*(chabá) výhovorka* lame excuse

**bieliť 1.** *(bieliześ)* bleach **2.** *(vápnom)* whitewash

**bielizeń** linen [ˈlinin]; *(spodná)* underwear, underclothes; *(posteľná)* bed clothes/linen

**bielko** white (of the eye)

**bielkovina** protein, *(vajcia)* albumen

**bielok** white (of an egg)

**biely** white; *b. deň* broad daylight • *b. ako stena* (as) white as a sheet

**bifľovať** swot, cram

**bilancia** balance (-sheet), review

**biliard** billiards [ˈbiljədz] *pl.*

**bilión** billion

**biológ** biologist

**biológia** biology

**biskup** bishop

**biť 1.** *(udierať)* beat* *(narážať)* hit* **2.** *(o hodinách)* strike* **3.** *(o srdci)* throb/*b. sa* fight*

**bit** *výp.* bit

**bitka 1.** *(s nepriateľom)* fight, battle **2.** *(výprask)* trashing, beating

**bitkár** fighter; *AmE* thug [tak]

**bitúnok** slaughterhouse; *AmE* stockyard

**blačať** bleat

**blaho** bliss, wellbeing

**blahobyt** welfare, prosperity

**blahodarný** beneficial

**blahorečiť** praise

**blahosklonný** condescending, patronizing, indulgent

**blahoslavený** blessed

**blahoželanie** congratulations

**blahoželať** congratulate

**blamáž** shame, scandal; *(verejná)* disgrace

**blamovať** *b. sa* disgrace, make a fool (of sb.)

**blana** membrane, film; *plávacia b.* web; *rozmnožovacia b.* stencil

**blanketa** *(formulár)* form; *AmE* blank

**blankyt** azure [ˈæžə]

**blankytný** azure [ˈæžə]

**blatistý** muddy, *(kalný)* sludgy

**blatník** mudguard; *AmE* fender

**blato** mud; *b. so snehom* slush

**blázinec** madhouse, mental hospital, bedlam; *(zmätok)* mess

**blaznenie** tomfoolery

**blazniť** be/go/become* mad/insane/crazy

**blázniť** drive* crazy; *b. sa za niečím* be* crazy about

sth.; neblázni! don't be silly!

**bláznivý** crazy, foolish

**bláznovstvo** foolishness, follery

**blázon 1.** *(chorý)* madman, lunatic **2.** *(pochábeľ)* fool

**blaženosť** bliss, blessedness

**blažený** blissful, blessed

**blbec** *(nadávka)* dumbbel, jerk; idiot, fool

**blčať** blaze, flame

**blednúť 1.** *(o tvári)* turn pale **2.** *(o farbe)* fade

**bledosť** pallor, paleness

**bledý** *(pleť)* pale; *(nezdravý)* pallid; *(vlasy)* fair

**blesk** lightning, thunderbolt

**bleskovka** *(správa)* flash news

**bleskový** split-second, sudden

**blcha** flea

**blikať** blink; *(sviečka)* flicker; *(hviezda)* twinkle

**blikavý** *(svetlo, znamenie)* beacon, flashing; *(hviezda)* twinkling; *(sviečka)* flickering

**blízko** close, near

**blízkosť** proximity, nearness

**blíženci 1.** twins, *astron.* **2.** Gemini

**blížiť sa** approach, come*/get/draw) near; *hovor.* near

**blok 1.** *(domov)* block **2.** *(zápisník)* (writing) pad

**blokáda** blockade; *šport.* tackle

**blokovať 1.** *(dopravu, konto)* block **2.** *(v pokladnici)* register

**blond** blond, fair

**blud** error [ˈerə]; *(cirkevne)* heresy

**bludisko** maze, labyrinth [ˈlæbərint]

**blúdiť** wander (about); *(v lese)* stray

**blúza** blouse

**blúzniť** *(v horúčke)* be* delirious; *(rojčiť)* daydream

**blýskať sa 1.** *(o blesku)* lighten; *blýska sa* it is lighting **2.** *(žiarit)* shine* **3.** *(jagať sa)* sparkle

**bobkový list** bay leaf

**bobok 1.** *bot.* laurel **2.** *(trus)* drop, droppings *pl.*

**bobor** beaver

**bobuľa** berry

**boby** bobsled, bobsleigh

**bocian** stork

**bočiť** avoid, keep away/out (from)

**bočnica** side-road

**bočný** side, lateral

**bod 1.** *mat. fyz.* point; *b. mrazu* freezing point; *b. varu* boiling point **2.** *(zmluvy)* article, item **3.** *(v hre, športe)* point, score
• *kritický b.* turning point;

*hlavný b.* main(chief) point

**bodák** bayonet [ˈbeiǝnit]

**bodka 1.** dot, point **2.** *(v interpunkcii)* (full)stop **3.** *(na domine, kocke)* pip

**bodkočiarka** semicolon

**bodkovaný** dotted; *(o látke)* spotted

**bodliak** thistle [tisl]

**bodnúť 1.** *(tŕňom, ihlou)* prick; *(nožom)* stab, jab **2.** *(hmyzom)* sting*

**bodnutie 1.** prick, stab **2.** sting *(o hmyze)*

**bodovať** mark; *(v športe)* score

**bodrý** good-humoured, jovial

**boh** god, *(náb.)* God; the Lord

**boháč** rich man, wealthy person, well-off man

**bohapustý** *(hanebný)* shameless; *(hriešny)* villainous, vicious [ˈvišǝs]

**bohatier** hero

**bohatstvo 1.** riches, wealth; *(majetok)* fortune **2.** *(hojnosť)* abundance, plenty, opulence [ˈopjulǝns]

**bohatý 1.** rich, wealthy **2.** *(hojný)* abundant

**bohém** bohemian

**bohoslovecký** of divinity/theology

**bohoslužba** worship, divine service; *(omša)* mass

**bohužiaľ** unfortunately

**bochník** loaf (of bread)

**boj** fight; *(zápas)* strugle; *voj.* action, *(bitka)* battle

**bója** buoy [boi]

**bojazlivý** timid

**bojisko** battlefield

**bojkot** boycott

**bojovať** *(zápasiť)* fight* battle; *(usilovať sa)* struggle

**bojovník** fighter, combatant; *voj.* warrior

**bok** *(tela)* hip; *(zvierata, budovy, hory)* flank; *(strana)* side • *b. po b-u* side by side

**bokombrady** sideburns, whiskers

**boľavý** sore, painful, aching

**bolesť** *(pocit)* pain, ache [eik]; *bodavá b.* stitch; *b. hlavy* headache [ˈhedeik]; *b. hrdla* sore throat

**bolestný** *(duševne)* grievous

**bolieť** pain, ache [eik] • *bolí ma hrdlo* I have a sore throat; *b. ma oči* my eyes hurt

**bomba** bomb

**bombardér** bomber

**bombardovať** bombard; *(letecky)* blitz

**bon** *(poukážka)* voucher

**bonbón** sweet; *AmE* candy

**bonboniéra** box of chocolates/*AmE* candies

**bontón** good manners

**borievka** juniper (tree/berry)

**boriť** pull down; *(ničiť)* demolish

**boriť sa** *(za)* struggle for; *(v snehu)* sink; *(ruky do vrecák)* burry

**borovica** pine

**boso, -ý** barefoot(ed) [,,beə⠍-fut(id)]

**bosorka** witch

**botanika** botany

**box** *(šport)* boxing; *(oddelenie)* box; *(pretekársky)* pit

**boxer** boxer

**bozk** kiss; *(letmý)* peck

**bozkať** kiss; *(narýchlo)* peck

**božský** divine; *(výborný)* heavenly

**božstvo** divinity

**bôb** bean

**bôľ** grief, sorrow

**brada** 1. *(časť tváre)* chin 2. *(mužská)* beard

**bradavica** wart

**bradavka** *(prsná)* nipple

**bradlá** parallel bars

**brak** *(umelecký)* trash; *(odpad)* rubbish

**bralo** cliff

**brána** gate; *vstupná b.* gateway

**branec** recruit [ri⠍kru:t]

**bránica** diaphragm

**brániť** 1. defend; *(chrániť)* protect 2. *(v niečom)* hinder 3. *(pôdu)* harrow

**bránka** šport. goal

**brankár** goalkeeper

**branný** armed; *b-á povinnosť* conscription

**brať** 1. take* 2. *(si niekoho)* marry so. 3. *(prijať)* accept

**brat** brother

**brat(r)anec** cousin [kazn]

**bratský** fraternal

**bratstvo** brotherhood, fraternity

**brav** hog

**bravčovina** pork

**brázda** furrow; *(za loďou)* wake; *b. nízkeho tlaku* depression

**brázdiť** 1. furrow 2. *(more)* cruise

**brčkavý** curly

**brečka** slush; *(nechutné jedlo)* wish-wash

**brečtan** ivy

**breh** *(rieky)* bank; *(morský)* coast, seaside; *(väčšej vodnej plochy)* shore; *na b-u* ashore

**brechať** bark

**bremeno** burden, weight [weit]; *(náklad)* load

**brest** elm

**breza** birch

**brička** buggy

**bridiť sa** dislike, disgust,

loathe; *b. sa mi to* it makes me sick
**bridlica** slate
**brieždiť sa** dawn [do:n]
**brigáda 1.** brigade **2.** *(pracovná)* work group **3.** *(krátkodobá práca)* temporary, summer job
**briliant** brilliant
**Británia** Britain
**britký** sharp
**britský** British; *B-é spoločenstvo národov* the Commonwealth
**britva** razor
**brloh 1.** *(zvierat)* den, *(zajačí)* burrow **2.** *pren.* slum
**brnenie** armour
**brnieť** tingle; *b.-í mi v ušiach* my ears are tingling
**brnkať** strum
**brod** ford
**brodiť sa** wade; *(snehom)* flounder
**brojiť** intrigue, inveigh (against sb/sth)
**brok** shot, pellet
**bronz** bronze
**bronzový** bronze
**broskyňa** peach; *(strom)* peach-tree
**brošňa** brooch [brəuč]
**brožovaný** stitched, paperback
**brožúra** booklet; *(aktuálna)* pamphlet

**bručať** growl; *(reptať)* grumble
**brucho** *hovor.* belly; *odb.* abdomen, stomach
**brús** whetstone; *(veľký)* grindstone
**brúsiť** *(ostriť)* sharpen, grind; *(o kameň)* whet; *(sklo)* cut
**brusnica** cranberry
**bruško** *hovor.* tummy; *(prsta)* bell
**brutalita** brutality
**brutálny** brutal, beastly
**brva** eyelash
**brvno** log; *(nosné)* beam
**bryndza** cheep cheese
**brzda** brake; *(záchranná)* emergency brake
**brzdiť** brake; *(obmedzovať)* curb; *b. pokrok* to retard progress
**bubienok** *anat.* ear-drum
**bublať** bubble, gurgle; *(blízko varu)* simmer
**bublina** bubble; *nafúknutá b.* a nine-days wonder
**bubnovať** drum
**bubon** drum
**buclatý** *(líca)* chubby; *(nohy, ruky)* plump; *(žena)* buxom
**bučať** low, moo; *(hlasno)* bellow
**buď... alebo** either... or
**búda** booth; *(domček)* hut; *(psia)* kennel

**budík** alarm-clock

**budiť** wake* (up); *(k činnosti)* rouse; *(b. záujem)* stir

**búdka** box, booth; *strážna b.* sentry box

**budova** building, edifice, structure

**budovať** build* (up), erect, construct

**budovateľ** builder

**budovateľský** constructive

**budúci** future; *b. týždeň* coming/next week; *(nasledujúci)* forthcoming, following

**budúcnosť** future, time to come

**bufet** snack bar, buffet; *AmE* cafeteria

**búchať** bang, slam, knock *(klopať)*; *b. na dvere* knock at the door; *b. dverami* slam the door

**buchot** slamming, knocking, banging

**buchta** cake, dumpling; *(žena)* roly-poly

**bujak** bull

**bujarý** sprightly; *(nespútaný)* wanton

**bujný** luxuriant; *(plný života)* exhuberant; *(kôň)* high-spirited

**buk** beech • *zdravý ako b.* (as) fit as a fiddle

**bukvica** beech-nut

**buľva** *(očná)* eyeball; *(repa)* root

**bulvár 1.** boulevard; **2.** *(tlač)* tabloid; *(časopis)* yellow journal

**bunda** jacket; *(tepláková)* sweatshirt

**bunečný** cellular

**buničina** cellulose

**bunka** cell • *mať b. na niečo* to have a flair for sth

**buntošiť** stir up, incite

**burácať** *(hrmieť)* thunder, roar

**búrať** pull down, demolish

**burcovať** *(zo spánku)* rouse, *(fantáziu)* stir up action

**burič** rebel, rioter

**buričský** rebellious, riotous

**burina** weed

**búriť** stir (up), incite [in'sait] // **b. sa** rebel, revolt, protest • *b-i sa mi krv* my blood is up

**búrka** storm; *(snehová)* snow-storm; *(smiechu)* roar, thunder of laughter

**búrlivý** tempestuous, stormy; *(nadšený)* tumultuous; *(more)* rough, boisterous; *(počasie)* turbulent; *(dav)* riotous

**burza** exchange; *(akciová)* stock-exchange; *b-ý špekulant* bull; *b. maklér* stockbroker

**buržoázia** bourgeoisie
**buržoázny** bourgeois [ˈbuəž-wa:]
**busta** bust [bast]
**búšiť** hammer, pound; *(o srdci)* throb
**bútľavý** *(práchnivý)* rotten; *(dutý)* hollow
**buzerovať** slang. *(preháňať)* bugger about
**buzola** compass
**bydlisko** residence, domicile; *trvalé b.* permanent address
**býk** 1. bull 2. *astron.* Taurus
**bylina** plant, *(liečivá)* herb
**bylinkár** herbalist
**bylinožravý** herbivorous
**byrokracia** bureaucracy
**bystrina** torrent
**bystriť** sharpen; *b. sluch* prick up one's ears
**bystrosť** swiftness, sharpness

**bystrý** *(rýchly)* swift; *(rozumovo)* clever, bright; *(zmyslami)* sharp, keen
**byť** *(jestvovať)* be*, exist; *je, sú* there is, there are; *(stať sa, konať sa)* happen, take* place; *(pochádzať z)* come*/be* from
**byt** flat; *AmE* apartment • *b. a strava* board and lodging
**bytie** being, existence
**bytosť** being
**bývalý** former, late
**bývanie** habitation, dwelling, lodging
**bývať** live, dwell; *(trvalo)* reside; *(v hoteli)* stay (at a hotel); *AmE* room
**byvol** bufallo
**byzantský** Byzantine
**bzučať** buzz, hum

# C

**cap** buck, billy goat, he-goat
**capnúť** slap
**cár** czar/tsar [za:]
**cárovná** czarina, tzarine
**cársky** imperial, czarist
**cedidlo** strainer, filter
**ceduľka** 1. *(lístok)* ticket, slip 2. *(prívesok)* tag 3. *(nálepka)* label

**cech** guild
**cela** cell
**celebrovať** officiate, celebrate
**celibát** celibacy
**celina** virgin soil
**celistvosť** integrity, wholeness
**celistvý** compact, entire, undivided

**celkom 1.** (*úplne*) entirely, fully, wholly **2.** (*dosť*) quite, rather **3.** (*úhrnom*) altogether

**celkový 1.** (*úhrnný*) total **2.** (*súhrnný*) comprehensive; *c. dojem* general impression

**celodenný** all-day; *c. strava* full board

**celofán** cellophane

**celok 1.** unit, entirety, integrity **2.** (*kolektív*) whole

**celonárodný** (*vysielanie*) nationwide; (*noviny*) national newspaper

**celoročný** all year round, yearlong

**celosvetový** worldwide

**celoživotný** life-long

**celta** canvas

**celuloid** celluloid

**celulóza** cellulose

**celý 1.** (*všetok*) all, whole **2.** (*celistvý*) entire • *c. rok* all the year round

**cement** cement

**cementáreň** cement works

**cena 1.** price, charge, figure; *výkupná c.* redemption price **2.** (*náklady*) cost; *mať c-u* cost* **3.** (*vnútorná hodnota*) worth, value • *mať c-u* be* worth **4.** (*udelená*) award **5.** (*odmena*) prize, *maloobchodná/veľ-koobchodná c.* retail/wholesale price; *to nemá c.* it's useless/of no use

**cencúľ** icicle

**cengať 1.** (*zvončekom*) ring* **2.** (*štrngať*) jingle, tinkle

**ceniť 1.** (*ohodnotiť*) value, estimate **2.** (*posudzovať*) esteem, prize, appreciate

**cenník** price-list

**cennosť** valuable

**cenný** (*vzácny*) valuable, precious; *c-é papiere* stocks, securities

**cenovka** price label/tag

**cent 1.** (*váha*) quintal **2.** (*minca*) cent

**centimeter** centimetre

**centrála 1.** (*telefónna*) exchange **2.** (*ústredie*) headquarters

**centrálny** central

**centrifúga** separator; (*na bielizeň*) spin-dryger

**centrum** centre; *AmE* center, (*mesta*) downtown

**cenzor** censor

**cenzúra** censorship

**centrála** headquarters, head office

**cep** flail

**ceremónia** ceremony

**ceriť (sa)** (*škeriť*) grin; *c. zuby* show teeth

**certifikát** certificate

**ceruzka** pencil

**cesnak** garlic
**cesta 1.** way, road, highway, street; *c. sa opravuje* road under repair **2.** *(postranná)* by-way **3.** *(najbližšia)* nearest route **4.** *(poľná)* lane **5.** *(okružná)* tour **6.** *(cestovanie)* travel, journey **7.** *(cez more)* voyage **8.** *(krátka obchodná al. zábavná)* trip **9.** *(výlet)* exkursion; *anat.* tract
**cestár** road-mender, roadman
**cestička 1** path, **2.** *(pútec)* parting
**cesto** pastry; *(riedke)* batter, *(kysnuté)* dough
**cestopis** travel book
**cestovanie** travelling
**cestovať** travel, tour, make* a journey
**cestovateľ** traveller, tourist, *hovor.* globetrotter
**cestovina** pasta
**cestovné** fare; *AmE* carfare
**cestovný** travelling; *c. poriadok* time-table; *AmE* schedule; *c. lístok* ticket; *c. horúčka* go/journey fever
**cestujúci** passanger, traveller; *obchodný c.* sales representative
**cez** across, over, through; *(smerom)* via [ˈvaiə]; *c. deň* by day

**cezpoľný** commuter; *c. beh* cross-country running
**cezmína** holly
**ciachovať** brand, mark, gauge [geidž]
**cibriť** refine, sharpen, polish
**cibuľa 1.** onion **2.** *(rastliny)* bulb
**cicanie** suction
**cicavec** mammal [ˈmæməl]
**cicať** suck, absorb
**cieľ 1.** aim, goal, mark **2.** *(vojenský)* target **3.** *(cesty)* destination **4.** *(zámeru)* object **5.** *(účel)* purpose; *šport.* finish
**cieliť (na)** aim at; *(smerovať)* direct (for)
**cieva** *anat.* blood-vesser; *(žila)* vein
**cievny** vascular
**cievka** spool, reel, coil
**ciferník** dial
**cifrovaný** decorated, ornamented, embelished
**Cigán** Gipsy; *AmE* Gypsy
**cigániť** *(klamať)* lie; *(podvádzať)* cheat
**cigara** cigar
**cigareta** cigarette
**cigória** chicory
**cikať** *hovor. det.* pee
**cikcak** zigzag
**cimbal** dulcimer, cymbal
**cín** tin

cinkať clink

cintorín cemetery; *(vidiecky)* churchyard

cíp *(výbežok)* tip; *(roh)* corner

cirkev church

cirkulácia circulation

cirkulárka circular-saw

cirkus circus; *(chaos)* chaos [keios]

cisár emperor

cisárovná empress

cisársky imperial

cisártsvo empire

cisterna cistern, tank; *c-ová loď* tanker

cit 1. emotion, sentiment, feeling 2. *(zmysel)* sense, flair 3. *(porozumenie)* sympathy

citát quotation

citeľný perceivable, sensible

cítiť 1. *(sa)* feel* 2. *(vnímať a chápať)* perceive 3. *(vôňu)* smell, scent 4. *(chuť)* taste 5. *(odpor)* resent

citlivosť sensibility

citlivý 1. sensitive; *c. na niečo* sensitive to sth 2. *(nedotklivý)* touchy 3. *(chúlostivý)* squeamish 4. *(vnímavý)* responsive to

cistoslovce interjection

citovať quote, cite

citový emotional, sentimental

citrón lemon

citronáda lemonade

citrusový plod lime

civieť stare, gaze

civilista civilian

civilizácia civilization

civilný *(občiansky)* civil; *(neoficiálny, súkromný)* private

clivosť sadness, melancholy

clo duty, custom; *dovozné/vývozné c.* import/export-duty • *bez cla* duty-free

clona 1. curtain, shade, screen 2. *fot.* diaphragm

cloniť screen, shade

cmar buttermilk

cmúľať suck

cnieť sa pine for/after • *c. po domove* be homesick

cnosť virtue

cnostný virtuous

cól *(st. miera – palec)* inch

colnica custom-house, customs

colník customs-officer

colný custom(s); *c-é odbavenie* customs clearance

ctený honoured, esteemed

ctibažný ambitious

ctihodný honourable, venerable

ctiť 1. honour, respect, esteem 2. *(uctievať)* worship

ctiteľ admirer, idolizer

ctižiadosť ambition

**ctižiadostivý** ambitious
**cudnosť** chastity
**cudný** chaste; *(hamblivý)* shy
**cudzí 1.** *(neznámy)* strange; *som tu c.* I am stranger here **2.** *(cudzokrajný)* foreign, alien ['eiliən] **3.** *(nie príbuzný)* unrelated; *c. človek* stranger
**cudzina** foreign country; *v cudzine/do cudziny* abroad
**cudzinec 1.** *(neznámy)* stranger **2.** *(zo zahraničia)* foreigner, alien
**cudzokrajný** foreign, exotic
**cudzoložstvo** adultery
**cudzopasník** parasite
**cudzorodý** heterogeneous
**cukina** zucchini
**cukor** sugar ['šugə]
**cukornička** sugar basin/bowl
**cukrár** pastry-cook, confectioner
**cukráreň** confectionery
**cukrík** sweet *(z čokolády)*; *(karamelka)* toffee; *AmE* candy
**cukrový** *(poleva)* icing, *(trstina)* sugar cane; *(repa)* sugar beet; *(vata)* candy floss
**cukrovar** sugar-mill/house
**cukrovinky** sweets; *AmE* candies *pl.*

**cukrovka** *lek.* diabetes
**cumeľ** dummy; *AmE* pacifier; *(na fľaši)* teat; *AmE* nipple
**cupkať** patter
**cúvať** back, go/move backwards; *(ustúpiť)* withdraw; *(autom)* reverse
**cvaknúť** *(fotoaparátom)* clic; *(nožnicami)* snip, snap
**cval** gallop
**cverna** thread
**cvičebnica** text-book, exercise book
**cvičenie 1.** exercise **2.** *šport.* training **3.** *(opakovaním)* practice **4.** *(tvrdé)* drill **5.** *(telocvik)* gymnastics *pl.*
**cvičiť** train, exercise, practise
**cvičiteľ** trainer, instructor
**cvičky** *hovor.* gym-shoes
**cvičný** *(jazda)* driving lesson; *(let)* practice flight; *(poplach)* practice alarm
**cvik 1.** exercise, practise, training **2.** *(zručnosť)* skill
**cvikla** beetroot
**cvok** shoe-nail, tack
**cvrček** cricket
**cvrlikať** chirp
**cyklista** cyclist
**cyklus** cycle, series; round
**cylinder 1.** *(klobúk)* tophat **2.** *(lampy)* chimney **3.** *(valec)* cylinder
**cynický** cynical

# Č

**čačka** *(ozdôbka)* trinket
**čaj** tea; *č-ová súprava* tea-service
**čajka** sea-gull, gull
**čajník** teapot
**čakan** hatchet, pickax(e)
**čakanie** waiting, expectation
**čakanka** chicory
**čakáreň** waiting-room
**čakať** wait; *(očakávať)* expect; *(odkladať činnosť)* delay
**čalúnnik** upholsterer
**čap** plug, pivot; *(v sude)* tap
**čapica** cap
**čapovať** draw*, tap
**čarbať** scrawl, scribble
**čaro** charm, spell
**čarodejnica** witch, hag
**čarodejníctvo** magic, witchcraft
**čarodejník** sorcerer, wizard
**čarovať** conjure
**čarovný** glamorous; charming, magical
**čary** witchcraft, sorcery
**čas** 1. time; *najvyšší č.* high time 2. *(počasie)* weather 3. *(voľný)* leisure 4. *gram.* tense
**časom** in the course of time
**časomerač** timer, timekeeper

**časopis** periodical; *(obrázkový)* magazine; *(odborný)* journal
**časovanie** conjugation
**časovať** conjugate
**časový** 1. *(aktuálny)* topical, up to date 2. *(týkajúci sa času)* temporal • *č-é znamenie* time signal
**časť** 1. part, portion, section; *veľká č.* a great deal 2. *(podiel)* share
**častica** small part, element, *gram.* particle
**často** often, frequently
**častý** frequent
**čaša** bowl, goblet
**čašníčka** waitress
**čašník** waiter
**čata** 1. *(vojenská)* platoon; *(komando)* squad 2. *(pracovná)* team
**čatár** sergeant
**čeľaď** 1. *(služobníctvo)* domestics *pl.* 2. *biol.* tribe, family
**čelenka** headband
**čeliť** face, confront; *(odolávať)* resist
**čelný** 1. front(al) 2. *(význačný)* leading, prominent
**čelo** 1. forehead ['fɒrəd], front, brow [brau] • *na č-é miesto* at the head of

**2.** *(hud. nástroj)* violoncello, cello

**čelusť** jaw-bone, jaw

**čepeľ** blade

**čepiec** bonnet, hood

**čerešňa 1.** cherry **2.** *(strom)* cherry-tree

**čeriť** ruffle, ripple; *(vlniť)* stir

**čerň** black (colour)

**černica** blackberry

**černidlo** blacking

**černoch** Negro, black/African American

**černokňažník** wizard, magician

**čerpadlo** pump; *benzínové č.* petrol/*AmE* gas station

**čerpať 1.** *(získavať)* draw* **2.** *(informácie)* gather **3.** pump

**čerstvý 1.** fresh **2.** *(rýchly)* swift **3.** *(najnovší)* recent, latest

**čert** devil

**čertovina** monkey business

**čertovský** devilish, diabolic

**červ** worm; *(larva)* maggot

**červavý** wormy

**červenať sa 1.** be*/turn red **2.** *(o človeku)* blush

**červenkastý** reddish

**červenohnedý** auburn

**červený** red; *Č. kríž* Red Cross

**červienka 1.** *zool.* robin **2.** *(choroba)* dysentery

**červotoč** woodworm

**česať 1.** *(sa)* comb **2.** *(ovocie)* gather **3.** *(chmeľ)* pick

**Český** Bohemian, Czech

**Česko** Czechia, Czech

**česť** honour, credit

**čestný** honourable; honest; fair • *č.-é slovo* upon my word; *č. diplom* honorary degree

**či** whether, if

**čí** whose [hu:z]

**čiara** line

**čiarka** short line; *gram.* comma

**čiarkovaný** dashed

**čiarový kód** bar code

**čiastka 1.** part **2.** *(podiel)* share **3.** *(suma)* sum, amount

**čiastočne** partly

**čiastočný** partial

**čičíkať** *(dieťa)* sooth

**čierny** black; *č. kašeľ* whooping-cough [ˈhu:pin-ko:f]; *ako uhoľ* jet-black; *č. pivo* dark ale; *č. trh* grey market; *č. pasažier* stowaway

**číhať** lie* in wait (for)

**čím ..., tým** the ... the; *čím viac ... t. lepšie* the more... the better

**čin** deed, act, action; *(veľký)* achievment;

**činely** cymbals

**činiť** *kniž.* do*, make*

**činiteľ** *(neživotný),* agent, factor; *(politický)* official, representative

**činka** dumbbell; *AmE* barbell

**činnosť** function, activity, work

**činný** active, busy; *zárobkovo č.* gaintfully employed

**činohra** play, drama

**činžiak** tenement-house, apartment-house, block of flats

**čip** *(mikroprocesová doštička)* chip

**čipka** lace

**číry** pure, sheer; *(priezračný)* pellucid

**číselník** dial, face

**číselný** numerical

**číslica** figure (0 – 9), cipher, digit, numeral

**číslo** 1. number 2. *(časopisu)* issue 3. *(programu)* item, turn 4. *(veľkosť)* size

**číslovať** number; *(stránky)* paginate

**číslovka** numeral

**čistiaci** *č. prostriedok* detergent

**čistiareň** (dry-)cleaner's

**čistin(k)a** glade, clearing

**čistiť** clean; *AmE* cleanse [klenz]; *chem.* purify, refine

**čistka** purge

**čisto** clearly, neatly, fair

**čistopis** fair/clean copy (of)

**čistota** 1. cleanliness 2. *(mravná)* purity, chastity

**čistotný** cleanly [ˈklenli]

**čistý** 1. clean, neat, fair; *(pravý)* pure 2. *(mravne)* chaste; *č.-á váha* net weight; *č. zisk* net profit

**čítač adries** memory address counter

**čítanie** reading, lecture; *div.* rehearsal; *(korektúr)* proofreading

**čítanka** reader, reading-book

**čitáreň** reading-room

**čítať** read*

**čitateľ** 1. reader 2. *mat.* numerator

**čitateľný** legible

**čiže** or, that is, in other words, or else

**čížik** siskin

**čižma** high boot, boot

**čkanie** hiccup, hiccough (-ing)

**čkať sa** hiccup

**článok** 1. *(novinový)* article, item 2. *(spojovací)* link 3. *elektr.* cell 4. *(prsta)* joint

**čľapkať** splash, plop

**člen** 1. member; fellow 2. *gram.* article 3. *mat.* term

**členiť** divide

**členitý** indented; *(nerovný)* uneven

**členok** ankle; *(priehlavok)* instep

**členstvo** membership, fellowship

**člnok 1.** small boat, dinghy **2.** *(tkáčsky)* shuttle

**človek 1.** man, human being **2.** *(neurčitý podmet)* one • *č. nikdy nevie* one never knows

**čľupot** splash

**čmáranina** scrawling, scribbling

**čmárať** scrawl, scribble

**čmeliak** bumble bee

**čnieť** tower; *(vyčnievať, odstávať)* protrude

**čo 1.** *(opyt. zám.)* what; *čo ti je?* what's the matter with you?; *čo sa toho týka* in the matter of; *čo ešte?* what else? **2.** *(opak. v čase) (deň čo deň)* day by day **3.** *(porovnávanie)* as • *len čo* as soon as **4.** *zatiaľ čo* while, since

**čokoláda** chocolate

**čokoľvek** whatever, anything

**čosi** something; *č. také* that sort of thing

**čoskoro** soon, in a short time

**čpavok** ammonia(c)

**črep(ník)** flowerpot

**črepina** splinter

**črevný** intestinal

**črevo 1.** intestine **2.** *(zvieracie)* gut **3.** *(črevá)* bowels; guts *pl.* **4.** *slepé č.* appendix

**črieda** *(dobytok)* herd; *(oviec)* flock

**črpák** *AmE* dipper

**črta 1.** *(čiara)* dash, line **2.** *(rys)* feature **3.** *(lit. útvar)* sketch

**črvotoč** woodworm

**čučoriedka** bilberry

**čudesný** weird, freaky

**čudný** queer, odd, strange; *hovor.* weird

**čudo** wonder • *nečudo* no wonder

**čudovať sa** wonder, be surprised

**čuch** scent, smell

**čuchať** sniff, smell

**čulý 1.** *(agilný)* agile **2.** *(ostražitý)* alert [əˈləːt] **3.** *(obratný)* nimble **4.** *(prudký)* brisk **5.** *(rušný)* busy **6.** *(živý)* vivid, lively

**čumák** muzzle

**čumil** *expr.* gaper

**čupieť** squat, crouch

**čušať** be* quiet, be* still • *čuš!* shut up!

**čvarga** riffraff, scum; *(háveď)* vermin

**čvirikať** chirp, twitter

# D, Ď

**dabing** dubbing

**dajako** somehow, someway

**dajaký** a, any, some sort of, kind of

**dakde** somewhere

**dakedy** sometimes

**dakto** any one, anybody; *(ktosi)* some one, somebody

**dal** *ekon.* credit, *skr.* C

**ďakovať** thank; *dakujem* thank you, thanks

**ďalej** further • *ďalej!* (= *vstúpte)* come in

**ďaleko** a long way, far (away/off) • *široko ď.* far and wide

**ďalekohľad** binoculars; *(divadelný)* opera-glass(es); *(poľný)* field-glass

**ďalekopis** tele, printer, telex

**ďalekosiahly** far-reaching

**ďalekozraký** long-sighted, farsighted

**ďaleký** distant, far; *skok ď.* long jump

**ďalší** *(nasledujúci)* following, next; *(navyše)* further, additional; *(nový)* another, new

**dáma 1.** *(oslovenie)* lady **2.** *(hra)* draughts; *AmE* checkers; *(šach. fig.)* queen

**daň** tax; *d. z príjmu* income-tax; *dedičská d.* death-duty; *d. z majetku* levy on capital; *cestná d.* toll, *d. z pridanej hodnoty (DPH)* value added tax (VAT)

**daniel** fallow-deer

**daný** existing; *(súčasný)* present; *(určený)* certain; *(mat.)* given

**daňový** tax, fiscal; *d. priznanie* tax return

**dar** present, gift

**darca** giver, donor; *AmE* donator

**darebáctvo** mischief, rascality

**darebák** rascal, scoundrel

**dariť sa** thrive*, prosper, succeed; get* on/do well • *darí sa mu dobre* he is doing/getting well

**darmo** *(márne)* in vain; uselessly

**darovať** present, give*

**ďasno** gum

**dať** give*; *(niekam)* place, put*; *(do ruky)* hand (in) *(príklad)* set*; *(podnet)* suggest; *(späť na miesto)* replace *(von)* put out • *d. do škatule* box; *d. možnosť* enable; *d. si niečo urobiť* *get sth. done; *dávať otázky* ask questions; *d. právo* entitle; *d. si pozor* beware; look out; *d. prepitné* tip; *d. šach* check; *d. zálohu* deposit; *d. do obehu* issue; *d. gól* score; *d. do prenájmu* let / rent; *d. vedieť* let sb. know

**dať sa** *(na cestu)* set off / out; *(na nejakú činnosť)* take to

**dať si** *(jedlo)* have*; *(schôdzku)* make/fix

**ďateľ** woodpecker

**ďatelina** clover, shamrock

**datľa** date, date-palm

**datovať (sa)** date, assign

**dátum** date

**dav** mass, crowd, multitude; *(luza)* mob

**dávať** p. **dať**

**dáviť** vomit; throw up; *hovor.* puke

**dávka** 1. *(poplatok)* rate 2. *(jedla)* portion, helping 3. *lek.* dose 4. *(prídel)* ration

**dávkovanie** dosage

**dávno** long ago

**dávnoveký** ancient, primeval [prai'mi:vl]

**dávny** ancient [einšənt]; bygone, former, old

**dážď** rain, shower • *dostať sa z d. pod odkvap* get out of frying pan into the fire

**daždivý** rainy, wet

**dáždnik** umbrella

**dážďovka** earthworm

**dbať** mind, care; • *d. o niečo* take* care of; *brať ohľad* pay heed, respect

**dcéra** daughter ['do:tə]

**dcérsky** filial

**debata** discussion; *(formálna)* debate; *(búrlivá)* argument ['a:gjumənt]

**debatovať** discuss; *(formálne)* debate; *(búrlivá)* argue ['a:gju:]

**debet** debit; *skr.* D

**debna** box, case, chest

**debnár** cooper

**december** December

**decentralizácia** decentralization

**decimeter** decimetre

**decko** *hovor.* kid

**dečka** *(čipková)* lace cover

**dedič** heir [eə]

**dedička** heiress ['eəris]

**dedičnosť** heredity

**dedičný** hereditary

**dedičstvo** heritage, inheritance, legacy ['legəsi]

**dedina** village

**dedinčan** villager

**dedinka** hamlet

**dedinský** rural, rustic

**dediť** inherit

**dedko** *hovor.* granddad

**dedukcia** deduction

**defekt** *(chyba)* faul, defect; *(pneumatiky)* puncture

**defenzíva** defensive

**deficit** *(rozpočtový)* deficit; *(nedostatok)* deficiency

**defilovať** march past, parade

**definícia** definition

**definitívny** definitive; *(určitý)* definite

**definovať** define

**deformovaný** *(osobnosť)* deformed; *(telo)* malformed; *(pokazený zlou výchovou)* spoiled

**defraudácia** embezzlement, fraud

**degenerácia** degeneration

**degenerovať** degenerate

**degradácia** degradation

**degradovať** degrade

**decht** tar

**dej 1.** action, story plot **2.** *(chemický)* process

**dejepis** history

**dejepisec** historian

**dejiny** history

**dejisko** scene(ry)

**dejstvo** act

**deka** cover(let); *(na posteľ)* blanket

**dekagram** dekagramme

**dekan** dean

**dekanát 1.** *(farnosť)* deanery, **2.** *(úrad dekana)* dean's office

**deklarovať** declare, proclaim

**dekolt** low-neck

**dekorácia 1.** *(výroba)* decoration, ornament **2.** *(divadelná)* scenery, set

**dekoratér** decorator, designer

**dekrét** decree

**deľba** distribution, division

**delegácia** delegation, deputation

**delegát** delegate, deputy [ˈdepjuti]

**delenie** division

**delený** split, devided

**delfín** dolphin

**delikátny** *(vyberaný)* delicate; *(háklivý)* awkward

**delikt** offence; *práv.* tort

**delírium** delirium

**deliť 1.** divide, distribute **2.** *(oddeľovať)* separate **3.** *mat.* divide **4.** *(d. sa s niekým)* share sth. with so.

**delo** gun, cannon

**delostrelectvo** artillery

**demagógia** demagogy

**demarkácia** demarcation

**dementovať** deny

**demilitarizácia** demilitarization

**demižón** demijohn

**demobilizácia** demobilization [diˈməubilaiˈzeišn]

**demobilizovať** demobilize [diːˈməubilaiz]

**demokracia** democracy

**demokrat** democrat

**demokratický** democratic
**demolácia** demolition
**demonštrácia** demonstration
**demonštrovať** demonstrate
**demontovať** dismount, take* to pieces
**demoralizácia** demoralization [di'morəlai'zeišn]
**demoralizovať** demoralize
**deň** day; *(všedný)* weekday; *(sviatočný)* holiday; *(pamätný)* red-letter day • *voľný d.* day off/out; *súdny d.* doomsday; *vo dne v noci* day and night
**denne** daily, day by day
**denník 1.** diary **2.** *(noviny)* daily **3.** *(účtovnícky)* journal **4.** *(lodný)* log-book
**denný** day, everyday, daily
**depeša** dispatch
**depo** depot
**deponovať 1.** deposit **2.** *(právne)* depone
**deportovať** deport
**depresia** depression
**deprimovaný** dejected, dispirited, depressed
**deprimovať** depress, get* down
**deptať** oppress
**deputácia** deputation
**deravý** full of holes, perforated; *(o nádobe)* leaky • *d. zub* hollow tooth

**dereš** ack
**des** horror, fright, dread
**desať** ten
**desaťboj** decathlon
**Desatoro** *náb.* the Ten Commandments
**desatinný** decimal
**desaťnásobný** decade, tenfold
**desaťročie** decade
**desiata** *(jedlo)* snack
**desiatnik** corporal
**desiaty** tenth
**desiť** frighten, horrify, terrify // **d. sa** dread, be* horrified/terrified
**desivý** horrible, awful ['o:ful], dreadful, horrible
**despotický** despotic, tyrannical, autocratic
**dešifrovať** decode
**detail** detail ['di:teil]
**detektív** detective
**detektívka** thriller, detective story
**detinský** childish, juvenile
**detský** childish, infantile; *(určený deťom)* children's
**detstvo** childhood, infancy
**devalvácia** devalvation, depreciation
**devastácia** devastation, destruction
**deva** maiden, girl
**deväť** nine
**deväťdesiat** ninety

**deväťnásobne** ninefold
**devätnásť** nineteen
**devätnásty** nineteenth
**deviaty** ninth
**devíza** foreign exchange/
currency
**dezert** dessert [ˈdezət]
**dezertér** deserter
**dezertovať** desert [diˈzəːt]
**dezinfekcia** desinfektion
**diabol** devil
**diagnóza** diagnosis [daiəgˈnəusis]
**diagram** diagram [daiəgræm] chart; (obrazce) figure
**dialektický** dialectical
**diaľka** distance
**diaľkový** long-distance; d-é ovládanie remote control, d-é štúdium extramural studies
**diaľnica** motorway; AmE expressway, freeway; (s mýtom) turnpike
**dialóg** dialogue
**diamant** diamond
**diapozitív** slide
**diár** diary
**diať sa** happen, take* place
• čo sa d-e? What's going on? Čo sa s tebou d-e? What's the matter with you?
**diel 1.** part, piece; (pri delení) portion; náhradné d-y

spare parts **2.** (knihy) volume
**dielňa** workshop; (kováčska) smithy
**dielo** work, piece; (hudobné) opus; umelecké d. work of art
**diera** hole; (prepichnutie) puncture; (medzera) gap
**dierka 1.** small hole **2.** (nosná) nostril
**dierkovať** perforate, punch
**diéta** diet; držať d. be* on a diet
**dieťa** child; (malé) baby, infant; hovor. kid
**diéty** daily allowance, cestovné d-y expenses
**dievča 1.** girl, maiden, (slúžka) maid **2.** (milá) girlfriend
**dievčenský** girl's, girlish; d-é meno maiden name
**dievka** maiden, girl; stará d. spinster
**digitálny** digital
**dikobraz** porcupine [poːkjəpain]
**diktát** dictation; (nátlak) dictate
**diktátor** dictator
**diktatúra** dictatorship
**diktovať** dictate
**diletant** dilettante
**dilema** dilemma
**diplom** diploma, degree

**dinosaurus** dinosaur [dainəso:]

**dioxid** dioxide [daiəksaid]

**diplomacia** diplomacy

**diplomat** diplomat

**diplomatický** diplomatic

**diplomovaný** certified

**diplomovka** thesis

**dirigent** conductor

**dirigovať** conduct

**disciplína 1.** discipline [ˈdisəplən] **2.** (odbor) science, branch of learning

**disk** disk, discus; vrh d-om discus throwing

**disketa** floppy disc

**diskontný** discount

**diskotéka** disco

**diskrétnosť** discretion, secrecy

**diskriminácia** discrimination; rasová d. colour bar

**diskusia** discussion, debate

**diskutabilný** disputable, debatable

**diskvalifikovať** disqualify

**dispečer** controller

**disponovať** dispose, have at o's disposal

**dispozícia** disposition; disposal; (pokyny) instructions pl. • k d-ii available

**distribúcia** distribution

**div** wonder, marvel; niet d-u no wonder; (zázrak) miracle

**divadelný** dramatic, theatrical

**divadlo** theatre; (budova) playhouse

**divák 1.** onlooker **2.** (divadelný) play-goer; (športový) spectator; náhodný d. bystander

**diván** sofa, settee

**dívať sa** look, watch; (uprene) gaze; (posudzovať) regard, consider

**diviak** (wild) boar

**dividenda** dividend; (akcia) stock

**divina 1.** (mäso) venison **2.** (zver) game

**diviť sa** (niečomu) wonder at sth.

**divízia** division

**divný** strange, queer, odd

**divočina** wilderness [wildənəs], wildlife

**divoch** savage [sævidž]

**divo(ko)sť** ferocity

**divoký** wild; (necivilizovaný) savage; d. a drsný fierce; d. a zúrivý ferocious, furious [fjuriəs]

**dizajn** design

**dizertácia** thesis, dissertation

**dlabať** chisel, carve

**dlaha** splint

**dlaň** palm

**dláto** chisel

**dláviť** press, crush; *(gniaviť)* weight down

**dlažba** pavement, paving

**dláždenie** pavement

**dlaždica** tile, flag; paving-stone

**dláždiť** pave, flagstone

**dlážka** floor

**dlh** debt [det]; *(účtovnícky)* debit • *na d.* on credit

**dlho** long, a long time • *nebuď d.* don't be long

**dlhodobý** long-term, long-lasting; *d. úver* revolving credit

**dlhopis** bond

**dlhovať** owe [ou], be indebted; *dlhujem ti* IOY (= I owe you)

**dlhý** 1. long 2. *(o ľuďoch)* tall • *d. život* longevity

**dĺžeň** diacritical/length mark

**dĺžka** 1. length 2. *(zemepisná)* longitude

**dlžník** debtor ['detə]

**dlžný** due; *byť d.* owe [əu]

**dna** gout [gaut]

**dnes** today; *d. večer* tonight, this evening

**dnešný** *(súčasný)* present day, today's, current; *v d-ej dobe* nowadays; *d-á móda* current fashion

**dnešok** today, the present time/day

**dno** bottom, ground; *(mora)* bed

**dnu** in, inside

**do** *(smer)* to, into; *(čas)* till, untill • *do konca týždňa* by the end of the week; *do dvadsať* up to twenty

**doba** time; *v poslednej d-e* recently; *v dnešnej d.* nowadays; *(obdobie)* period, era; *(historicky)* age *d. kamenná* the Stone Age; *skúšobná d.* probation • *od tej d-y* since

**ďobať** peck

**dobehnúť** 1. overtake* 2. *(hovor. napáliť)* take* in, deceive

**doberať si** tease, make fun of

**dobiedzať** tease; *(otázkami)* heckle

**dobierka** cash on delivery, *skr.* C. O. D.

**dobrácky** kind-hearted

**dobrák** good-natured fellow/man

**dobre** well, good, right, all right; *AmE* O. K. *mám sa d.* I am well • *d. povedané* well said; *d. mu tak* it serves him well; *byť s niekým za d.* be on good terms with so.

**dobro** good; *(blaho)* welfare

**dobročinnosť** charity

**dobrodruh** adventurer

**dobrodružný** adventurous

**dobrodružstvo** adventure

**dobromyseľný** good-humoured, good-natured

**dobropis** credit advice/note

**dobrosrdečný** kind-hearted

**dobrota** goodness, kindness

**dobrotivý** benign [binain]; *(o Bohu)* gracious

**dobrovoľník** volunteer

**dobrovoľný** voluntary

**dobrý** good; *d. deň* good morning/afternoon; *(správny)* right, correct

**dobyť** conquer [ˈkɔnkə], capture, seize; *d. víťazstvo* gain victory

**dobytie** conquest, capture

**dobytok** cattle; (live)stock

**dobyvačný** aggressive

**dobývať** conquer, siege *(uhlie)* mine

**dobyvateľ** conqueror [ˈkɔnkərə]

**docent** *(univerzitný)* senior lecturer, reader (in)

**docieliť** achieve, attain

**dočasný** temporary, provisional

**do čerta!** *hovor.* damn!, hell

**dočítať** finish reading // **d. sa** learn, read, find out

**dočkať sa** *(niečoho)* wait to see sth., wait (for)

**dodať 1.** *(doručiť)* deliver **2.**

*(pripojiť)* add **3.** *(zásobovať)* supply

**dodávateľ** supplier; *(potravín)* caterer

**dodatočný** additional; supplementary

**dodatok** addition; *(ku knihe)* appendix; *(k zmluve, zákonu)* amendment

**dodávka** delivery, supply; *(auto)* van, pick-up

**dodnes** up to now, till the present day

**dodržať** *(zachovať)* hold* on; *d. slovo/sľub* keep* one's word/promise; *rýchlosť* observe the speed limit

**dogmatický** dogmatic

**dohadovať sa 1.** *(hádať sa)* argue, dispute **2.** *(domnievať sa)* presume; *(tušiť)* guess [ges]

**dohady** guesswork

**dohadzovač** *(predaja)* matchmaker; *(manželstva)* marriage broker

**doháňať** gain on, catch up

**dohľad 1.** range of vision, view; **2.** *(dozor)* supervision, control; *nebyť na d.* out of sight

**dohľadný** foreseeable; *v d-om čase* before long

**dohliadnuť** see, watch over

**dohoda** agreement; *(ob-*

*chodná)* deal; *mierová d.* peace treaty

**dohnať** *(zameškané)* make up for; *(do zúfalstva)* drive sb to despair

**dohodnúť sa** agree, come* to an agreement

**dohovárať** reprove, scold

**dohovor** agreement, bargain

**dohromady** (al)together; *(spolu)* in all, all included

**dochádzať 1.** *(chodiť pravidelne)* attend, commute, visit **2.** *(míňať sa)* be* running of sth

**dochádzka** frequentation; *(školská)* school-attendance

**dochvíľnosť** punctuality [panktju'æliti]

**dochvíľny** punctual [panktjuəl]

**dojať** move, touch, stir, affect

**dojatie** emotion

**dojča** baby, infant, suckling

**dojčiť** suckle; *(dieťa)* breast-feed

**dojednať (sa)** come* to an agreement; *(cenu)* negotiate

**dojem** impression; *urobiť d.* impress

**dojemný** touching, moving

**dojička** milkmaid, dairymaid

**dojímavý** piteous, stirring

**dojiť** milk

**dojka** wet-nurse

**dojnica** milk cow

**dok** dock, dockyard

**dokaličiť** maim, mutilate; *(údy)* cripple

**dokázať 1.** prove, demonstrate **2.** *(vykonať)* achieve, accomplish **3.** *(zvládnuť)* manage, contrive

**dokázateľný** provable

**dokedy** how long

**dokiaľ** *(pokiaľ)* as long as, *(kým)* while; *d. nie* till, untill

**doklad 1.** document **2.** *(potvrdenie)* voucher; certificate **3.** *(dôkaz)* evidence, proof

**dokonalosť** perfection

**dokonalý** perfekt, thorough, accomplished; *(bezchybný)* flawless

**dokonavý** *gram.* perfective

**dokonca** even

**dokončenie** termination, completion

**dokončiť** finish, complete

**dokopy** together

**dokorán** wide open

**doktor** doctor

**doktorát** doctor's degree

**doktrína** doctrine

**dokument** document; *(úradný)* deed

dokumentárny documentary [dokjuməntəri]

dokumenty papers pl.

dolapiť (zlodeja) hunt down

dolár dollar; AmE hovor. bug

dolava to the left

dole down, below; (v budove) downstairs; kniž. underneath

dolet flying range

doliať top up

doliečenie after-care

dolina valley

dolník kart. jack

dolný lower; D-á snemovňa House of Commons; (spodný) bottom

dolovať mine

doložiť 1. (pridat) add; d. na dôkaz support by evidence 2. (priložit) enclose 3. (príkladmi) illustrate

doložka práv. clause; schvaľovacia d. note of approval

dom house, building; d. s príslušenstvom premises pl. ; obytný d. tenement; v d-e indoors; dvojdom semidetached house

dóm cathedral

doma at home, indoors • cítiť sa ako d. feel* at home

domáca housekeeper

domáci home, domestic; (tuzemský) inland; d. pán

landlord; d-a pani landlady; d-e práce house-work; d-e zviera domestic animal, pet

domácnosť household; žena v d-i house-wife

domáhať sa demand, claim, call for

domček small house, cottage

domkár cottager

domnelý supposed, presumed

domnienka supposition, assumption

domnievať sa suppose, assume; (byť presvedčený) believe

domorodec native, aboriginal

domorodý native, local

domov home; študentský d. hostel; túžba za d-om homesick; d. dôchodcov old people's home

domovina native country, homeland

domovník caretaker, doorkeeper; AmE janitor

domýšľavosť conceit; (márnivosť) vanity

domýšľavý conceited

donášač informer; (žalobaba) hovor. sneak

donášať 1. (nosiť) carry 2. (udávať) inform, denounce

**donedávna** until lately, recently

**doniesť** bring *; (podat) fetch

**donucovací** d-ie prostriedky coercive means [kəu'ə:siv]

**donútenie** compulsion, coercion

**donútiť** compel, force

**doobeda** in the morning

**doobjednať** make* an additional offer

**dookola** round, around

**dopadnúť 1.** fall* down; (na dno) strike the ground **2.** (skončiť) turn out

**doparoma** hovor. expr. gosh, damn

**dopisovateľ** correspondent

**doplatiť** pay* for sth. • doplatíš na to you will be sorry

**doplatok** extra charge

**doplnenie** completion

**doplniť** complete; (zásoby) replenish; (naplniť) fill up/in; (údaje) update

**doplnok 1.** supplement **2.** (zákona) amendment **3.** gram. complement **4.** (k šatám) accessories

**dopodrobna** in detail

**dopoludnia** a. m. (= ante medridiem), in the morning

**dopoludnie** morning

**doporučiť** recommend,

commend; d-ený list registered letter

**doposiaľ** till now, so far

**dopovať** dope

**doprava¹** podst. transport; (loďou) shipment; (pouličná ) traffic; (diaľková) haulage [ho:lidž]

**doprava²** prísl. to the right

**dopravca** transporter, conveyor

**dopraviť** transport, carry, convey; (loďou) ship

**dopravné** freight(-charge)

**dopravný** d. prostriedok vehicle, means of transport; d-á tepna thoroughfare; d-á zápcha traffic jam; d-á špička rush hour; verejný d. prostriedok public conveyance; d-é predpisy Highway Code; úsek častých d-ch nehôd black spot

**dopredaj** clearance (sale)

**dopredu 1.** forward, ahead **2.** (časove) in advance

**dopriať** grant, allow

**doprovod 1.** escort **2.** hud. accompaniment

**dopustiť 1.** allow, permit **2.** (sa niečoho) commit

**dopyt** demand, inquiry, call (for)

**dorast** young/rising generation

**dorastať** grow* up

**dorastenec** junior

**doraziť 1.** *(niekam)* arrive at **2.** *(zabiť)* give* a death blow

**doriadiť** mess up; *d. sa* fuddle

**dorozumieť sa** make oneself understood

**dorozumievací** *d. prostriedok* means of communication

**doručiť** deliver

**doručiteľ** bearer, deliver; *(poštový)* postman

**dosadiť** *mat.* substitute; *(menovať)* appoint

**dosah** reach, radius; *techn.* range • *na d. ruky* within easy reach

**dosiahnuť** reach; *(cieľ)* achieve, attain; *d. plnoletosť* come* of age

**dosiahnuteľný** accessible, obtainable

**dosiaľ** so far; *ako d.* as before

**doska 1.** *(drevená)* board, plank; *(na skákanie)* springboard **2.** *fot.* plate **3.** *(knihy)* cover **4.** *(kamenná)* tablet **5.** *(z kovu)* slab; *pamätná d.* memorial tablet

**doskočisko** pit

**doskok** jumping distance

**doslov** epilogue

**doslova** word for word, literally

**doslovný** literal; *d. prepis* literal transcript

**dospelosť** adult age, maturity; manhood; *skúška d-i* leaving examination

**dospelý** adult, grown-up, mature

**dospieť** mature, come* of age, grow* up; *d. k dohode* come* to terms

**dospievajúci** adolescent

**dosť** enough, fairly; rather, pretty • *mám toho d.* I am sick of it

**dostačujúci** sufficient, satisfactory

**dostať** get*, obtain, receive; *d. nádchu* catch a cold; *d. sa dnu* get* in; *d. výpoveď* get* a notice/sack

**dostatočný** sufficient; *(známka 4 v škole)* satisfactory

**dostatok** *(hojnosť)* plenty, abundance

**dostaviť sa** arrive, appear, to present os.

**dostavník** coach

**dostihnúť** reach, catch; *(iných)* gain on

**dostihy** races *pl.*; *(prekážkové)* steeplechase

**dostrel** range, radius

**dostupný** available, within easy reach, accessible

**dosvedčiť** testify; give* evidence of, certify

**dotácia** grant
**dotaz** inquire
**dotazník** questionnaire
**doterajší** present, existing, up to now
**doteraz** up to the present time, till now
**dotiaľ** till then, so far
**dotiaľto** up to here
**dotierať** pester, annoy
**dotieravý** importunate, nosy, tiresome
**dotknúť sa 1.** touch **2.** *(narážkou)* hint at
**dotlač** reprint
**dotovať** subsidize, give* a grant
**dotyčný** the said, mentioned
**dotyk** touch
**dotýkať sa** touch, contact
**doučovanie** remedial education, extra classes
**dovážať** import
**dovidenia** *hovor.* so long; good-bye
**doviesť** bring, lead, drive
**dovnútra** in, inside
**dovolávať sa** refer to sth.; invoke
**dovolenka** leave, holiday, *(voj.)* furlough; *byť na d-e* be* on leave
**dovoliť 1.** *(nezakazovať)* allow **2.** *(vysvetlenie)* permit **3.** *(nechat)* let* **4.** *AmE* leave* **5.** *(dožičiť si)* afford •

*dovoľte, aby som vám predstavil pána X* let* me introduce Mr X to you; *dovoľte (= s dovolením)* (I beg your) pardon
**dovoz** import
**dovozca** importer
**dovŕšiť** crown, complete
**dovtípiť sa** guess, find* out, take* a hint
**dovtedy** till then
**dóza** case, jar, box
**dozadu** back(wards)
**dozerať** supervise, watch/ stand over, look after
**doznanie** confession
**doznieť** die/fade away
**dozor** supervision, inspection; *(riadenie)* control; *mať d.* be* in charge
**dozorca** inspector, overseer; *(hlavný)* superintendent, *(vo väzení)* warder
**dozorný** *d. orgán* supervisory body
**dozretý** ripe, ripened
**dozrieť** mature [məˈtjuə], ripen
**dozvedieť sa** learn*, know*, hear*
**dožičiť si** afford, indulge os.
**dožinky** harvest festival
**dožiť sa** live to see
**doživotný** life-long; *d. trest* life sentence
**dôchodca** pensioner

**dôchodok 1.** *(štátny)* income, revenue **2.** *(starobný)* (old-age) pension

**dôjsť 1.** come*, reach, arrive **2.** *(minúť sa)* run* short/out

**dôkaz** proof, evidence, pledge

**dôkladný** thorough [tarə], careful

**dôležitosť** importance; relevance

**dôležitý** important, *lek.* vital; *to nie je d-é* it doesn't matter

**dômyselnosť** ingenuity

**dômyselný** ingenious

**dôraz** stress, emphasis; *dávať d. na* lay* stress upon

**dôrazný** emphatic, strong

**dôsledný** consequent, consistent

**dôsledok** consequence; *v dôsledku čoho* in consequence of / as a result of; *do d-ov* to the root of the matter

**dôstojník** officer; *(lodný)* mate

**dôstojnosť** dignity; *pod ľudskú d.* below human dignity

**dôstojný** dignified; *(spoločensky uznávaný)* worthy; *(titul)* reverend

**dôvera** confidence; faith, trust; *mať d-u* have* confidence in

**dôverčivosť** credulity

**dôverčivý** credulous

**dôverník** confident; *(poverený zástupca)* trustee

**dôvernosť** familiarity, intimacy; *(diskrétnosť)* secrecy

**dôverný** familiar, confidential, secret; intimate; *d. styk* intimacy; *d. priateľ* bosom-friend

**dôvernosť** trust, confide in

**dôveryhodný** trustworthy; *(spoľahlivý)* reliable

**dôvod** reason, ground; *z toho d-u* on account of that; *mám na to svoje d-y* I have my reasons for that

**dôvtip** wit, ingenuity

**dôvtipný** ingenious, witty; *d-á odpoveď* an androit reply

**dráha 1.** course **2.** *(vychodená)* track **3.** *(obežná)* orbit **4.** *(železnica)* railway **5.** *(životná)* career **6.** *(lanová)* funicular **7.** *(pretekárska)* race-course **8.** *(podzemná)* underground; *hovor.* tube **9.** *(prístávacia/štartovacia)* runway

**draho** dear(ly) • *to ti príde d.* it will cost you dear

**drahocenný** precious, valuable

**drahokam** gem, jewel, precious stone

**drahota** dearness • *robiť d-y* be* coy

**drahý** dear *(milý)* darling; *(iba o cene)* expensive, costly; *d-é kovy* precious metals

**drak** 1. dragon 2. *(šarkan)* kite

**dráma** drama

**dramatický** dramatic

**dramatik** dramatist, playwright ['pleirait]

**dramaturg** dramatic/literary adviser

**drancovať** 1. *(vo vojne)* plunder; *(plieniť)* loot 2. *expr.* overexploit

**drapľavý** *(na dotyk)* rough; *(hlas)* hoarse, husky

**drapnúť** grab, grasp

**drastický** drastic

**drať** 1. *(šaty)* tear*; wear* out 2. *(kožu)* skin

**dravec** beast/bird of prey, carnivorous animal

**dravý** 1. *(človek)* rapacious; *(zviera)* of prey 2. *(priebojný)* vigorous, aggressive

**dražba** auction

**dráždidlo** stimulant

**dráždiť** 1. irritate, provoke 2. *(podnecovať)* stimulate

**dráždivý** excitable, irritable

**drážka** groove

**dreň** pith; *(kostná)* marrow; *(zubná)* pulp

**drenážovať** drain

**drep** squat, knee bend

**dres** sports dress

**drevársky** timber

**drevený** wooden

**drevo** wood; *(stavebné)* timber; *AmE* lumber

**drevnatý** woody

**drevorubač** woodcutter

**drevorytectvo** wood-carving, xylography

**drevovláknina** wood-pulp

**drez** sink

**drezina** trolley ['troli]

**drezúrovať** train; *(krotiť)* tame

**drgať** jolt [džəlt], bumb, jog

**drhnúť** 1. *(kefou)* scrub 2. *(hrdlačiť)* drudge

**driapať** scratch; *(čarbať)* scribble // **d. sa** *(niekam)* climb (up)

**driečny** shapely, well-built

**driek** *(pás)* waist

**driemať** slumber, doze, nap

**drieť** 1. rub 2. *(namáhať sa)* drudge, toil 3. *(biflovať sa)* grind*, swot

**drina** toil, drudgery, hard work

**drkotať** rattle; *(zubami)* chatter

**drobčiť** trip, toddle

**drobiť (sa)** crumble

**drobivý** crumbly; *(pôda)* powdery

**drobky** giblets, offal

**drobnosť** trifle; trinket

**drobný** tiny, minute; *(nepatrný)* slight; *d-é peniaze* (small) change

**droga** drug

**drogéria** chemist's ['kemists]; *AmE* drugstore

**drotár** tinker

**drozd** blackbird, thrush

**droždie** yeast, leaven

**drožka** (taxi)cab, hackney coach

**drôt** wire; *(telefónny)* line

**drôtenka** scourer, steel wood

**drsnosť** rough, coarse, harsh

**druh 1.** companion, comrade; *(v zamestnaní)* mate; *(človek vôbec)* fellow **2.** *(sorta)* sort, kind; *(odroda)* variety; *(tovar)* article, brand **3.** *(biologický)* species ['spi:ši:z] *pl.*

**druhoradý** second-rate

**druhotný** secondary

**druhý 1.** second **2.** *(iný)* another **3.** *(ďalší)* next **4.** *(d. z dvoch)* the latter

**družba** *(na svadbe)* best-man

**družica** satellite

**družička** bridesmaid

**družka** helpmate

**družný** sociable; *(veselý)* cheerful

**družstevný** cooperative

**drviť** crush, grind*

**drzosť** impertinence, arrogance, cheekiness

**drzý** impertinent; *(urážlivý)* arrogant; *hovor.* cheeky

**držadlo** holder, handle

**držať 1.** hold* **2.** *(chovat)* keep* **3.** *(na uzde)* curb, restrain • *d. slovo* keep* one's word; *d. diétu* be on a diet

**držať sa 1.** *(vydržať)* hold* on **2.** *(niečoho)* stick to sth.

**držiteľ** holder; owner

**držky** tripe; *d-ová polievka* tripe soup

**dub** oak

**dúfať** hope, *(veriť)* believe

**dúha** rainbow

**dúhovka** iris ['aiərəs]

**duch 1.** spirit **2.** *(strašidlo)* ghost

**duchaplnosť** ingenuity [indži'njuiti]

**duchaplný** spirited, ingenious, sharp

**duchaprítomný** presentminded

**duchovenstvo** clergy, priesthood

**duchovný**[1] *adj* spiritual

**duchovný²** *n* clergyman, parson, priest

**dumať** meditate, muse

**Dunaj** the Danube ['dænju:b]

**dunenie** boom, thunder; *d. hromu* peal of thunder

**dunieť** *(hrmieť)* thunder; *(o mori, dele)* boom, roar

**duo** duet, duo

**dupať** stamp; *(ničivo)* trample

**duplikát** duplicate

**dupnutie** stamp

**dupot** stamp(ing), tramp; *(koní)* thud

**dur** *hud.* major

**dusík** nitrogen ['naitrədžən]

**dusiť** 1. suffocate, choke, stifle 2. *(potláčať)* suppress 3. *(mäso)* stew

**dusivý** stifling, choking

**dusný** sultry; *(tiesnivý)* oppressive; *(nevetraný)* stuffy

**duša** 1. soul 2. *(pneumatika)* (inner) tube

**duševný** mental; *odb.* psychic(al) ['saikikəl]

**dúšok** draught [dra:ft], nip

**duť** blow*

**dutina** cavity, hollow

**dutý** hollow, concave; *(prázdny)* empty

**dužina** pulp, flesh

**dva** two

**dvadsať** twenty

**dvadsiaty** twentieth

**dvakrát** twice, double

**dvanásť** twelve

**dvanásty** twelfth

**dvere** door; *(hlavné)* main entrance, front door; *(padacie)* trapdoor

**dvíhať** lift, raise; *(s námahou)* heave; *(zo zeme)* pick up; // **d. sa** rise*

**dvojakosť** duplicity

**dvojaký** double-dealing, two-fold

**dvojbodka** colon [kəulən]

**dvojča** twin

**dvojdom** semi-detached house

**dvojhláska** diphtong

**dvojhra** *šport.* double; singles

**dvojica** couple, pair

**dvojičky** twins *pl.*

**dvojitý** double, dual

**dvojjazyčný** bilingual

**dvojmo** double, in duplicate

**dvojnásobný** double, two-fold ['tu:fəuld]

**dvojník** double, stand-in

**dvojposteľový** double-bedded

**dvojradový** *(kabát)* double-breasted coat

**dvojrozmerný** two-dimensional

**dvojspev** duet [dju:'et]

**dvojstranný** bilateral

**dvojtýždenný** fortnightly

**dvojzmyselnosť** ambiguity [æmbi'gjuiti]

**dvojzmyselný** ambiguous [æm'bigjuəs]

**dvojženstvo** bigamy

**dvor** yard, courtyard; *(panovnícky)* court

**dvorenie** courtship ['ko:tšip]

**dvoriť** court [ko:t], woo

**dvornosť** gallantry ['gæləntri]

**dvorný 1.** court [ko:t] **2.** *(zdvorilý)* gallant, courteous ['kə:tiəs]

**dych** breath [breθ]; *do posledného d-u* to the last breath

**dýchanie** respiration, breathing ['bri:ðiŋ]

**dýchať** breathe [bri:ð], *odb.* respire

**dychčať** pant

**dychovka** brass band/music

**dychtiť** *d. po* be* eager for

**dychtivosť** eagerness

**dychtivý** eager, keen

**dýka** dagger

**dym** smoke

**dymiť** smoke, fume

**dyňa** watermelon

**dynamický** dynamic [dai'næmik]

**dynamika** dynamics

**dynamit** dynamite

**dynamo** dynamo

**dynastia** dynasty [dainəsti]

**dýza** jet

**dyzentéria** dysentry

**džavot** rattle, churp

**džbán** pitcher, jug

**džber** tub, pail

**džem** jam

**džin** gin

**džínsový** denim

**džínsy** jeans

**džíp** jeep

**džudo** judo

**džez** jazz

**džungľa** jungle

**džús** juice

# E

**eben** ebony

**ebonit** ebonite

**edícia** *(vydanie)* edition; *(rad diel)* series

**edičný** editorial

**efekt** effect; *(výsledok)* result

**efektívny** effective

**efektný** effective; *(okázalý)* spectacular, showy

**egoista** egoist, self-centered/selfish person

**egreš** goos(e)berry

**ekológ** ecologist

**ekonóm** economist

**ekonómia** economy; *(hospodárnost)* economics
**ekumenický** ecumenical
**ekzém** eczema [ˈeksəmə]
**elán** vigour, zest
**elastický** flexible, stretchy
**elegán** dandy, smart-fellow
**elegancia** elegance, smartness; *(pohybová)* grace
**elégia** elegy [ˈelidži]
**elektráreň** *AmE* power-station, power-plant
**elektrický** electric (al); *e. spotrebič* electrical appliance; *e. prúd* electrical current
**eletričenka** season-ticket, bus-pass
**električka** tram; *AmE* streetcar
**elektrifikácia** electrification
**elektrikár** electrician
**elektrina** electricity; *(prúd)* power; *poháňaný e-ou* worked by electricity
**elektróda** electrode
**elektroinštalatér** electric fitter
**elektroinžinierstvo** electrical engineering
**elektroliečba** electrotherapy
**elektromagnet** electromagnet
**elektrometer** electrometer
**elektrón** electron [ˈilektron]

**elektrónka** valve; *AmE* tube
**elektronická pošta** e-mail (electronic mail)
**elektrovodič** conductor (of electricity)
**elipsa** ellipse
**elita** elite
**email** *(aj zubná sklovina)* anamel
**emancipácia** emancipation
**embargo** embargo; *uvaliť e.* lift an embargo
**emblém** symbol, emblem, sign; *(firmy)* logo
**embólia** *lek.* embolism
**emigrácia** emigration
**emigrant** emigrant
**emigrovať** emigrate
**emisia** issue; *(vyžarovanie)* emission
**emócia** emotion
**encián** *bot.* gentian [ˈdženšiən]
**encyklopédia** encyclopaedia [enˌsaikloˈpiːdiə]
**energetika** energetics *pl.*
**energia** energy, power; *(duševná)* vigour, zeal
**energický** energetic, vigorous
**enormný** enormous; *(obrovský)* huge, immense; *(zisky, poplatky)* excessive
**epidémia** epidemic
**epidemický** epidemic
**epika** epic poetry

**epigram** epigram
**epizóda** episode
**epocha** epoch ['i:pok]
**epochálny** epoch-making ['i:pok'meikiŋ]
**epos** epic
**éra** era; ['iərə]; *(obdobie)* period
**erb** coat-of-arms
**erdžať** neigh [nei]
**erotický** erotic(al), sexi
**erózia** erosion
**esej** essay
**eskadra** squadron
**eskamotér** juggler
**eskorta** eskort
**Eskymák** Eskimo
**eso** ace [eis]
**espresso** espresso; *(malá kaviareň)* espresso bar
**estetický** aesthetic(al) [is'tetik(əl)]
**estráda** variety show
**ešte** still, till; *e. jeden* another; *e. raz* once more, once again; *(po zápore)* yet; *e. nie* not yet; *(zdôraznenie)* even; *e. lepší* even better; *(navyše)* else; *čo e?* what else?; *e. len* only; *e. raz toľko* as much again; *e. trocha* a (little) bit more
**etapa** stage
**éter** ether ['i:tə]
**etika** ethics ['etiks]
**etiketa 1.** *(spol. správanie)*

etiquette **2.** *(nálepka)* label
**etnický** ethnic(al)
**Európa** Europe
**európsky** European
**evakuovať** evacuate
**evanjelický** evangelic(al), Lutheran
**evanjelium** gospel; *e. podľa Matúša* the Gospel according to St Matthew
**eventuálne** possibly
**eventuálny** possible, eventual
**evidencia** *(zoznam)* record (keeping); *(prehľad)* survey; *e-é číslo* registration/licence numer
**evidentný** evident, *(očividný)* obvious; *(zrejmý)* apparent
**evolučný** evolutionary
**exaktný** exact
**exekúcia** execution; *(súdna)* distraint
**exemplár 1.** *(výtlačok)* copy **2.** *(vzorka)* sample
**exhumovať** exhume
**exil** exile
**existencia** *(bytie)* existence; *(životobytie)* living; *(pejoratívne o osobe)* creature
**existovať** exist, be*
**exkurzia** excursion
**exotický** exotic
**expanzia** expansion

**expedícia** *(výprava)* expedition; *(expedovanie)* distribution; *(oddelenie)* dispatch department
**expedovať** dispatch
**experiment** experiment
**experimentálny** experimental
**experimentovať** experiment
**expert** expert, specialist
**explózia** explosion
**exponát** exhibit
**exponent** exponent, index

**expozícia 1.** *hud., lit.* exposition **2.** *(výstava)* exhibition **3.** *fot.* exposure
**expres** *(rýchly vlak/autobus)* expres; *(zásielka)* send\* by expres
**extáza** ecstasy, rapture
**exteriér** exterior, the outside
**externista** *AmE* externe/day student; freelancer
**extrém** extreme
**exulant** exile

# F

**fabrika** *hovor.* factory, works
**facka** slap (in the face), smack
**fáč** *hovor.* bandage
**fádny** dull, monotonous; *(bez chuti)* tasteless
**fagot** bassoon
**fajčenie** smoking
**fajčiar** smoker
**fajčiť** smoke; *f. zakázané* no smoking
**fajka** pipe
**fajn** *hovor.* nice, lovely, super
**fakľa** torch
**fakt** fact; *(naozaj?)* really?
**faktor** factor, agent
**faktúra** invoice; *vystaviť f-u* make\* out an invoice

**fakturácia** invoicing
**fakulta** faculty; *filozofická f.* the Faculty of Arts
**faloš** falsehood, falsity
**falošný** false, fake, sham; *(hudobne)* off-tone; *(podpis, peniaze)* forged; *(nesprávny)* wrong
**falšovanie** forgery; *f. bankoviek* note forgery
**falšovať 1.** forge, falsify **2.** *(znehodnotiť, pančovať)* adulterate
**falzifikát** forger, fake
**fáma** *hovor.* rumour
**familiárny** familiar, informal
**fanatický** fanatic(al)
**fanatik** fanatic; *(f. na prácu)* workaholic

**fanfáry** flourish (of trumpets), fanfare

**fantastický** fantastic

**fantázia** fancy, imagination

**fanúšik** fan

**fara** parsonage, parish

**farár 1.** *(katolícky)* priest **2.** *(evanjelický)* parson **3.** *(anglikánsky)* rector, vicar, clergyman

**fárať** go* down (the mine/pit)

**farba 1.** colour; *AmE* color **2.** *(natieračská)* paint **3.** *(pleti)* complexion **4.** *(v kartách)* suit **5.** *(hlasu)* timbre; *nemať zdravú f.* be of colour

**farbiareň** dye-house, dye-works [ˈdai-]

**farbiť 1.** colour **2.** *(látku)* dye [dai] **3.** *(natierať)* paint

**farbivo** dye(stuff) [ˈdaistaf]; pigment

**farbosleposť** colourblindness

**farebný** coloured; *f-é sklo* tained glass

**farma** farm

**farmácia** pharmacy [ˈfa:-məsi]

**farmár** farmer

**farnosť** parish

**fasáda** front [frant], facade [fəˈsa:d]

**fascikel** file, folder

**fascinovať** fascinate

**fašiangy** carnival

**fašírka** mincemeat

**fašista** fascist [ˈfæʃist]

**fašizmus** fascism [ˈfæʃizm]

**fatamorgána** mirage [miˈra:ž]

**faul** *šport.* foul

**favorit** favourite

**fáza** phase [feiz]; *(štádium)* stage; *(obdobie)* period

**fazóna 1.** style, **2.** *(strih)* cut **3.** *(chlopňa, golier)* lapel

**fazuľa** bean

**február** February

**federácia** federation

**federálny** federal

**federatívny** federative

**fejtón** feuilleton [ˈfə:ito:ŋ]

**feminista** feminist

**fén** hair-dryer

**fermež** varnish

**festival** festival

**fešák** *hovor.* spark, good-looker

**fetoš** *hovor.* junkie, sniffer

**fetovať** *hovor.* be* on the junk

**feudalizmus** feudalism

**feudál** feudal [fju:dl]

**fiaker** hackney cab/coach

**fialka** violet

**fialový** violet, purple, lilac

**fiasko** fiasco, failure, flop

**fičať** whistle; *(bežať)* whizz

**figa** fig
**fígeľ** *hovor.* joke, trick
**figúra** character, figure
**figurína** dummy
**figúrka** chess piece/man
**fikus** rubber plant
**filatelista** stamp-collector, philatelist
**filé** fillet
**filharmónia** philharmony
**filharmonický** philharmonic
**filiálka** branch (office)
**film** film, motion picture; *AmE* movie; *(kreslený)* cartoon
**filmár** camera man, film producer/maker
**filmovať** make* a film; *odb.* shoot*
**filmový** film; *f. pás* reel; *f. titulok* caption; subtitle
**filológ** philologist
**filológia** philology
**filologický** philologic(al)
**filozof** philosopher
**filozofia** philosophy
**filozofický** philosophic(al)
**filtrovať** filter
**finále 1.** *(hudobné)* finale [fi'na:li] **2.** *šport.* final
**financie** finance(s), funds
**financovať** finance, fund
**finančný** financial, fiscal; *f-é aktíva* cash assets; *f-á politika* monetary politics

**fingovať 1.** *(predstierať)* feign [fein], simulate, pretend **2.** *(falšovať)* fake
**finiš** *šport.* final, spurt
**firma 1.** *(závod)* firm, house; *(veľká)* concern **2.** *(štít)* sign(-board)
**fixka** *hovor.* felt-tip pen, marker (pen)
**fixovať** fix, fasten
**fízel** *hovor.* copper
**fľak** stain, spot; *(machuľa)* blot
**flám** *hovor.* spree, razzle-dazzle
**flámovať** *hovor.* have* a night out
**flanel** flannel
**fľaša** bottle; *(poľná)* flask
**flauta** flute
**flirt** flirtation
**flirtovať** flirt, coquet
**flotila** fleet
**fluktuácia** fluctuation
**fluktuant** drifter; *AmE* floater
**fňukať** moan, whine, snivel
**fóbia** phobia
**fólia** foil
**folklór** folklore
**fond** fund; *(zásoba)* stock, supply
**fonetický** phonetic
**fonetika** phonetics *pl.*
**fontána** fountain, cascade
**forma** form, shape, condi-

tion; *(kuchynská, hutnícka)* mould

**formalita** formality

**formálny** formal

**formát** size, format

**formula** formula

**formulár** form, blank; *(žiadost)* application form; *vyplniť f.* fill up/in a form

**formulovať** formulate

**fosília** fossil

**fotel** armchair

**fotoaparát** camera

**fotoatelier** (photographic) studio

**fotobunka** photocell

**fotograf** photographer

**fotografia** photo (graph)

**fotografický** photographic

**fotografovať** photograph, take* a snap/photo, make a picture

**foyer** *(v hoteli)* lounge [laundž]; *(v div.)* foyer

**frajer** *hovor.* 1. *(milý)* boyfriend 2. *(sukničkár)* lady-killer

**frajerka** *hovor.* sweetheart

**frak** evening dress, tail-coat

**frakcia** fraction

**frankovať** stamp

**fraška** *(divadelná)* farce [fa:s]

**fráza** phrase; *(otrepaná)* platitude, cliché

**frčka** fillip; *dať f-u* fillip

**frekvencia** frequency

**frfľať** grumble

**frizúra** *hovor.* hairdo

**frkať** 1. spatter 2. *(kôň)* snort

**front** 1. *voj.* front 2. *(rad)* queue [kju:]; *stáť vo f-e* (stand in) queue; *AmE* line

**froté** terry

**fučať** snort; *(vietor)* howl

**fuj!** *cit.* fie!, ugh! yuck [jak] disgusting!

**fujara** shepherd's pipe

**fujavica** snowstorm, blizzard

**fúkať** blow*

**fungovať** work, function; *(pracovať)* operate

**funkcia** function, office; post *(význam)* purpose

**funt** pound (jednotka váhy aj meny)

**fúra** cart-load; *hovor. (mnoho)* heap

**fúrik** wheelbarrow

**fušer** *hovor.* bungler, tinkler

**fušovať** tinker, dab, bungle

**futbal** football; *AmE* soccer

**futro** *hovor. (podšívka)* lining

**fúzia** fusion, merger

**fúzatý** bearded, with a moustache

**fúzy** moustache [məs'ta:š]; *(bokombrady)* whiskers • *smiať sa pod f.* laugh into one's sleeve

**fyzický** physical
**fyzik** physicist
**fyzika** physics *pl.*

**fyzikálny** physical
**fyziológia** physiology

# G

**gáfor** camphor
**gágor** throat; *(pažerák)* gullet
**gagot** cackle
**gajdoš** piper
**gajdy** bagpipes *pl.*
**galantéria** *(tovar)* fancy goods; *(obchod)* haberdashery [ˈhæbədæšəri]
**galantný** courteous [ˈkoːtiəs], gallant
**galejník** galley-slave
**galéria 1.** gallery **2.** *(divadelná)* upper gallery, *hovor.* gods; *AmE* nigger heaven
**galoše** galoshes *pl.*; *AmE* rubbers *pl.*
**galón** gallon
**galuska** tubeless bicycle tyre
**gamaše** gaiters, leggings *pl.*
**gangster** gangster, racketeer
**gániť** look askance [əsˈkæns]
**garancia** *(právna)* guarantee/ty; *(kvality)* warranty
**garáž** garage; *dať do g-e* garage
**garbiar** tanner, currier [ˈkariə]

**garda** guard
**garde** *hovor.* gardedáma chaperon(e)
**garderóba** *hovor.* **1.** *(šatník)* wardrobe **2.** *(šatňa)* cloakroom
**gardista** guardsman
**garnitúra** set, team
**garniža** console
**garsónka** flatlet, studio flat
**gašparko** Punch [panč]
**gaštan 1.** chestnut; *divý g.* horse-chestnut **2.** *(kôň)* bay
**gaštanový** *(farba)* auburn
**gate** *hovor.* pants *pl.*, *(spodné)*, underpants, knickers *pl.*
**gauč** couch, sofa
**gauner** *hovor.* crook, rascal, rogue
**gavalier 1.** gentleman **2.** *(spoločník dámy)* escort, gallantman
**gáza** gauze
**gazda** farmer
**gazdiná** housewife
**gazdovstvo** farmyard; *(na chov dobytka)*; *AmE* ranch
**gejzír** geyser [ˈgaizə]

**geletka** pail

**gél** gel

**generácia** generation

**generál** general

**generálka** hovor., div. dress rehearsal; (oprava) overhaul

**generálny** general; g. riaditeľ Managing Director, General Manager

**generátor** generator

**genetik** geneticist

**geniálny** of genius, brilliant

**genitálie** pomn. genitalia, genitals

**genitív** genitive

**génius** genius; (dieťa) prodigy

**geografia** geography

**geológia** geology [džiʲolədži]

**geometria** geometry

**gepard** cheetah

**geriatria** geriatrics

**Germán** Teuton, German

**germánsky** Germanic, Teutonic

**gestikulovať** gesticulate [džesʲtikjuleit]

**gerundium** gerund [džerənd]

**gesto** gesture

**geto** ghetto

**gigantický** gigantic [džai:-gæntik], colossal

**gilotína** guillotine

**girlanda** garland, festoon

**git** putty

**gitara** guitar

**glazúra** 1. (na keramike) glaze 2. (poleva) icing, frosting

**glej** glue

**glg** draught; AmE draft

**globálny** global; (súhrnný) total

**glóbus** globe

**gloriola** nimbus, halo [heiləu]

**glosár** glossary

**gobelín** tapestry

**gól** goal; dať g. score (a goal)

**golf** golf

**golier** collar

**gombík** button; manžetový g. cufflinks; (na zásuvke, dverách) knob; (na rádiu) tuning knob

**gorila** gorilla

**gotický** Gothic

**graf** graph, chart

**grafický** graphic

**grafik** graphic artist, designer

**gram** gramme

**gramatika** grammar

**gramofón** record player

**gramotnosť** literacy

**gramotný** literate

**granát** 1. (klenot) garnet; 2. (zbraň) shell, grenade; g-ové jablko pomegranate

**grátis** *adm.* gratis, free, free of charge

**gratulácia** congratulations

**gravidita** *lek.* gravidity, pregnancy

**gravidný** gravid, pregnant

**gravírovať** engrave

**gravitácia** gravitation, gravity

**grep** grapefruit

**grgať** *expr.* belch

**gril** grill

**grobian** ill-bred/coarse fellow

**gróf** earl, count

**grófka** countess

**grófstvo** county

**grog** *(nápoj)* toddy

**grúň** grassy slope, hillside

**guľa** ball; *fyz.* globe; *geom.* sphere; *snehová g.* snowball

**guláš** goulash

**guľať sa** roll

**guľatý** round

**guľka** *(náboj)* bullet, pellet; *(hra) g-y* marbles

**guľomet** machinegun

**guľovitý** spherical, globular, globe shaped

**guľovačka** *hovor.* snowball fight

**guľovnica** rifle

**guma** (India) rubber, gum; *AmE* eraser; *(do šiat)* elastic; *žuvacia g.* chewing gum

**gumáky** wellington/rubber boots

**gumička** rubber/elastic band

**gumovať** rub (out), erase

**gunár** gander

**gurmán** gourmet

**gusto** *hovor.* taste • *podľa môjho g-a* to my taste

**guvernér** governor

**gymnasta** gymnast

**gymnastika** gymnastics *pl.*

**gymnázium** grammar school; *AmE* high school

**gynekológia** gynaecology [gainəˈkolədži]

**gyps** plaster; *g-ý obväz* plaster cast

**gýč** kitsch, trash

# H

**habarka** twirling stick

**habať** *expr.* 1. snatch 2. *(konfiškovať)* sequester

**habilitácia** habilitation

**háčik** 1. hook 2. *(na háčko-* *vanie)* crochet (-hook) [ˈkrəuʃei] • *v tom je ten h.* there is the hitch/snag in it

**háčkovanie** crochet(ing)

**had** snake

**hádam** perhaps, mayble

**hádanka** puzzle, riddle

**hádať 1.** guess **2.** *(veštiť)* divine, foretell

**hádať sa 1.** quarrel **2.** *(premyslene)* dispute **3.** *(dokazovať)* argue

**hádavý** quarrelsome

**hadica** hose [həuz]

**hádka** quarrel, dispute, argument; *(hlučná)* row

**hádzaná** handball

**hádzať** throw*; *h. na* pelt with; *h. sa* toss, flounder

**háj** grove, greenwood

**hájiť 1.** protect **2.** *(pred súdom)* plead **3.** *(zver)* preserve // *h. sa* defend so.

**hájnik** gamekeeper

**hák** hook, crook; *(na šaty)* peg

**háklivý** touchy

**hákový** *(kríž)* swastica

**hala** hall; lounge [laundž]; *v dolnej snemovni, kde sa voliči stretávajú s poslancami* loby

**halda** *hovor.* heap, pile

**halena** smock

**halier** heller; *(malý peniaz)* penny • *to ťa nebude stáť ani h.* it won't cost you a penny

**haliť** veil, wrap; *(zakryť)* cover

**haló** *(telefonické)* hullo, halló; *(zvolať na niekoho)* hey

**haluz** branch; *(vetvička)* twit

**hanba** shame, disgrace

**hanbiť sa** be/feel* ashamed shy; *h-i sa!* Shame on you!

**hanblivý** shamefaced, shy, coy, bashful

**handra** rag; *(staré šaty)* tatters *pl.*; *(človek)* dud

**hanebný** infamous, mean, scandalous

**hangár** hangar [ˈhænɡɑː]

**haniť** blame; *(vyčítať)* censure

**hánka** knuckle

**hanlivý** abusive

**hanobiť** defame; *(znesvätiť)* desecrate; *(na cti)* libel

**haraburda** crock

**harfa** harp

**haring** herring

**harmanček** c(h)amomile [ˈkæməmail]

**harmónia** harmony

**harmonický** harmonious

**harmonika** *(ťahacia)* accordion; *(fúkacia)* mouthorgan

**hárok** sheet (of paper)

**harpúna** harpoon

**hasiaci** *(prístroj)* (fire-) extinguishing

**hasič** fireman; *AmE* firefighter

hasiť **1.** *(oheň)* extinguish, put out **2.** *(smäd)* quench

hasnúť die* away, go* out; *(slabnúť)* wane

hašiš cannabis

hašteriť **(sa)** squabble [ˈskvobl]

hašterivý quarrelsome

havária crash, break-down [ˈbreikdaun]; *(dopravná)* traffic accident

havarijný *h-é poistenie* general accident insurance

háveď *pejor.* vermin *(ludia aj zvieratá)*

havkať bark (at)

havran raven

hazard hazard, gamble

hazardér gambler

hazardný hazardous, risky

hazardovať risk; *(v kartách)* gamble

hebký soft, smooth

hebrejský Hebrew, Hebraic

hegať **(sa)** jolt [džəult]

hej *hovor.* yes, hey

hektár hectare

helikoptéra helicopter

hélium helium

helma helmet; *cyklistická h.* crash-helmet

hemžiť sa **1.** *(hmýriť)* crawl **2.** *(byť plný)* teem; swarm, seeth

herec actor

herečka actress

hermelín ermine [ˈə:min]

herňa gambling house/club

heroín heroin

heslo **1.** slogan **2.** *voj .* watchword, password **3.** *(slovníkové)* entry, headword

heslovitý brief

hever *hovor.* jack

híkať bray, hee-haw

hind Hindu

história history; *(príbeh)* story, tale

historický *(v dejinách dôležitý)* historic; *(týkajúci sa dejín)* historical

historik historian

historka tale, story

hlad hunger; *(hladomor)* famine; *smrť h-om* starvation

hľadanie search, quest

hľadaný wanted

hľadať look for, seek*; *(objavovať)* be in search; *(na internete)* surf

hľadieť look; *(posudzovať)* regard; *(uprene)* gaze, stare

hladina level, surface; *nadmorská h.* above sea-level

hľadisko **1.** *(v divadle)* auditorium **2.** *(stanovisko)* point of view, standpoint, viewpoint

hladiť **1.** *(hladkať)* caress,

stroke **2.** *(žehliť)* iron, press; *(milostne)* fondle

**hladkať** caress, stroke

**hladký** *(povrch)* smooth, even; *(vzor)* plain; *(jemný)* smooth; *h-é pristátie* smooth lauding

**hladný** hungry; *(chamtivý)* lust

**hladovať** hunger, starve

**hladovanie** starvation

**hladovka** hunger strike

**hlas 1.** voice **2.** *(volebný)* vote **3.** *(v zbore)* part

**hlásať** declare, proclaim

**hlásateľ** broadcaster, announcer; *(športový)* commentator

**hlásenie** report

**hlásiť** report, inform

**hlásiť sa 1.** *(niekomu)* report to so. **2.** *(o niečo)* apply for **3.** *(na úrade)* register **4.** *(dobrovoľne)* volunteer **5.** *(v škole)* hold* up/raise* one's hand

**hlasitý** loud

**hlasivky** vocal chords

**hláska** (speech) sound

**hláskovať** spell*

**hlasno** loudly, aloud, in a loud voice

**hlasný** loud

**hlasovací** voting; *h-ie právo* suffrage ['safridž]

**hlasovanie** vote, poll; *(v brit-*

*skom parlamente)* division; *(všeobecné)* plebiscite; *(tajné)* ballot

**hlasovať** vote, poll (for), ballot

**hlasový** vocal

**hlava** head; *po h-e* headlong • *točí sa mi hlava* I am giddy, I feel dizzy; *bolí ma h.* I have a headache; *h-u hore!* cheer up

**hlavatý 1.** *(s veľkou hlavou)* big headed **2.** *(tvrdohlavý)* stubborn, obstinate, pigheaded

**hlaveň** barrel

**hlavička 1.** little head **2.** *šport.* dive **3.** *(záhlavie)* heading

**hlavne** mainly, especially

**hlavný 1.** chief, main, principal; *h-é mesto* capital **2.** *(čašník)* head-waiter; *h-á úloha* title role

**hlavolam** brainteaser

**hĺbať** meditate, ponder (on/over)

**hĺbavý** thoughtful, contemplative

**hĺbenie** excavation

**hĺbka** depth

**hlboký** deep, profound

**hliadka** watch, guard; *(stráž)* sentry; patrol

**hlien** *lek.* phlegm [flem]

**hlina** earth; *(hrnčiarska)* clay

**hlinený** earthen; *h. riad* earthenware

**hlísta** (hook)worm

**hlodať** gnaw [no:], rankle

**hlodavec** rodent

**hloh** *bot.* hawthorn

**hlt** gulp, draught, swallow; *AmE* draft; *dať si h.* take* a swig

**hltan** gullet

**hltať** gobble, swallow, gulp

**hltavý** greedy, gluttonous ['glatnəs]

**hlúb** stump

**hlúčik** small crowd, knot

**hlučný** noisy, loud, rowdy; *(búrlivý)* tumultous

**hluchonemý** deaf and dumb

**hluchota** deafness

**hluchý** deaf • *h. ako poleno* stone-deaf

**hluk** noise, clamour; *(nepretržitý)* din

**hlupák** blockhead, dunce

**hlúposť** stupidity; *hovor.* tripe; • *h! nonsense!*; *robiť h-i* play the fool

**hlúpy** stupid, silly, foolish, dumb; *(obmedzený)* dull

**hľuza** bulb

**hmat** touch, feel

**hmatať** touch, feel, palp

**hmatateľný** palpable, tangible ['tændžəbl]

**hmla** mist; *(hustá)* fog; *(jemná)* haze

**hmlistý** 1. misty, foggy 2. *(nejasný)* vague

**hmlovina** *astron.* nebula

**hmota** 1. *(látka)* material 2. *(podstata)* substance; *pohonná h.* fuel; *umelá h.* plastic matter

**hmotnosť** *fyz.* mass, weight

**hmotný** material, substantial

**hmyz** insect

**hnačka** diarrh(o)ea [,daiə'riə]

**hnať** drive*; *(vetrom, vodou)* drift // *h. sa* rush, sweep

**hneď** instantly, at once; *h. za tebou* right behind you; *(okamžite)* immediately

**hnedý** brown; *(opálený)* tanned

**hnev** wrath [ro:t], anger

**hnevať** annoy, make* angry, irritate // *h. sa* be* angry/cross with

**hnida** nit

**hniesť** *(cesto)* knead [ni:d]

**hniezdiť** nest // *h. sa* fidget

**hniezdo** nest

**hniloba** rot; *(rozklad)* decay

**hnilý** rotten, decaying

**hnis** pus [pas]

**hnisať** suppurate, fester

**hniť** rot, putrefy

**hnoj** manure; *(hnojisko)* dung hill

**hnojenie** fertilization

**hnojiť** manure, dung, fertilize

**hnojivo** 1. manure 2. (umelé) fertilizer

**hnus** distaste, disgust

**hnusiť sa** loathe, be* disgusted

**hnusný** disgusting, loathsome

**hnuteľnosť** movable(s)

**hnutie** movement; (masové) mass-movement

**ho** him

**hoblík** plane

**hoblina** shawings

**hoboj** oboe ['əubəu]

**hoci** although, though

**hocičo** anything

**hocijaký** whatever, of any kind

**hocikde** wherever, anywhere

**hocikedy** whenever, at any time

**hocikto** whoever; anyone, anybody

**hociktorý** whichever, any

**hod** throw, cast; hod kladivom th-ing the hammer; hod oštepom th-ing the javelin; h. guľou shot-put

**hodina** 1. hour 2. (vyučovacia) lesson, period • koľko je hodín? what time is it?; o jednej h. at one o'clock

**hodinár** watchmaker

**hodinky** watch; (náramkové) wrist-watch

**hodiny** 1. clock; slnečné h. sundial 2. (úradné) hours; špičkové h. rush-hours

**hodiť** throw*; (prudko) fling*; (ľahko) cast*; (list) drop

**hodiť sa** 1. fling* os. 2. (pristat) fit, match, suit, go • viazanka, ktorá sa hodí k obleku a tie to match the suit

**hodnosť** dignity; (vojenská) rank; (akademická) degree

**hodnostár** dignitary

**hodnota** value, worth, price; (mincí) denomination

**hodnotenie** evaluation

**hodnotiť** value, evaluate, rate; (oceniť) appraise

**hodnotný** valuable ['væljuəbl]

**hodnoverný** authentic, reliable

**hodný** be* worth of, worthy; (zasluhujúci si) deserving

**hodovať** feast

**hodváb** silk; umelý h. rayon, artificial silk

**hodvábny** silky, silken

**hody** feast

**hojdačka** swing, seesaw

**hojdať sa** swing*, rock; (vo vetre) sway

**hojiť** heal, cure

**hojiť sa** heal up

**hojivý** healing
**hojnosť** abundance; *(nadbytok)* opulence
**hojný** plentiful, abundant, copious
**hokej** (ice-)hockey
**hokejka** hockey stick
**hoľa** ridge
**hold** homage, tribute (to)
**holdovať** *(niečomu)* indulge in sth
**holeň** shin (-bone)
**holenie** shaving
**holiaci** shaving; *h. strojček* safety razor/shaver
**holič** barber
**holiť (sa)** shave*; *dať sa oholiť* have* a shave
**holobriadok** greenhorn, stripling
**holohlavý** bald
**holub** pigeon; *poštový h.* carrier-pigeon
**holubica** dove
**holý** bare, naked • *h-á pravda* pure truth
**homoľa** cone
**homosexuál** homosexual; *hovor.* gay
**hon 1.** *(poľovačka)* chase, hunt **2.** *(miera)* acre
**honba** chase, hunt; *h. za senzáciami* hunger for sensations
**honorár** fee; *autorský h.* royalty

**honosiť sa** boast of/about sth
**honosný** palatial
**hora 1.** mountain **2.** *(les)* wood, forest; *(v názvoch)* mount • *sľubovať hory-doly* promise sb the eart/the moon
**horal** highlander
**horák** burner; *plynový h.* gas-jet/ring
**horár** gamekeeper
**horáreň** gamekeeper's / forester's cottage
**horčica** mustard
**hore** above, up; *h. po schodoch* upstairs; *h. nohami* upside-down; *spomenuté h.* mentioned above
**horeznačky** on one's back
**horieť** burn, be on fire *(hnevom)* glow; *horí!* fire! *h. od hanby* blush with shame
**horizont** horizon
**horkosť** bitterness
**horký** bitter; *h-á čokoláda* plain chocolate
**horľavina** combustibles *pl.*
**horľavý** combustible
**horliť** be* zealous [ˈzeləs]
**horlivosť** eagerness, zeal [ziːl]
**horlivý** zealous [ˈzeləs]; *(dychtivý)* eager
**hornatina** uplands, highlands

**hornatý** mountainous

**hornina** rock; *(nerast)* mineral

**horný** upper, top

**horolezec** mountaineer

**horolezectvo** mountaineering, climbing

**horský** mountain(ous); *h. hrebeň* mountain range; *h-á chata* chalet [ˈæšlei]

**horší** worse; *(podradnejší)* inferior

**horšiť sa** grow* worse, worsen

**horúci** hot; *(vrelý)* fervent; *obraz.* ardent

**horúčava** heat

**horúčka** fever; *zlatá h.* gold rush

**horúčkovitý** feverish, frantic

**hospodárenie** economy

**hospodárny** economical, thrifty; *h. človek* economist

**hospodársky** economic; *h-e zviera* farming animal

**hosť** guest, visitor

**hostina** feast, banquet [bænkwit]

**hostinec** inn, public-house, pub; *(dedinský)* tavern

**hostinský** landlord, innkeeper

**hostiť** entertain, host

**hostiteľ** host

**hostiteľka** hostess

**hotel** hotel; *ubytovať sa v h.* put* up at a hotel; *h-ové poukážky* vouchers

**hotovosť** *(peniaze)* cash

**hotový** ready, prepared; *(dokončený)* finished, completed

**hovädo** bovine; brute, beast

**hovädzí** *odb.* bovine; *h. dobytok* cattle; *h. mäso* beef

**hovieť** indluge // **h. si** rest, repose

**hovno** *expr.* shit

**hovor** talk, chat, conversation; *telefónny h.* call; *medzimestský h.* trunk call; *AmE* long distance call

**hovorca** speaker, spokesman

**hovorený** spoken

**hovorí sa** they say

**hovoriť** speak*, talk; *(debatovať)* discuss; • *h. k veci* speak to the point

**hovorňa** parlour

**hovorový** colloquial

**hôrny** mountain, forest

**hra** 1. play 2. *(podľa pravidiel)* game 3. *(divadelná)* play, piece 4. *(slovná)* pun 5. *(nerozhodná)* draw; *poctivá h.* fair play; *Olympijské hry* Olympic games

**hrabať** rake; *h. sa hore svahom* plod uphill; *(o zvieratách)* grub

**hrabivosť** greediness

**hrabivý** greedy; *(na peniaze)* money-gruber

**hrable** rake

**hráč** player; *(hazardný)* gambler

**hračka** toy

**hračkárstvo** toy-shop

**hrad** castle

**hrada** beam

**hradba** wall; *(ohrada)* fence; *(opevnenie)* fortification

**hradiť** *(trovy)* repay, refund; *(pokryť)* cover

**hrádza** dike; *(priehrada)* dam; *(prístavná)* wharf; *(proti povodniam)* levee

**hrach** peas *pl.*

**hrana** edge

**hranatý** angular, square

**hranica** 1. *(štátna)* frontier 2. *(medza)* boundary, bounds 3. *(krajná medza)* limit 4. *(horiaca)* bonfire

**hraničiar** frontiersman, border-guard

**hraničiť** border (on)

**hranol** prism

**hranolčeky** French-fries, chips

**hranostaj** ermine ['ə:min]

**hrášok** pea; *lúpaný h.* split peas

**hrať** 1. play, perform 2. *(rolu)* act 3. *(hazardne)* gamble 4. *(predstierať)* pretend

**hrať sa** play

**hravý** playful

**hrazda** horizontal/cross-bar

**hrb** *(ťaví)* hump; *(u človeka)* hunchback

**hŕba** heap; *(do výšky)* pile

**hrbiť sa** cringe, crook; *(pred niekým)* bend; *(v sedadle)* slouch [slauč]

**hrboľ** bump; *h-á cesta* bumpy road

**hrča** lump, bump, swelling; *(v dreve)* knot

**hrdelný** capital; *h. trest* capital punishment

**hrdina** hero

**hrdinka** heroine

**hrdinský** heroic

**hrdinstvo** heroism

**hrdlička** turtledove

**hrdlo** 1. throat 2. *(fľaše)* neck • *bolí ma h.* I have a sore throat

**hrdosť** pride

**hrdý** proud (of sb./sth.)

**hrdza** rust, corrosion

**hrdzavieť** rust, corrode • *nehrdzavejúci* stainless

**hrdzavý** rusty

**hrebeň** 1. comb 2. *(horský)* ridge; *(sliepky)* crest

**hrešiť** 1. *(nadávať)* swear*, course 2. *(niekoho)* scold tell off

**hriadeľ** shaft

**hriadka** (garden-) bed

**hrianka** toast
**hriankovač** toaster
**hriať** warm
**hríb** mushroom
**hriech** sin
**hriešnik** sinner
**hriešny** sinful; *(nemravný)* impure
**hriva** mane
**hrkálka** rattle
**hrmieť** thunder
**hrmot** din, noise
**hrmotať** make* a noise, clatter
**hrnček** mug
**hrnčiar** potter; *h-ske výrobky* earthenware, pottery
**hrniec** pot; *tlakový h.* pressure-cooker
**hrnúť sa** *(valiť sa)* pour(out), stream, rush
**hrob** grave
**hrobár** sexton, gravedigger
**hrobka** tomb [tu:m]
**hrobový** sepulchral [sipalkrəl] • *h-é ticho* dead silence
**hroch** hippopotamus [hipəˈpotəməs]
**hrom** thunder
**hromada** bulk, heap, pile
**hromadiť** 1. (ac)cumulate; *(na kopu)* heap; *(veľké množstvo)* (a)mass [mæs] 2. *(na úkor iných)* hoard // *h. sa* accumulate, pile up

**hromadný** collective, mass
**Hromnice** Candlemas
**hromobitie** thunderstorm
**hromozvod** lightning / conductor; *AmE* rod
**hromžiť** swear*
**hrot** point, spike; *(šípu)* tip
**hrozba** threat, menace
**hrozienko** raisin, currant
**hroziť** threaten, menace (by, with) • *h. prstom* wag one's finger // *h. sa* dread
**hrozivý** threatening, menacing, horrifying
**hrozno** 1. *(zrnko)* grape 2. *(strapec)* bunch of grapes 3. *(vinič)* vine
**hrozný** terrible, awful, horrible
**hrôza** horror, terror; *naplniť h-ou* terrify
**hrsť** handful
**hŕstka** handful
**hrtan** throat; *odb.* larynx
**hrúbka** thickness
**hrubosť** 1. thickness 2. *(nevychovanosť)* rudeness
**hrubý** 1. *(nespracovaný)* rough, coarse 2. *(nevychovaný)* rude; *(urážlivý)* outrageous 3. *(brutto)* gross
**hruď** chest; *(prsia)* breast, bosom
**hruda** lump; *(zeme)* clod; *h. zlata* a gold nugget

**hrudník** chest; *odb.* thorax [to:ræks]

**hruška** pear

**hrvoľ 1.** *(struma)* goitre [ˈgoitə] **2.** *(vtáčí)* crop

**hrýzť** gnaw [no:], bite*

**huba 1.** mushroom **2.** *(hovor. ústa)* mouth; *pejor. drž h-u!* shup up!

**hubár** muskroom-picker

**hubiť** exterminate

**hubový** spongy, sponge-like

**huckať** incite, provoke

**hučať** howl, roar

**hudba** music

**hudobník** musician

**hudobnina** sheet of music

**hudobný** musical; *h. nástroj* musical instrument

**húf** crowd; *(rýb)* shoal; *(vtákov)* flight, flock; *(ľudí)* horde

**huhňať** snuffle

**húkať** hoot, howl

**hulákať** shout, brawl

**hulvát** *hovor.* rowdy, lout

**humanita** humanity

**humanizmus** humanism

**humánny** humane

**humno** barn

**humor** humour; *zmysel pre h.* sense of humour

**humorný** humorous

**humus** humus, topsoil

**huňatý** shaggy, bushy

**huncút** rogue, rascal

**huncútstvo** roguery, mischief

**hundrať** grumble

**hurá!** hurrah [huˈra:], hooray; *trikrát h.* three cheers (to)

**hurhaj** tumult, riot

**hus** goose

**husacina** goose-meat

**húsatko** gosling

**húsenica** caterpillar

**husle** violin; *hovor.* fiddle, *h-ý kľúč* violin clef

**huslista** violinist

**huspenina** (meat-)jelly, aspic

**hustnúť** thicken, grow* / become* thick

**hustota** density, thickness; *h. obyvateľstva* density of population

**hustý** dense, thick; *h. dážď* heavy rain

**húština** thicket

**huta** foundry; *železná h.* iron-works *pl.*

**hutnícky** metallurgical

**hutníctvo** metallurgy

**hutník** founder, smelter

**hutný** *kniž.* consistent

**húževnatý** *(pevný)* tough; *(vytrvalý)* stubborn, dogged

**húžvať** crumple

**hvezdár** astronomer

**hvezdáreň** observatory

**hvezdárstvo** astronomy
**hviezda** star
**hviezdička** *(voj. odznak)* pip
**hviezdica** *zool.* starfish
**hvízdať** whistle
**hybaj!** *hovor.* get* out!, come on!
**hýbať (sa)** stir, move
**hybný** motive; *(schopný pohybu)* mobile; *h-á sila* motive power / force
**hýčkať** spoil
**hydina** poultry
**hydraulický** hydraulic
**hydraulika** hydraulics *mn. č.*
**hydroelektráreň** hydroelectric power station
**hydroplán** hydroplane, seaplane

**hyena** hyena [hai'i:na]
**hygiena** hygiene ['haidži:n]
**hygienický** sanitary, hygienic [hai'dži:nik]
**hyper-** extra-, hyper-, ultra-
**hygienik** public/district health officer
**hymna** anthem
**hynúť** perish; *(upadať)* decay [di'kei]
**hypnóza** hypnosis
**hypotéka** mortgage ['mo:-gidž]
**hýriť 1.** revel in **2.** *(v pitkách)* carouse, debauch; *h. farbami* be ablaze with colours
**hystéria** hysteria
**hysterický** hysterical
**hyzdiť** disfigure, deface

# CH

**chabnúť** became*/grow* feeble/weak, weaken
**chabý** feeble, faint, weak; *(ochabnutý)* languid; *(nedostačujúci)* poor, faint; *ch. dôkaz* lame proof; *ch. výhovorka* lame excuse
**chalan** *hovor.* lad, yougster
**chaluha** seaweed, kelp
**chalupa** cottage, hut, cabin
**chamraď** rabble, scum, riff-raff; *hovor. (o živočíchoch)* creepy-crowlies

**chamtivý** rapacious, grasping, greedy
**chaos** chaos ['keios]; *(zmätok)* bedlam
**chaotický** chaotic [kei'otik]
**chápadlo** *zool., bot.* tentacle ['tenktəl]; *techn.* grip(per)
**chápanie** apprehension, grasp; *nad moje ch.* beyond my grasp
**chápať** understand*, follow, comprehend, grasp; *rýchlo ch.* quick on the uptake

**chápavý** bright, quick-witted, understanding; *(vnímavý)* receptive

**charakter 1.** *(povaha)* character, nature **2.** *(bezúhonnosť)* integrity

**charakteristický** characteristic(al)

**charakteristika** characteristic

**charakterný 1.** upright, noble, honest **2.** of high principle, of firm character, of integrity

**charita** charity

**charta** charter

**chata** cottage; hut, bungalow; *(horská)* chalet [ˈšælei]; *(turistická)* hostel cabin

**chátrať** become desolate, fall*/go* to ruins; *(záhrada)* run* wild

**chatrč** hut, shanty; *AmE* cabin

**chatrný 1.** *(ošarpaný)* shabby **2.** *(zdravotne)* (be*) poorly, unsound

**chcieť** want, wish • *chcem, aby si to urobil* I want you to do it

**chémia** chemistry [ˈkemistri]

**chemická čistiareň** dry cleaner's

**chemický** chemikal

**chemik** chemist [ˈkemist]

**chemoterapia** chemotherapy

**chichot** chuckle, giggle

**chinin** quinin [kwiˈniːn]

**chirurg** surgeon [ˈsəːdžən]

**chirurgia** surgery

**chlad** cold; *(silný)* chill; *(mierny)* cool

**chladený** cooled, refrigerated

**chladič** cooler; *(v aute)* radiator

**chladnička** refrigerator; *skr.* fridge

**chladnokrvnosť** cold-bloodedness; *(rozvážnosť)* cool-headedness

**chladnokrvný** cold-blooded; *(pokojný)* calm, cool

**chladný** cold, chilly; *(ľahostajný)* cool • *ch. prijatie* chill reception

**chládok** cool; *(tieň)* shade; *(väzenie)* bars; *je v ch-u* he's behind the bars

**chlácholiť** sooth, calm down, pacify

**chlap** fellow, chap; *AmE* guy [gai]

**chlapčenský** boyish, boy's

**chlapec** boy, lad

**chlapisko** big fellow/man, hulk (of a man)

**chlebník** knapsach [ˈnæpsæk]; *voj.* haversack

**chlebodarca** employer

**chlieb** bread; *(čierny)* brownbread; *(opekaný)* toast; *ch. s maslom* bread-and-butter

**chliev** shed, stable; *(pre svine)* pigsty

**chlipnosť** lewdness [ˈlju:dnis], lust

**chlipný** lewd [lju:d], lustful

**chlopňa** flap; *(srdca)* valve

**chlp** hair

**chlpatý** hairy

**chmára** dark cloud

**chmatnúť** snatch, grasp, grab

**chmeľ** *(rastlina)* hop; *(plody)* hops *pl.*

**chmeľnica** hop-garden

**chmúrny** *(tvár)* gloomy, grim; *(obloha)* cloudy

**chňapnúť** snap, snatch, grab

**chobot** trunk

**chobotnica** octopus

**chod** 1. *(chôdza)* gait 2. *(pohyb)* course 3. *(činnosť)* run 4. *(jedla)* course, dish 5. *(stroja)* gear [giə]

**chodba** passage, gangway, corridor; *AmE* aisle [ail]

**chodec** walker, pedestrian

**chodidlo** sole (of the foot)

**chodiť** go*; *(prechádzať sa)* walk; *(bez cieľa)* stroll • *ch. na prechádzku* go* for a walk

**chodníček** *AmE* path

**chodník** pavement; *(poľný)* lane; *AmE* sidewalk • *ísť po vyšliapaných ch-och* to keep to the beaten track

**chodúle** stilts *pl.*

**chochol** crest, tuft

**cholera** cholera [kolərə]

**chomút** horse-collar

**chopiť sa** take* hold of; *(mocou)* seize • *ch. sa práce* set* to work; *ch. sa niečoho* tackle sth.

**chór** choir [ˈkwaiə], chorus [ˈko:rəs]

**chorľavosť** indisposition, sickliness

**chorľavý** indisposed, sick, ailing

**choroba** illness, sickness; *(menšia)* ailment; *(duševná)* mental disease; *(u zvierat)* distemper

**chorobný** sickly, pathological, morbid

**chorobopis** (patient's)card, medical record

**choroboplodný** infectious

**choromyseľný** insane, mad, lunatic

**chorý** 1. *príd.* ill, ailing, indisposed 2. *podst.* patient, sick person

**chotár** 1. *(územie)* village territory 2. *(hranica)* landmark, boundary

**chov** breeding; *AmE* raising;

*(dobytka)* cattle-breeding; *(sliepok)* poultry-farming; *(včiel)* bee-keeping

**chovanec** ward; *(žiak)* pupil; *(nevlastné dieťa)* foster-child

**chovať** breed*, raise, keep*

**chovateľ** breeder

**chôdza** walk, gait

**chrabrý** *(smelý)* brave; *(statočný)* courageous

**chradnúť** languish, waste away, fade

**chrám** temple

**chránič** protector, shield, guard

**chrániť** protect; *(brániť)* defend; shield

**chrániť sa** protect from / againts; *(vyhýbať sa)* keep out of *(vystríhať sa)* beware of; heep away from

**chrápanie** snoring

**chrápať** snore

**chraplavý** hoarse [ho:s]; *(zvuk)* raucous

**chrapúň** churl [čə:l], lout

**chrasta** scab, crust

**chrbát 1.** back, spine **2.** *(hory)* ridge

**chrbtica** backbone, spine

**chrbtový** spinal

**chrčať** rattle

**chren** horseradish

**chrípka** influenza; *hovor.* flu

**chrlič** spout

**chrliť** spout, emit; *chrlenie krvi* blood-spitting

**chrobák** beetle; *AmE* bug

**chrochtať** grunt

**chromý** lame, crippled

**chronický** chronic(al)

**chronologický** chronologic(al)

**chrt** greyhound

**chrúmať** crunch, munch

**chrumkavý** crusty, crunchy

**chrup** set of teeth; *umelý ch.* denture

**chrupavka** gristle, cartilage

**chrúst** May-bug, cockchafer [-čeifə]

**chtiac-nechtiac** *hovor.* willy-nilly

**chtivosť** eagerness, greed, avidity

**chtivý** eager, greedy, grasping; *(nedovoleného)* covetuous, keen (on)

**chudáčik** poor thing

**chudák** wretch [reč]; *ch. otec!* poor dad!

**chudnúť** lose weight, slim

**chudoba** poverty; *(ľudia)* the poor

**chudobinec** poorhouse

**chudobný** poor, miserable, needy

**chudokrvnosť** anaemia

**chudý** thin, meager; *(mäso)* lean; *(vyziabnutý)* skinny

**chuchvalec** clot; *(vaty)* wad

**chuligán** hooligan [ˈhuːliɡən]

**chúliť sa** *(túliť)* nestle

**chúlostivý** delicate, ticklish

**chumáč** tuft, bunch; *(vaty)* wad

**chumelica** snowstorm, blizzard

**chuť** taste; *(do jedla)* appetite; *(charakteristická)* flavour; *(do práce)* zest, relish • *bez ch-i* tasteless; *nemám na to ch.* I don't feel like it

**chutiť** taste; *ch-í mi to* I like it

**chutný** *hovor.* tasty, tasteful, savoury, delicious

**chvála** praise

**chvalabohu** thank godness!

**chváliť** praise, compliment

**chválitebný** praiseworthy; *(známka)* very good, B(mark)

**chvastať sa** brag, boast

**chvat** haste, hurry, rush, expedition

**chvatný** hasty, hurried

**chvatom** hastily, in a hurry

**chvenie** 1. shivering, trembling 2. *tech.* vibration [vaibreišn]

**chvieť sa** tremble, shake*; *(zimou)* shiver; *(ako struna)* quiver; *(v otrasoch)* vibrate

**chvíľa** while, moment; *na ch-u* for a while; *pred ch-ou* while ago

**chvíľka** moment, little while

**chvost** tail

**chyba** fault; *(omyl)* error, mistake; *(nedostatok)* shortcoming; *(kaz)* flaw defect; *(závažná)* blunder

**chýbať** 1. *(byť neprítomný)* be* absent/missing 2. *(mať nedostatok)* be short of

**chybiť** err, make* a mistake; *(závažne)* blunder

**chybne** wrongly

**chybný** wrong, incorrect, defective, faulty; *(mravne)* offensive; *(poškodený)* damaged

**chystať** prepare, make*/get* ready

**chystať sa** get* ready, be* about

**chyták** *hovor.* tricky question, kwest

**chytiť** 1. catch; *(uchopiť)* seize, grab; *(zatknúť)* capture 2. *(do pasce)* (en)trap; *(ryby do siete)* net // *ch. sa* 1. *(zapáliť)* catch* fire 2. *(niečoho)* catch* at sth.

**chytľavý** 1. catchy 2. *(horľavý)* inflammable 3. *(nákazlivý)* infectious

**chytrácky** cunning, sly

**chytráctvo** cunning, trickery
**chytrý** quick, fast; *(dôvtipný)* clever, smart, bright

**i** and; *(tiež)* also; too
**iba** only, just, merely
**idea** idea, image; *(hl. myšlienka)* message
**ideál** ideal; *(vzor)* idol
**idealizmus** idealism
**ideálny** ideal
**identita** identity; *(dokázať i-u* prove so. identity
**ideológia** ideology
**idiot** idiot, moron
**idiotský** idiotic [idiˡotik]
**idióm** idiom
**idyla** idyll
**igelit** plastic
**iglu** igloo
**ignorovať** ignore, disregard
**ihla** needle; *(na grilovanie)* skewer
**ihlan** pyramid
**ihlica** pin; *(na kravatu)* tie pin
**ihličie** needles
**ihličnatý** coniferous
**ihneď** at once; immediately; straight away
**ihrisko** playground; *(golfové)* course
**ich** their, theirs
**ikry** fish-roe, spawn

**chyža** shanty [ˡšænti]
**chyžná** chambermaid

**íl** clay
**ilegálny** illegal
**ilustrácia** illustration
**ilustrovať** illustrate
**ilúzia** illusion; *zbaviť i-ií* disillusion; *(klam)* fancy
**imanie** property, possesion; *právn. a fin.* assets
**imatrikulácia** enrolment, matriculation
**imelo** mistletoe
**imitácia** imitation
**imobilný** immobile, motionless
**imperialista** imperialist
**imperialistický** imperialistic
**imperializmus** imperialism
**impérium** empire
**implantácia** implantation
**imponovať** impress
**import** import
**importér** importer
**importovať** import
**impotencia** impotence; *(nemohúcnosť)* weakness
**impotentný** impotent
**impozantný** imposing; *(veľkolepý)* impressive, grandiose

**impregnácia** impregnation, waterproofing
**impregnovať** impregnate
**imprimovať** pass for press/ print
**improvizácia** improvisation
**impulz** impulse, impetus; *tvorivý i.* creative urge
**impulzívny** impulsive; *(prchký)* quick-tempered, precipitous
**imunita** immunity
**imúnny** immune
**ináč** otherwise, else
**inak** otherwise, else; *(odlišne)* differently
**inam** elsewhere, somewhere else
**inde** elsewhere
**index** 1. *mat.* index, exponent; 2. *(školský)* school record 3. *(zoznam zakázaných vecí)* the Index, blacklist
**indigo** indigo/indian blue; *(papier)* carbon paper
**indikácia** clue, indication; *(právnická)* evidence
**indikácia** indication
**indiskrétny** indiscreet
**indisponovaný** indisposed
**individualita** individuality
**indivíduum** individual
**indukovať** induce
**industrializácia** industrialization

**infarkt** heart attack
**infekcia** infection
**infikovať** infect
**infekčný** infectious
**infinitív** infinitive
**inflácia** inflation
**informácia** information; *skr.* info, input, report
**informovať** inform // **i. sa (o)** inquire (about / after)
**iniciálka** initial
**iniciatívny** initiative; *(podnikavý)* go-ahead
**injekcia** injektion; *i-čná striekačka* syringe
**inkaso** cash, collection
**inkasovať** collect, cash
**inkluzíve** including
**inkvizícia** inquisition
**inokedy** another/next time, at some other time
**inovať** hoarfrost
**inscenácia** 1. *div.* staging, production 2. *(úprava)* setting
**inscenovať** (put* on the) stage; *(pripraviť)* stage-manage, produce
**insolventný** insolvent
**inšpekcia** inspection
**inšpektor** inspector
**inšpirácia** inspiration
**inšpirovať (sa)** inspire
**inštalatér** plumber; *(plynu)* fitter
**inštalovať** install

inštinkt *(pud)* instinct; *(cit)* flair
inštinktívny instinctive
inštitúcia institution
inštruktáž brief, briefing
inštrukcia instruction
inštruktor instructor
inštruovať instruct
intarzia inlay
intelektuál intellectual
inteligencia 1. intelligence 2. *(spol. vrstva)* intelligentsia
inteligentný intelligent, clever
intenzita intensity
intenzívny intensive; *(cit, bolesť)* intense
interiér interior, inside
internačný *(tábor)* detention camp
internát hostel, campus; *AmE* dormitory; *i-na škola* boarding school
internovať intern
interpretovať interpret
interpunkcia punctuation; *i-čné znamienko* punctuation mark
interupcia *lek.* abortion
interval interval
intervencia intervention
interview interview
intimita intimacy, familiarity
intímny intimate

intonácia intonation
intriga intrigue; *(zradná)* plot, scheme
intuícia intuition
invalid invalid, cripple, disabled person
invalidita disablement; *trvalá i.* permanent disability
invázia invasion
inventár inventory; *(zásoby)* stock; *(vybavenie)* equipment
inventúra stocktaking; *AmE* inventory; *robiť i-u* take stock
investícia investment
investovať invest
iný 1. *(ďalší)* other, another; *kto i.?* who else? 2. *(odlišný)* different
inzerát advertisement; *skr.* advert, ad
inzerovať advertise
inžinier engineer; *i-sky diplom* degree in engineering
írečitosť originality, genuiness
írečitý original, genuine, natural
irónia irony [ˈaiərəni]
ironický ironic(al)
iskra spark; *i. v očiach* twinkle in o's eyes
iskriť sparkle

**iskrivý** sparkling; *(trblietavý)* glittering; *(vtipom)* witty

**islam** islam

**ísť 1.** go\*; *(pešo)* walk; *(nasledovať)* follow; *í. po (niečo)* fetch; *í.okolo* pass; *í. na prechádzku* go\* for a walk; *í. spať* go\* to bed, retire **2.** *(o stroji)* work **3.** *(dariť sa)* succeed **4.** *(cestovať)* travel (by) **5.** *(neosobné)* • *ide to na dračku* it sells like hot buns; *to mi nejde do hlavy* it is beyond me; **6.** *(hodiť sa)* suit, match, go\* with

**iste** certainly, surely, sure

**istina** principal, capital stock

**istota** certainty; *(bezpečnosť)* security; *(sebadôvera)* self-

confidence • *pre i-u* for safety's sake

**istý** sure, certain positive, confident; *(bezpečný)* safe, secure; *ten i.* the same

**íver** chop, splinter

**izba** room; *(obývacia)* sitting-room; *(nemocničná)* ward; *(detská)* nursery

**izbička** cabinet, closet

**izolácia** isolation; *fyz.* isulation

**izolačka** *(v nemocnici)* hovor. isolation ward; *(vo väzení)* solitary cell

**izolačný** insulating

**izolátor** insulator

**izolovať** isolate; *(proti teplu, chladu)* lag; *fyz. elektr.,* insulate; *lek.* quarantine [ˈkworənti:n]

## J

**ja** I, self; *tvoje lepšie „ja"* your better self; *j. sám* myself

**jablko** apple; *j-vý koláč* apple pie

**jabloň** apple-tree

**jačať** scream, yell, shriek

**jačmeň** barley; *(na oku)* sty

**Jadran** Adria

**jadrný** pithy, racy

**jadro 1.** *(orecha)* kernel; *(kôstka plodu)* stone; *(ató-*

*mové)* nucleus; *(zemské)* core **2.** *(podstata)* substance; *j. výroku* gist; *bez j-ok* seedless

**jadrový** nuclear

**jagať sa** glitter, sparkle

**jaguár** jaguar [ˈdžægwa:]

**jahňa** lamb

**jahoda** strawberry

**jachta** yacht [jot]

**jajkať** lament

**jalovec** juniper-tree

**jalovica** heifer [ˈhefə]
**jalový** *(neplodný)* barren, infertile; *j-é reči* idle talk
**jama** pit, hollow; *(malá)* dip
**jamb** iambus [aiˈæmbəs]
**jamka** dimple, hole; *(očná)* eye-socket
**jantár** amber
**január** January
**jar** spring; *j. života* prime of life; *j-é upratovanie* spring clearing
**jarabica** partridge
**jarmo** yoke
**jarmok** market, fair
**jarok** 1. *(pri ceste)* ditch 2. *(malý potok)* brook
**jarý** fresh, vigorous
**jas** brightness, shine, blaze
**jasať** rejoice, cheer
**jaseň** *bot.* ash(-tree)
**jaskyňa** cave; *(veľká)* cavern
**jasle** 1. *(žľab na krmivo)* crib, manger 2. *(detské)* creche [kreiš], nursery
**jasnieť** clarify, clear up
**jasnosť** brightness, serenity; *(zreteľnosť)* clearness
**jasnovidec** chairvoyant
**jasný** 1. *(farba, svetlo)* bright, clear, transparent, vivid, serene; *(o myslení)* lucid 2. *(samozrejmý)* obvious, evident; *j-á obloha* cloudless/clear ski
**jastrab** hawk

**jašiť sa** woop it up
**jašter** saurian
**jašterica** lizard
**jaternica** (liver) sausage
**jatka** slaughterhouse; *AmE* stock-yards; *(vraždenie ľudí)* butchery, carnage
**jav** phenomenon
**javisko** stage
**javiť sa** appear, manifest os.; *(ukázať sa)* show up, reveal
**javor** maple
**jazda** 1. *(na koni)* ride 2. *(všeobecne)* drive 3. *(jazdectvo)* cavalry; *(polícia)* mounted troops
**jazdec** 1. rider horseman 2. *(šach)* knight
**jazdiareň** riding-ground
**jazdiť** *(na koni, bicykli)* ride*; *(všeobecne)* drive*; *(vlakom)* go* by train
**jazero** lake; *(škótsky)* loch [leik, lok]
**jazmín** jasmine [ˈdžæsmin]
**jazva** scar
**jazvec** badger [ˈbædžə]
**jazyčný** 1. *(klebetný)* gossipy 2. *(hubatý)* saucy, cheeky 3. *lingv.* lingual
**jazyk** *anat.* tongue; *(reč)* language; *materinský j.* mother tongue • *držať j. za zubami* hold* one's tongue

**jazykoveda** linguistics
**jed 1.** poison; *(hadí)* venom **2.** *(zlosť)* anger
**jedák** eater; *veľký/slabý j.* big/poor eater
**jedáleň** dining-room; *(lacná reštaurácia)* tea-room; *(závodná)* canteen; *jedálny vozeň* dinig-car; *AmE* diner
**jeden** one; *j. druhého* one another; each other; *j. alebo druhý (z dvoch)* eighter; *j. po druhom* singly; *je mi to jedno* I don't care/mind; *j-ou ranou* at one/a blow
**jedenásť** eleven
**jedenástka 1.** *(futbalové mužstvo)* football eleven **2.** *(trestný kop)* penalty
**jedenie** eating; *niečo na j.* something to eat
**jedenkrát** once [wans]
**jedináčik** the only child
**jedine** only, entirely
**jedinec** individual
**jedinečný** unique, extraordinary
**jediný** only, sole; *j. príklad* single example
**jedľa** fir(-tree)
**jedlo** *(potrava)* food; *j. na rýchlu konzumáciu* fast food; *(chod)* dish; *(denné pravidelné)* meal

**jedlý** edible
**jednak**[1] *conj.* on one hand; on the other hand; also
**jednak**[2] *part.* nevertheless, yet, till
**jednaký** equal, the same
**jednanie 1.** proceeding, dealings *pl.;* transaction; *(správanie sa)* behaviour **2.** *(hry)* act
**jednať sa** bargain; *(dohadovať)* negotiate; *o čo sa j-á?* what is this about?
**jednička** one
**jednoaktovka** *div.* one-act (play)
**jednobožstvo** monotheism
**jednobunkový** unicellular
**jednoducho** simply, easily
**jednoduchosť** simplicity; *(v obliekaní)* modesty
**jednoduchý** simple; *j-á strava* plain food
**jednofarebný** unicoloured
**jednohlasný 1.** unanimous **2.** *hud.* homophonic
**jednokoľajový** single-track
**jednoliaty** compact, solid
**jednomocný** *chem.* monovalent
**jednomotorový** single-engine(d)
**jednomyseľný** unanimous; *j-ne* by common consent
**jednopohlavný** *bot.* unisexual

**jednoposteľový** single room
**jednoradový** *j. oblek* single-breasted suit
**jednoročný** one year old, of one year
**jednorožec** unicorn
**jednosmerný 1.** *(premávka)* one-way **2.** *(prúd)* single-phased
**jednostranný** one-sided
**jednota** *(celok)* unity; *(v názoroch)* unanimity; *(spoločnosť)* union, association
**jednotka 1.** *(číslo)* one **2.** *mat.* unit **3.** *voj.* troop **4.** *(známka)* first, best work
**jednotlivec** individual; *na j-a* per head
**jednotlivý** single, individual; *(samostatný)* individual
**jednotnosť** uniformity
**jednotný** uniform; *j-é číslo* singular; *j-é ceny* standard prices
**jednotvárnosť** monotony, uniformity; *(fádnosť)* tedium
**jednotvárny** monotonous, dull; *(bez udalostí)* uneventful
**jednovalcový** one-cylinder
**jednoznačný** unambiguous [ˈanəmˈbigjuəs]; *j. dôkaz* unequivocal proof
**jedovať sa** be* angry

**jedovatý** poisonous, venomous
**jeho** his; its
**jej** her; hers
**jeleň** stag, (red)deer
**jelenica** *(koža)* deerskin, buckskin
**jelša** alder [ˈoːldə]
**jemnocit** sensitivity
**jemnosť** subtlety [ˈsatlti], delicacy
**jemný** soft, delicate, precise; fine; *(krehký)* tender; *(ušľachtilý)* gentle; *j. sluch* sharp hearing
**jeseň** autumm [ˈoːtəm]; *AmE* fall
**jesenný** autumnal [oːˈtamnəl]
**jeseter** sturgeon
**jesť** eat*; *(stravovať sa)* have* (take*) one's meals, be at table; *j. pažravo* gobble
**jestvovanie** existence
**jestvovať** be, exist
**jež** hedgehog
**ježatý** bristly
**ježibaba** witch
**Ježiš** Jesus
**Ježiško 1.** *(malý Ježiš)* Christ Child **2.** *(kto nosí darčeky)* Santa Claus, Father Christmas
**ježiť sa** bristle; *(vlasy)* stand* on end
**jód** iodine [ˈaiodain]

**joga** yoga; *(jogín)* yogi
**jubileum** jubilee [ˈdžuːbiliː]
**juh** south; *na j-u* in the south
**juhovýchod** south-east
**juhozápad** south-west
**júl** July

**jún** June
**junák** *kniž.* young man
**junec** bullock
**justícia** judiciary, justice
**juta** jute
**južný** south, southern; *j-é ovocie* tropical fruit(s)

# K

**k** *prep.* **1.** *(smer)* to, towards **2.** *(pridruženie)* join **3.** *(účel)* at; *k. dispozícii* at sb's disposal; *gratulovať k úspechu* congratulate on sb's success
**kabaret** music-hall, cabaret
**kabát** coat, jacket; *(zvrchník)* overcoat; *(zimník)* winter coat; *jednoradový/dvojradový k.* single/double-breasted coat
**kábel** cable; *(šnúra)* flex
**kabelka** handbag; *AmE* purse
**kabína** cabin; *(výťah)* cage; *(pilota)* cockpit; *(telefónna)* booth
**kabinet** *(na šk. potr.)* room; *výskumný k.* laboratory; *(vláda)* cabinet
**kabriolet** convertible
**kacír** heretic
**kacírsky** heretical
**kacírstvo** heresy
**káčatko** duckling

**káčer** drake
**kačica** duck *novinárska k.* canard [kəˈnaː]
**kaďa** tub; vat [væt]
**kadečo** whatever
**kadejaký** whosoever, whatsoever
**kadekde** anywhere
**kdekoľvek** wherever, whicheven
**kadekto** young and old, whoever
**káder** cadre
**kadera** curl, lock
**kaderiť sa** curle
**kaderník** hairdresser; *(pánsky)* barber
**kade-tade** here and there
**kadiaľ** where, which way
**kadička** *chem.* beaker
**kadiť** smoke, fume; *(kadidlom)* cense [sens]
**kahan** (miner's) lamp, burner
**kachle** (tile) stove
**kachlička** glated tile

kajak kayak ['keiæk]
kajať sa repent
kajúcnik penitent
kajúcny repentant; *k. hrieš-
nik* contrite sinner
kajuta cabin; berth
kakao cocoa
kakaovník cocoa-tree
kaktus cactus
kal 1. *(blato)* mud, slush 2.
*(usadenina)* sludge, silt,
sediment, dregs
kalamár inkpot, inkstand
kalamita calamity, disaster
kálať chop, hack
kalendár calendar; *vreckový
k.* diary; *k-ny rok* civil
year
kaleráb kohlrabi
kalibrovaný calibrated
kalich 1. *(kvetu)* cup 2. *náb.*
chalice; *(na víno)* goblet
kalika cripple, lame/di-
sabled person
kaliť 1. stir up, trouble; *kaliť
šťastie/zrak* dim one's
happiness 2. *(železo)* tem-
per, harden
kalkulovať calculate, com-
pute
kalný muddy, turbid; *(nejas-
ný)* dim
kalória calorie
kalorický caloric
kaluž pool, puddle
kam where (to)

kamarát mate, friend; *ho-
vor.* pal
kamarátsky friendly; *slang.*
pally
kamarátstvo friendship
kamelot newsboy, news-
vendor
kameň stone; *AmE* rock • *k.
úrazu* stumbling block;
*obrubný k.* kerbstone; *ná-
hrobný k.* tombstone; *zub-
ný (vínny) k.* tartar; *drahý
k.* precious stone
kamenár stonecutter, ma-
son
kamenárstvo stonemasonry
kamenina earthenware
kamenný stone, of stone,
stony
kameňolom quarry, stone-
pit
kameňovať stone (to death)
kamera camera
kameraman operator, ca-
meraman
kamkoľvek wherever, any-
where
kampaň campaign; *(propa-
gačná)* drive
kamufláž camouflage
kamzík chamois ['šæmwa:]
kaňa buzzard
kanál *(stoka)* sewer ['sju:ə];
*(odtok)* drain; *(symbol špi-
ny)* gutter; *(dopravný, za-
vodňovací)* canal; *(prírod-*

*ný, TV)* channel; *k. La Manche* the English Channel

**kanalizácia** sewerage; *(odvodňovací)* drainage

**kanárik** canary

**kancelár** chancellor

**kancelária** office; *tlačová k.* press agency

**kandidát** candidate, nominee; *(žiadateľ)* applicant

**kandidovať** aspire to sth., contest to run for; *k. (niekoho)* nominate; *k. za poslanca* contest a seat

**kanec** boar

**kanibal** cannibal, man-eater

**kanoe** canoe [kəˈnuː]

**kanón** cannon, gun

**kaňon** canyon

**kantína** canteen; *voj.* mess

**kanvica** *(na vodu)* kettle; *k. na kávu* coffee-pot

**kapacita 1.** capacity **2.** *(odborník)* authority

**kapela** band

**kapelník** bandmaster; *(dirigent)* conductor

**kapitál** *ekon.* capital; *fin.* funds

**kapitalista** capitalist

**kapitalistický** capitalist

**kapitalizmus** capitalism

**kapitán** captain

**kapitola** chapter

**kapitulácia** capitulation, surrender; *bezpodmieneč-*

*ná k.* unconditional surrender

**kapitulovať** capitulate, surrender

**kaplán** chaplain

**kaplnka** chapel

**kapor** carp

**kapota** bonnet; *AmE* hood

**kapsa** satchel, bag

**kapucňa** hood, cowl

**kapusta** *(hlávková)* cabbage; *(kyslá)* sauerkraut; *kapustnica* sauerkraut soup

**kar** funeral festival

**kára** cart, push-cart

**karambol** collision, accident; *hovor.* crash

**karamel** caramel; *k-ový cukrík* toffee

**karanténa** quarantine

**karát** carat [ˈkærət]; *AmE* karat

**karate** karate [kəˈrɑːti]

**karavána** caravan

**karbid** carbide [ˈkɑːbaid]

**karbón** *(papier)* carbon (paper)

**karburátor** carburettor

**karcinóm** *lek.* carcinoma

**kardinál** cardinal

**kardinálny** cardinal, principal

**kardiológ** cardiologist

**kardiostimulátor** pacemaker

**karfiol** cauliflower

**karhať** *(napomínať)* rebuke, reprove, admonish; *(prísne)* castigate

**karí** curry (powder)

**kariéra** career

**karikatúra** caricature, cartoon

**karikaturista** caricaturist

**karikovať** caricature

**karmínový** crimson

**karneval** carnival

**karnevalový** carnival; *k. sprievod* carnival procession; *k. kostým* fancy dress

**kárny** *hovor. (disciplinárny) k-e opatrenie* disciplinary action

**káro** *(vzor)* check; *(v kartách)* diamond

**karoséria** bodywork, coach-work

**karotka** carrot

**karpatský** Carpathian [ka:'pəɪθjən]

**karta** card

**kartár** gambler

**kartel** cartel, trust

**kartón 1.** *(lepenka)* cardboard **2.** *(škatuľa)* carton, paperboard, box

**kartotéka** card register, file

**kasáreň** barracks *pl.*

**kasíno** casino

**kaskadér** stunt man

**kasta** caste

**kastelán** warden of a castle

**kastról** saucepan

**kaša** *(detská)* pap; *(rozdrvený materiál)* pulp; *ovsenná k.* porridge; *(zemiaková)* puree, mashed potatoes; *krupicová k.* semolina pudding; *(snehová)* slush
• *byť v peknej kaši* be in a nice fix; *chodiť okolo horúcej k-e* beat about the bush

**kašeľ** cough; *čierny k.* whooping cough

**kašlať** cough; *k. krv* spit blood

**kašmírový** cashmere

**kaštieľ** manor house, mansion

**kat** hangman, executioner

**katafalk** cataphalque

**katalóg** catalogue; *AmE* catalog

**katalyzátor** catalyst

**katapultovať** catapult; *(z lietadla)* eject

**katar** catarrh [kə'ta:]

**kataster** land register; *výpis z k-a* extract from the land register

**katastrofa** catastrophe, disaster

**katastrofálny** disastrous

**katedra 1.** *(stôl pre učiteľa)* teacher's desk **2.** *(oddelenie)* department **3.** *(miesto profesora na VŠ)* chair

**katedrála** cathedral

**kategória** category
**kategorický** categorical
**katóda** cathode
**katolícky** Catholic
**katolík** Catholic
**kaucia** bail, security, surety • *zložiť k. za niekoho* stand bail (for sb.); *prepustiť na k.* release sb. on bail
**kaučuk** (India) rubber, cautchouc [ˈkaučuk]
**káva** coffee
**kavaléria** cavalry
**kaviár** caviar(e)
**kaviareň** café, coffee house
**kavka** *zool.* jackdaw
**kaz** flaw, defect; *zubný k.* caries [ˈkeəriiːz]
**kazajka** jacket
**kázať 1.** *(hlásať)* preach, sermon **2.** *(rozkázať)* order, command; *k. niekomu niečo* to bid sb. to do sth.
**kazateľ** preacher
**kazateľnica** pulpit
**kázeň 1.** sermon, preaching **2.** *hovor. (dohováranie)* moral lecture
**kazeta** *(ozdobná)* casket; *(magnetofónová)* casette
**kaziť 1.** *(zmariť)* spoil, mar **2.** *(poškodiť)* damage **3.** *(niekoho)* corrupt, demoralize **4.** *(plány)* foil
**kaziť sa** break, get out of or-

der; *(zhoršovať sa)* worsen, deteriorate, decay
**každodenný 1.** daily, everyday **2.** *(všedný)* humdrum
**každoročný** yearly, anual
**každý** *príd.* every; *(ľubovoľný)* each, any; *podst.* everyone, everybody, anyone; *(z určitého počtu)* each of; *(z dvoch)* either; *k. kto* whoever
**kde** where; *k. inde* where else • *k. bolo tam bolo* once upon a time
**kdečo** anything
**kdejaký** anybody; every single; *(podobný)* doubtful; *(rozmanitý)* various
**kdekoľvek** wherever, anywhere
**kdesi** somewhere
**kde-tu 1.** *(miesto)* here and there **2.** *(čas)* now and then
**keby 1.** *podm. veta* if; *k. aj* even if, even though **2.** • *keby som bol bohatý* if I were rich
**kečup** ketchup
**keď 1.** *(časove)* when, as **2.** *(ak)* if
**kedy** when, at what time
**kedykoľvek** whenever, at any time, no matter when
**kedysi** once, *k. dávno* once upon a time

**kedy-tedy** now and then, occasionally

**keďže** since, because, for

**kefa** brush

**kefka** *(zubná)* toothbrush

**kefovať** brush

**keks** biscuit; *AmE* cookie

**kel 1.** *bot.* kale [keil]; *(ružičkový)* Brussels sprout **2.** *(sloní)* tusk

**kelt** Kelt, Celt

**keltský** Keltic, Celtic

**kemping** campsite, camping

**kempovať** camp

**ker** bush, shrub

**keramický** ceramic

**keramika** ceramics; pottery, earthware

**kiahne** smallpox; *ovčie k.* chicken-pox

**kikiríkí** *cit.* cock-a-doodle-do

**kilogram** kilogram(me)

**kinematografický** cinematographic

**kinetika** kinetics

**kino** cinema, pictures; *AmE* movies

**kinosála** cinema, motion-picture hall

**kiosk** stall, kiosk, booth

**kľačať** kneel*

**klad** positive side, virtue, *fin.* asset; *klady a zápory* pros and cons

**klada** log, beam

**kladina** balance beam

**kladivo** hammer; *hod k-vom* hammer throw

**kladka** pulley

**kladkostroj** block, tackle

**kladný** positive, affirmative

**kľaknúť si** kneel* down

**klaksón** horn

**klam** *(zmyslov)* deception; *(podvod)* deceit, fraud

**klamár** liar, swindler, deceiver

**klamať** deceive, lie, swindle, cheat

**klamlivý** false, deceitful; *(zavádzajúci)* misleading

**klamný** deceptive, false; *(mylný)* wrong, mistaken

**klampiar** tinner, tinsmith

**klamstvo** *(podvod)* fraud, deceit

**kľaňať sa** bow; *(uctievať)* worship

**klapka** flap, lid; *(očná)* blinder; *(na počítači)* key; *(telefónna)* extension

**klapnúť** clap

**klas** *(obilie)* ear; *(tráva)* spike

**klasický** classical

**klasifikácia** classification

**klasifikovať** classify

**klasik** classic

**klásť** lay*, put*; *k. dôraz na* emphasize; *k. trápne otázky (na verejnosti)* heckle;

*k.* vajcia lay eggs; *k. dôraz na* lay/put stress upon; *k. odpor* resist, oppose; *k. za cieľ* set as a goal

**kláštor** monastery, convent

**klát** beam, block

**klátiť sa** (kolísať) sway; (tackať sa) stagger

**klať** (rohami) butt; (zabíjať) stab

**klaun** clown, buffoon

**klauzula** clause; (v závete) codicil

**kláves** key

**klaviatúra** keyboard

**klavír** piano; *učiť k.* teach piano classes

**klavirista** pianist

**kĺb** joint; (na prste) knuckle

**klbko** ball (of thread); clew

**klčovať** grub, clear

**klebeta** gossip

**klebetiť** gossip

**klebetník** gossip-/scandalmonger

**klenba** vault

**klenot** jewel [ˈdžuəl]; gem

**klenotnica** (miestnosť) treasury; (schránka) casket, case

**klenotníctvo** jeweller's (shop)

**klenotník** jeweller

**klenutý** vaulted

**klepať** (prstami) tap; (mäso) beat; (na dvere) knock

**klepec** trap; *nastaviť k.* set a trap

**klepeto** claw

**klepot** knocking, clicking; (kopýt) patter; (stroja) clatter

**klérus** clergy

**klesať 1.** go* down, sink*, fall*; (prudko) drop **2.** (upadať) decline, decrease

**klesnúť 1.** fall*/go* down **2.** (na cene) decline in price **3.** (na cene v očiach niekoho) lose* credit; *k. do mdlôb* faint

**kliať** swear*, curse

**kliatba** curse

**klíčiť** bud, germinate

**klient** client, customer

**klientela** clientage

**kliešť** tick • *držať sa ako k.* stick like a leech

**kliešte** tongs; (na ohýbanie) pliers; *lek.* forceps

**klietka** cage

**klika** clique

**klíma** climate

**klimaktérium** menopause

**klimatický** climatic

**klimatizácia** (air) conditioning

**klimax** climax

**klin** wedge, spike

**klinček** *bot.* carnation

**klinec** nail; (dlhý) spike

**klinika** clinic

**klinový** *(tvar)* wedge-shaped; *(písmo)* cuneiform [ˈkjunifoːm]

**klk** bunch; *(chuchvalec)* ball

**klipsa** clip

**klobása** sausage

**klobučníčka** milliner

**klobučník** hatter, hat-maker

**klobúk** hat

**klokan** kangaroo

**klokot** bubbling

**klokotať** bubble, seethe

**kloktadlo** gargle

**kloktať** gargle

**klopať 1.** knock; *(opätovne)* rap; *(jemne)* tap *(o srdci)* throb **2.** *(zbaviť prachu)* beat*

**klub** club; *vstúpiť do k.* join the club

**klubovňa** clubroom

**kľúč** key [ki:] ; *(od domu, patentný)* latchkey; *(francúzsky)* (monkey) wrench; *(hudobný)* clef; *(pomôcka na vysvetlenie)* clue

**kľučka** door handle, knob

**kľučkovať** dodge; *(s loptou)* dribble; *(vykrúcať sa)* shuffle

**kľúčna** *k. kosť* collar bone

**kľuka 1.** *(na dverách)* handle, knob **2.** *(na stroji)* winch **3.** *(štartovacia)* rank

**kľukatý** winding, zigzag; *(potôčik)* meandering

**klus** trot

**klusať** trot run*

**kľuť sa 1.** *(vtáci)* peck **2.** *(rastlina)* sprout

**klystír** clyster, enema

**kĺzačka** slide

**kĺzák** glider

**kĺzať (sa)** glide; slide*; *(šmykom)* skid, slip

**klzisko** skating rink

**klzký** slippery

**kmásať** rip, tear*, jerk; *(lomcovať)* toss

**kmeň 1.** *(stromu)* trunk, stem **2.** *(domorodcov)* tribe

**kmeňový** tribal; *(základný)* basic; *(pôvodný)* original

**kmitať (sa)** oscillate; *(o svetle)* glitter

**kmotor** godfather

**kňaz** priest; *hovor.* paster; *(anglikánsky)* clergyman

**kňažná** princess; *(šľachtičná)* countess

**knedľa** dumpling

**knieža** prince; count

**kniežatstvo** principality

**kniha** book; *(zväzok)* volume; *triedna kniha* class register; *k. návštev* visitor's book • *k., ktorá sa dobre predáva* best-seller

**knihár** bookbinder

**kníhkupec** bookseller

**kníhkupectvo** bookshop, bookseller's

**knihomoľ** bookworm; *slang.* *(šprt)* swot

**knihovník** librarian

**kníhtlačiareň** printing-house

**knísať sa** swing*, rock, sway

**knižnica** library; *(skriňa)* bookcase; *(edícia)* edition

**knokautovať** knock out, *skr.* K.O.

**knôt** wick

**kňučať** whimper, whine

**koalícia** coalition

**kobalt** cobalt

**koberec** carpet

**koberček** rug

**kobka** cell

**kobyla** mare

**kobylka 1.** filly, young mare **2.** *(hmyz)* grasshopper, locust

**kocka 1.** *geom.* cube; *(cukru)* lump (of sugar) **2.** *(hracia)* die *(pl. dice)*

**kockovaný** checked, chequered

**kockový** cubic; *k. cukor* lump/*AmE* cube sugar

**kocúr** tomcat, male cat

**Kocúrkovo** Gotham [ˈgotəm]

**koč** carriage, coach; *(ľahký)* cart

**kočík** perambulator; *hovor.* pram; *AmE* baby carriage

**kočiš** driver, coachman

**kočovník** nomad

**kočovnícky** nomad(ic); *(nie stály)* touring

**kód** code

**kódex** codex

**koedukácia** coeducation

**koeficient** coeficient, ratio, factor

**koexistencia** coexistence

**kofeín** caffeine [ˈkæfi:n]

**kohézia** cohesion [kəuˈhi:žn]

**koho** whom

**kohút** cock; *AmE* rooster

**kohútik 1.** cock **2.** *(pušky)* trigger **3.** *(vodovodu)* tap; *AmE* faucet

**kochať sa** take* delight in sth.

**kojenec** suckling

**kojiť** breast-feed, nurse

**kojot** coyote

**kokaín** cocaine

**koketa** coquette [kəuˈket]

**koketovať** flirt; *(s myšlienkou niečo robiť)* dally

**kokos** coconut

**kokosový** *(orech)* coco-nut; *(strom)* palm/tree

**koks** coke

**koktail** cocktail

**koktať** stutter, stammer

**koktavý** stuttering, stammering

**kolaborant** *(s kupantmi)* quisling [kwizliŋ]

**koláč** cake; *(ovocný)* pie • *bez práce nie sú k-e* no pains, no gains

**koľaj 1.** track; *(železničná)* rail, line **2.** *(stopa)* rut

**kolaps** *lek.* collapse

**kolár** wheeler

**kolaudácia** (official) approval; *k-á komisia* approval commitee

**koleda** (Christmas) carol

**kolega** colleague

**kolégium 1.** *(odborníkov)* board **2.** *(inštitúcia)* college

**kolekcia** collection, assortment, set

**kolektív** collective, team

**kolektívny** collective; *k-a bezpečnosť* collective security

**koleno** knee; *(v potrubí)* elbow

**koleso** wheel; *(kruh)* circle

**kolidovať** collide, clash; *(časovo)* overlap

**kolík** peg, stud; *k. na bielizeň* clothes peg; *(na stan)* tent-peg; *(štafetový)* baton

**kolísať** rock; *(uspať)* lull asleep; *(o hlase)* falter *(hojdať)* swing; *(ceny)* fluctuate

**kolísavý** *(nestály)* unsteady, unstable, fluctuating; *(neistý)* wobbly

**kolíska** cradle; *(rodisko)* birthplace • *od k-y po hrob* from cradle to the grave

**kolízia** collision; *(záujmov)* clash

**kolkáreň** bowling alley

**koľko** how much, how many; *k. ráz* how many times

**koľkokrát** how many times; *(ako často)* how often

**kolkovať 1.** stamp **2.** *šport.* play at ninepins

**kolky** *(hra)* ninepins, skittles

**kolmica** perpendicular, vertical (line)

**kolmý** perpendicular, vertical; *kolmo* upright

**kolo 1.** ring, circle **2.** *šport.* round

**kolobeh** circulation, cycle

**kolobežka** scooter

**kolok** stamp

**kolóna** column

**kolónia 1.** *(vozidiel)* convoy **2.** *(vojska)* column

**koloniálny** colonial

**kolonizácia** colonization

**kolonizovať** colonize

**kolónka** column; *vyplniť k-u* fill in the column

**kolos** colossus

**kolosálny** colossal

**kolotoč** merry-go-round; *hovor.* mad whirl

**kolovať** circulate; go* round
**kolovrat** spinning wheel
**komár** gnat [næt], mosquito
**kombajn** combine, harvester
**kombinácia** combination
**kombinačky** *(kliešte)* pliers
**kombiné** slip, petticoat
**kombinéza** overall
**kombinovať** *(spájať)* combine; *(uvažovať)* speculate, deduce
**komédia** comedy
**komentár** commentary
**komentátor** commentator
**komentovať** comment on
**komerčný** commercial
**kométa** comet
**komfort** comfort, luxury
**komfortný** well-equipped
**komický** comic(al), funny
**komik** comedian, *hovor.* comix
**komín** chimney; *(lodný)* funnel; *(továrenský)* stack
**kominár** chimneysweep
**komisár** commissioner, trustee; *(zástupca)* agent
**komisia** commission, committee, board; *konkurzná k.* selection board
**komisionár** commission agent, consignee, stockbrooker
**komnata** chamber, hall
**komolit** *(text)* mutilate; *(prekrúcať)* garble

**komora 1.** *(parlamentu)* chamber **2.** *(na potraviny)* larder; *lekárska k.* Medical Board/Association **3.** *(srdca)* ventricle; *obchodná k.* chamber of commerce
**komorná** chambermaid
**komorný** chamber
**komôrka** closet, cell
**kompa** ferry
**kompaktný** compact, solid
**komparz** company; *hovor.* stuff
**kompas** compass
**kompenzácia** compensation; *(odškodnenie)* amendments
**kompenzovať** compensate
**kompetencia** competence; *(rozsah povinností)* scope
**kompetentný** complete, qualified, authorized
**kompilácia** compilation
**komplet** set
**kompletný** complete, entire
**komplex** complex
**komplikovaný** complicated, very difficult; *k-á zlomenina* compound fracture
**komplikovať** complicate
**komponovať** compose
**kompost** compost
**kompót** stewed fruit, compot
**kompozícia** composition
**kompromis** compromise

**kompromitovať** compromise

**komu** (to) whom

**komunálny** municipal, communal; *k-e služby* public utilities; *k-e voľby* local authority elections

**komunikácia** communication

**komuniké** communiqué

**komunistický** communist

**komunizmus** communism

**koňak** brandy, cognac

**konár** branch; *(vetva)* bough

**konárik** twig

**konanie** doing, activity; *práv.* trial

**konať** do*, make*, perform; *k. svoju povinnosť* do* one's duty // **k. sa** take* place; *k. schôdzu* hold* a meeting

**koncentrácia** concentration

**koncentračný** *k. tábor* concentration camp

**koncentrovať** concentrate; *(zamerať)* focus

**koncept** rough copy, draft; *vyviesť z k-u* disconcept

**koncern** concern, trust

**koncert** concert; *(sólistu)* recital, concerto

**koncertovať** give* a concert

**koncesia** licence, concession

**koncesionár** concessionaire, licensee

**koncipovať** draft, draw* up; *(navrhovať)* outline

**koncoročný** annual

**koncovka** *lingv.* ending, suffix; *techn.* termination; *(kábla)* cable end

**koncový** end, terminal

**končatiny** extremities, limb

**konček** tip, end

**končiar** peak; *(vrchol)* summit

**končiny** parts, regions

**končiť** end, finish, close, be* over; *(rozísť sa)* break* up // **k. sa** end

**kondenzácia** condensation

**kondenzátor** condenser [kən'densə]

**kondenzovať** condense, concentrate

**kondícia 1.** *(telesná)* fitness, physical condition **2.** *(hodina)* private lesson

**kondicionál** *gram.* conditional

**kondolencia** condolence ['kən'dəuləns]

**kondóm** condom, sheath

**konečne** at last, finally

**konečník** *anat.* rectum, anus

**konečný 1.** final, terminal **2.** *(výsledný)* definitive, ultimate, eventual; *k-á autobusov* bus terminal

**konektor** connector, plug

**konexia** contact

**konfederácia** confederation
**konfekcia** ready-made clothes
**konfekčný** ready-made
**konferencia** conference; meeting; *k. na najvyššej úrovni* summit; *školská k.* staff meeting
**konferovať** confer; *(ohlásiť)* announce; *AmE* emcee [ˌemˈsiː]
**konfiškácia** confiscation, seizure
**konfiškovať** confiscate; *(úradne zabaviť)* seize [siːz]; *(štátu)* forfeit
**konflikt** conflict; *(rozpor)* slash; *k. záujmov* slash of interests
**konfrontovať** confront
**kongres** congress; *(zhromaždenie)* assembly
**koníček 1.** colt, foal **2.** *(záľuba)* hobby
**koniec** end, close; *(záver)* conclusion • *k. koncov* to sume up; after all; *urobiť k. niečomu* put* an end to sth.; *k. týždňa* week-end
**konjunktív** *gram.* subjunctive
**konjunktúra** boom
**konkrétny 1.** *(objektívny)* concrete **2.** *(určitý)* particular
**konkurencia** competition; *bez k-e* unrivalled (in)

**konkurenčný** competitive; *hovor.* rival
**konkurent** competitor, rival
**konkurovať** compete
**konkurz 1.** competition; *vypísať k.* announce/declare a competition **2.** *(bankrot)* failure, bankruptcy
**konope** hemp
**konsignácia** *obch.* (list of) consignment
**konsignovať** consign, list
**konsolidovať** consolidate
**konšpirácia** conspiracy
**konštanta** constant
**konštatovať** state, note; *(tvrdiť)* claim, assert
**konštitúcia** constitution
**konštrukcia** construction, structure; *(nosná časť)* skeleton, frame
**konštruktívny** constructive
**konštruovať** construct, build; *(zostaviť)* design
**kontaminovať** contaminate
**kontakt** contact, touch, connection; *nadviazať k.* get* in touch (with)
**kontinent** continent
**kontingent** *voj.* quota, contingent
**konto** account
**kontra 1.** *(hudba)* contra **2.** *(karty)* double
**kontrabas** double bass, contrabas

**kontrakt** contract
**kontrarevolúcia** counter-revolution
**kontrast** contrast
**kontrola** *(dozor)* control; *(presnosti)* check; *(u lekára)* examination
**kontrolovať** control, check; *(dozerať)* supervise
**kontrolór** examiner, inspector; *(účtov)* auditor
**kontumácia** *práv.* default
**konvalinka** lily of the valley
**konvencia** convention
**konvenčný** conventional
**konverzácia** conversation; *spoločenská k.* small talk
**konverzovať** converse, talk
**konvoj** convoy
**konzekvencia** cousequence
**konzerva** tin; *AmE* can
**konzervativizmus** conservatism
**konzervatívec** conservative
**konzervatórium** conservatoire [kənˈsəːvətwaː]
**konzervovať** *(zachovať v pôvodnom stave)* conserve; *(zabrániť skazeniu)* preserve; *(v plechovke)* tin; *AmE* can
**konzola** bracket, console
**konzul** consul
**konzulárny** consular
**konzulát** consulate
**konzultácia** consultation

**konzultovať** consult
**konzum** *(spotreba)* consumption
**koordinovať** co-ordinate
**kop** kick; *pokutový k.* penalty kick
**kopa** heap, pile; *k. sena* haystack
**kopáč** digger
**kopanec** kick
**kopať 1.** dig **2.** *(nohou)* kick
**kopcovitý** hilly
**kopec** hill
**kópia** copy, duplicate; *(negatívu)* print
**kopija** spear, lance
**kopírovať** copy
**kopiť** heap(up), pile(up); *(hromadiť)* gather
**kopnúť** kick, give* a kick
**kopula** dome, cupola [ˈkjuːpələ]
**kopytník** ungulate
**kopyto 1.** hoof **2.** *(obuvnícke)* last • *je to všetko na jedno k.* it's all of the same cast
**koráb** vessel, ship
**koral** coral
**korálky** beads
**Korán** Koran
**korbáč** whip, *(hrubý)* crop
**korčule** skates; *kolieskové k.* roller-skates
**korčuliar** skater
**korčuľovať (sa)** skate

**kord 1.** *(meč)* sword **2.** *(látka)* cord

**korektor** proofreader

**korektúra 1.** correction **2.** *(tlačová)* proof (sheet)

**koreň** root; *zapustiť k-e* take roots

**korenie** spice(s), seasoning; *čierne k.* pepper

**koreniť** spice, season

**korenistý** spicy

**korepetítor** coach, teacher rehearser

**korešpodencia** correspondence

**korešpodent** correspondent

**korešpondovať** correspond

**korigovať** correct, set* right, emend

**korisť** *(ulúpená)* booty; *(úlovok)* prey; *(rybárska)* catch; *(vyplienená)* plunder, loot

**koristiť** prey upon; *(plieniť)* plunder

**kormidelník** steersman, helmsman

**kormidlo** helm; *(vo vode)* rudder

**kormidlovať** steer, pilot

**korok** cork

**korózia** corrosion, rust

**korporácia** corporation

**korpulentný** stout, fat, corpulent

**korumpovať** corrupt, bribe

**korunka** crown

**korunovácia** coronation

**korunovať** crown

**korupcia** corruption, bribery

**korýtko 1.** trough [trof] **2.** *(na maltu)* hod

**korytnačka** tortoise; *(morská)* turtle

**koryto 1.** trough [tro:f], washtub **2.** *(rieky)* riverbed

**korzo** promenade; *AmE* boardwalk; *(mestské)* high street

**kosa** scythe [saið]

**kosák** sickle

**kosatec** *bot.* iris

**kosiť** mow*, cut* grass

**kosodĺžnik** parallelogram

**kosodrevina** dwarfed/mountain pine

**kosoštvorec** rhomb(us)

**kosť** bone; *(chrbtová)* spine, backbone; *slonová k.* ivory

**kostený** (made of) bone; *(z rohoviny)* horn

**kostica** whalebone

**kostlivec** skeleton

**kostná dreň** bone marrow

**kostnatý** bony

**kostol** church

**kostolník** *BrE* verger, parish clerk; *(hrobár)* sexton

**kostra 1.** skeleton **2.** *(konštrukcia)* frame(work) **3.** *(osnova)* outline

**kostrbatý** rugged, uneven

**kostrč** coccyx ['koksiks]

**kostým** (odev) suit; (divadelný) costume

**kosý** oblique, slanting

**košatý** bushy, spreading

**košeľa** shirt; (ženská) chemise [ši'mi:z]; nočná k. nightshirt; AmE nightgown

**košiar** (sheep)fold

**košík** basket

**kóta** bench mark, elevation, altitude

**koterec** (pre zvieratá) cot

**kotkodákať** cackle

**kotleta** chop, cutlet

**kotlík** kettle

**kotlina** 1. (dolinka) hollow; (údolie) valley 2. (rieky) basin

**kotol** boiler; (na varenie) kettle; (veľký) cauldron

**kotolňa** boilerroom

**kotúč** disk, ring, roll; (spojky) plate

**kotúľ** somersault, roll, tumble

**kotúľať sa** roll

**kotva** anchor ['æŋkə]

**kotviť** (lie* at) anchor ['æŋkə]

**kov** metal

**kováč** (black)smith

**kovanie** 1. (činnosť) forging, iron fitting 2. (ozdoba) plating

**kovať** 1. forge 2. (koňa) shoe a horse

**kovový** (of) metal, metallic

**kovovýroba** metal-industry

**koza** 1. goat, she-goat 2. (tesárska) stand, jack 3. šport. (buck) horse

**kozina** 1. (mäso) goat-meat 2. (koža) kid leather, pelt

**kozľa** kid

**kozmetický** cosmetic; k. salón beauty parlour

**kozmetika** cosmetics

**kozmický** cosmic

**kozmonaut** astronaut

**kozmopolita** cosmopolitan

**kozmopolitický** cosmopolitan

**kozmos** cosmos, universe, space

**kozorožec** astron. Capricorn; zool. ibex

**kozub** hearth, fireplace

**koža** 1. (pokožka) skin; (na hlave) scalp; (pleť) complexion 2. (stiahnutá) hide, pelt 3. (spracovaná) leather 4. (na tekutinách) skin 5. (na plodoch) peel ● nebyť vo svojej koži be* uneasy, feel* queer; je z neho len kosť a koža he is nothing but skin and bone; husia k. goose pimples ● skoro vyskočiť z k-e to blow o's top

**koženka** *(imitácia kože)* leatherette

**kožiarstvo** tannery

**kožný** skin; *odb.* dermic, dermal

**kožuch** furcoat

**kožušina** fur [fə:]

**kožušník** furrier

**kôl** post; *(zahrotený)* stake; *(tyč)* pole, pile

**kôlňa** shed

**kôň** 1. horse; *na koni* on horseback; *hojdací k.* rocking-horse 2. *šport.* vaultinghorse 3. *šach.* knight

**kôpor** dill

**kôra** 1. *(stromu)* bark, rind [raind] 2. *(zemská)* crust 3. *(na ovocí)* peel 4. *(mozgová)* cortex

**kôrka** crust

**kôrovec** bark-boring beetle

**kôstka** *(ovocná)* stone; *(citrónová)* pip

**kôš** basket; *(na papier)* waste-paper-basket; *AmE* trash can • *dala mu košom* she jilted him

**košík** little basket; *(náhubok)* muzzle; *(podprsenky)* cup

**krab** crab, lobster

**kráčať** march, walk, step; *(pomaly)* amble; *(dlhým krokom)* stride*

**krádež** theft; *(drobná)* pilferage, larceny, shoplifting

**kradmý** furtive; *k. pohľad* peep

**kradnúť** steal*, pilfer

**krahulec** sparrow-hawk

**krach** 1. *(zvuk)* crack, crash 2. *(úpadok)* bankrupt(cy), failure

**kraj** 1. *(okraj)* edge, border, brim 2. *(krajina)* country, region, landscape 3. *(správna jednotka)* county

**krajan** (fellow)countryman, compatriot

**krájač** cutter, slicer

**krájať** cut*, *(drobno)* chop

**krajčír** tailor; *dámsky k.* dressmaker, couturier

**krajec** slice (of bread)

**krajina** landscape, countryside, region

**krajin(k)ár** landscape-painter

**krajka** lace

**krajnica** verge; *AmE* curb

**krajnosť** extreme, excess

**krajný** exceeding, extreme

**krajový** regional ['ri:dʒənl], *(miestny)* local

**krajský** district, regional

**krákať** croak

**krákoriť** cackle

**kráľ** king; *(naftový)* baron/ magnate; *Traja k-li* The Three Magi [ˌmeidʒai]

**králik** rabbit

**kraľovať** reign

**kráľovná** queen
**kráľovský** royal, kingly
**kráľovstvo** kingdom
**krám 1.** junk shop **2.** *(hovor. nepotrebná vec)* trash
**kras** karst [ka:zt]
**krása** beauty, prettiness, loveliness; *k-y Slovenska* beauty spots of Slovakia
**kráska** beauty
**kraslica** painted Easter egg
**krásny** *(zmyslovo)* lovely, beautiful; *(spanilý)* fair
**krasojazdec** equestrian
**krasokorčuliar** figure-skater
**krasokorčuliarstvo** figure-skating
**krasopis** calligraphy
**krášliť** embellish, beautify
**krát** times; *jedenk.* once; *dvak.* twice; *trik.* three times *atd.*; *(násobok)* multiplied by
**kráter** crater
**krátiť 1.** shorten, **2.** *(zmenšiť)* reduce; *(text)* abridge; *(slovo)* abbreviate
**krátko** shortly, briefly
**krátkodobý** short-term
**krátkozrakosť** short-sightedness
**krátkozraký** shortsighted
**krátky** short, brief; *k-e spojenie* short circuit
**kratochvíľa** pastime; *(veselá)* fun

**kraul** *šport.* crawl
**krava** cow; *dojná k.* milk-cow; *jalová k.* hiefer [ˈhefə]
**kravata** (neck)tie
**kravín** cowshed
**kravina** *hovor., expr. (hlúposť)* bullshit
**kravinec** cow-dung
**kŕč** spasm [ˈspæzm]; *(bolestivý)* cramp
**krčah** jug; *AmE* pitcher
**krčiť sa 1.** *(o látke)* crease, wrinkle, crumple **2.** *(skrývať sa)* crouch; **3.** *(pod bremenom)* bend
**krčma** tavern, inn; *hovor.* pub; *AmE* saloon
**krčmár** innkeeper, publican
**kŕčovitý** spasmodic [spæzˈmodik], convulsive; *k. úsmev* forced smile
**kŕčový** spasmodic; *k-é žily* varicose veins
**kŕdeľ** herd, flock, brood
**kredenc** cupboard [ˈkabəd], sideboard [ˈsaidbo:d]
**krehký 1.** fragile; brittle **2.** *(o pečive)* crisp, *(o mäse)* tender, soft **3.** *(jemnej konštrukcie)* frail
**krém 1.** cream; *vaječný k.* custard **2.** *(na topánky)* polish
**kremácia** cremation
**krematórium** crematorium

**kremeň** *(kresadlo)* flint; *(minerál)* quartz

**krepčiť** frish, dance

**kresadlo** tinderbox, firelock

**kresba** drawing; *(návrh)* design; *(náčrt)* sketch

**kreslenie** drawing

**kreslič** draftsman [ˈdraːftsmən], designer

**kresliť** draw*, sketch, design [diˈzain]

**kreslo** (arm)chair; *(v divadle)* stall

**kresťan** Christian [ˈkristjən, krisčən]; *k-ské združenie ml. mužov* YMCA

**kresťanstvo** Christianity

**kreveta** shrimp, prawn

**krhla** jug; *(na polievanie)* watering can

**kričať** cry; *(silne)* shout; *(prenikavo)* scream; *(volať)* call; *(jačať)* yell [jel]

**krídlo** wing; *(hud. nástroj)* grand piano

**krieda** chalk

**kriesiť** revive, bring* to life; *odb.* resuscitate

**krik** cry; *(prenikavý)* scream, shriek; *(hádka)* quarrel

**krík** (small) shrub, bush

**kriket** cricket

**kriklavý** *(hlasný)* loud; *(nápadný)* flagrant, gaudy [goːdi]; *(o farbe)* loud

**kriminálny** criminal

**krištáľ** *(kremeň aj sklo)* crystal; *k-ovo čistý* crystal clear

**Kristus** Christ [kraist], *pred K-om* BC (= before Christ); *pre K-ove rany* for heaven's sake

**kritický** critical, crucial; *k. bod* turning point

**kritik** critic

**kritika 1.** criticism **2.** *(odb. posudok)* critique

**kritizovať** criticize

**krívať** limp

**krivda** wrong, injury; *(nespravodlivosť)* injustice

**krivdiť** (do*) wrong/injustice

**krivica** rickets, rachitis

**kriviť** bend*, crook // **k. sa** crook, twist

**krivka** curve

**krivolaký** crooked, winding

**krivoprísažník** perjurer

**krivý 1.** crooked, curved, twisted **2.** *(chromý)* lame, limping **3.** *(falošný)* false; *k. svedectvo* false testimony/evidence

**kríza** crisis; *(iba hospodárska)* slump, recession, depression

**kríž** cross; *(kresťanský)* crucifix; *(trápenie)* hovor. trouble

**kríženec** bastard, crossbreed; *(pes)* mongrel

**križiak 1.** crusader **2.** *(pavúk)* cross-spider

**krížiť** cross; *(plemená)* crossbreed; *k. plány* thwart [θwo:t] // *k. sa* cross, intersect; *(byť v rozpore)* oppose

**krížnik** cruiser

**krížom** across, crosswise; *k-krážom* criss-cross

**križovatka** cross-road(s), crossing; *(železn.)* junction

**krížovka** crossword (puzzle)

**krk** neck; *mať po k.* be* fed up

**kŕkať** croak

**krkavec** raven

**krkolomný** break-neck

**kŕmidlo** feeder, feeding rack

**kŕmiť** feed*, nourish

**krmivo** *(suché)* fodder, feedstuff; *(zelené)* forage

**kŕmny** nutritive; *k. repa* fodder beet

**krochkať** grunt

**kroj** costume; *(národný)* national costume/dress

**krok** (foot)step; *(dlhý)* stride; *pridať do k-u* step lively

**krokodíl** crocodile

**krokom** at a walking pace

**krompáč** pick(axe), mattock

**kronika** chronicle, annals

**kropaj** drop, trickle

**kropiť** sprinkle, water

**krosná** loom

**krotiť** tame // *k. sa* restrain os.

**krotiteľ** tamer; *(v cirkuse)* trainer

**krotký** tame; *(nevýbojný)* meek; *(mierny)* gentle

**krov** truss [tras]

**krovie** shrubbery, bush

**krpatý** dwarfish, undersized, midget

**krst** baptism, christening; *k-iny* christening party; *k-ná mama* god mother

**krt** mole

**krtinec** molehill

**kruh** circle, ring

**kruhový** circular

**krupica** semolina

**krúpy 1.** *(jedlo)* peeled wheat, pot-barley **2.** *(ľadovec)* hail; *padajú k.* it hails

**krupobitie** hailstone

**krušný** hard, severe

**krútiť** turn; *(násilne)* twist; *(chvostom)* wag // *k. sa* *(okolo)* twist/turn around; *(kľukatiť sa)* wind*; *(o vlasoch)* curl

**krútňava** whirl(pool); *(malá)* eddy

**krutosť** cruelty

**krutovláda** tyranny, terror

**krutý** cruel, severe, ferocious; *(o zime)* bitter

**kružidlo** (pair of) compasses
**krúžiť** turn, whirl
**kružnica** circle
**krúžok** circle; *(prstencový)* ringlet
**krv** blood; *darca k-i* bood donor
**krvácať** bleed*
**krvavý** bloody, sanguinary
**krvilačný** bloodthirsty, sanguinary
**krvinka** *lek.* blood corpuscle [ˈko:pasl]
**krviprelievanie** bloodshed, slaughter [ˈslo:tə]
**krvismilstvo** incest
**krvopotný** blood-sweated
**kryha** iceberg
**krypta** crypt; vault
**krysa** rat
**kryštál** crystal
**kryštalizácia** crystallization
**kryštálový, kryštalický** crystalline
**kryt** shelter, cover, mantle; *k. motora* bonnet; *AmE* hood
**kryť** cover; *(chrániť)* shield; *(obchodne)* reimburse // **k. sa** *(skrývať sa)* hide*; take* shelter; cover os.; conceal os.
**krytina** roofing; covering
**kto** who; which; *k. z vás* which of you; *k. ešte, k. iný* who else

**ktokoľvek** who(so)ever, anyone
**ktorý** *(opytovacie)* which; *(vzťažné)* who, which; that
**ktorýkoľvek** whoever, whichever, anyone, anybody
**ktosi** somebody, someone
**ku** *p.* k
**kubický** cubic
**kučeravý** curly
**kúdeľ** tow
**kúdol** wreath (of smoke); *(prachu)* whirl
**kufor** suitcase; *(lodný)* trunk
**kufríkový** portable
**kuchár** cook
**kuchársky** culinary; *k-a kniha* cookery-book
**kuchyňa** 1. kitchen 2. *(spôsob varenia)* cuisine 3. *(na stravovanie v práci)* canteen
**kujný** malleable [ˈmæliəbl], forgeable
**kukla** 1. *(hmyzu)* pupa 2. *(na hlavu)* hood
**kúkoľ** corn-cockle
**kukučka** cuckoo
**kukurica** maize; *AmE* corn
**kulak** kulak [kuːlæk]
**kulisy** wings; *hovor.* props; *za k-ami* behind the scenes/courtains
**kuloár** *(v parlamente)* lobby; *(vedľ. miestnosť)* lounge

**kult** cult; *(uctievanie)* worship

**kultivovaný** cultured

**kultúra** culture

**kulturistika** body building

**kuna** marten

**kúpa** purchase, buy; *výhodná k.* bargain

**kúpalisko** swimming-pool, bathing place

**kúpať sa** bathe [beið]; *(vo vani)* have* a bath [ba:θ]

**kupé** *(vo vlaku)* compartment; *(auto)* coupé

**kupec 1.** *(kupujúci)* buyer, purchaser **2.** *(obchodník)* trader, merchant

**kúpeľ** bath [ba:θ]; *(parný)* Turkish bath; *(slnečný)* sunbath

**kúpele** spa; health-resort

**kúpeľňa** bathroom

**kúpiť** buy*, purchase

**kúpny** purchase; *k-a zmluva* sales contract

**kupola** cupola, dome

**kupón** coupon [ˈkuːpoːŋ], *(ústrižok)* counterfoil

**kura** hen, chicken; *k-ie oko* corn

**kúra** cure, treatment

**kuratela** custody, guardianship

**kúrenie** heating

**kurič** stoker, boilerman

**kurín** chicken-house

**kúriť 1.** heat **2.** *(podkurovať)* make* fire

**kurivo** firewood; *(palivo)* fuel

**kurt** court

**kurz 1.** *(smer)* course, direction **2.** *(burzový)* rate of exchange; *(úradný)* official rate

**kurzíva** italics

**kus** piece; *(bez rovných plôch)* lump; *hovor.* chunk • *k. práce* a good piece of work; *k. po kuse* bit by bit

**kúsok 1.** piece, bit; *k. papiera* slip of paper **2.** *(husársky)* stroke

**kuša** cross-bow

**kút** corner; *(odľahlé miesto)* spot

**kuť** forge, strike • *k. plány* scheme [ski:m]

**kutáč** poker

**kútik 1.** *(oka, úst)* corner **2.** *(v časopise)* column

**kuvik** barn-owl

**kúzelník** magician

**kúzelný** magic

**kúzlo** charm, magic, trick

**kužeľ** cone

**kužeľový** conical

**kvákať 1.** *(ťahať za vlasy)* pull so.'s hair **2.** *(o žabách)* quack

**kvalifikácia** qualification, competence

**kvalifikovaný** competent, skilled, qualified, trained

**kvalifikovať sa** qualify, certify; (posudzovať) evaluate, rank

**kvalita** quality

**kvalitatívny** qualitative

**kvalitný** good/high-quality

**kvantita** quantity

**kvantitatívny** quantitative

**kvapalina** fluid, liquid

**kvapľový** carst

**kvapka** drop

**kvapkať** drip; (stekať) trickle

**kvartál** quarter

**kvarteto** quarted [kvo:tət]

**kvas** ferment

**kvasiť (sa)** ferment; (o rane) suppurate; (o myšlienke, dianí) stir

**kvasnice** yeast

**kvások** leave

**kvet** flower; k-ový záhon flower-bed

**kvetena** flora

**kvetináč** flowerpot

**kvetinárstvo** florist's

**kvičať** squeal

**kvíliť** lament, wail, moan

**kvitnúť 1.** blossom, bloom **2.** (prosperovať) flourish

**kvokať** cluck

**kvóta** quota

**kvôli** because of, due to; for the sake of

**kýbeľ** bucket

**kydať** (hnoj) pick manure; (znevažovať) cast/throw shame upon

**kýchať** sneeze

**kyjak** club

**kýl** (lode) keel

**kým 1.** (počas) while **2.** (až do) till, until **3.** (zatiaľ čo) while

**kymácať** sway

**kynožiť** exterminate

**kýpeť** stump

**kypieť** seethe, stir, boil over; k. zdravím be* in the best of health

**kypriaci** k. prášok baking powder

**kypriť** mellow

**kyselina** acid

**kyslý 1.** sour **2.** chem. acid

**kysnúť** (cesto) rise, swell*; (kysliet) turn sour

**kytica** bouquet, bunch of flowers

**kývať** swing, move; (chvostom) wag; (rukou) wave; (privolávať rukou) beckon

**kývnuť** move, wave; (na súhlas) nod

# L

**laba** paw

**labilný** unstable, wavering, uncertain

**laboratórium** laboratory, *hovor.* lab

**labuť** swan; *l-ia pieseň* swan song

**labužník** epicure; *(znalec)* gourmet ['gəumei]

**lacno** cheap(ly) • *predat l.* sell* cheap; *počítat l.* charge reasonable

**lacný** cheap, inexpensive

**lačný** hungry; *l. po moci* hungry for/after power

**ľad** ice; *umelý ľ.* artificial ice

**ladenie** tuning ['tjuniŋ]

**ladič** tuner

**ladiť** tune; *(rádio)* tune in; *(byť v súlade)* match, harmonize

**ladný** graceful

**ľadoborec** icebreaker

**ľadovica** glazed frost; *je ľ.* the roads are slippery with frost

**ľadový** icy, ice-cold

**ľadvina** kidney

**láger** *(zajatecký)* POW camp

**lagúna** lagoon

**ľahko** easily

**ľahkomyseľnosť** thoughtlessness, frivolity

**ľahkomyseľný** frivolous; *(riskujúci)* reckless; *(nezodpovedný)* light-minded; *(ležérny)* easygoing

**ľahkosť 1.** lightness **2.** *(opak obťažnosti)* easiness, ease

**ľahký 1.** light **2.** *(opak obťažného)* easy, simple

**ľahnúť si 1.** lie* down; *idem si ľ.* I go to bed

**lahodný** delicate, delicious; *l-é tóny* dulcet tones

**ľahostajnosť** indifference, indolence

**ľahostajný** indifferent, indolent

**lahôdka** delicacy; *AmE* tid-bit

**laický** lay, laic

**laik** layman; *(cirk.)* Laic

**lajdačiť 1.** *(ponevierať sa)* loiter(about) **2.** *(robiť niečo neporiadne)* be* negligent

**lajdák** loiterer; flacker; *(leňoch)* lazybones

**lajno** dung

**lak** *(na nechty)* polish, varnish; *(na vlasy)* lacquer

**ľak** fright, scare, shock

**lákať** (al)lure, attract; *(vábiť)* entice

**ľakať** frighten, scare // **ľ. sa** become*/get* frightened

**lákavý** alluring, tempting; *(príťažlivý)* attractive

**lakeť 1.** elbow **2.** *(stará miera)* ell

**lakmus** litmus

**lakomec** miser; *(skupáň)* niggard

**lakomstvo** stingy, avarice

**lakomý** mean; greedy

**lakovať** varnish

**lakový** varnished; *l-é topánky* patent-leather shoes

**ľalia** lily

**lalok 1.** lobe **2.** *(dvojitá brada)* double chin **3.** *(napr. u moriaka)* wattle

**lámať** break, crack; *(kameň)* quarry

**lámavý** breakable; *(krehký)* fragile, brittle; *l-á bolesť* splitting pain

**laminát** laminate (plastic)

**lámka** gourt, rheumatic pain

**lampa** lamp

**lampáš** lantern; *(elektrický)* electic torch

**lampión** Chinese lantern

**lán** acre, field

**ľan** flax; *(tkanina)* linen

**laň** zool. hind, doe

**langusta** lobster

**lano** rope; *(kovové)* cable; *(vlečné)* tow

**lanovka** funicular (railway); cable-way

**ľanový** flaxy; *l. olej* linseed oil

**lapať** catch*, hunt; *l. dych* gasp; *(do pasce)* trap

**lapiť** *(o reči)* catch; *expr.* seize, grab

**lapsus** slip, lapse; *(spoločenský)* faux pas [fəu'pa:]

**larva** *(hmyzu)* larva, grub

**lasica** weasel

**láska** love, affection; *l. k blížnemu* charity; *z l-y* for the love of

**láskať (sa)** caress; *(hladiť)* fondle

**láskavo** kindly

**láskavosť** kindness, goodness; *(skutok)* favour

**láskavý** kind(ly), nice, attentive; *(vľúdny)* gracious

**láskyplný** affectionate

**laso** lasso; *AmE* lariat

**lastovička** swallow

**lastúra** shell

**lata** *(kus dreva)* lath, batten

**látať** *(zašívať)* darn, mend; *(zaplátať)* patch up

**latinčina** Latin

**latinský** Latin

**látka 1.** material; *hovor.* stuff **2.** *(textil)* cloth; *(silná bavlnená)* jean **3.** *(námet)* subject, matter **4.** *(chemická)* substance

**laureát** laureate; *l. nobelovej ceny* Nobel laureate

**láva** lava [la:və]

**ľavák** left-handed person

**lavica** bench; *(školská)* desk

**ľavica 1.** left hand **2.** *polit.* the left wing

**ľavičiar** *polit.* leftist

**lavička** bench, garden seat

**lavína** avalanche [ˈævəlaːnš]

**lávka** footbridge; *(lodná)* catwalk

**lavór** washbasin; *AmE* washbowl

**ľavý 1.** left **2.** *(neobratný)* clumsy, awkward

**laxný** lax, slack

**laz** hillside settlement

**lazaret** military hospital, infirmary

**lebka** skull

**lebo** because, since, for

**ledabolo** carelessly

**ledva** hardly, scarcely

**legalizovať 1.** legalize, validate **2.** *(overiť)* attest

**legálny** legal, legitimate

**legenda** legend

**legendárny** legendary

**légia** legion

**legionár** legionary

**legislatíva** legislation

**legitimácia** (identity) card; *členská l.* membership card

**legitimovať sa** prove one's identity

**lehota** term, time; *výpovedná l.* term of notice; *doda-*

*cia l.* time of delivery; *skúšobná l.* probation period; *(konečná)* deadline

**lejak** downpour, heavy rain

**lekár** physician, doctor; *(praktický, obvodný)* general practitioner, G.P.; *(odborný)* specialist; *(vojenský, lodný, chirurg)* surgeon; *(zubný)* dentist

**lekáreň** pharmacy, chemist's; *AmE* drugstore

**lekárnička** *(prvej pomoci)* first-aid-box/kit

**lekárnik** pharmacist, chemist; *AmE* druggist

**lekársky** medical

**lekárstvo** medicine; *(súdne)* forensic medicine

**lekcia** lesson; *(ponaučenie)* lecture

**lekno** water-lily

**lektor 1.** *(učiteľ VŠ)* lector, lecturer **2.** *(odb. posudzovateľ)* reader

**lektúra** reading, proofreading

**lekvár** jam; *(pomarančový)* marmalade

**lem** hem, border, rim

**lemovať** rim, border

**len** only, merely, if only

**lenivosť** laziness; *(nečinnosť)* idleness

**lenivý** lazy, idle

**léno** feudal tenure

leňoch idler, lazybones

leňošiť idle

lenže but, only, that

leopard leopard

lepenka (card)board, paper-maché ['peipə ma:šei]

lepidlo paste, glue

lepiť paste, glue, gum // l. sa stick, adhere

lepkavý sticky, adhesive, gluey [glu:i]

lepší better; o nič l. no better

lepšie better; tým l. all the better

lepšiť (sa) improve, grow* better

lept etching

leptať (kov) corrode; (žieravinou) etch

les wood; (nepestovaný) forest; l-ná správa Forest Commision

lesbický lesbian

lesk shine; (leštením) polish; (skvelosť) splendour, lustre

lesklý shiny, glossy; (jasný) bright

lesknúť sa shine*; (trblietať sa) glare, glitter

lesníctvo forestry

lesník forester ['foristə]

lesť trick; (úskok) ruse; vojnová l. stratagem

lešenie scaffold(ing); rúrkové l. tubular s.; frame

leštidlo polish

let flight; kĺzavý l. gliding

leták leaflet, handbill; (reklamný) flier

letec pilot; (vojenský) airman

letecký air; l. základňa airbase; aerial, l-á fotografia aerial photograph

letectvo aviation; voj. airforce

letenka air-ticket

letieť 1. fly* 2. (ponáhľať sa) haste

letisko air-port; (menšie) aerodrome

letmý hurried, fleeting; l. pohľad fleeting/quick glimpse; (zbežný) cursory; l-á kontrola cursory check

letnička annual

letný 1. summer- 2. (vlažný) tepid

leto summer; babie l. Indian summer; (pavučina) gossamer

letokruh annual ring

letopis annals, chronicle

letora temperament, disposition

letopočet era, epoch; nášho l-u AD (= anno domini)

letovať (kovy) solder

letovisko summer resort

letuška stewardess, airhostess

**leukémia** leuk(a)emia
**leukoplast** sticking plaster
**lev** lion; *(zverokruh)* Leo
**levanduľa** lavender
**levica** lioness
**lexika** lexis, vocabulary
**lexikón** lexicon, dictionary
**lezenie** climbing
**ležadlo** deckchair; *(vo vlaku)* couchette [kuːˈšet]
**ležať 1.** lie*; *l. chorý* be* in bed; be down with **2.** *(zemepisne)* be* situated
**ležatý** horizontal, prone; *l-é písmo* italics
**ležiak 1.** *(pivo)* lager-bear **2.** *(nepredaný tovar)* idle/old stock; *(knihy)* slow seller
**liadok** saltpetre [soːltˈpiːtə]
**liaheň** brooder, hatchery; *odb.* incubator
**liahnuť sa** hatch
**liať 1.** pour, shed* **2.** *(železo)* cast, found • *l. ako z krhly* to rain cats and dogs // **l. sa** pour, run*, flow*
**liatina** cast* iron
**libela** *(váha)* water-level
**liberál** liberal
**liberálny** liberal
**libra** *(jednotka hmotnosti i mena)* pound
**líce** cheek; *(vonkajšia strana)* right side, front • *všetko má svoj rub a l.* there are

two sides of every thing; *rub alebo l.* heads and tails
**licencia** licence; *AmE* concession
**licitovať** bid/sell* by auction, public sale
**lícny** facial [ˈfešl]; *l-a kosť* cheekbone
**líčidlo** make up; *(divadelné)* paint
**líčiť 1.** paint; *(vápnom)* whitewash **2.** *(opisovať)* describe; **3.** *(tvár)* make* up // **l. sa** make up
**liečba** cure, treatment, therapy
**liečebňa** sanatorium, treatment centre
**liečebný** sanitary; curative
**liečenie** treatmen, cure
**liečiť** cure, treat; *(hojiť)* heal
**liečivý** curative, healing, medicinal
**lieh** spirit, alcohol
**liehovar** distillery
**liehový** alcoholic
**liek** medicine, remedy, drug
**lienka** lady-bird
**lieska** hazel
**lieskovec** hazelnut
**lietadlo** aeroplane, aircraft; *AmE* airplane; *bombardovacie l.* bomber
**lietať** fly*
**lievik** funnel

**liezť** creep\*, crawl; *(hore)* climb

**liga** league

**ligotať sa** shine\*, glitter, gleam

**lichobežník** trapezium [trəˈpiːzjem]

**lichotenie** flattery

**lichotiť** flatter; *(pochlebovať)* adulate

**lichotník** flatterer; *(pochlebovač)* toady

**likvidácia** liquidation; *(majetku)* bankruptcy; *(peňaž. vyplatenie)* settlement; *(účtovná)* approval

**likvidovať** liquidate

**limit** limit

**limonáda** lemonade

**limuzína** limousine

**lingvistika** linguistics

**línia** *(čiara)* line; *(obrys)* outline, contour; *(genetická)* lineage

**linka** line

**linkovať** line, draw\* lines

**lipa** lime(tree)

**lipnúť na** adhere to cling\*, stick

**lipnutie** adherence

**lis** press

**lisovať** press

**list 1.** *(na strome)* leaf **2.** *(papiera)* sheet **3.** *(písomná správa)* letter; *doporučený l.* registered letter; *rodný l.*

certification of birth **4.** *(noviny)* paper

**listáreň** letters-to-the-editor column

**lístie** leaves; *(opadané)* foliage [ˈfəulidž]

**listina** *(úvodná)* document, memorandum; *(zoznam)* list; *obchodná l.* mercantile paper; *menovacia l.* letter of appointment

**listnatý** leafy; *l. les* greenwood; deciduous

**lístok 1.** ticket; *(mesačný)* season ticket **2.** *(okvetný)* petal **3.** *(odkaz)* note **4.** *(kúsok papiera)* slip **5.** *(jedálny)* menu **6.** *(korešpodenčný)* postcard **7.** *(hlasovací)* ballot

**listovať** turn over the pages

**listový** *(papier)* writing paper; *l-é tajomstvo* secrecy of mail; *l-é cesto* puff/flaky pastry; *l-á píla* bowsaw

**lišaj 1.** *(choroba)* tetter, herpes **2.** *(motýľ)* sphinxmoth

**lišajník** *bot.* lichen [ˈlaiken]

**líšiť sa** differ from, contrast with, vary

**líška** fox

**líškať sa** fawn on, flatter

**lišta** *(rám)* border; *(drevená)* listel, lath

**liter** litre

**litera** letter, type

**literárny** literary

**literát** man of letters

**literatúra** literature, lettres; *krásna l.* belles-lettres; *l. faktu* fiction

**litografia** litography [li'tografi]

**lízanka** lollipop; *AmE* sucker

**lízať** lick

**loď 1.** ship, boat; *(cisternová)* tanker; *(lietadlová)* air-carrier; *(plavidlo)* vessel **2.** *(chrámová)* nave; *(rybárska)* trawler; *(vojnová)* man-of-war

**lodenica 1.** *(na stavbu a opravu lodí)* shipyard **2.** *(úschovňa lodí)* dockyard

**lodivod** pilot

**lodník** sailor, mariner; *(kvalifikovaný)* seaman

**lodný** naval, ship-; *l. denník* logbook; *l. dôstojník* mate; *l. komín* funnel; *l. náklad* cargo, bulk; *l-á mapa* chart; *l-á zásielka* shipment; *l. priestor* hold

**loďstvo** fleet, marine; *(obchodné)* mercantile marine; *(vojenské)* navy

**logaritmický** logarithmic; *l-é pravítko* slide-ruler

**logický** logical

**logika** logic

**loj** suet; *(vyškvarený)* tallow

**lojálny** loyal, faithful; *l. stúpenec* loyal supporter

**lokaj** lackey

**lokalizovať** *(určiť miesto)* locate; *(obmedziť)* localize

**lokálny** local, regional

**lokomotíva** engine; *AmE* locomotive

**lom 1.** fracture; *(svetla)* refraction; *(odchýlka)* deflection **2.** *(kameňolom)* quarry, stone-pit

**lomiť** *(ohýbať)* bend; *(svetlo)* deflect; *mat. (deliť)* divide (by)

**lomoz** uproar

**Londýn** London

**Londýnčan** Londoner

**lono 1.** lap **2.** *(rodidlá)* womb

**lopár** cutting board

**lopata** shovel; *(rýpadlo)* scoop

**lopatka 1.** *(kosť)* shoulder-blade **2.** spade **3.** *(na smeti)* dustpan

**lopota** toil, drudgery

**lopotiť sa** toil, work hard, drudge

**lopta** ball

**lopúch** burdock

**los** *zool.* elk

**lós** lot; *(žreb)* lottery ticket

**losos** salmon ['sæmən]

**losovať** draw* (lots)

**lotéria** lottery

**lotor** rascal; *(zločinec)* villain

**lotos** lotus, water-lily

**lov** hunt; *(prenasledovanie)* chase

**lovec** hunter; *(kožušín)* fur-trapper

**loviť** hunt, chase; *(ryby)* fish

**lož** lie, falsehood

**lóža 1.** *(divadelná)* box **2.** *(slobodomurárska)* lodge, Freemason's lodge

**ložisko 1.** bearing; *guľkové l.* ball-bearing **2.** *(rudy)* deposit **3.** *(zápalové)* centre

**lôžko** bed; *(v kabíne)* berth; *l-vý vozeň* sleeping-car

**lstivý** sly, cunning, tricky

**lub** *mať niečo za l-om* be* up to sth.

**ľúbezný** sweet, lovely, gracious

**ľúbiť** love, like, be* fond of, be* keen on

**ľubovoľný** arbitrary, optional

**ľubozvučný** melodious, sweet-sounding

**lúč** beam, ray; *(slnečný)* sunbeam

**lúčiť sa** part, say* good-bye, take* one's leave

**lúčny** meadow(y)

**lúčovitý** radial

**ľud** people, nation; *hovor.* folks [fəuks]

**ľudia** people; folks humans

**ľudnatosť** population

**ľudnatý** populous

**ľudoop** ape-man, anthropoid

**ľudový 1.** popular; *l-á pieseň* folk-song **2.** *l-á republika* people's republic

**ľudožrút** cannibal

**ľudskosť** humanity

**ľudský** human; *(súcitný)* humane; *l. bytosti* humans, human beings; *l-é zdroje* human resources

**ľudstvo** mankind, human race

**lúh** lye; *l-ový kameň* potash

**luhár** liar

**luhať** lie, tell lies*

**luk** bow

**lúka** meadow

**lukostreľba** archery ['a:čeri]

**lukostrelec** archer ['a:čə]

**lump** bum, crovk; scoundrel, knave

**lup** booty; *(z plienenia)* plunder, loot

**lupa** magnifying glass

**lúpať** *(zemiak, ovocie)* peel; *(hrach)* shell; *(kukuricu)* husk// *l. sa* strip, peel off

**lupeň** *bot.* petal, leaf

**lúpež** robbery

**lúpežník** robber, looter, highwayman

**lupič** burglar, robber; *(morský)* pirate; *(vlamač)* house-breaker

**lupienok** crisp

**lupina** dandruff

**lúpiť** rob, loot, plunder

**luskáčik** (nut)craker

**lúskať** crack; *l. prstami* snap one's fingers

**luster** lustre, chandelier [šændiˈliə]

**lúštiť** *(hádanku)* sheel; solve

**ľúto 1.** *je mi ľúto* I am sorry; *bolo mi ho ľ.* I felt sorry for him **2.** *(banovať)* regret, miss

**ľútosť** regret; *(nad niekým)* pity; *(súcit)* compassion; *(žiaľ)* sorrow

**ľútostivý** sorrowful, pitiful

**ľutovať 1.** *(niekoho)* be* sorry for, pity **2.** *(niečo)* regret

**ľúty** *(krutý)* ferocious; *(divý)* savage

**luxus** luxury

**luxusný** luxurious

**luza** mob, rabble

**lýceum** lycee

**lyko** bast

**lynčovať** lynch

**lýra** lyre

**lyrický** luric(al)

**lyrik** lyric poet

**lyrika** lyrics, lyric poetry

**lysý** bald, hairless

**lýtko** calf [ka:f]

**lyže** ski

**lyžiar** skier

**lyžica** spoon; *(polievková)* tablespoon; *(murárska)* trowl; *(obúvacia)* shoehorn; *za l-u* spoonful

**lyžička** teaspoon

**lyžovačka** skiing

**lyžovať sa** ski, go* skiing

**lživý** mendacious [menˈdeišəs], false; *AmE* untrue

# M

**macko** *(hračka)* teddy bear

**macocha** stepmother

**máčať** *(ponoriť)* soak, dip; *(navlhčiť)* wet

**mačiatko** kitten

**mačka** cat; *(bez majiteľa)* waif [veif]

**mafia** mafia, the Mob

**magazín** *(časopis)* magazine, periodical

**magnet** magnet

**magnetický** magnetic

**magnetizmus** magnetism

**mahagón** mahogany

**mach** moss

**machuľa** blot; blotch

**maizena** corn/maize flour
**máj 1.** May; **2.** *(vztýčený strom)* maypole
**maják** lighthouse; *(na aute)* beacon
**majáles** May festival; *(študentský)* rag day
**majer** farm, manor
**majestátnosť** majesty
**majestátny** majestic [mædžestik], stately
**majetkový** possessive, proprietary
**majetok** *(vlastnícke právo)* property; *(bohatstvo)* fortune *(vlastníctvo)* possession; *(pozemky)* estate; *(osobný)* belongings; *nehnuteľný m.* fixed assets/real property
**majiteľ** proprietor, owner; *m. cenných papierov* stockholder; *m. obchodu* shopkeeper
**majonéza** mayonnaise
**major** major ['meidžə]
**majorán(ka)** marjoram
**majorita** majority
**majster** master; *(remeselník)* craftsman; *(predák)* foreman; *šport.* champion
**majstrovský** masterful; masterly; *m-é dielo* masterpiece
**majstrovstvo** *(výkon)* mastery; *šport.* championship

**mak** poppy(-seed)
**maketa** model, mock-up; *(figuríny)* dummy
**maklér** (stock)broker; *(sprostredkovateľ)* jobber
**maklérstvo** jobbery, brokerage
**makrela** mackerel
**malária** malaria
**makulatúra** waste paper, spoiled sheets
**malátny** languid, sickly; *(unavený)* weary
**maľba** painting
**malebný** picturesque
**maliar** painter; *(remeselník)* decorator
**maliarsky:** *m. stojan* casel; *m. ateliér* studio
**malíček** *(na ruke)* little finger; *AmE* pinkie; *(na nohe)* little toe
**maličkosť** trifle
**maličký** diminutive, tiny (little)
**malicherný** *(človek)* small-minded; *(bezvýznamný)* trifle, petty
**malina** raspberry
**málinko** teeny-weeny, weebit
**málo** little; few
**maloburžoázia** petty bourgeoisie
**málokde** hardly anywhere
**málokto** hardly anybody

**maloletý** underage, minor

**molomesto** small/country/ provincial town

**malomeštiak** provincial, small-towner

**malomocný** leper

**malomyseľný** despondent

**maloobchod** retail (trade)

**maloobchodník** retailer

**maľovať** paint, picture; *(kreslit)* draw*

**maľovka** painting

**málovravný** taciturn

**málovravnosť** reticence

**malta** mortar, plaster

**malý 1.** *(rozmermi, význa-mom)* little, small; **2.** *(o ľuďoch, čase, diaľke)* short **3.** *(nedospelý)* immature **4.** *(tesný)* tight; *m-á rýchlosť* low speed

**mama** mother, mum; *AmE* mom

**mámiť 1.** *(klamat)* deceive, cheat **2.** *(lákať od koho čo)* cheat sth. out of so.

**mamut** mammoth [mæmət]

**manažér** manager

**mandant** *práv.* client

**mandarínka** tangerine

**mandát** mandate

**mandľa 1.** almond; *lúpané m-e* shelled a-s **2.** *anat.* tonsils

**manekínka** model

**manévrovať** manoeuvre

**manéž** circus ring

**mánia** mania

**maniak** maniac [meiniæk]

**manifest** manifesto

**manifestácia** manifestation; *m-čný* formal

**manifestovať** manifest; *(demonštráciou)* rally

**manikúra** manicure; *robiť si m-u* do o's nails

**manipulácia** manipulation

**manipulovať** manipulate; *(zaobchádzat)* handle

**manko** shortage; *(peňažné)* deficiency, deficit

**mantinel** boards; *od m-u k m-u* from one extreme to the other

**manzarda** garret, attic

**manžel** husband

**manželia** husband and wife, married couple

**manželka** wife

**manželský** *m. stav* marital status, matrimonial; *(opak nemanželského)* legitimate

**manželstvo** marriage, wedlock, matrominy

**manžeta** cuff; *(na nohaviciach)* turn-up

**mapa** map; *(navigačná)* chart

**mapovať** map, survey, monitor

**maratón** marathon

**marcipán** marzipan ['ma:-zi'pæn]

**marec** March
**margarétka** daisy
**margarín** margarine [ma:-džə'ri:n]
**marhuľa** apricot
**mariáš** whist
**marihuana** marijuana; *hovor.* grass
**maringotka** caravan; *AmE* trailer
**mariť 1.** *(kaziť)* twarth **2.** *(čas)* waste
**marmeláda** jam; *(pomarančová)* marmalade
**márne** in vain
**márnenie** waste
**márnica** mortuary
**márniť** waste; *m. životy* destroy lives
**márnivosť** prodigality
**márnivý** vain, prodigal
**márnosť** vanity, futility
**márnotratník** spendthrift, big spender
**márnotratný** prodigal, wasteful
**márny** vain, useless, pointless; *m-e hľadanie* futile search; *m-e reči* empty/idle talk
**maršal** marshal
**marxizmus** Marxism
**máry** bier
**masa** mass [mæs]; *m-ovokomunikačné prostriedky* mass media

**masaker** slaughter, massacre, carnage
**masakrovať** slaughter
**maselnica** churn
**masér** masseur
**masírovať** massage
**masív** massif ['mæsi:f]
**masívny** massive; *(pevný)* solid
**maska** mask; *(prezlečenie)* disguise
**maskovať** camouflage
**maslo** butter
**masť 1.** lard, fat, grease **2.** *(hojivá)* ointment **3.** lubricant
**mastiť** grease, lard, oil
**mastnota** grease, fat
**mastný** greasy, oily; *(mäso)* fat; *m-á pokuta* stiff fine
**mašinéria** machinery
**maškara** mask; *(šaty)* fancy dress; *(strašidlo)* scarecrow
**maškaráda** masquerade
**maškrta** titbit, delicaty
**maškrtník** gourmet
**maškrtný** sweet-toothed
**mašľa** ribbon, hair-band
**maštaľ** stable, stall
**mať** have*; *(vlastniť)* posses; own; *m. veľa práce* be* (very) busy; *m. sa dobre* have* a good time, enjoy os.; *m. radšej* prefer; *m. za následok* result in; *m.*

*niečo vykonať* have* to/ought to • *ako sa máš?* how are you?; *mám sa celkom dobre* I am quite well; *majte sa dobre* have a good time

**mátať** *(strašiť)* haunt
**matematický** mathematical
**matematika** mathematics
**materiál** material, *hovor.* stuff
**materialista** materialist
**materialisticý** materialistic
**materializmus** materialism
**materinský** maternal, mother-; *m. jazyk* mother tongue; *m-é znamienko* mole
**maternica** womb, *odb.* uterus
**materský** maternal; *m-á lietadlová loď* aircraft carrier; *m-á škola* kindergarten, nursery school; *m-á krajina* native country; *m-á dovolenka* maternity leave
**materstvo** motherhood, maternity
**matica** nut; *mat.* matrix
**matka** 1. mother 2. *(včelia)* queen bee
**matný** 1. dim, dull; *m-é sklo* ground-glass; *m. povrch* dim finish 2. *(nejaký)* obscure, vague
**mátoha** spectre, ghost, zombie, spook

**matrac** mattress; *nafukovací m.* airbed
**matrika** register; *(úrad)* registry office
**maturita** final/school leaving examination; *AmE* graduation
**maturovať** take* A levels, take*/sit* for a leaving examination; *AmE* be* graduated
**mávať** wave, swing*
**maximálny** maximum
**maximum** maximum
**mazadlo** lubricant, grease
**mazať** oil, lubricate; *(natierať)* spread*
**mazľavý** sticky, greasy, oily
**maznať** pet; *(láskať)* fondle; *(rozmaznávať)* spoil; *(hýčkať)* pamper // **m. sa** caress; *(v náručí)* cuddle
**mäkčeň** diacritic, palatalization mark
**mäkčiť** 1. soften 2. *lingv.* palatize
**mäkký** 1. soft; *(jemný)* gentle; *(citlivý)* mellow, soft hearted
**mäkkýš** mollusc [moləsk]; *expr. (o človeku)* softie
**mäsiar** 1. butcher 2. *(obchod)* butcher's
**mäso** meat; *(živé)* flesh; *m-vá polievka* broth
**mäsožravý** carnivorous

**mäta** mint
**mdloba** swoon; *(pocit slabosti)* faintness, weakness
**mdlý** faint, weary, feeble
**meeč** sword
**mečať** bleat [bli:t]
**med** honey
**meď** copper
**medaila** medal
**medený** copper
**medicína 1.** medicine **2.** medicament, drug
**medik** medical student; *hovor.* medico
**meditácia** meditation
**meditovať** meditate
**médium** medium
**medový** honey; *m-é týždne* honeymoon
**medúza** jelly fish
**medveď** bear
**medvedík 1.** *(mláďa)* bear cub **2.** *(hračka)* teddy bear
**medza 1.** balk, boundary **2.** *(obmedzenie)* limit
**medzera** gap; *(časová)* break, interval; *(prázdne miesto)* blank; *(priestor)* space, gap; *(v zákonoch)* loophole, gap
**medzi** *(dvoma)* between; *(viacerými)* among
**medzičasom** in the meantime
**medzimestský** *(vlak a p.)* intercity; *m. telefónny hovor hovor.* trunk-call

**medzinárodný** international
**medziplanetárny** interplanetary
**medziposchodie** mezzanine, circle
**medzipristátie** stopover; *bez m-ia* direct/nonstop flight
**medzitým** (in the) meanwhile, in between
**medzník** landmark; boundary stone; *obraz.* turning-point; *(predel)* milestone
**mech** sack, (leather-)bag
**mechanický** mechanical
**mechanik** mechanic
**mechanika** mechanics
**mechanizmus** mechanism
**mechanizovať** mechanize, automate
**mechúr** bladder
**mechy** bellows
**melanchólia** melancholy, the blues
**melancholický** melancholic
**melasa** molasses
**meliorácia** melioration; *AmE* reclamation (of the soil)
**melódia** melody, tune
**melodický** melodious
**melón** (water) melon; *(žltý)* honeydew melon
**membrána** *tech.* diaphragm, membrane

**memorovať** memorize; learn* by heart

**mena** currency

**menej** less; fewer; *m. ako* under

**menejcenný** inferior, second-rate

**meniny** name day

**meniť** change, alter; *(zrazu)* turn; *(striedať)* alternate // **m. sa** change, alter; *(striedať)* vary

**meno** name; *krstné m.* first name, forename, Christian name; *dobré m.* reputation; *dievčenské m.* maiden name

**menovanie** nomination; *(do funkcie)* appointment

**menovať** name; *(ustanoviť)* appoint

**menovateľ** *(v zlomku)* denominator

**menovite** by name, namely

**menovka** name card, nameplate

**menší** smaller, lesser, minor

**menšina** minority

**mentálny** mental; *m-e poruchy* mental disordess

**menza** canteen, student's dining hall

**meradlo 1.** measure, meter **2.** *(pravítko)* rule **3.** *(mierka)* scale, standard, criterion

**meranie** measurement

**merať** measure; *m. čas* time; *m. teplotu* take* one's temperature; *(hodnotiť)* assess, evaluate • *dva razy m-aj a raz strihaj* look before you leap

**meravieť** stiffen

**meravý** stiff, numb

**mesačník** monthly (journal)

**mesačný 1.** *(svetlo)* moon light, luna **2.** *(trvajúci mesiac)* month's **3.** *(interval)* monthly

**mesiac 1.** *(na oblohe)* moon; *narastajúci m.* crescent-m. **2.** *(obdobie)* month

**mesto** town, city; *hlavné m.* capital; *hovor. (centrum)* down-town

**mestský** urban, town, city; *m-á štvrť* ward; *m-á radnica* townhall; *m. úrad* municipal office

**mešec** purse; *(na tabak)* pouch

**mešita** mosque [mosk]

**meškať** be* late, delay; *(zaostávať)* hold* back; *(s platbou)* default, overdue; *hodinky m-jú* the watch is slow

**mešťan** citizen, towns man

**meštiak** bourgeois

**meštiacky** bourgeois

**méta** *kniž.* goal, aim

**metať** throw*, fling*, cast*
**metelica** snowstorm, blizzard
**meteor** meteor
**meteorit** meteorite ['mi:tjə-rait]
**meteorológia** meteorology
**meter** metre
**metla** broom; *(prútená)* besom
**metóda** method
**metro** underground, tube; *AmE* subway
**metropola** metropolis
**miasť** confuse
**miazga** 1. sap 2. *(v tele)* lymph
**miecha** spinal cord
**mieniť** *(mať na mysli)* mean*; *(domnievať sa)* believe, think*; *(mať v úmysle)* mean*, intend, be* going (to) • *člověk m-i, Pán Boh mení* man supposes and God disposes
**mienka** opinion, judgement; view; *podľa mojej m-ky* in my view
**mier** peace; *uzavrieť m.* make* piece; *porušiť m.* break* (the) piece; *podpísať m-ú zmluvu* sign a peace treaty
**miera** measure; *(zistenie)* measurement; *(veľkosť)* size; *(meradlo)* gauge

[geidž]; *do určitej m-y* to a certain extent; *nepozná m-u* he knows no bounds
**mieriť (na)** aim at; *(smerovať)* head
**mierniť** moderate, mitigate; *(bolesť)* ease, relieve; *(tíšiť)* calm down, cool, pacify
**mierny** gentle, temperate; *(pokojný)* peaceful, smooth; *(strednej miery)* medium, moderate; *(o počasí)* mild
**mierový** peaceful
**mierumilovný** pacific, peaceful
**miesiť** blend, mix; *(cesto)* knead [ni:d]
**miestenka** seat/reservation ticket; *kúpiť si m-u* reserve/book a seat
**miestnosť** room, the premises
**miestny** local
**miesto** 1. *(voľný priestor)* place, room; *(zemepisné)* locality; *(poloha)* situation 2. *(na sedenie)* seat; *(stavebné)* site; *m. určenia* destination; *(práve to, určité)* spot; *(pobytu)* residence; *(zamestnanie)* post, position; *(voľné)* vacancy 2. *(namiesto)* instead of
**miestokráľ** viceroy

**miestopis** topography
**miestoprísažný** affidavit
**miešať** stir; *(zmiešať)* blend, mix; *m. karty* shuffle (cards) // **m. sa** meddle with/in, involve
**migračný** migratory
**mihalnica** eyelash
**mihnúť sa** flash, swish
**mihotať sa** twinkle
**mihotavý** flickering, glittering
**mikrób** microbe; *(bacil)* germ
**mikrofón** microphone
**mikroskop** microscope
**mikroskopický** microscopic
**mikrovlnný** microwave
**milá** sweetheart, beloved; *(vzácna)* dear, *(sympatická)* nice; *(s ktorou chodím)* girlfriend
**míľa** mile
**miláčik** darling, honey; *(domáce zvieratko)* pet
**milenec** lover, sweetheart
**milenka** mistress
**miliarda** milliard; *AmE* billion
**milícia** militia
**milimeter** milimetre
**milión** million
**milionár** millionaire
**míľnik** milestone
**milodar** *(gift out of)* charity; *(almužna)* alms

**milosrdenstvo** mercy; *z m-a* from compassion
**milosrdný** merciful, pitiful
**milosť** grace; *(súcit)* mercy; *(omilostenie)* pardon; *(Vaša M. – oslovenie)* Your Honour
**milostivý** gracious, merciful
**milovaný** beloved
**milovať** love; *(mať v obľube)* like, be* fond of // **m. sa** make* love
**milý** dear, nice; *(s ktorým chodím)* boyfriend
**mimo**[1] *prep.* except, out of
**mimo**[2] *adv* aside, outside; *m. miesta* extramural
**mimochodom** by the way, incidentally
**mimoriadny** extraordinary, special, remarkable
**mimoškolský** out-of-school
**mimoústavný** extramural
**mimovoľný** involuntary, automatic
**mína** mine
**míňať 1.** spend* **2.** *(ísť okolo)* pass by **3.** *(netrafiť)* miss // **m. sa** run* short
**minca** coin
**mincovňa** mint
**minerál** mineral
**miniatúra** miniature
**minimum** minimum
**minister** minister; *AmE*, Secretary of the State

**ministerský** ministerial; *m. predseda* Prime Minister, Premier

**ministerstvo** ministry; *(v USA)* departement; *m. vnútra* Home Office; *AmE* Ministry of Interior; *m. zahraničných vecí* Ministry of Foreign Affairs/*AmE* State Department

**miništrant** server, acolyte

**miništrovať** serve (a mass)

**mínomet** mine-thrower

**minorita** minority

**minule** last time; *(nedávno)* recently

**minulosť** past, history

**minulý** past; *(predchádzajúci)* last, previous; *m. čas gram.* Past Tense

**minuloročný** last year's

**mínus** minus, less; *hovor. (nedostatok)* drawback

**minúť** p. **míňať**

**minúť sa 1.** *(o čase)* pass **2.** *(netrafiť, nestretnúť sa)* miss **3.** *(o zásobách)* to run short/out of supplies

**minúta** minute

**misa** dish, bowl; *(záchodová)* lavatory pan

**misia** mission

**misionár** missionary

**miska** small bowl; dessert dish; *(váh)* scale

**mixér** mixer, blender

**mizerný** miserable, wretched; *hovor.* rotten, paltry

**mizina** ruin; *vyjsť na m-u* be* ruined

**miznúť** vanish, fade; *(z dohľadu)* disappear

**mláďa** young; *(zvieracie)* cub

**mládenec** lad, young man, youngster; *starý m.* bachelor

**mládež** youth

**mladistvý** youthful, young, *práv.* juvenile

**mladnúť** grow*/become* young

**mladomanželia** married couple; *hovor.* newlywed(s)

**mladosť** youth, young days

**mladoženích** bridegroom

**mladucha** bride

**mladý** young, youthful; *m-ší z rodiny* junior

**mláka** pool, puddle

**mľaskať** *(pri jedle)* smack; *(jazykom)* click

**mláťačka** treshing-mashine, thresher

**mlátiť** thresh; *m. prázdnu slamu* wag o's tongue

**mlčanie** silence

**mlčanlivý** taciturn, discreet; *(tichý)* silent, quiet

**mlčať** be*/keep silent • *m. jako ryba* be* as mute as a fish

**mlčky** silent(ly)
**mletý** ground, mince
**mlieč** *bot.* milkweed
**mliečie** milt
**mliečny** milky; *m. chrup* milk-teeth; *m. dráha* milky way; *m. bar* milk-bar
**mliekáreň** dairy ['deəri]
**mlieko** milk; *kyslé m.* sour milk; *plnotučné m.* whole milk; *nízkotučné m.* skimmed milk
**mlieť** grind*, mill; *(rapotať)* chatter
**mĺkvy** silent, quiet; *(nemý)* mute
**mlok** salamander, newt
**mlyn** mill; *veterný m.* windmill
**mlynár** miller
**mlynček** grinder; *(na mäso)* mincer
**mňaučať** miaow
**mňam** yum(my) [ja(mi)]
**mních** monk
**mníška** nun
**mnoho** much, many; a lot of *(veľká časť)*, a good (great)deal, plenty of; *veľmi m.* great many
**mnohobožstvo** polytheism
**mnohonásobný** manifold, multiple
**mnohorakosť** plurality, diversity, variety
**mnohostranný** manysided;

*odb.* multilateral; *(o činnosti)* versatile
**mnohovravný** talkative
**mnohoznačný** ambiguous
**mnohoženstvo** polygamy
**mnohý** *(nejeden)* many a; *m-í* plenty of/a lot of
**množina** set
**množiť** multiply // **m. sa** multiply, increase, reproduce
**množné číslo** *gram.* plural
**množstvo** quantity, amount; *(hojnosť)* multitude
**mobilizácia** mobilization
**mobilizovať** mobilize; *(burcovať)* rouse, incite
**mobilný** *(prenosný)* mobile; *m. telefón* cell phone
**moc** power; *(právomoc)* authority; *(násilie)* force; *(vláda)* rule; *plná m.* power of attorney; *dostať sa k m-i* come* to power
**mocnina** *mat.* power; *druhá m.* square; *tretia m.* cube
**mocniteľ** exponent
**mocnosť** power; *(geol. hrúbka)* thickness
**mocný** powerful, mighty; *(statný)* strong, brawny; *m. hlas* loud voice
**moč** urine
**močarina** bog, marsh, swamp
**močiť 1.** urinate; *hovor.* piss

**2.** *(namáčať)* wet, moisten, soak

**močovka** dung water

**močový** *m. mechúr* bladder

**móda** fashion, style, vogue; *byť v m-e* be* in (fashion); *nebyť v m-e* be* out of fashion

**model** model

**modelár** designer

**modelovať** model

**modernizovať** update

**moderný** fashionable; *(súčasný)* modern, trendy

**modistka** milliner

**modla** idol

**modliť sa** pray

**modlitba** prayer

**módny** fashionable; *m-a prehliadka* fashion show

**modrina** bruise

**modrý** blue

**mohamedán** Mohammedan

**mohér** mohair

**mohutný** big, powerful, mighty, robust; *m-é úsilie* vigorous effort

**mohyla** barrow; *(pamätník)* monument

**mokrý** wet; *(daždivý)* rainy; *(premočený)* drenched (in)/soaked (to)

**mokvať** ooze; *(vytekať)* trickle

**mol** *hud.* minor; *m-ový akord* flat chord

**moľa** moth

**molekula** molecule

**molekulárny** molecular

**molitan** plastic foam

**mólo** pier, mole; *(na módnej prehliadke)* catwalk

**moment** moment; *(okamih)* instant

**momentka** snapshot; *urobiť m-u* snap

**monarcha** monarch

**monarchia** monarchy

**monogram** monogram, initials

**monopol** monopoly

**montáž** fitting, assembly; *m-na linka* assembly line

**montér** fitter, mechanic, assemble

**montérky** overalls, dungarees

**montovať** fit, assemble, set up

**monumentálny** monumental

**monzún** monsoon

**mor** pest, plague [pleig]

**mora** *(zlý sen)* nightmare; *(nočný motýľ)* night moth

**morálka** *(mravnosť)* morals; *(disciplína)* morale

**Morava** Moravia

**Moravan** Moravian

**morča** guinea-pig [ginipig]

**more** sea; *pri m-i* at the seaside; *za m-om* oversea(s)

**moreplavec** seafarer, mariner, navigator

**moreplavectvo** navigation

**moriť 1.** *(mučiť)* torment, torture, molest **2.** *(drevo)* stain // **m. sa** struggle (with), rack o's brains (over)

**morka** turkey (hen)

**morský** sea, marine; *(o rybách)* salt-water; *m-á choroba* seasickness; *mať m-ú chorobu* be* seasick; *m-é pobrežie* seaside, seacoast, seashore; *(námorný)* maritime; *m-é riasy* seaweed

**moruša** mulberry (tree)

**morzeovka** *hovor.* Morse code

**mosadz** brass

**mosadzný** brass

**moskyt** mosquito; *AmE* skeeter

**most(ík)** bridge; *anat.* pons; *šport.* springboard; *lodný m-ík* gangplank

**moták** *hovor.* reel

**motať** wind* up, reel // **m. sa** reel; *(v hlave) spin, m-á sa mi hlava* I'm dizzy; *(bez cieľa)* roam

**motív** motive; *(pohnútka)* incentive, reason

**motivácia** motivation; *chýba mi m.* I lack motivation

**motocykel** motorbike

**motor** motor, engine

**motúz** cord, string

**motyka** hoe

**motýľ** butterfly

**motýlik** *(doplnok)* bow tie

**mozaika** mosaic

**mozog** brain; *odb.* cerebrum

**mozoľ** callosity, callus

**možno** perhaps, maybe; *m. máte pravdu* you may be right

**možnosť** possibility, chance, alternative; *(šanca)* opportunity; *(vybavenie)* facility; *skryté m-i* inner resources

**možný** possible, potential

**môcť** can* *(opisne)* be* able to; *môžem* I can, I may

**môj** my, mine

**mračiť (sa) 1.** *(o počasí)* be*/become* cloudy **2.** *(o ľudoch)* frown (at)

**mrak** cloud

**mrákava** heavy clouds

**mrakodrap** skyscraper

**mrákota** *(mdloba)* swoon

**mramor** marble

**mraštiť (sa)** wrinkle

**mraučať** whimper, miaou

**mrav** manners, habits

**mravec** ant

**mravenisko** anthill

**mravnosť** morals; morality; *(slušnosť)* decency

**mravný** moral, decent

**mráz** frost • *príde na psa m.* every dog has his day

**mrazenie** *pren.* shiver

**mrazený** frozen, iced

**mraziť** freeze*, chill

**mrazivý** frosty, freering; *m. vietor* chilly wind

**mraznička** freezer

**mrazuvzdorný** frost-proof

**mrcina** *(zdochlina)* carcass

**mrena** *(ryba)* barbel

**mreža** bar, grill

**mrhať** trifle away, waste

**mrholiť** drizzle

**mrcha** *(zlá žena)* shrew; *(mršina)* hack

**mriežka** *(ochranná)* fender; *výp.* hash

**mrkať** *(očami)* blink, wink

**mrkva** carrot

**mrnčať** whine, whimper; *dieťa m-í* the baby is grizzling

**mrož** walrus

**mŕtvica** apoplexy, stroke; *ranila ho m.* he had a stroke

**mŕtvola** corpse; *živá m.* zombie

**mŕtvy** dead, inanimate; *(pôda)* barren soil; *m. kapitál* idle capital

**mrviť sa** *(vrtieť)* fidget; *(chlieb)* crumble

**mrzačiť** cripple, maim

**mrzák** cripple, disabled

**mrzieť** worry about; *mrzí ma, že* I am sorry that

**mrzký** *(škaredý)* ugly; *(zlý)* nasty

**mrznúť** freeze*

**mrzutosť 1.** *(nepríjemná vec)* annoyance, trouble **2.** *(zlá nálada)* ill humour

**mrzutý 1.** *(nepríjemný)* annoying, unpleasant **2.** *(o ľudoch)* peevish, bad-tempered, cross

**mučeník** martyr

**mučenie** torture

**mučiť** torture; *(duševne)* torment

**múčnik** dessert, cake; *(jedlo)* pastry

**mudrc** sage, wise man

**múdrosť** wisdom, sagacity

**múdry** wise, clever, intelligent; *(bystrý)* sagacious

**mucha** fly

**muchotrávka** toadstool

**muka** torture, suffering, agony

**múka** flour; *(hrubá)* oatmeal

**mul** *zool.* mule

**múmia** mummy

**mumlať** mumble, mutter

**munícia** ammunition

**múr** wall

**murár** mason, bricklayer

**murovaný** brickbuilt*; *(zamurovaný)* wall in

**musieť** be* obliged to, have* to; *musím* I must

**muškát** *bot.* geranium; *(víno)* muscat; *m-ový oriešok* nutmeg

**mušľa** mussel, shell

**mušt** must; *(jablkový)* cider

**mutácia** mutation, alteration; *(zmena hlasu)* breaking of voice

**mútiť** stir; *(maslo)* churn

**mútny** muddy, troubled

**múza** *(bohyňa)* the Muse, muse

**múzeum** museum

**muzikál** musical comedy

**muž 1.** man, **2.** *(manžel)* husband; *hovor.* hubby

**mužnosť** virility

**mužný** virile, manly

**mužský** masculine; *m-á rola* male part

**mužstvo** crew; *šport.* team

**my** we; *(sami)* ourselves; *m. obaja* both of us

**mydliny** *(soap)* suds

**mydliť** soap; *(pri holení)* lather

**mydlo** soap

**myknúť (sa)** jerk, jolt

**mýliť** *(zavádzať)* mislead*; *(klamať)* deceive; *(miast)* confuse, puzzle // **m. sa** be* mistaken, be* wrong, err

**mýlka** error, mistake

**mylný** erroneous; *(nepravdivý)* misleading

**myrta** myrtle ['mə:tl]

**mys** cape

**myseľ** mind; *prísť na m.* occur to so.

**myslieť** think*, suppose; *AmE* guess, rekon; *myslím, že áno* I think so

**mysliteľ** thinker

**mystický** mystic(al)

**myš** mouse

**myšlienka** thought; *(nápad)* idea; *(téma)* motif; *(zámer)* intention

**mýto** toll; *(clo)* duty

**mytológia** mythology

**mýtus** myth

**mzda** pay; *(týždenná, mesačná)* wage'(s); *(ročná)* salary; *m-ové výdavky* labour costs

# N

**na** on, upon; *(na stole)* on the table; at *(na stanici)* at the station; for *(na okamih)* for a moment; *na pr-vý pohľad* at first sight; *na ulici* in the street; *štvrť na päť* a quater past four; *na dosah ruky* within reach;

of *(príčina)* umrieť na *infarkt* die of a heart stroke; *bývať na dedine* live in a village; *na predaj* for sale

**nabádať** urge, spur, incite, stimulate

**nabažiť sa** get* fed up with sth., have enough

**naberačka** ladle, scoop; *(murárska)* trowel

**naberať 1.** ladle **2.** *(látku)* fold

**nabíjačka** charger

**nabíjať** charge; *(zbraň)* load

**nabitý 1.** *(o zbrani)* loaded **2.** *(elektrinou)* live **3.** *(preplnený)* crammed, crowded

**nablízku** nearby, around

**náboj** charge; *(patrón)* cartridge

**nábojnica** shell

**nabok** aside; *dať n.* put aside

**nábor** enlistment, campaign, recruitment

**naboso** (on) barefoot

**náboženský** religious

**náboženstvo** religion

**nábožný** religious, pious

**nabrať** take*, draw*, fill up

**nábrežie** embankment, quay [ki:']

**nabrúsiť** sharpen; grind*, edge

**nabudúce** in future, next time

**nabúrať** crash, damage, have* an accident

**nábytok** furniture; *sektorový n.* unit furniture

**nacionálie** *(osobné údaje)* personal data

**nacionalizmus** nationalism

**nacista** Nazi

**nacvičiť** study, drill, train

**nácvik** training, practice

**načas** on time; *(včas)* in time

**načasovať** time

**náčelník** chief; head, leader

**načiahnuť (sa)** reach

**načierniť** black(en)

**náčinie** implements; *(kuchynské)* kitchen utensils; *(turistické)* kit

**načo** what for, why

**náčrt** outline, sketch

**načrtnúť** outline, sketch, make a draft

**náčrtník** sketch-book

**náčrtok** sketch

**načúvať** listen to; *(tajne)* leavesdrop

**nad** above; *(priamo nad)* over; *(viac ako)* over; *(nadmieru)* beyond; *n. moje očakávanie* beyond my expectations

**nadácia** foundation

**naďalej** henceforth, henceforward

**nadanie** talent; *(dar)* gift

**nadaný** gifted, talented

**nadarmo** in vain

**nadávať** call names, insult; *(kliať)* swear

**nadávka** insult, swearword, bad language

**nadbehnúť (si)** take* a short cut, outrun*

**nadbytočný** superfluous [sju'pə:fluəs]

**nadbytok** abundance, surplus, excess

**nadčas** overtime

**nadčasový** everlasting, overtime

**nadčlovek** superman

**nádej** hope, prospect, expectation

**nádejný** hopeful, promising

**nádenník** *hovor.* navvy [næviʲ], day-labourer

**nádhera** splendour, magnificence

**nádherný** splendid, magnificent, gorgeous

**nadhodnota** surplus value

**nadhodnotiť** overvalue

**nádcha** cold, runny nose

**nadchnúť** inspire // **n. sa** be enthusiastic about sth.

**nádielka** distribution of gifts; *(vianočná)* Christmas box

**nadiktovať** *(list, podmienky)* dictate; *(rozkázať)* order; *(nanútiť)* force

**nadlaktie** upper arm

**nadľudský** superhuman

**nadmerný** excessive; *(o veľkosti)* oversized

**nadmieru** exceedingly

**nadmorský** above sea level

**nadnes** for today

**nadnášať** float

**nádoba** vessel; *(na odpadky)* dust-bin, container

**nadobro** for good, completely

**nadobudnúť** acquire, gain; *(bez úsilia)* come* by; znovu n. retrieve; n. platnosť go* into effect

**nadobudnutie** acquisition

**nadol** down; *(v budove)* downstairs

**nádor** tumour [tju:mə]

**nadovšetko** above all

**nadpis** *(kapitoly)* heading; *(knihy, článku)* title; *(v novinách)* headline

**nadpočetný** surplus; *(hodiny)* extra

**nadpolovičný** more than a half; absolute

**nadporučík** lieutenant [leftənənt]; *let.* officer

**nadpozemský** unearthy

**nadpráca** surplus work

**nadpriemerný** above the average

**nadprirodzený** supernatural

**ňadrá** breast; bosom

**nadriadenosť** superiority

**nadriadený** superior, senior, boss

**nadrobiť** crumble

**nádrž** basin; tank, container; *vodná n.* water reservoir

**nadržať** patronize so., back up so., favour

**nadstavba** superstructure

**nadstranícky** impartial, above parties

**nadšenec** fan, enthusiast

**nadšenie** enthusiasm; *(horlenie)* zeal

**nadšený** enthusiastic, zealous

**nadutec** swell, snob

**nadutý** haughty, conceited, stuck-up

**nadúvať (sa)** swell, puff up

**nadváha** overweight

**nadviazať** *(styky)* open up, enter into relations, establish relations; *(spojiť)* tie, connect

**nadvláda** *(prevaha)* supremacy, hegemony; *(ovládanie)* domination, rule

**nádvorie** court(yard)

**nadvýroba** overproduction, surplus

**nádych** *(odtieň)* colour shade, tinge, tint; *(vzdych)* breath in

**nadýchať sa** inhale, take in

**nadzvukový** supersonic

**nadživotný** above life-size

**nafta** oil, petroleum; *n-ové pole* oil-field

**nafúkaný** conceited, arrogant, haughty

**nafúknuť** inflate, blow up

**nafukovať** puff up, blow up* // **n. sa** put* on airs, boast

**nahadzovať 1.** *(na voz a pod.)* throw* in/down/up **2.** *(stenu)* rough-cast

**naháňačka** *(hra)* chase, tag

**naháňať 1.** *(utekať za niekým)* chase, run after **2.** *(niekoho do niečoho)* drive so. into sth. **3.** *(súriť)* urge

**nahlas** loud, loudly; *hovoriť n.* speak* out/up

**náhle** suddenly, all at once

**nahliadnuť** *(do)* look (into), peep (into); *(letmo)* scan

**náhliť (sa)** hurry, hasten; *(súriť)* urge

**náhlivý** hasty, hurrying

**nahluchlý** hard of hearing

**náhly** *(nečakaný)* abrupt, sudden

**nahmatať** touch, feel*

**nahnevaný** angry, cross • *n. ako čert* as black as a thunder

**nahnevať sa** be*cross (at), be*/get* (with)

**nahnúť(sa)** incline, bend*

**náhoda** chance; *(nešťastná)*

accident; *(šťastná)* fortune, a stroke of luck; *(zhoda okolností)* coincidence

**náhodný** accidental, random

**náhodou** by chance, by coincidence; *ani n.* no way

**náhon** drive

**nahor** *AmE* upward(s); up; *(po schodoch)* upstairs

**náhorný** upland, plateau

**nahota** nakedness, nudity

**nahovárať** *(si dievča)* woo, court; *(presviedčať)* persuade; *(na zlé veci)* abet, incite

**náhrada** compensation, amendments; *(škody)* indemnity

**nahradiť 1.** compensate, make up for; *(vrátiť výdavky)* reimburse **2.** *(dosadiť na miesto)* replace; *(zastúpiť)* substitute

**nahraditeľný** replaceable

**náhradník** substitute; *šport.* reserve, stand-in; *(pracovník)* odd man

**náhradný** reserve, spare

**nahrať** *(záznam)* record; *(prihrať)* pass; *n. na gól* assist

**náhrdelník** necklace

**nahrnúť sa** crowd, gather, assemble

**náhrobok** tomb(stone), gravestone

**nahromadiť** accumulate, heap; *(nakopiť)* pile up

**nahrubo** thickly, in big peaces

**náhubok** *(zvierací)* muzzle

**nahuckať** *(na)* to set on/at sb., incite against

**nahustiť** pump up, inflate

**nahý** *(bez šiat)* naked, nude; *(holý)* bare

**nachádzať** find* // *n. sa* be* situated

**nachladnúť** get*/catch* cold

**nachýliť sa** stoop, bend

**náchylnosť** inclination, tendency

**náchylný** *(na)* bent on; inclined to, disposed

**nachytať** catch*; *hovor.* fool; *(prichytiť pri)* to nab

**naisto** for sure/certain

**naivný** naive

**najať** *(služby za peniaze)* hire; *(do nájmu)* rent; *(na zmluvu)* lease

**najavo:** *vyjsť n.* become* evident, come* to light

**nájazd** raid; *šport.* run-on; *(na diaľnicu)* sliproad, inroad; *(vpád)* invasion

**najbližší** next

**nájdenec** foundling

**najímať 1.** *(zamestnanca)* engage **2.** *(loď)* chart **3.** *(byt)* hire

**najhorší** worst

**najhoršie** worst; *prinajhoršom* at worst

**najlepší** best

**najlepšie** best

**najmä** especially; in particular

**najmenej** least; *(aspoň)* at least

**najmenší** least, smallest; *ani v najmenšom* not in the least; *prinajmenšom* at least

**nájom** *(služby)* hire; *(podľa zmluvy)* lease; *(nemovitosti)* rent

**nájomné** rent

**nájomník** tenant, lodger

**najprv** first(of all), at first; *(najskôr)* in the first place; *čím skôr* as soon as possible

**nájsť** find*; *(náhodou)* come* across

**najväčší** *(možný)* utmost

**najväčšmi** most(ly)

**najviac** the most

**najvyšší** supreme; *n-ia moc* supremacy • *Na-í súd* Supreme Court

**nákaza** infection; contagion

**nakaziť** infect; *(stykom)* contaminate; *(nečistotou)* taint

**nákazlivý** infectious, contagious; *n-á choroba* infectious disease

**náklad** 1. *(bremeno)* load, freight; *(lodný)* cargo, bulk 2. *(výdavok)* cost, expense, charge 3. *(počet výtlačkov)* circulation, number of copies

**nakladať** 1. *(na voz)* load, freight 2. *(konzervovat)* conserve, pickle

**nakladateľ** publisher

**nakladateľstvo** publishing-house

**nákladný** 1. goods, cargo; *n. vlak* goods train; *n-é auto* lorry, *AmE* truck; *(voz)* waggon; *(loď)* cargo ship; 2. *(drahý)* costly, expensive

**naklonený** 1. slanting, inclined 2. *(niečomu)* partial to sth.

**nakloniť sa** incline, lean, bend

**náklonnosť** inclination, affection; *(priazeň)* favour

**nakoniec** finally, in the end, after all

**nakopiť** heap/pile up

**nákova** anvil

**nakrátko** in short, briefly; *držať niekoho n.* have a firm hand over so.

**nákres** drawing, sketch

**nakrivo** aslant, crookedly

**nakrútiť** wind*; *(film)* shoot; *(vlasy)* curl

**nakuknúť** (do) peep *(into)*

**nákup** shopping; *(tovar)* purchase, buy

**nakupovať** shop, go\*/do\* shopping

**nákyp** pudding

**nalačno** on a hungry stomach

**nálada** mood, temper; *v zlej n-e* out of humour; *mať výbornú n-u* be in high spirits

**naladiť 1.** *(hudobne)* tune **2.** *(rádio)* tune in

**náladový** capricious [kəˈpriʃəs], moody

**nalakať** frighten // **n. sa** get\* scared

**nalakovať** varnish

**naľavo** (on the) left, to the left

**nalepiť** stick\*; *(fotografiu, mapu)* glue

**nálepka** label, sticker

**nálet** air-raid

**nález** find; *(objav)* discovery; *lekársky n.* medical finding; *straty a n-y* Lost Property Office

**nálezca** finder

**náležitý** proper, appropriate

**naliať** pour

**naliehať** insist on sth., urge, press

**naliehavý** pressing, urgent

**nalodiť** ship // **n. sa** embark

**nálož** charge

**naložiť** load; *(ľudmi)* embark; *(konzervovať)* preserve, pickle

**namáčať 1.** dip in **2.** *(bielizeň)* soak

**námaha** effort

**namáhať sa** exert os., strain; *n. sa zo všetkých síl* strive hard

**namáhavý** tiring, difficult, strenuous

**namaľovať** paint

**namastiť** grease, lubricate, oil

**námesačník** sleepwalker, somnambule

**námestie** place, square; *(kruhové)* circus

**námestník** *(riaditeľa)* deputy; *(ministra)* under-secretary, deputy minister; *(predsedu)* vice-president

**námet** subject matter, topic, theme

**námedzný** hired; *n-á práca* wage labour

**namieriť** aim, point, head (for); *(zbraň)* level (at)

**namiesto** instead of

**namietať** *(proti)* object, mind

**námietka** objection, protest

**namočiť** soak, dip

**námorník** mariner, sailor; *odb.* seaman

**námorný** naval, marine,

maritime; *n. prístav* sea port

**námraza** frost cover

**namrzený** sullen, grouchy

**namydliť** soap; *(pri holení)* foam

**namyslený** conceited, haughty, self-important

**nanajvýš** at the utmost, at (the) most

**nanič** worthless, useless, good for nothing, of no use • *je mi n.* I feel queer/sick

**naničhodník** wretch, scoundrel; *slang.* rotter

**naničhodný** good-for-nothing

**nános** deposit, sediment

**nanovo** afresh, anew, newly

**naobedovať sa** have* lunch (dinner)

**naopak** on the contrary, on the other hand; *opačným smerom* backwards; *vnútrom von* inside out; *hore nohami* upside down; *a n.* vice versa [vais və:sə]

**naostriť** sharpen

**naozaj** really, indeed

**naozajstný** true, veritable

**nápad** idea, fancy • *to je n.!* what an idea!

**nápadník** wooer, suitor, admirer

**napadnúť 1.** *(niekoho)* attack, assault **2.** *(práv. tvrdenie)* contest **3.** *(myšlienka)* occur, get an idea

**nápadný** conspicuous, striking

**napáliť** *(oklamať)* cheat, monkey up sb.

**naparovať sa** *(chvastať)* boast, *hovor.* brag; *(nad parou)* steam

**napätie** tension, stress; *elektr.* voltage; *(vypätie)* strain; *(nervové vzrušenie)* thrill

**napätý** tense

**napichnúť** stick*, pin; pierce

**napínadlo** stretcher

**napínavý** thrilling

**nápis** isncription, notice, sign; *(náhrobný)* epitaph

**napísať** write* (down), put* (down) • *n. pár riadkov* drop a line

**napiť sa** have* a drink

**náplasť** plaster

**naplavenina** deposit, silt

**náplň** filling, contents; cartridge

**naplniť** fill (up)

**naplno** fully; at full stretch

**napľuť** spit*

**napnúť** stretch; *(príliš)* strain; *(utiahnutím)* tighten; *(nervy)* thrill; *(vlajku)* put* up

**napnutý** tight, stretched

**napodobnenina** imitation; *(bezcenná)* fake

**napodobniť** copy, imitate

**nápoj** drink, beverage; *liehové n-e* spirits, alcoholic drinks; *nealkoholický n.* soft drink

**napojiť** *(elektr., vodu)* lay* on, feed; *(pripojiť)* attach

**napokon** finally, at last, after all; *(vlastne)* anyway

**napolo** half-, halfway; in two

**napoludnie** at noon

**napomáhať** help, assist, suppost; *(zločinu)* abet

**napomenúť** admonish, rebuke; *(dohovárať)* reprove

**napomenutie 1.** admonishion, warning **2.** *(upomienka)* reminder

**nápomocný** helpful

**nápor** storm, attack, stress; impact

**napospas** at the mercy of so.; *vydať n.* leave* to the mercies of so.

**napovedať** prompt, hint

**náprava 1.** remedy, reformation **2.** *(voza)* axle

**napraviť** right; *(opraviť)* correct; *(odstrániť zlo)* remedy// **n. sa** improve

**nápravné zariadenie pre mladistvých** youth treatment centre

**napravo** (to the) right

**napred 1.** forward **2.** in advance, beforehand, first; *hodinky idú n.* the watch is fast

**napredovať** advance, go* forward; *(vyvíjať sa)* make* progress

**napriamiť (sa)** straighten (up/out)

**naprieč** across

**napriek** *(navzdory)* in spite of , despite of; *(naschvál)* on purpose; *(hoci)* although

**napríklad** for instance, for example; *skr., napr.* e.g.

**naproti** opposite, across • *n. tomu* on the other hand

**náprstok** thimble

**napuchnúť** inflate, swell

**napuchnutý** swollen

**napumpovať** pump, inflate

**napustiť** let* in, run*; *n. vaňu* run the bath

**narábať** handle, manipulate, use

**náradie** *(remeselnícke)* tools, implements; *(kuchynské)* kitchen utensils

**náramok** bracelet

**naraňajkovať sa** have* breakfast

**narásť** grow* (up); *(zvyšovať sa)* increase

**naraz 1.** at one stroke, at a

blow, at the same time **2.** *(hned)* at once **3.** *(náhle)* suddenly

**náraz** *(silný)* impact; *(s otrasom)* shock; *(dunivý)* hump; *(vetra)* blast

**naraziť** bump, strike; meet* with resistance; collide; *n. sud* tap a cask, stumble

**nárazník** buffer; *AmE* bumper, fender

**narážka** allusion, hint; *robiť n-y* allude to

**narcis** narcissus; *žltý n.* daffodil

**nárečie** dialect

**nárek** lament, wail

**nárez** cold cuts, sliced salami, pastrami

**nariadenie** order, regulation; *zbierka zákonov a n-í* code of laws and decrees

**nariadiť** order, command, direct; *(úradne)* decree

**nariekať** complain, lament, cry, wail

**narkoman** drug addict

**narkotikum** opiate, narcotic

**narkotizovať** narcotize

**narkóza** anaesthesia

**náročný** exacting, demanding; *n. na čas* time-consuming

**národ** nation, people; *n-y* peoples

**narodenie** birth

**narodeniny** birthday • *všetko najlepšie k n-ám* many happy returns (of the day); Happy birthday!

**narodený** born

**narodiť sa** be* born

**národnosť** nationality

**národnostný** ethnic; *n-é menšiny* ethnic minorities

**národný** national; *n-é jedlá* national dishes; *n-é povedomie* national awareness, *n. hymna* national anthem; *n. kroj* national/folk costume

**národohospodárstvo** economics

**národopis** ethnography

**národovec** patriot

**nárok** claim; right; *(právny)* title, pretension; *robiť si n-y* lay claims to

**narovnať (sa)** straighten; *(upraviť)* adjust

**nárožie** street-corner

**narúbať** chop, cut

**naruby** upside-down, wrong side out(up), inside out

**náruč** armful, arms • *vziať do n-e* take into one's arms; *(objatie)* embrace

**narukovať** enlist; *hovor.* join the army

**narušiť 1.** *(prerušiť)* break*, violate; affect, interfere (in)

**náruživý** passionate, eager, keen, enthusiastic

**narýchlo** hurriedly, in a hurry

**nárys** outline, design

**narysovať** outline, draw\*

**násada** 1. *(rúčka)* handle 2. *(na ryby)* fry

**nasadiť** 1. set\*, put\*, fix 2. *(rastliny)* plant 3. *(život)* risk life

**násadka** *(pera)* penholder

**nasadnúť** *(na koňa)* get\* in mount; *(na vlak)* get\* on; *(do lietadla)* board, enter

**naschvál** on purpose, deliberately

**nasiaknuť** soak up, drench

**násilie** violence; *(porušenie práv)* outrage; *(fyzické)* force

**násilník** brute, tyrant, bully

**násilnosť** violence, brutality

**násilný** violent, brutal; *n-ý prepad* an assault; *(silený)* forced; *n. úsmev* forced smile

**nasilu** by force; *silou-mocou* by hook or by crook

**naskočiť** 1. *(do vozidla)* jump in(to) 2. *(o motore)* start

**náskok** start; *získať n.* get\* a start; *šport.* allowance

**naskrz** throughout, completely

**následník** successor

**následok** effect, consequence; *mať za n.* result in, entail; *n-kom niečoho* owing to sth.; in consequence of sth.

**nasledovať** 1. follow 2. *(po niekom)* succeed, come\* next 3. *(napodobňovať)* imitate

**nasledovne** as follows

**nasledujúci** following; *(ďalší)* next

**naslepo** blind; *(náhodne)* at random; *schôdzka n.* blind date

**nasliniť** wet (with saliva)

**násobenie** multiplication

**násobilka** multiplication table

**násobiť** multiply

**nasoliť** salt

**naspamäť** by heart

**naspäť** back; *pod n.* come back

**naspodku** underneath, at the bottom

**nasporiť** save

**nasťahovať sa** move into

**nastať** set\* in; *(o noci)* fall\*, be\*, begin\*

**nastávajúci** future, forthcoming, next; *n-a* future wife

**nastaviť** 1. *(nastrčiť)* put\* sth. before 2. *(stroj)* adjust, set\* 3. *(prekážku)* put\* out nástenka wall poster, news-board

nástenný mural, wall-; *n-á mapa* wall-map

nástojčivý pressing, urgent

nastoliť instal; *(otázku)* raise, introduce

nástraha snare, trap

nastrašiť frighten, scare

nástroj implement, tool; *(hud., lek. a pod.)* instrument; *bicie n-e* percussion

nástup 1. *voj.* forming ranks, line up 2. *(príchod)* coming 3. *(do služby)* entry on duty

nástupca successor

nástupište platform

nastúpiť 1. *(do radu)* form up 2. *(po niekom)* succeed to so. 3. *(do autobusu)* get* in/on, embus 4. *(do zamestnania)* take* up a post 5. *(na trón)* ascend; *n. dovolenku* take* o.s holiday

násyp earthwork, dike, bank

nasýtiť feed*; *(tekutinou a obrazne)* saturate

náš our, ours

našepkať suggest, hint; *(v divadle)* prompt, insinuate

naširoko widely, in detail

našiť sew on

naštastie fortunately, luckily

natáčať turn; *(film)* shoot*

natáčka curler

naťahovať (sa) hassle

natankovať fill up; *AmE* refill, tank

nateraz for the present, for the time being

náter paint; *(vrchný)* coat

natiahnuť 1. *(predĺžit)* stretch, extend 2. *(hodiny)* wind up 3. *(ruku)* reach out • *n. niekoho (hovor.)* pull one' leg // *n. sa* sprawl, stretch out

natierať paint, coat

nátierka spread

nátlak pressure

natrafiť come* across

natrhnúť *(slabo roztrhnúť)* rip; *(po dĺžke)* slitt

natriasať (sa) shake*, toss

naturálie natural products

náučný *n. slovník* encyclopaedia [ensiklo'pi:diə]

naučiť teach*, instruct // *n. sa* learn*

náuka doctrine, science

náušnica earring

navádzať instigate; *let.* home

nával crowd; *(kašľa)* fit; *(krvi)* rush

naveky for ever

návesť signal

navinúť roll up; *(na cievku)* reel

navlhčiť moisten, dampen

**navliekať** thread*; *(na šnúru)* string*

**navnadiť** bait, allure

**návod** instructions, guide

**navonok** outwardly

**navoskovať** wax

**návrat** return, comeback

**návratnosť** *(investícií)* rate of return

**návratka** return receipt

**navrátiť** return, give* back

**návrh** proposal, sugestion; *(konštrukčný)* design, project; *AmE* proposition

**navrhnúť** propose; *(zdvorilo)* suggest; *(vo výrobe)* design

**návršie** hilltop

**navŕšiť** pile(up), heap up, accumulate

**návšteva** visit, call; *(školy)* attendance

**návštevník** visitor, caller; *(divadla)* theatre-goer

**navštevovať 1.** visit, see*, call on; *(často)* frequent, haunt **2.** *(školu)* attend

**navštíviť** go*/come* and see, come round, call on; *(tiež mesto)* visit; *(formálne)* pay a call/visit; *(krátko)* drop in

**navštívenka** visiting/calling card

**návyk** custom, habit

**navyknutý** accustomed, be* used to

**navyknúť si** get* used to/accustom (to)

**navzájom** one another, each other, mutually

**navzdory** despite of, in spite of

**navždy** forever, for good • *raz (a) n.* once and for all

**nazad** back(wards); *daj to n.* put it back

**nazdar** *interj. (pri stretnutí)* hallo; hullo; *(pri lúčení)* cheerio; *(pri nástupe)* huray

**nazdať sa** *(pomyslieť)* believe; *(domnievať sa)* assume; *(nebyť si istý)* reckon, guess

**nazerať** look upon

**nazlostiť** make* angry, irritate

**nazmar:** *prísť n.* go* to waste/pot; *(byť zničený)* go* to rack and ruin

**naznačiť** indicate; hint; *(nepriamo)* insinuate; *(načrtnúť)* outline

**naznak** on the back

**náznak** suggestion, indication, sign

**názor** opinion, view; *podľa môjho n-u* in my opinion, to my mind

**názorný** illustrative, visual; *n-é pomôcky* visual aids

**názov** name, title

**nazrieť** look into; *(do knihy)* look up; have a look

**nazvať** call, name; *(dať názov)* to (en)title

**názvoslovie** terminology

**nazývať** call, name; be* named, be* called

**nažívať** get* along with; get on

**naživě** alive

**naživo** live

**nažltlý** yellowish

**nealkoholický** nonalcoholic; *n. nápoj* soft drink

**neandertálsky** Neanderthal [ni'ændətə:l]

**nebadaný** unnoticed

**nebeský 1.** celestial **2.** *(nábožensky)* heavenly

**nebezpečenstvo** danger, risk; *(ohrozenie)* peril, jeopardy

**nebezpečný** dangerous, perilous, risky

**nebo** *(obloha)* sky; *(nábožensky)* heaven

**nebohý** dead; *(zosnulý)* deceased

**nebojácny** fearless

**nebožiec** auger; *(jemný)* gimlet ['gimlit]

**nebožtík** the late, departed

**nebývalý** unprecedented, uncommon, unheared

**necitlivý** insensible, indifferent

**necivilizovaný** uncivilized; *(divoch)* savage

**necudný** shameless, obscene, indecent

**nečakaný** unexpected

**nečas** bad weather

**nečestnosť** *(nepoctivosť)* dishonesty; *(bezcharakternosť)* lowness, baseness

**nečestný** dishonest, dishonourable, unfair

**nečinnosť** inactivity, idleness

**nečinný** inactive, idle

**nečistota** impurity, uncleanliness; *(špina)* dirt

**nečistý** impure; *(neporiadny)* untidy; *(špinavý)* dirty

**nečitateľný** illegible

**nečudo** no wonder

**nečujný** inaudible, soundless

**neďaleko** not far(from, off); *(blízko)* near

**nedávno** lately, recently, not long ago

**nedávny** recent

**nedbalosť** negligence; *(ľahostajnosť)* carelessness

**nedbalý** careless, negligent; *(oblečenie)* casual

**nedbať** neglect, disregard

**nedefinovateľný** undefinable, undefined

**nedeľa** Sunday

**nedeliteľný** indivisible

**nedemokratický** undemocratic

**nedisciplinovanosť** non-discipline, indiscipline

**nedobrovoľný** involuntary

**nedobytný** impregnable; *(bezpečný proti útoku)* safe; *n-á pokladnica* strong box; *n-á pohľadávka* uncollectible debt

**nedočkavosť** impatience

**nedočkavý** impatient; *(nepokojný)* uneasy, restless

**nedochvíľny** unpunctual

**nedokonalosť** imperfection

**nedokonalý** imperfect

**nedokončený** unfinished, incomplete

**nedonosený** miscarried

**nedopečený** underdone

**nedoplatok** arrears; *AmE* back payment; *n. na daniach* residual taxes

**nedorozumenie** misunderstanding

**nedoručiteľný** undelivered; *n. list* dead letter

**nedosiahnuteľný** unattainable

**nedoslýchavý** hard of hearing

**nedospelý** minor, underage; *(nezrelý)* immature

**nedostatočný** *(známka)* insufficient; *(kvalita)* inferior, unsatisfactory

**nedostatok 1.** *(núdza)* shortage, lack • *mať n.* be* short of sth. **2.** *(vada)* defect, shortcoming

**nedostupný** inaccessible; *(človek)* reserved

**nedotklivý** touchy, quick-tempered

**nedotknuteľný** inviolable; *(ako výsada)* immune

**nedotknutý** untouched; *(neporušený)* unaffected

**nedovolený** illicit; *(zakázaný)* prohibited

**nedôsledný** inconsistent, inconsequent

**nedôstojný** undignified, unworthy

**nedôvera** distrust, disbelief; *(podozrenie)* suspicion

**nedôverčivý** distrustful; *(pochybujúci)* mistrustful

**nedôverovať** distrust; *(spochybňovať)* doubt

**neduh** ailment, disorder

**neduživý** ailing, sickly, infirm

**nedvojzmyselný** unambiguous

**nefajčiar** non-smoker

**nefalšovaný** genuine, unadulterated, unforged

**neforemný** formless, shapeless

**neformálny** informal; *(nenútený)* casual

**negácia** negation
**negatív** negative
**negovať** deny, ingore
**negramotný** illiterate
**neha** tenderness; *(jemnosť)* gentleness; *(prítulnosť)* affection
**nehanblivosť** impudence
**nehanblivý** impudent, shameless
**nehľadiac na** apart from, regardless
**nehlasovať** abstain from voting
**nehlučný** noiseless
**nehmotný** immaterial
**nehnuteľnosť** real estate; *n-ý majetok* fixed/immovable assets
**nehoda** accident; *(drobná)* mishap; *(vážna)* casualty
**nehodný** unworthy, unsuitable
**nehorázny** wicked, arrant, awful
**nehospodárnosť** lack of economy, thriftlessness, wastefulness
**nehospodárny** thriftless, uneconomical
**nehostinný** inhospitable
**nehrdzavejúci** rustless, stainless
**nehumánny** inhuman
**nehybnosť** immobility
**nehybný** motionless, fixed

**nehygienický** unsanitary
**nehynúci** undying, immortal, imperishable
**nech** let*, be* it • *n. príde* let* him come; *n. žije...* three cheers for...; *(želanie)* may; *nech je to tak* may it be so • *n. sa deje, čo sa deje* for better for worse
**nechať 1.** let* **2.** *(opustiť)* leave* **3.** *(ponechať)* keep* • *nechaj ma na pokoji* leave* me alone; *n. niečo give* up sth. // **n. si** keep*; *n. si ostrihať vlasy* have* a hair cut
**necht** nail
**nechuť** disgust; *(odpor)* aversion, dislike
**nechutenstvo** anorexia, loss/lack of appetite
**nechutný** *(bez chuti)* insipid, tasteless; *(nedobrý)* unpalatable, unsavoury; *(odporný)* disgusting
**neistota** uncertainty, insecurity
**neistý** uncertain, insecure, unsure
**nejako** somehow, in some way or other
**nejaký** some; *(akýkoľvek)* any, some kind(sort of)
**nejasný** *(hmlistý)* hazy; *(rozmazaný)* dim; *(neurčitý)*

vague; *(nezrozumiteľný)* unclear

**nejeden** many a/an

**nejednotný** disunited

**nekalý** unfair; *n-á súťaž* unfair competition

**neklamný** unmistakable; *n. znak* a sure sign

**nekompromisný** uncompromising

**nekonečno** infinity

**nekonečný** infinite, endless

**nekrčivý** crease rezistant

**nekrológ** obituary

**nekrvavý** bloodless

**nekrytý** uncovered

**nekultúrnosť** lack of culture

**nekultúrny** uncivilized

**nekvalifikovaný** unskilled, unqualified; *n-á pomocná sila* common labour

**nekvalitný** of low/inferior quality

**neláskavý** unkind

**nelegálny** illegal [i'li:gəl]

**neleniť 1.** not to be* idle **2.** *(nemeškat)* lose*/waste no time

**nelogický** illogical

**neľúbosť** dislike, displeasure

**neľudskosť** inhumanity

**neľudský** inhuman, barbarous, brutal

**neľútostný** merciless; *(krutý)* cruel

**nemajetnosť** poverty

**nemajetný** poor, needy

**nemálo** not a little few; quite a few

**nemanželský** illegitimate; *(dieťa)* born out of the wedlock

**nemať** *n. rád* dislike; *n. pravdu* be* wrong; *n. úspech* fail

**nemeniteľný** unalterable, unchangeable, immunable

**nemenný** constant, permanent, invariable

**nemenovaný** anonymous

**nemierny** intemperate, immoderate

**nemiestny** improper, out of place

**nemilosrdný** merciless, ruthless, cruel

**nemilosť** disgrace, displeasure

**nemilý 1.** *(nepríjemný)* unpleasant **2.** *(neprívetivý)* unkind

**nemnoho** not much, not many, few, little

**nemocenská** *(poisťovňa)* National Health Service; *n. poistenie* health insurance; *(príspevok)* sick(ness) benefit/pay

**nemocnica** hospital

**nemocný** *kniž.* **1.** sick, indisposed, ill **2.** *(pacient)* patient

**nemoderný** old-fashioned, out-of-date

**nemohra** pantomime

**nemohúci** unable, impotent; *(slabý)* strengthless, weak

**nemorálny** immoral, dissolute

**nemota** dumbness, muteness

**nemotorný** clumsy, awkward, left-handed

**nemožnosť** impossibility

**nemožný** impossible

**nemravnosť** immorality

**nemravný** immoral; *(neslušný)* indecent

**nemý** dumb, mute; *(neschopný slova)* speechless; *n. film* silent film

**nemysliteľný** unthinkable

**nenahraditeľný** irreplaceable [ˌiriˈpleisəbl]

**nenápadný** inconspicuous, discreet; *(šaty, farba)* sober

**nenapodobiteľný** inimitable

**nenapraviteľný** irreparable, incorrigible

**nenáročný** undemanding; *(skromný)* modest; *n-á práca* simple

**nenasýtený** unsaturated

**nenásytník** glutton

**nenásytný** greedy

**nenávidieť** hate; *(s odporom)* detest

**nenávisť** hate, hatred

**nenávistný** hateful

**nenávratný** irretrievable; *(peniaze)* unreturnable; *(obal)* disposable

**nenazdajky** suddenly, unexpectedly

**nenútený** unaffected, natural, spontaneous

**neoblomný** obdurate

**neobmedzený** unlimited, absolute

**neobsadený** vacant, unocupied

**neobvyklý** unusual, uncommon

**neobyčajný** unusual; *(mimoriadny)* extraordinary

**neoceniteľný** invaluable, priceless

**neočakávane** unaware, unexpectedly

**neočakávaný** unexpected

**neodborník** layman; amateur, non-expert

**neodborný** lay, amateurish [æməˈtə:riš], non-profesional

**neodbytný** obsessive; *(dotieravý)* importunate

**neodcudziteľný** inalienable

**neoddeliteľný** inseparable, integral

**neodkladný** urgent
**neodlučiteľný** inseparable, integral
**neodolateľný** irresistible
**neodpustiteľný** unpardonable, unforgivable
**neodvolateľný** irrevocable, unappealable, irreversible
**neodvratný** inevitable, unavoidable
**neohrabaný** clumsy, awkward
**neohrozený** intrepid, dauntless, fearless
**neohybný** inflexible, unbending, stiff
**neochota** reluctance
**neochotný** reluctant, unwilling
**neomylný** infallible
**neopatrný** careless
**neoperený** callow, featherless
**neopísateľný** indescribable, beyond description
**neoprávnený** unauthorized, illegitimate
**neosobný** impersonal
**neotesaný** rough, coarse
**neozbrojený** unarmed
**nepárny** odd
**nepatrný** tiny, weeni; trivial; marginal
**neplatný** invalid, void
**neplnenie** default
**neplnoletý** underage, minor

**neplodný** sterile; *(o poli, žene)* barren; *(neúspešný)* fruitless
**nepoctivosť** dishonesty
**nepoctivý** *(nečestný)* dishonest; *(proti pravidlám)* unfair
**nepočujúci** deaf (person)
**nepodarený** unsuccessful, freakish; *(naničhodný)* damned
**nepoddajný** unyielding; *(urputný)* stubborn
**nepodarok** freak; *techn.* waste(r), failure
**nepodmienečný** n. rozsudok verdict, without suspension
**nepohodlie** discomfort
**nepohodlný** unconfortable
**nepohyblivý** immovable
**nepochopiteľný** incomprehensible; *(tajomný)* mysterious
**nepochybne** no doubt, undoubtedly, surely
**nepochybný** indubitable, undoubted
**nepokoj** unrest, trouble, disturbance, restlessness
**nepokojný** restless; unquiet, stormy
**nepolepšiteľný** incorrigible
**nepomer** disproportion
**nepopierateľný** undeniable, undisputable

**neporiadny** disorderly, untidy

**neporiadok** disorder, mess

**nepopísaný** blank

**neporušený** intact, safe, consistent

**neposlúchať** disobey

**neposlušnosť** disobedience

**neposlušný** disobedient, naughty

**nepostrádateľný** indispensable

**nepoškodený** undamaged, unspoiled

**nepoškvrnený** *náb.* immaculate; *(bez škvrny)* stainless

**nepotrebný** unnecessary, useless

**nepôvabný** unattractive

**nepovinný** optional; *(dobrovoľný)* voluntary

**nepozorný** careless, inattentive

**nepožívateľný** inedible; *nepožívanie alkoholu* total abstinency

**nepraktický** unpractical

**nepravda** unthruth

**nepravdepodobnosť** improbability

**nepravdivý** untrue, false

**nepravidelnosť** irregularity

**nepravidelný** irregular

**neprávom** wrongly, unjustly

**neprávosť** iniquity, injustice

**nepravý** wrong; false; ungenuine; *(umelý)* artificial

**nepredajný** unsaleable; *n. tovar* dead stock

**nepredaný** unsold

**nepredpojatý** unprejudiced, unbiassed [an'baiəst]

**nepredstaviteľný** inconceivable

**nepredvídaný** unforseen

**neprehľadný** disorganized, confused; *(obrovský)* immense

**neprechodný** intransitive

**neprekonaný** unbeaten

**neprekonateľný** insuperable; *n. odpor* invincible aversion

**nepremokavý** waterproof, impermeable; *n-ý kabát* waterproof

**nepremožiteľný** unconquerable , invincible

**nepreniknuteľný** impenetrable

**neprenosný** stationary

**nepresný** inaccurate, inexact, inprecise

**neprestajný** incessant

**nepresvedčivý** lame

**nepretržitý** continuous, uninterrupted

**nepriamy** indirect; *mat. n. pomer* inverse ratio; *n-a úmernosť* reverse proportion

**nepriateľ** enemy; *(básnicky)* foe, rival

**nepriateľský** hostile, unfriendly

**nepriateľstvo** enmity; animosity; *(vo vojne)* hostility

**nepriazeň** disfavour, adversity

**nepriaznivý** unfavourable; *n-é počasie* an adverse weather

**nepríčetný** insane

**nepriedušný** air-tight, hermetic

**nepriehľadný** opaque

**neprijateľný** unacceptable

**nepríjemnosť** inconvenience, nuisance; *mať n-i* be* in trouble

**nepríjemný** disagreeable, unpleasant; troublesome • *to je n-é* what a nuisance

**neprimeraný** inadequate, inapropriate

**neprirodzený** unnatural, artificial; *(nútený)* forced

**neprístupný** inaccessible; unattainable; *(mládeži)* x-rated/-certified

**neprítomnosť** absence

**neprítomný** absent, missing

**nerast** mineral

**nerest** *kniž.* vice

**nerestný** vicious

**neriešiteľný** unsolvable

**nerovnaký** unequal

**nerovný** uneven; *(krivý)* curved, crooked; *(odlišný)* different

**nerozbitný** unbreakable

**nerozhodnosť** indecision, hesitation

**nerozhodný** irresolute; *(zápas)* tie, draw

**nerozlučný** inseparable; *n-í priatelia* close friends

**nerozpustný** insoluble

**nerozumieť** misunderstand*

**nerozumný** unreasonable, unwise

**nerozvážnosť** thoughtlessness

**nerozvážny** thoughtless, ill advised, rash, hot-headed

**nerv** nerve

**nervák** *hovor., (kniha, film)* thriller, cliffhanger, stomach-wobbler

**nervový** nervous

**nervózny** nervous, jumpy

**nesebecký** unselfish

**neschodný** impassable

**neschopnosť** disability, incapability, impotence

**neschopný** unable, incapable; *n-ý slova* speechless

**neskoro** late

**neskoršie** later on

**neskorý** late

**neskúsený** inexperienced

**neskutočný** unreal

**neslaný** unsalted • *n-ý nemastný* dull, insipid

**neslušnosť** indecency, incivility

**neslušný** indecent

**neslýchaný** unheard-of

**nesmelý** shy, timid

**nesmierne** extremely, immensely

**nesmierny** immense, vast

**nesmrteľnosť** immortality

**nesmrteľný** immortal

**nespavosť** insomnia, sleeplessness

**nespisovný** unliterary, nonliterary, colloquial

**nespočetný** innumerable

**nespočítateľný** uncountable

**nespokojnosť** dissatisfaction, discontent

**nespokojný** discontent

**nespoľahlivý** unreliable

**nesporný** undaubted, indisputable

**nespôsobilý** unfit, unsuitable

**nesprávny** wrong; *(mylný)* incorrect

**nespravodlivosť** injustice

**nespravodlivý** unjust, unfair

**nespútaný** unchained; *(mravne)* lax

**nestálosť** unsteadiness

**nestály** unstable, unsteady; *(premenlivý)* volatile, changeable, variable

**nestrannosť** impartiality

**nestranný** impartial, fair, neutral

**nestráviteľný** indigestible

**nesúhlas** disagreement, disapproval, dissent

**nesúhlasiť** disagree, object

**nesúlad** discrepancy, disharmony; *(rozpor)* discord

**nesúmerný** disproportionate, assymetric

**nesúrodý** heterogeneous

**nesúvislý** incoherent

**nesvár** discord, conflict

**nesvedomitý** irresponsible, negligent

**nesvoj** ill at ease, *hovor.* seedy; *byť n.* be* out of sorts, be* uneasy

**nesvornosť** discord, discrepancy, split

**nešikovný** clumsy, awkward

**neškodný 1.** *(pre zdravie)* harmless, innocuous **2.** *(dobromyseľný)* inoffensive

**neškolený** untrained; *(nekvalifikovaný)* unskilled

**nešťastie 1.** misfortune **2.** *(nehoda)* accident **3.** *(katastrofa)* disaster **4.** *(smola)* bad luck; *na n.* unfortunately

**nešťastný** unhappy; *(ten, kto*

*má smolu)* unfortunate, unlucky
**netaktný** tactless
**neter** niece
**netopier** bat
**netrafiť** miss
**netrpezlivosť** impatience
**netrpezlivý** impatient
**netto** net, clear
**netvor** monster
**neúcta** disrespect, disregard
**neúctivý** disrespectful; *(nezdvorilý)* impolite
**neúčasť** non-participation, absence; *(nedostatok pochopenia)* lack of sympathy
**neúčelný** aimless, useless
**neučesaný** uncombed
**neúčinnosť** inefficiency
**neúčinný** ineffective
**neukojiteľný** insatiable
**neúmerný** disproportionate
**neúmyselný** unconscious; unintended
**neúnavný** tireless, untiring, indefatigable
**neúnosný** unbearable; *fin.* unremunerative
**neúplný** incomplete, unfinished
**neupravený** untidy; *(šaty, vlasy)* unkempt
**neúprimný** insincere, false
**neúprosný** inexorable
**neurčitok** *gram.* infinitive

**neurčitosť** uncertainty, vagueness
**neurčitý** indefinite; *(nejasný)* vague; *n. spôsob, gram.* infinitive
**neúroda** crop failure, poor/bad crop
**neúrodný** barren, infertile
**neuskutočniteľný** unrealizable
**neurológia** neurology
**neúspech** failure
**neúspešný** unsuccessful
**neuspokojivý** unsatisfactory
**neustále** unceasingly
**naústupnosť** obstinacy, stubborness
**neústupný** relentless, unyielding
**neutralita** neutrality
**neuvedomelosť** instinctiveness, unawareness; *(spoločenská)* unconsciousness
**neuveriteľný** incredibile, unbelievable
**neužitočný** useless
**nevážiť si** disregard
**nevädza** cornflower
**nevďačnosť** ingratitude
**nevďačný** ungrateful
**nevdak** ingratitude
**nevedomosť** ignorance
**nevedomý** ignorant of sth.
**nevera** faithlessness, infidelity, disloyalty

**neveriaci** nonbeliever, doubting, incredulous

**neverit** disbelieve

**neverný** unfaithful; *(bez viery)* faithless

**nevesta 1.** bride **2.** *(synova žena)* daughter-in-law; *Predaná n.* The Bartered Bride

**nevhodný** unfit, improper, unsuitable; *(nemiestny)* inapt

**neviazanosť** laxity

**neviazaný** dissolute, licentious; *(kniha)* unbound, in sheets; *(voľný)* loose; *(divoký)* wild

**nevídaný** uncommon, unseen

**nevidiaci** blind

**neviditeľný** invisible

**nevinnosť** innocence

**nevinný** innocent; *práv.* not guilty; *(čistý)* chasty • *n-á lož* white lie

**nevítaný** unwelcome

**nevkus** bad taste

**nevkusný** tasteless

**nevlastný** step-; *n. otec* stepfather; *(o súrodencoch)* half-

**nevľúdny** unkind

**nevoľníctvo** serfdom, bondage

**nevoľník** serf; *(vo feudalizme)* villein

**nevoľnosť** *(od žalúdka)* sickness; nausea

**nevôľa** dislike; *(nálada)* bad mood

**nevraživosť** hostility

**nevraživý** spiteful, hostile

**nevrlý** surly, irritable

**nevšedný** extraordinary, remarkable

**nevšímavosť** ignorance

**nevšímavý** indifferent, uninterested

**nevšímať si** disregard

**nevyčerpateľný** inexhaustible

**nevyhnutnosť** necessity

**nevyhnutný** inevitable, unavoidable

**nevýhoda** disadvantage; *(nedostatok)* drawback

**nevýhodný** disadvantageous, unfavourable

**nevychovaný** ill-mannered; *(samopašný)* naughty

**nevýkonný** inefficient

**nevýkúrený** unheated

**nevyliečiteľný** irremediable, incurable

**nevýnosný** unprofitable

**nevyplnený** blank

**nevypočítateľný** incalculable

**nevýrazný** inexpressive, flat; *(mdlý)* dull

**nevyrovnaný** unbalanced; *(nezaplatený)* unsettled

**nevýslovný** unexpressible
**nevysvetliteľný** inexplicable
**nevyspelosť** immaturity
**nevyspytateľný** inscrutable
**nevzdelaný** uneducated; *pejor.* ignorant
**nezábavný** tedious, not amusing
**nezábudka** forget-me-not
**nezabudnuteľný** unforgettable
**nezadržateľný** irrepressible, unstoppable
**nezákonný** illegal, illicit
**nezáležať**: *na tom n.* it does not matter; *n. na tom, kto* no matter who
**nezamestnanosť** unemployment
**nezamestananý** unemployed, out of work
**nezariadený** unfurnished
**nezasahovanie** non-interference, non-intervention
**nezaslúžený** undeserved
**nezaujatý** disinterested, unbias(s)ed
**nezáujem** unconcern, lack of interest
**nezaujímavý** uninteresting, dreary
**nezávažný** irrelevant, slight
**nezáväzný** not binding; *(zmluva)* tentative
**nezávislosť** independence
**nezávislý** independent

**nezbednosť** mischief
**nezbedný** mischievous, naughty
**nezdanený** tax-free
**nezdar** failure
**nezdravý** unhealthy; *(škodlivý)* unwholesome
**nezdvorilý** impolite
**nezhoda** disagreement, discord
**neziskový** non profit (making)
**nezištný** unselfish, altruistic
**nezlomný** sturdy, firm
**nezlučiteľný** incompatible
**mezmieriteľný** inplacable; *(názor)* irreconcilable
**nezmysel** nonsense, humbug
**nezmyselnosť** absurdity
**nezmyselný** absurd, irrational
**neznalosť** ignorance; • *n. zákona neospravedlňuje* ignorance of the law is no excuse
**neznámy** unknown, unfamilar, strange, new to; *n. človek* stranger
**neznášanlivý** intolerant
**neznelý** unvoiced, voiceless
**neznesiteľný** unbearable, intolerable, insupportable
**nezodpovednosť** irresponsibility

**nezodpovedný** irresponsible

**nezraniteľný** invulnerable

**nezrelý** unripe; *(o ľuďoch)* immature

**nezreteľný** indistinct; *(o písme)* illegible

**nezriedený** undiluted

**nezrovnalosť** discrepancy

**nezrozumiteľný** unintelligible, incomprehensible

**nezvestný** missing (person)

**nezvučný** *(neznely)* mute

**nezvyčajný** uncommon, unusual

**než** *(pri porovnávaní)* than; *nič než* nothing but; *skôr n.* before

**nežiadúci** undesirable

**nežičlivý** grudging

**nežný** tender; *(jemny)* gentle

**nič** nothing; *(nula)* nought; *n. iné* nothing else • *to nič* never mind, it doesn't matter; *do toho vás n.* that's not your bussiness

**ničiť** destroy; *(demolovat)* demolish, devastate

**ničivý** destructive

**nie** no; *(po slovese)* not • *vôbec nie* not at all; *nie div* no wonder

**niečo** something; *(v ot. a zápore)* anything

**niekam** somewhere, anywhere

**niekde** somewhere, anywhere

**niekedy** sometimes, now and then; *n. v budúcnosti* ever

**niekoľko** several, a few, some; *niekoľkokrát* several times

**niekoľkonásobný** multiple, severalfold

**niekto** somebody, someone

**niektorý** some; *(hociktory)* any

**nielen** not only

**niesť** carry, bear*; *(plody)* yield; *n. na stôl* serve

**nijako** by no means, not in the least

**nikam** nowhere, *n. nepôjdeš!* you won't go anywhere

**nikde** nowhere, at no place

**nikdy** never; *n. viac* never more

**nikel** nickel

**nikto** nobody, no one, *(z určitého počtu)* none; *takmer n.* hardly anybody

**nit** techn. rivet

**niť** thread; *obraz. (deja)* clue

**nízko** low

**nízky 1.** low **2.** *obraz.* mean, *(podlý)* base; *(pôvod)* humble

**nížina** lowlands

**nižší** lower, inferior

**no, (nože)** *čast.* well; *n. tak*
there; *spoj.* but, yet, still
**nóbl** *hovor.* posh
**noc** night; *cez n.* overnight;
*v n-i* at night, by night, in
the night; *vo dne v noci*
day and night; *celú n.* all
night; *Veľká n.* Easter
**nocľaháreň** lodging house;
*(ubytovňa)* dormitory;
*(chata)* hostel; *(študentská
turistická)* youth hostel
**nocľah** *(ubytovanie)* acco-
modation; *n. s raňajkami*
bed and breakfast
**nocovať** spend*/pass the
night, stay overnight
**nočník** chamber pot
**nočný** night; *(dozorca)*
watchman; *n-á košeľa*
nightgown; *n. stolík* bed-
side table; *n. smena* night
shift
**noha 1.** *(celá )* leg; *(od člen-
ka dole)* foot **2.** *(huby)*
stem
**nohavice** trousers; *AmE*
pants; *(dámske)* slacks,
underpants; *(pančuchové)*
tights; *(krátke)* shorts
**nohavičky** knickers, panties
**nominatív** *gram.* nominative
**nora** den
**norka** mink
**norma** norm, rule; *(pracov-
ná)* standard

**normálny** normal; *(duševne)*
sane, regular
**nos** nose; *vodiť za n.* bam-
boozle; *strkať n. do* stick*
o's nose into sth.
**nosič** porter, carier, me-
dium
**nosidlo** stretcher
**nosiť**[1] *(na sebe)* wear*
**nosiť**[2] *p.* **niesť**
**nositeľ 1.** *(predstaviteľ)* re-
presentative **2.** *(držiteľ)*
holder, laureate **3.** *(pre-
nášač)* carrier, bearer
**nosník** *techn.* girder
**nosnosť** bearing capacity
**nosový** *(nosný)* nasal
**nosorožec** rhinoceros [rai-
nosərəs]
**nostalgický** homesick, nos-
talgic
**nostrifikovať** validate
**noša** bundle, pack
**nota** note
**nóta** note, memorandum
**notár** notary; *overiť n-om*
notarize
**notorický** notorious, chro-
nic
**notový** music, *n. kľúč* clef
**nováčik** beginner, newco-
mer; *hovor.* greenhorn;
*voj.* recruit
**novátor** innovator, pioneer
**novela** short story; *práv. (zá-
kona)* amendment

**november** November
**novina** news
**novinár** journalist, newspaper man
**novinka** novelty, news
**noviny** newspaper, journal; *(tlač)* the press; *bulvárne n.* the yellow press
**novátor** modernist, innovator
**novo-** newly-
**novomanželia** *hovor.* newlyweds
**novoročný** New Year's
**novorodenec** newborn child, baby
**novota** innovation, newness
**novovek** New Age
**novozvolený** newly elected
**novuč(ič)ký** brand-new
**nový** new, fresh, recent; *Nový rok* New Year's Day
**nozdra** *anat.* nostril
**nožnice** scissors; *(záhradnícke)* shears
**nôž** knife; *(malý)* penknife

**nuda** boredom
**nudiť** bore; *n. sa* feel*/be* bored
**nudný** boring, dull, tedious; *n. človek* a bore
**núdza** need, poverty, shortage; *(o niečo)* scarcity; *prípad n-e* emergency; *krajná n.* extremity • *robiť z n-e cnosť* make* a virtue of necessity
**núdzový** emergency; *n. východ* emergency exit; *n. pristátie* forced landing
**nukleárny** nuclear
**núkať** offer; *obch.* bid*
**nula** nought; *mat.* zero; *šport.* nil, love
**nútený** 1. forced, compulsory 2. *(zaviazaný)* obliged, bound
**nútiť** force, urge, compel
**nutnosť** necessity, a must; *(potreba)* need*
**nutný** necessary; *(naliehavý)* imperative; essential
**nuž** *spoj.* well, so

# O

**o** 1. *(väzba so slovesami)* about; *hov. sme o ňom* we were talking about nim 2. *(časový úsek)* at; *o druhej* at two o'clock 3. *(účel)* for; *požiadať o zamestnanie* ask for a job 4. *(miesto styku)* against; on; to; *oprieť o stenu* lean against the wall; *priviazať o strom* tie to the tree
**oáza** oasis

**oba(ja)** both
**obal** cover, wrapper; *(továrenský)* packing; *o-ová technika* packaging
**obaliť** cover, wrap up
**obálka** *(dopisu)* envelope; *(časopisu)* cover
**obariť (sa)** scald [sko:ld]
**obava** *(strach)* fear; *(zlá predtucha)* misgiving; *z o-y* for(from) fear
**obávať sa** fear sth.; be* afraid of sth., apprehend (at)
**obcovať** *(stýkať sa)* associate with so.; *(pohlavne)* have sexual intercourse with so.
**občan** citizen; *o. s trvalým bydliskom* resident; *som o. SR* I'm subject of the Slovak Republic; *naši o-ia* our nationals
**občas** now and then, from time to time, occasionally
**občasný** occasional
**občerstvenie** refreshment; *(rýchle)* snack
**občerstviť (sa)** refresh
**občiansky** civil, civic; *o. preukaz* identity card (ID)
**občianstvo 1.** *(občania)* citizens **2.** *(napr. štátne)* citizenship
**obdariť** present sb. (with sth.), endow
**obdiv** admiration (at sb.)

**obdivovať** admire sth./sb. (for)
**obdivuhodný** admirable
**obdĺžnik** rectangle
**obdĺžnikový** oblong, rectangular
**obdoba** analogy
**obdobie** period; *(ročné)* season
**obec 1.** *(skupina ľudí)* community **2.** *(bydlisko)* domicile **3.** *(územnosprávna jednotka)* municipality
**obecenstvo** spectators; *(v divadle)* audience
**obecný** municipal, public; *(všeobecný)* general • *o. úrad* local authority
**obed 1.** lunch(eon); *(hlavné denné jedlo)* dinner **2.** *(poludnie)* midday, noon
**obedovať** have one's lunch (dinner), dine
**obeh** circulation; *(planéty)* rotation; *o. peňazí* cash flow
**oberať 1.** pick, *o. hrozno* vintage gather **2.** *(okrádať)* rob
**obesiť** hang*
**obeť** sacrifice; *(niečoho)* victim; *(pri nešťastí)* casualty
**obetavý** self-sacrificing, devoted
**obetovať** sacrifice; *(venovať)* devote

**obezita** overweight, obesity
**obeživo** currency
**obežnica** planet; *o-ná dráha* orbit
**obežník** circular; *inf.* memo
**obhajca** defender; *(zástanca)* advocate; *(práv. zástupca)* solicitor; *(obhajca, advokát)* barrister
**obhajoba** defence; *(pred súdom)* pleading; *o. diplomovky* thesis defence
**obhajovať** defend; *(pred súdom)* plead; *(zastávať sa)* stand* up for
**obhliadka** inspection; *o. mesta* sightseeing
**obhliadnuť** look* round; *(kontrolovať)* inspect
**obhodiť** *(múr)* plaster (the wall)
**obhospodarovať** *(pole)* cultivate; *(hospodáriť)* administer
**obhrýzť** nibble; *o. kosť* pick a bone clean
**obchádzať 1.** go* (walk) round **2.** *(zákon)* circumvent
**obchod 1.** business, commerce, trade; *hovor.* deal **2.** *(transakcia)* transaction **3.** *(výhodný)* bargain **4.** *(v malom)* retail; *(vo veľkom)* wholesale **5.** *(predajňa)* shop; *AmE* store;

veľký o. supermarket; *majiteľ o-u* shopkeeper; *výmenný o.* barter
**obchodník** businessman; *(pouličný)* vendor; *(priekupník)* dealer, traffiker
**obchodný** commercial, business; *o-á blokáda* embargo; *o. dom* (department men) store; *o-é loďstvo* mercantile marine; *o-á značka* trademark; *o-á komora* Chamber of Commerce; *o. cestujúci* (commercial) traveller; *AmE* travelling salesman; *o. riaditeľ* sales manager
**obchodovať** do* business, trade; deal* (in sth.), handle (sth.)
**obchôdzka** walk; *(po meste)* tour
**obiehať** circulate, rotate
**obieliť** whitewash
**obilie** corn, cereals, grain
**obilnica** granary
**obilniny** cereals
**obísť** go*/walk around; *(vyhnúť sa)*, avoid; *(o. autom)* make*/take* a detour
**objasniť** make* clear, explain
**objať** embrace, hug
**objatie** embrace, hug
**objav** discovery
**objaviť** discover; *(zistiť)* find

out // **o. sa** appear; *(vyskytnúť sa)* occur; *(vynoriť sa)* emerge
**objednať** order
**objednávka** order; *zhotovený na o-u* made to order
**object** object
**objektív** *(optický)* objective, lens
**objektívny** objective
**objektívnosť** objectivity
**objem** volume; *(množstvo)* bulk; *o. pása* waist measurement
**objemný** bulky
**objímať** p. **objať**
**objímka** socket
**obklad** *(na ranu)* compress; *(sadrový)* plaster; *(obloženie)* facing
**obkladačka** tile
**obkladať** *(povrch)* face, *(zvnútra)* line; *(kachličkami)* tile
**obklopiť** surround; gather around
**obkľúčiť** surround, encircle; *voj.* besiege
**obkročmo** astride
**obláčik** *(dymu)* puff
**oblačný** cloudy, clouded; *je o.* the sky is overcast
**oblak** cloud
**oblasť** region, area; *(rozsah pôsobnosti)* sphere; *(oblasť pôsobnosti)* field; *(v správe*

*niekoho)* district; *pohraničná o.* border territory
**oblastný** regional
**oblátka** wafer; *cirk.* host
**oblečenie** clothing, clothes; *bežné o.* casual wear
**oblečený** dressed
**oblek** suit; *(vychádzkový)* lounge-suit
**obletovať 1.** fly around **2.** *(ženu, dvoriť sa)* court
**obliať (sa)** splash with water
**oblička** *anat.* kidney
**obliecť (sa)** dress; put* on clothes, clothe; *dobre očený* well-dressed
**obliečka** pillow-case, cover
**obliehať** *voj.* besiege
**obliekáreň** dressing-room
**obligácia** *(dlhopis)* bond
**oblízať** lick
**obločnica** *(okenica)* shutter; *(obločná doska)* window sill
**obloha** sky
**oblok** window; *(krídlový)* French-window
**obložiť** *(tehlami)* face; *(ozdobiť)* garnish; *obložený chlebíček* sandwich
**obľuba** popularity, fondness
**obľúbený** popular, favourite
**obľúbiť si** take* pleasure in sth.; take* a fancy (to)
**obľubovať** be* fond of
**obluda** monster

**oblúk** bow, bend; *archit.* arch; *geom.* arc

**oblúkový** arched; waulted

**oblý** oval, rounded; *(postava)* plump

**obmäkčiť 1.** soften **2.** *(niekoho)* pacify

**obmedzenie** limit(ation); *o. rýchlosti* speed limit

**obmedzený 1.** limited, restricted **2.** *(hlúpy)* narrowminted

**obmedziť** limit, restrict // **o. sa** hold* down

**obmena** modification

**obmeňovať** modify, diversify

**obnažiť** strip

**obnosený** shabby, worn-out

**obnosiť** wear* out

**obnova** *(do pôv. stavu)* restoration; *(renovácia)* renovation

**obnoviť** restore; *(opäť začať)* renew

**oboočie** eyebrow

**obohatiť** enrich // **o. sa** make* money

**obojaký** ambiguous

**obojok** (dog)collar

**obojsmerný** two-way

**obojstranný 1.** *(dvoj-)* bilateral, two side; *o. kabát* reversible coat **2.** *(vzájomný)* mutual, reciprocal

**obojživelník** amphibian

**obojživelný** amphibious

**obor** giant, ogre ['əuɡə]

**oboriť (sa)** turn on, pounce on

**oboslať 1.** send* **2.** *(k súdu)* summon

**oboznámiť** make* known, make* acquainted with // **o. sa** get* / become* acquainted, become* familiar with

**oboznámený** familiar (with)

**obozretný** cautious, circumspect

**obrábať** cultivate; *(pôdu)* till

**obrad** ceremony

**obrana** *voj., šport.* defence

**obranca** defender; *(pri futbale)* back

**obranný** defensive

**obrat** turn; *(obchodný)* turnover; *(zmena)* change; *(o 180°)* U-turn

**obrať** pick; *(olúpiť)* deprive (of)

**obrátiť 1.** turn, reverse **2.** *(na vieru)* convert // **o. sa** turn over; *(žiadať)* apply *(na to)*

**obrátka** revolution • *na plné o-y* at full/top speed

**obratník** tropic

**obratnosť** skill, dexterity

**obratný** skillful, handy

**obratom** promptly; *o. pošty* by return (of post)

**obraz** image, picture
**obrazáreň** picture/art-gallery
**obrazec** figure
**obrázkový** illustrated; *o. časopis* illustrated paper
**obrazný** metaphorical, symbolic
**obrazotvornosť** fantasy, imagination
**obrazovka** screen
**obrezať** circumcise; *(strom)* prune
**obriadiť** tidy up, clean; *o. izby* do* the rooms
**obrna** paralysis; *(detská o.)* polio(myelitis)
**obrniť** armour
**obrodenie** renaissance [rə⹂neisa:ns], revival
**obrovský** gigantic, huge, vast, tremendous
**obruba** border; *(látky)* hem
**obruč** hoop
**obrúčka** wedding-ring
**obrus** tablecloth
**obrúsiť** grind* (off)
**obrúsok** (table-)napkin, serviette
**obrys** outline, contour
**obsadenie** *(vojenské)* occupation, invasion; *(herecké)* cast, staffing
**obsadiť** *(vojensky)* occupy; *(sedadlo)* save, engage; *telefón je o-ný* line is busy

**obsah** capacity; *(knihy)* contents; *(textu, článku)* summary
**obsahovať** contain, comprise, include
**obsiahly** extensive; comprehensive
**obsluha** attendance, staff; *(v rešt.)* service
**obsluhovať** *(zákazníka)* attend (on), serve; *(pri stole)* wait on; *(stroj)* operate
**obstarať** get*, acquire; *(zohnať)* procure
**obstáť** hold* out; *(pri skúške)* pass o.'s examination; *pren.* stand* the proof
**obstojný** passable, tolerable, fairly good
**obstúpiť** surround, stand* round
**obšírne** at great lenght, in detail
**obšírny** detailed, full
**obšívka** rimming, border
**obšmietať sa** hang around/about, loiter
**obťah 1.** cover(ing) **2.** *(knihy)* proof
**obťažovanie** harassment
**obťažovať** trouble, annoy, molest; *hovor.* bother
**obušok** club; *(policajný)* truncheon
**obuť** put* on shoe
**obuv** footwear, shoes

**obuvák** shoehorn

**obuvník** shoe-maker

**obväz** bandage, dressing

**obveseliť** cheer up gladden o's heart, regale

**obviazať** bind*/tie up, dress

**obvinenie** accusation, charge, allegation

**obviniť** accuse, charge; *(seba)* blame

**obvod** district; *(kruhu)* circumference

**obvykle** usually; *ako o.* as usual

**obvyklý** usual, customary

**obyčaj** custom, usage; *(zvyk)* habit

**obyčajný** *(normálny)* ordinary; *(jednoduchý)* simple, plain; *(bežný)* common; *o-í ludia* commons

**obydlie** dwelling

**obytný dom** block of flats, condominium

**obývací:** *o-ia izba* sitting-room, living-room

**obývať** live, inhabit, dwell; occupy

**obyvateľ** inhabitant

**obývateľný** habitable

**obyvateľstvo** *(počet)* population

**obzrieť** look; *(kontrolovať)* inspect; // *o. sa* look/turn (a)round

**obzor** horizont

**obzvlášť** especially, in particular

**obžaloba** accusation, charge; prosecution; *AmE* impeachment, indictment

**obžalobca** prosecutor

**obžalovaný** defendant, the accused

**obžalovať** accuse, indict

**oceán** ocean; *Tichý o.* the Pacific Ocean

**ocel;** steel; *nehrdzavejúca o.* stainless steel

**oceliareň** steelworks

**oceniť** *(kladne hodnotiť)* appreciate, value; *(kriticky)* assess; *(ohodnotiť)* estimate

**ocitnúť sa** find* os. (at)

**ocot** vinegar

**octan** acetate ['æsitet]; *o. hlinitý* acetate of alumina

**očakávanie** expectation, anticipation

**očakávať** expect, await

**očarený** enchanted, captivated

**očariť 1.** charm, fascinate **2.** *(počarovať)* bewitch

**očervenieť** redden, turn red

**očierniť 1.** blacken **2.** *(ohovárať)* slander; *(v novinách)* libel

**očíslovať** number

**očista** purification

**očistec** purgatory

**očistiť 1.** clean off **2.** (*zbaviť viny*) cleanse; *pren.* purge **3.** (*olúpať*) peel

**očitý:** *o. svedok* eyewitness

**očividne** apparently, obviously, evidently

**očividný** obvious, evident

**očko 1.** eye **2.** (*pri pletení*) mesh **3.** (*na pančuche*) ladder; *AmE* run **4.** (*súkromný detektív*) private eye; *AmE* dick

**očkovanie** inoculation, vaccination

**očkovať 1.** vaccinate, inoculate **2.** *bot.* bud

**očný** eye-, ocular, optic; *o. lekár* oculist

**od** from, of, off; (*o čase*) since; *od začiatku* from the beginning; *od rána do večera* from morning till night; *od roku 1980* since 1980

**odber** (*spotreba*) consumption; (*tovaru*) purchase, buying

**odberateľ** customer, purchaser, client

**odbiť** (*na hodinách*) chime; strike*

**odbočiť** (*od témy*) digress, deflect; (*zabočiť*) turn, deviate; *AmE* detour

**odbočka** turn-off, diversion; *AmE* detour, digression

**odboj** revolt, rebellion, insurrection, resistance

**odbor** branch, field, sphere

**odborár** (trade) unionist

**odborník** expert, specialist

**odborný** professional, expert; *o. lekár* specialist

**odborový** trade-(union); *AmE* labour(union)

**odbyt** market(ing); (*oddelenie*) sales department • *ísť na o.* go* off, sell* well, be* in demand

**odcestovať** leave*, depart

**odcudziť** deprive (of); (*ukradnúť*) steal // **o. sa** get* estranged

**odčiniť** undo*, make* good; (*napraviť*) make* up, compensate

**odčítanie** substraction

**odčítať** substract, deduct, count off / down

**odčleniť** set* apart

**oddanosť** devotion, loyalty

**oddaný** devoted, loyal

**oddať sa** (*niečomu*) devote os. to sth.; (*náruživosti*) indulge in sth.

**oddelenie 1.** (*rozdelenie*) separation **2.** (*oddiel*) department, compartment **3.** (*v obchode*) counter; (*v nemocnici*) ward

**oddelený** separate, detached

**oddeliť** separate, detach // **o. sa** split

**oddialiť** delay; *(na neskoršie)* postpone

**oddiel** section, division, unit; *(vojenský)* detachment; *(policajný)* squad

**oddĺžiť** clear off debt(s)

**oddych** rest, leisure, break, relax

**oddychovať 1.** draw* breath; **2.** *(odpočinúť)* rest

**odev** clothes, clothing

**odfarbiť** discolour

**odfúknuť** blow* away/off, puff away

**odhad** estimate, valuation, assessment, appraisal

**odhadnúť** assess, estimate, valuate

**odhaliť** disclose, reveal, unfold; *(pomník)* unveil; *(zločin)* detect

**odhlásiť** cancel; // **o. sa** check-out

**odhodiť** throw* away; *(zbaviť sa)* discard

**odhodlanie** determination, resolution

**odhodlaný** resolute, determined

**odhodlať sa** decide, make* up one's mind

**odhovárať** dissuade [diˈsweid] (from)

**odhryznúť** bite* off

**odchádzať** depart, go* away, leave* (for)

**odchod** departure

**odchýliť sa** depart, degress, deviate, stray

**odchýlka** deviation, declination; *techn.* aberration

**odísť** leave*, depart; *(do penzie)* retire

**odistiť** unlock; release the safety-catch

**odizolovať** *(drôt)* insulate

**odkaz 1.** message **2.** *(dedičstvo)* heritage, legacy **3.** *(na niečo)* reference

**odkázať 1.** *(poručiť)* bequeath [biˈkwiːð], leave* **2.** *o. na* refer to

**odkazovač** answering machine; *hov.* recorder

**odkedy** since when

**odkiaľ** from where

**odklad** delay; postponement

**odkladať** delay

**odkloniť** deflect, bend; *(od smeru)* divert, deviate

**odkopnúť** kick off

**odkrojiť** cut* off

**odkryť** discover, detect

**odkvap** eaves, gutter • *dostať sa z dažďa pod o.* get from the frying-pan into the fire

**odkvapnúť** drip (off)

**odľahčiť** relieve, ease; lighten

**odľahlý** remote, out-of-the way, far apart/distant

**odlákať** entice away, allure

**odlakovač** (nail) varnish remover

**odlepiť** unstuck, unglue

**odlesk** reflection

**odlet** departure; (vtáka) flight away

**odletieť** fly* away/off

**odliať** (sochu) cast; (tekutinu) pour off

**odlišný** different, distinct (from)

**odlišovať** distinguish, discriminate // **o. sa** differ

**odliv** low tide; (úbytok) ebb

**odlomiť** break* off

**odložiť** put* off/aside, postpone; (odsunúť) delay

**odlúčenie** separation, detachment

**odlúčiť** separate; (o. a izolovať) seclude // **o. sa** part, separate

**odlúpiť** peel/cut* off

**odmäk** thaw [θɔ:]

**odmena** reward; (plat) remuneration, pay

**odmeniť** reward, pay

**odmeraný** stiff, reserved; measured

**odmietavý** negative

**odmerať** measure, gange

**odmietavý** negative

**odmietnuť** refuse, decline;

(zamietnuť) reject, deny; (hlasovaním) vote down

**odmietnutie** refusal, rejection

**odmocnina** mat. root

**odmocniť** extract the root

**odmontovať** dismount, remove

**odmraziť** defrost

**odniesť** take* away, carry away

**odoberať** (noviny) take* in

**odobrať** take* off/away, withdraw (from); **o. vodičský preukaz** take away sb.'s driving licence; // **o. sa** set off/out, say goodbye

**odohnať** chase away, disperse

**odolať** resist, withstand*, stand* up

**odolný** resistant, -proof

**odomknúť** unlock, undo

**odopnúť** unbutton; (uvolniť) unfasten

**odoprieť** refuse, deny

**odosielateľ** sender, consigner

**odoslať** send* off, dispatch; AmE mail

**odovzdaný** resigned, given

**odovzdať** deliver, hand over; (cenu) award; **o. dalej** pass

**odôvodnenie** justification, motivation

**odôvodniť** give* reason, justify, ground

**odpad 1.** (odtok) sink **2.** (odpadky) waste, garbage, refuse, rubbish; AmE junk

**odpadlík** náb., polit. apostate, renegade, turncoat

**odpadnúť 1.** fall* off, drop off **2.** (omdliet) faint

**odpáliť** let*/set* off; o. raketu launch

**odpariť** evaporate, vaporize

**odpich 1.** (hutnícky) tapping **2.** šport. start

**odpis 1.** (kópia) copy **2.** (hodnoty) write-off; (amortizácia) depreciation; (dane) remission

**odpísať** white* back; (daň) write off, charge off

**odplata** retaliation [ritæli'ei-šən]; (pomsta) revenge

**odplávať** sail off

**odplaviť** wash/float away, drift away

**odplaziť** crawl away

**odpluť** spit* (out)

**odpočet** ekon. settlement; (výpis) statement; o. nákladov cost sheet

**odpočinok** rest, repose, relaxation; (výslužba) retirement

**odpočítať** p. odčítať

**odpočívať** rest, have*/take* a rest, repose, relax

**odpočúvať** (tajne špehovať) eavesdrop, intersept; (náhodne) overhear; (protiprávne) bug

**odpojiť** detach, separate, unplug

**odpoludnie** afternoon

**odpor 1.** (nesúhlas) opposition; (sila) resistance; postaviť sa niečomu na o. resist **2.** (nechut) disgust, antipathy

**odporca** adversary, opponent

**odporný** repulsive, detestable; (nechutný) disgusting

**odporovať 1.** (slovami) contradict **2.** (klásť odpor) resist, rebel, protest

**odporúčanie** recommendation

**odporúčať** recommend

**odpoveď** response, answer, reply

**odpovedať** answer, reply; (reagovat) respond

**odprevadiť** (domov niekoho) see* home so.; (pri odchode) see* so. off

**odprisahať** swear* off

**odprosiť** apologize to so., beg one's pardon

**odpudiť** repel; (odohnat) ward off

**odpustenie** pardon, forgiveness

**odpustiť** forgive*, pardon

**odpykať** repent for; (trest) serve (a sentence)

**odradiť** dissuade; nedať sa o. persist

**odraz** reflection, ricochet [ˈrikəʃei]; (lopty) bounce

**odraziť** strike* off; (nepriateľa) repulse; (odzrkadliť) reflect; // **o. sa** bounce

**odriecť** cancel

**odrieť** rub off, scratch

**odročiť** práv. adjourn [əˈdžə:n], remand, postpone

**odroda** variety, kind

**odrodilec** renegade

**odsek** section; (v texte) paragraph; (časť) part

**odskočiť** jump off/away; (odraziť sa) bounce; (si niekam) be* off

**odslúžiť** (dlžobu) work off, (službu) serve o's time

**odsotiť** shove aside, push away

**odstávať** stick/stand* out

**odstaviť** (dojča) wean; (nabok) set* aside

**odstránenie** removal; (problémov) troubleshooting

**odstrániť** remove, take off

**odstrašiť** deter, frighten off

**odstrašujúci** deterring

**odstredivka** separator, centrifuge

**odstredivý** centrifugal

**odstup** (vzdialenosť) distance; (časový) span, lapse, lag interval; (v správaní) reserve, coldness

**odstúpenie** resignation

**odstúpiť 1.** withdraw* **2.** (rezignovať) resign **3.** (územie) cede **4.** (pohyb) draw/step back (aside)

**odstupné** compensation

**odstupňovať** grade

**odsúdenie** condemnation, sentence

**odsúdiť** condemn, sentence, slash • o. na zánik damn to destruction

**odsun** transfer, evacuation

**odsunúť** postpone, put* off

**odškodné** compensation, damages

**odškodniť** compensate, indemnify

**odtajiť** deny

**odťať** chop/lop off

**odteraz** henceforth, henceforward, from now on

**odtiahnuť** pull/draw*/tug away, tow away

**odtiahnuť sa** step/stand back, withdraw

**odtiaľ** from there

**odtieň** shade, hue

**odtlačok** print, copy; o. prsta fingerprint

**odtok** drain, flow

**odtrhnúť** rip/tear of

**odtučňovať** slim, reduce

**odumrieť** die off, cease to exist

**oduševnený** enthusiastic

**odvaha** courage; *hovor.* pluck; *dodať o-u* encourage; *dodať si o-u* summon up courage

**odvážiť sa** dare; *(riskovať)* venture

**odvážny** bold, brane, courageous; *hovor.* plucky

**odveta** *(za krivdu)* retaliation [ritæli'eišn]

**odvetvie** line, branch

**odviesť** take* away; *(na vojnu)* enlist

**odviezť** *(autom)* give* a lift

**odvliecť** drag away; *(uniesť)* abduct, kidnap

**odvod** *voj.* conscsription; *AmE* draft

**odvodenina** derivation

**odvodniť** drain

**odvodzovať** derive, deduce

**odvolanie 1.** *(zrušenie)* repeal, withdrawal **2.** *(k súdu)* appeal **3.** *(z funkcie)* removal, recall • *až do o-ia* until revoked/until further notice

**odvolať** call off, withdraw*; *(zrušiť)* cancel; *(z funkcie)* recall, remove

**odvolávať sa 1.** *(poukázať na*

*niečo)* refer **2.** *(proti rozsudku)* appeal

**odvoz** removal, pickup; *o. smetí* garbage collection

**odvrátiť** avert; turn away; *(pozornosť)* distract

**odvrávať** talk back

**odvtedy** since (then)

**odzbrojenie** disarmament

**odzbrojiť** disarm

**odznak** badge

**odznova** again; *(nanovo)* anew

**odzrkadľovať** mirror, reflect

**ofenzíva** offensive

**oficiálny** official, formal

**ofina** fringe

**oháňať sa** swing*; *(usilovne pracovať)* ply, be busy

**ohavný** hideous, abominable, shameless

**oheň** fire; *rozložiť o.* make* fire; *uhasiť o.* put* out the fire

**ohľad** regard, consideration, respect; *s o-om na* with regard/respect to; *bez o-u na* irrespective of/regardless of

**ohľaduplný** considerate, thoughtful

**ohlas 1.** *(reakcia)* response, reply **2.** *(ozvena)* echo **3.** *(záujem)* acceptance

**ohlásiť** announce

**ohlušiť** deafen ['defn]

**ohnisko 1.** *(kozub)* fireplace **2.** *fyz.* focus **3.** *(stredisko)* centre

**ohnivý** *(vášnivý)* hot, fiery

**ohňostroj** fireworks, firecracker

**ohňovzdorný** fireproof, fire resistant

**ohnúť (sa)** bend*; *(preložiť)* fold

**ohnutý** crooked, curved

**ohodnotiť** appraise, evaluate, value

**oholiť (sa)** shave*, have* a shave

**ohorieť** *(na slnku)* become* sunburnt; *(les)* get* burned/charred

**ohorok** *(cigarety)* stump; *AmE* butt

**ohovoriť** libel, slander, backbite*

**ohrada** fence, enclosure

**ohradiť** enclose, fence // **o. sa** protest

**ohraničiť** border, surround, limit; *(obmedziť)* bound

**ohrdnúť** scorn, snub

**ohrievač** warmer, heater

**ohŕňať:** *o. nos nad niečím* sniff at sth.

**ohromenie** consternation

**ohromiť** stupefy, stagger, overwhelm

**ohromný** colossal, huge, enormous; *hovor. (vyni-*

*kajúci)* wonderful, fabulous

**ohromujúci** amazing, astonishing, overwhelming

**ohroziť** endanger; *(rizikom)* jeopardize ['dʒepədaiz]; *byť hrozbou* threaten, menace

**ohryzok 1.** *(ovocia)* core **2.** *(na hrdle)* Adam's apple

**ohrýzť** gnaw, nibble

**ohyb** bend, curve

**ohýbať** bend* // **o. sa** bend*; *(skloniť sa)* bow (down)

**ohybný** flexible, pliable

**ohyzdný** ugly, hideous

**ochabnúť** slacken, become* weak/feeble

**ochabnutý** slack; *(malátny)* limp

**ochladiť (sa)** get*/become* cool, turn cold

**ochlpený** hairy

**ochorenie** sickness, illness

**ochorieť** fall*/become*/be* ill/sick

**ochota** willingness; goodwill

**ochotník** amateur actor

**ochotne** with pleasure, gladly

**ochotný** willing, ready (to)

**ochrana** protection, prevention

**ochranár** environmentalist

**ochranca** protector, patron

**ochrániť** protect, preserve

**ochranka** *hovor.* body-/security guard(s)

**ochranný** protective, safety; *o-á značka* trade mark

**ochraňovať** protect, defend (against)

**ochrnúť** become* paralysed

**ochrnutie** paralysis

**ochromiť** paralyse

**ochudobniť** impoverish, make* poor

**ochutiť** flavour, season

**ochutnať** taste

**ojedinelý** unique, rare

**ojnica** piston rod, shaft

**okabátiť** swindle, cheat

**okamih** moment, instant; *v poslednom o-u* at the last moment

**okamžite** immediately, instantly, in a flash, promptly

**okamžitý** immediate, instantaneous

**okatý 1.** large-eyed **2.** *(bijúci do očí)* striking

**okázalý** spectacular, showy, pompous

**okenica** shutter

**okenný** window; *o-á tabuľa* window-pane

**oklamať** deceive, cheat* *byť oklamaný* to be taken in

**oklasifikovať** mark, grade, rate

**okľuka** roundabout(way); *(obchádzka)* detour

**okno** *p.* **oblok**

**oko 1.** eye **2.** *(na zver)* snare **3.** *(siete, tkaniny)* mesh

**okolie** surrounding, precincts

**okolkovať 1.** *(v reči)* ramble; • beat about the bush **2.** *(listinu)* stamp

**okolky** ado, ceremonies

**okolnosť** circumstance; *za nijakých o-í* in no way

**okolo** (a)round, by, past; *(asi)* about

**okoloidúci** passerby

**okolostojaci** bystander

**okopávať** hoe, dig*

**okoreniť** season, spice

**okovať** *(koňa)* shoe (a horse)

**okovy** fetters, shackles, irons

**okradnúť** rob, steal*

**okraj** border, brim, edge; *(papiera)* margin; *(chodníka)* kerbstone, curb; *(mesta)* outskirts

**okrajový** border, peripheral, marginal

**okrasa** ornament; *(ozdoba)* decoration

**okrášliť** adorn, decorate, embellish

**okrem** except for; *(popri)* besides; in addition to; *o. toho* apart from

**okres** district; *(policajný)* ward; *(volebný)* precinct

**okrídlený** winged

**okruh 1.** *(kruh)* circle, circuit **2.** *(dosah)* radius, range

**okrúhly** round, ring-shaped

**okríknuť** shout down/at

**okružný** circular, round

**október** October

**okuliare** spectacles, glasses; *(ochranné)* goggles

**okupácia** occupation

**okupovať** occupy

**okúpať** bath // **o. sa** have* a bath

**okúzlenie** fascination

**okúzliť** charm, fascinate

**okysličiť (sa)** oxidize

**olej** oil

**olejomaľba** oil-painting

**olejovať** oil

**olemovať** border, hem

**oliva** olive

**olivový** olive; *o. olej* olive-oil

**olovnica** plumb bob/line

**olovo** lead [led]

**olovrant** (afternoon-)tea, snack

**oltár** altar

**olúpať** peel, strip

**olúpiť** rob; *(o práva, majetok)* divest

**oľutovať** regret

**olympiáda** Olympiad

**omáčka** sauce; *(šťava z mäsa)* gravy

**omámiť** daze; *(ohúriť)* stun

**omastiť** grease, add fat

**omdlieť** faint, passout; *(od radosti)* swoon

**omeškať sa** be* late for, come late, be* overdue

**omietka** plaster

**omilostiť** pardon; *(odsúdeného na smrť)* reprieve

**omínať** pinch, press

**omladnúť** become* young (again); *(duševne)* revive

**omnoho** (by) much/far • *o. lepšie* much better

**omotať** wrap up, bind

**omráčiť** stagger, stun

**omrvinka** crumb

**omrzieť** grow*/be* sick/ weary (of)

**omrzlina** frostbite

**omša** mass

**omyl** mistake, error, misunderstanding; *byť na o-e* be* mistaken; *(pri telefonovaní)* wrong number

**on** he; *o. sám* himself

**ona** she; *o. sama* herself

**ondulácia** wave, *trvalá o.* perm(anent wave)

**onedlho** soon, by and by

**onen** that (one)

**oneskorenie** retardation, delay

**oneskorený 1.** late, belated **2.** *(zaostalý)* backward

**oneskoriť sa** be*/come* late

- *hodiny sa o-rujú* the watch is slow; *(zaostať)* lag; *(meškať)* delay

**oni, ony** they

**ono** it

**opačný** opposite, reverse, contrary • *v o-om prípade* otherwise

**opadať** fall*; *(klesnúť)* subside; *(ubúdať)* decrease

**opadavý** *(listnatý)* deciduous

**opak** reverse, opposite side, contrary

**opakovanie** repetition; *(časté)* frequency

**opakovať** repeat; *(opäť a opäť)* reiterate; *(znovu prebrať)* revise // **o. sa** recur

**opálenie** sunburn

**opáliť sa** tan, get* sunburnt; *pekne sa o.* get* a good tan

**opaľovať sa** sunbathe

**opar 1.** *(hmla)* haze, mist **2.** *(herpes)* herpes; *AmE* cold sore, fever blister

**opariť (sa)** scald

**opasok** belt

**opát** abbot

**opatera** care, custody, nursing

**opatrenie** measure; *(predbežné)* precaution

**opatrnosť** (pre)caution, care prudence

**opatrný** careful, cautious, prudent

**opatrovať** take* care of, nurse

**opatrovateľ/-ka** nurse, baby-sitter, au-pair

**opátstvo** abbey

**opäť** again

**opätok** heel

**opätovať** return, reiterate

**opätovne** repeatedly, again

**opečiatkovať** stamp

**opekať** roast, grill; *opekaný chlieb* toast (bread)

**opeliť** pollinate

**opera** opera; *(budova)* opera-house

**operácia** (surgery) operation

**operadlo** back, arm rest

**operatér 1.** operator **2.** *lek.* surgeon

**opereta** operetta, (musical)

**operovať** operate

**opevnenie** fortification

**opevniť** fortify

**opica** monkey, ape; *(opitosť)* booziness

**opierať sa** lean on/against

**opilec** drunkard, drunk

**opis** description, copy

**opisovať** describe, depict; *o. kružnicu* draw* a circle; *o-šte to dvakrát, prosím* make* two copies, please

**opiť sa** get* drunk

**opitý** boozy, drunk(en), *hovor.* tipsy

**ópium** opium

**opláchnuť** rinse, wash off

**oplakávať** mourn

**oplatiť** repay*, pay back*; *(vrátiť)* refund

**oplátka** wafer; *(hostia)* host

**oplodnenie** fecundation, fertilization

**oplodniť** fecundate; *(zem)* fertilize

**oplotenie** fence

**opľuť** spit* on

**oplývať** *(niečím)* abound in/with sth.

**oplzlý** lewd [lu:d], obscene

**opodstatnený** grounded, legitimate

**opojenie** intoxication

**opona** curtain

**oponent** opponent; opposer

**oponovať** oppose; *(namietať)* object

**opora** support, prop

**opotrebovať** wear* out, use up

**opovážiť sa** dare; *(dovoliť si)* venture

**opovrhnutie** scorn, contempt

**opovrhovať** despise/scorn sth.; *o. pravidlami* flout the rules

**opovržlivý** contemptuous, scornful

**opozícia** opposition

**opracovať** work up

**oprať** wash, do* laundry

**opraty** rein

**oprava** correction, repair, mending; *(generálna)* overhaul

**opraváreň** repair service

**opraviť** *(chybu)* correct; *(pokazené)* repair, mend

**oprávnenie** authorization, right, licence; *práv. (plná moc)* warrant

**oprávniť** authorize, entitle, warrant

**oprieť** lean* against, rest on

**oproti** opposite, across; against • *íst niekomu o.* go* out to meet so.

**optický** optical

**optik** optician; *(obchod)* optician's

**optimizmus** optimism

**opuchlina** swelling

**opuchnúť** swell

**opustený** abandoned, deserted; *(osamelý)* lonely

**opustiť** leave*, *(odchodom)* abandon; *(nádej, priateľa)* desert; *(zriecť sa)* quit

**opytovací** interrogative

**oráč** ploughman; *AmE* plowman

**oranžový** orange

**orať** plough, till; *AmE* plow

**orba** ploughing

**ordinácia** surgery; *ordinač-né hodiny* surgery hours

**ordinovať** receive patiens • *dnes sa neordinuje* no patients received today

**orech** nut; walnut; *(lieskový)* hazelnut

**organ** organ

**orgán** *anat.* organ; *(výkonný)* authority, *legislatívny o. a* legislative body

**organický** organic

**organizácia** organisation

**organizátor** organizer

**organizmus** organism

**organizovať** organize

**orgován** lilac

**orchester** orchestra

**orchestrálny** orchestral

**orchidea** orchid ['o:kid]

**orient** orient, the East

**orientálny** oriental

**orientovať (sa)** orientate ['o:rienteit] os.; *(zamerať sa)* direct, focus (on)

**originál** original

**orkán** hurricane, tornado

**ornament** ornament, decoration

**orný** arable; *ornica* arable soil

**orodovať** *(prosiť)* intercede, plead; *(u Boha)* pray (for)

**orol** eagle

**orosený** wet with dew

**ortodoxný** orthodox

**ortuť** mercury; *hovor.* quicksilver

**os** axis

**osa** wasp

**osada** settlement

**osadenstvo 1.** *(osadníci)* settlers **2.** *(zamestnanci)* staff

**osadník** settler, colonist

**osamelosť** solitude, loneliness

**osamelý** lonely, solitary

**osamostatniť** make* independent // *o. sa* become* independent

**osamote** isolated; *(sám)* alone

**oscilovať** oscillate ['osileit]

**osedlať** saddle

**osem** eight

**osemdesiat** eighty

**osemdesiaty** eightieth

**osemnásť** eighteen

**osiať** sow*, crop

**osídliť** settle, inhabit

**osídlo** snare; *(pasca)* trap

**osika** *bot.* aspen

**osirelý** orphaned, bereaved; *(opustený)* forlorn

**oslabiť** weaken

**osladiť** sweeten

**oslava** celebration, party

**oslavovať** celebrate

**oslepiť** blind; *(oslnit)* dazzle

**oslobodiť** free; *(prepustiť)* set* free; *(od nadvlády)* liberate; *(zachrániť)* rescue;

*(zbaviť viny)* aquit; *o. sa od* emancipate from

**osloboditeľ** liberator

**oslovenie** *(v liste)* address, title

**osloviť** address, turn to

**osmeliť** embolden // **o. sa** dare, venture

**osnova 1.** *(diela)* plan, programme **2.** *(deja)* plot

**osnovať 1.** plan; *(sprisahanie)* plot, conspire

**osoba** person, individual

**osobitý** special, extra; separate

**osobnosť** personality

**osobný** personal; *o. strážca* body guard; *o. identifikačné číslo* PIN (= personal identity number); *o. preukaz* identity card

**osoh** profit, benefit, advantage

**osol** ass, donkey

**osoliť** salt

**osožný** useful, profitable

**ospanlivý** sleepy, drowsy

**ospevovať** sing*

**ospravedlnenie** excuse, apology

**ospravedlniť 1.** excuse; **2.** *(odpustiť)* justify // **o. sa** excuse

**ostať** remain, stay; *o-ňte sedieť* keep* sitting; *(zvýšiť)* be* left over

**ostatní(ý) 1.** the rest, the others; *(posledný)* the last

**osteň** spine, prickle

**ostnatý** thorny, prick/y; *o. drôt* barbed wire

**ostražitosť** vigilance

**ostražitý** watchful, cautious

**ostriekať** spray, sprinkle

**ostrie** edge

**ostrihať** cut* // **o. sa** get*/have* a hair cut

**ostriť** sharpen

**ostroha** spur

**ostrov** island

**ostrovný** insular

**ostrý** *(zrak)* sharp; *(pren.)* acute; *(štiplavý)* hot/spicy; *(prísny)* severe, strict

**ostýchavosť** shyness

**ostýchavý** shy, bashful

**osud** fate, destiny, fortune

**osudie** urn

**osudný** fatal

**osušiť** dry off; *(utrieť)* wipe

**osvedčenie** certificate

**osvedčiť** prove, attest, certify

**osvedčený** tried and tested; *(spoľahlivý)* reliable

**osveta** enlightment, education

**osvetlenie** light, illumination

**osvetliť** illuminate

**osvetový** educational

**osvietenstvo** Enlightenment

**osvietiť** enlighten, expose to light

**osviežeenie** refreshment, recreation

**osviežiť** refresh; update

**osvojiť si** *(dieťa)* adopt; *(vedomosti)* master, acquire skills

**osýpky** measles

**ošarpaný** shabby

**ošetriť** *(pacienta)* attend; *(dieťa)* nurse; *(ranu)* treat

**ošetrovateľka** nurse

**ošetrovňa** infirmary

**ošípaná** sow

**oškrabať** scrape, scratch off, peel

**oštep** javelin, spear

**ošúchaný** shabby, ragged

**ošumelý** *(odev)* worn, scruffy; *(spustnutý)* paltry

**otáčanie** rotation

**otáčať (sa)** turn(round), revolve

**otáľať** linger, hesitate

**otázka** question; *(sporná)* issue; *dať o-ku* ask a question

**otáznik** question mark

**otcovský** paternal

**otčenáš** The Lord's Prayer

**otčina** fatherland

**otec** father; *krstný o.* godfather

**otecko** dad, daddy

**otehotnieť** become*/get* pregnant

**otiepka** bundle

**otlačok** imprint

**otlak** corn, callosity

**otočiť(sa)** turn

**otras** shake, quake

**otrava 1.** poison; *(alkoholom)* intoxication **2.** *(nepríjemný človek)* nuisance **3.** *(nuda)* bore

**otráviť** poison, get* fed up // **o. sa** get*/be* poisoned (by)

**otravný** poisonous; *(jedovatý)* venomous; *(toxický)* toxic; *(nudný)* boring

**otrčiť** *(dlaň)* reach out; *(lístok)* show

**otrepaný** trite, played-out, trivial

**otriasť** shake* // **o. sa** shake*, toss; *(hrôzou)* shudder, shiver

**otrocký** servile, slave

**otroctvo** servitude, slavery

**otrok** slave; *(sluha)* serf

**otrokár** slave owner

**otrokárstvo** slave-trade, slavery

**otruby** bran

**otupený** blunt, apathetic

**otupiť** blunt; *(ohromiť)* stupefy

**otupný** lonesome, gloomy, dull

**otužilý** hardened, tough

**otužiť sa** harden

**otvárací 1.** opening **2.** *(úvodný)* initial

**otvárač** *(konzerv)* tin-opener

**otvor** opening; *(diera)* hole; gap

**otvorene** openly

**otvorenie** opening

**otvorený** open, free

**otvoriť (sa) 1.** open up, unclose **2.** *(uviesť do činnosti)* establish; *o. cestu k* provide access to

**ovad** horsefly

**ovácie** cheer, applause

**ovca** sheep

**ovčiar** shepherd

**ovčiarstvo** sheep breeding

**oveľa** much

**ovenčiť** wreathe [ri:ð]

**overiť** verify; certify, *(zmluvu)* attest; checkup

**ovievať** fun, blow* upon

**ovinúť** wind* up, wrap around; *(milostne)* embrace

**ovisnúť** drop, hang down

**ovládač** remote control

**ovládanie** command, control

**ovládať** command, control; *(predmet)* master; *(zmocniť sa)* seize // *o. sa* keep* o's temper, show* selfcontrol

**ovlažiť** refresh, moisten

**ovocie** fruit

**ovocný** fruit; *o-á šťava* fruit-

juice; *o-á torta* tart; *o-ý sad* orchard

**ovos** *(zrno)* oats

**ovplyvniť** influence, affect

**ovzdušie** atmosphere

**ozaj** really, indeed, by the way

**ozajstný** real, true

**ozbrojený** armed; *(sprievod)* escort; *o-é sily* armed forces

**ozbrojiť(sa)** arm

**ozdoba** ornament, decoration

**ozdobiť** decorate, adorn; *(jedlo)* garnish

**ozdobný** decorative

**ozdravieť** recover, get* better

**ozdravovňa** sanatorium, convalescent home

**oziabať** feel* cold/chilly

**označenie** label, mark, sign; *(značka)* brand

**označiť** mark, indicate; *(nálepkou)* label; *(menom)* entitle

**oznámenie** announcement; notice; *(v novinách)* advertisement; *trestné o.* legal complaint

**oznámiť** announce, inform; *(formálne)* notify; *(ohlásiť)* report; *o. niekomu niečo* let* so. know

**oznámkovať** mark, grade

**oznamovací** *gram.* indicative
**oznamovateľ** adviser; *(v novinách)* advertiser
**ozrutný** monstrous, huge
**ozubený** toothed; *o-é koleso* cog/gear wheel
**ozvať sa 1.** *(prehovoriť)* answer, reply **2.** *(reagovať)* respond **3.** *(prehovoriť)* speak up **4.** *(nesúhlasiť)* protest

**ozvena** echo, resonance; *(realizácia)* reaction
**ožarovať** irradiate
**oženiť (sa)** marry, get* married; *dobre sa o.* make* a good match
**oživiť** revive, vivify; *(bábku)* animate
**ožobráčiť** ruin
**ožran** drunkard, soak
**ožrať sa** get* drunk/tipsy

## P

**paberkovať** glean; *hovor.* go for the leftovers
**pacient** patient; *ambulantný p.* out-patient
**pacifista** pacifist
**páčiť sa** like, please; *p-i sa mi to* I like it; *tu sa mi veľmi p-i* I like this place very much; *ako sa ti p-i Londýn?* how do you like London?; *nech sa p-i* here you are, please; *nech sa p-i, poďte ďalej* please, do come in
**pacnúť** *hovor.* smack, slap
**páčka** release, handle
**pád** (down) fall, crash, drop; *gram.* case; *voľný p.* free fall; *na každý p.* in any case/by all means; *mravný p.* moral decline
**padák** parachute [ˌpærə-

šuːt]; *cvičný p.* training parachute
**padať** fall*, drop; *p. na zem* fall on the ground; *p-la mi váza* I dropped the vase; *vypadávať (vlasy, zuby)* fall out
**pádny** *(závažný)* weighty [weiti], serious, *p. dôvod* weighty argument; *(presvedčivý)* convincing
**pagaštan** horse chestnut
**pahltník** *pejor.* glutton; *hovor.* greedy-guts
**paholok** arm-labourer, farm-servant
**pahorok** hill, hillock; *(navŕšený)* mound [maund]
**pahreba** ember(s), live coal
**pach** odour; *telesný p.* body odour; smell; *(jemný)* scent

**páchať** commit, *p. zločiny* commit crime; *p. hriechy* commit sins; do wrong/damage/evil

**páchateľ** offender, culprit, *(zločinec)* criminal

**páchnuť** smell*, stink*; *p-e z neho rum* he smells of rum

**pajác** *(šašo)* buffoon, *(v cirkuse)* clown; *obr.* fool

**páka** lever; *rýchlostná p.* gear lever; *pákový ovládač* joystick

**pakľúč** picklock, skeleton key; *otvoriť p-om* pick a lock with a skeleton key

**pakt** pact; *p. o neútočení* non-aggression pact; *uzavrieť p. s niekým* make a pact with sb.

**palác** palace; *kráľovský p.* royal palace; *prezidentský p.* presidential palace; *Justičný p.* Hall of Justice/Court House

**palacinka** pancake; *(tenká)* crépe [kreip]

**páľava** heat

**paľba** fire; *spustiť p-u* open fire; *zastaviť p-u* cease fire; *povel na p-u* fire order

**palčiaky** mittens

**pálčivý** burning, hot; *pren.* pressing, urgent; *p-á otázka* burning question

**palec 1.** *(na ruke)* thumb; *(na nohe)* big toe **2.** *(miera)* inch • *držať niekomu p-e* keep so. fingers crossed for sb.

**pálenka** brandy, spirit; *domáca p.* home brew

**palica** stick, rod, club, staff; *vychádzková p.* walking stick; *hokejová p.* hockey stick; *lyžiarska p.* ski pole; *chodiť o palici* use a staff/walk with a stick

**páliť 1.** burn*; *obr. p. si prsty* burn so. fingers; *žihľava p-i* nettle burns; *(strieľať)* fire **2.** *(lieh)* distill **3.** *(vápno)* burn lime **4.** heat; *slnko p-i* the sun is heating

**palivo 1.** fuel; *spotreba p-a* fuel consumption **2.** *(pohonné hmoty)* pl. combustibles

**pálka** bat; *bejzbalová p.* baseball bat

**palma** palm, palm-tree; *datľová p.* date palm; *kokosová p.* coconut palm

**paluba** deck; *na p-e lode* aboard; *cez p-u* overboard; *všetci na p-u!* all hands on deck!/everybody on deck!; *(aj lietadlo) palubný lístok* boarding card

**pamäť** memory, mind; *mať na p-i* bear/have* in mind; *počítačová p.* computer memory/MEM (memory); *naspamäť* by heart; *vypadlo mi to z p-i* it escaped my memory

**pamätať si** remember, have memory of, recall, recollect; *pokiaľ si p-ám* as far as I can recollect

**pamätník 1.** *neživ.* memorial, monument **2.** *živ.* living witness

**pamätný** memorable; *p. deň* red-letter day; *p. tabuľa* memorial tablet

**pamiatka** remembrance, memory; *na p-u* in memory of; *(predmet)* souvenir [„su:vəniə], keepsake; *(budova)* monument; *p-y Bratislavy* sights of Bratislava

**pán 1.** *(muž)* gentleman **2.** *(zamestnávateľ)* master, boss **3.** *(oslovenie)* sir **4.** *(pred menom)* Mister *(skr. Mr)* **5.** *(zemepán)* lord **6.** *(domáci)* landlord; *Vážený p.* Dear sir; *pán doktor/ profesor/učiteľ* doctor/professor/teacher; *p. prezident* Mr President; *večierok pre p-ov* stag party; *p-sky záchod* gents

**Pán Boh** the Lord, the God, Lord God; *P. zaplať* thank goodness; *nazdravie (pri kýchnutí)* God bless you

**pancier** armour; *p. korytnačky* tortoise shell

**pancierový** armoured, ironclad; *p-é vozidlo* armoured vehicle; *p-á päsť* bazooka

**pančucha** stocking; *nylonové p-y* pair of nylons

**pančucháče** pantihose; *hovor.* tights

**panenský** virginal

**pani 1.** *(žena)* lady **2.** *(zamestnávateľka)* mistress **3.** *(manželka)* wife **4.** *(pred menom)* Mistress *(skr. Mrs)* [misis] **5.** *(oslovenie)* madam **6.** *(domáca)* landlady; *Vážená pani* Dear madam; *pani doktorka/ profesorka/učiteľka* madam doctor/professor/teacher; *večierok pre dámy* hen party

**panika** panic, scare; *len žiadnu p-u!* don't panic!

**panna** virgin; *stará p.* spinster; *morská p.* mermaid; *P. Mária* Our Lady/the Virgin Mary

**panovačný** despotic; *hovor.* bossy; *p-á osoba* bossy boots

**panovať** rule, dominate, reign; *p. v krajine* rule a country

**panovník** sovereign, monarch, ruler

**pánt** hinge; *vysadiť dvere z p-ov* unhinge a door

**panvica** (frying)-pan, *(malá)* saucepan

**papagáj** parrot; *andulka* badgie

**páperie** down, fluff

**páperový paplón** eiderdown, duvet

**pápež** pope, holy father

**papier** paper; *(baliaci)* brown paper, wrapping paper; *cenné p-e* stock, securities *pl.*; *doklady* papers; *hárok p-a* sheet of paper; *minúť p.* run out of paper

**papierníctvo** stationer's; *AmE* paper store

**paplón** quilt [kwilt]

**papraď** *bot.* fern

**paprika** *(korenie)* red pepper, paprika; *(plod)* (sweet) pepper

**papuča** slipper • *pod p-čou* be henpecked

**papuľa** *(zvieraťa)* muzzle

**pár 1.** pair, couple; *pár minút* a couple of minutes; *pár topánok* pair of shoes; *k sebe sa hodiaci p.* a well

assorted couple **2.** *(niekoľko)* a few, a couple; *každých p. minút* every few minutes

**para** steam, vapour; *variť v p-e* to steam; *ísť plnou p-ou* to steam; *vypúšťať p-u* to steam; *vodná p.* water vapour • *byť pod p-ou* to be tipsy; *parný hrniec* steam cooker

**parabola 1.** parabola **2.** *gram.* parable

**parabolický** parabolic; *p. reflektor* dish

**paradajka** tomato; *p-ový pretlak* tomato purée; *p-ová šťava* tomato juice

**parádnica** primp, dressy woman

**parádnik** dandy

**paralýza** paralysis

**paralyzovať** paralyse, immobilize

**parašutista** parachutist, skydiver

**párať** unstitch [ˌanˈstič], undo

**parazit** parasite; *p. spoločnosti* parasite of the society; *(hmyz aj človek)* vermin

**parcela** plot, site; *AmE* lot; *stavebná p.* building plot

**pardon** I beg your pardon, pardon me, sorry

**parenisko** hotbed
**parfum** perfume
**páriť sa** pair, mate, copulate
**park** park, gardens; *zábavný p.* fun-fair/amusement park; *(vozový)* rolling-stock
**parkety** parqueted [pa:ktid] floor
**parkovať** park; *p. vo dvore* keep the car in the yard; *nep.* no parking
**parkovacie hodiny** parking meter
**parkovisko** park, parking place, car park, parking area; *p. pri diaľnici* lay-by
**parlament** parliament, *(budova)* House of Parliament
**parník** steamer, steamship, steamboat, *(zámorský)* ocean liner
**parný** steam-; *p. kúpeľ* Turkish bath; *p. stroj* steam-engine; *p. valec* steam-roller
**párny** even, *p-e čísla* even numbers
**paródia** parody
**parohy** antlers *pl.*
**parochňa** (peri)wig; *(dlhá)* peruke; *nosiť p-u* wear a wig
**párok** *(údenina)* sausage, frankfurter; *AmE* hot dog

**partia 1.** part **2.** *(v hre)* game **3.** *(na vydaj)* match **4.** *(oblast)* area, region
**partitúra** score
**partizán** guerilla, partisan
**partizánsky** *p-a vojna* guerilla warfare
**partner** partner, match, mate, pal; *životný p.* partner in life; *nenájsť si p-a* be on the shelf
**pas** *(cestovný)* passport, *(zbrojný)* gun licence
**pás 1.** belt; *bežiaci p.* conveyer belt; *záchranný p.* life belt; *(opasok)* belt, girdle **2.** *(časť tela)* waist; *štíhly p.* slender waist **3.** *(pruh)* strip
**pasáž** passage, *(priechod)* passage-way
**pasažier** passenger; traveller; *čierny p.* deadhead
**pasca** trap; *nastaviť p-u* set a trap
**pasienok** pasture, grazing ground
**pasívny** passive, inactive; *p-e fajčenie* passive smoking; *p-a znalosť jazyka* reading knowledge of a language
**páska** band, *(magnetofónová, lepiaca)* tape; *p. do písacieho stroja* type-writer ribbon

**pásmo** zone, belt; *(horské)* chain of mountains

**pásť** graze; *p. oči* feast so. eyes

**pásť sa** graze, crop, feed*

**pasta** paste; *(zubná)* toothpaste; *(leštiaca)* polish

**pastel** *(obraz)* pastel; *p-ové odtiene* pastel shades

**pastier** *(oviec)* shepherd, *(dobytka)* herdsman; *AmE* cowboy

**pastor** clergyman, parson, minister

**pašerák** smuggler

**pašovať** smuggle

**paštéta** paste, spread; *pečeňová p.* liver patty

**pat** *(v šachu)* stalemate

**patent(ný)** patent; *p. špendlík* safety pin

**pátranie** investigation, search, quest; *p. po zločincovi* search for criminal

**pátrať** *(skúmať)* investigate; *(hľadať)* search

**patričný 1.** due; *s p-ým rešpektom* with due respect **2.** proper, appropriate; *p-ým spôsobom* in the proper manner; *p-é vzdelanie* appropriate education

**patriť** belong; *nep-í vám to* it does not belong to you; *p. do rodiny* be* part of the family; *(medzi)* rank among

**patrón 1.** patron, sponsor; *náb.* patron saint **2.** *(náboj)* cartridge

**paušál** flat rate, lump sum; *brať p-ne* take* in the lump

**pauza** interval, break; *(v práci)* tea/coffee break

**páv** peacock; *pyšný ako p.* as proud as a peacock

**pavilón** *(budovy)* pavilion; *výstavný p.* exhibition hall

**pavučina** cobweb

**pavúk** spider; *p. križiak* cross spider

**pazucha** armpit; *hovor.* arm; *držať sa pod p-y* walk arm in arm

**pazúr** claw; *ukázať/vystrčiť p-y* show so. claws

**pažerák** gullet; *anat.* e-sophagus

**pažravý** voracious; *(aj pren.)* greedy; *nebuď p./chamtivý* don't be greedy

**pažítka** chive [čaiv]

**päsť** fist; *zovrieť p-e* clench the fists; *pohroziť p-ou niekomu* shake the fist at sb.

**pästiar** boxer

**pästiarstvo** boxing

**päť** five; *je p. hodín* it is five o'clock

**päta** *(nohy, na pančuche, na*

topánke) heel; *šiel nám za
p-mi* he was close at our
heels
**pätboj** pentathlon
**päťdesiat** fifty; *p-e roky* the
fifties
**päťdesiaty** fiftieth
**päťnásobný** quintuple
**pätnásť** fifteen; *má p. rokov*
he is fifteen (years old)
**pätnásty** fifteenth
**pätolízač** toady, yes-man,
bootlicker
**päťsto** five hundred
**pec** *(na pečenie)* oven; *(na
vyhrievanie)* stove; *zakúriť
do p-e* fire up a stove; *(vy-
soká)* furnace
**peceň** loaf; *dva p-e čierneho
chleba* two loaves of
brown bread
**pecúch** *kniž.* lazybones
**pečať** seal
**pečatiť** seal; *(za)pečatiť* put
the seal on
**pečeň** *anat.* liver; *teľacia p.*
veal liver
**pečený** roast; *p-é mäso* roast
meat; baked; *čerstvo p-ý
chlieb* freshly baked bread
**pečiatka** (rubber) stamp
**pečiatkovať** stamp; *p. listiny*
stamp documents
**pečivo** *(sladké)* pastry, *(sla-
né)* buns, rolls
**pedagogický** pedagogic(al);

*vysoká škola p-á* Pedago-
gical college
**pedagogika** pedagogy
**pedál** pedal; *(plynový)* gas-
pedal, accelerator; *(spoj-
ky)* clutch
**pedantný** pedantic, meticu-
lous
**pedikér** chiropodist
**peha** freckle; *tvár má samú
p-u* his face is covered
with freckles
**pehavý** freckled
**pechota** infantry; *(námorná)*
marnes *pl.*
**pekáč** baking pan, roasting
tin
**pekár** baker; *pekáreň* bak-
er's (shop)
**pekelný** infernal; *p. život*
hell of a life
**peklo** hell; *do p-a s* to hell
with; *robiť o dušu* work
like hell
**pekne** nicely; *ďakujem p.*
thank you very much in-
deed; *prosím p.* you're qu-
ite welcome
**pekný** pretty, fine, nice;
good looking; *p-á žena*
pretty woman; *p. muž*
handsome man; *(počasie)*
fair; *hovor.* jolly
**peľ** pollen
**pelech** den
**peň 1.** *(odrezaný zvyšok)*

sump **2.** *(kmeň stromu)* trunk

**pena** foam; *(na pive)* froth; *p-ová guma* foam-rubber; *(mydlová)* lather; *p. na holenie* shaving foam

**peňaženka** *(dámska)* purse; *(pánska)* wallet

**peňažný** financial, monetary; *p-é prostriedky* funds *pl.*, *p-á poukážka* money order

**peniaz** *(minca)* coin; *(bankovka)* bank-note

**peniaze** money; *drobné p.* small change; *p. v hotovosti* cash; *čas sú p.* time is money; *byť bez p-í* to be* out of cash/to be* broke

**peniť (sa)** foam; *(pivo)* froth

**penzia** *(dôchodok)* pension; *(stav)* retirement; *v p-i* to be* retired; *odísť do p-e* to retire

**penzión** boarding-house, guest-house

**penzionovanie** superannuation

**penzionovaný** retired

**penzista** (old-age) pensioner

**pepitový** checked

**pera** lip; *horná/dolná p.* upper/lower lip; *rúž na p-y* lipstick

**percento** per cent; *(pomer*

*v p-ách)* percentage; *na sto p.* a hundred per cent

**perfektný** perfect; *hovoriť p-e po anglicky* speak perfect English

**pergamen** parchment

**perie** feather(s), plumage

**periféria** *(mesta)* outskirts, suburb

**perina** feather-bed, duvet, eiderdown • *zaliezť pod p-u* to hit the hay

**perióda** period

**periodický** periodical

**perla** pearl; *pravá/nepravá p.* genuine/false pearl

**perleť** nacre, mother-of-pearl

**perlorodka** pearl oyster

**perník** gingerbread

**pero 1.** *(vtáčie)* feather **2.** *(na písanie)* pen; *plniace p.* fountain-pen; *večné p.* ball-point pen **3.** *(pružina)* spring

**personál** personnel, staff; *p-na politika* personnel policy; *p-ny riaditeľ* personal manager

**perspektíva** perspective; *vtáčia p.* bird's-eye view; *p. do budúcnosti* future outlook

**pes** dog; *(ovčiarsky)* sheepdog; *(poľovný)* hound; *(strážny)* watchdog; *(sle-*

*pecký)* guide-dog; *pozor, pes!* beware of the dog!

**pesimistický** pessimistic

**pestovanie** cultivation

**pestovať** 1. cultivate, grow*, raise; *p. ľan* cultivate flax; *p. zeleninu* grow* vegetables 2. *šport.* go* in for sports 3. *p. dieťa* nurse a child • *p. priateľstvo* to foster friendship

**pestovateľ** cultivator, grower; *p. ovocia* fruit grower/farmer

**pestrý** *(farby)* motley, fancy, colourful; *(rozmanitý)* varied

**pestún** *práv.* guardian, fosterer, foster father

**pestúnka** *práv.* foster mother; *(denná)* nurse, nanny, baby-sitter

**peši, pešo** on foot; *ísť p.* walk; go* on foot

**peší** pedestrian, walker; *p-ia turistika* walking/hiking tour

**pešiak** *šach.* pawn

**petícia** petition

**petrolej** *(surový)* petroleum; *(na kúrenie, letecký)* kerosene

**petržlen** parsley

**pevne** firmly, hard, hard and fast

**pevnina** *(kontinent)* conti-

nent, mainland; *(zem)* dry land

**pevninový** continental

**pevnosť** 1. *(stavba)* fort(ress) 2. *(odolnosť)* firmness, stability, solidity

**pevný** firm; *p-á ruka* firm hand; *(opak tekutiny)* solid; *p-á pôda* solid ground; *(stály)* stable, steady; *(silný)* sturdy; *(ustálený)* fixed; *p-é ceny* fixed prices

**pchať** *(kŕmiť)* stuff; *(strkať)* poke // **p. sa** *(jesť)* cram; *(tlačiť sa)* crowd, jam

**piaď** span

**pianíno** (upright) piano

**pianista** pianist, piano player

**piano** piano

**piatok** Friday; *Veľký p.* Good Friday; *každý p.* on Fridays

**piaty** fifth

**piecť** 1. *(z múky)* bake 2. *(mäso)* roast; *slnko pečie* the sun is heating

**piesčina** sands *pl.* , shoal

**piesčitý** sandy; *p-á pláž* sandy beach

**pieseň** song; *ľudová p.* folk song; *populárna p.* pop song; *tanečná p.* dance song

**pieskovec** sandstone

**piesočnatý** sandy

**piesok** sand; *(hrubý)* gravel

**piest** piston

**pichať** prick; *(hmyz)* sting; *(bolesť)* stab; *(hovor.)* p. injekciu shoot

**pichľavý** *(s pichliačmi)* prickly; *(napr. drôt)* bristly; *(reč)* sneering, sarcastic

**pijak** blotting paper

**pijan** drunkard; *tuhý p.* hard drinker

**pijavica** leech; *držať sa ako p.* cling like a leech

**pika 1.** *hist.* pike **2.** *kart.* spade

**pikantný 1.** *(aj jedlo aj obr.)* piquant [ˌpiːkənt]; *p-á situácia* piquant situation; *p-á omáčka* piquant sauce **2.** *(jedlo)* savoury, spicy

**piknik** picnic

**píla** saw; *(podnik)* sawmill; *motorová p.* chain saw

**pilier** pillar; *(mosta)* pier; *základný p. ekonomiky* backbone of economy

**piliny** sawdust

**píliť 1.** *(pilníkom)* file **2.** *(drevo)* saw

**pílka** handsaw

**pilník** file; *(na nehty)* nail file

**pilot** pilot; *automatický p.* mechanical pilot; *druhý p.* co-pilot

**pilulka** pill; *p-y na spanie* sleeping pills; *užívať anti-* *koncepčné p-y* to be* on the pill

**pinka** *zool.* (chaf)finch

**pinta** pint (0,5 l)

**pinzeta** tweezers *pl.*

**pionier** pioneer

**pirát** pirate; *cestný p.* road hog

**piroh** pie

**písací:** *stôl* (writing)-desk; *páska do p-ieho stroja* type-writer ribbon; *p-ie potreby* stationery

**písanka** exercise book; *AmE* copybook

**pisár(ka)** *(na stroji)* typist

**písať** write*; *(na stroji)* type; *nevie čítať ani p.* he does not read or write

**pisateľ** writer

**pískanie** whistle, whistling

**pískať** whistle; *(na píšťale)* blow* a pipe; *diváci p-li* the audience were hissing

**písmeno** letter, character; *tlačené p.* block letter; *veľké p.* capital letter; *malé p.* small letter

**písmo** writing, type; *(rukopis)* script

**písomka** written exam/test

**písomne** in writing, by letter

**písomníctvo** literature, letters *pl.*

**písomnosti** document, letter, paper; *vybavovať p.* do the paperwork

**piškóta** bisquit; *p-ový koláč* sponge cake; *detské p-y* sponge fingers

**píšťala** pipe, whistle

**pišťať** squeak, scream; *p-í mi v ušiach* my ears are ringing

**pištoľ** pistol

**piť** drink\*; *p. pivo* drink beer • *p. ako dúha* drink like a fish; *(opíjať sa)* booze

**pitevňa** dissecting room

**pitný** drinkable; *p-á voda* drinking water

**pitva** autopsy, dissection

**pitvať** dissect

**pivnica 1.** cellar; *(na víno)* wine cellar **2.** *(vináreň)* wine bar, tavern

**pivo** beer; *(svetlé)* lager, ale; *(čierne)* stout, porter; *(malé)* a half

**pivónia** *bot.* peony

**pivovar** brewery

**pižmo** musk

**pláca** pay(ment), wages

**placka** *(zemiaková)* potato pancake

**plač** weeping, cry(ing); *je mi do p-u* I feel like crying

**plačlivý** tearful, weepy

**plagát** poster, bill, placard; *lepenie p-ov zakázané!* stick no bills!; *vyvesiť p.* post a bill

**plagiát** plagiarism

**plahočiť sa** *(vliecť sa)* plod; *(drhnúť)* drudge

**plachetnica** sailing boat, sailing ship; *(veľká)* yacht

**plachta 1.** sail; *(na vetroni)* glide **2.** *(posteľná)* sheet

**plachý** shy, timid

**plakať** weep\*, cry; *p. od bolesti/šťastia/žiaľu* weep with pain/joy/grief

**plákať** rinse

**plameň** flame; *byť v p-och* be\* in flames

**plán** *(časový)* schedule, time-table; *(mesta)* map, scheme; *(zámer)* plan, project; *(cesty)* itinerary; *zostaviť p.* lay out the plan

**pláň** plain(s)

**planéta** planet; *narodiť sa na šťastnej p-e* to be born under a lucky star

**planetárium** planetarium

**planina 1.** *(pláň)* plain **2.** *(vyvýšené miesto)* plateau [plætəu], tableland

**planírovať** level

**plánovaný** planned, scheduled; *p-é rodičovstvo* birth-control, family planning

**plánovať** plan, programme; *(navrhnúť)* design; *(časovo)* timetable

**plantať** reel, wind\* // **p. sa** sway, trudge; *(zavadzať)* get in the way

**plantáž** plantation
**planúť** *(blčať)* blaze, flare up; *(žiariť)* glow
**planý 1.** barren, unfruitful; *p. hruška* wild pear **2.** *(sľuby)* empty **3.** *(zlý)* bad, wicked **4.** *(jedlo)* tasteless
**plást** *(včelí)* honeycomb
**plastický** plastic; *p-á mapa* relief map; *p-á operácia* plastic surgery
**plastika** sculpture
**plašiť** scare, frighten // **p. sa 1.** panic; *neplaš sa* don't panic **2.** shy; *kôň sa p-í* the horse is shy
**plášť 1.** *(dlhý kabát)* cloak, overcoat; *nepremokavý p.* mackintosh, raincoat, mantle; *kúpací p.* bath robe; *lekársky p.* gown **2.** *(pneumatiky)* tyre
**plat** pay; *(príjem)* income; *(mesačný)* salary; *(hodinový, denný, týždenný)* wage; *čistý p.* net salary; *hrubý p.* gross salary; *p. závislý od výkonu* performance-related pay
**plátať** *(opravovať)* mend; *(pokrývať záplatami)* patch
**platba** payment
**plátenky** *(topánky)* plimsolls *pl.*
**plátený** linen
**platina** platinum

**platiť 1.** pay* **2.** *(mať platnosť)* apply; *p. v hotovosti* pay in cash, pay in ready money; *p. na splátky* pay by instalments; *platím! the bill, please!*; *koľko platím?* what's the bill?
**platňa 1.** plate, sheet, panel **2.** *(gramofónová)* record
**plátno** linen, cloth; *(maliarske)* canvas; *(premietacie)* screen; *(voskové)* oilcloth
**platnosť** validity; *nadobudnúť p.* enforce, come into force; *doba p-i* expiry date
**platný** valid; *p. pas* valid passport; *p. peniaz* good coin; *čo je to p-é* what is the use of
**platobný** of payment; *p-á bilancia* balance of payment; *p-á neschopnosť* insolvency; *p. príkaz* order to payment, draft
**plátok 1.** slice; *p. mäsa* slice of meat; *(odtrhnutý)* slip **2.** *(noviny)* tabloid
**plávacie koleso** lifebelt
**plavák** *šport.* *(doska)* surfboard
**plaváreň** swimming pool
**plávať** swim*; *p. kraul* swim crawl; *p. prsia* swim breast-stroke; *p. znak* swim backstroke

**plavba** navigation, voyage; *okružná aj voj. p.* cruise [kru:z]; *schopný p-y* seaworthy

**plavec** swimmer

**plavecký** swimming; *p-é preteky* swimming competition; *p-á čiapka* bathing cap

**plavidlo** (water) craft, vessel

**plaviť sa** sail

**plavky** swimming (bathing) suit/dress/costume; *jednodielne/dvojdielne p.* one-piece/two-piece swimming suit; *(pánske)* bathing pants/trunks

**plavý** blonde, fair(-haired)

**plaz** reptile

**plaziť sa** crawl, creep*; *(len plaz)* grovel

**pláž** beach, strand, seaside; *na p-i* on the beach

**plece** shoulder; *vziať na p-ia* shoulder; *pokrčiť p-ami* shrug so. shoulders

**plecniak** knapsack, rucksack [„raksæk]

**plecnice** *(traky)* braces

**pléd** plaid, shawl [šo:l]

**plech** tin; *(na pečenie)* roasting tin

**plechovka** can, tin; *pivo v p-ách* canned beer

**plemeno** *(rasa)* race; *(zviera)* breed

**ples** ball; *maškarný p.* fancy-dress ball/masked ball

**pleseň** *(na potravinách)* mould [mauld]; *(na dreve, koži)* mildew, must

**plesnivý** mouldy, musty

**plesnivieť** mould, mildew

**plesnúť** smack, slam, slap, bang

**plesnutie** flap

**pleso** tarn, mountain lake

**plešina** bald spot; *pejor.* baldhead

**plešivý** bald

**pleť** complexion; *svetlá p.* fair complexion; *mastná p.* oily skin/complexion

**pletka** *(maličkosť)* trifle; *(intrigy)* intrigue [in'tri:g]; *ľúbostné p-y* love affairs

**plevy** chaff

**plienka** napkin; *AmE* diaper; *jednorazové p-y* disposable napkins/nappies

**pliesť** *(košík)* weave; *(strojom al. ihlicami)* knit

**plieť** weed

**plne** fully; *p. naložený* fully loaded

**plniť** fill (up); *p. záväzok* fulfil

**plnka** *(do koláča)* filling; *(do mäsa)* stuffing

**plnoletosť** full age, majority

**plnoletý** of (full) age; *p-á osoba* major

**plnotučný** full cream
**plný** full; *(naplnený, preplnený)* full of, crowded with, packed with; *(úplný)* complete; *(vrchovatý)* fraught (with); *p-á penzia (v hoteli)* full board
**plod** fruit; product; *(ľudský)* foetus [fi:təs]; *p-y mora* seafruit
**plodina** *(úžitková)* crop; product; *hlavná p.* staple
**plodiť** produce, generate, breed*; *(rastliny)* yield
**plodnosť** fertility; *liek na liečenie nep-ti* fertility drug
**plodný** fertile, fruitful, productive
**plocha** area; *(štartovacia a pristávacia)* runway; *(rovina)* plain; *mat.* plane; *naklonená p.* ramp • *dostať sa na šikmú p-u* be* on the slippery slope
**plochý** flat, level; *p-é nohy* flat feet
**plomba** 1. *(zubná)* stopping, filling 2. *(pečať)* seal
**plošina** platform
**ploštica** bed-bug; *(mikrofón)* bug
**plot** fence; *(živý)* hedge
**plsť** felt
**plť** float, raft; *spúšťať p-e* launch rafts

**pľúca** lungs; *zápal pľúc* pneumonia [nju:'məun-jə]; *rakovina pľúc* lung cancer
**pľúcny** pulmonary
**pluh** plough; *AmE* plow
**pluk** regiment
**plukovník** colonel [kə:nl], *skr.* Col.
**plus** *(znamienko)* plus [plas]; *dva p. dva je štyri* two plus/and two make four; *p. dva stupne* two degrees above zero
**plutva** *(ryby)* fin; *(potápačská)* flipper
**pľuvadlo** spittoon
**pľuvať** spit*
**pľuzgier** blister; *nové topánky mi vždy urobia p-e* new shoes always give me blisters
**plyn** gas; *slzotvorný p.* tear gas; *zemný p.* natural gas; *výfukový p.* exhaust; *vzácny p.* rare gas
**plynáreň** gasworks
**plynný** 1. *(plynulý)* fluent 2. *(v plynnom stave)* gaseous
**plynojem** gastank
**plynomer** gasometer
**plynový** *horák* gas-jet; *p-á maska* gasmask
**plynulý** fluent; *hovorí p-lo po anglicky* he speaks fluent English

**plynúť** *(čas, slová)* flow; *(tekutina)* run*, tide

**plyš** plush

**plytčina** shoal, shallow

**plytký** shallow; *p. tanier* flat plate

**plytvať** waste, lavish; *to je p-nie časom/peniazmi* it's a waste of time/money

**pneumatický** pneumatic [nju:ˈmætik]

**pneumatika** tyre; *AmE* tire

**po 1.** *(časovo)* after; *po obede* after lunch; *po jeho príchode* after his arrival; *pršalo po dve noci* it rained for two nights **2.** *(až po)* till, (up) to; *až po dnes* till this day **3.** *(pri udaní ceny)* apiece, each; *po korune* a crown apiece/each **4.** *(pre)* for; *poslať po lekára* send for a doctor **5.** in *povedz to po anglicky* say it in English **6.** *(časovo) po celý rok* year in year out; *po stáročia* for centuries; *po celý čas* all the time; *po celý deň* throughout the day **7.** *(priestorovo) až po stanicu* as far as the station; *sneh po kolená* snow to the knees; *chodiť po obchodoch* go* round the shops **8.** *(poradie) po prvý raz* for the first time •

*mám toho po krk* I am fed* up with it

**pobádať** *(k niečomu)* impel, spur

**pobláznený** crazy *(po* for, about); *je do nej p.* he is crazy about her; mad *( do* on, about)

**pobočka** branch, branch office

**pobozkať** kiss, give* a kiss; *p. na dobrú noc* kiss sb. goodnight; *p. sa* kiss each other

**pobožný** pious

**pobrežie** coast, (sea)-shore, seaside; *na p-í* on the coast/at the seaside; *blízko p-ia* off the coast

**pobúriť** stir, outrage; *článok ho p-l* the article outraged him

**pobyt** stay, visit, residence; *niekoľkodňový p.* several day's stay; *povolenie na p.* residence permit

**pocit** feeling, sensation; *mať p.* feel*; *mám p., že* I have a feeling that; *zmiešané p-y* mixed feelings

**pociťovať** feel*, perceive

**pocta** honour, homage, tribute to; *vzdať p-u* salute/ pay homage to; *je to pre mňa veľká p.* it is a great honour for me

**poctiť** honour, favour; *p-l nás svojou prítomnosťou* he honoured us with his presence

**poctivosť** honesty; *p. sa oplatí* honesty pays*

**poctivý** honest, righteous

**počas** during; *p. prázdnin* during holidays

**počasie** weather; *aké je p.?* what's the weather like? *pôjdeme za priaznivého p-a* we will go* weather permitting

**počatie** conception

**počestný** honest

**počet** 1. number, amount, quantity; *celkový p.* total number; *v malom p-e* in small numbers 2. *mat.* calculus [ˌkælkjuləs]

**početný** numerous

**počiatočný** initial, original; *p-á rýchlosť* initial speed

**počiatok** origin, beginning; *od samého p-u* from the very beginning

**počínať si** behave, act; *p. si ako dieťa* act like a child

**počítanie** counting, calculating

**počítač** computer

**počítačový**: *pirát* hacker; *p-á grafika* computer graphics *pl.*

**počítať** p. **rátať**

**počkať** wait; *p-j trochu* wait a minute; *p-e na nás* wait for us; *na počkanie* while you wait; *len p-j!* just you wait!

**počty** arithmetic, figure; *byť dobrý v p-och* be* good at figures

**počuť** hear*; *nepočujem ťa!* I can't hear you!; *to rád počujem* I'm glad to hear that

**počuteľný** audible; *ledva p.* barely audible

**počúvať** 1. listen; *p. radio* listen to the radio 2. (*poslúchať*) obey

**pod** under; *p. stolom* under the table; *v strese* under stress; underneath, *nápis p. obrazom* inscription underneath a picture; below; *býva p. nami* he lives below us; beneath; *tmavé kruhy p. očami* dark circles beneath the eyes

**poďakovanie** thanks

**poďakovať** thank; *ď. pekne* thank you very much; *ď. vám za radu* thank you for your advice

**podariť sa** succeed; *p-lo sa mi* I succeeded in

**podať** hand; *p. demisiu* hand in resignation; give*; *p. liek* give* a medicine;

pass; *p-aj mi noviny* pass me the newspapers; *p. ruku* shake* hands *(komu)* with sb.

**podbradník** bib

**podceňovať** underestimate; *p. svoje schopnosti* underestimate so. abilities

**podčiarknuť** underline, highlight

**poddajný** pliable; *(krotký)* meek

**poddanstvo** bondage, subjections, serfdom

**poddaný** subject, serf

**poddať sa** surrender; *(povoliť)* yield; *(podvoliť sa)* submit

**poddôstojník** non-commissioned officer, *skr.* NCO

**podhubie** *(huby)* spawn; *(základ)* breeding-ground

**podchod** subway; *AmE* underpass

**podiel** share, portion, part; *mať p. na zisku* have* a share in the profits

**pódium** platform; *(divadelné)* stage

**podivný** strange, odd, queer; *p. človek* an odd person

**podivuhodný** wonderful, admirable

**podjazd** subway, underpass; *(pre autá)* fly-under; *(železničný)* underbridge

**podklad** basis, datum *(pl. data)*; foundation; *na p-e dohody* on the basis of an agreement; *na bielom p-e* on white ground

**podkolienky** knee socks

**podkopať** *(základy, autoritu, korene)* undermine, sap

**podkova** horse shoe

**podkovať** shoe (a horse)

**podkrovie** garret, attic, loft

**podľa** by, according to, in accordance with; *p. našich záznamov* according to our records; *p. môjho prepočtu* by my reckoning; *p. môjho názoru* in my opinion

**podlaha** floor

**podlažie** storey; *prvé p.* the first storey

**podľahnúť** *(chorobe)* succumb; *(poddať sa)* yield; *(v zápase)* to be* defeated

**podlhovastý** oblong

**podliak** scoundrel, rascal

**podlízavosť** subservience, servility

**podlízavý** subservient

**podlizovať sa** grovel, cringe

**podlomiť** *(zdravie)* shatter, undermine so. health; *(nohy)* buckle

**podložiť** prop (with, up), lay* under

**podložka** *(na stole)* mat,

tablemat, (writing) pad, *(prenosná)* carry-mat

**podlý** *(človek)* wicked, mean; *(správanie)* base

**podmaniť** subjugate, subdue

**podmaniteľ** *(dobyvateľ)* conqueror

**podmet** *gram.* subject; *zmeňme tému* let's change the subject

**podmienečný** conditional; *p. trest* suspended sentence; *p-é prepustenie* parole

**podmienka** condition, term; *pod p-ou, že* under the condition that

**podmieňovací:** *gram. spôsob* conditional

**podmínovať** undermine, mine

**podmorský** submarine [,sabmǝri:n], undersea

**podmyť** wash out, underwash, undermine

**podnájom** lodgings *pl.*

**podnájomník** lodger, subtenant; *AmE* roomer

**podnapitý** tipsy; *prišiel domov p.* he came home tipsy

**podnebie 1.** climate; *vnútrozemské p.* continental climate **2.** *anat.* palate; *rozštiepené p.* cleft palate

**podnecovať** instigate, incite

**podnes** till the present, to this day, up to now, till now

**podnet** *(vlastný)* impulse; suggestion, stimulus; *dať p.* suggest, initiate

**podnietiť** stimulate, incite

**podnik 1.** *(konanie)* undertaking **2.** *(obchodný)* enterprise, corporation; *(nočný)* night club **3.** *(závod)* plant; *napiť sa na účet p-u* have* a drink on the house

**podnikanie** *(dvoch al. viacerých osôb)* partnership

**podnikať 1.** undertake* **2.** enterprise, run* a business

**podnikový** enterprising, pushing

**podniknúť** undertake*

**podnos** tray

**podnožka** *(stolček)* footstool

**podoba 1.** *(tvar)* shape, form **2.** *(podobnosť)* resemblance

**podobať sa** resemble, look like; *veľmi sa na vás p-á* he looks very much like you; *p. sa rodičom* take* after

**podobenstvo** parable

**podobizeň** *(maľovaná)* portrait, photo(graph)

**podobne** likewise, similarly; *Veselé Vianoce. P. Merry Christmas. The same to you.*

**podobnosť** likeness, similarity

**podobný** similar, (a)like, akin; *p-é názory* similar opinions; *sú si p-í* they are alike

**podobrať sa** *(na niečo)* undertake*

**podomový obchodník** pedlar

**podoprieť** *(predmetom, rukou)* prop (up); *p-l si bradu rukou* he propped his chin on his hand; *(podporiť)* support

**podošva** sole; *pália ma p-y* my soles burn

**podotknúť** add, mention, remark

**podozrenie** suspicion; *v p-í* under suspicion; *mimo p-ia* above suspicion

**podozrievať** suspect

**podozrievavý** suspicious (about, of); *p. pohľad* suspicious look

**podozrivý** suspicious; *hovor.* fishy; *je p. z vraždy* he is under suspicion of murder; *(človek)* suspect

**podpaľač** incendiary [insendjəri], arsonist

**podpaľačstvo** arson

**(pod)páliť** (to light a) fire; *p. dom* set fire to a house

**podpalubie** lower deck

**podpažie** armpit

**podpätok** heel; *ihličkový p.* stiletto heel; *nízke/vysoké p-y* low/high heels

**podpierať** sustain

**podpis** signature; *čitateľný/ nečitateľný p.* legible/illegible signature

**podpísať** sign; *p. zmluvu* sign a contract

**podplácať** bribe, corrupt, pay off

**podpora 1.** support, prop **2.** *(mravná)* encouragement, promotion **3.** *(finančná)* subsidy; *(v nezamestnanosti)* unemployment benefit; *p. predaja* sales promotion

**podporovať 1.** support, sustain **2.** *(vydržiavať)* maintain, keep **3.** *(mravne)* support, back, patronize; *(návrh)* advocate, sponsor

**podporovateľ** *(myšlienky, hnutia)* supporter; *(finančný)* sponsor

**podpredseda** deputy-chairman, vice-chairman

**podprsenka** bust-bodice, bracer, bra(ssiere)

**podradený** *(vo funkcii)* subordinate; *(nižší kvalitou)* inferior

**podráždenosť** irritation

**podráždený** irritated, cross

**podráždiť** irritate; *(chuť)* stimulate

**podrážka** sole; *topánky s koženou p-ou* leather-sole shoes

**podriadený** subordinate; *byť v p-om postavení* be* in a subordinate position

**podrobenie** subjection

**podrobiť sa** submit, surrender, give* in; *(skúške)* undergo* an examination

**podrobne** in detail, at length, particularly, closely; *p. sledovať udalosti* follow events closely

**podrobnosť** detail, particular; *ďalšie p-ti* further particulars; *do p-í* to the details

**podrobný** detailed, particular; *p. popis* detailed description

**podržať** hold; *môžeš p. tú tašku?* can you hold this bag?

**podržať si** keep*, retain; *p. si v pamäti* keep*/retain in memory

**podstata** essence, substance; *(výroku)* gist; *v p-e* in essence, in substance,

in principle; *dostať sa k p-e problému* get* to the root of the problem

**podstatné meno** gram. noun

**podstatný** substantial, essential

**podstavec** stand, pedestal [ˌpedistl]; *(maliarsky)* easel [iːzl]

**podstlať** *(dobytku)* litter

**podsvetie** mytol. Underworld; *(kriminálne)* underworld, gangland; *(hnutie)* underground

**podšívka** lining; *bez p-y* unlined

**podtitul** *(v knihe, filme)* subtitle, caption; *(v novinách)* subheading

**poduška** *(pri sedení)* cushion; *(na spanie)* pillow; *(pečiatková)* ink pad, stamp pad

**podvádzať** deceive, cheat, impose upon; *manžel ťa p-a* your husband is cheating you

**podväzok** *(dámsky)* garter; *(pánsky)* sock-suspender

**podvedomie** subconsciousness

**podvedomý** subconscious

**podviesť** p. podvádzať

**podvod** deception, deceit; *daňový p.* tax fraud

**podvodník** cheat(er), swindler; *stal sa obeťou p-ov* he was victimized by swindlers

**podvodný** fraudulent, sham, deceptive, tricky

**podvoliť sa** give* way, yield

**podvozok** *(auta)* chassis

**podvracať** subvert

**podvýživa** malnutrition, malnourishment; *trpieť p-ou* suffer from malnutrition

**podvyživený** underfed, undernourished, malnourished

**podzemný** *(aj polit.)* underground; *(rieka)* subterranean; *p-á dráha* the underground, tube; *AmE* subway

**poézia** poetry; *próza a p.* prose and verse

**pohan** pagan, heathen

**pohana** disgrace, infamy

**poháňať** drive*, propel; *(nútiť do činnosti)* urge

**pohánka** buckwheat

**pohanský** pagan, heathen, unchristian

**pohár** glass; *(bez stopky)* tumbler; *(na víno)* wineglass; *(na stopke)* goblet; *(na zaváranie)* jar; *(na pivo s uchom)* mug; *(bez ucha)* beaker; *(zmrzlinový)* sundae; *(športový)* cup

**pohľad 1.** look; *(krátky)* glance; *(letmý)* glimpse; *(kradmý)* peep; *(upretý)* stare, gaze; *na prvý p.* at first sight **2.** *(výhľad)* sight, view

**pohľadať** look for, seek*

**pohľadávka** claim, demand

**pohladiť** stroke, caress; *(po hlave)* pat

**pohľadnica** (picture) postcard

**pohlavie** sex; *mužské p.* male, *ženské p.* female, *nežné p.* weaker sex

**pohltiť** absorb; *p. vlhkosť* absorb moisture; *(zhltnúť)* swallow

**pohnúť (sa)** move, stir; *p. prstami* move so. fingers; *pohni (sa)!* get moving!

**pohnútka** motive, drive; *(podnet)* incentive

**pohodlie** comfort, convenience; *domácke p.* fireside comfort; *hotel poskytuje všetko p.* the hotel offers every convenience

**pohodlný** comfortable, convenient; *p-é topánky* comfortable pair of shoes

**pohon** drive, driving, propulsion; *parný p.* steam drive; *prúdový p.* jet propulsion

**pohonný** driving; *p-á ener-*

*gia* driving power; *p-á
hmota* (motor) fuel

**pohorie** mountains, mountain range, mountain chain

**pohoršiť** (vzbudiť pohoršenie) shock, offend; *jej
správanie nás p-lo* her behaviour offended us

**pohostinnosť** hospitality

**pohostinný** hospitable; *boli
k nám p-í* they were hospitable to us

**pohostiť** treat, entertain; *ja
ťa p-m nabudúce* I'll treat you next

**pohotový** ready, prompt; *p-á odpoveď* prompt reply

**pohov** *voj.* ease; *stáť v p-e*
stand* at ease; *daj si p.* relax, have* a rest

**pohovka** couch, settee, sofa

**pohovor** (do roboty) (job) interview; (do školy) entrance exam

**pohovoriť si** have* a chat, discuss

**pohraničie** border region, frontier territory

**pohŕdanie** contempt, disdain, scorn

**pohŕdať** (niečím) disdain, scorn, look down on sb.

**pohŕdavý** scornful, contemptuous

**pohreb** funeral, burial; *ísť*

*niekomu na p.* attend sb. funeral

**pohrebný** funeral; *p. ústav*
funeral establishment/parlour

**pohroma** calamity, catastrophe, disaster; *živelná p.*
natural disaster

**pohromade** (spolu) together; *držať p.* stick together

**pohrudnica** *anat.* pleura
[ˌpluərə]

**pohyb** motion; (určitý) movement; (telocvik) exercise; *udržať v p-e* keep* in motion; *voľnosť p-u* freedom of movement; *nedostatok p-u* lack of exercise

**pohyblivý** mobile, moving; *p-é schody* escalator

**pohybovať (sa)** move, travel, cruise; (neisto) falter

**pochábeľ** fool, madcap

**pochabosť** folly, foolishness, madness; *aká p.!*
what a mad thing to do!

**pochabý** foolish, silly

**pochádzať** come* from; *odkiaľ p-š?* where do you come from?; issue from; originate; (o dobe) date from; (rodove) descend from

**pochmúrny** gloomy

**pochod** (protestný) march;

*(sprievod)* procession; *(slávnostný)* parade

**pochodeň** torch

**pochodovať** march; *(v šíku)* march in file

**pochopenie** sympathy, understanding; *mať p.* sympathize *(pre* with)

**pochopiť** understand*, comprehend

**pochopiteľný** comprehensible, understandable

**pochovať** bury, lay* to rest

**pochrómovaný** chromiumplated

**pochúťka** titbit, delicacy; *(sladkosť)* dainty

**pochvala** praise, compliment; *dostať p-u* win praise; *vynucovať si p-u* fish for compliments

**pochybnosť** doubt; *nad všetku p.* beyond any doubt

**pochybný** dubious, doubtful; *p. návrh* dubious suggestion; *p. človek* doubtful character

**pochybovať** doubt, question; *p-m o tom* I doubt it

**pochytiť** *(naučiť sa)* pick up; *p-l som veľa anglických slov* I picked up a lot of English

**poistenie** insurance; *zdravotné p.* health insu-

rance; *havarijné p.* general accident insurance

**poistiť** insure; *p. proti krádeži* insure against theft

**poistka 1.** *(poistenie, zmluva)* (insurance) policy **2.** *elektr.* fuse

**poistné** *(poplatok poisťovni)* (insurance) premium

**poisťovňa** insurance company

**pojednanie** treatise, tract; *odb.* paper

**pojednávať** *(zaoberať sa)* deal* (with *o*), treat

**pojem** notion, idea, concept(ion)

**pokál** goblet

**pokaziť 1.** spoil*; *počasie nám p-lo dovolenku* the weather spoilt our holiday; *(poškodiť)* damage **2.** *(mravne)* corrupt **3.** *rozmaznané dieťa* spoilt child

**pokiaľ 1.** *(časove)* as long as **2.** *(čo sa týka toho)* as to, as for **3.** as far as; *p. viem* as far as I know

**poklad** treasure; *si p.* you are a real treasure

**pokladať** consider; *p-m to za svoju povinnosť* I consider it my duty; regard, take* for

**pokladnica 1.** *(na peniaze)* money chest; *(nedobytná)*

safe **2.** *(miestnosť)* pay-office; *(staničná)* booking-office; *(divadelná)* box-office **3.** *(štátna)* the public purse; *(v Británii)* The Treasury

**pokladnička** money box

**pokladník** cashier; *(v divadle)* ticket clerk; *(staničný)* booking clerk; *(v banke)* teller

**poklepať** *(po pleci)* tap; *(po chrbte)* pat; *(na dvere)* knock

**pokles** *ekon.* decrease, decline, drop; *(produktivity)* slump; *p. vo výrobe* decrease in production

**poklesok** lapse, slip

**poklona** *(hlavou)* bow; *(lichôtka)* compliment; *vzdať p-u* pay tribute

**pokloniť sa** bow, make* a bow

**poklop** cover; *(viečko)* lid

**poklus** trot; *p-om* at/on the double

**pokoj** rest, peace, quiet, calm • *daj mi p.* leave* me alone; *(náhrobný nápis) odpočívaj v p-i* rest in peace, *skr.* RIP

**pokojný** *(demonštrácia)* peaceful; *(more)* calm; *(dieťa)* placid

**pokolenie** generation

**pokora** *(osobná)* humility; *(poslušnosť)* submission

**pokoriť** *(ponížiť)* humiliate

**pokorný** humble; *p-á prosba* a humble request

**pokračovanie 1.** *(predĺženie)* continuation; *(kniha, film)* sequel

**pokračovať** carry on, continue, proceed; *pokračuj! (hovor ďalej)* go* on!

**pokrčiť** *(zvraštiť čelo)* wrinkle; *(papier)* crumple; *p. plecami* shrug so. shoulders

**pokrm** *(potravina)* food; *(jedlo)* meal; *(jednotlivé jedlo)* dish

**pokročilý** advanced; *(mierne)* intermediate; *p-á choroba* disease in an advanced stage; *p-á jeseň* late autumn

**pokročiť** *(vzostup, zlepšenie)* advance; *(v učení)* make* progress; *(ísť dopredu)* step forward, go* ahead

**pokrok** progress, advance; *(zlepšenie)* improvement

**pokrokový** progressive

**pokryť** cover, lay*, sheet, deck; *(strechu)* roof

**pokrytec** hypocrite

**pokrytecký** hypocritical, double-faced

**pokrytectvo** hypocrisy,

cant, doubleness, two-facedness

**pokrývka** cover, blanket; *(prešívaná)* quilt

**pokus** experiment, attempt; *robiť p-y* experiment; *na prvý p.* on first attempt

**pokúsiť sa** try, attempt; *šport. p. o rekord* make* an attempt on the record

**pokusný** experimental; *p-é zvieratá* experimental animals • *p. králik* guinea pig

**pokúšať 1.** *p. sa* attempt **2.** *(hnevať)* tempt, tease; *p. osud* tempt fate

**pokušenie** temptation; *náb. ...a neuvoď nás do p-ia...* lead us not into temptation

**pokuta** *ekon., šport.* penalty; *(peňažná)* fine

**pokutovať** fine; *šport.* penalize

**pokyn** hint, instruction; *dať p.* instruct; *dať p. (znamenie)* give* the sign

**pokynúť** beckon, make* a sign to

**pol** half; *p. štvrtej* half past three; *o p. roka* in half a year; *dva a p. metra* two metres and a half

**pól** pole; *severný/južný p.* North/South Pole

**poľadovica** glazed frost, icy

conditions; *(na ceste)* black ice

**polámať** break*, fracture

**polárka** polar star

**polárny** polar, arctic; *p. žiara* aurora [o:'ro:rə], northern lights; *p. kruh* polar circle

**polcesta** half way, midway

**polčas** half time

**poldeň** halfday

**pole** field; *pracovať na p-i* work in the fields; *naftové p-ia* oil fields; *(oblasť)* sphere

**polemika** controversy, disputation

**poleno** log; *spať ako p.* sleep like a log

**polepšiť** improve; *p. si* better, improve // **p. sa** grow* better, improve

**poleva** *(hrnčiarska i gastr.)* glaze, icing

**polhodina** half an hour

**poliať** *(kvety)* water; *(tenkým prúdom)* squirt; *(pokropiť)* sprinkle; *(obliať)* splash

**polica** shelf; *(na batožinu)* rack

**policajt** policeman; *BrE* constable; *hovor.* bobby, cop

**polícia** police; *zavolať p-iu* call the police; *p. ťa hľadá* police are after you

**polievať** water; *(zavlažovať)* irrigate

**polievka** soup; *zapražená p.* browned soup; *biela p.* thick soup; *výdatná p.* heavy soup; *mäsová p. (vývar)* consommé

**poliklinika** clinic, health centre

**politický** political; *p-á línia* policy; *aké je vaše p-é presvedčenie?* what are your politics?

**politik** politician

**politika** *(veda)* politics; *(politická línia)* policy; *zahraničná p.* foreign policy; *vnútorná p.* domestic policy

**polkruh** semicircle, half-circle; *posadať si do p-u* sit* in a semicircle

**polmesiac** crescent, half-moon

**poľnica** bugle [bju:gl]

**polnoc** midnight; *o p-i* at midnight

**poľnohospodár** farmer, agriculturist; *(sedliak)* peasant

**poľnohospodársky** agrarian, agricultural; *p-e produkty* farm produce

**poľnohospodárstvo** agriculture, farming

**pologuľa** hemisphere; *sever-*

*ná/južná p.* Northern/Southern hemisphere

**poloha** *(pozícia)* position; *(umiestnenie)* situation, location; *p. v stoji* in standing position; *vhodná p. pre dom* suitable location for a house

**polomer** radius, pl. radii [ˌreidiai]

**polostrov** peninsula

**polotma** semidarkness; *(šero)* twilight

**polotovary** pre-prepared goods pl.; semiproducts; *(potraviny)* oven-ready food, convenience food

**poľovačka** hunt, chase; *(na vtáky)* shooting; *čas p-y* open season; *ísť na p-u* go* out hunting

**poľovať** hunt; *(naháňať)* chase; *zákaz p.* closed season; *p. na bažanty* shoot pheasants; *p. na zajace* hunt hares

**polovica** half; *dve rovnaké p-e* the two same halves; *v p-i mája* in the middle of May

**polovičný** half; *p-á cena* half price; *p-é cestovné* half fare

**poľovník** hunter, huntsman

**položiť** lay*, put*; deposit; place; *p. na nesprávne*

*miesto* misplace; *p. slúchadlo* hang* up

**položka** *(suma)* amount, sum; *(účtovná)* entry, item; *p. v zozname* item in a catalogue

**polpenca** halfpenny

**polpenzia** *(v hoteli)* half board

**polrok** half-year; *(školský)* term

**poltopánka** shoe

**poltucet** half-a-dozen

**poludňajší** midday; *p-ie jedlo* midday meal

**poludnie** midday, noon; *na p.* at noon; *okolo p-ia* around noon

**poludník** meridian [məˈridiən]; *nultý p.* prime meridian

**poľudštiť** humanize

**poľutovaniahodný** pitiable, regrettable; *p. omyl* regrettable mistake

**poľutovať** pity; *p-li sme ho* we pitied him

**pomáhať** help; *(organizovane)* aid; *(ako pomocník)* assist; *p. si* help each other

**pomaly** slowly; *p., ale isto* slowly but surely; *p. chápať* to be* slow on the uptake

**pomalý** slow, sluggish; *ísť p-ým krokom* go* at a slow

**pomaranč** orange; *krvavý p.* blood orange

**pomarančový** orange; *p-á šťava* orange juice/squash

**pomätenec** crank, lunatic, madman

**pomätený** insane, mad

**pomenovanie** naming; *(knihy, článku)* entitling

**pomenovať** name, call; *p-li ho po otcovi* they named him after his father

**pomer** *(proporčný)* proportion; *(číselný)* rate; *(vzťah)* relation, relationship; *(postoj)* attitude

**pomerný** *(relatívny)* relative; *(porovnateľný)* comparative; *p. počet* proportion

**pomery** conditions, situation; *rodinné p.* family background; *majetkové p.* property status

**pomiasť** *(zmiasť)* confuse, derange

**pomlčka** *(interpunkčné znamienko)* dash

**pomník** monument; *(pamätník)* memorial

**pomoc** help; *(organizovaná)* aid; *(materiálna, sociálna)* relief; *p. hladujúcim* famine relief; *prísť na p.* come* to the rescue; *poskytnúť prvú p.* give* first aid; *bez p-i* single-handed; *tomu niet p-i* there's no help for it

**pomocník** assistant, helpmate

**pomocný** auxiliary; *(vedľajší)* ancillary; *(nápomocný)* helpful; *p. personál* auxiliary staff; *p-é sloveso* auxiliary verb

**pomôcť** p. **pomáhať**

**pompéznosť** pomposity

**pomsta** revenge, vengeance; *p. je sladká* revenge is sweet

**pomstiť** avenge, revenge; *p-l sa jej* he took* revenge on her

**pomyje** slops *pl.*, (pig-) wash

**pomýliť sa** make* a mistake; *každý sa raz p-li* everyone makes* a mistake at least once; *p-la si ma s bratom* she mistook* me for my brother

**ponad** over, above; *most p. rieku* bridge over the river

**ponáhľať sa** hurry, be* in a hurry; *ponáhľaj sa* be* quick, hurry up

**ponášať sa** resemble (sth. *na niečo),* look like; *p-la sa na matku* she looked like/ resembled her mother

**poňatie** 1. apprehension; *(predstava)* conception 2.

*(myšlienka)* idea; *nemám ani p-ia o* I have* no idea about

**ponaučenie** lesson, instruction; *mravné p.* moral

**pondelok** Monday; *v p.* on Monday; *každý p.* on Mondays

**ponechať (si)** keep*, retain; *p. si všetky peniaze* keep* all the money

**ponevierať sa** *(po uliciach)* loiter; *(bezcieľne)* stroll, roam; *(bez práce)* loaf

**poník** pony

**ponímanie** conception, comprehension

**poníženie** degradation, humiliation

**ponížený** humble

**ponížiť** humiliate, degrade; *p. niekoho* score off sb. // **p. sa** humiliate os., stoop

**ponoriť** *(čiastočne)* plunge; submerge

**ponorka** submarine, U-boat

**ponosovať sa** complain about; complain of sth.; *p. sa na bolesti* complain of pains

**ponožka** sock; *(členková)* anklet

**ponuka** offer; *prijať p-u* accept an offer; *odmietnuť p-u* refuse an offer

**ponúkať** offer; *p-la hosťom*

*kávu* she offered some coffee to the guests

**ponurý** gloomy; *p. deň* gloomy day

**poobede** in the afternoon, p.m. (post meridiem); *o piatej p.* at five p.m./in the afternoon

**popálenina** burn; *p. prvého stupňa* first-degree burn

**popáliť** burn\*, *(obariť)* scald; *p-la som si ruku* I've burnt\* my hand

**popierať** deny, contradict

**popínavý**: *p-á rastlina* creeping plant

**popis** *p.* opis

**poplach 1.** *(rozruch)* stir, commotion, panic **2.** *(pohotovosť)* alarm

**poplašiť** startle, frighten

**poplatník** *(daňový)* tax-payer

**poplatok** *(členský)* fee; *(suma na zaplatenie)* charge; *(colný)* duty

**popliesť** *(p. si)* confuse; *(p. niečo)* mix up; *(p. niekoho)* puzzle, perplex

**popol** ash; *(horúci)* cinders *pl.*, *(po kremácii)* ashes *pl.*; *(rádioaktívny)* fallout

**popolník** ashtray

**popoludnie** afternoon; *slnečné p.* a sunny afternoon

**Popoluška** Cinderella

**poprášiť** sprinkle; *gastr.* dust; *p. koláč cukrom* dust sugar over a cake

**poprava** execution; *vykonať p-u* carry out an execution; *p. na elektrickom kresle* electrocution

**popravisko** place of execution, scaffold; *(šibenica)* gallows

**popraviť** execute, put\* to death

**popredie** foreground; *v p-í obrazu* in the foreground of the picture

**popredný** prominent; *p. hudobník* prominent musician

**poprevracaný** turned over, turned upside down; *(naruby)* topsy-turvy

**poprieť** deny; *p-el to* he denied it

**poprsie** bust; *(ženské)* bosom

**popud** impulse, incentive

**popudiť** irritate, provoke; *(podnietiť)* incite

**popudlivý** irritable, peevish

**populácia** population; *(pôrodnosť)* birthrate

**popularita** popularity

**populárny** popular; *p-a pieseň* pop song

**popustiť** *(opasok)* loosen, relent; *(šaty)* let\* out

**pór 1.** *anat.* pore **2.** *bot.* leek
**porada** (business) meeting; *(učiteľov)* conference, staff meeting; *byť na p-e* be* in conference
**poradca** adviser; *právny p.* solicitor; *ekonomický, školský p.* counsellor; *lek.* consultant
**poradie** order; *v abecednom p-í* in alphabetical order; *(sled)* sequence, turn; *on je v p-í* it is his turn
**poradiť** advise, give* an advice; *p. sa* consult *(s niekým* sb.); *p. si* manage
**poradný** advisory
**poraniť** hurt; *p-la si ruku* she hurt her hand; *(wound)*; *p-l jej ruku* he wounded her hand; *(dokonale)* put* to rout; *p. sa* injure
**poraziť** defeat; *šport.* beat
**porážka 1.** defeat, reverse; *(prehra)* setback, loss **2.** *(mŕtvica)* brain stroke
**porcelán** porcelain, china
**porcia** helping; *prosím si ešte p-iu mäsa* I would like another helping of meat; *(prídel)* portion
**porekadlo** saying
**porézny** porous
**poriadny** orderly; *žiť p-ym životom* lead an orderly life; *(riadny)* proper

**poriadok 1.** order; *v p-u* all right; *AmE* O.K.; *dať do p-u* fix up, put* in order; *niečo nie je v p-u* something is wrong **2.** *(cestovný)* timetable
**poroba** bondage, slavery
**porodiť** bear*, give* birth to, deliver; *p-la dve deti* she gave* birth to/bore* two children; *p-la dieťa doma* she delivered a baby at home
**porota** jury; *predseda p-y* foreman of the jury
**porotca** juror, juryman; *(v súťaži)* member of a jury
**pórovitý** porous, spongy
**porovnanie** comparison
**porovn(áv)ať** compare; *káva sa nedá p. s čajom* coffee can't be compared with tea
**porozhliadať (sa)** look around
**porozumieť** understand*, comprehend, gather
**portrét** portrait
**portrétovať** portray
**poručík** lieutenant [leftenənt]
**poručníctvo** tutorship, guardianship
**poručník** guardian
**porucha** *(technická)* break-

down; *(chyba)* defect; *(motora)* failure; *(atmosferická)* atmospherics *pl.*; *lek.* nervová p. nervous disorder

**poruke** handy, on hand; *maj pero p.* keep* a pen handy

**porušenie** break, breach; *p. dohody* breach of an agreement; *(hrubé)* violation

**porušiť** *(sľub)* break*, breach; *(zákon)* infringe; *(násilím)* violate

**posadiť** seat, place // **p. sa** sit* down, take* a seat; *prosím, p-dte sa* please, take* a seat/have* a seat; *(v škole)* be seated

**posádka** *voj.* garrison; *(lode, lietadla)* crew; *bez p-y* unmanned

**posadnutosť** mania [„meiniə] *(po* for); *(túžba)* obsession *(po* with)

**poschodie** floor, storey; *bývať na druhom p-í* live on the second floor; *dom má dve p-ia* the house has* two storeys

**posila** *(pomoc, podpora)* support; *voj.* reinforcements *pl.*

**posilniť** fortify, strengthen; *voj.* reinforce

**posilňovňa** exercise room, fitness centre, health club

**poskakovať** hop, skip; *(veselo)* caper

**poskok 1.** hop **2.** *pejor. (sluha)* messenger

**poskytnúť** *(rozhovor)* grant an interview; *(pomoc, službu)* render aid, render service

**poslanec** *(v miestnom zastupiteľstve)* deputy, representative; *(britský)* Member of Parliament, *skr.* MP; *(americký)* Congressman

**poslanie** mission; *splniť p.* carry out a mission

**poslať** *(človeka, prihlášku)* send*; *p. po lekára* send* for a doctor; *(list, zásielku)* mail a, post; *p. balík/list* mail a parcel/letter

**posledný** last, ultimate, final; *prísť úplne p.* come* the very last; *p-á vôľa* last will; *p-á móda (najnovšia)* the latest fashion

**poslucháč 1.** listener, hearer **2.** *(školy)* student

**poslucháčstvo** audience, listeners

**poslucháreň** lecture room/hall/theatre

**poslúchať** obey; *p. rozkazy* obey orders

**poslušnosť** obedience; *(pokora)* submission

**poslušný** *(dieťa, pes)* obedient; *(manželka)* dutiful

**posmech** mockery, jeer, derision, ridicule; *byť terčom p-u* an object of ridicule

**posmešný** *(smiech, poznámka)* derisive, jeering

**posmievať sa** mock, scoff, jeer

**posol** messenger

**posolstvo 1.** message **2.** *(delegácia)* delegation, messengers

**postačiť** suffice, be sufficient; *p-í ti desať libier?* will ten pounds suffice you?

**postava** *(človek)* figure; *(telesná výška)* stature; *(v knihe)* character

**postavenie** position, situation; *(spoločenské p.)* rank; *šport. p. mimo hry* offside

**postaviť 1.** *(dom)* build\*; *(stan)* pitch; *(pomník)* erect a monument **2.** *(položiť)* place, put\*, position, stand\* // **p. sa** *(vstať)* rise\*; *(proti niečomu)* oppose, resist; *p. sa do radu* get\* in line

**posteľ** *(single)* bed; *(poschodová)* bunk bed; *(manžel-*

*ská)* double bed; *(poľná)* cot

**postieľka** *(detská)* cot

**postihnúť** affect, afflict; *oblasť postihnutá suchom* area affected by drought

**postihnutý** *(prírodnou katastrofou)* stricken, affected; *(telesne)* invalid, disabled

**postiť sa** fast

**postoj** *(prístup)* attitude, *(držanie tela)* pose

**postrach** terror, fright; *je p-om študentov* he's terror of the students

**postranný** *(bočný)* lateral, side; *p-é osvetlenie* side light; *(vedľajší)* secondary

**postrehnúť** perceive, notice, observe

**postrek** spray

**postriežka** *(na vysokú zver)* deerstalking

**postrkovať** push; *(vozík)* wheel

**postroj** harness

**postup** *(dopredu)* advance; *(metóda)* procedure, method; *platový p.* pay rise

**postúpiť** *(do vyššieho ročníka)* advance, progress; *(pokročiť)* step forward

**postupne** gradually; *(následne)* successively; *p. som si uvedomil* I gradually realized

**postupný** gradual; *(následný)* successive

**postupovať** proceed, progress; *(posúvať sa dopredu)* move forward

**posudzovať** judge sb. on/by sth. *(niekoho podľa niečoho)*

**posudok** judgement; *(pracovný)* reference; *(znalecký)* expert opinion

**posunok** gesture, dumb show

**posunúť (sa)** shift, move; *mohli by ste sa p.?* could you possibly move/shift?

**posúriť** hasten, urge

**posúvať (sa)** slide

**posvätný** sacred, holy; *kravy sú v Indii p-é* cows are sacred in India

**posypať** *(soľou, pieskom)* sprinkle, strew*

**poškodenie** damage, injury; *p. pečene* damage to liver; *(stroja)* breakage

**poškodiť** damage, harm; *(úmyselne)* injure; *p. dobrú povesť* discredit

**poškrabať (sa)** scratch (os.)

**pošliapať** *(nohou)* tread* [tred]; *obr. (znevážiť)* trample on

**pošta** *(listy)* mail; *(úrad)* post office; *obratom p-y* by return of post; *letecká p.* air mail; *poslať p-ou* by post, send* by mail; *elektronická p.* e-mail

**poštár** postman, letter-carrier; *AmE* mailman

**poštovné** postage; *p. hradené* post-paid

**poštový** post, postal; *p-á schránka* letter-box; *p-á poukážka* money-order; *PSČ (p-é smerovacie číslo)* post code, zip code

**pošva 1.** *(puzdro)* case, sheath **2.** *anat.* vagina [vədžainə]

**pot** perspiration, sweat [swet]; *tvár mu zalial p.* his face was bathed in sweat

**potácať sa** *(opitý, chorý človek)* stagger, reel

**poťah** *(povlak)* covering; *(kožený)* cover; *(látkový)* upholstery

**poťahovať** *(nosom)* sniff, snuffle; *(z fajky)* puff

**potápač** diver

**potápanie** *(s prístrojmi)* scuba diving; *(s trubicou)* snorkling

**potápať sa** *(ponárať sa)* dive; *(loď)* sink*

**potápka 1.** *zool.* diver **2.** *obr.* teddy boy

**potecha** comfort, consolation; *má psa pre p-u* he has* the dog for consolation

**potešenie** delight, pleasure; *mať p.* enjoy sth.

**potešený** glad, pleased, delighted

**potiahnuť** *(povlakom)* coat, cover; *(posunúť ťahom)* pull // **p. sa** *(mrakmi)* cloud

**potiť sa** perspire, sweat • *p. sa ako somár* sweat like a pig

**potkan** rat

**potknúť sa** stumble on/over sth., trip over sth.

**potlačiť** *(slobodu, práva)* suppress; *(posunúť)* push

**potľapkať** pat; *p. po pleci* pat on the back

**potlesk** applause, clap; *prosím, p.* let's have a round of applause

**potĺkať sa** roam about, hang* round

**potme** in the dark

**potmehúd** sneak, slyboots

**potôčik** rivulet

**potok** brook; *(horský)* stream; *AmE* creek

**potom** then, afterwards; *(ako následok)* subsequently; *(potom, keď)* after; *(hneď potom)* next

**potomok** descendant, offspring

**potomstvo** posterity, progeny

**potopa** *(povodeň)* flood; *(záplava)* deluge

**potrat** *(zákrok)* abortion; *(spontánny)* miscarriage

**potrava** food; *(výživa)* nourishment

**potraviny** foodstuffs *pl.*, provisions *pl.*; *obchod s p-ami* grocer's, grocery

**potreba** need, necessity; *p. pre domácnosť* utensils *pl.*, *malá/veľká p.* number one/two

**potrebný** necessary, needed; *(užitočný)* useful; *má pocit, že je p.* he feels needed

**potrebovať** need, have* a need of, be in need of, want; *p-m odpočinok* I need a rest

**potrestať** punish; *(pokutou)* penalize

**potriasť** shake*; *p. rukou niekomu* shake hands with sb.

**potrpieť si** be particular about sth.; *p-í si na kuchyňu* he is particular about the kitchen

**potrubie** pipe, piping; *(diaľkové)* pipeline

**potulka** roam, ramble, stroll, wanderings

**potupiť** disgrace, dishonour

**potupný** disgraceful, ignominious [ˌignoˈminiəs]

**potvora** beast, shrew

**potvrdenie** confirmation, certificate; *(príjmu)* acknowledgement

**potvrdenka** receipt

**poučenie** *(rada)* advice, instruction; *(ponaučenie)* lesson

**poučiť** *(vysvetliť)* instruct, enlighten; *(dať ponaučenie)* teach a lesson

**poučka** precept, proposition; *mat. (veta)* theorem; *pravopisné p-y* spelling rules

**poučný** *(prednáška)* instructive; *(kniha)* informative

**poukaz** *(doklad na kúpu)* voucher

**poukázať** *(peniaze)* remit; *(upozorniť)* refer *(na to)*

**poukazovať** refer to, hint at

**poukážka** order; *p. na vyššie čiastky* money order; *(darčeková)* gift token

**pouličný** street; *p. ruch* traffic; *p. predavač* vendor

**použiť 1.** use; *p. slovník* use a dictionary; *(využiť)* employ, utilize **2.** *(aplikovať)* apply

**použitie** use, application; *prístroj na rôzne p.* machine with many uses/applications

**povaha** character, nature; *majú odlišné p-y* they have different characters; *nemám to v p-e* it's not in my nature

**povala** loft; *(strop)* ceiling

**povaľač** idler, lounger; *hovor.* loafer

**povaľovať sa** *(ľudia)* lounge; *hovor.* loaf; *(veci)* litter

**povážlivý** serious, considerable

**považovať** consider, regard *(za as)*, take* sth. (for); *p-m ho za priateľa* I consider him a friend; *p. za dôležité* set great store by; *(omylom)* mistake* for

**povedať** say*; *p-la, že tam bola* she said* she had* been* there; *(oznámiť, rozprávať)* tell*; *dovolte, aby som vám p-l* let* me tell* you; *p. príbeh* tell* a story • *aby som tak povedal* so to speak*

**povedzme** (let* us) say*; *stretneme sa, p., o piatej* we can meet say* at five

**povera** superstition; *p-y ťažko zanikajú* superstitions die hard

**poverčivý** superstitious

**poverenec** trustee

**poverenie** mandate, delegation

**poveriť** entrust, charge; *p-li*

*ma úlohou* they entrusted me with a task

**poverovacie listiny** credentials *pl.*

**povesť 1.** *(sláva)* fame; *(chýr)* rumour; *(dobrá)* reputation; *(zlá)* discredit **2.** *(rozprávanie)* tale, story, legend

**povestný** *(slávny)* famous, renowned; *(neslávne)* notorious; je *p. neskorými príchodmi* he is notorious for his coming late

**poveternostný** meteorological; *p-é podmienky* atmospheric conditions; *p-é správy* weather forecast

**povetrie** air, atmosphere; *(podnebie)* climate

**poviedka** (short) story; *(rozprávka)* tale

**povinnosť** duty; *(záväzok)* obligation; *pokladám to za svoju p.* I consider it my duty • *je vašou p-ou to urobiť* it is incumbent on you

**povinný** compulsory, obligatory; *p. predmet* compulsory subject

**povlak** cover, film; *(farby, hrdze)* coat; *(na vankúš)* pillowcase, slip

**povodeň** flood(s); *p. zničila*

*mesto* the town was destroyed by the floods

**povojnový** postwar; *p-á obnova* postwar reconstruction

**povolanie** profession, occupation; *(manuálne)* trade

**povolať** call in; *(na vojnu)* call up

**povolenie** *(dovolenie)* permission, permit; *(úradné)* licence; *pracovné p.* work permit

**povoliť 1.** *(dovoliť)* allow, permit **2.** *(úradne)* license **3.** *(popustiť lano)* slacken; *(v úsilí)* relent **4.** *(ustúpiť)* give* way **5.** *(opasok, viazanku)* loosen

**povoz** vehicle, carriage

**povrávať** say*, rumour; *ľudia p-ú* people say*

**povraz** rope; *(tenší)* cord • *ťahať za jeden p.* pull at the same rope

**povrázok** string, cord

**povrch** surface; *panvica s teflónovým p-om* nonstick surface pan; *vyjsť na p.* to surface

**povrchnosť** superficiality

**povrchný** superficial; *(plytký)* shallow; *p-é vedomosti* superficial knowledge

**povrchový** superficial; *p-á rana* superficial wound

**povstalec** rebel, insurgent; *(partizán)* guerilla

**povstanie** rebellion, (up)rising, guerilla war

**povstať 1.** stand* up, get* up; *(tiež pren.)* rise* **2.** *(vzbúriť sa)* rebel, revolt

**povšimnúť si** notice, take* notice; *bez povšimnutia* unnoticed

**povýšenec** upstart

**povýšenecký** haughty, lofty, snotty

**povýšenie** *(do hodnosti, funkcie)* promotion

**povýšiť** promote; *bola p-á na vedúcu oddelenia* she was promoted to divisional manager

**povzbudenie** encouragement

**povzbudiť** *(dodať odvahu)* cheer up, encourage; *(vzpružiť)* stimulate

**povzbudzujúci prostriedok** stimulant

**povznesený** elated, excited; *(povýšenecký)* haughty, lofty

**povzniesť** *(zdvihnúť)* raise, lift

**póza** pose

**pozadie** background; *p. únosu lietadla* background of hijacking

**pozadu** behind; *byť p. s prá-* *cou* be* behindhand with work; *(v platení)* in arrears; *(hodinky)* slow; *hodinky mi idú p.* my watch is slow

**pozajtra** the day after tomorrow

**pozdĺž** along; *stromy p. cesty* trees along the road

**pozdrav** *voj.* salutation; greeting; *Vianočný p.* Christmas greetings

**pozdraviť** *(aj privítať)* greet • *pozdravuj ho odo mňa* give* him my kind regards/my love; *pozdrav odo mňa rodičov* remember me to your parents

**pozdvihnúť** *(zdvihnúť aj zveľadiť)* raise; *p. ruku* raise *so.* hand; *p. kultúrnu úroveň* raise the cultural level

**pozemkový** ground; *p-á kniha* land register; *p-á daň* property tax

**pozemný** land-, ground; *p-á preprava* land transport; *let. p-ý personál* ground crew

**pozemok** ground; *(stavebný)* lot, land

**pozemský** earthly, terrestrial

**pozerať sa** look; *p. na* look at; *p. von/z* look out; *(po-*

zorne) gaze; *p. televíziu* watch TV • *p. na niekoho zvysoka* look down on sb.

**pozícia** *(poloha tela)* pose, position; *(stanovisko)* stand; *zaujať s.* make* a stand

**pozitívny** positive; *p. postoj* positive attitude; *lek. p. nález* results are positive

**pozlátka** gilt; *p. na ráme obrazu* gilt picture frame; *(čačka)* tinsel

**pozmeniť** vary, modify, alter

**poznamenať** observe, notify, remark; *p. si* note (down), make*/take* notes of

**poznámka** note; *(pod čiarou)* footnote; *(ústna)* remark; *(kritická)* comment; *robiť si p-y* make*/take* notes of

**poznať** know*; *p-á slová piesne* he knows the words to the song; *p. podľa mena/ z videnia* know by name/by sight; *(rozoznať)* recognize; *p-áš túto pieseň?* do you recognize this song?

**pozor** attention; *dávať p. (v škole)* pay* attention; *dať si p. na* beware of; *dávať p. na (niekoho)* take*

care of; *mať sa na p-e pred* be* on the watch for

**pozornosť** attention; *budiť p.* attract attention

**pozorný** attentive; *(voči niekomu)* thoughtful

**pozorovanie** observation; *lek. je na p-í* he is under observation

**pozorovať** watch, observe; *p. okolie* watch/observe the surrondings

**pozorovateľ** observer; *nestranný p.* impartial observer

**pozoruhodný** remarkable; *(výnimočný)* extraordinary; *p-á osoba* remarkable person

**pozostalosť** *(dedičstvo)* inheritance

**pozostalý** bereaved; *AmE* survivor

**pozostatok** residue

**pozostatky** remains *pl.*; relics *pl.*; *p. minulosti* relics of the past.

**pozostávať** consist of sth.; *družstvo p-a z piatich hráčov* the team consists of five players

**pozrieť sa** *(na niečo)* have* a look at sth.; *(zbežne)* glance at • *počkajte, pozriem sa* let* me see

**pozvanie** invitation; *prijať p.*

accept an invitation; *odmietnuť p.* decline/refuse an invitation

**pozvánka** letter of invitation, invitation card

**pozvať** invite; *p. na pohárik* invite for a drink

**pozvoľne** gradually, slowly

**požadovať** claim, demand; *(nárok)* require; *p. zvýšenie platu* claim a pay rise

**požehnanie** blessing; *rodičovské p.* parents' blessing

**požehnaný** blessed; *(plodný)* fertile

**požiadanie** request; *na p.* by request; *brožúrku pošleme na p.* booklet will be sent* on request

**požiadať** ask, request; *(dôrazne)* demand • *p. o ruku* propose; *p-la ma o radu* she asked my advice

**požiadavka** claim, demand; *(predpis)* requirement

**požiar** fire; *vypukol p.* fire broke* out; *zahasiť p.* put* out the fire

**požiarnik** fireman, firefighter

**požiarny zbor** fire brigade; *AmE* fire department

**požičať** lend* // **p. si** borrow; *p-l mi knihu* he lent* me a book; *p-l som si kni-*

*hu z knižnice* I borrowed a book from the library

**požičovňa** *(kníh)* lending library; *(áut)* car rental/hire company

**pôda** *(podmienky)* ground; *(zemina)* soil; *(poľnohospodárska)* land

**pôdorys** ground plan

**pôjd** loft, attic, garret

**pôrod** childbirth, delivery

**pôrodná asistentka** midwife

**pôrodnica** maternity hospital

**pôrodníctvo** obstetrics [ob'stetriks]

**pôrodnosť** birth rate; *stúpajúca/klesajúca p.* rising/falling birth rate

**pôsobenie** *(činnosť)* activity; *(účinok)* effect

**pôsobiť** *(pracovať)* act; *(pôsobiť na)* affect; *p. ako sprievodca* act as a guide; *fajčenie p-í negatívne* smoking acts/effects negatively

**pôsobivý** *(dojemný)* impressive; *(vplývajúci)* appealing

**pôst** fast(ing); *(pred Veľkou nocou)* Lent

**pôvab** grace; *(šarm)* charm

**pôvabný** attractive, graceful, charming

**pôvod** origin; *(rodinný)* extraction; *slovo neznámeho p-u* word of unknown origin

**pôvodca** originator, author

**pôvodný** original, primary; *čítať v p-om jazyku* read in the original

**pôžička** loan; *žiadať p-u* apply for a loan; *splácanie p-y* loan repayments; *bezúročná p.* interest-free loan

**pôžitok** *(radosť)* enjoyment, pleasure, relish; *jesť s p-om* eat with relish; *fajčiť s p-om* smoke with pleasure

**práca** work; *(povolanie)* job; *(námaha)* labour; *p. na hodinu* time-work; *p. v teréne* field work; *p. nadčas* overtime work, overwork; *drobná p.* chore; *pustiť sa do p-e* set* for work; *mať veľa p-e* to be* busy; *hľadať si p-u* look* for a job; *mať p./byť zamestnaný* be* employed; *nemať p-u* be* out of job/be* unemployed

**pracka** buckle [,bakl]

**praclík** cracknel, pretzel

**prácny** laborious, toilsome; elaborate; *p-e jedlo* elaborate meal

**pracovať** work; labour; *(ťaž-*

*ko)* fag; *(stroj)* operate; *p. doma* work at home; *p. v zahraničí* work abroad; *p. (mať prácu/byť zamestnaný)* to be* employed

**pracovisko** place of work, working-place

**pracovňa** study; *(v úrade)* office

**pracovník** worker; *(manuálny)* workman; *(zamestnanci)* staff; *p. na voľnej nohe* freelancer

**pracovný** work(ing); *p-á doba* working hours; *p-é povolenie* work permit; *výp. p. hárok* spreadsheet

**pracujúci** working; *p-e masy* the working people; *p-a trieda* the working class

**práčka** washing machine; *(so sušičkou)* washer drier

**práčovňa** laundry; *(samoobslužná)* launderette; *(v dome)* wash house

**pradeno** hank, skein

**prah** *(dverí)* threshold; *preniesť nevestu cez p.* carry the bride over the threshold

**prahmota** prime matter

**prahnúť** *(po niečom)* thirst for

**prach** 1. *(nečistota)* dust, powder 2. *(strelný)* gunpowder

**práchnivieť** moulder
**prachovka** duster
**prak** sling, catapult
**praktický** practical; *(vecný)* down-to-earth; *nemá p-é skúsenosti* he lacks practical experience; *p. lekár* general practitioner
**prales** virgin forest; primeval forest; *daždový p.* rain forest
**prameň** *(žriedlo)* (thermal) spring; *(zdroj)* source; *(studňa)* well, fountain; *(pôvod)* origine
**pranier** pillory
**praotec** *(predok)* ancestor, great grandfather
**prápor** battalion
**prasa** pig; *AmE* hog; *(nadávka)* swine [swain] • *ako p. v žite* in the lap of luxury
**praskať** crack; *(oheň)* crackle; *(trhať sa)* burst
**prasknúť** burst; *(bičom)* crack; *(dverami)* slam
**praskot** crack(le)
**prášiť (sa)** dust; *autá tu p-ia* driving cars here is dust raising; *(koberce)* beat carpets
**prašivý** mangy [ˌmeindži]; scurvy [ˌskə:vi]; *(naničhodný)* lousy
**prášok** powder; *(na pranie)* washing powder; *(na spa-*

*nie)* sleeping pill; *(čistiaci)* cleanser
**prať** wash; *(veľké pranie)* do* the washing/laundry • *p. špinavé peniaze* launder money
**pravda** truth • *máš p-u* you are right • *nemáš p-u* you are wrong; *je to p.* it is true
**pravdepodobne** probably; *p. príde* he is (very/most) likely to come
**pravdepodobnosť** likehood, probability; *veľká p.* ten to one
**pravdepodobný** probable, likely
**pravdivý** true; *p. príbeh* true story
**pravdovravný** truthful
**práve** just; *p. teraz* just now; *p.!* precisely; *to je p. to, čo potrebujeme* that is the very thing we want; *p. tak ako* as well as; *p. táto veta* this particular sentence
**pravek** primeval age, prehistoric times
**praveký** primeval
**pravica** *(ruka)* right hand; *po p-i* on the right side; *polit.* the Right
**pravidelne** regularly, habitually
**pravidelnosť** regularity

**pravidelný** regular; *p-ý dych* regular breathing; *p-á letecká linka* scheduled flight

**pravidlo** rule; *základné p.* cardinal rule; *porušiť p.* break* the rule

**pravítko** ruler; *(logaritmické)* slide ruler

**právnický** juridical; *p-á osoba* juridical person; *p-á fakulta* Faculty of Law

**právnik** lawyer, jurist

**právny** legal, legitimite; *p. poradca* solicitor; *p. zástupca* counsel, lawyer

**právo** right; *byť v p-e* be* in the right; *p. na vzdelanie* right to education; claim, title to *(na niečo)*; *(stanné)* martial law; *(volebné)* franchise

**právomoc** power(s), authority; *práv. v p-i* within the jurisdiction

**pravopis** spelling; *gram.* orthography

**právoplatný** legal, lawful

**pravoslávny** Orthodox; *p-a cirkev* Orthodox Church

**pravouhlý** rectangular

**pravý 1.** *(opak ľavý)* right, right-hand **2.** *(skutočný)* real, genuine **3.** *(správny)* right, correct

**prax** *(postup)* practice; *(čin-*

*nosť)* internship; *on je na p-i* he serves his internship

**prázdniny** holidays, vacation, *hovor.* vac; *byť na p-ách* be* on holiday

**prázdny** empty; *p. pohár* empty glass; *(voľný)* vacant; *p. papier* blank

**praženica** scrambled eggs

**pražiť** *(mäso, kávu)* roast; *(slnko)* burn, scorch

**pre 1.** for; *knihy p. deti* books for children **2.** *(kvôli)* because of, on account of; *zápas odvolali p. dážď* the match was cancelled because of/on account of rain

**prebdieť** *(noc)* pass a wakeful night

**prebiť sa** fight* so. way through

**prebodnúť** stab, pierce

**preboha** for goodness'-sake, good heavens, for God's sake

**prebudiť** wake*, awaken* // **p. sa** wake* up

**prebytočný** *(energia)* superfluous; *(zásoby)* surplus; *(nadbytočný, napr. zamestnanec)* redundant

**prebytok** surplus, excess; *p. potravín* food surplus; *(zamestnancov)* redundancy

**preceniť** *(schopnosti)* over-
estimate
**precitlivený** oversensitive;
*(chúlostivý)* squeamish
**preč** away, gone; *bežať p.*
run away; *šéf je preč* the
boss is out • *ruky p.*
hands off
**prečin** offense, misdeed
**prečítať** read\* through
**prečo** why; *(s akým cieľom)*
what for; *p. si to urobil?*
why did\* you do\* it?
**pred 1.** *(časove)* before; ago;
*prišli sme p. piatou hodi-
nou* we came\* before five
o'clock; *prišli sme p. piati-
mi hodinami* we came\*
five hours ago **2.** *(miestne)*
in front of; *zastávka je p.
školou* the bus stop is in
front of the school; *p. sú-
dom/oltárom/publikom* be-
fore the court/altar/au-
dience
**predaj** sale, distribution; *na
p.* for sale
**predajňa** shop; *AmE* store;
*(samoobsluha)* self-service
shop, supermarket
**predajný 1.** saleable, selling
**2.** *(úplatný)* venal
**predák** foreman
**predať** sell\*; *slovník sa dobre
predáva* the dictionary
sells well; *p. draho* sell

dear • *p. za babku* sell for
mere song
**predavač** shop assistant,
salesman; *(novín)* newsa-
gent; *(pouličný)* (street)
vendor
**predavačka** shop assistant,
saleswoman, shopgirl
**predávať** sell\*; *(pod cenu)*
dump
**predávkovať** overdose
**predbehnúť** *(v behu)* outrun;
*(autom)* overtake; *(časovo)*
precede; *p. v rade* jump
the queue
**predbežný** *(dočasný)* prelim-
inary, interim; *(prípravný)*
exploratory
**predčasný** premature; *p. pô-
rod* premature delivery/
labour; *p-e vyspelý (dušev-
ne)* precocious
**preddavok** earnest, ad-
vance, prepayment; *dať
ako p.* give\* in earnest
**predhorie** foothills
**predhovor** foreword, pref-
ace, preamble
**predchádzajúci** preceding,
previous; *p. deň* preced-
ing day; *p-a zima* previ-
ous winter
**predchádzanie** prevention
**predchádzať 1.** *(prebiehať
pred)* precede **2.** *(zabraňo-
vať)* prevent

**predchodca** predecessor, forerunner

**prediarať sa** edge; *(masou ľudí)* thread

**predizba** hall, anteroom [æntiru:m]

**predkladať** present, submit

**predjedlo/predkrm** hors d'oeuvre [o:'də:vr], starter

**predlaktie** forearm, underarm

**predloha** model, pattern; *(zákona)* bill

**predložiť** *(na posúdenie)* present, submit; *(ukázať)* produce; *p. dôkaz* produce proof/evidence

**predložka 1.** *gram.* preposition **2.** *(koberec)* bed-rug

**predĺženie** extension; *(lehoty)* prolongation

**predĺžiť (sa)** lenghten, prolong; *p. sukňu* lenghten a skirt; *dni sa p-ú* the days are lengthening; *život sa p-e* life is prolonged

**predmestie** suburb(s), outskirts; *bývať na p-í* live in the suburb(s)

**predmestský** suburban

**predmet** *(vec)* object, item; *(tovar)* article; *(hovoru)* topic; *gram.* object

**predmostie** bridgehead

**prednášať** lecture, give* lectures

**prednášateľ** lecturer

**prednáška** lecture; *p. o vesmíre* lecture on the universe

**prednes** *(hudobný)* recital

**predniesť** *(recitovať)* recite; *(reč)* deliver; *(predložiť)* submit

**prednosť** preference; *(v poradí)* priority; *(uprednostňovať)* prefer; *mám radšej (u-m) kávu ako čaj* I prefer coffee to tea

**prednosta** head

**prednostný** preferential; *p-é právo* precedence

**predný** front, forward; *p-á strana* facefront; *p-é zuby* front teeth

**predohra** *hud.* prelude, overture ["əuvət'juə]; *(milostná)* foreplay

**predok 1.** ancestor, forefather **2.** *(predná časť)* front (part), face

**predom** beforehand, in advance

**predošlý** previous; *(posledný)* last; *p. majiteľ* previous owner

**predovšetkým** above all, first of all, notably

**predpis** *(aj lekársky)* prescription; *(kuchársky)* recipe; *(nariadenie)* rule

**predpísať** prescribe; *zákon*

*p-je, že* the law prescribes that

**predpisy** regulations; *daňové p.* tax regulations; *dopravné p. BrE* Traffic Code/ *AmE* Highway Code

**predplatiť (si)** prepay, subscibe to; *p. si časopis* subscribe to a magazine

**predplatiteľ** subscriber

**predplatné** subscription, *hovor.* sub

**predpojatosť** bias, prejudice

**predpoklad** presumption, assumption, supposition; *za p-u, že* provided that

**predpokladať** *(domnievať sa)* presume, assume, suppose; *(očakávať)* expect; *p., že* my guess is that

**predpoludnie** morning, forenoon; *p-ím* in the morning, before the noon

**predpona** *gram.* prefix; *p. tisíc* K, kilo

**predposledný** the last but one; *p. deň* the last but one day; *p. riadok* the last but one line

**predpoveď** prediction; *(počasia)* (weather) forecast

**predpovedať** predict; *(počasie)* forecast*; *(budúcnosť)* foretell*

**predpredaj** advance sale; *(lístkov)* booking in advance, advance booking

**predpremiéra** preview, prerelease

**predražovať** overcharge; *to mäso ste (nám) p-li* you overcharged for the meat

**predsa** still, yet, nevertheless; *p. len* still, all the same; *p. však* yet; *(veď)* surely

**predsavzatie** *(zámer)* intention; *(záväzok)* resolution; *Novoročné p.* New Year's resolution

**predseda** chair(man), chairperson; *p. výboru* chair of the committee; *p. vlády* Prime Minister; *predsedníčka* chair(woman)

**predsedať** *(niečomu)* chair, preside (over sth.); *p. schôdzi* chair a meeting/ preside over a meeting

**predsedníctvo** board of directors, (managing) chairmanship

**predstava** idea, notion; *(klamná)* delusion; *(vidina)* image; *nemám ani p-u, čo mu poviem* I have* no idea what to tell* him

**predstavenie 1.** *(hry)* performance **2.** *(zoznámenie)* introduction **3.** *(nového výrobku)* presentation

**predstavený** head, director, principal, superior

**predstaviť** *(zoznámiť)* introduce; *(predviesť)* present; *dovoľte, aby som vám p-la pána...* let* me introduce Mr ... // **p. si** realize, imagine, envisage, figure; *len si p-v* just imagine

**predstaviteľ 1.** *(herec)* performer, interpreter **2.** *(zástupca)* representative

**predstavivosť** imagination

**predstieraný** sham, pretended; *(nútený)* forced; *p. úsmev* forced smile

**predstierať** pretend, sham, feign; *(chorobu)* simulate

**predstihnúť** *(prekonať)* outdo*, surpass; *p. spolužiakov v učení* surpass classmates in learning

**predsudok** prejudice; *bez p-ov* unprejudiced, free from prejudice

**predtucha** foreboding, presentiment, premonition

**predtým** before, formerly; *chvíľu p.* a moment before; *p. som býval v Londýne* formerly I lived in London

**predurčiť** *(osobu)* designate, predestine

**predvádzať** show*, perform, demonstrate

**predvčerom** the day before yesterday

**predvečer** eve; *v p. mojich narodenín* on the eve of my birthday; *Štedrý večer* Christmas Eve

**predvídať** *(tušiť)* anticipate, foresee*; *p. ťažkosti* foresee* difficulties

**predviesť** present, perform, demonstrate

**predvoj** vanguard

**predvojnový** prewar

**predvolanie** summons; *práv. (k súdu)* subpoena [səbˈpiːnə]

**predvolať** summon; *p. rodičov do školy* summon parents to school

**predvoľba** *telek.* code, dialling code

**predzvesť** omen, symptom

**prefabrikát** prefab

**prefíkaný** sly, cunning, crafty; *(vynaliezavý)* subtle

**preglejka** plywood

**prehánka** *(dážď, sneh)* shower; *daždové p-y* rain showers

**preháňadlo** laxative, purgative, purge

**preháňať** *(zveličovať)* exaggerate; *(šikanovať)* boss about; *(spôsobiť hnačku)* purge

**prehľad** *(udalostí)* review;

*(súhrn)* survey; *(správ)* headlines; *(náčrt)* outline; *mať p.* be* in the know, have* a grasp of

**prehľadný** lucid, transparent; *(p. vďaka usporiadaniu)* well-arranged, easy to survey

**prehlásenie** declaration

**prehliadka** *(colná, lek.)* examination; *(voj., techn.)* inspection, checking; *(mesta)* sightseeing tour

**prehltnúť** *(jedlo)* swallow; *(slzy)* gulp

**prehodiť** throw* over/across; *p. kabát cez stoličku* throw* the coat over the chair

**prehodnotiť** revalue

**prehováranie** persuasion

**prehovoriť 1.** *(presvedčiť)* persuade, coax **2.** *(na niekoho)* speak*, address; make* a speech

**prehra** loss

**prehradiť** *(rieku)* dam; *(miestnosť)* partition

**prehrať** lose*; *p-li sme zápas* we lost the game; *(v hazardnej hre)* gamble away

**prehrávač** player

**prehŕňať sa** rake, root about; rummage (through)

**prechádzať** pass, cross; *tu nesmiete p.* you are not allowed to cross here // **p.**

**sa** walk, stroll; *p. sa po záhrade* walk round the garden

**prechádzka** walk, stroll; *ísť na p-u* go* for/take* a walk; *poďme na p-u* let's go* for a walk/stroll

**prechladnúť** catch* a cold

**prechmat** *(nedopatrenie)* blunder, slip; *(úmyselný)* wrongdoing

**prechod** *(medzistupeň)* transition; *(prejdenie)* passage; *(cez hranice)* frontier crossing

**prechodný** *(dočasný)* temporary; *(p. pobyt)* temporary residence; transient; *gram. (sloveso)* transitive

**prechovávať** *(veci)* reset, receive; *(ukrývať)* harbour

**prejav 1.** demonstration, display **2.** *(reč)* address, speech

**prejaviť** show*; *p. záujem o hudbu* show* interest in music; manifest; *(sústrasť)* sympathize; *(nesúhlas hučaním)* boo

**prejsť** *(cez)* pass (through); *(niekoho)* run* over; *(krížom)* traverse, cross

**prekárať** banter, tease, nickname

**prekaziť** mar, defeat, wreck;

*počasie nám p-lo plány* the weather wrecked our plans

**prekážať** be\* in the way; hamper; *(brániť)* obstruct; *(byť na ťarchu)* interfere

**prekážka** obstacle; *robiť p-y* obstruct; *(predmet)* obstruction; *práv. (zábrana)* impediment; *šport.* hurdle; *hovor.* hitch

**preklad** translation; *doslovný p.* literal translation; *voľný p.* free/loose translation

**prekladať** *(z cudzieho jazyka)* translate; *(premiestniť)* transfer; *(určiť nové sídlo)* relocate

**preklenúť** bridge, span; *(ťažkosti)* get\* over

**preklep** misprint; *(chyba)* error, mistake, fault

**prekliať** curse; *p-la ho* she cursed him

**prekliaty** damned; *p-e peniaze* damned money

**prekonať** *(ťažkosti, prekážky)* overcome\*; *(súpera)* outdo\*; *p. rekord* break\* a record

**prekrmovať** overfeed\*

**prekročiť** *(prejsť)* cross, pass; *(porušiť)* overstep

**prekrúcať** *(fakty)* distort, misrepresent; twist

**prekrútiť** distort; twist

**prekvapenie** *(vec, udalosť)* surprise; *(údiv)* astonishment; *na moje veľké p.* to my great surprise

**prekvapený** surprised, astonished; *byť p.* wonder

**prekvapiť** surprise, astonish; *správa všetkých p-la* the news surprised everyone; *(pristihnúť)* overtake\*; *(nepríjemne)* startle

**prekvapujúci** surprising, *(nepríjemne)* startling

**prelietavý 1.** *zool.* migratory **2.** *obr. (nestály)* flighty, unsteady

**preliezačka** climbing frame; *AmE* jungle gym

**prelínať (sa)** overlap

**prelom** break; *(obrat, zvrat)* turn, turning point, breakthrough

**preložiť 1.** *(z jazyka)* translate **2.** *(premiestniť)* transfer, relocate

**prelud** phantom; *(klam)* delusion

**premáhať** overcome\*; *(súpera)* conquer

**premávka** traffic; *hustá p.* heavy traffic; *hodiny zvýšenej p-y/dopravná špička* rush hour(s)

**premena** change; *(sociálna, fyzikálna)* transformation; *p-y v živote* changes in life

**premeniť** change, transform; *(prebudovať)* convert; *(náhle)* turn

**premenlivý** changeable, variable; *p-é počasie* changeable weather

**premeškať** miss; *p. poslednú príležitosť* miss the last opportunity

**premet** somersault; *(letecký)* looping

**prémia** premium, bonus

**premiéra** first night

**premiest(n)iť** remove, move (a)round, (re)arrange; *p. nábytok* rearrange the furniture

**premietačka** *(prístroj)* projector

**premietať** project; *(na plátno)* screen; *čo p-jú v kine?* what's showing at the cinema?

**premlčaný** *(termín)* expired

**premočiť** soak, drench

**premôcť** *(city)* overcome*; conquer; *(súpera)* defeat, beat*, overwhelm

**premrhať** *(čas, energiu, peniaze)* waste, squander; *(ľahkomyseľne)* fritter away; *p. príležitosť* miss the opportunity

**premrštený** exaggerated; *(ceny)* exorbitant; *(móda)* extravagant

**premyslieť** think* over, reason out; *mal by si si to p.* you should think* it over

**premýšľanie** reflection

**premýšľať** think* *(o of)*, reflect *(nad on/upon)*

**prenáhlený** hasty, rash

**prenáhliť sa** hurry too much; do* rash

**prenajať** *(dom)* let* (out), rent, lease // **p. si** *(auto)* hire

**prenájom** hire; *(podľa zmluvy)* lease

**prenasledovanie** *polit.* persecution; *(zločinca)* pursuit

**prenasledovať** *polit.* persecute; *(zločinca, zver)* pursue; *obr. (myšlienka)* haunt

**prenechať** cede, leave* to sb., let* sb. have

**preniesť 1.** carry over/across **2.** *ekon.* transfer

**prenikavý** *(aj pôsobiaci na zmysly)* penetrating; *p-á bolesť* penetrating pain; *(zvuk)* sharp, shrill; *p. úspech* resounding success

**preniknúť** penetrate

**prenos** *(TV, radio.)* transmission; *TV priamy p.* live; *(premiestnenie)* transfer

**prenosný** portable; *p. televízor* portable television;

*(nákazlivý)* communicable

**preobliecť (sa) 1.** change so. clothes **2.** *(prestrojiť sa za niekoho/niečo)* disguise

**prepáčiť** excuse, pardon; *(odpustiť)* forgive • *prepáčte* (I) beg your pardon, (I am) sorry, so sorry; *p-te, že meškám* I'm sorry I'm late

**prepad** attack, mug; *(razia)* raid; *(krajiny)* invasion

**prepadnúť 1.** *(zaútočiť)* attack, mug, raid, **2.** *(pri skúške)* fail // **p. sa** fall* through

**prepelica** zool. quail [kweil]

**prepečený**: *(mäso) slabo p.* rare (steak); *stredne p.* medium; *dobre p.* well-done

**prepichnúť** pierce; *(pneumatika)* puncture; *(prebodnúť)* stab

**prepínač** switch

**prepínať 1.** *(prúd)* switch over **2.** *(sily)* overstrain; *p-ie TV diaľkovým ovládačom* zapping

**prepis** transcription; *(kópia)* copy

**prepiť** waste on drink, drink* up/away; *p-l výplatu* he drank* up/away his salary

**prepitné** tip(s); *dať p-é čašníkovi* to tip a waiter

**preplatiť** *(zaplatiť viac)* overpay*; *(šeky)* pay*, honour

**prepočítať sa** *(pri počítaní)* miscalculate, miscount, *(prerátať sa)* be* frustrated

**prepracovať sa** *(unaviť sa)* be* overworked

**preprava** transport, transit, *(nákladná)* freight

**prepraviť** transport, carry; *tento autobus p-je deti do školy* this bus carries children to school

**prepustenie** *(zo zamestnania)* dismissal, release; *p. z väzenia* release from prison

**prepustiť** discharge, release, let* out; *(zo zamestnania)* dismiss; hovor. fire, sack

**prepych** luxury [ˌlakšəri]; *žiť v p-u* live in luxury

**prepychový** luxurious [lagzəriəs], fancy, sumptuous; hovor. posh

**prerásť** outgrow*; *p-l matku* he has outgrown his mother

**preraziť** perforate, pierce, hole

**préria** prairie

**prerieknuť sa** make* a slip in speaking, make* a slip of the tongue

**prerobiť 1.** redo\*, convert (into), remake\* **2.** *(prepracovať)* rework; *(plány)* alter

**prerokovať** negotiate

**prerušenie** break, interruption

**prerušiť** *(cestu)* break\* (off); *(rozhovor)* interrupt; *(spojenie, tel. hovor.)* disconnect

**presadiť** *(rastlinu)* transplant; *(myšlienku)* put\* across/over

**presahovať** *(priestorovo, časovo)* overlap, exceed; *(do výšky)* overtop; *(prekročiť právomoc)* overstep

**presídliť** move, relocate, displace

**preskočiť** jump, overleap\*; *(vynechať)* skip; šport. vault [vo:lt]; *p. na inú tému* jump/skip to another subject

**preskúmať** examin, explore, survey, review; *p. všetky možnosti* explore/examine all the possibilities; *p. situáciu* review the situation

**presmerovať** divert, redirect, reroute; *p. dopravu* redirect traffic

**presne** precisely; *(správne)* accurately; *(skutočne)* exactly; *stojí to p. 20 libier* it costs exactly 20 pounds; *(načas)* to the minute; punctually; *presne o 6-tej* at six o'clock sharp

**presnosť** *(exaktnosť)* precision, exactness; *(TV obrazu, zvuku)* fidelity; *(správnosť)* accuracy; *(dochvíľnosť)* punctuality; *šéf od nás očakáva p.* the boss expects punctuality from us

**presný** *(v práci)* precise; *(exaktný)* exact; *(správny)* accurate; *p-á odpoveď* accurate answer; *(dochvíľny)* punctual; *je vždy p.* he is always punctual

**prestať** stop; *p. fajčiť* stop smoking; *prestaň!* stop it!; cease; *(nepokračovať)* discontinue sth.

**prestavba** rebuilding, reconstruction; *(zmena)* restructuring; *pren.* rearrangement

**prestávka** break, pause; *(divadelná)* interval; *dajme si p-u* let's have\* a break

**prestieradlo** *(plachta)* blanket, sheet; *(ozdobná prikrývka)* bedspread

**prestoj** downtime, idle time, stoppage, dead time

**prestrašený** terror stricken,

frightened; *p. na smrť* frightened to death

**prestrieť** *(stôl)* lay\* the table; *p. deku na posteľ* spread out a blanket on the bed

**prestúpiť** *(nohou)* step over; *(presadnúť)* change; *p. z vlaku na vlak* change the trains; *p. zákon* violate the law, tresspass

**presvedčenie** *(osobný názor)* conviction; *(náboženské, politické)* persuasion

**presvedčiť** *(niekoho o niečom)* convince, persuade *(sb. of sth.)*, reason // **p. sa** make\* sure (that); *p. sa o tom* make\* sure of it

**presvedčivý** convincing, persuasive; *to znie presvedčivo* that sounds convincing

**prešiť** *(šaty)* alter, refashion; *(preštepovať)* stitch; *prešívaný kabátik* wadded jacket

**preškrtnúť** cross (out)

**preštiknúť** punch, clip; *p. cestovný lístok* punch/clip a ticket; *(predierkovať)* perforate

**preťahovanie lanom** a tug of war

**preťažiť** *(človeka, most)* overburden; *(auto, čln)* overload

**pretekár** racer; *automobilový p.* racing driver; *(súťažiaci)* competitor

**pretekať sa** race, compete, have\* a contest

**preteky** competition, contest; *(konské, automobilové)* race; *zúčastniť sa na pretekoch* take\* part in a race

**pretlačiť sa** push forward

**preto** therefore, that is why/that's why

**pretože** as, because; *hovor.* 'cause; *robím to, p. sa mi to páči* I do it because/ 'cause I like it

**pretrhnúť (sa)** break\*, snap; *kábel sa p-ol* the cable snapped

**pretvárka** affectation, hypocrisy; *(predstieranie)* pretence

**pretvoriť** transform

**preukaz** *(totožnosti, občiansky)* identity card, ID card; *(na vlak, električku)* season ticket; *(do knižnice)* library ticket; *(vodičský)* driving licence

**preukázať** *(prejaviť)* show\*, display, demonstrate, exhibit; *p. láskavosť* do a favour/kindness; *p. službu* render a service // **p. sa** *(legitimovať sa)* prove so. identity

**prevádzka** *(stroja)* working; *(služobná)* service; *(chod podniku)* operation, running

**prevaha** preponderance, superiority, predominance, outnumber

**prevažovať** outbalance, prevail, predominate

**prevažne** prevailingly [pri'-veiliŋgli], predominantly

**prevencia** prevention

**preventívny** preventive; *p-e očkovanie* preventive vaccination

**previnenie** wrongdoing, guilt, offence

**previnilec** wrongdoer, offender, delinquent; *(mladistvý)* juvenile delinquent

**previniť sa** offend (against), trespass against; *p. sa voči rodičom* wrong the parents

**prevládať** predominate, prevail; *dobro p-lo nad zlom* good prevailed over evil

**prevládajúci** prevalent, dominant

**prevod** *(majetku, peňazí)* transfer

**prevoz** *(cez rieku)* transportation; *(tovar)* removal, conveyance

**prevrat** overthrow; *polit. (vzbura)* revolution; *(štátny)* coup [ku:]

**prevrátiť** *(prevaliť)* overturn, overthrow*; *(zvrátiť plán)* upset*; *p. hore nohami* turn upside down

**prevrhnúť** overturn, overthrow*; // **p. sa** *(čln)* capsize

**prevýchova** re(-)education

**prevýšiť** exceed, surpass, excel; *(počtom)* outnumber; *výdavky p-li milión* the costs exceeded one million

**prevziať** take* over; *p. firmu* take a company over; *p. zásielku* take delivery; *p. zodpovednosť* undertake* responsibility

**prezenčná listina** timesheet, attendance sheet/register

**prezerať**: *letmo internet* browse

**prezervatív** condom

**prezident** president; *p. Slovenskej republiky* the President of Slovakia; *p-ský úrad* presidency

**prezieravý** prudent, provident, foreseeing

**prezimovať** winter; *niektoré vtáky p-jú v teplých krajoch* some birds winter in warm countries; *p. v spánku* hibernate

**prezradiť** disclose, reveal; *nep-ď naše tajomstvo* don't reveal our secret

**prezuvky** *(gumené)* galoshes *pl.;* rubbers *pl.;* overshoe

**prezývka** nickname

**prežiť** *(zostať na žive)* survive; *(dlhšie žiť)* outlive; *(stráviť obdobie)* spend*, live through

**prežitok** anachronism; hangover; *p. z minulosti* hangover from the past

**prežúvať** ruminate

**pŕhľava** nettle

**prchavý** elusive; *(plyn)* volatile

**prchký** combustible; *(zlostný)* irascible; *(popudlivý)* peevish

**pri** at; *p. stole* at the table; near; *p. jazere* near the lake; by; *stáť p. okne* stand* by the window; *pri ruke* at hand; *nemám p. sebe žiadne peniaze* I have* no money on me

**priadza** yarn; *(česaná)* worsted

**priamka** (straight) line

**priamo** straight; *(otvorene)* direct(ly), outright; *chodte p. po tejto ulici* go straight ahead this street

**priamočiary** *(úprimný)* straightforward

**priamosť** 1. directness 2. *(povahy)* straightforwardness; *(úprimnosť)* frankness

**priamy** *(rovný)* direct; *p. smer* direct route; *(otvorený)* straight; *(vzpriamený)* upright; *p. vlak* through (train)

**priasť** 1. *(nite)* spin 2. *(mačka)* purr

**priať** wish; *(blahoželať)* congratulate; *prajem ti veľa šťastia* I wish you good luck; *prajem dobrú chuť* enjoy your meal

**priateľ** friend, boy(-)friend, *hovor.* pal; *(s ktorým si píšeme)* penfriend

**priateliť sa** be* friends; *p-ia sa roky* they have* been* friends for years

**priateľka** friend, girl(-)friend

**priateľský** friendly, amicable; *p. zápas* friendly match; *p-á nálada* amicable mood

**priateľstvo** friendship

**priazeň** favour; *získať p.* win*/gain favour

**priaznivý** favourable; *p-é počasie* favourable weather

**príbeh** *(udalosť)* event; *(hovorený)* story, tale

**pribiť** nail; *p. na kríž* nail to the cross

**priblížiť sa** approach, come* up, gain (up) on; *(objektívom)* zoom

**približný** *(čísla, údaje)* approximate; *(odhad)* rough

**príboj** *(morský)* surf; *(prival)* surge

**príbor** cutlery, dinner-set; *jesť p-om* eat with a knife and fork

**pribrať** *(na váhe)* put* on weight, gain weight

**pribúdať** increase, grow*; *p-a zločinnosť* crime is on the increase; *p-júci mesiac* crescent

**príbuzenstvo 1.** *(vzťah)* relationship, kinship **2.** *(príbuzný)* family, relatives *pl.*

**príbuzný** relative, relation, akin; *vzdialený p.* distant relative; *sme p-í* we are kin

**príbytok** dwelling (house), lodging

**príčastie** *gram.* participle

**príčesok** hairpiece

**príčina** cause; *(dôvod)* reason; *čo bolo p-ou nehody?* what was the cause of the accident?

**príčinlivý** zealous; *(na úkor druhých)* pushing

**pričítať** add; *(niekomu niečo)* attribute; *p. vinu niekomu* impute a fault to sb.

**pričňa** plank bed

**pridať** add, give* more; *p. do kroku* walk faster

**prídavné meno** *gram.* adjective

**prídavok 1.** addition **2.** *(rodinný)* family allowance

**prídel** *(potravín)* ration, portion; *(finančný)* allowance

**pridelenec** attaché [əˈtæšei]

**prideliť** allocate, allot; *(úlohu)* assign; *(niekoho niekde)* station

**priebeh** course, progress; *p. choroby* course of the illness; *v p-u* during

**prieberčivý** fastidious, fussy, choosy

**priečelie** front side, frontage

**priečiť sa 1.** *(klásť odpor)* resist, oppose **2.** *(protiviť sa)* detest

**priečka 1.** *(na rebríku)* rung **2.** *(stena)* partition

**priečny** transverse, cross

**prieduška** windpipe

**priehľadný** transparent; *p-á blúzka* transparent blouse; *p-á lož* transparent lie

**priehlavok** instep

**priehlbina** hollow, cavity

**priehrada** barrier, barrage [ˌbæraːž]; *(vodná)* dam

**priehradka** division; *(banková)* window; *(poštová)* post office box

**priechod** passage, gangway; *p. pre chodcov* zebra crossing • *dať voľný p. niečomu* give* vent to sth.

**prieklep** *(na písacom stroji)* carbon copy; *p-ový papier* flimsy

**priekopa** ditch, trench; *odvodňovacia p.* drainage ditch

**priekopník** pioneer, pathfinder

**prieliv** strait; *Gibraltarský p.* Strait of Gibraltar; *Lamanšský p.* the (English) Channel

**prielom** break(-through); *(v horách)* pass

**priemer** *mat.* diameter, average; *nad/pod p-om* above/below average

**priemerne** on the average; *pracuje 20 hodín p.* he works 20 hours on the average

**priemerný** average, fair; *mat.* mean; *p. Angličan* average Englishman

**priemysel** industry; *potravinársky p.* food industry;

*ľahký/ťažký p.* light/heavy industry

**priemyselný** industrial; *p-á škola* industrial/technical school

**priepasť** *(bezodná)* abyss; *(jama)* precipice; *obr.* chasm [ˈkæzəm]

**prieplav** canal; *Suezský p.* Suez Canal

**priepustka** permit, pass

**prieskum** investigation; *(vedecký)* research; *p. verejnej mienky* public opinion poll/survey; *p. trhu* marketing research

**priesmyk** pass

**priestor** space, room; *v aute je dosť p-u* there's enough of space/room in the car; *pl.* **priestory** premises

**priestorový** spatial

**priestranný** spacious, roomy

**priestupný rok** leap year

**priestupok** offence, wrongdoing; *spáchať p.* commit an offence/a wrongdoing

**priesvitný** transparent

**prietrž** *(mračien)* cloudburst, downpour; *lek.* rupture

**prievan** draught; *je tu p.* it is draughty here

**prievoz** ferry

**prievozník** ferryman, waterman

**priezvisko** surname, family name, last name

**prihlásiť** register, enrol(l); *p. dieťa do školy* enrol a child in the school // **p. sa** present, report; *p. sa na štúdium* apply for the study

**prihláška** application; *(tlačivo)* application form; *podať p-u* submit an application

**prihliadať** look on sth., watch sth.

**príhoda** incident, event; *mozgová p.* brain stroke; *srdcová p.* heart attack

**prihodiť sa** happen, occur; befall*

**príhodný** *(vhodný)* suitable, convenient; *toto je p-é miesto* this is a suitable/convenient place

**prichádzať** *(pešo)* come*; *(dopravným prostriedkom)* arrive; *hostia p-ú* the guests are coming/arriving; *Vianoce p-ú* Christmas is coming/drawing near

**príchod** arrival; *(prístup)* approach; *p-y a odchody vlakov* train arrivals and departures

**príchuť** *(typická)* savour; *(vedľajšia chuť)* flavour

**prijať** *(zásielku, hosťa))* receive; *(dar, pozvanie)* accept; *p. návrh hlasovaním* pass a bill; *p. radu* take* advice; *p. úplatok* take* a bribe

**prijateľný** acceptable; *(ako tak)* plausible

**prijatie** *(ponuky)* acceptance; *(hosťa)* reception; *(do klubu, na univerzitu)* admission; *(uvítanie)* welcome

**príjem** *(zárobok)* income; *(prevzatie)* receipt; *(TV, radio.)* reception; *p-y firmy* cash flow

**príjemca** receiver, recipient; *(listu)* addressee

**príjemný** *(počasie)* agreeable; *(človek, hudba, dovolenka)* pleasant, nice; *(tolerantný)* easygoing; *(atmosféra)* friendly; *prajem p. pobyt* enjoy your stay

**prijímač** *(TV, radio.)* receiver, (wireless-, radio-) set

**príkaz** order; *(voj., výp.)* command; *nesplnil jeho p.* he did not obey his order; *p. na zatknutie* warrant

**prikázanie** commandment; *Desatoro Božích p-í* The Ten Commandments

**prikázať** order, command;

*lekár mi p-l zostať doma* the doctor ordered me to stay at home

**príklad** example, instance; *mat.* problem; *napríklad* for example, for instance; *brať si p. z niekoho* follow the example of sb.

**prikladať 1.** add to sth.; *(prisudzovať)* attribute **2.** *(do pece)* put* coal on

**príkladný** exemplary; *jej správanie je p-é* her behaviour is exemplary

**príkorie** *(bezprávie)* injustice; *(krivda)* wrong

**príkrm** *(príloha)* side dish; *(zeleninová)* veg(etables) *pl.*

**príkry 1.** steep; *p. svah* steep slope **2.** *(v správaní)* abrupt, harsh **3.** *(chuť)* nasty

**prikryť** cover; *p. dieťa dekou* cover the baby with a blanket

**prikrývka** cover; *(aj snehová)* blanket; *(prešívaná)* quilt

**prikývnuť** nod; *p-li sme na súhlas* we nodded in agreement

**priľahlý** adjacent, adjoining, contiguous; *p-é uhly* adjacent angles

**prilba** helmet; *(tropická)* sun helmet; *(pre motoristov)* crash helmet

**prilepiť** stick, attach, affix; *p. známku na list* stick a stamp on the envelope

**prílet** arrival (of the plane)

**príležitosť** occasion, opportunity; *(náhodná)* chance, scope; *pri p-i* on the occasion of; *využiť p.* seize an opportunity

**príležitostne** occasionally; *p. sa navštevujeme* we occasionally visit each other

**príležitostný** occasional; *p-é výdavky* incidental expenses

**priliehavý** fitting, tight; *p-é nohavice* tight trousers; *pren.* appropiate

**príliš** too; *p. mnoho* too much; *p. veľa fajčí* he smokes too much/heavily

**prílišný** excessive; *p-á ochota* excessive willingness

**príliv** *(kapitálu)* inflow, flood; *(morský)* tide; *vrchol p-u* high tide; *vrchol odlivu* low tide; *obr. (turistov)* influx; *p. peňazí* cash flow

**priľnúť** adhere to sth.

**príloha** *(listu)* enclosure; *(novín)* supplement; *(príkrm)* side dish

**priložiť 1.** *(dodať)* add **2.** *(do pece)* put* on coal **3.** *(ob-*

*väz)* apply **4.** *(k listu)* enclose

**primár** head physician/doctor (in a hospital)

**primátor** Lord Mayor

**primeraný** adequate, appropriate; *(cena)* reasonable

**prímerie** *voj.* cease-fire; *(krátkodobé)* armistice, truce

**primitívny** primitive; *naši p-i predkovia* our primitive forefathers

**prímorský** maritime, seaside; *p-é letovisko* seaside resort

**prinajmenšom** at least

**princ** prince; *(rozprávkový)* fairy prince

**princezná** princess; *(korunná)* crown princess

**princíp** principle, rule; *základný p.* cardinal rule

**priniesť** bring\*; *p-es aj deti* bring your children along; *(ísť po niečo)* fetch; *p-es mi noviny* fetch me the newspaper • *p. obeť* make\* a sacrifice

**prínos** contribution; *p. do literatúry* contribution to literature

**prinútiť** compel, force • *p. ho, aby išiel* make\* him go\*

**prípad** case; *(udalosť)* event; *v p-e, že* in case (that); *v každom p-e* at any rate, in any case

**prípadne** possibly

**pripadnúť** fall\*; *p. na deň* fall\* on a day

**pripevniť** fasten, fix, attach; *p. policu na stenu* fix the shelf to the wall

**pripináčik** drawing pin; *AmE* thumb-tack

**prípis** *(úradný)* (official) letter; *(správa)* communication; *(vyrozumenie)* notification

**pripísať** add, write\* in; *p. k dobru* credit; *(na vrub)* debit

**pripisovať** *(niekomu)* ascribe (to sb.); *(dôležitosť)* attach, attribute

**prípitok** toast; *povedať p.* propose a toast; *pripiť niekomu na zdravie* toast, drink so. health

**príplatok** extra/additional payment/charge; *p. za prácu nadčas* overtime bonus

**pripojenie** joining, attachment; *(územia)* annexation

**pripojiť** attach, affix; *(prístroj)* connect *(k* to) // **p. sa** join; *p-m sa neskôr* I'll join you later/I'll join in later

**prípojka** *elektr.* connection; *(vlaková)* shunt

**pripomenúť** *(upozorniť)* remind; *p-ň mi, aby som to urobil* remind me to do* it; *(zmieniť sa)* remind sb. of sth. //  **p. si** *(výročie, minulosť)* commemorate, remember

**pripomienka** reminder; *(kritizujúca)* objection comment; *nemám p-y* no comment

**pripomínať** *(pamiatku)* commemorate, remember

**prípona** *gram.* suffix

**príprava** preparation, arrangement; *bez p-y* offhand, impromptu

**pripravený** *(prichystaný)* ready; *(naučený)* prepared; *ste p-í začať?* are you ready to start?

**pripraviť (sa)** prepare; *p. jedlo* prepare meal; *p. sa na* make*/get* ready for

**prípravný** preparatory; *p-é kolo (súťaže)* preliminary round

**prípravok** preparation; agent; *čistiaci p.* cleaning agent

**pripustiť** *(dovoliť prístup aj priznať)* admit; *(dovoliť)*

permit; *(urobiť ústupok)* concede

**prípustný** admissible, allowed

**pripútať** *(putami)* be* shackled, tie; *obr.* attach; *je p-ý k domovu* he is attached to his home //  **p. sa** *p-jte sa!* fasten your seat belts!

**prírastok** *(nárast)* gain, increase; *(knižničný)* acquisition; *(do rodiny)* addition

**priraziť** push to • *p. dvere pred nosom* slam the door in so. face

**prirážka** additional charge; *(dovozná)* duty tax; *(zisková)* profit margin

**príroda** nature; *(prírodné krásy)* scenery; *v p-e* outdoors, in the open, in the nature

**prírodný** natural; *p-é bohatstvo* natural resources; *p-é vedy* natural sciences

**prírodopis** natural history

**prírodoveda** (natural) science

**prírodovedec** scientist

**prirodzene** *(neumelo)* naturally; *(samozrejme)* naturally, obviously

**prirodzený 1.** natural; *p. vývin* natural development **2.** *(rýdzi)* true, genuine

**prirovnanie** comparison

**prirovnávať** compare, liken; *p-ú ho k otcovi* they compare him to his father

**príručka** reference book, handbook; *(technická)* manual; *(turistická)* guidebook

**príručný** hand, handy; *p-á knižnica* reference library; *p-á lekárnička* first-aid kit; *p. počítač* laptop

**prísada** ingredient, additive; *jedlo bez p-d* plain food

**prísaha** oath; *krivá p.* perjury

**prisahať** swear, take* an oath; *krivo p.* perjure; *p-m na svoju česť* I swear on my honour

**prísediaci** assessor

**príslovečný** proverbial

**príslovie** proverb

**príslovka** *gram.* adverb

**prísľub** promise, undertaking; *(slávnostný)* vow

**príslušenstvo** attachments *pl.*, accessories *pl.*, belongings *pl.*; *hotel s p-m (bazén, sauna)* hotel facilities

**príslušník** *(člen)* member; *(rodinný)* dependent; *(štátny)* citizen; *(v Brit.)* subject

**príslušný** competent

**prísne** strictly, severely, sharply; *p. dôverné* (strictly) confidential; *voj.* top-secret

**prísnosť** severity, strictness

**prísny** severe, strict; *p. pohľad* severe look; *p-a výchova* strict upbringing

**príspevok** *(finančný)* contribution; *(k platu)* allowance; *(členský)* dues; *(nezamestnaným)* benefit

**prispievať** contribute; *p-l som na jej dar* I contributed towards her present

**prispievateľ** *(finančný aj do časopisu)* contributor

**prispôsobenie** adjustment, adaptation

**prispôsobiť (sa)** adapt, adjust; *p. sa zmenám* adapt to changes

**prísť** come*, arrive; *(dostaviť sa)* turn up; *(na návštevu)* come* and see*; come* round; *(neskoro)* be* late; • *p. k sebe* come* to, regain consciousness • *p. na myšlienku* hit* upon an idea; *p-la o piatej* she came* at five; *vlak práve p-l* the train has arrived

**prisťahovalec** immigrant

**prisťahovať sa** *(do bytu, mesta)* move in; *(do krajiny)* immigrate

**pristať 1.** (súhlasiť) agree to sth. **2.** (slušať) fit, become*, suit; *ten kabát ti p-e* the coat suits/becomes* you

**pristáť** land, touch down; *p-li sme načas* we landed in time

**pristátie** (dopad) landing

**prístav** port; (prírodný) harbour

**prístavište** quai, wharf

**prístavný:** *p. robotník* stevedore [ˌsti:vodo:]; *p-á hrádza* pier, quai

**pristihnúť** catch*, surprise; *p-li ho pri krádeži* he was caught* stealing

**prístrešie** shelter

**prístroj** apparatus; (na vedecký výskum) instrument; *p-ová doska* (auta) dash-board; (hasiaci) fire extiguisher; (načúvací) hearing aid

**prístup** access, admission; (postoj) approach; *p. k ľudom* approach to people

**pristúpiť** come* up, come* nearer, step nearer; *p. do vlaku* join; *p-l som do vlaku v Yorku* I joined the train in York; *p. na niečo* accede to sth.

**prístupný** accessible, open;

*p. verejnosti* open to the public; (film) unrestricted

**prisúdiť** adjudge, award; *súd p-l dom manželke* the court awarded the house to the wife

**prísudok** gram. predicate

**prísun** (dodávanie) supply; *p. tovaru do obchodov* supply of goods to the shops

**prisvedčiť** consent, agree; (pritakať) say yes

**príšera** spectre, spook, monster; (nočná) nightmare

**príšerný** monstrous; (strašný) fearful; (hrozný) dreadful, horrible, appaling

**pritakávač** hovor. yes-man

**priťahovať** attract; *nep.-e ma* she doesn't attract me

**príťaž** (bremeno) burden, ballast

**príťažlivosť** attraction, magnetism; (zemská) gravity; (pocit) appeal; *sexuálna p.* sex-appeal; (vodcovská) charizma

**príťažlivý** attractive

**pritiahnuť** (ťahaním) pull; (k niečomu) draw*, near; (prilákať) attract; (opasok) tighten

**prítok** (vodný tok) tributary; (pritekanie) flow

**pritom** *(zároveň)* at the same time

**prítomnosť** presence; *(dnešok)* the present; *p. ľudí ma znervózňuje* presence of people makes* me nervous

**prítomný** present; *(súčasný)* contemporary, current; *kto nie je p.?* who isn't present?

**pritúliť (sa)** snuggle, nestle

**prítulný** affectionate

**príučka** *(poučenie)* lesson

**príval** rush; *(vody)* flush, torrent

**privatizácia** privatization

**prívesok** *(ozdoba)* pendant; *(nepodstatná časť)* appendage

**prívesný**: *p. voz* trailer; *p-á cedulka* tag

**prívetivý** friendly, affable, kind

**priviazať** tie; *(o niečo)* lash/bind* to sth.; *(lanom)* rope

**priviesť** bring* (to); *p. do rozpakov* embarrass

**priviezť** *(dopraviť)* convey; *(autom)* drive*

**privilégium** privilege

**privítať** welcome; *prezident p-l návštevu* the President welcomed the visit

**privlastniť si** appropriate, take* possession of; *p. si knihu* appropriate a book

**prívod** supply; *(elektriny)* lead, conduction; *(potrubie)* pipe

**prívrženec** follower, supporter

**privykať** get* used to sth., get* accustomed

**prízemie** ground floor; *AmE* first floor; *(v divadle)* stalls, pit

**príznak** symptom

**priznanie** admission; *(vyznanie)* confession; *daňové p.* tax return; *podať daňové p.* file/do* a tax return

**priznať** admit, concede *(niekomu niečo* sth. to sb.); *p. príjmy* declare earnings // **p. sa** confess, own up; *p. sa k zločinu* own up to the crime; *(k vine)* plead guilty

**prízvuk** accent, stress; *p. je na prvej slabike* the stress falls* on the first syllable; *hovorí s cudzím p-om* he speaks* with a foreign accent

**prízvukovať** *(zdôrazňovať)* stress, emphasize

**príživnícky** parasitic, sponging

**príživník** sponger; *(biol. aj*

obr.) parasite • žiť ako p.
sponge on sb.
**prižmúriť** squint, screw up
eyes • p. oko nad wink at
**problém** problem; veľký p.
tough problem; zdravotné
p-y health/medical problems
**problematický** problematic,
troublesome
**process** (priebeh) process;
(súdny) trial
**produkcia** production; (objem výroby) output
**product** product; vedľajší p.
by-product; hrubý domáci
p. gross domestic product
**produktivita** productivity
**profesor** professor, skr. (pred
menom) Prof; (stredoškolský) teacher
**profil** (tvár zboku) profile;
(súbor vlastností) background
**program** program(me);
(plán) scheme; (časový)
schedule; (divadelný) bill;
(polit. strany) platform; čo
je dnes večer v televízii?
what's on (TV) tonight?
**projekt** project; (náčrt) design, layout; scheme; p.
budovy layout of a building
**procurator** (žalobca) prosecutor

**proletariát** proletariat(e);
diktatúra p-u dictatorship
of the proletariat
**prológ** prologue
**promócia** graduation (ceremony); AmE (obrad) graduating execises
**promovať** graduate (na
from); byť p-ý take*/get*
a degree
**propagovať** propagate,
spread, advertise
**propán bután** bottled gas
**prorocký** prophetic
**prorok** prophet; falošný p.
false prophet
**prorokovať** prophesy
**prosba** request, appeal; (pokorná) entreaty
**prosiť** ask; (žobroniť) beg •
prosím (nech sa páči) not
at all, don't mention it;
prosím? (I) beg your pardon?; yes?; prosím vás
please; posaďte sa, prosím
take* a seat, please; dve
kávy, prosím two coffees,
please
**proso** millet
**prospech** (úžitok) advantage, benefit, profit;
(v škole) marks; v p. niekoho in favour of sb.
**prospechár** profiteer, utilitarian, social climber
**prosperovať** prosper, flour-

ish, boom; *obchod p-je* business is booming

**prosperujúci** prosperous

**prospešnosť** utility, usefulness, benefit

**prospešný** useful, profitable, beneficial

**prospievať** benefit, profit, prosper; *(v učení)* have* good results

**prostitúcia** prostitution, sex industry

**prostoduchý** simple-minded

**prostoreký** flippant, saucy, free-spoken

**prostota** simplicity

**prostovlasý** bareheaded

**prostredie** environment; *(nevyhnutné pre život)* medium; *(okolie)* surroundings *pl.*

**prostredníctvom** through, by means of

**prostredník** *(prst)* middle finger

**prostriedky** *(finančné)* means; *(pracie, čistiace)* detergents

**prostriedok 1.** *(stred)* middle, centre **2.** *(na niečo)* means, medium; *dopravný p.* means of transport; *televízia je dôležitý p. informácií* TV is an important medium for information

**prostý** *(jednoduchý)* simple, plain, ordinary; *(holý)* bare

**protekcia** patronage, favour; *hovor.* pull; *(ochrana)* protection

**protektorát** protectorate

**protest** protest; *vysloviť p.* raise a protest; *(námietka)* objection

**protestovať** protest; demonstrate against; *(namietať)* object

**proti** against; *očkovať p. chrípke* vaccinate against flu • *je mu to p. srsti* this goes against his grain; *pre a p.* for and against/ pros and cons

**protifašistický** antifascist

**protihodnota** equivalent

**protichodný** contradictory; *p-é správy* contradictory reports

**protijed** antidote

**protiklad** contradiction, opposition, contrast; *v p-e s niečím* in contradiction to sth.

**protilátka** antibody

**protiletecká obrana** antiaircraft defence

**protinožci** antipodes

**protiopatrenie** countermeasure

**protirečenie** contradiction

**protirečivý** contradictory, inconsistent

**protiústavný** unconstitutional

**protiútok** counterattack

**protiveň** (prieky) spite; (nepríjemnosť) nuisance

**protiviť sa** (hnusiť sa) dislike, disgust

**protivník** adversary, opponent, rival ['raivl]; najväčší p. arch rival

**protivný** (odporný) tiresome, nasty; (jedlo) disgusting

**protizákonný** unlawful, illegal

**protokol** (sústavný záznam) record; (zo schôdze) minutes

**provincia** province

**provízia** commission, sales-related bonus

**provizórny** provisional, temporary

**provokácia** provocation

**provokatívny** provocative; p-a poznámka provocative remark

**provokovať** provoke

**próza** prose

**prozaický** prosaic

**prsia** (hruď) breast, chest; (poprsie) bust, bosom; hovor. boobs; (plavecký štýl) breaststroke

**prskať** (od zlosti) splutter; (voda) spray, sprinkle; (mast) sizzle

**prskavka** cracker

**prst** finger; (na nohe) toe; zool. digit

**prsť** soil, earth

**prsteň** ring; (snubný) wedding ring

**pršať** rain; začalo silno p. heavy rain began* to fall*; (liať) pour • rain cats and dogs

**prť** mountain path

**prúd** stream, current; (prudký) jet; po p-e downstream; proti p-u upstream

**prúdiť** stream, flow; (krv) circulate

**prúdové lietadlo** jet plane

**prudkosť** vehemence, intensity

**prudký** intense, vehement, fierce

**pruh** streak, strip; (farebný) stripe; (zeme) tract; (jazdný) (traffic) lane; motor. odbočovací p. filter lane

**pruhovaný** striped, streaky

**prút** (z kríka) twig; (oceľový, rybársky) rod; (zlata) ingot; (čarovný) wand

**prútie** wicker(s)

**pružina** spring

**pružnosť** elasticity, stretch; (pohotovosť aj prispôsobivosť) flexibility

**pružný** elastic, stretchy, flexible

**prv** sooner, before, former

**prvák** *(na základnej škole)* first grader; *(na univerzite)* freshman

**prvenstvo** primacy, priority

**prvobytný** aboriginal, primitive

**prvok** element; *stopový p.* trace element; *p. na TV obrazovke* pixel

**prvoradý** first-rate, first-class

**prvosienka** primrose

**prvotný** primary, prime; *(základný)* basic

**prvotriedny** first-class/rate, A 1 (one), superior; *p-a kvalita* prime/superior quality; *p. tovar* upmarket

**prvý** first; *prvýkrát* first time; *úplne p.* the very first; *po prvé* at first, firstly

**pst** hush

**pstruh** trout

**psychický** psychic(al), mental; *p. vývoj* mental development; *p-á porucha* psychic disorder

**psychológia** psychology

**pšenica** wheat

**pštros** ostrich; *strčiť hlavu do piesku ako p.* bury so. head in the sand like an ostrich

**publikácia** publication

**publikum** *(diváci, poslucháči)* audience

**pučať** sprout, bud; *ruže p-ia* roses are in bud

**pud** instinct; *p. sebazáchovy* instinct for self-preservation

**púder** powder; *p. na tvár* face powder; *detský p.* baby powder

**puding** pudding

**pudový** instinctive

**puch** stench, stink, bad smell

**puk 1.** *(púčik)* bud **2.** *(na nohaviciach)* crease **3.** *(v hokeji)* puck

**pukance** popcorn

**puklina** crack, leak

**puknúť** burst\*, crack

**pulóver** pullover, jumper

**pult** *(v obchode, na pošte)* counter; *(na recepcii)* desk

**pulz** pulse; *zrýchlený p.* quickened pulse

**pulzovať** pulse; *obr.* pulsate; *v meste p-e život* life is pulsating in the town

**pumpa** pump; *bicyklová p.* bicycle pump; *benzínová p.* filling/petrol station

**pumpky** knickerbockers, knickers, plus-fours

**pumpovať** pump; *p. pneumatiky* pump up car tyres

**punc** hallmark
**punč** punch
**púpava** bot. dandelion
**pupok** navel; hovor. belly/tummy button
**puritán** puritan
**purpur** purple
**pustatina** wasteland, wilderness
**pustiť** let\* fall\*, drop; p-la tanier a ten sa rozbil she dropped the plate and it broke\*; (uvoľniť) let\* go\*, release; pusť ma let\* me go\*; p. z hlavy dismiss // **p. sa 1.** (niečoho) leave\* hold of sth. **2.** (do niečoho) tackle sth., embark in sth.
**pustý** (krajina) waste, deserted; (opustený napr. dom) desolate
**puška** gun, rifle
**púšť** desert
**púť** náb. pilgrimage
**pútnik** wanderer, pilgrim
**pútavý** (kniha) gripping, riveting

**pútec** parting (of the hair)
**puto** (priateľstva) tie, bond
**putá** shackles, handcuffs, manacles
**putovať** pilgrim, wander, march
**puzdro** case, box; (na perá) pencase; (na zubnú kefku) toothbrush holder
**pýcha** pride; záhrada je jej p-ou her garden is her pride
**pykať** pay\* for, atone for
**pyramída** pyramid
**pýšiť sa** be\* proud of, pride os. (on), boast; never jej, len sa p-i don't believe her, she is just boasting
**pyšný** proud (na of)
**pýtať sa** ask; (informovať sa) enquire (na about, after); p. sa na cestu ask so. way
**pytliačiť** poach; chytili ho pri p-ení he was caught\* poaching
**pytliak** poacher
**pyžama** pyjamas

# R

**rabín** rabbi
**rabovať** plunder, ransack
**racionalizácia** rationalization
**racionálne** rationally

**racionálny** (rozumový) rational; (účelný) effective
**rad 1.** (vedľa seba) row; sedieť v prvom r-e sit\* in the first row; (postupný) se-

ries; *(zástup)* line, queue;
*stáť v r-e na lístky* queue to
buy* tickets; *teraz som ja
na r-e* it's my turn **2.** *(vy-
znamenanie)* order, deco-
ration **3.** *(rehoľa)* order

**rád** gladly, with pleasure;
*mať r.* like, love, be* fond
of; *rád lyžuje* he likes ski-
ing; *nemať r.* dislike; *byť r.*
be* glad; *som r., že si tu*
I'm glad you are here; *čo
by ste radi?* what would
you like?

**rada 1.** advice; *dám ti dobrú
r-u* let* me give* you a
piece of advice; *(právna)*
counsel; *(návrh)* sugges-
tion; tip **2.** *(orgán)* coun-
cil, board; *správna r.*
board of directors

**radar** radar

**radca** adviser; *polit.* coun-
cillor/counsellor; *(súdny)*
counsel

**radiátor** radiator

**radikál** radical

**radikálny** radical

**rádio** radio; *počúvať r.* listen
to the radio

**rádioaktivita** radioactivity;
*únik r-y* leak/escape of ra-
dioactivity

**rádioaktívny** radioactive; *r.
odpad* radioactive waste

**rádiológia** radiology

**rádioterapia** radiotherapy

**radiť** advise; *r-l som mu, aby
tam nechodil* I advised
him not to go* there; *(na-
vrhovať)* suggest // **r. sa**
de-liberate; *porota sa r-í*
the jury are deliberating;
*(žiadať o radu)* consult
(with)

**rádius** radius (radii *pl.* [rei-
diai])

**radnica** town hall, city hall;
*mať svadbu na r-i* be* mar-
ried at the registry office

**radosť** joy, pleasure; *vyska-
kovať od r-i* jump for joy;
*r. zo života* pleasure out of
life; *mať r. z* be* glad of,
be* pleased with, delight
in; *s r-u* with pleasure

**radostný** zestful, cheerful,
joyful; *r-é správy* cheerful
news

**radovánky** festivities, mer-
ry-making

**radovať sa z** rejoice over/at;
*r. sa zo života* enjoy so. life

**radšej** rather; *mať r.* prefer
sth. to sth.; *r. by som išiel
domov* I'd rather go*
home; *mám r. čaj ako ká-
vu* I prefer tea to coffee

**rafinéria** refinery [ri'fainəri]

**rafinovaný** *(vynaliezavý)* so-
phisticated, subtle; *(prefí-
kaný)* cunning, sly

**rafinovať** refine; *r. cukor* refine sugar

**rahno** yard

**rachitický** rickety

**rachot** rattle, crash

**rachotiť** rattle

**raj** paradise; *toto je r. pre lyžiarov* this is the paradise for skiers; *daňový r.* tax heaven; *bibl.* Garden of Eden

**rajčina** tomato; *r. omáčka* tomato sauce

**rajnica** saucepan

**rak** crayfish; *AmE* crawfish; *(morský)* lobster • *ani ryba ani r.* neither fish, flesh, nor fowl

**raketa 1.** *(kozmická)* rocket; *(svetelná)* flare; *voj.* missile **2.** *(tenisová)* racket, racquet

**rakovina** cancer; *zomrieť na r-u* die of/from cancer

**rakva** coffin; *AmE aj* casket

**rám** *(obrazu, dverí, okuliarov)* frame

**rámec** *(súhrn vecí, javov)* framework; *(rozsah činnosti)* range • *v rámci* in terms of

**rameno** arm, shoulder; *zodpovednosť je na mojich r-ách* responsibility rests on my shoulders

**ramienko 1.** *(bielizne)* sho-

ulder (strap) **2.** *(vešiak)* (coat-)hanger

**rampa** ramp; *(divadelná)* footlights

**rana 1.** *(úder)* blow; *(dutá)* bump, thump **2.** *(zranenie)* wound, injury; *(rezná)* cut; *(bodná)* stab **3.** *(pohroma)* blow, shock

**raňajkovať** take*/have* so. breakfast; *r-m o siedmej* I have* my breakfast at seven

**raňajky** breakfast; *pripraviť r.* make* breakfast

**rande** date; *mať r.* have* a date

**raniť** *(úmyselne)* wound; *(náhodne)* injure; *obr.* hurt

**ráno** morning; *chladné r.* cool morning; *(kedy?)* in the morning; *prídem r.* I'll come* in the morning; *skoro r.* in the small hours

**ranný** *(skorý)* early [ə:li]; morning; *r-é noviny* morning newspaper

**rapavý** *(materiál)* rough; *(tvár)* pockmarked

**rapkáč** rattle

**rapot** rattle

**rapotať 1.** rattle **2.** *(tárať)* chatter

**rasa** race; *biela/čierna r.* white/black race

**rasca** *(korenina)* caraway

[ˌkærəwei]; *(rastlina)* cum-in

**rasový** racial; *r-á diskriminácia* racial discrimination; *r-á rovnoprávnosť* racial equality

**rast** growth; *r. dieťaťa* growth of a child; *osobný r.* personal growth; *r. kriminality* increase in crime

**rásť** *(vývoj organizmu)* grow*; *(pribúdanie významu, množstva)* increase

**rastlina** plant; *izbové r-y* indoor plants; *(liečivé)* herbs

**rastlinstvo** vegetation, flora

**rastlinný** vegetable; *r. olej* vegetable oil; *r. tuk* margarine [ˌmaːdžəˈriːn]

**rašelina** peat

**rašelinisko** peat bog

**rátať** 1. count, do* sums 2. *(vypočítavat)* calculate, compute 3. *(rátať medzi)* number among 4. *(spoliehať sa na)* reckon on 5. *mat.* solve; *r. príklady* solve problems

**ratifikácia** ratification

**ratifikovať** ratify

**raz** once; *r. za rok* once a year; *ešte raz* once more; *r. v budúcnosti* some day; *r. navždy* once for all; *prvý r.* the first time; *dva r-y* two times, twice

**ráz** kind, sort, character

**rázcestie** crossroads *pl.* • *byt/stáť na r-í* be* at a crossroads

**razia** raid; *urobiť r-u* make* a raid; *hovor.* bust

**raziť** 1. *(peniaze)* coin, mint, strike 2. *(cestu)* make*/force way 3. *(alkoholom)* smell of sth.

**rázny** energetic, resolute

**rázovitý** typical, characteristic, peculiar

**rázporok** *(na sukni, kabáte)* slit, slash; *(na nohaviciach)* flies

**rázsocha** forked branch

**raž** rye

**raždie** firewood, sticks *pl.*

**razeň** barbecue; *(ihlica)* spit; *grilované kura (na r-i)* barbecued chicken

**reagovať** react, respond *(na* to)

**reakcia** reaction, response *(na* to); *reťazová r.* chain reaction

**reakčný** reaction(ary)

**reaktívny:** *motor* jet engine

**realita** *(skutočnosť)* reality; *únik z reality* escape from reality

**realistický** realistic

**realitná:** *kancelária* (real) estate agency

**realizácia** implementation, carrying out

**realizovať** carry out, implement, put* into practice

**realizmus** realism

**reálny** real; *r-e mzdy* real wages

**rebarbora** *bot.* rhubarb [ˌruːˈbɑːb]

**rebelant** rebel

**rebierko** cutlet, chop

**rebrík** ladder; *skladací r.* folding ladder; *(na cvičenie)* wall bars

**rebrinák** hay-waggon

**rebro** rib; *zlomiť si r.* break* a rib

**recenzia** review; *písať r-iu do novín* write review for the newspaper

**recenzovať** review

**recepcia** *(slávnosť aj v hoteli)* reception

**recepčný** receptionist

**recept** *(lekársky)* prescription

**recidíva** relapse; *r. choroby* relapse of the disease; *r. trestného činu* relapse into crime

**recyklácia** recycling; *r. domového odpadu* household waste recycling

**recyklovať** recycle; *r. sklo z fliaš* recycle the glass from bottles

**recitovať** recite, declaim, read poetry

**reč 1.** *(jazyk)* language; *ovládať r-i* master foreign languages; *materinská r.* mother tongue **2.** *(prejav)* speech **3.** *(klebety) reči pl.* rumours

**rečnícky** rhetorical; *r. pult* pulpit; *(stupienok)* dais [ˈdeɪs]

**rečník** speaker, orator; *(skúsený)* rhetorician

**rečniť** make* a speech, speak*

**redakcia 1.** *(miestnosť)* editor's office; *(kolektív)* editorial staff **2.** *(činnosť)* editorship, editing

**redakčný** editorial

**redaktor** editor

**redigovať** edit

**reďkovka** radish; *červená/biela r.* red/white radish

**referát 1.** *(odborný)* paper; *(správa)* report; *(o knihe)* review **2.** *(oddelenie)* department

**referent** desk officer; *tlačový r.* PR officer

**referovať** *(prednášať)* give*/read* a paper; report; *(o knihe)* review (a book)

**reflektor** searchlight; *svetlo r-a* spotlight; *(automobilový)* headlight

**reforma** reform, restructuring

**reformácia** reformation

**reformátor** reformer

**reformovať** reform

**refrén** chorus, refrain

**regál** shelf, rack

**regenerovať** regenerate, restore; *r. sily* restore strength

**registrácia** *(prihláška na pobyt)* check in

**registrovať** register, record, file; *(prihlásiť na pobyt)* check-in

**regrutovať** *voj.* conscript; *(aj najímať na prácu)* recruit

**regulácia** regulation; *r. cien* price regulation; *r. populácie* population control

**regulárny** regular

**regulovať** regulate, adjust

**rehabilitácia** rehabilitation

**rehotať sa** guffaw [gaˈfoː], roar with laughter

**rekapitulovať** recap(itulate), summarize, sum up

**reklama** *(propagovanie)* promotion; *(jednotlivá)* advertisement, *skr.* ad, advert; *(činnosť)* advertising, publicity; *robiť r-u* advertise

**reklamácia** claim, complaint

**reklamovať** claim; *r. poško-*

*dený tovar* claim damaged goods

**rekonštrukcia** *(prestavba)* reconstruction; *(zmena)* conversion

**rekonvalescencia** reconvalescence, recovery

**rekord** record; *prekonať r.* break* a record

**rekreácia** holiday, vacation, recreation; *ísť na r-u do zahraničia* go* for holiday abroad

**rektor** chancellor; *(na kontinente)* rector

**rekvizity** *div.* properties, props *pl.*

**relácia** *(radio., TV)* program(me); *(rádio)* broadcast

**relativita** relativity

**reliéf** relief

**relikvie** *náb. (pozostatky)* (holy) relics

**remeň 1.** strap; *(opasok)* belt; *(hnací)* belt, band **2.** *(koža)* leather

**remeselník** *(umelecký)* artisan, craftsman

**remeslo** (handi)craft

**remienok** strap

**remíza** *(nerozhodná hra)* draw, tie; *skončiť sa r-ou* end in a draw/tie

**remorkér** tug

**renta** revenue, rent; *invalid-*

*ná r.* disability rent; *(dôchodok)* pension, annuity
**rentabilný** profitable
**reorganizácia** reorganization
**repa** beet; *cukrová r.* white/sugar beet; *červená r. (cvikla)* beetroot
**repertoár** repertoire [ˌrepətˈwaː]; *pestrý r.* varied repertoire
**reportáž** report(age); *(rozhlasová)* talk
**represálie** reprisals *pl.; podniknúť r. proti niekomu* take* reprisals against sb.
**reprezentácia** representation
**reprezentačný** representative; *r-é družstvo* national team
**reprezentant** representative, *skr.* rep
**repríza** *(prvá)* second night; *(ďalšia)* subsequent show/performance; repetition, rerun
**reprodukcia** *biol. (aj kópia)* reproduction; *(opis)* description
**reprodukovať** reproduce
**reptať** grumble, murmur
**reptavý** querulous
**republika** republic; *Slovenská r.* (the) Slovak Republic

**republikán** republican
**republikánsky** republican
**reputácia** reputation, repute
**respektíve** respectively
**resumé** summary
**rešeto** *(sito)* sieve • *mať hlavu ako r.* have a memory like a sieve
**rešpekt** respect
**reštaurácia** restaurant; *hovor.* eatery; *(ľudová)* teashop; *(malá)* cafeteria
**reštaurovať** *(obnoviť)* restore
**reštrikcia** *(importu konkurujúcich výrobkov)* protectionism
**reťaz 1.** chain; *zavrieť bránu na r.* lock the gate with a chain **2.** *(horská)* range, chain **3.** *retiazka (na krk)* chain; *reťazec z 8 bitov* byte
**retrospektívny** retrospective
**reuma(tizmus)** rheumatism
**rev** *(zvieraťa, auta)* roar; *(človeka)* yell
**revať** *(zviera, najmä lev)* roar; *(iné)* bellow; *(človek)* yell; *nerev na mňa!* don't yell at me!
**revidovať** review; *(účty)* audit
**revír 1.** shooting/hunting ground **2.** *(priemyselný)* district **3.** *(policajný)* ward
**revízia** revision, review;

*(kontrola)* check, inspection; *(účtov)* audit(ing)

**revízor** *(účtov)* auditor; *(cestovných lístkov)* inspektor

**revolta** revolt, rebelion, uprising

**revoltovať** revolt

**revolúcia** revolution

**revolucionár** revolutionary

**revolučný** revolutionary

**revolver** revolver; *AmE* gun

**revue** *(časopis)* review; *(vedecká)* journal; *(divadelná)* show

**rez** *(zarezanie)* cut; *(rezná plocha)* section; *(chirurgický)* incision

**rezance** noodles *pl.*; *kuracia polievka s r-ami* chicken noodle soup

**rezať** cut*; *r. nožom* cut with a knife; *r. na drobno* chop • *r. zákrutu* make* a sharp turn

**rezbár** (wood)carver

**rezeň** *(mäsa)* fillet, cutlet; *(najmä hovädzí)* steak; *(vysmážaný)* breaded cutlet

**rezerva 1.** *(zásoba)* reserve **2.** *(náhradné koleso)* spare tyre; *r-né zásoby* backup supplies

**rezervácia 1.** *(zaistenie)* reservation **2.** *(chránená oblasť)* (nature) reserve, sanctuary

**rezervný** spare; *(kľúče)* spare keys; *(voľný čas)* spare time

**rezervovať** reserve // **r. si** book, make* a reservation; *r. stôl v reštaurácii* book a table in a restaurant

**rezidencia** residency, mansion

**rezignácia** resignation; *podat r-u* hand in/give* in so. resignation

**rezignovaný** resigned

**rezignovať** resign; *r. z funkcie riaditeľa* resign as director

**rezký** *(krok, tanec, vzduch, vietor)* brisk

**rezolúcia** resolution

**rezolútny** resolute

**rezonancia** resonance

**rezort** *(odvetvie)* industry, trade; *r. bankovníctva* banking industry; *r. stravovania* catering trade

**réžia 1.** *(divadelná)* staging, production; *AmE* direction **2.** *(náklady)* overhead costs/charges; *v r-i* at the cost of

**režim** *(vládny systém)* regime; *(denný)* (daily) routine

**režírovať** stage, direct

**režisér** director

**riad** dishes, pots and pans; *špinavý* r. washing-up; *umývať* r. do* the washing-up

**riadenie 1.** direction, management, control; *prevziať* r. *firmy* take* control of a business **2.** *(mechanické)* steering gear, steerage

**riadiť 1.** direct, manage, control; *(viesť)* guide; *(obchod, domácnosť)* run*; *kto r-i túto firmu?* who runs this company? **2.** *(auto)* drive*, steer // **r. sa** *niečím* follow sth.

**riaditeľ** director, head; *generálny* r. Chief Executive Officer, *skr.* CEO; *(školy)* headmaster, *riaditeľka školy* headmistress; *AmE* principal

**riaditeľstvo** *(budova)* headquarters

**riadne** properly; *r. sa stravovať* eat properly

**riadny** proper; *(poctivý)* righteous

**riadok** line; *napíš mi pár r-ov* drop me a line

**riasa** *(morská)* seaweed; *(záhyb)* fold; *mihalnica* (eye)lash

**riasiť** pleat

**riava** (mountain) torrent, rapids

**ríbezle** (red, black) currants

**ricín**: *r-ový olej* castor oil

**riečište** river bed

**riediť** *(husté)* thin; dilute; *r. džús* dilute orange juice

**riedky** thin; *r-e vlasy* thin hair; *r-e zuby* gaps between teeth

**rieka** river; *po prúde r-y* down the river; *proti prúdu r-y* up the river; *r. Dunaj* the Danube

**riekanka** (nursery) rhyme

**riešenie** solution; *prišiel som na r.* I came* up with a solution

**riešiť** solve; *r. krížovku* solve a crossword; *r. rovnicu* solve an equation

**rigol** *(na ceste)* through [tro:f]

**rímsa** *(nad kozubom)* mantel(piece); *(podokenná)* (window)sill

**rímskokatolícky** Roman Catholic; *r-a cirkev* Roman Catholic Church

**rinčanie** clatter(ing), clank

**rinčať** clatter, clank, clink

**ring** *šport.* ring

**ringlota** greengage

**riskantný** risky, hazardous; *r. čin/krok/podnik/postup* risky venture

**riskovať** risk run* the risk; *r. život* risk so. life

**ríša** *(štátny útvar)* empire; *(kráľovská)* realm; *(živočíšna, rastlinná)* kingdom

**riziko** risk, hazard; *brať na seba r.* take*/run* risks; *r. povolania* occupational hazard

**rmútiť sa** grieve, mourn

**róba** robe, gown; *večerná r.* evening gown

**robiť** do*; *čo robíš? (práve teraz)* what are you doing?; *(aké máš povolanie)* what do you do?; *(pracovať)* work; *r. usilovne* work hard; *r. na smeny* work in shifts; *r. nadčas* work overtime; *(vyrábať)* make*; *r. koláče* make cakes; *r. (si) plány* make plans; *r. pokusy* experiment • *robím čo môžem* I am doing my best

**robota** *(telesná)* work, labour; *(práca aj zamestnanie)* work, job; *ťažká r.* hard work; *chodiť do r-y* go* to work; *hľadať si r-u* look for a job

**robotnícky** worker's, working; *r-a trieda* the working class; *r-e hnutie* labour movement

**robotník** worker, workman; *(nekvalifikovaný)* navvy; *(pomocný)* labourer

**robustný** robust

**ročenka** yearbook, annual

**ročný** annual, yearly; *r. príjem* annual income; *r-é dieťa* one-year-old baby; *r-é obdobie* (year) season

**ročník** *(časopisu)* year, volume; *(v škole)* form, class; *AmE* grade; *(ľudí)* age group

**rod** family, race, clan; *gram.* gender; *(slovesný)* voice

**rodák** native

**rodičia** parents *pl.*; *nevlastní r.* step parents; *starí r.* grandparents

**rodina** family; *(príbuzní)* relatives *pl.*; *blízka/daleká r.* close/distant family

**rodinkárstvo** *(v zamestnaní)* nepotism

**rodinný** *(príslušník)* dependent; *r-é prídavky* family allowance/child benefit

**rodisko** birthpalce, place of birth

**rodiť** *(mať deti)* bear; *(mať pôrod)* be in labour, deliver; *(dávať úrodu)* yield, bear

**rodný** native; *r. jazyk* native language/tongue; *r. list* birth certificate; *r-é číslo* personal number

**rodokmeň** *(rodiny)* family tree; *(zvierat)* pedigree

**roh 1.** *(zvieraťa aj hud.)* horn **2.** *(ulice)* corner; *za r-om* round the corner

**rohovina** horn

**rohovka** *lek.* cornea

**rohož(ka)** mat; *(pred dverami)* doormat

**roj** *(hmyzu, detí, lietadiel)* swarm

**rojčiť** rave [reiv]

**rojko** (day)dreamer, visionary

**rok** year; *Nový r.* New Year; *priestupný r.* leap year; *r-u 1961* in 1961; *každý druhý r.* every other year; *r. čo r.* year after year; *koľko máš r-ov?* how old are you?; *mám 20 rokov* I am twenty (years old)

**roklina** gorge, ravine

**rokovanie** negotiation; *r. o zvýšení platov* negotiation for the pay increase

**rokovať** negotiate; *r. o možnej spolupráci* negotiate over a possible cooperation

**rola** *(úloha)* role, character

**roľa** field, ground

**roleta** (sun)blind, shutter; *AmE* (window) shade; *stiahnuť/vytiahnuť r.* pull the blind down/up

**roľníctvo 1.** farming, agriculture **2.** *(vrstva)* the peasants

**roľník** peasant, farmer, yeoman

**román** novel; *detektívny/historický r.* detective/historical novel; *ľúbostný r.* romance

**romanca** romance

**románopisec** novelist

**romantický** romantic

**romantika** romanticism

**romantizmus** romanticism

**roniť** *(slzy)* shed (tears) • *r. krokodílie slzy* shed crocodile tears

**röntgen** X-ray machine

**röntgenovať** X-ray

**ropucha** toad

**rosa** dew; *kvapka r-y* dewdrop

**rošáda** *šach.* castling

**rošt** grate

**roštenka** roastbeef

**rotačka** rotary press

**rovesník** peer, coeval; *(súčasný)* contemporary

**rovina** *(nížina)* plain, lowland; *(vodorovná)* level; *mat.* plane

**rovnako** *(zhodne)* equally; *(bez zmeny)* alike; *r. sa podeliť o prácu* share the work equally; *obliekajú sa r.* they dress alike

**rovnaký** equal, same; *rozrezať na r-é kúsky* cut* in equal pieces; *máme r-é autá* we have* the same cars; *r-é zdanenie pre všetkých* flat tax

**rovnať** level, flatten; *(narovnávať)* straighten // **r. sa** equal; *dva a dva sa r-á štyry* two and two equals four

**rovnica** equation; *r. s dvomi neznámymi* equation of two unknowns

**rovník** equator; *prejsť r.* cross the equator

**rovno** straight; *(vzpriamene)* upright; *chod r. do školy* go* straight to school

**rovnobežka** parallel

**rovnocenný** equivalent; *(spoločensky)* equal

**rovnodennosť** equinox; *jarná/jesenná r.* vernal/ autumnal equinox

**rovnodenný** equinoctical

**rovnomerný** level, equable, even, constant; *r. rýchlosť* even/constant speed

**rovnoramenný** *geom.* isosceles

**rovnosť** *(rovnocennosť)* equality; *r. ľudí* equality of people

**rovnostranný** equilateral

**rovnováha** *(síl, cien)* equilibrium [i:kwi'libriəm];

*(tela)* balance; *(duševná)* countenance

**rovný 1.** *(priamy)* straight; *(povrch)* flat; *(hladký)* smooth **2.** *(rovanký)* equal

**rozbaliť** unpack, unwrap, undo*

**rozbeh** start

**rozbehnúť sa** start runing; *(rozpŕchnuť sa)* scatter

**rozbiehať sa** diverge from

**rozbiť** break* (up), smash; *(na malé kúsky)* shatter; *kto rozbil vázu?* who broke* the vase? // **r. sa** break*

**rozbor** analysis

**rozbúrať** demolish, tear* down

**rozcvička** warm-up

**rozčarovanie** disillusion(ment), disenchantment

**rozčarovať** disillusion

**rozčúlenie** exasperation

**rozčúlený** exasperated, out of temper, peeved

**rozčúliť** exasperate, peeve, irritate, *hovor.* irk // **r. sa** lose so. temper, get* excited

**rozdať 1.** *(peniaze)* give* away; *(písomky, ceny)* give* out **2.** *(karty)* deal

**rozdelenie** *(krajiny)* partition; division; *(odlúčenie)* separation

**rozdeliť** divide, separate; *r. na polovicu* divide in half; *r. deti* separate children // **r. sa** part (with) // **r. si** share

**rozdeľovač** *motor.* distributor

**rozdiel** difference; *(jemný)* distinction; *(nezhoda)* divergence, contrast; *je r. medzi praxou a teóriou* there is a difference between practice and theory; *na r. od* unlike; *na r. od teba* unlike you

**rozdrobiť** crumble

**rozdrviť** *(i nepriateľa)* crush; *(na prach)* pulverize, powder

**rozdúchať** blow* up, kindle

**rozdvojiť** disunite, separate // **r. sa** fork; *cesta sa r-je* the road forks

**rozhadzovať** scatter; *(rukami)* throw* about; *(peniaze)* squander, dissipate

**rozhľad** *(vyhliadka)* view, outlook; *(vedomosti)* scope

**rozhlas** broadcast(ing ), radio; *vysielať r-om* broadcast; *počúvať r.* listen to the radio

**rozhlasový** radio; *(prijímač)* receiver

**rozhnevať** make* angry, annoy // **r. sa** get* angry; *r.*

*sa na niekoho* be* cross with sb.

**rozhodca** judge, arbiter; *šport.* referee, *hovor.* ref; *(kriket, tenis)* umpire; *postranný r.* linesman

**rozhodne** definitely, absolutely, by all means; *r. nie* by no means, no way

**rozhodnutie** decision; *dospieť k r-iu* come* to a decision; *(úradné)* decree; *(poroty)* award; *súdne r.* court order

**rozhodnúť** decide, determine // **r. sa** decide, make* up so. mind; *už si sa rol?* have* you already made* up your mind?

**rozhodný** *(čin)* decisive; *(osoba)* determined; *(energický)* resolute

**rozhodujúci** *(závažný)* decisive; *(kritický, významný)* crucial; *zohrať r-u úlohu* play a crucial role

**rozhorčenie** indignation

**rozhorčený** indignant, embittered; *r-í obyvatelia* indignant residents

**rozhovor** conversation, talk; *(dvoch)* dialogue; *žurn.* interview; *premiéri sa stretli na r-y* Prime Ministers net for talks

**rozchod 1.** *(prerušenie)* separation **2.** *(lúčenie)* parting **3.** *(koľají)* gauge **4.** *voj.* dismiss

**rozjasniť sa** *(rozveseliť sa)* light\* up, brighten up; *tvár sa jej r-la* her face lit\* up/brightened up; *(počasie)* clear up; *obloha sa r-la* the sky cleared up

**rozjímanie** meditation, contemplation

**rozjímať** meditate, contemplate

**rozkaz** command, order

**rozkázať** order; *aj voj.* command; *vydať r.* give\* the order

**rozkazovací** *gram.* imperative

**rozklad** *(aj morálny)* decay; *(hnilobný)* decomposition; *v r-e (domy, nábytok)* dilapidated

**rozkladací** convertible; *r. gauč* convertible sofa

**rozkladať** *(rozobrať)* take\* to pieces; *(hnilobný)* decompose

**rozkoš** delight, pleasure

**rozkošný** *(činnosť)* delightful; charming, sweet, lovely; *AmE* cute; *to je r. psíček* what a sweet doggie

**rozkrádač** pilferer

**rozkrádanie** larceny, pilferage

**rozkrádať** pilfer, appropriate

**rozkročiť sa** straddle, stretch out so. legs

**rozkročmo** astride; *sedieť r.* sit astride

**rozkvet** *(najlepšie roky)* prime; *(kvitnutie)* blossom, bloom; *v r-e* in full bloom

**rozkvitať** bloom, flourish, blossom; *kvety r-ú* flowers are blooming; *obchod r-á* business is flourishing/ booming

**rozladenie** *(pocit)* ill-feeling, disappointment

**rozladený** *hud.* out of tune; *(pocit)* sulky, peevish

**rozľahlý** spacious, broad, vast

**rozliať (sa)** spill; *r. víno po stole* spill wine over the table; *r. víno do pohárov* pour wine into the glasses

**rozličný** various, diverse; *(všelijaký)* miscellaneous; *(odlišný)* different

**rozlišovať** distinguish; *r. dobré od zlého* distinguish right from wrong; *(nespravodlivo)* discriminate

**rozloha** *(nezmerateľná)* extent; *(zmerateľná)* area; *aká je r. Slovenska?* what is the area of Slovakia?

**rozložiť 1.** *(rozprestrieť)* lay\*

out; *(rozmiestniť)* arrange; *(vystaviť)* display **2.** *chem.* decompose **3.** *(na časti)* take\* to pieces

**rozlúčenie** separation, leave

**rozlúčiť sa** take\* leave of, part with; say\* goodbye

**rozlúčka** parting, leave taking; *bozk na r-u* parting kiss

**rozlúštiť** solve; *(záhadu)* puzzle out; *(písmo)* decipher

**rozmach** upturn, growth, boom; *r. turistického ruchu* boom in tourist industry

**rozmanitosť** diversity, variety

**rozmanitý** diverse, varied; miscellaneous

**rozmar** freak, caprice, whim; *čisto z r-u* purely on a whim

**rozmarný** *(vrtošivý)* capricious; *(veselý)* whimsical

**rozmazať** *(rozotrieť)* smear, smudge // **r. sa** blur

**rozmaznať** spoil\*; *r-é dieťa* spoilt child

**rozmer** dimension; *r-y miestnosti* dimensions of a room; *(veľkosť)* size; *(miera)* measurement

**rozmerný** roomy, spacious

**rozmiestniť** distribute; *(roz-ložiť)* arrange; *r. pracovníkov* place the workers

**rozmnožiť (sa)** multiply, increase, enlarge; *r. rady nezamestnaných* increase the number of unemployed

**rozmnožovať (sa)** *(rastliny)* propagate; *(zvieratá)* reproduce

**rozmotať** unravel

**rozmraziť** defrost; *nechať r. kura* leave the chicken to defrost

**rozmyslieť si** think\* sth. over, rethink\*; *(zvážiť)* reconsider; *mal by si si to r.* you should rethink it

**roznášať** hand out, deliver; *r. poštu* deliver the mail; *r. nákazu* spread infection

**rozobraný** *(knihy)* out of print

**rozobrať 1.** take\* apart, take\* to pieces, disassemble **2.** *(analyzovať)* analyse

**rozodnievať sa** dawn

**rozohnať** scatter, disperse; *r. dav* scatter/disperse the crowd

**rozochvieť 1.** *(rozrušiť)* move, touch, thrill **2.** *fyz.* vibrate

**rozopnúť** unbutton, undo\*; *(zdrhovadlo)* unzip; *(bezpečnostný pás)* unfasten

**rozosmiať** make* laugh; *r-l nás* he made us laugh // **r. sa** burst* out laughing

**rozostrieť** spread, unfold

**rozoštvať** stip up, work up, incite; *r. dav* incite the mob

**rozoznať** discern; *(rozlíšiť)* distinguish; *r-me niekoľko rás* we distinguish among several races

**rozoznateľný** discernible; *(rozlíšiteľný)* distinguishable

**rozožrať** *chem.* corrode

**rozpad** disintegration; *r. federácie* disintegration of the federation

**rozpadať sa** crumble, fall* into ruin; *(rozložiť sa)* break* up; *manželstvo sa r-lo* the marriage broke* up

**rozpaky** embarassment, dilemma; *uviesť do r-ov* embarrass; *v r-och* at a loss

**rozpálený** heated, glowing; *(železo)* red-hot

**rozpamätať sa** remeber, recollect, recall; *neviem sa r., kde som zaparkoval auto* I can't remember where I parked the car

**rozpárať** *(rezom)* rip, slash; *(šaty)* unseam, unravel

**rozpätie 1.** span; *v r-í dvoch rokov* over a span of two years **2.** *(cenové)* margin

**rozpínať (sa)** *(zväčšovať objem)* expand

**rozpínavosť** expansion

**rozplynúť sa** lift, disperse; *hmla sa r-la* the fog lifted/dispersed; *(v niečom)* dissolve

**rozpočet** budget; *(odhad)* estimate; *podľa r-u* on budget; *krátiť r.* squeeze the budget

**rozpočtový** *r-á organizácia* budgetary organization

**rozpoloženie** *(mysle)* state of mind; *(nálady)* temper

**rozpor** conflict, contradiction; *v r-e s niečím* in contradiction to sth.

**rozpoznať** recognize; *r. reči* speech recognition

**rozprášiť 1.** scatter, disperse **2.** *(tekutinu)* spray

**rozprava** discussion, interview; *(diskusia)* debate; *r. v parlamente* debate in the parliament

**rozprávač** storyteller, narrator

**rozprávanie** narrative; *neuveriteľné r. o jeho ceste* incredible narrative of his journey

**rozprávať** talk, speak*, relate; *dieťa sa učí r.* child is learning to talk; *r-a viacerým jazykmi* she can speak\* many languages

**rozprávka** fairy-tale, story; *r. na dobrú noc* bedtime story

**rozprestierať sa** spread, extend

**rozptýlenie 1.** dispersion **2.** *(zábava)* distraction, diversion

**rozptýliť 1.** *(rozohnať)* disperse; *(roztúsiť)* scatter **2.** *(pobaviť)* divert

**rozpučiť** squash, crack, burst; *(účelovo)* mash; *r. zemiaky* mash the potatoes

**rozpustiť 1.** dissolve **2.** *(schôdzku)* break\* up, dismiss; *(armádu)* disband // **r. sa** dissolve

**rozpustný** soluble

**rozpúšťanie** dissolution

**rozpúšťať sa** melt, thaw; *sneh sa r-l* snow melted/thawed; *(v kvapaline)* dissolve

**rozrezať** cut\* up, cut into pieces, cut open

**rozriešiť** solve, puzzle out, resolve; *hovor.* figure (out); *vieš r. ako to urobiť?* can you figure (out) how to do\* it?

**rozruch** stir, sensation;

*škandál spôsobil r.* scandal caused a sensation; *(zbytočný)* fuss

**rozrušiť** upset, unsettle, bewilder

**rozsah** extent, scope, range, scale; *r. škody* extend of the damage; *r. správy* scope of the report

**rozsiahly** extensive, vast; *r. pozemok* extensive ground

**rozsievať** sow\*, drill seed

**rozsobáš** divorce

**rozstrapatený** unkempt

**rozstrapatiť:** *r-ené vlasy* unkempt hair

**rozstriekať** spray

**rozsudok** sentence, verdict, judgement; *vyniesť r.* give\*/deliver verdict; *r. smrti* death sentence

**rozsvietiť** turn\* on the light, switch the light on

**rozsypať (sa)** *(nechtiac)* spill; *(zámerne, napr. semená)* scatter; *r. kávu na dlážku* spill coffee on the floor

**rozšírenie** extension, widening, expansion, spread

**rozšírený** *(cesta)* widened; *(choroba)* widespread; *r-á sukňa* flared skirt

**rozšíriť (sa)** widen, spread, dilate; *r. cestu* widen a road; *r. chorobu* spread disease

**rozštiepiť** *polit.* split; *(drevo)* chop // **r. sa** cleave

**rozťahovať** *(ruky, odev)* stretch; *(dáždnik)* unfold; *(záclony)* pull (apart)

**roztaviť (sa)** *(sneh, ľad)* melt; *(ruda)* fuse

**roztok** solution

**roztomilý** sweet, charming, amiable; *r. chlapček* sweet little boy

**roztopašný** unruly, mischievous; *(zábava)* gay

**roztopiť** melt, dissolve; *slnko r-lo sneh* sun melted the snow; *r. cukor v čaji* dissolve sugar in tea

**roztrasený** *(hlas)* shaky; *(ruky)* trembling

**roztrhnúť** tear* up, disrupt; *cesto sa r-lo* the pastry tore*

**roztriediť** sort out, assort, classify

**roztrieštiť** smash, shatter

**roztrpčiť** embitter; *jeho správanie nás r-lo* his behaviour embittered us

**roztrúsiť** disperse, scatter

**roztržitosť** absent-mindness, absence of mind

**roztržitý** absent-minded

**roztúžený** wistful, longing, desireful

**rozum** *(schopnosť myslieť)* reason; *(orgán)* brain;

zdravý r. common sense, sanity; *prísť k r-u* come* to so. senses; *manželstvo z r-u* marriage of convenience

**rozumieť** understand*; *r-li ste prednáške?* did you understand the lecture?; *(chápať)* follow; *(vyrozumieť)* gather • *rozumiem* I see; *r. si* understand each other

**rozumný** *(múdry)* wise; *ona je r-á žena* she is a wise woman; *(správny)* reasonable; *r-á požiadavka* reasonable request; *(racionálny)* rational; *r-é vysvetlenie* rational explanation; *(praktický)* sensible; *mali by sme byť r-í* we should be sensible

**rozvádzať 1.** *(teplo)* convey **2.** *(manželstvo)* divorce **3.** *(myšlienku)* develop

**rozvaha** deliberation, reflection; *robiť niečo s r-ou* do* sth. with deliberation

**rozvalina** ruin(s)

**rozvaľovať sa** sprawl

**rozvážny** deliberate, prudent; *r. prejav* deliberate speech

**rozvetvenie** branching, fork; *(mnohonásobné)* ramification

**rozvetvovať sa** *(rozkonáriť*

*sa, rozdeliť sa)* branch,
fork, ramify

**rozviazať** undo\*, untie; *r. si
šnúrky* untie/undo\* shoe-
laces; *r. pracovný pomer*
give\* notice

**rozviesť sa** divorce; *po roku
sa s ním r-la* she divorced
him after a year

**rozviezť** distribute; *r. tovar
do obchodov* distribute
the goods to shops

**rozvinúť 1.** *(rozbaliť)* unfold,
unroll **2.** *(kvet)* open **3.**
*(aktivitu)* develop

**rozvíriť** whirl up

**rozvláčny** verbose, wordy;
*(podrobný)* detailed, dif-
fuse

**rozvlnený** wavy

**rozvod** divorce; *podať žia-
dosť o r.* file for divorce

**rozvodniť sa** overflow\*; *rie-
ka sa r-la* river overflo-
wed\* (its banks)

**rozvoj** development; *r. po-
travinárskeho priemyslu*
development of food in-
dustry

**rozvracať** subvert

**rozvratník** wrecker, agitator

**rozvrh** schedule, plan; *(ho-
dín)* timetable

**rozzúrený** furious, infuriat-
ed, enraged

**rozzúriť** enfuriate, enrage;

*list ho r-l* letter infuriated
him

**rožok** roll; *párok v r-u* hot
dog

**rôsol** jelly, aspic; *ryba v r-e*
jellied fish

**rôznorodý** miscellaneous,
manifold

**rôzny** different, various;
*z r-ych dôvodov* from vari-
ous reasons

**rub** back, reverse; *r. mince*
reverse of the coin

**rúbanisko** glade, clearing

**rubáš** winding-sheet, shroud

**rúbať** cut\*; *(polená)* chop

**rubín** ruby

**rubrika** heading; *(v novi-
nách)* column; *(v tlačive)*
box; *vyplniť r-y* fill in the
boxes

**rúcať** demolish, destroy,
dismantle, pull down

**ručať** roar

**ručenie** *(záručná doba)* guar-
antee, liability; *spoločnosť
s r-ím obmedzeným* limi-
ted liability company, *skr.*
Ltd.

**ručička** *(hodinky)* hand;
*(prístroj)* indicator; *v smere
hodinových r-iek* clock-
wise

**ručiť** guarantee, vouch

**ručiteľ** guarantor, voucher,
*práv.* warrantor

**rúčka** handle; *(páčka)* release

**ručne** *r. vyrobený* hand-made

**ručník** handkerchief; *(šatka)* scarf

**ručný** manual, hand; *r-á práca* manual work; *r-é práce* needlework; *r-á brzda* handbrake

**ruda** ore; *železná r.* iron ore

**ruch** bustle, rush; *(dopravný)* traffic • *hodiny hlavnej prevádzky* rush hours

**rúcho** gown, garment

**ruina** ruin; *r-y hradu* ruins of a castle

**ruja** rut, mating season

**rujný** rutting

**ruka** *(po zápästie)* hand; *(po plece)* arm; *r-y preč* hands off; *podať niekomu r-u* shake* hands with sb.; *požiadať dievča o r-u* propose (to) a girl; *pod r-ou* underhand; *niesť v rukách* carry by hands; *zásielka do vlastných rúk* for the attention of (Mr Smith)

**rukáv** sleeve; *tričko bez r-ov* sleeveless T-shirt; *vyhrnúť si r-y* roll up sleeves

**rukavica** glove; *(palčiak)* mitten; *(pri varení)* oven glove

**rukojemník** hostage; *zadržiavať niekoho ako r-a* keep*/hold* sb. as hostage; *prepustiť r-ov* release/free hostages

**rukolapný** evident, obvious, palpable

**rukopis** (hand)writing; *čitateľný/nečitateľný r.* legible/illegible handwriting; *(diela)* manuscript

**rukovať** *(na vojenčinu)* join the ranks, enlist, join up

**rukoväť 1.** *(držadlo)* handle **2.** *(príručka)* handbook, manual, reference book

**ruleta** roulette

**rum** rum [ram]

**rumenec** blush

**rúno** fleece

**rúra** pipe; *(kanalizačná)* sewage pipe; *(odkvapová)* gutter; *(na pečenie)* oven

**rušeň** locomotive, engine

**rušenie** interference, disturbance

**rušička** jammer ['džæmə]

**rušivý** troublesome, disturbing

**rušiť 1.** interfere (with sth.), disturb; *neruším vás?* am I disturbing you? **2.** *(slovo, sľub)* break* **3.** *(činnosť, účet)* close; *(nariadenie)* abolish

**rúško 1.** veil **2.** ( *predstieranie)* pretext

**rušňovodič** engine driver

**rušný** busy, eventful; *r-é mesto/r. deň* busy town/day; *viesť r. život* lead an eventful life

**rutina** routine; *(zručnosť)* skill; *aké sú vaše denné činnosti?* what are your daily routines

**rutinovaný** skilled, experienced in sth., good at sth.

**rútiť sa** dash, rush

**ruvačka** *(slovná)* row, fight, scramble

**rúž** lipstick, rouge

**ruža** rose

**ruženec** rosary

**ružica** rosette

**ružolíci** rosy-cheeked

**ružový** rose, pink; *vidieť svet cez r-é okuliare* look on the world through rose-coloured glasses

**ryba** fish *sg.*; *chytiť niekoľko rýb* catch* several fish; *ísť na r-y* go* fishing; *(nápis) zákaz chytať r-y* No fishing • *zdravý ako r.* fit as a fiddle

**rybačka** fishing

**rybár** fisherman

**rybár(č)iť** fish, go* fishing

**rybársky:** *r-a loď* trawler/fishing boat; *r. prút* fishing rod

**ryb(ac)í** fishy; *r. tuk* codliver oil

**rybník** pond, pool

**ryčať** roar

**rydlo** spade, graver

**rýdzi** pure, real, solid, genuine; *r-e striebro* sterling (silver); *r-e zlato* pure/real/solid gold

**rýchlik** fast train, express (train)

**rýchlo** fast, quick(ly); *poď sem* come* quick here; *r. jazdíš* you drive* fast

**rýchlokorčuľovanie** speed skating

**rýchlonohý** swift-footed

**rýchlomer** speedometer

**rýchlopis** shorthand, stenography

**rýchlosť** rapidity, speed; *povolená r.* speed limit; *pridať r.* accelerate speed; *plnou r-ou* at full speed; *rýchlostný stupeň* gear

**rýchly** fast, quick; *r-e občerstvenie* fast food; *r-e riešenie počítača* quick-and-dirty

**rýľ** spade

**rým** rhyme

**rýmovať (sa)** rhyme; *r-je sa to it goes** with rhymes

**rypák** snout

**rýpať (sa)** dig, poke; *(do niekoho)* nag at sb., have* a dig at sb.

**rys 1.** *(výkres)* drawing **2.**

*(črta)* feature; *(tváre)* trait **3.** *(šelma)* lynx

**rysovať sa** draw*; trace out *(v šere al. na obzore)* loom

**ryšavý** red-haired

**ryť 1.** dig **2.** *(rytinu)* engrave; *(drevo)* carve

**rytec** engraver

**rytier** knight

**rytiersky** knightly; *r-e spôsoby* knightly conduct

**rytina** engraving

**rytmický** rhythmical

**rytmus** rhythm, tempo

**ryža** rice; *varená r.* boiled rice

**ryžovať**: *zlato* pan for gold

**ryžový** rice; *r. nákyp* rice pudding

# S

**s, so** with, along with; *rodičia s deťmi* parents with children; *poď so mnou* come* along (with me) • *chlieb s maslom* bread and butter; *šunka s vajcom* ham and eggs; *s podmienkou, že...* on condition that; *rozprávať sa s niekým* speak*/talk with/to sb.; *niečo je s ňou* there is something about her; *s holou hlavou* barehead; *fľaša vína* bottle of wine; *Slovensko hraničí s Rakúskom* Slovakia borders on Austria; *rozviesť sa s niekým* get* divorced from sb.

**sa 1.** *zvratné zám.* oneself (myself,... themselves); *dobre som sa zabával* I enjoyed myself very much **2.** *(navzájom)* one another; *všetci sa poznáme* we know* one another; *(dvaja)* each other; *my dvaja sa poznáme* we know* each other

**sabotáž** sabotage

**sad 1.** orchard **2.** *(park)* park, garden(s)

**sada** set; *s. hrncov* set of pots

**sadať, sadnúť** sit*, seat; be* seated; *s. si za stôl* sit at the table; *s. si na stoličku* sit on a chair; *s. si do kresla* sit in a(n) (arm)-chair; *slnko sadá* the sun sets down; *sadnite si* sit down/take* a seat

**sadiť** plant; *s. semená/stromy* plant seeds/trees; *s. zemiaky* set potatoes

**sadlo** (na človeku) fat; (bravčové) lard, pig fat

**sadnúť** p. sadať

**sadra** plaster of Paris; AmE cast; mať ruku v s-e have* so. hand in plaster

**sadza** soot, smut; čierny od s-í blackened by soot

**sadzač** (typograf) compositor; AmE typesetter

**sádzať 1.** (do zeme) plant **2.** tlač. set* up, compose

**sadzba 1.** (sadzobník, poplatok) tarriff, rate; daňová s. taxation rate **2.** tlač. composition

**sacharín** sacharin(e)

**sako** jacket; športové s. sports jacket; s. dobre sedí jacket is a good fit

**sála** hall; tanečná s. ballroom; prednášková s. auditorium; operačná s. operating theatre

**saláma** salami

**salaš** sheepfarm; (priestor pre ovce) sheepcote

**sálať** glow, radiate; s-a z neho radosť he radiates joy

**sálavý** radiant, blazing

**saldo** balance; vyrovnať s. balance the economy

**salón** (kozmetický, kadernícky) parlour; (v hoteli) lounge; (súkromný) drawing room, reception

room; AmE parlor; (výstava) salon, show • salónny lev carpet knight

**salto** somersault; s. mortale leap of death

**salutovať** salute; vojak s-l soldier gave* a salute

**salva** (delostrelecká) salute, salvo; (z pušiek) volley, round

**sám 1.** alone; išiel som tam s. I went* there alone; žije s. he lives all by himself **2.** (osobne) myself, ... themselves; je to s. riaditeľ it is the director himself **3.** postavil som si dom s. I built* my house on my own **4.** (osamotený) lonely; cítim sa s-a I am feeling lonely

**samec** male; (cicavec) buck; (vták) cock

**samica** female, she-; (cicavec) cow, doe; (vták) hen

**samočinný** automatic

**samodruhá** with child, pregnant

**samohláska** vowel; dlhá/ krátka s. long/short vowel (sound)

**samochvála** self-praise, self-applause

**samoľúbosť** self-complacence/y, self-satisfaction

**samoľúby** self-complacent

**samoobsluha** self-service; *(obchod)* self-service shop, supermarket

**samopal** submachine, machinegun, Tommy gun

**samopašný** frolicsome

**samospráva** autonomy, self-government

**samosprávny** autonomous; *s-a oblasť* autonomous region

**samostatnosť** independence

**samostatný** independent; *s-é dieťa* independent child; *s. štát* independent state; *s. podnikateľ* sole/self-employed trader

**samota 1.** solitude, loneliness **2.** *(opustené miesto)* seclusion

**samotársky** solitary

**samotný** *(osamotený)* alone; *(sám)* single

**samouk** self-educated person, self-taught person

**samoväzba** solitary imprisonment

**samovláda** autocracy

**samovoľný** spontaneous; *s. pohyb* spontaneous movement

**samovrah** suicide

**samovražda** suicide; *spáchať s.* commit suicide

**samovzdelávací** self-educating

**samozrejme** naturally; *bude to s. chlapec* it'll be a boy naturally; of course, certainly; *smiem si požičať vaše pero? s.* may I borrow your pen? of course/certainly

**samozrejmosť** a matter of course, certainty

**samozrejmý** obvious • *považovať za s-é* take* for granted

**sanatórium** sanatorium, nursing home

**sandál** sandal

**sane** sledge, sleigh [slei]

**sanica** sledging, sleigh riding

**sanitka** ambulance

**sanitný** sanitary; *s-á služba* medical service

**sánka** *anat.* jaw(bone), lower jaw

**sankcia** sanction; *uvaliť s-e* impose sanctions; *zrušiť s-e* lift sanctions

**sankcionovať** sanction

**sánkovať sa** sledge, go* sledging, toboggan

**sánky** sledge, toboggan

**sardela** anchovy

**sardinka** sardine; *konzerva s-iek* tin/can of sardines

**sarkastický** sarcastic, *hovor.* sarky; *s-á poznámka* sarcastic comment

**sarkofág** sarcophagus [saːkofəgəs]

**sať** *(cicať)* suck; *(vpíjať sa)* soak up, absorb; *tričko s-je pot* T-shirt absorbs sweat

**satan** satan [seitn], devil

**satelit** satellite; *(anténa)* satellite dish

**satén** satin

**satira** satire

**satirický** satiric(al); *s-é poznámky* satirical remarks

**satirik** satirist

**satisfakcia** satisfaction [ˌsætisˈfækšən]; *žiadať s-u* demand satisfaction

**saturovať** *(nasýtiť)* saturate; *s. trh* saturate the market

**sauna** sauna [ˈsaunə/ˈsoːnə]

**saxofón** saxophone, *hovor.* sax

**scediť** *(zbaviť vody)* *(zemiaky)* drain; *(zbaviť zvyškov)* *(čaj, polievku)* strain (off)

**sceliť** unite, unify // **s. sa** *(rana)* heal (up)

**scéna** *(javisko)* scene; *(ľúbostná, politická, hysterická)* scene • *urobiť s-u* make* a scene; *uviesť na s-u* stage; *filmovať s-u* shoot a scene

**scenár** *(divadlo)* scenario, script; *(film, TV)* script, screen(play)

**scenéria** scenery; *(krajina)* landscape

**scénický** scenical

**scestie** wrong way • *prísť na s.* go* a wrong way

**scvrknúť sa** *(odev, počet)* shrink*; *(človek, ovocie)* shrivel; *(pokožka)* wrinkle

**sčasti** partly, partially; *s. uvarený* partially cooked

**sčeriť** ruffle, ripple

**sčítanie 1.** *mat.* addition, summing up **2.** *(ľudu)* census

**sčítaný** well-read

**sčítať** add (up), reckon (up), count

**sebadisciplína** self-discipline

**sebadôvera** self-confidence; *chýba ti s.* you lack (self-)confidence

**sebaistota** self-assurance

**sebakritika** self-criticism

**sebaobetovanie** self-sacrifice

**sebaobrana** self-defence; *použiť zbraň v s-e* use the gun in self-defence

**sebaovládanie** self-control

**sebapozorovanie** introspection, self-examination

**sebaúcta** self-respect, self-regard

**sebaurčenie** self-determination; *právo národov na s.*

the right of nations to self-determination

**sebavedomý** self-confident

**sebazáchova** self-preservation; *pud s-y* instinct for self-preservation

**sebazaprenie** self-denial [-di¹naiəl]

**sebec** egoist

**sebecký** selfish, egoistic

**seberovný** equal

**sebestačný** self-sufficient

**sečka** chaff; *sečkovica* chaff-cutter

**sedačková lanovka** chairlift

**sedadlo** seat; *predné/zadné s.* front/back (rear) seat; *sklápacie s.* reclining seat

**sedavý** sedentary; *s-é zamestnanie* sedentary occupation

**sedem** seven; *je s. hodín* it's seven (o'clock); *náš syn má s. rokov* our son is seven (years old); *boli sme siedmi* there were seven of us • *s. divov sveta* Seven Wonders of the World • *s. smrteľných hriechov* the seven deadly sins

**sedemdesiat** seventy; *stojí to s. korún* it costs seventy crowns

**sedemdesiaty** seventieth; *s-e roky* the seventies

**sedemnásť** seventeen; *v triede je nás s.* there are seventeen of us in the class

**sedemnásty** seventeenth; *dnes je s-eho marca* it is the seventeenth of March

**sedieť** sit*, be* seated; *s. so skríženými nohami* sit cross-legged; *s. v drepe* squat; *s. rozkročmo* straddle; *(biol.) s. na vajciach* brood • *s. si na ušiach* turn a deaf ear to

**sedlať** *(koňa)* saddle

**sedliak** farmer; *(malý)* peasant

**sedlo** saddle

**sedmokráska** daisy

**sedmoraký** sevenfold

**seizmograf** seismograph

**sejací** sowing

**sejačka** sowing machine/drill

**sekať** cut*, chop; *(žať)* mow, reap; *(na drobno)* mince • *s. dobrotu* toe the time

**sekcia** section; *(oddelenie)* division

**sekera** axe; *(malá)* hatchet • *zakopať vojnovú s-u* bury the hatchet

**sekretár 1.** *(tajomník)* secretary **2.** *(skriňa)* cupboard, cabinet

**sekretariát** secretariat

**sekta** *náb.* sect

**sektor** sector; *(úsek)* segment; *(rezort)* industry

**sekunda** second; *(okamih)* moment; *vrátim sa o s-u* I'll be back in a second/moment

**sem** here; *polož to s.* put\* it here; *ani s. ani tam* neither here nor there; *s. a tam* to and fro; *(miestne zriedkavo) s. tam* here and there; *(časovo zriedkavo) s.-tam* now and then

**semafor** traffic lights *pl.*

**semenisko 1.** seedplot **2.** *obr.* hotbed

**semeno** seed

**semester** term; *zimný/letný s.* winter/summer term

**semifinále** semifinal [-fainl]; *postúpiť do s-e* progress to the semifinal

**seminár** *(na vysokej škole)* seminar; *(pracovný)* workshop; *(kňazský)* seminary

**semiš** suede [sweid]

**Semita** Semite [ˌsiːmait]

**semitský** Semitic

**sen** dream; *(zlý)* nightmare; *žena mojich s-v* woman of my dreams • *ani vo s-e by mi nenapadlo* never in my wildest dreams could I imagine

**senát** senate

**senátor** senator

**sendvič** sandwich; *s. so šunkou* ham sandwich

**senilný** senile

**senník** *(na povale)* hayloft; *(budova)* haybarn

**seno** hay; *kopa s-a* haystack; *kosenie s-a* haymaking, hayharvest; *s-á nádcha* hay fever

**sentimentálny** sentimental; *s. človek* sentimental person

**senzácia** sensation; *vyvolať s-u* cause a sensation; *hovor.* riot

**senzačný** gorgeous, terrific, fabulous; *hovor.* superb

**separatizmus** separatism

**separátny** separate; *(dom)* detached

**sépia** *zool.* cuttlefish; *(farba)* sepia [ˈsiːpiə]

**september** September; *v s-i* in September; *prvého s-a* on the first of September

**septembrový** September; *slnečný s. deň* sunny September day

**serenáda** serenade

**séria** series; *s. známok* series of stamps; *s. výrobkov* range of products

**seriál** serial [ˈsiəriəl], series; *TV s.* television serial/series; *vtipný obrázkový s.* comic strip

**sériový** serial; *s-á výroba* serial production

**seriózny** serious, respectable; *(vážny)* earnest; *s. podnikateľ* respectable businessman

**serpentína** winding (road)

**servilný** servile, subservient

**servírka** waitress

**servírovať** serve (up); *s. jedlo* serve up the food

**servis 1.** *(oprava)* service; *dať auto do s-u* have* a car serviced **2.** *(súprava)* set; *čajový s.* tea set

**servítka** napkin, serviette [ˌsəːviˈet]

**servus!** hallo, hi!

**seržant** sergeant, *hovor.* sarge

**sesternica** cousin [ˌkazn]

**sestra** sister; *(nevlastná)* stepsister; *(v nemocnici)* nurse; *(rádová)* nun, sister

**sever** north; *(na severnej pologuli)* North; *na s-e Slovenska* in the north of Slovakia

**severák** north wind

**severný** north, northern; *(na severnej pologuli)* North, Northern; *na s-om Slovensku* in the north of Slovakia/in northern Slovakia; *S. Amerika* North America; *s. pól* the North Pole; *s. pologuľa* the Northern Hemisphere

**severský** north, northern; *(literatúra)* Nordic, Scandinavian

**sexuálny** sexual; *s. styk* sexual intercourse; *s-e obťažovanie* sexual harassment

**sezóna** season; *dovolenková s.* holiday season; *mimo s-y* out of season; *poľovnícka s.* open season • *uhorková s.* silly season

**sezónny** seasonal; *s. lístok* season ticket

**sféra** sphere; *s. vplyvu* sphere of influence; *s. služieb* service sector

**sférický** spherical

**sfinga** sphinx

**sfúknuť** *(zhasiť)* blow* out; *(odfúknuť)* blow* off

**schádzať sa** meet*; *náš klub sa s-a každú stredu* our club meets* every Wednesday; *(zhromaždiť sa)* gather, assemble

**schéma** scheme [skiːm]

**schematický** schematic

**schladiť** chill, cool (down); *s. nápoj* cool (down) a drink // **s. sa** get* cold

**schnúť** dry, get* dry; *šaty s. na slnku* clothes dry in the sun

**schod** *(vonku)* step; *(v budove)* stair; *ísť hore/dole s-mi* go* up/down the stairs

**schodište** staircase, stairway

**schodný** passable; *s. chodník* passable path

**schodok** deficiency, deficit; *vyrovnať s. v štátnom rozpočte* balance the deficit in the state budget

**schopnosť** ability; *(kvalifikácia)* competence; *žiaci s rôznymi s-mi* pupils with mixed abilities

**schopný** able, capable; *veľmi s-á žena* very capable woman; *(kvalifikovaný)* competent; *s. vodič* competent driver; *(telesne)* fit, able-bodied

**schovať (sa)** hide; *(ukryť)* conceal; *s. darček do skrine* hide a present in the wardrobe

**schovávačka** hide-and-seek; *hrať sa na s-u* play hide-and-seek

**schôdza** meeting; *s. sa uskutoční zajtra* meeting will be held* tomorrow; *(zasadanie)* session

**schôdzka** *(pracovná)* appointment; *dohodnúť si s-u make* an appointment; *(rande)* date; *s. na najvyššej*

*úrovni* summit, (top-level) meeting

**schránka** box; *(súkromná poštová)* letterbox; *AmE* mailbox; *(verejná)* post box; *(v Británii)* pillar-box

**schudnúť** lose* weight, reduce weight

**schúliť(sa)** cower, crouch [krauč]

**schválenie** approval, approbation, endorsement; *(súhlas)* consent; *(dohoda)* agreement; *(zmluvy)* ratification

**schváliť** *(návrh)* pass; *(zmluvu)* ratify; *(čin)* approve of; *s. plán* approve of the plan

**schválne** deliberately, intentionaly, on purpose; *urobil to s.* he did* it on purpose

**schvaľovať** approve of; *(potleskom)* applaud

**schýliť sa** *(sklóniť sa)* bend* down, bow down

**schyľovať sa** *(ku koncu)* draw* to close

**siahať** reach; *s. do kabelky* reach into a handbag; *(časovo)* go* back

**siahnuť** *(dopredu)* strech out so. hand; *(do vnútra)* dip, dive (into)

**siakať** blow* so. nose; *s-l do*

*vreckovky* he blew* his nose into a handkerchief

**siať** sow*, seed; *s. do zeme* sow* in the open ground

**siatie** seed, sowing

**Sibír** Siberia [saiˈbiəriə]

**síce** *(inak)* otherwise, (al)though, but; *s. prišiel neskoro...* although he was late...

**Sicília** Sicily

**sídlisko** housing estate, residential area/suburb

**sídliť** reside, be* located in; *prezident s-i na hrade* president resides in the castle; *banka s-i v centre mesta* bank is located in the centre of the city

**sídlo** residence; *(inštitúcie)* seat; *(firmy)* headquarters, *skr.* HQ

**sieň** *(aj koncertná)* hall

**sieť 1.** *(pletivo, rybárska, tenisová)* net; *(na batožinu)* rack **2.** *(napr. budov, telefónna, železničná)* network

**sietnica** *lek.* retina

**signál** *(aj TV)* signal; *(svetelný)* flare; *(časový)* pip

**signalizovať** signal, sign; *s. rukami* signal with so. arms

**sila** *(telesná, duševná)* strenght; *(násilie)* force;

*(energia)* power, energy; *(moc)* power; *(životný elán)* stamina; *pracovná s.* manpower; *konská s.* horse power; *snažiť sa zo všetkých síl* try hard

**siláž** ensilage; *s-na jama* silo

**silnieť** strengthen, grow* strong, get* stronger; *vietor s-ie* wind is getting stronger

**silný** strong; *s. prízvuk* strong accent; *s-á osobnosť* strong personality; *(mocný)* powerful; *(telesne)* able-bodied, sturdy; *(intenzívny)* keen, intense; *s-é sneženie* massive/heavy snowing; *s. fajčiar* heavy smoker

**silueta** silhouette; *(na obzore)* skyline

**Silvester** New Year's Eve; *S. v Škótsku* hogmanay

**simulant** malingerer [məˈlingərə]

**simulovať** *(napodobniť situáciu)* simulate; *(predstierať)* malinger, fake; *s. plač* fake crying

**sinavý** blue, pallid, grey; *s-é pery* blue lips

**sinka** bruise

**sipieť** hiss; *obr. s. na niekoho* hiss at sb.

**síra** sulphur

**siréna** siren; *(v hmle)* fog-horn

**sirota** orphan

**sirotinec** orphanage; *bol vychovaný v s-i* he was brought up in an orphanage

**sírový** sulphuric

**sirôtka** *bot.* pansy

**sirup** syrup; *(na riedenie)* squash; *(proti kašľu)* cough syrup

**sitko** strainer, filter

**sito** sieve

**situácia** situation; *trápna s.* embarrassing situation; *(nepríjemná)* plight

**sivý** grey; *AmE* gray; *lek. sivý zákal* cataract

**skade** wherefrom • *skaderuka skadenoha* vagrant, a nobody

**skákať** jump, skip, leap*; *s. od radosti* jump from joy; *deti s-u na ihrisku* children are skipping in the playground; *s-l cez múr* he leapt over a wall • *s. niekomu do reči* butt in/on sb.

**skala** rock; *(nad morom)* cliff; *pevný ako s.* solid as a rock

**skaliť 1.** dim, obscure // **s. sa** become* cloudy; *čaj sa s-l* tea became cloudy

**skalnatý** rocky; *s-á pôda* rocky soil

**skalný 1.** rock **2.** *(fanúšik)* fan

**skalp** scalp

**skamarátiť sa** become* friends, make* friends, chum up

**skamenieť** *(zmeravieť)* petrify; *obr.* turn to stone

**skanzen** open-air museum

**skapať 1.** *(zmiznúť)* vanish **2.** *(zomrieť)* perish

**skaut** scout [skaut]

**skaza** destruction; *(pohroma)* disaster; *(potraviny podliehajúce s-e)* perishables

**skazenosť** corruption

**skazený** spoilt, bad; *(maslo, olej, vajcia)* rotten, rancid; *(zuby)* decayed; *(mravne)* depraved

**skaziť** spoil*, corrupt; *počasie nám s-o dovolenku* weather spoilt our holiday // **s. sa** go* bad

**skeč** sketch

**skelet** *(kostra, nosná konštrukcia)* skeleton

**skeptický** sceptic(al)

**skeptik** sceptic

**skica** sketch, draft

**skicovať** sketch

**sklad** store (room), stock; *na s-e* avaible, stock, carry;

*s. pohonných hmôt* fuel depot

**skladací** *(posteľ, bicykel, stolička)* folding; *(dáždnik)* telescopic umbrella; *(kočík)* pushchair; *(meter)* zigzag ruler

**skladať 1.** *(náklad)* unload, put* down **2.** *(dokopy)* put* together, assemble **3.** *(hudbu)* compose **4.** *(do záhybov)* fold; *s. skúšku* sit* for an examination, pass an examination; *s. účty* render accounts // **s. sa z** consist of, be* composed of

**skladateľ** composer

**skladba** composition; *gram.* syntax

**skladište** warehouse, depot; *voj.* magazine

**skládka** rubbish dump, rubbish tip

**skladné** storage, warehouse-charge

**skladník** stockkeeper, stockman, storekeeper

**sklamanie** disappointment; *na moje veľké s-ie* to my great disappointment

**sklamať** disappoint, frustrate; *predstavenie nás s-lo* performance disappointed/frustrated us

**skláňať (sa) 1.** *(terén)* decli-

ne, slant, slope down **2.** *(pred niekým)* bow to sb.

**skláreň** glassworks

**sklenár** glazier [ˌgleiziə]

**skleník** hothouse, greenhouse; *s-ový efekt* greenhouse effect

**sklený** glass; *s-é dvere* glass/glazed door

**skleslosť** depression

**skleslý** low, depressed, downcast; *hovor.* blue

**sklo** glass; *(bezpečnostné)* safety glass; *(dymové)* cloudy glass; *(dvojité, na okne)* double glazing; *(brúsené)* cut glass; *(zväčšovacie)* magnifying glass; *(sklené výrobky)* glassware

**sklobetón** glass concrete

**sklolaminát** fibreglass laminate

**sklon** inclination, slope; *obr.* inclination, tendency; *mať s.* tend to sth.

**skloniť (sa)** incline, bow, bend* (down)

**skloňovanie** *gram.* declension

**sklopiť** fold, lower, put* down; *s. operadlo* fold the back; *s. oči* lower so. eyes

**sklovina** frit; *(zubná)* enamel

**sklúčenosť** depression

**sklúčený** depressed, gloomy, dejected; *hovor.* blue

**sklúčiť** depress, deject; *choroba ju s-la* illness depressed her

**sklznúť** slide*, slip off, glide off; *s-li sme do priekopy* we slid* into a ditch

**skoba** hock-nail, cramp; *(do zošívačky)* staple

**skočiť** jump, leap*, spring*; *s. k telefónu* spring to the telephone; *s. do auta* hop into the car; *s. po niečo* fetch sth.; *s. do reči* interrupt; *s. si na pohárik* pop in for a drink

**skok** jump, leap*; *(hlavou dopredu)* dive; *(premetom)* vault; *urobiť s.* take*/make* a leap; *(do diaľky)* long jump; *(do výšky)* high jump

**skokan 1.** *(pretekár)* jumper **2.** *(žaba)* green frog, bullfrog

**skoky**: *do vody* diving

**skoliť** smite, slay

**skomoliť** distort, disfigure, garble

**skon** death, end, decease

**skonať** die, decease • pass away

**skoncovať s** put* an end, put* a stop, do* away with

**skončiť 1.** end, be* over, finish, cease, terminate **2.** *(ukončiť)* end, finish, bring* to a close, conclude; *s-l som štúdium roku 1995* I finished my studies in 1995; *s. prejav* conclude/end so. speech; *zmluva s-í koncom roka* contract terminates by the end of the year

**skóre** score

**skoro** *(takmer)* almost, nearly; *(čoskoro)* soon; *(zavčasu)* early

**skórovať** score

**skorý** early; *očakávame vašu s-ú odpoveď* we await your early reply

**skostnatený** ossified; *s-é praktiky* ossified policies

**skôr** *(predtým)* before; *(kedysi)* formerly; *(včaššie)* sooner; *s. al. neskôr* sooner or later

**skrášliť** *(vyzdobiť)* embellish // **s. sa** beautify os.

**skrat** short circuit

**skrátený** *(úväzok)* part-time (job); *výp. skrátená ponuka* quick menu

**skrátiť** shorten, trim; *s. sukňu* shorten a skirt; *s. vlasy* trim so. hair; *(text)* abridge, abbreviate // **s. sa** get* shorter; *dni sa v zime s-jú* days get* shorter in winter

**skratka** *(slova)* abbreviation, contraction; *(cesty)* crosscut, short cut; *ísť s-ou* take* a short cut

**skrátka** shortly, in short, briefly

**skrčiť** *(končatiny)* bend*; *(pokrčiť)* crease, crumple; *s. lístok* crumple the ticket

**skrčiť sa** duck, stoop, cower (down)

**skrehnúť** numb; *(stuhnúť)* get* stiff; *od zimy mi s-li prsty* cold numbed my fingers

**skresliť** misrepresent, deform, distort

**skríknuť** yelp, cry out; *(od radosti)* exclaim

**skriňa** *(na šaty)* wardrobe; *(na knihy)* bookcase; *(výkladná)* shopwindow; *(rýchlostná)* gearbox [giəboks]

**skriviť (sa)** curve, warp, crook

**skrížiť** cross; *s. ruky/nohy* cross so. arms/legs; *s. plány* defeat/ frustrate/ wreck so. plans

**skromnosť** modesty; *pri všetkej s-i* in all modesty

**skromný** modest; *(pokorný)* humble, unpretending;

*(malý)* s. *raňajky* scanty breakfast

**skrotiť** tame; *(koňa)* break* in

**skrsnúť** arise*

**skrúšený** contrite, rueful

**skrútiť** *(zvinúť)* roll up, wind* [waind]; *(otočiť)* *(kľúč, vypínač)* turn; *(volant)* swerve

**skrutka** screw; *spojiť s-ami* join with screws

**skrutkovač** screwdriver

**skrýša** hide-out, hiding-place

**skryť (sa)** hide*; *s. peniaze pred niekým* hide money from sb.; *s. sa za dvere* hide behind the door

**skrytý** *(utajený)* hidden; *s. talent* hidden talent; *s-á kamera (TV program)* candid camera

**skrývačka** *(hra)* hide-and-seek

**skrz** through

**skučať** howl; *vietor s-l celú noc* wind howled all night

**skúmanie** (re)search, investigation

**skúmať** investigate, examine, research, explore; *s. znečistenie ovzdušia* investigate the air pollution; *s. vesmír* explore space; *s. účinky fajčenia* research on the effects of smoking

**skúmavka** test tube

**skúmavý** *(pohľad)* searching, quizzical

**skupáň** miser, niggard

**skupenstvo** consistency, state; *plynné s.* gaseous state

**skupina** group, set; *(detí)* bunch; *(domov)* cluster; *(kolektív)* team; *krvná s.* blood group

**skúpiť**: *akcie* takeover

**skúposť** meanness, stinginess

**skúpy** mean, stingy; *s. na peniaze* mean with money

**skúsenosť** experience; *poznám to z vlastnej s-i* I know* it from (my own) experience

**skúsený** experienced, skilled; *s. učiteľ* experienced teacher

**skúsiť 1.** *(pokúsiť sa)* try; *(najmä neúspešne)* attempt; *s. uvariť niečo* try and cook sth. **2.** *(zažiť)* experience

**skúšajúci** examinator, examiner

**skúšať** examine; *(robiť pokusy)* test; *(v divadle)* rehearse; *(šaty)* try on

**skúška** examination, *hovor.*

exam; *(pokus)* test, trial; *(trpezlivosti)* ordeal; *(u krajčíra)* fitting; *(v divadle)* rehearsal; *generálna s.* dress rehearsal

**skúter** *(motor)* scooter

**skutočne** really, indeed; *je s. krásna* she is beautiful, really; *s. vám veľmi pekne ďakujem* thank you very much indeed

**skutočnosť** reality, fact; *stať sa s-ou* become* a reality; *v s-i* in reality, in fact, as a matter of fact

**skutočný** real, actual; *s. príbeh* real story; *s-á láska* true love; *s-á cena* actual cost

**skutok** act, deed; *robiť dobré s-y* do* good deeds

**skvalitniť** improve (the quality of sth.)

**skvelý** brilliant, excellent, splendid, wonderful; *hovor.* tiptop

**skvieť sa** shine*

**skvost** *(šperk)* jewel [džu:əl]; *(klenot)* gem [džem]

**skvostný** magnificent

**skypriť** loosen; *s. pôdu* loosen the soil

**skysnúť** *(turn*/go*)* sour; *mlieko s-lo* milk has* soured

**slabika** syllable

**slabina 1.** *(u človeka)* groin; *(zvierat)* flank **2.** *(nedostatok)* weak side, weak point

**slabnúť** grow*/become* weak, weaken

**slaboch** weakling, softy

**slabomyseľný** idiotic, imbecile, feebleminded

**slabosť** *(telesná)* weakness; *obr. mať s. pre niečo* to indulge to sth.

**slabý** weak, faint; flabby; *cítim sa s.* I feel* weak; *(neistý)* infirm, feeble; *s. čaj* weak tea; *s-á káva* watery coffee; *s-é pivo* thin beer

**sláčik** bow; *s-ové nástroje* string(ed) instruments

**slad** malt [molt]

**sladidlo** sweetener

**sladiť** sweeten, sugar; *s. medom* sweeten with honey; *s-š si kávu?* do* you take* sugar in your coffee?

**sladkosť** *(vlastnosť niečoho)* sweetness; *(sladkosti)* sweets *pl.;* dainties *pl.;* confection

**sladkovodný** *(ryby)* freshwater

**sladký** sweet, mellow; *s-á šťava* sweet juice; *pren.* sweet, lovely

**slama** straw

**slamený** (made* of) straw; *s.*

*klobúk* straw hat; *s-á strecha* thatched roof • *s-á vdova* grass widow

**slamka** straw; *piť džús slamkou* drink* juice through a straw • *chytať sa aj slamky* grasp at straw

**slamník** straw matress

**slanina** bacon

**slaný** salt(y); *s-á polievka* salty soup

**slasť** delight, pleasure

**slastný** delightful, pleasurable

**sláva** glory, fame; *film mu priniesol s-u* film earned him fame

**slávik** nightingale

**sláviť** *(narodeniny, víťazstvo, výročie)* celebrate

**slávnosť** celebration, festival; *(hostina)* feast

**slávnostný** festive; *(dôstojný)* solemn

**slávny** famous, celebrated, glorious; *s-e mesto* famous city

**slečna** young lady; *(pred menom)* Miss

**sleď** herring; *(údený)* kipper

**sledovať** follow, watch; *s. prednášku* follow the lecture; *s. televíziu* watch TV

**slepiačky** blindly

**slepota** blindness

**slepý** blind; *s-á ulica* blind

road/alley; *obr. s-á ulička* stalemate; *s-é črevo* appendix

**slezina** *anat.* spleen

**sliediť** spy

**sliepka** hen

**slimák** snail; *(bez ulity)* slug

**slina** *(v ústach)* saliva; *(vypľutá)* spit, spittle; *zbiehajú sa mi s-y* my mouth waters

**slintať** slobber; *vet. slintačka a krívačka* foot-and-mouth disease

**slipy** *(pánske)* (under)pants *pl.*

**slivka** plum; *(sušená)* prune

**slivovica** plum brandy, slivovitz

**sliz** slime

**slizký** slimy; *obr.* slippery; *s-á koža* slimy skin; *s. predavač* slimy salesman

**sliznica** *lek.* mucuous membrane

**slnce, slnko** sun; *(žiarenie)* sunshine; *východ s-a* sunrise; *západ s-a* sunset

**slnečnica** sunflower

**slnečník** sunshade, parasol(a)

**slnečno** sunshine; *je s.* it is sunshine

**slnečný** solar; *s-á sústava* solar system; *(osvetlený slnkom)* sunny; *s-é hodiny* sundial; *s. lúč* sunbeam; *s-é svetlo* sunlight; *s. žiar* sunshine

**slniť sa** sunbathe, bask

**slnovrat** solstice

**sloboda** freedom, liberty; *s. tlače* freedom of the press; *na s-e (väzeň)* at liberty

**slobodný** free; *s-é povolanie* freelance; *s-é podnikanie* free enterprise; *(neženatý, nevydatá)* single, unmarried; *meno za slobodna* maiden name

**slobodomurár** freemason

**sloh** *(štýl)* style; *(školská práca)* composition

**sloha** verse

**slon** elephant

**slonovina** ivory

**Slovan** Slav

**slovanský** Slavonic, Slav

**slovesný** verbal

**sloveso** verb; *pravidelné/nepravidelné s.* regular/irregular verb; *pomocné s.* auxiliary verb

**slovko** vocable

**slovník 1.** dictionary; *vyhľadať slovo v s-u* look up the word in the dictionary; *(náučný)* encyclopaedia **2.** *(slovná zásoba)* vocabulary

**slovníkový** lexical

**slovný:** *s-á hra* pun; *s-á há-*

*danka* word puzzle; *s-á zásoba* vocabulary

**slovo** word; *spisovné s.* standard word • *čestné s.* upon my word • *dodržať s.* keep* so. word • *nedodržať s.* break* so. word; *s-ami riadená pamäť* WOM = word organized memory

**slovosled** word order

**sľub** promise; *(slávnostný)* vow

**sľúbiť** promise; *s-la, že príde* she promised to come*; *(slávnostne)* vow

**sľubný** promising; *s. začiatok* promising start/beginning

**slučka** sling, noose, loop

**sluha** servant; *(zriadenec)* attendant; *(hotelový)* liftboy

**sluch** hearing, ear • *mať dobrý s.* have* a good ear for music

**slúchadlo** *(telefónu)* receiver, earpiece; *zdvihnúť s.* pick up a receiver; *položiť s.* hang* up a receiver

**slušnosť** decency; *pravidlá s-i* the proprieties, the decencies; *the dos and don'ts*

**slušný** fair, decent, polite, well-mannered; *(prijateľný)* tolerable

**služba** service; *(úrad)* office; *(služobá povinnosť)* duty; *v s-e* on duty; *nočná s.* night duty; *(preukázaná)* favour; *štátna s.* Civil Service

**slúžiť** serve; *s. u letcov* serve with airforce • *ak mi pamäť dobre s-i* if my memory serves me well

**slúžka** servant-girl, (house)maid

**slza** tear; *s-y jej zaliali oči* tears filled her eyes

**slzavý** tearful

**slzotvorný plyn** teargas

**smalt** enamel

**smaltovaný** enamelled; *s. riad* enamelled ware

**smaragd** emerald

**smäd** thirst

**smädný** thirsty; *si smädný?* are you thirsty?

**smeč** smash

**smečovať** smash

**smelosť** courage, daring, boldness

**smelý** courageous, daring, bold; *s. čin* courageous action; *s-á požiadavka* bold request

**smena** *(pracovná)* shift; *pracovať na s-y* work in shifts

**smer** direction, course; *v s-e jazdy* facing the engine; *hlavný s. štúdia* major;

*s-rom do Nitry* in the direction of Nitra; *z Nitry* from the direction of Nitra; *s. do mesta* down-town

**smernica** directive, instruction

**smerné číslo** *(pri plnení plánu)* target

**smerovať** head, tend *(do, na, k)* for, towards; aim at; *smerujúci hore* upward

**smerovka** *dopr.* traffic indicator; *hovor.* winker; *AmE* blinker

**smetiar** dustman

**smetisko** dustheap, rubbish dump/tip; *odložiť na s.* dump

**smetný:** *kôš* rubbish bin, dustbin

**smiať sa** laugh; *s. sa na vtipe* laugh at a joke

**smiech** laughter, laugh; *dať sa do s-u* burst* into laughter

**smiešny** *(absurdný)* ridiculous, absurd; *(komický)* funny; *s. človek* funny person; *nebuď s.* don't be ridiculous

**smieť** may, be* allowed to; *s-m si sem sadnúť?* may I sit here?; *tu nes-te fajčiť* you are not allowed to smoke here

**smietka** speck (of dust)

**smoking** dinner-jacket; *AmE* tuxedo

**smola 1.** pitch **2.** *(nešťastie)* bad luck • *mať s-u* be* unlucky, be* out of luck, have* bad luck

**smoliar** unlucky man, luckless man

**smotana** cream; *(šľahaná)* whipped cream; *(v prášku)* creamer

**smrad** smell, stench, stink; *tu je ale s.!* what a stink!

**smradľavý** stinking, smelly; *s-é potraviny* stinking food; *s. záchod* smelly toilet

**smrdieť** smell, stink*; *miestnosť s-í od piva* room smells/stinks* of beer

**smrek** spruce; *červený s.* larch

**smrkať** blow* *so.* nose, sniff(le)

**smršť** whirlwind

**smrť** death; *zomrieť prirodzenou s-ou* die a natural death; *(hladom)* die of starvation; *trest s-i* capital punishment, death penalty

**smrteľník** mortal

**smrteľnosť** mortality

**smrteľný** mortal, fatal; *človek je s.* man is mortal; *s-é zranenie* mortal injury; *s-á choroba* fatal illness

**smrtiaci** deadly; *s. jed/zbraň* deadly poison/weapon

**smútiť** grieve; *(trúchliť)* mourn; *s. za rodičmi* grieve for so. parents

**smutný** sad, sorrowful; *bol som s., keď som počul zlé správy* I was sad to hear* bad news

**smútok** *(žiaľ)* grief, mourning, sadness; *(ľútosť)* sorrow

**snáď** perhaps, maybe, possibly

**snaha** endeavour, effort(s); *napriek mojej s-e* despite my best endeavour/all my efforts

**snažiť (sa)** try, endeavour; *s. sa zo všetkých síl* do* so. utmost

**snaživý** studious, diligent

**sneh 1.** snow; *(s dažďom)* sleet; *(kašovitý)* slush; *padá s.* it is snowing; **2.** *(bielkový)* froth; *šľahať s.* beat* up eggs

**snehovky** galoshes *pl.*, snowshoes

**snehový** snow; *s-á guľa* snowball; *s-á vločka* snowflake; *s-ý závej* snowdrift; *s-á víchrica* blizzard

**snehuliak** snowman; *postaviť s-a* build* a snowman

**Snehulienka** Snow White

**snem** parliament, congress, assembly; *(cirkevný)* council

**snemovňa** parliament; *(v Británii)* Houses of Parliament; *horná s.* the House of Lords (Upper Chamber); *dolná s.* the House of Commons (Lower Chamber); *(v USA)* the House of Representatives

**snežienka** *bot.* snowdrop

**snežnica** snowshoes

**snežiť** snow; *sneží* it snows, it is snowing

**snímka** picture, photo, snap(shot); *urobiť s-u* take* a snap

**snívať** dream*, have* dreams

**snob** snob

**snobizmus** snobbery, snobbishness

**snobský** snobbish

**snop** sheaf

**snoriť** *(za osobou)* snoop; *(v miestnosti)* sneak

**snovať 1.** *(tkať)* warp **2.** *obr.* hatch a plot; *s. plán na zavraždenie prezidenta* hatch a plot to kill the president

**snowboarding** snowboarding

**snúbenec** fiancé

**snúbenica** fiancée

**snubný**: *prsteň* engagement ring

**sob** reindeer; *AmE* caribou

**sobáš** wedding

**sobášiť** marry; *s-l ich kňaz priest* married them // **s. sa** get\* married

**soboľ** sable

**sobota** Saturday; *v s-u* on Saturday; *každú s-u* on Saturdays

**socialistický** socialist; *s-á spoločnosť* socialist society; *s. hospodársky systém* socialist system of economy

**socializmus** socialism; *budovanie socializmu* building up of socialism

**sociálny** social; *s-e prostredie* social background; *s-a výpomoc* social security/welfare

**sociológia** sociology, social science

**sóda** soda

**sodík** sodium

**sódovka** soda(water)

**softvér** *(programové vybavenie počítača)* software

**socha** statue, figure; *postaviť s-u* put\* up a statue

**sochár** sculptor

**sochárstvo** sculpture; *študovať s-o* study sculpture

**sojka** jay

**sok** rival [raivəl], competitor; *sokovia v láske* rivals in love

**sokol** falcon

**soľ** salt; *kuchynská s.* cooking salt; *prosím ťa, podaj mi s.* pass me the salt, please

**solidarita** solidarity

**solidárny** sympathetic

**solídny** *(materiál)* massive, solid; *(dôveryhodný)* respectable; *(slušný)* decent

**sólista** soloist

**soliť** salt; *s. polievku* salt the soup

**solnička** saltcellar; *AmE* saltshaker

**somár** donkey; *(aj nadávka)* ass

**sonda** *(prístroj)* probe

**sondovať** probe, sound, fathom

**sopeľ** snot; *tečie ti s.* your nose is running

**sopka** volcano; *činná s.* active volcano; *vyhasnutá s.* extinct volcano

**soptiť** be\* in eruption, erupt; *(zúriť)* fly\* into rage

**sosna** pine

**sotiť** *(drgnúť)* jostle; *(postrčiť)* shove

**sotva 1.** *( ledva)* hardly; *s. ta počujem* I can hardly hear\* you **2.** *(len čo)* hard-

**tabu** taboo

**tabuľa** (skla, plechu) sheet; (okenná) windowpane; (školská) (black)board; (vývesná) singboard, noticeboard

**tabuľka** table, tablet; (diagram) chart; (čokolády) stick, bar; (firemná) nameplate

**tabuľkový** tabular

**tackať sa** reel, stagger

**tácňa, tácka** tray

**tadiaľ(to)** this way

**ťah 1.** pull, draw **2.** (vzduchu, dúšok) draught [dra:ft] **3.** (pece) blast **4.** (črta) feature **5.** (pri písaní) stroke **6.** šach. move; kto je na ťahu? whose move is it?

**ťahací:** t-ia harmonika accordion; (pianová) concertina

**ťahať** (k sebe) pull, tug, draw*; t. vodu zo studne draw* water from a well • t. niekoho za nos pull so. leg

**tachometer** speedometer, tachometer

**tajfún** typhoon

**tajga** taiga

**tajiť 1.** keep* a secret, keep* back, conceal **2.** (popierať) deny; (zadržiavať) withdraw*

**tajne** in secret, secretly

**tajnosť** secrecy, secret; držať v t-i hold* in secret

**tajný** secret, concealed; t-á polícia Secret Service; prísne t. top secret

**tajomník** secretary; generálny t. OSN Secretary General of the UNO

**tajomný** mysterious

**tajomstvo** secret, mystery; t-á prírody secrets of nature; verejné t. open secret

**tak** so, thus, in this/that way, like this/that; t. veľmi so much; je to t. it's like this/that; t.-ako as-as; t. teda well, now then • aby som t. povedal so to speak; t., poďme well, let's go*

**takmer** almost, nearly

**takt 1.** (v hudbe) bar **2.** (taktnosť) tact, discretion; udávať t. beat* time

**taktický** tactical

**taktiež** likewise, also, too

**taktik** tactician

**taktika** tactics pl.

**taktný** tactful, discreet

**takto** so, in this manner/way, like this

**taký** such, similar, so, like that; niečo t-é something like that, that sort of thing; buď t. dobrý be* so kind; *t-é veľké šťastie* such a great luck

**takzvaný** so-called

**talár** *(školský)* gown; *(sudcu)* robe

**talent** talent, gift; *hudobný t.* talent for music

**talentovaný** talented, gifted

**tam** there, in/at that place; *(tamhľa)* over there; *sem a tam* to and fro

**tancovať** dance, hop; *t. valčík* waltz • *t-e ako mu pískajú* he dances to their tune

**tandem** *aj obr.* tandem

**tanec** dance, hop; *ľudový t.* folk dance; *učiteľ t-a* dancing master

**tanečná** dancing lessons; *chodiť do t-ej* take* dancing lessons

**tanečnica, tanečník** dancer; *(spoločník pri tanci)* partner

**tanier** plate; *(hlboký)* soup plate; *(plytký)* flat plate; *lietajúci t.* flying saucer

**tanierik** *(pod šálkou)* saucer [ˌsɔ: sə]; *(na múčnik)* dessert plate

**tank** *voj.* tank; *(nádrž)* tank, reservoir

**tápať** *(v tme, mysli)* grope *(po* for, about), blunder

**tapeta** wallpaper

**ťapnúť, ťapkať** *(tľapkať)* pat; *t. po pleci* pat on the shoulder

**ťarcha** weight [weit]; *(náklad)* load; *(bremeno)* burden

**tarifa** tariff

**tasiť**: *t. meč* draw* the sword

**taška** bag; *(školská)* schoolbag, satchel; *(náprsná)* wallet, pocketbook; *(aktovka)* briefcase; *t. na nosenie dieťaťa* carrycot

**ťať** *(sekerou, mečom)* cut*, chop • *t. do živého* cut to the quick

**tato** *hovor. (oco, ocko)* dad, daddy

**ťava** camel

**tavba** (s)melting; *t. rudy* smelting ore

**tavič** smelter

**taviť** *odb.* smelt; melt, liquefy

**taxa** rate, charge; *základná t.* basic fee

**taxi, taxík** taxi; *AmE* cab; *vziať si t./ísť t-om* take* a taxi/cab

**taxikár** taxi driver; *AmE* cab driver, cabman

**ťažba** output, production; *(v baníctve)* extraction, mining

**ťažisko** *fyz.* centre of gravity; *obr.* centre, nature, essence

**ťažiť 1.** *(dobývať aj koristiť)* exploit; *(v baníctve)* extract, mine **2.** *(z niečoho)* make* the best

**ťažko** *(pracovať)* hard; *(dýchať)* heavily; *t. chorý* seriously ill; *t. prístupný* difficult of access

**ťažkopádny** heavy-handed, clumsy

**ťažkosť 1.** *(váha)* heaviness **2.** *(obťažnosť)* difficulty, hardness **3.** trouble, difficulty

**ťažký 1.** *(na váhu)* heavy, weighty **2.** *(obťažný)* difficult, hard; *t-é jedlo* heavy meal; *t. priemysel* heavy industries • *s t-m srdcom* unwillingly; *t-á váha* heavy weight; *t-á choroba* serious illness

**teda** then, so; *tak t.* well, then; thus

**tehla** brick; *t. zlata* gold brick; *t. syra* cheese cake

**tehlový** *(z tehál)* brickbuilt

**tehotenstvo** pregnancy; *odb.* gravidity

**tehotná** pregnant; *odb.* gravid; *hovor.* with child

**technický** technical; *t. škola* technical school

**technik** engineer, techni-

cian; *zubný t.* dental technician

**technika 1.** *(zručnosť)* technique **2.** engineering

**technológia** technology [tekʰnolədži]

**tekutina** liquid, fluid [fluid]

**tekutý** liquid; *t-é skupenstvo* liquid state

**tekvica** squash, pumpkin; *pren. (hlava)* gourd [guəd]

**teľa** calf [ka: f]

**teľací:** *t-ie mäso* veal

**telefax** telefax [ˈteləfæks]

**telefón** *(tele)phone; zdvihnúť t.* answer the phone; *t. (hovor)* telephone call

**telefonist(k)a** telephonist, operator

**telefónny:** *t-a búdka* call box; *t. zoznam* telephone directory; *t-a ústredňa* exchange; *medzimestský t. rozhovor* trunk call; *t. hovor na účet volaného* freephone, reverse charge call

**telefonovať** *(tele)phone, ring* up, call up

**telegraf** telegraph

**telegrafický** telegraphic

**telegrafovať** telegraph, cable

**telegram** telegram, wire; *(do zámoria)* cable(gram)

**telesný** physical; *t-á stavba*

physical structure; *t-é cvičenie* physical exercise; *t-ne postihnutý* handicapped; *t. strážca* bodyguard; *t. trest* corporal punishment

**teleso** body; *fyz.* solid; *nebeské t-á* celestial/heavenly bodies

**televízia** television; TV; *vysielať t-ou* televise, telecast; *čo dávajú v t-ii?* what's on (television/ TV)?; *pozerať t-iu* watch television/TV

**televízor** television set, TV set

**teliesko** *odb.* corpuscle [ˌko: pasl]

**telo** body; *obr.* flesh; *ublíženie na t-e* harm on body

**telocvičňa** gym(nasium) [džimˈneizjəm]

**telocvik** gym(nastics), physical training; *(školský predmet)* physical education

**téma** subject, topic

**temer** almost, nearly; *t. nijaký* hardly any; *t. nič* next to nothing

**temný** dark; *(pochmúrny)* gloomy; *(nejasný)* obscure; *t-á noc* dark night

**temperament** temperament, disposition; *(hlavná črta)*

temper; *výbušný t.* hot temper

**tempo** tempo; *(pravidelné)* pace, rate; *v rýchlom pracovnom t-e* at a rapid rate of work; *(v hudbe)* movement; *(plavecké)* stroke

**Temža** the Thames

**ten** this, that; *pán t. a t.* Mr. so-and-so; *t. istý* the (very) same

**tendencia** *(zámer)* tendency; *(smer)* trend

**tendenčný** tendencious, propaganda

**tender** tender, competition

**tenis** tennis; *stolný t.* table tennis; *(na trávniku)* lawn tennis

**tenisky** plimsolls, gym-shoes *pl.*; *AmE* sneakers

**tenisový**: *t-á loptička* tennis ball; *t. kurt* tennis court; *t. hráč* tennis player

**tenký** thin; *(veľmi)* flimsy; *(štíhly)* slim; *t. hárok papiera* thin sheet of paper

**tenor** tenor

**tenorista** tenor (singer)

**tento** this, that, such; *t. rok* this year

**tentoraz** this time

**teológia** theology

**teória** theory; *t. relativity* theory of relativity; *(predstava)* notion; *má vlastnú t.*

*demokracie* he has* his own notion of democracy

**tep** pulse, beat; *pravidelný t.* regular pulse; *t. srdca* heartbeat

**tepať** *(aj kov)* beat; *(pulzovať)* pulsate, throb

**tepelný** thermic(al), thermal; *t-á elektráreň* thermal power plant

**tepláky** training suit, track suit, sweat suit

**teplo** *podst.* warmth, heat; *prísl.* warm; *je mi t.* I am warm/I feel* warm

**teplomer** thermometer; *pozrieť sa na t. aká je teplota* read the temperature from the thermometer

**teplota** temperature; *(horúčka)* fever

**teplý** warm; *t-é podnebie* warm climate

**tepna 1.** *lek.* artery **2.** *odb. (dopravná)* thoroughfare [ˌθᴧrəfeə], main/major road

**terajší** present; *(skutočný)* actual; *v t-ej dobe* at the present time, nowadays, these days

**terasa** terrace

**teraz** now; *čo t.?* what now?; *t. a nikdy* it's now or never; *(v dnešnej dobe)* at (the) present (time), no-

wadays, these days; *t. keď* now that

**terč 1.** target; *trafiť t.* hit* the target **2.** *(napr. smiechu)* object of ridicule, butt

**terén** country, ground; *v t-e* in the field, in the open air; *lyžiarsky t.* skiing grounds

**termín** *(lehota aj výraz)* term; time, period; *konečný t.* deadline; *pred t-om* ahead of schedule

**terminológia** terminology; *lekárska t.* medical terminology

**termoska** thermos (bottle/flask), vacuum flask

**teror** terror; *vláda t-u* reign of terror

**terorist(k)a** terrorist

**terorizovať** terrorize; *obr. (zastrašovať)* bully, cow

**terpentín** turpentine

**tesák 1.** *(zub)* fang; *(diviaka)* tusk **2.** *(nôž)* bowie knife

**tesár** carpenter

**tesať** *(opracúvať)* carve; *(pomník)* hew*

**tesný** tight, close(-fitting); *šaty sú mi t-é v páse* my dress is tight in the waist

**tesť** father-in-law

**tešiť** please // *t. sa* delight; *teší ma, že sme sa spoznali* I am glad to meet* you; *(t.*

*sa z niečoho)* enjoy; *t. sa z dovolenky* enjoy the holiday; *(t. sa dopredu na niečo)* look forward; *t-m sa, že sa stretneme* I'm looking forward to meeting you

**teta** aunt

**tetovanie** tattoo

**texasky** (blue) jeans

**text** text, reading; *(piesne)* words; *(filmu, hry)* script; *(herca)* part

**textil** textiles *pl.*, textile fabrics

**téza** *(myšlienka)* thesis; *(poučka)* doctrine

**tiahnuť** *(uberať sa)* march, pass; *oblaky t-u po oblohe* clouds are passing in the sky; *(vtáky)* fly* away // **t. sa** *(pohorie)* stretch, range

**tiecť** run*, flow; stream; *(prepúšťať vodu)* leak; *(slabým prúdom)* trickle

**tieň** 1. *(vrhnutý)* shadow; *očné tiene* eye shadows 2. *(v tieni)* shade, dark

**tienidlo** lampshade

**tienistý** shadowy, shady

**tieniť** shade; *stromy t-ia do izby* trees shade the room

**tieseň** *(psychická)* distress; *(ťažkosť)* difficulty, trouble, hardship, mishap

**tiesniť** *(robiť nápor)* (op)press

**tiež** also, too, as well; *a t.* as well as

**tiger** tiger

**ticho** 1. *podst.* quiet, silence, calmness 2. *prísl.* silent, quiet; *buď t.!* be* silent/quiet!

**tichý** quiet, silent, still; *dom bol t.* the house was still; *(hlas)* soft, low; *T. oceán* the Pacific Ocean

**tikanie** *(hodiny)* tick(ing)

**tikať** tick

**tik-tak** tick-tock

**tis** *bot.* yew [ju: ]

**tisíc** thousand; *horných desať t.* the top ten thousand

**tískať** *(stláčať, zvierať)* press; *(tlačiť dopredu)* push // **t. sa** *(niekam)* push, make* way

**titul** *(hodnosť, názov diela, šport.)* title; *získala t. štyrikrát* she won* the title for four times

**titulok** 1. *(v novinách)* headline 2. *film.* *( názov diela)* caption; *t-y* subtitles; *anglický film so slovenskými t-mi* English film with Slovak subtitles

**tisícoraký** thousandfold

**tisíci** thousandth

**t. j.** *skr. to je(st)* i. e. [ˌai 'iː], that is

**tkáč** weaver [wiː və]

**tkanivo** *text.* fabric, texture; *biol.* tissue

**tkať** weave*; *t. látku* weave cloth

**tkvieť** stick*; *(spočívať)* consist *(v in)*

**tlač 1.** print(ing); *vyjsť t-ou* be* printed **2.** *(noviny)* press; *denná t.* daily press

**tlačenica** crowd, jam

**tlačiar** printer

**tlačiareň 1.** printing office/house, printing plant **2.** *výp.* PRT (printer)

**tlačiť 1.** press; *t. ceruzkou na papier* press the pencil on the paper **2.** *(tískať)* push; *t. kočík* push the pushchair **3.** *(knihy)* print

**tlačivo** printed matter

**tlak** pressure; *krvný t.* blood pressure; *pren.* stress

**tlakomer** manometer, barometer, (weather)glass

**tlapa** *(laba)* paw

**tlčť** *(biť)* beat*, knock, pound, bang; *(kladivom)* hammer; *(po tvári)* slap in the face; *(srdce)* pound, throb

**tlenie** *(práchnivenie)* rot, decay

**tlieskať** applaud, clap

**tlieť** *(práchnivieť)* rot, decay; *(horieť)* smoulder

**tĺk** *pren., pejor.* blockhead

**tlkot** ponding, slapping, banging; *(srdca)* beat(ing)

**tlmený** *(zmiernený aj farby)* subdued, soft, lowered; *t. hlas* lowered voice

**tlmiť** soften, subdue, lower; *(bolest)* deaden

**tlmočiť** *(z jazyka)* interpret; *(pozdrav)* t-č mu môj pozdrav give* him my greeting, remember me to him

**tlmočník** interpreter; *dorozumieť sa pomocou t-a* communicate through an interpreter

**tlstnúť** grow* fat, put* on weight

**tlstý** thick; *(o ľudoch)* fat, overweight, stout

**tlupa** band, gang

**tma** dark(ness); *(súmrak)* nightfall, dusk, twighlight; *(záhadnosť)* obscurity; *je t.* it is dark • *t. ako vo vreci* pitch-dark

**tmár** obscurant(ist)

**tmavý** *(vlasy, pokožka)* dark; *(šaty)* sombre; *(nejasný)* obscure; *t-é okuliare* sunglasses; *t. chlieb* brown bread

**tmel** *(sklenársky)* putty; *pren.* cement

**to** it, that; *to čo* what; *si to ty?* is it you?; *to je krásny obraz!* what a beautiful picture!; *to je moja kniha* that is my book

**toaleta 1.** toilet [toilit]; *(iba záchod)* lavatory; *ísť na t-u* spend a penny **2.** *(šaty)* gown, robe

**točiť 1.** turn; *t. kľúčom v zámke* turn a key in the lock; *(okolo osi)* roll **2.** *(film)* shoot*; *(zvukovú nahrávku)* record // **t. sa** turn round; *(dookola)* spin*; *(obtáčať sa)* wind*; *točí sa mi hlava* I am dizzy

**točitý** winding, spiral; *t-é schody* winding/spiral stairs

**tok** flow; *(aj obr.)* stream; *t. rieky* flow of a river; *t. myšlienok* stream of thoughts

**toľko** so much/many; *ešte raz t.* twice as much/many; *t. veľa* this much/many

**toľkokrát** so many times, so often

**toľký** *(veľkosť)* so big, so great; *(výška)* so tall/high; *(dĺžka)* so long

**tón** *(hudba, odtieň hlasu)* tone; *(nálada)* note; *hud. základný t.* keynote; *udať t.* sound the tone

**tona** ton

**tonáž** tonnage

**topánka** shoe; *(vysoká)* boot; *nosiť t-y* wear* shoes; *(nízke)* flats, flat shoes; *(na vysokom opätku)* high-heeled shoes

**topiť (sa) 1.** *(sneh, zmrzlina)* melt; *(ľad)* thaw **2.** *(človek)* drown; *(plavidlo)* sink*; *t. sa v dlhoch* drown in debts

**topoľ** poplar

**tornádo** tornado; *neodb.* windstorm, twister

**torpédo** torpedo; *vystreliť t.* launch a torpedo

**torpédoborec** destroyer

**torpédovať** torpedo, destroy, undermine

**torta** (birthday) cake; *(s krémom)* cream cake; *(ovocná)* tart

**totalitný** *polit.* totalitarian

**totiž** *(vysvetlenie)* namely; *(skratka)* viz.

**totožnosť** *(zhoda)* identity, likeness; *(úradná)* identification; *preukaz t-i* indentification card

**totožný** identical

**tovar** goods *pl.*, commodity; *(v zloženinách)* ware [weə]; *železiarsky t.* hardware; *(kusový)* piece-goods *pl.*; *(druh)* article, item; *(výrobok)* product

**továreň** factory, plant, works, mill; *železiareň*

ironworks; *papiereň* paper mill

**továrnik** manufacturer, factory/plant/mill owner

**toxický** toxic, poisonous; *t-á látka* toxic substance

**toxikománia** toxicomania, drug addiction

**tradícia** tradition; *(ľudová)* popular tradition

**tradičný** traditional, customary

**trafika** tobacconist's (shop)

**trafiť** hit*, strike*; *t. do brány* hit the goal • *t. klinec po hlavičke* hit the nail on the head

**tragač** wheelbarrow, handbarrow; *pren. (staré auto)* jalopy [džə'lopi]

**tragédia** *div.* tragedy; *(pohroma)* disaster, tragedy

**tragický** tragic; *t-á udalosť* tragic event

**traktor** tractor; *(pásový)* crawler tractor

**traky** braces *pl.*

**trám** beam, timber

**tramp** tramp, hiker

**transakcia** *fin.* transaction, *ekon., všeob.* deal

**transfúzia** transfusion; *urobiť t-u* transfuze

**tranzistor** *hovor.* walkie-talkie

**tranzit** transit, passage

**trápenie** worry, trouble, hardship

**trápiť** trouble, worry; *hovor. (obťažovať)* bother; *čo ťa t-i?* what's wrong/the matter? // **t. sa** *(sužovať sa)* worry

**trápny** distressing, inconvenient, awkward, uncomfortable

**trasenie** shake, shivering, quake

**trasľavý** shaky, trembling; *t-é ruky* trembling hands

**trať** line, track; *železničná t.* railway track; *letecká t.* airline; *bežecká t.* running track; *(smer)* route [ru: t]; *(električky)* tramline; *(hlavná)* trunk(line)

**tráva** grass; *kosiť t-u* mow the grass

**trávenie** digestion; *(zlé)* indigestion

**traverza** girder

**tráviť 1.** *(čas, peniaze)* spend*; *t. dovolenku pri mori* spend holiday at a seaside **2.** *(potravu)* digest **3.** *(jedom)* poison

**trávnik** lawn; *(trávnatý povrch)* turf; *(prírodný)* grassland(s)

**trblietať sa** glitter, shimer, glisten, sparkle; *diamanty sa t-ú* diamonds sparkle

**trčať** (vytrčať) stick (out); *košela mu t-í z nohavíc* the shirt sticks out of his trousers

**treba:** *je t.* it is necessary; *ak bude t.* if necessary; *netreba* there is no need

**tréma** jitters; *dostať t-u* get* the jitters; *div.* stage fright

**tréner** (jednotlivcov) trainer; (družstiev) coach [kəuč]

**trenie** friction

**tréning** training; *hovor.* practice; *t. v písaní* practice in writing

**tréningový:** *úbor* track suit

**trenírky** *hovor.* shorts *pl.*, *šport.* trunks

**trénovať** (cvičiť) train; (viesť) coach

**trepať 1.** (búchať) knock, clap, bang **2.** (tárať) prattle, babble

**trepotať** (krídlami) flutter, flap

**treska** cod; (sušená) stockfish; *čerstvá/nasolená t.* fresh/salt cod

**tres(k)núť** bang, smash, slam; *t. dverami* slam the door

**trest** punishment; (pokuta) penalty; (smrti) capital punishment; *odsedieť si t.* serve the sentence; *register t-ov* crime register

**trestanec** convict; (väzeň) prisoner

**trestať** punish; (telesne) chastice

**trestný** criminal, penal; *t-é právo* penal law; *t-é konanie* criminal proceeding/trial

**tretí** third; *o tretej (hodine)* at thee (o'clock); *t. svet* the Third World

**tretina** a/one third

**trh** *ekon.* (aj stánkový predaj) market; (výročný, výstava) fair; *domáci/zahraničný t.* home/foreign market; *t-ové hospodárstvo* market economy

**trhák** (film, pieseň) hit; (kniha) bestseller

**trhať** (na kusy) tear*, pull, rip, jerk, pluck; (zub) extract

**trhavý** (šklbavý) jerky

**trhlina** (diera) breach, rent; (puklina) crack, split

**trhnúť** pull, tear*, jerk; *t. dieťa za ruku* jerk the child by his/her hand

**tri** three

**triasť** rattle, vibrate, shake* // **t. sa** shake*, shiver; tremble; *t. sa od horúčky* tremble with fever

**triaška** (zimnica) the shivers; (pocit) quiver, tremble

**tribúna** platform; *(rečnícka)* rostrum; *šport.* stand

**tribunál** tribunal

**tričko** T-shirt, tee-shirt; *(tielko)* (under)vest

**tridsať** thirty

**tridsiaty** thirtieth; *t-e roky* the thirties

**trieda** 1. *(spoločenská)* class 2. *(v škole)* class, form; *AmE* grade; *(miestnosť)* classroom, schoolroom 3. *(druh)* kind 4. *(ulica)* road, avenue

**triedenie** classification

**triediť** classify, grade, sort out

**triedny** class; *t-a spoločnosť* class society; *t. učiteľ* home-class teacher

**trieska** splinter, chip

**trieštiť** *(roztĺcť)* split; *(roztrúsiť)* scatter; *(na kvapky)* spray

**trieť** *(šúchať)* rub

**triezvy** sober

**trik** trick; *(výmysel)* artifice; *obchodné t-y* tricks of the trade

**trikot** tights [taits] *pl.*, leotard

**trikrát** three times

**trinásť** thirteen

**trinásty** thirteenth

**triumf** triumph; *t. spravodlivosti* triumph of justice

**triumfálny** triumphal; *t-a óda* triumphal ode

**triumfovať** triumph, gain victory

**trkvas** dolt, cuckoo, blockhead

**tŕň** thorn, prickle • *niet ruže bez t-a* there is no rose without a thorn

**tŕnistý** thorny, prickly

**trnka** *(ker)* blackthorn; *(plod)* sloe

**trofej** trophy; *poľovnícka t.* hunting trophy

**trocha, trochu** a little, a few, some; *(do istej miery)* slightly; *t. peňazí* a little money; *t. čerešní* a few cherries; *ani t-u* not in the slightest

**trojica** three, group/set of three; *náb.* Trinity; *svätá T.* the Holy Trinity

**trojitý** triple, threefold; *t-á vrstva* three-ply

**trojnásobný** threefold, triple, treble

**trojuholník** triangle; *pravouhlý t.* right angle triangle; *pren. (manželský)* triangle

**trolejbus** trolleybus

**trón** throne; *nastúpiť na t. come\* to the throne; *sedieť na t-e* sit\* on the throne

**tropický** tropical; *t-é podnebie* tropical climate

**trópy** tropics *pl.; daždové t.* humid tropics

**troska** slag, ruin

**trosky** debris; *(lietadla)* wreck; *(lode)* wreckage; *(hradu)* ruins

**trovy** expenses *pl.*, costs *pl.; na moje t.* at my expense

**trpasličí** dwarfish

**trpaslík** *zool.* pygmy; *bot. aj všeob.* dwarf

**trpezlivosť** patience; *stratiť t.* lose* so. patience

**trpezlivý** patient; *(zhovievavý)* tolerant; *t. učiteľ* patient teacher

**trpieť** suffer (*niečím* from sth.); tolerate (*niečo* sth.); *(znášať)* bear*, stand

**trpký** bitter; *(ovocie)* sour; *t-á skúsenosť* bitter lesson

**trpný** *aj gram.* passive; *t. rod* passive voice

**trstenica** scourge [skə: dž]

**trstina** reed, cane; *(cukrová)* sugar cane

**trúba** *(rúra)* pipe

**trúbenie** trump

**trubica** pipe, tube; *dýchacia t.* windpipe

**trúbiť** blow* (a trumpet)

**trúbka** trumpet

**trúd** drone

**trudnomyseľný** melancholic, depressed

**trudovitosť** *(akné)* acne

**trúfalý** bold, daring; *(bezočivý)* cheeky

**trúfať si** dare; *(riskovať)* venture; *(správať sa)* be* cheeky; *(hovoriť)* be* so bold

**truhla** 1. *(debna)* chest, trunk 2. *(rakva)* cofin; *AmE* casket

**truhlár** joiner

**trúchliť** mourn, grieve; *t. nad smrťou niekoho* grieve over so. death

**trúchlivý** mournful, grievous; *(smutný)* sad

**trup** *anat., zool., bot.* trunk; *(lode)* hull; *(lietadla)* fuselage

**trus** dung, droppings

**trvalka** *bot.* parennial plant

**trvalý** lasting, permanent, continuing; *(nemenný)* enduring; *(aj farba)* fast; *t-é priateľstvo* fast friendship; *t-á (ondulácia)* permanent waves *pl.; hovor.* perm

**trvanie** duration, existence; *celková dĺžka t-a* total duration

**trvanlivosť** durability

**trvanlivý** durable, permanent, lasting

**trvať** 1. last, exist; *(o činnosti)* take* time; 2. *(na niečom)* insist (on sth.);

*t-m na tom, aby* I insist that; persist (in sth.)

**trýzniť** torment, torture; *t. hladom* torment with hunger

**tržba** gains, takings

**tržnica** markethall

**tu** here, at/in this place; *tu a tam* here and there

**tuba** tube; *t. zubnej pasty* tube of toothpaste

**tuberkulóza** tuberculosis, consumption

**tucet** dozen

**tuctový** trivial, ordinary

**tučniak** *zool.* penguin; *pren. (človek)* fatty

**tučnieť** *p.* tlstnúť

**tučnota** fatness, obesity; *(veľká)* corpulence

**tučný** fat, obese; *(veľmi)* corpulent; *(mastný)* greasy, oily

**tuha 1.** graphite **2.** *(do ceruzky)* lead; *(náhradná)* refill lead [‚led]

**tuhnúť** grow* stiff; *(údy)* stiffen, harden,

**tuhý** *(pevný)* firm; *(nepoddajný)* tough, stiff; *t. čaj* stiff tea; *t-é mäso* tough meat

**tuk** fat; *umelý t.* margarine

**ťuknúť** tap, dab; *t-la na okno* she tapped the window

**tulák** loafer, wanderer; *(bez domova)* vagabond, tramp

**túlať sa** wander, roam; *(bezdomovec)* tramp

**tuleň** seal

**tulipán** tulip

**túliť sa** cling* *(k to sb.)*, nestle [nesl] *(to sb.)*

**tunajší** of this place, local, here; *t-ie podnebie* climate here

**tunel** tunnel

**tuniak** tuna; *sendvič s t-om* tuna fish sandwich

**tupý** blunt; *t. nôž* blunt knife; *t. nos* snub nose; *pren.* dull, stupid

**túra** walk, hike; *(okružná)* tour

**turbína** turbine; *parná/vodná t.* steam/water turbine

**turbovrtuľový** turbprop

**turista** tourist, traveller; *(peší)* hiker

**turizmus** travel/tourist industry

**turnaj** *šport.* tournament

**turné** tour; *ísť na t.* go* on a tour

**turniket** turnstile

**tuš 1.** *(farba)* Indian/Chinese ink; *(kresba)* ink drawing **2.** *hud. (fanfára)* flourish

**tušenie** presentiment, anticipation; *nemám ani t-ia* I haven't got* the slightest idea

**tušiť** guess, anticipate; *t-ím,*

*že to stojí 5 libier* I guess it costs 5 pounds

**tútor** quardian

**túžba** desire, longing; *t-iaci po domove* filled with longing for home

**túžiť** desire, long for, starve for

**túžobný** *(roztúžený)* wistful

**tvar** form, shape, figure; *dať t. shape*

**tvár** face; *okrúhla t.* moon face; *t-ou v tvár* face to face

**tvárnosť** *(poddajnosť)* plasticity

**tvárny** plastic, shapeable

**tvaroh** curd; *AmE* cottage cheese

**tvoj** your; yours; *t. dom* your house/the house of yours; *to je t. vlak* it's your train

**tvor** *(človek)* (human) being; *všeob.* creature, living thing

**tvorba** *(umelecká)* creation; *(vytváranie)* formation, production

**tvorca** *(umelec)* creator; *(pôvodca)* originator, maker, author

**tvorenie** formation, creation; *(výroba)* production

**tvoriť** create, form; *t. zákony* establish laws; *t. hudbu* compose music

**tvorivý** creative; *(plodný)* productive, active

**tvrdenie** statement, assertion; *(dokazovanie)* contention

**tvrdiť** *(konštatovať)* state, affirm, assert

**tvrdnúť** get*/become* hard, harden

**tvrdohlavosť** obstinacy; *hovor.* pigheadedness

**tvrdohlavý** obstinate; *hovor.* pigheaded

**tvrdošijný** *(zaťatý)* stubborn, obstinate

**tvrdý** hard; *t-á mena* hard currency; *t-é drogy* hard drugs; *pren.* stern; *(ako kameň)* stony

**ty** you; *si to ty?* is that you?

**tyč** pole, bar; *t. na uteráky* bar for towels; *šport. skok o t-i* pole vault; *(zvislá)* post

**tyčinka:** *čokolády* bar of chocolate

**týčiť sa** rise*, tower; *mrakodrap sa t-i nad mestom* skyscraper towers above the city

**tyčka** stick

**týfus** typhoid fever

**tykadlo** antenna

**tykať si** *(neexistuje v angličtine)* be* on Christian name terms

**týkať sa** concern, refer *(niečoho* to sth.), apply (to), relate to; *čo sa týka* as regards, with regard to, as to; *to sa ma net-a* does not concern me

**tylo 1.** *(šija)* nape, back of the neck **2.** *voj.* rear

**tymián** thyme

**typ** type; *pravý t. učiteľa* the very type of a teacher; *(umelecká postava)* character; *lit.* figure

**typický** typical, characteristic

**typizácia** standardization

**tyran** tyrant, despot, bully

**tyrania** tyranny, despotism

**týranie** torture, torment

**tyranizovať** tyrannize, terrorize; *(šikanovať)* bully

**tyranský** oppresive

**týrať** *(kruto zaobchádzať)* illtreat, maltreat; *(fyzicky)* torture; *(duševne)* torment

**týždeň** week; *t. čo t.* every week, week by week; *(pracovné dni)* weekdays, workweek; *koniec t-a* weekend; *medové t-ne* honeymoon

**týždenne** weekly

**týždenník** weekly; *obrázkový t.* illustrated weekly

# U

**u** at, with, in, from; *bol som u tety* I was at my aunt's; *u nás (doma)* in our place; *býva u rodičov* he lives with his parents; *hľadať pomoc u priateľov* seek* help from friends

**uberať** reduce, detract

**ubezpečiť** assure // **u. sa** make* sure of , make* certain

**ubiehať** *(čas)* pass, fly*

**ublíženie 1.** injury, hurt, harm; *utrpieť u. na tele* come* to harm **2.** *(krivda)* wrong

**ublížiť** *(aj citovo)* hurt*; *(úmyselne)* injure; *(uškodiť)* harm

**úbočie** slope, hillside

**úbohý** *(poľutovaniahodný)* woeful, pitiful, poor; *(nedostatočný)* miserable

**úbor** *šport.* dress, gymsuit; *(plavecký)* swimsuit

**úbožiak** wretch; *žart.* poor fellow

**ubúdať** *(postupne)* decrease; *(zásoby, mesiac)* wane

**úbytok** decrease, decline, fall, wane; *ú. sily* wane in strength

**ubytovanie** accommodation, lodging
**ubytovať** accommodate // **u. sa** lodge, put* up (v hoteli in a hotel/house)
**úcta** respect, consideration; (ohľad) regard; prejavovať ú-u show* regards • s ú-ou váš (na konci listu) yours truly
**uctievať** worship
**úctivý** respectful; (ohľaduplný) regardful
**úctyhodný 1.** respectable, worthy **2.** (značný) remarkable
**účasť 1.** (podiel) part, participation, share; ú. na zisku share in profit **2.** (súcit) sympathy, concern **3.** (prítomnosť) attendance
**účastník** partaker, participant
**učebňa** classroom
**učebnica** textbook , schoolbook
**učebný** educational; u-é pomôcky teaching aids; u-é osnovy (kurz prednášok) curriculum
**účel** (cieľ) aim, goal; (zámer) purpose
**učeň** apprentice; u. elektrikár apprentice electrician
**učenec** scholar, scientist, man of letters

**učenie 1.** (náuka) teaching, doctrine **2.** (štúdium) learning, study **3.** (remesla) apprenticeship
**učenlivý** docile, teachable
**učenosť** scholarship, learning
**učený** learned; u-í profesori learned professors
**účes** hairdo, hairstyle
**učesať** comb
**učesať sa** comb so. hair, do* so. hair
**účet** account; (účtenka) bill; (faktúra) invoice; nezaplatené ú-y back bills; bežný ú. current account; vybrať peniaze z ú-u withdraw* money from accont
**učičíkať** lull, hush; u. dieťa lull a child
**učilište** educational establishment, training institution/centre
**účinkovať 1.** (mať účinok) effect **2.** (byť činný) operate, work **3.** (v programe) perform
**účinnosť** efficiency; (platnosť) virtue; nadobudnúť ú. take* effect, become* valid
**účinný** effective; ú-á pomoc effective help
**účinok** effect; bez ú-u of no effect

**učiť** teach*, instruct; *on učí dejepis* he teaches history; *u. niekoho šoférovať* instruct sb. in driving // **u. sa** learn, study; *u. sa súkromne* take* lessons; *u. sa naspamäť* learn* by heart; *AmE* memorize

**učiteľ** teacher; (school)master; *(súkromný, univ. asistent)* tutor; *u. angličtiny* English teacher

**učiteľka** (lady)teacher, (school)mistress

**učiteľský** teacher; *u. zbor* teaching staff

**učtáreň** accounting department

**účtovať** account; *(fakturovať)* charge; *vystaviť niekomu ú. na niečo* put* sth. on so. accont

**účtovníctvo** bookkeeping, accounting; *jednoduché/ podvojné ú.* single/double entry accounting

**účtovník** bookkeeper, accountant; *mzdový ú.* pay clerk

**učupiť sa** squat; *(skrčiť sa)* crouch; *(od strachu)* cower

**úd** *(končatina)* limb

**údaj** information; *(prístroja)* reading; *ú-e data, facts

**udalosť** event, occurrence; *(spoločenská)* happening

**udanie 1.** *(vyhlásenie)* statement **2.** *(súdne)* denunciation **3.** *(ceny)* quotation

**udať 1.** *(vyhlásiť)* state, tell* **2.** *(policajne)* inform against, denounce **3.** *(cenu)* quote the price

**udatnosť** courage; *hovor.* pluck

**udatný** courageous, brave; *hovor.* plucky

**udavač** informer; *(žalobaba)* sneaker

**udeliť** give* grant; *u. rozkaz* give* an order; *u. rovnaké práva* grant equal rights; *(slávnostne)* award; *u. cenu* award prize

**údenáč** kipper

**údenina** smoked meat

**úder** hit, beat, stroke; blow; *(päsťou)* punch; *(hromu)* clap of thunder

**udica** fishing-line, angling rod; *chytať ryby na u-u* angle

**údiť** smoke

**údiv** *(prekvapenie)* surprise; *(začudovanie)* wonder; *(úžas)* astonishment, amazement; *otvárať oči od ú-u* be* taken* by surprise

**udiviť** *(príjemne)* surprise; *(nepríjemne)* astonish; *(veľmi)* amaze

**údolie** valley; *(úzke)* glen

**udomácniť (sa)** *(rastlina, zvieratá)* domesticate, tame; *(usadiť sa)* settle

**udrieť** strike*, hit*, blow*; *(päsťou)* punch; *udrel som si hlavu o múr* I've hit my head against the wall // **u. sa** bump, knock; *u-el sa o stôl* he knocked into a table

**udržať 1.** *(v ruke)* hold* **2.** *(zachovať)* keep*, maintain; *u. v čistote* keep* sth. clean // **u. sa** hold* out, stay, keep* up; *u . sa pri živote* subsist

**udržateľný** tenable

**údržba** upkeep, maintenance

**údržbár** maintenance/upkeep/service man

**udržiavať styky** keep* up relations with

**udupať** trample down

**udusiť** stifle, suffocate; *(niečím)* choke; *u. sa kúskom mäsa* choke on a piece of meat; *(oheň)* put* out

**udýchaný** breathless

**ufúľať (sa)** *(mastnotou)* smear; *(špinavými rukami)* smudge, soil

**uhádnuť** guess; *u-i ako je starý* guess his age

**uháňať** speed*, rush, dash

**uhasenie** extinction

**uhasiť 1.** *(oheň)* extinguish, put* out **2.** *(smäd)* quench

**uhladenosť** polish, refinement

**uhladený 1.** polished **2.** *(v správaní)* refined

**uhladiť** aj obr. smooth, polish; *(vlasy, srsť)* sleek

**úhľadný** trim, tidy, neat; *ú. domček* neat cottage

**uhličitý** carbonic; *kyselina u-á* carbonic acid

**uhlie** coal; *(čierne)* pitcoal; *(hnedé)* brown coal; *(drevené)* charcoal

**uhlík** chem. carbon; *u-y (žeravé)* embers

**uhľohydrát** hydrocarbon

**uhlopriečka** mat. diagonal

**uhnúť(sa)** *(ustúpiť)* give* way; *(krokom)* turn aside, step aside; *(autom)* swerve; *u-i!* get* out of the way!

**uhol** angle; *pravý u.* right angle

**uhoľ 1.** coal • *čierny ako u.* jet-black **2.** *(maliarsky)* charcoal; *kresba u-om* charcoal drawing

**uhoľný** coal-; *u-á baňa* coalmine, coalpit; *u-á oblasť* coalfield

**uhor** *(vriedok)* pimple

**úhor 1.** zool. eel **2.** *(pole ležiace ladom)* fallow

**uhorka** *(šalátová)* cucumber; *(nakladačka)* gherkin; *nakladané u-y* pickles

**úhrada** *(účtu)* settlement, payment, refund

**uhradiť** cover, settle, (re)pay*; *u. výdavky za re-*pay* the costs of

**úhrn** total, sum

**uhrovitý** pimpled, pimply

**uhýbať** turn aside; *(povinnostiam)* shirk

**uchádzač** applicant; *(v konkurze)* competitor

**uchádzať sa** apply for; *(v konkurze)* compete

**uchlácholiť** soothe, appease, comfort

**uchmatnúť** grab, seize [si: z]; grasp; *(ukradnúť)* pinch

**ucho** 1. ear • *som samé ucho* I'm all ears; *neveril som vlastným u-iam* I couldn't believe my ears; *ušný bubienok* eardrum 2. *(na hrnci)* handle 3. *(ihly)* eye

**ucholak** earwig

**uchopenie** grip

**uchopiť** grasp, seize, grip, clutch

**uchovať** preserve; *u. historické pamiatky* preserve historical monuments

**uchovanie** preservation

**uchvátiť** seize; *(moc)* usurpe

**úchvatný** ravishing, gripping; *ú-á kniha* gripping book

**uchýliť sa** *(niekam)* depart from; *(k niečomu)* resort to

**úchylka** deviation

**úchylný** abnormal, deviant

**uchytiť** snap, snatch // **u. sa** *(uplatniť sa)* find* a position/post; *(móda, zvyk)* catch* on

**uistenie** assurance

**uistiť** assure; *(opäť)* reassure // **u. sa** make* sure

**ujasniť** make* clear, clarify

**ujať sa** 1. *(niečoho)* take* care of; *u. sa vedenia* take* the lead 2. *(rastlina)* take* root

**ujma** loss, detriment, damage; *utrpieť u-u* suffer a loss; *spôsobiť u-u na majetku* cause damage to property

**ujo** *(strýko)* uncle

**ujsť** 1. run* away, make* off 2. *(niečomu)* escape; *ušiel mi vlak* I missed the train • *ujde to* it isn't bad

**úkaz** phenomenon; *sledovať prírodné ú-y* study the phenomena of nature

**ukázať** show*; *(smerovkou)* indicate; *(vystaviť)* exhibit; // **u. sa** *(objaviť sa)* appear; *u. na niečo* point at; *u.*

*cestu* show* the way, direct; *ukážte!* let* me see • *ja mu ukážem!* I'll teach* him!

**ukazovák** index finger, forefinger

**ukazovateľ 1.** *(v knihe)* index **2.** *(cesty)* guide-post, road-sign **3.** *(prístroja)* indicator

**ukážka** specimen; *(vzor)* sample, exhibit; *(z textu)* passage; *na u-u* for demonstration

**úklad(y)** plot, intrigue

**ukladať 1.** *(odložiť)* put* away **2.** *(úlohu)* set* **3.** *(peniaze)* deposit **4.** *(platbu)* impose tax

**úkladný** wilful, treacherous; *ú. vrah* assassin

**úklon 1.** *(pozdrav)* bow **2.** *tel.* bend

**ukojenie** satisfaction

**ukojiť** satisfy

**úkol**: *ú-á práca* piecework

**úkon** operation, function; *(počtový)* rule of arithmetics

**ukončenie** completion, conclusion, ending, termination

**ukončiť** bring* to an end, finish; *(skoncovať)* make* an end to sth.

**úkor**: *na ú. niečoho* to the

detriment of sth., at the expense of sth.

**ukradnúť** steal*; *hovor.* pinch; *u-li mi tašku* my bag was stolen*

**ukrivdiť** wrong sb., hurt* sb.

**ukrižovať** crucify

**ukrižovanie** crucifixtion

**ukrutný** cruel; *u. človek* cruel man; *(bez súcitu)* pitiless; *obr. u. hlad* too bad hunger

**úkryt** shelter, hiding place

**ukryť** hide* // **u. sa** shelter, hide*

**ukrývať** hide*, conceal // **u. sa** take* shelter

**ukuť** forge, hammer

**úľ** (bee)hive

**uľahčiť** facilitate, make* easy

**úľava** relief; *ú. na dani* tax relief

**uľaviť** relieve, make* easy

**ulica** street; *slepá u.* dead-end street; *hlavná u.* main street

**ulička** lane, alley; *(medzi sedadlami)* aisle [ail] • *dostať sa do slepej u-y* come* to a deadlock

**uličník** urchin, guttersnipe; *(malý chlapec)* rascal

**ulievač** truant

**úlisný** slimy, greasy, oily

**ulízaný** *(účes)* sleek

**úloha 1.** task, job, work; *(zverená)* commission; *(domáca)* homework; *(písomná)* exercise; *mat.* problem **2.** *(rola)* part, role

**ulomiť** break* off

**úlomok** fragment, splinter, chip

**úlovok** *(ryba aj obr.)* catch; *(zveriny)* bag

**uložiť 1.** lay*, put*, place; *u. do postele* put* sb. to bed; *(na účet)* deposit **2.** *p.* **ukladať**

**ultimátum** ultimatum, last offer

**ultrafialový** *skr.* UV (ultraviolet)

**ultrazvuk** supersound, ultrasound

**ultrazvukový** *(lietadlo)* supersonic; *(vyšetrenie)* ultrasound scan

**um** reason, intellect, mind, brains *pl.*

**umelec** artist; *(ľudový remeselník)* craftsman

**umelecký** artistic; *u-é remeslo* art handicraft

**umelý** manmade, artificial; *u-é hmoty* plascics; *u. tuk* margarine; *u-á inteligencia* artificial intelligence

**umenie 1.** art; *(remeselnícke)* craft **2.** *(zručnosť)* u. pliesť the art of knitting

**úmera** proportion

**úmerný** *(vyvážený)* proportional; *(primeraný)* proportionate, adequate

**umieráčik** *(zvonenie)* death knell [nel]

**umierať** die; *u. na otravu* die by poisoning; *(hladom)* starve; *obr.* pass away

**umiernenosť** moderation, temperance

**umiernený** moderate, temperate

**umiestnený** situated

**umiest(n)iť** place, situate, locate

**umlčať** silence, hush, mute

**úmorný** exhausting, weary, wearisome; *ú-á cesta* weary journey

**umožniť** enable

**úmrtie** death, decease, passing

**úmrtnosť** mortality

**umŕtviť** *(znecitliviť)* deaden; *obr.* mortify

**umučiť** torture to death

**úmysel** intention; *mať v ú-e* intend

**úmyselne** on purpose, purpously

**úmyselný** intentional, deliberate

**umyť riad** wash up

**umývačka riadu** dishwasher

**umývadlo** (wash)basin

**umyváreň áut** carwash

**umývať (sa)** wash, have* a wash; *u. hlavu* shampoo; *u. dlážku* scrub the floor

**unáhlený** precipitate, reckless

**únava** weariness, fatigue; *(aj materiálu)* tiredness

**unaviť** tire, fatigue // **u. sa** become* tired

**únavný** tiresome, tiring

**unca** ounce [auns] *(cca 28 g)*

**uniesť 1.** *(človeka)* kidnap; *(lietadlo)* hijack ['haidžæk] **2.** *(náklad)* carry

**uniforma** uniform; *(poľná)* battledress

**únik** escape; *(napr. daňový)* evasion; *ú. o vlások* narrow escape; *ú. informácií* leak of information

**unikajúci** *(dojem)* elusive; *(utekajúci)* escaping

**uniknúť 1.** escape; *(vyhnúť sa)* evade **2.** *(plyn, tekutina)* leak out

**univerzálny** universal; *(všeobecný)* general; *u. dedič* universal legatee

**univerzita** university, college

**univerzitný** academic; *u. študent* undergraduate; *u-é mestečko* campus

**únos** *(ženy)* abduction; *(naj-*

*mä dieťaťa)* kidnap(ping); *(lietadla)* hijack(ing)

**upadať** *(hodnota)* decline, decay

**upadnúť** *(klesnúť)* fall*, drop; *u. do bezvedomia* fall* unconscious

**úpadok** decline, decay, recession; *(obchodný)* bankruptcy

**úpal** *lek.* sunstroke

**upáliť** *(popraviť)* burn* to death

**úpätie** foot, bottom; *ú. vrchu* bottom of a hill

**upätý** *(správanie)* stiff, formal; *(pohľad)* fixed

**upevniť 1.** fasten, fix **2.** *(zosilniť)* strengthen

**upchať** *(utesniť aj špina)* stop (by filling), plug; obstruct, choke; *mastnota u-la odpad* grease choked the drain

**upiecť** bake; *(mäso)* roast

**upír** vampire

**úpis** bond, credit paper; *(dlžobný)* obligation; *hovor. skr.* IOU (I owe you)

**upísať (sa)** subscribe, sign on; *(zasvätiť)* devote (so. life); *u. dušu diablovi* sell* so. soul to the devil

**uplakaný** tearful, weeping, tear-stained; *u-á tvár* tear-stained face

**uplatniť sa** *(presadiť sa)* assert os.; *(byť použitý)* make* os. useful

**uplatňovať** apply, exert, exercise

**úplatkárstvo** bribery, corruption, *hovor.* graft

**úplatný** corrupt, venal

**úplavica** dysentery

**úplatok** bribe, graft; *brať ú-y* take* bribes; *ponúkať ú.* offer a bribe

**úplne** wholly, fully

**úplný** whole, full, complete; absolute, total, intact

**uplynúť** elapse, pass (by), run* away; *( o lehote)* expire

**uplynutie** *(lehoty)* expiration, end

**upokojiť** quiet, calm; *u. plačúce dieťa* quiet a crying baby // **u. sa** quiet down, become* calm

**upomienka** reminder; *(písomná)* letter of reminder

**upomínať** remind

**úponok** tendril

**úporný** *(silný)* intensive, persistent; *ú-á bolesť* persistent pain; *(húževnatý)* tenacious

**upotrebenie** use; *(použitie)* application

**upotrebiteľný** useable, applicable; *auto už nie je u-é* car is no longer useable

**upovedomiť** inform, notify, give* a notice

**upozornenie** warning

**upozorniť** call attention to; *(varovať)* warn

**upratať** tidy up; *(zo stola)* clear the table; *(izbu)* do* (the room)

**upratovačka** charwoman, cleaning lady; *(v domácnosti)* domestic (helper)

**úprava** arrangement; *(prispôsobenie)* adaptation, adjustment; *ú. cien* price adjustment

**upravený** trim(med), treated, groomed; *byť pekne u.* to be* well groomed

**upraviť** *(vzhľad)* arrange; *(prispôsobiť)* adjust; *(obmeniť)* modify; *(usporiadať)* tidy up; *(prizdobiť)* trim; *(napr. šalát)* dress; *AmE* fix

**uprieť 1.** *(nepriznať niekomu niečo)* deprive sb. of sth. **2.** *(zrak)* stare, gaze

**úprimne** sincerely, frankly; *ú. váš (na konci listu)* sincerely yours; *ú. povedané* frankly speaking

**úprimnosť** sincerity, frankness

**úprimný** *(priamy)* sincere;

*(statočný)* frank; *(otvorený)* outspoken

**uprostred** amidst, in the middle/centre of

**upustiť 1.** *(od niečoho)* desist (from), refrain; *(zrieknuť sa)* give* up

**upútať** *(zaujať)* attract, catch*/engage attention

**úrad** office; *(úradná moc)* authorities *pl.*; *(miestnosť)* bureau [bjuərəu]; *zastávať ú.* hold* a function; *ú. práce* employment exchange/agency

**úradník** official; *(podriadený al. súkromný)* clerk; *(štátny)* civil servant

**úradný** official; *ú-á správa* official report; *ú-é hodiny* office hours; *ú. sobáš* civil marriage

**uragán** hurricane

**urán 1.** *chem.* uranium **2.** *astron. U.* Uranus

**urastený** well-developed, well set-up; *(žena)* shapely

**úraz** accident, injury • *kameň ú-u* stumblingblock

**úrazový:** *ú-é oddelenie v nemocnici* casualty, emergency (ER)

**uraziť** insult, offend; *neu-te sa, ale* no offence but

**urážka** insult, offense; *u. na cti* libel

**urážlivý 1.** offensive; *(hrubo)* outrageous **2.** *(človek)* touchy

**určenie** *(stanovenie)* determination; *(miesta)* destination; *(ceny)* valuation

**určiť** *(rozhodnúť)* give*, fix, set*; *u. dátum odchodu* set* the date of departure; determine, appoint; *u. krvnú skupinu* determine so. blood group; *(niekoho na niečo)* design; *(presne)* specify

**určite** *(bezpochyby)* surely, certainly; *(presne)* precisely

**určitý** certain, definite; *gram. u. člen* definite article

**urgovať** urge, push

**urna** urn; *(volebná)* ballot-box

**urobiť** make*, do*; *u. skúšku* do/pass an exam; *u. čaj* make tea; *(vyrobiť)* produce; *dať si niečo u.* have* sth. made

**úroda** *(plody, obilie)* crop, harvest; *(zelenina)* produce

**úrodnosť** *(aj plodnosť)* fertility

**úrodný** fertile, productive, fruitful; *ú-á pôda* fertile soil

**úrok(y)** interest; *na vysoký ú.* at high interest; *s ú-om* with interest

**úroveň** level; *nad ú-ou mora* above sea level; *(stupeň)* standard; *životná ú.* standard of living, living standard; *dosahovať ú.* to be* up to

**urovnať** *(vyriešiť spor)* settle, arrange; *u. spor* settle the dispute

**urputný:** *boj/zápas* tough struggle

**urýchliť** *(čas)* quicken; *(rýchlosť)* speed up

**úryvok** fragment, passage, part, extract

**usadenina** sediment; *kávová u.* coffee grounds

**usadiť** settle, set* // **u. sa 1.** *(sadnúť si)* sit* down, take* a seat; *(zabývať sa)* settle down **2.** *(nános)* deposit

**usadlík** settler; *(s trvalým bydliskom)* resident

**usadlosť** *(poľnohospodárska)* farm, estate

**usadlý 1.** *(vážny)* composed, settled; *u. spôsob života* settled life **2.** *(nie kočovný)* resident

**úsečka** abscissa [æbˈsisə]

**úsečný** *(stručný)* brief, short, concise

**úsek** section; *(časový)* period; *(cesty)* length

**úschova** safekeeping; *(úradná)* custody; *dať do ú-y* put* in safekeeping

**uschovať** hide*, preserve

**úschovňa** *(šatňa)* cloakroom; *(batožiny)* left-luggage room

**úsilie** effort, endeavour; *pracovné ú.* work efforts

**usilovať sa** *(namáhať sa)* take* effort; *(snažiť sa)* make* an effort

**usilovne** hard; *pracovať/študovať u.* work/study hard

**usilovnosť** industry, diligence

**usilovný** industrious, diligent, hard-working

**uskladnenie** storage, storing

**uskladniť** store, stock

**úskočný** tricky, cunning, crafty

**úskok** trick, craft

**uskutočnenie** realization

**uskutočniť** realize, effect; *u. svoje túžby* realize so. hopes; *u. plán* put* a plan into effect // **u. sa** come* true

**úslužný** obliging; *ú. čašník* obliging waiter; *(pozorný)* pleasing

**uslzený** tearful, weeping, tear-stained

**úsmev** smile; *(nútený)* wry smile; *vždy s ú-om* keep* smiling

**usmievať sa** smile; *(ironicky)* sneer • *u-lo sa naňho šťastie* fortune's smiled at him

**usmrtiť** kill; put* to death, cause the death; *(domáce zviera)* destroy

**uspať** *(dieťa)* lull, bring* sb. to sleep

**uspávací** sleeping-;soporific; *u. prostriedok* sleeping-draught

**uspávanka** lullaby

**úspech** success; *mať ú.* succeed; *nemať ú.* fail; *(módny)* boom

**úspešný** successful; *(prosperujúci)* prosperous; *ú. mladý človek (z mesta)* yupie

**uspieť** succeed (in) [saksi:d]

**uspokojenie** satisfaction

**uspokojiť** satisfy; *(hlad)* still; *(utíšiť)* appease, calm; *u. požiadavky zákazníka* satisfy the demands of the customer

**uspokojiť sa** be* satisfied *(s niečím* with sth.), do* (with sth.), put* (it) up (with sth.)

**uspokojivý** satisfactory, satisfying

**úspora** 1. *(ušetrená suma)* saving; *ú-y, pl.* savings 2.

*(zníženie spotreby)* cut* (in sth.)

**usporiadať** 1. arrange, put* in order 2. *(organizovat)* organize; *(koncert)* give* (a concert)

**úsporný** economic(al)

**ústa** mouth; *zavri si ú. (prestaň hovoriť)* stop your mouth

**ustáliť (sa)** set*, fix; *(ustanoviť)* appoint, stabilize; *u. ceny* stabilize prices

**ustanovenie** 1. *(vymenovanie)* appointment, nomination 2. *(zákona)* provision 3. *(určenie)* regulation 4. *(trvalého zariadenia)* institution

**ustanoviť** 1. *(menovat)* nominate, appoint 2. *(nariadiť)* determine, order 3. *(zriadiť)* institue

**ustarostený** care-worn, worried; *u. pohľad* worried look

**ustať** 1. *(unaviť sa)* grow* tired, wear* out 2. *(prestať)* cease, stop; *(na chvíľu)* pause

**ustatý** tired; *(znechutený)* weary

**ústav** institute, establishment; *ú. pre duševne chorých* mental home

**ústava** constitution

**ustavičný** continual, continuous; *(stály)* permanent

**ústavný 1.** *(týkajúci sa ústavy)* constitutional **2.** *(týkajúci sa ústavu)* institutional

**ústavodarný** constituent; *Ú-é národné zhromaždenie* Constituent National Assembly

**ústie 1.** mouth **2.** *(rieky)* mouth; *(do mora)* estuary **3.** *(zbrane)* muzzle

**ústiť** *(rieka)* flow* in(to); *Dunaj ú-i do Čierneho mora* the Danube flows into the Black Sea; *(cesta)* lead* (into); *obr.* result

**ustlať** *(posteľ)* make* the bed

**ústny** oral, verbal; *ú-a skúška* oral exam

**ústranie** *(samota)* solitude, retirement; *uchýliť sa do ú-a* retire

**ustrašený** fearful; *(vyľakaný)* frightened

**ústredie** headquarters, head/central office

**ústredňa** central station; *(telefónna)* (telephone) exchange

**ústredný** *(hlavný)* central, chief, main; *ú. problém* main problem; *ú-é kúrenie* central heating

**ustrica** oyster

**ústrižok 1.** *(látky)* cutting **2.** *(vstupenky)* coupon; *(šeku, poukážky)* counterfoil

**ústroj** organ; *ú-e, pl.* system of organs, tract; *zažívacie ú-e* digestive tract

**ústup** retreat

**ustúpiť** *všeob.* retreat, give* in (way to); *(dozadu)* step back; *(nabok)* step aside

**ústupok** concession

**úsudok** judgement, opinion; *(záver)* conclusion; *podľa môjho ú-u* in my opinion

**usudzovať** judge, assume; *(záverom)* conclude; *(domýšľať sa)* infer

**ususiť** dry; *u. šaty* dry clothes // **u. sa** become*/get* dry

**usvedčenie** conviction

**usvedčiť** convict

**úsvit** dawn, daybreak

**ušetriť** save; *(uchrániť)* spare; *u. peniaze na dom* save up money for a house; *u-l ma trápenia* he spared me the trouble

**ušiť** sew*; *nechať si u. oblek* have* a suit made*

**uškierať sa** mock

**úškľabok** *(zlostný, bolestný)* grin; *(grimasa)* grimace

**uškodiť** harm, do* harm; *(úmyselne)* injure

**úškrn(ok)** smirk, sneer

**uškŕňať sa** grin; *(výsmešne)* smirk, sneer, simper

**ušľachtilosť** nobility

**ušľachtilý** noble, graceful

**uštipnúť** *(prstami)* pinch; *(had)* bite*; *(hmyz)* sting*

**utáboriť sa** encamp, pitch a tent/camp

**uťahovať**: u. si z niekoho pull so. leg

**utajený** *(nie zjavný)* hidden; *(choroba)* latent

**utajiť** keep* secret, conceal

**utečenec** fugitive; *(politický)* refugee

**útecha** comfort, consolation; *poskytnúť veľkú ú-u* afford great comfort

**útek** flight; *(únik)* escape • *dať sa na ú.* take* flight; *byť na ú-u* be* on the run

**utekať 1.** *(bežať)* run* **2.** *(utiecť pred niečím)* run* away, flee from, take* flight, make* off; *u. pred nebezpečenstvom* run* away from danger

**uterák** towel; *froté u.* Turkish towel

**útes** cliff, rock

**utešený** lovely, delightful, charming

**utešovať** console, comfort; *(povzbudiť)* cheer up

**utiahnuť 1.** *(pritiahnuť) (opasok)* tighten; *(skrutku)*

fasten **2.** *(vládať ťahať)* be* able to draw* // **u. sa** retire, retreat

**utiecť** *p.* utekať

**utierať, utrieť** wipe, dry (up)

**utierka** cloth; *(na riad)* tea cloth/towel

**utíchnuť** hush, grow* still, die out; *motor u-l* engine died out

**utíšiť** calm, soothe // **u. sa 1.** calm (down) **2.** *(vietor)* go* down

**utkvelý** fixed; *u-á predstava* fixed idea

**utláčať** *(potláčať)* oppress; *(stláčať)* compress

**útlak** oppression

**útlosť** tenderness; *(krehkosť)* fragility

**útly** frail, tender; *v ú-om veku* at a tender age; *ú-a rastlina* tender plant

**útočište, útočisko** refuge; *(pod strechou)* shelter

**útočiť** attack; *ú. na nepriateľa* attack the enemy

**útočník 1.** *všeob.* attacker; *voj., polit., práv.* aggressor **2.** *(vo futbale)* forward

**útočný** *všeob.* aggressive; *voj.* militant; *šport. (hra)* offensive

**útok** attack, aggression; *voj. vziať ú-om* storm; *ú. odzadu* a stab in the back

**utopiť** drown // **u. sa** get* drowned

**utorok** Tuesday; *v u.* on Tuesday; *každý u.* on Tuesdays

**utratiť 1.** *(peniaze)* spend* **2.** *(zviera)* put* down

**útraty** costs *pl.*, expenses *pl.*, expenditures; *na vlastné ú.* at so. expense

**utrieť** wipe

**útroby** intestines *pl.*, bowels *pl.*

**utrpenie** suffering(s), pain; *(duševné)* distress

**utrpieť** suffer; *(porážku)* sustain; *u. stratu* suffer a loss

**utrúsiť** drop; *u. poznámku* drop a remark

**utržiť** *(peniaze)* make* money; *(bitku)* sustain; *(hanbu)* reap (shame)

**útržok** slip

**útulný** snug, cosy; *ú-á izbička* cosy little room

**útulok** shelter, asylum; *ú. pre psov* dog shelter

**ututlať** hush up; *u. škandál* hush up the scandal

**útvar** formation; *(oddelenie)* department; *voj. ú. vojakov* column of soldiers

**utvárať sa** form, shape; *na rybníku sa u-l lad* ice formed on the pond

**uvádzač** usher, attendant

**uvádzať 1.** usher, show* into **2.** *(citovať)* state, mention **3.** *(predstavovať niekoho)* introduce **4.** *(na svoju obranu)* plead **5.** *(do pohybu)* set* in montion **6.** *(na scénu)* stage

**úvaha** consideration, reflection; *(článok)* essay; *brať do ú-y* take* into consideration; *prichádza do ú-y* it is eligible

**uvaliť** *(napr. trest)* inflict, impose; *u. dane* impose taxes

**uvažovanie** *(premýšľanie)* meditation, deliberation

**uvažovať** consider, mediate, contemplate; *(logicky)* reason; *u. o kúpe domu* contemplate buying a house

**uväznenie** imprisonment; *obr.* confinement

**uväzniť** imprison, put* into prison; *obr.* confine; *u. medzi štyrmi stenami* confine in four walls

**uvedenie** introduction; *(do úradu; otvorenie)* inauguration

**uvedomelosť** *(triedna)* class-consciousness; *polit.* political maturity; *(spoločenská)* social awareness

**uvedomiť si** realize

**úver** credit; *poskytnúť ú.* grant a credit; *na ú.* on credit

**uverejnenie** publication

**uverejniť** *(vydať)* publish; *(zaradiť)* insert; *u. inzerát v novinách* insert an ad in a newspaper

**uviaznuť** stick*; *auto u-lo v blate* car stuck in mud

**uvítať** *(privítať)* welcome; *(zdraviť)* greet

**úvod** introduction; *(predhovor knihy)* preface

**úvodník** *(redakčný)* editorial; *(novinový)* leader, leading article

**úvodný** opening, introductory; *ú. prejav* opening speech

**úvodzovky** quotes, quotation marks *pl.*; inverted commans *pl.*

**uvoľnenie** release; *(oddych)* respite

**uvoľnený** loose; *u-á skrutka* loose screw; *u-á morálka* loose morals

**uvoľniť** *všeob.* loosen; *(cestu)* clear; *(svaly)* relax; *(tlačidlo)* release // **u. sa** *všeob.* get* free, get* loose; *(zbaviť sa napätia)* relax

**uzákoniť** enact, legalize; *(prijať návrh zákona)* pass the bill

**uzatvárať 1.** close, shut*; *u-i fľašu, prosím* close the bottle, please **2.** *(usudzovať)* deduce **3.** *(ukončiť)* conclude; *u. priateľstvo* make* friends

**uzáver** *(otočný)* cap; *u. tuby zubnej pasty* cap of a toothpaste tube; *(zátka)* plug, stopper

**uzávierka 1.** *(účtov)* balance **2.** *tech.* shutter

**uzda** bridle • *držať na u-e* restrain

**uzdravenie** recovery

**uzdraviť** cure, restore to health // **u. sa** get* well, recover

**územie** *(štátne)* territory; *(kraj)* region

**uzemniť** ground, earth; *obr. (usadiť)* check

**územný** territorial, regional; *ú-é plánovanie* land planning

**úzkoprsý** narrow-minded, small-minded

**úzkosť** anxiety; *(mučivá)* anguish; *(obavy)* uneasiness

**úzkostlivý** anxious; *(puntičkársky)* meticulous; *(nesvoj)* uneasy

**úzky** narrow; *ú. chodník* narrow path; *(tesný)* tight; *ú. golier* tight collar

**uzmieriť (sa)** reconcile

**uznanie** *(ocenenie)* acknowledgement; *(potvrdenie)* recognition

**uznať** acknowledge; *(napr. štát)* recognize; *(pripustiť)* admit; *u. svoju chybu* admit so. mistake; *(oceniť)* appreciate; *u. vinným* find sb. guilty

**uznesenie** resolution; *u. vlády* government resolution

**uzol** knot; *uviazať u.* tie the knot; *(dopravný)* junction

**uzurpovať** usurp

**úzus** usage, custom

**už** already; *už prišiel* he has* already come*; *už dávno* long ago; *už nikdy* nevermore; *už je čas* it's time now; *napísal si si už úlohu?* have* you written* your homework yet?; *už v marci* as early as March

**úžas** astonishment, amazement

**úžasný 1.** *(ohromujúci)* astonishing, amazing; **2.** *(nádherný)* marvellous, wonderful, superb

**úžera** usury

**úžerník** moneylender, userer

**užialený** sorrowful, mournful, grieved

**úžina** canyon; *(morská)* straits *pl.*

**užiť 1.** *(zužitkovať)* utilize, employ; *(využiť)* make* use of **2.** *(liek)* take*; *u. tabletku* take* a pill // **u. si** *(zažívať radosť)* enjoy; *(zakúšať)* experience; *u. si bolesti* experience great pain

**užitočnosť** utility, usefulness

**užitočný** useful; *(prospešný)* beneficial; *(nápomocný)* helpful; *byť veľmi u.* be* of great use/help; *byť málo u.* be* of no use/help

**úžitok** use; *(zisk)* gain, profit; *(výhoda)* benefit; *všeobecný ú.* common good

**užívanie** use, using, application

**užívať** *(liek)* take*; *u. lieky* take* drugs; *u. drogy* be* on drugs

**užívateľ** user

**uživiť** feed*; *(vydržiavať)* maintain // **u. sa** make* a living

**úžľabina** dell, glen

**užovka** grass snake

# V

**v 1.** *(časove)* in, on, at; *v máji* in May; *v pondelok* on Monday; *v noci* at night; *v lete* in summer; *v škole (na vyučovaní)* at school; *vo dne v noci* night and day **2.** *(miestne) (s menami veľkých miest)* in; *(s menami malých miest)* at; *(nie v zemepisnom význame)* in, at; *(vnútri)* within; *v rozsahu* within the scope; *v cudzine* abroad

**vábiť** attract; *polov.* lure

**vábivý** attractive, alluring

**vada** defect

**vadiť** *(prekážať)* matter; *to nevadí* it doesn't matter

**vadiť sa** quarrel, wrangle

**vagabund** *(tulák)* vagabond, vagrand; *(nadávka)* scamp

**vagón** wagon, truck, freight-car; *(železničný)* carriage, car; *(nákladný)* truck; *jedálenský/spací v.* dinning/sleeping car

**váha 1.** weight; *ťažká v-a* heavy weight **2.** *(prístroj, častejšie pl.)* (a pair of) scales

**váhanie** hesitation, wavering

**váhať** hesitate, waver; *(pretahovať)* linger

**váhavý** hesitating; *(vlastnosť)* hesitant

**vajce** egg; *v. namäkko/natvrdo* soft-boiled/hard-boiled egg

**vajcový, vaječný** egg; *v-á škrupina* egg shell; *v. koňak* eggnog

**vak** bag, sack [sæk]; *spací v.* sleeping bag; *(u zvieraťa)* pouch

**vakcína** *lek.* vaccine

**val** rampart; *(násyp)* mound

**válanda** French bed

**valaška** shepherds pick/hatchet

**váľať (sa) 1.** roll; *(leňošiť)* wallow; *v. sa v snehu* roll in snow • *v. sa od smiechu* roll with laughter **2.** *(cesto)* roll; *(hniesť)* knead

**valcovať** roll; *v. kov* roll metal; *v-vňa plechu* rolling mill

**valčík** waltz [wo:ls]

**valec** *geom.* cylinder; *(parný)* (steam) roller

**valiť (sa)** *(kotúľať sa)* roll; *(padať)* tumble

**vaľkať** *(cesto)* roll; *(miesit)* knead

**valný**: *v-é zhromaždenie* plenary session, AGM (annual general meeting)

**válov** manger

**valuty, devízy** foreign exchange/currency

**vaňa** (bath)tub

**vanilka** *(rastlina, korenie)* vanilla

**vankúš** *(ozdobný)* cushion, pillow

**vánok** breeze; *(morský)* sea breeze; *v. stíchol* breeze died away

**vanúť** blow*, breeze, breathe

**vápnik** calcium

**vápno** lime

**var** *(varenie)* boiling; *bod v-u* boiling point; *priviesť do v-u* bring* to boil; *fyz.* boil

**varecha** spoon; *(drevená)* wooden spoon

**vari** *(pravdepodobnosť: snáď, možno)* perhaps, maybe

**variácia** *(obmena)* variation, alteration

**varič** *(prenosný)* (cooking) stove, cooker; *plynový v.* gas stove

**variť** cook; *dobre v.* keep* a good table; *(vodu, mlieko)* boil; *(čaj/kávu)* make* (tea/coffee); *v. obed/večeru* make* dinner; *(pivo)* brew beer

**variť sa** boil; *polievka sa v-í* soup is cooking • *v. sa vo*

*vlastnej šťave* stew in so. own juice

**varovanie** *(výstraha)* warning, caution

**varovať 1.** *(dať výstrahu)* warn, caution **2.** *(opatrovať)* look* after, take* care; *(dieťa)* nurse // **v. sa** *(vyvarovať sa niečoho sth.)* avoid (sth.)

**váš** your; *(samostatne)* yours; *toto je vaše auto?* is this your car?; *úprimne váš (na konci listu)* sincerely yours

**vášeň** passion; *hráčska v.* passion for gambling

**vášnivý** passionate, vehement, intense, emotional; *v. prejav* emotional speech

**vata** cotton wool; *cukrová v.* cotton candy

**vatelín** wadding

**vatra** bonfire; *(táborák)* campfire

**vavrín** laurel; *(strom)* bay; *ovenčiť víťaza v-om* crown the victor with laurels

**váza** vase; *(na kvety)* flower pot; *(široká)* bowl

**vazal** vassal, feudal tenant

**vážený** respected, honoured, esteemed; *(v oslovení)* dear; *V. pán...* Dear Mr. ....

**vážiť** *(niečo aj mať váhu)* weigh // **v. si** respect; *(vy-*

*soko)* honour, esteem; *(oceniť)* appreciate

**vážne** in earnest, seriously; *myslíš to v.?* are you serious?

**vážnosť** gravity, seriousness; *(úcta)* respect

**vážny** earnest, serious; *v. človek* serious man

**väčší** bigger; *(význam)* greater; *(plocha)* larger; *(dôležitejší)* major

**väčšina** majority, most; *v. jeho priateľov sú Angličania* most of his friends are English

**väčšinou** mostly

**väčšmi** more; *tým v.* the more

**vädnúť** wither; *aj obr.* fade

**väz(y)** nape, back of the neck

**väzba 1.** *(knihy)* binding **2.** *(súdna)* custody, imprisonment **3.** *(slovná)* phrase **4.** *(textilná)* weave **5.** *(spájanie)* bond; *spätná v.* feedback

**väzeň** prisoner

**väzenie** *(budova)* prison, jail; *(trest)* imprisonment

**väzniť** imprison, jail, keep*/hold* sb. in prison

**vcelku** *(vo všeobecnosti)* on the whole, upon the whole; *(dovedna)* in all

**včas** *(presne)* on time; *(nie neskoro)* in (good) time; *prísť v.* come* in time; *v. ráno* early in the morning

**včasný** *(načas)* timely

**včaššie** earlier

**včela** *(honey)* bee; *chovať v-y* keep*/raise bees

**včelár** bee keeper

**včelí** bee; *v. roj* bee swarm; *v. vosk* bee's wax; *v. med* honey; *v-ia kašička* bee bread; *v. úľ* (bee) hive

**včera** yesterday; *v. ráno* yesterday in the morning, last morning

**včerajší** yesterday's; *v-ie noviny* yesterday's newspaper • *čo som v.?* I wasn't born yesterday

**včítane** including, included, inclusive

**vďačiť za** owe sth. to sb., be* obliged to sb. for sth., be* indebted to sb. for sth.; *tete v-m za veľa* I owe a lot to my aunt

**vďačne** gladly; *(ako odpoveď)* don't mention it, you are welcomed

**vďačnosť** gratitude, thankfulness

**vďačný** grateful, thankful

**vďaka 1.** thanks; *v. Bohu!* thanks Goodness! *v. vám* thanks to you; *vzdávanie* *v-y* thanksgiving **2.** *predl.* due to sth. *má dobrú angličtinu v. jej pobytu v Londýne* her English is good due to her stay in London

**vdova** widow

**vdovec** widower

**vdýchnuť** draw* in so. breath, inhale; *(nosom)* sniff

**vec** thing; *(záležitosť)* matter, affair; *(súdna, mravná)* cause • *hovoriť k v-i* speak* to the point; *to je moja v.* that's my business; *to nie je tvoja v.* mind your own business; *to mení celú v.* it alters the whole cause; *to je divná v.* it 's a queer thing

**vecný 1.** *(materiálny)* material, real, positive **2.** *(k reči)* matter-of-fact

**večer** evening, night; *(kedy?)* in the evening; *včera v.* yesterday evening/last night; *dobrý v.!* dood evening!; *Štedrý v.* Christmas Eve; *od rána do v-a* the whole day long

**večera** dinner; *(neskorá)* supper; *v. je už na stole* dinner/supper is waiting; *obch.* evening meal

**večerať** dine, have* so. din-

ner/supper; *obch.* eat the evening meal

**večernica** evening star

**večerník** evening paper

**večerný** evening; *v. úbor* evening dress; *v-á škola* evening/night school

**večierka** tattoo; *trúbiť na v-u* beat the tattoo

**večierok** (evening) party; *tanečný v.* dancing party; *usporiadať v.* give* a party

**večnosť** *(v čase aj náb.)* eternity; *(dlhý čas)* ages; *čakať v. na autobus* wait ages for the bus to come*

**večný** eternal, perpetual, everlasting; *(nekonečný)* unending

**veď** indeed, why, yes, well; *v. je ešte mladá* but she is still so young (after all)

**veda** learning; *(najmä prírodná)* science

**vedec** scientist, man of science, scholar

**vedecko-fantastický** science-fiction, *skr.* sci-fi; *režisér v-f-ch filmov* director of sci-fi films

**vedecký** scientific; *v. výskum* scientific research; *v-á rada* academic board

**vedenie 1.** *(viesť)* lead, leadership; *(správa)* management; *ujať sa v-a* take* the leadership **3.** (elektrické) line, circuit, lead

**vedieť** know*; *viem o tom všetko* I know* everything about it • *nev. o sebe* be* unconscious; *v. si poradiť* know what to do*, manage; *v. naspamäť* know by heart

**vedľa 1.** (blízko) beside, next (to), close; *v. seba* next to each other

**vedľajší 1.** adjoining; next; (susedný) neighbouring **2.** (podružný) secondary; unimportant; *v. poplatok* extra (charge); *v. produkt* by-product; *v. veta* clause

**vedno** together

**vedome** consciously, deliberately, wilfully, knowingly

**vedomie** consciousness; *vziať na v.* note; *nebrať na v.* take* no notice of sth., ignore; *stratiť v.* lose* consciousness, faint

**vedomosti** knowledge

**vedomý:** *byť si v. niečoho* be* aware of sth., be* conscious of sth.; *nebyť si v.* be* unaware of sth.

**vedro** pail, bucket

**vedúci** lead(ing), head-; *podst.* chief, leader, director; *hovor. AmE* boss

**vegán** vegan ['vi:gən]

**vegetácia** vegetation

**vegetarián** vegetarian [ˌvedžə'teəriən]

**vecheť** dishcloth, scrubing cloth

**vejár** fan

**vek 1.** age; *človek stredného v-u* middle-aged man; *vysoký v.* old age **2.** (epocha) era; *nevyzerá na svoj v.* she doesn't look her age

**veko** lid, cover, shutter; (poklop) hinged lid

**veľa** much, many; a lot of sth., plenty of sth.; no end of sth.; *príliš v.* too much; *v. ráz* many times; *v. šťastia!* good luck!

**veľdielo** masterpiece

**velebiť** praise; (oslavovať) glorify

**velebný** majestic, grand

**velenie** *voj.* command; *prevziať v.* take* over the command

**velezrada** (high) treason

**veličenstvo** majesty; *Vaše v.* (oslovenie kráľa/kráľovnej) Your Majesty

**veličina** quantity

**velikán** giant, colossus

**velikánsky** *všeob.* gigantic [džai'gæntik]; (významom) colossal

**veliť** (byť veliteľom) command; *(vydávať rozkazy)* give\* commands/orders

**veliteľ** commander, chief

**veliteľstvo** commandership; *(budova)* headquarters

**veľkodistribúcia** wholesale

**veľkodušný** magnanimous

**veľkokapitál** high finance

**veľkokapitalista** big capitalist, high financier

**veľkolepý** grand, magnificent

**veľkomesto** big/large town, city

**veľkomyseľný** noble-minded, high-minded

**veľkoobchod** *(podnikanie)* wholesale trade; *(obchod)* department store, shopping centre; *(za hotové, s vlastným odvozom)* cash and carry

**veľkoobchodník** wholesaler

**veľkoobchodný** wholesale; *v-é ceny* wholesale prices; *v. predaj za hotovosť s vlastným odvozom* cash and carry

**veľkoplošný** big-area, large-plane, large-surface

**veľkopodnik** big enterprise, cartel, trust

**veľkopriemysel** big industry

**veľkorysý** large-scale; broadminded, open-minded; *(štedrý)* generous

**veľkosklad** storehouse, warehouse, depot

**veľkosť** greatness, bigness; *(objem)* magnitude; *(číslo napr. topánok)* size; *nadmerná v.* oversize

**veľkostatok** (country) estate; *(dedičný)* manor

**veľkovýroba** large-scale production; wholesale manufacture, mass production

**veľký** *všeob.* big; *v. dom* big house; *(plochou)* large; *v-é písmená* large letters; *(významom)* great; *v-á láska* great love; *(veľkí/vysokí ľudia)* tall; *(šaty)* loose; *vo v-om* wholesale; *v-á bieda* utter misery; *v-á chyba* serious mistake; *v-é nešťastie* grave accident; *V-á noc* Easter

**veľmi** very; *v. vysoký* very tall; very much; *mám v. rád ovocie* I like fruit very much; greatly, largely; *v. mnoho* a great deal

**veľmoc** (great) power; *v-i* the Great Powers

**veľrieka** main river

**veľryba** whale

**veľtrh** fair; *knižný v.* book fair; *(konktraktačný)* sample(s) fair

**veľvyslanec** ambassador

veľvyslanectvo (úrad aj budova) embassy

venerický lek. veneral

veniec wreath, garland; vavrínový v. crown of laurel; uviť v. make* a wreath

veno dowry

venovanie dedication

venovať give*, present, devote; (z vďačnosti) dedicate; on v-e veľa času svojmu koníčku he devotes much time to his hobby; (darovať) donate

ventil valve; výfukový v. exhaust valve

ventilácia ventilation, air-conditioning

ventilátor electric fan, ventilator

ventilovať ventilate, hovor. vent • v. zlosť vent rage

veraj doorpost

veranda veranda; AmE porch

verbovať recruit, enlist; (za vojaka) conscrip

verejne in public, openly

verejnoprospešný of public interest, welfare; v-á služba welfare service

verejnosť public, community; široká v. general public; na v-i in public; styk s v-ou public relations, skr. PR

verejný public; v-á doprava public transport • v-é tajomstvo open secret

veriaci 1. príd. believing; (dôverujúci) trusting 2. podst. (nábožný) believer

verifikovať authenticate

veriť believe; (dôverovať) trust; v. v Boha believe in God; nev-m jej I don't believe her

veriteľ creditor

vernosť faithfulness, loyalty, fidelity; (oddanosť) devotion

verný faithful, loyal; (tiež pravý) true; byť v. (niečomu) be* faithful to sth., stick* to sth.; v. priateľ devoted friend; v-á láska true love

verš verse; (riadok) line; písať v-e compose/write* verses

vertikálny vertical, perpendicular, upright

veru truly, in truth, certainly, indeed; to je v. škoda that's certainly a pity

verzia version; (obmena) story; dve rôzne v-ie nehody two different stories of the accident

veselica merrymaking, festivity

veselie gaiety, mirth

**veseliť sa** be* merry, revel, have* fun

**veselo** gaily, joyfully, merrily, happily; *v. sa smiať* laugh merrily; *je nám tu v.* we are happy here

**veselohra** comedy

**veselosť** gaiety, marriness, mirthfulness, joyfulness; *(hlučná)* hilarity

**veselý** merry; *(zábavný)* jolly; *(farby)* gay; *(povaha)* cheerful, lively • *v-é Vianoce* Merry Christmas

**veslár** rower, oarsman, sculler

**veslo** oar; *(podvojné)* scull; *(volné)* paddle • *byť pri v-e* pull the strings/wires • *dostať sa k v-u* assume the rein

**veslovanie** *šport.* rowing

**veslovať** row, pull an oar, scull; *v. k brehu* pull inshore

**vesmír** space, universe, cosmos; *lety do v-u* space flights

**vesmírny** cosmic; *odb.* space

**vesta** *(pánska)* waistcoat; *(pletená)* cardigan; *záchranná v.* life jacket

**vestibul** vestibule; lobby; *(v hoteli)* lounge; *(v divadle)* foyer

**vešať 1.** hang*; *(bielizeň)* hang* up **2.** *(obesiť)* hang

**vešiak** peg, rack, (coat/dress) hanger; *(na uteráky)* towelrail

**veštiť** prophesy; *(budúcnosť)* tell* fortune, foretell*

**veta 1.** sentence; *(hlavná)* principal sentence; *(vedľajšia)* subordinate sentence; *(holá)* unextended sentence; *(rozvitá)* extended sentence **2.** *(v hudbe)* motion, movement **3.** *mat.* proposition

**veterinár** vetrinary surgeon; *hovor.* vet

**veterný** windy; *v-é počasie* windy weather; *v-ý mlyn* windmill; *v-á smršť* whirlwind

**vetchý** *(človek)* infirm, decrepit, rickety; *(odev)* shabby (clothes) *pl.*; feeble, worn-out

**vetrať** air; *(vháňať vzduch)* ventilate

**vetrík** air; *(chladivý)* breeze

**vetriť** scent, get* the scent/wind of • *v. ťažkosti* scent trouble; *(čuchať)* sniff

**vetrolam** windbreak(er)

**vetroň, klzák** glider

**vetroplach** happy-go-lucky, madcap

**vetrovka** windcheater;

*šport., škol., klub.* blazer;
*(zimná s kapucňou)* ano-
rak
**vetva 1.** branch; *(hrubá)*
bough [bau] **2.** *(odvetvie)*
branch; *rôzne v-y štúdia*
various branches of learn-
ing
**vetvička** twig; *(zrezaná)*
spray
**vetvistý** branched (out), ra-
mified
**veverica** squirrel
**veža** tower; *(ozdobná)* stee-
ple; *(špicatá)* spire; *šach.*
castle; *(naftová)* oil rig
**vežatý** (many-) steepled/
spired
**vhod** *(vo vhodnom čase)* in
time, suiatble; *je ti to v.?*
does it suit to you? will
that do?; *čo ti nie je v.?*
what is that you don't
like?; *prísť v. niekomu*
come* in handy to sb.
**vhodiť** throw* in; *(vsunúť)*
insert; *v. mincu do otvoru*
insert the coin in the slot
**vhodne** properly, adequately
**vhodnosť** convenience
**vhodný** suitable, fitting,
convenient; *(doporučiteľ-
ný)* advisable; *(kandidát)*
eligible for; *v-á príležitosť*
opportunity
**vchádzať** walk in, step in

**viac** more; *v. ľudí* more peo-
ple; *v. jesť* eat more; *nikdy
v.* never more; *v. ráz* seve-
ral times; *v.-menej* more
or less; *v. než dosť* more
than enough
**viacnásobný** *(všestranný)*
manifold; *(opakovaný)* re-
peated; *v. talent* manifold
talents
**Vianoce** Christmas, *skr.*
Xmas; *(v čase V-c)* at
Christmas; *dostal som to
na V.* I was* given* it for
Christmas
**viať** *(vietor)* blow*, breathe
**viazanica** bundle, bunch
**viazanka** (neck)tie
**viazať** bind*, tie; *v. uzol* tie
a knot // **v. sa** *(na niečo)*
be* tied up *(on sth.)*
**viaznuť 1.** stick* in sth. **2.**
stagnate
**viceprezident** *(štátu)* vice-
president; *(spoločnosti)*
vice-chairman
**vid 1.** sight • *niet po ňom
ani v-u ani slychu* there is
no trace of him **2.** *gram.*
aspect
**videnie** seeing, vision,
view; *poznať z v-ia* know*
by sight; *do v-ia* so long,
see you (later)

**video(nahrávač)** VCR, video (recorder); *v. kazeta* videocassette; *(záznam)* videorecording; *videokamera* camcorder

**vidiecky** provincial; rural, country; *v. učiteľ* country teacher; *v-e zvyky* rural customs

**vidiečan** countryman; *v-ia* countryfolk

**vidiek** country(side); *na v-u* in the country

**vidieť** see*; *ľahko to možno v.* it is easy to see* it; *nevím dobre* I don't see* well • *čo nev., ihneď* in no time, before long, presently

**vidina** vision, illlusion; *(prelud)* phantom

**viditeľnosť** visibility

**viditeľný** visible, within sight

**vidlička** fork

**vidly** (pitch)fork

**vidno** one can* see; *v izbe v. poriadok* one can see the room is tidy

**viečko** *anat.* eyelid

**viecha** *(predajňa vína)* winevault

**viera** belief; *(náboženská)* faith

**vierohodnosť** veracity

**vierohodný** *(hodnoverný)* credible; *(dôveryhodný)* trustworthy

**vierolomný** faithless, perfidious

**vierovyznanie** confession, creed

**viesť** lead*; *vedieme! (vyhrávame)* we are in the lead; *(radou)* guide; *(sprevádzať)* conduct; *(cesta)* run*; *v. vojnu* make* war; *(podnik)* run*; *v. domácnosť* run the household; *(účty)* keep*; *(auto)* drive* // **v. sa 1.** *(za ruky)* go* hand in hand **2.** *(dariť sa)* be* getting on; *ako sa ti vodí?* how are you getting on?

**vietor** wind; *dvíha sa v.* wind is rising

**viezť** carry, drive*, transport; *(dopravovať)* convey // **v. sa** travel, go* by; *v. sa autobusom* go* by bus

**vigvam** wigwam, teepee/tepee

**víchrica** windstorm, gale; *(s búrkou)* tempest

**vikár** vicar

**víkend** weekend; *ísť preč na v.* go* away for the weekend

**vila** villa, residence; *(vidiecka)* cottage

**víla** *(rozprávková)* fairy;

*(morská, lesná)* nymph; *dobrá v.* fairy godmother

**vina** guilt; *(chyba)* fault; *(príčina zlého)* blame; *kto je na v-e?* who to blame?, whose fault is it?

**vinár** *(pestovateľ)* wine-grower; *(výrobca)* wine-maker; *(aj obchodník s vínom)* vintner

**vináreň** wine shop, wine tavern, wine bar

**vineta** label, vignette

**vinica** vineyard

**vinič** vine (plant), grape; *pestovať v.* grow* vine

**viniť** blame sb. for sth., accuse sb. of sth.

**vinník** culprit; *(priestupku)* offender, trespasser; *v. dopravného priestupku* traffic offender

**vinný** guilty; *uznať niekoho za v-ho* find* sb. guilty

**víno** wine; *šumivé v.* sparkling wine

**vinobranie** vintage (festival)

**vinohrad** vineyard

**vinohradník** *(pestovateľ)* winegrower; *(výrobca)* winemaker

**vinúť (sa) 1.** *(ovíjať sa)* wind*; *chodník sa vinie lesom* path winds* through the forest **2.** *(túliť sa)* nestle, cuddle

**viola** viola

**violončelo** (violon)cello

**vír** whirl; *(vodný)* whirlpool; *(vzdušný)* whirlwind

**víriť** swirl, whirl, spin*; *v. prach* whirl the dust

**viróza** virosis [vaiˈrəusəs]

**virtuóz** virtuoso; *(vo svojom odbore)* master

**virtuozita** virtuosity

**vírus** *(aj v počítači)* virus

**visieť** hang*; *v. na stene* hang on the wall; *(ovísať)* hang down • *v. na vlásku* hang by the hair

**visutý** suspended; *v-á hrazda* trapeze; *v. most* suspension bridge

**višňa** black/sour cherry

**vitaj(te)!** welcome!

**vitalita** vitality, life; *je plný v-y* he is full of life

**vitamín** vitamin; *v-y sú potrebné pre zdravie* vitamins are necessary for health

**vítanie** welcome

**vítaný** welcome; *buďte v.!* welcome!

**vítať 1.** welcome; *srdečne niekoho v.* give* sb. a warm welcome **2.** *(ísť v ústrety)* go* to meet; *(schvaľovať)* to accept

**víťaz** *(vojnový)* conqueror, victor; *(pretekov)* winner

**víťaziť** win*; *(vo vojne)* conquer; *(prevládať)* prevail

**víťazný 1.** victorious, triumphant **2.** *(vedúci k víťazstvu)* winning; *v. gól* winning goal

**víťazoslávny** triumphant; *v. pohľad* triumphant look

**víťazstvo** victory; *(v súťaži)* win

**vitrína** glass case; *(výstavná)* show case

**vízia** vision; *(predstava)* illusion; *(prelud)* phantom

**vizionár** visionary

**vizita** *lek.* rounds; *primárska v.* headdoctor's rounds

**vizitka** visiting card, calling card; *(firemná)* business card

**vízum** visa; *udeliť v.* grant/issue visa; *vstupné v.* entry visa

**vjazd** entry, acces; *(brána)* gateway; *zákaz v-u* no entry

**vklad** *(vkladanie peňazí do banky aj uložená suma)* deposit; *v-á knižka* savings book

**vkladateľ** depositor

**vkus** taste; *podľa môjho v-u* to my taste; *má dobrý v.* she has* a good taste

**vkusný** tasteful, elegant

**vláčiť** *(ľahko)* draw*; *(s námahou)* drag; *v. za sebou nohu* drag so. leg

**vláčny** smooth; *v-a pokožka* smooth skin

**vláda 1.** *(riadenie štátu)* government; *AmE* administration **2.** *(obdobie vlády panovníka)* reign **3.** *(zbor ministrov)* government, cabinet **4.** *(ovládanie)* rule, control

**vládať** be* able, manage, be* capable

**vládca** ruler; *(panovník)* sovereign

**vládnuť** govern, rule; *(panovať)* reign; *(ovládať)* control; *v. nad územím* control the territory

**vládnuci** ruling; *(prevládajúci)* prevalent; *v-a trieda* ruling class

**vlaha** moisture, humidity, dampness

**vlajka** flag; standard; *vztýčiť v-u* hoist a flag

**vlak** train; *osobný v.* passenger train; *nákladný v.* goods train; *AmE* freight train; *nastúpiť do v-u* get* into a train; *AmE* board a trian; *vystúpiť z v-u* get* out off a train, leave* a train; *cestovať v-om* go* by train

**vlákať** to lure into

**vlákno** *(vláknina)* fibre; *umelé v.* man-made fibre

**vláknitý** fibrous

**vlakvedúci** guard; *AmE* conductor

**vlamač** burglar, housebreaker

**vlámať sa** break* into a house, commit burglary

**vlaňajší** last year's

**vlani** last year; *v. na jar* last year in spring, in the last spring

**vlas(y)** hair; *odfarbila si v-y* she dyed her hair • *navlas* to (the turn of) a hair • *trhať si v-y* tear* so. hair • *v-y vstávajú hrôzou so.* hair stands on end

**vlasatý** hairy

**vlásnička** hairpin

**vlásočnica** *lek.* capillary

**vlások** (thin)hair • *unikol o v.* he escaped by the skin of his teeth, he had* a hair-breadth, he had* a narrow escape, he had* a close shave

**vlasť** (home) country, mother country; (native) country, *(domovina)* home

**vlastenec** patriot

**vlastenecký** patriotic

**vlastenectvo** patriotism

**vlastizrada** high treason

**vlastizradca** traitor

**vlastne** in fact, actually, as a matter of fact; *v. ani neviem* in fact I don't know*

**vlastníctvo** ownership; *(pôdy)* tenure; *súkromné v.* private ownership; *(súkromný majetok)* private property

**vlastník** owner, proprietor; *(pôdy)* tenant

**vlastniť** own, possess, have* sth. in so. possession; *v-í chatu* he has* a cottage in his possession

**vlastnosť** quality, characteristic; *dobrá v.* merit, good point; *zlá v.* bad point, drawback

**vlastný** personal, private; *v. názor* private opinion; own; *počul som to na v-é uši* I heard* it with my own ears; *(niekomu)* peculiar to sb.; *(niečomu)* inherent in sth.; *v-é meno* proper name; *v. životopis (pre zamestnávateľa)* curriculum vitae, *skr.* CV

**vľavo** *(miesto)* (on the) left; *(smer)* to the left; *choďte v.* keep* to the left

**vlažný** tepid, lukewarm, moderate; *obr. (nevšímavý)* half-hearted

**vlečka** *(šiat)* train; *(príves)* trailer

**vlek** lift, tow; *vziať do v-u* take* in tow; *lyžiarsky v.* (ski)lift

**vlepiť** paste in, stick* in; *v. fotografiu do albumu* stick* a photo into the album; *v. zaucho* strike* a slap/a blow

**vlhkosť** damp, moisture; *(vzduchu)* humidity

**vlhký** damp, moist, wet; *(vzduch)* humid; *v-é počasie* wet weather; *v-é podnebie* humid climate

**vliať** pour sth. in; *(do seba)* drink* on draught

**vliecť** drag; *(pomocou mechanizmu)* haul; *(mať vo vleku)* tow // **v. sa** *(namáhavo ísť)* haul, drag; *ledva sa v-ol* he dragged his feet

**vlievať sa** fall* into, run* into

**vliezť** crawl into, creep* into • *niečo mu v-lo do hlavy* he has* a bee in his bonnet • *ani čo by za necht v-lo* not a pin's head • *vylez mi na chrbát* my love to you • *hladný ako v.* as hungry as a hunter

**vlk** wolf; *svorka v-ov* pack of wolves • *človek človeku v-om* dog bites dog

**vlna 1.** *(ovčia)* wool , fleece **2.** *(vodná, na vlasoch)* wave

**vlnený** woollen; *(vlnená priadza)* worsted

**vlniť sa** wave; *more sa v-í* the sea waves; *(pôda, zástava)* roll, undulate; *(vlasy)* curl

**vlnitý** wavy, undulated; *v-é vlasy* wavy hair; *v. plech* corrugated tin

**vlnobitie** wash (of the waves); *(silné)* surge

**vločka** flake; *snehová v.* snowflake; *ovsené v-y* cornflakes

**vloha, vlohy** talent, gift; *mať v-y na niečo* to be* talented/gifted for sth.

**vložiť** put* in, place in; *(vopchať)* insert; *(peniaze do banky)* deposit; *(investovať)* invest (money)

**vložka** enclosure; *AmE (v knihe)* inset; *(ozdobná)* inlay; *(do topánok)* arch support(er); *(vypchávka)* pad(ding)

**vľúdnosť** kindness, friendliness

**vľúdny** kind(ly), friendly, nice

**vmestiť sa** get* into, squeeze into; *(ludia)* be* packed; *(v dave)* crowd in (to)

**vmiešať** mix in, stir in // **v. sa** *(pridať sa)* join; *v. sa do rozhovoru* join the conversation; *(neželateľne)* meddle *(do* with*)*; *(zasahovať)* interfere *(with)*

**vnada, vnady** attraction, charm

**vnadidlo** bait, decoy

**vnem** percept

**vniknúť** *(dovnútra)* break* in; *(napriek odporu)* penetrate

**vnímanie** perception

**vnímať** perceive, take* in

**vnímavosť** perceptivity

**vložka** pad, insert; *(do topánky)* insole

**vnímavý** perceptive, receptive, responsive *(na* to*)*, sensitive

**vnivoč:** *prísť v.* come* to naught

**vnúča** grandchild

**vnučka** granddaughter

**vnuk** grandson

**vnuknutie** *(nápad)* inspiration, inner voice; *(podnet)* suggestion

**vnútiť** impose, force sth. (up)on; *v. svoje názory iným* force so. opinions on others

**vnútornosti** bowels *pl.*, intestines *pl.*, guts *pl.*

**vnútorný** internal, inside, inner; *(nie zahraničný)* home, domestic

**vnútri** *(dnu)* indoors, inside; *v. domu* inside the house

**vnútro** inward, interior, inside; *zvnútra* from within; *ministerstvo v.* Ministry of the Interior; *(v Británii)* Home Office

**vnútrozemie** inland

**vnútrozemský** interior, inland; *v. štát* inland country; *v-é podnebie* continental climate

**voda** water; *sladká v.* fresh water; *v. po holení* aftershave; *toaletná v.* eau de Cologne • *tichá v. brehy myje* still waters run* deep • *rastie ako z v-y* he grows* like a mushroom • *krv nie je v.* blood is thicker than water

**vodáreň** waterworks

**vodca 1.** *polit.* leader; *voj.* chief (officer) **2.** *(sprievodca)* guide

**vodcovstvo** leadership

**vodič 1.** *(elektriny)* conductor **2.** *(šofér)* driver; *v-ský preukaz* driver's licence

**vodík** hydrogen

**vodiť 1.** lead*; *v. dieťa za ruku* lead the child by his/her hand; **2.** *(elektrinu)* conduct // **v. sa** *v. sa za ru-*

*ky* go* hand in hand; *v. sa pod pazuchy* go* arm in arm

**vodivý** conductive; *v. drôt* conductive wire

**vodka** vodka

**vodnatý** watery; *v-á zelenina* watery vegetables; *v-é oči* watery eyes

**vodný** water; *v-á cesta* waterway; *v-á energia* water/hydraulic power; *v-á rastlina* aquatic plant; *v-é športy* water/aquatic sports; *v-é lyžovanie* water skiing; *v-é pólo* water polo; *v. slalom* canoe slalom

**vodojem** reservoir, cistern, tank

**vodoliečba** water cure, hydrotherapy

**vodomet** fountain

**vodopád** waterfall, cascade, falls *pl.*

**vodorovný** horizontal

**vodotesný** waterproof; *v-é čižmy* waterproof boots

**vodovod** 1. water supply 2. *(v byte)* water pipes/piping; *(kohútik)* water tap

**vohľady** wooing; *(dvorenie)* courting

**vohnať** drive* sb. into sth. • *v. do úzkych* drive* sb. into a corner; bring*; *v. slzy*

*do očí* bring* tears to so. eyes

**voj** army; *(predný)* vanguard; *(zadný)* rear

**vojak** soldier; *radoví vojaci* rank and file, the military; *BrE* private; *hovor. AmE* general issue (GI) *bývalý v.* ex-serviceman; *neznámy v.* the Unknown Warrior

**vojenčina** (military) service

**vojenský** military; *v. súd* court-martial; *v-á služba* the services, military service; *v-á prehliadka* military parade

**vojna** 1. war; *vyhlásiť v-u* declare war 2. *(prezenčná služba)* military service • *viesť v-u* be at war; *ísť na v-u* enlist

**vojnový** war; *v. hrdina* war hero; *v-á loď* warship

**vojsko** army, forces, troops *pl.*

**vojsť** enter; *v. do izby* enter a room; come* in, step in, walk in; *všeob.* get* in

**vojvoda** duke

**vojvodkyňa** duchess

**vokáň** *gram.* circumflex

**voľačo** *(existujúci)* something; *v. sa stalo* something happened; *(neexistujúci)* anything; *v. by sa mohlo stať* anything could* happen; *ešte v.?* something/ anything else?

**voľajaký** certain; a, some, any; *hľadá ta v. Kováč* some Smith is asking for you

**volanie** call, cry; *(na slávu)* cheer

**volant** steering wheel; *za v-om* at the steering wheel

**volať** call; *(kričať)* cry, shout; *v. deti domov* call children home; *kto v-á?* who is calling?; *(telefonicky)* ring\* sb. up, phone; *(o pomoc)* cry for help; *v. lekára* send\*/call for the doctor

**volavka** heron

**voľba 1.** *(výber)* choice, alternative; *ekon.* option; *slobodná v. zamestnania* free choice of employment **2.** *(zvolenie kandidáta)* election, pool; *tajné v-y* ballot; *všeobecné v-y* general election

**volebný** electoral; *v-á miestnosť* polling station; *v-é právo* (universal) suffrage; *v. zoznam* register of electors; *v. boj* electioneering; *v-á agitácia* canvassing

**volejbal** volleyball

**volebný** elected, elective

**volič** elector, voter

**voliť 1.** *(vybrať si)* choose\*/ take\* so. choice, select **2.** *(kandidáta)* elect

**voliteľný** eligible; *v. za prezidenta* eligible for the presidency; *(dobrovoľný/ nepovinný)* optional; *v. predmet* optional subject

**voľky:** *voľky-nevoľky* willy-nilly

**voľno 1.** *(oddychový čas)* leisure; *(voľný čas)* spare/ free time **2.** *(miesto)* free place; *je tu v.?* is this place free?

**voľnobeh** *motor.* freewheel

**voľnomyšlienkar** freethinker

**voľnosť** *(sloboda)* freedom; *v. prístupu* freedom of access; *ekon. v. trhu* freedom of market

**voľný 1.** free **2.** *(uvoľnený)* loose; *v. kabát* loose coat **3.** *(uprázdnený)* vacant, free; *v. čas* leisure; *v-é pracovné miesto* vacancy; *v-á plocha* empty room; *v-é priestranstvo* open area; *v. trh* free market

**von** out, outside; *v. z* out of; *pozerať sa v. oknom* look out of the window

**voňať** *(vydávať vôňu)* smell; give\* smell; *(ovoniavať)* smell, sniff

**voňavka** perfume, scent, fragrance

**vonkajší** outside, outer, external

**vonkajšok** outside, exterior; *(vzhľad)* (outward) appearance

**vonkoncom** throughout, entirely

**vonku** outside, outdoors; *(v prírode)* in the open air; *(v zahraničí)* abroad

**vonný** fragrant, aromatic

**vopchať** stuff sth. into sth., cram in, jam in, squeeze in

**vopred** beforehand, in advance; *objednať v.* book in advance

**vorvaň** *zool.* sperm whale

**vosk** wax; *pečatný v.* sealing wax; *vyzerá ako z v-u* he looks waxy

**voskovať** (polish with) wax; *v. dlážku* wax the floor

**voskový** wax; *v-é plátno* oilcloth

**voslep** at random, rashly, blindly

**voš** louse, *pl.* lice; *byť všivavý* be* full of louse

**votrelec** invader, intruder, trespasser

**votrieť sa** *(do priazne)* insinuate; *(vnútiť sa)* intrude, come* unbidden

**voz** *(automobil)* car; *dodávkový v.* deliery van; *nákladný v.* waggon, lorry; *prívesný v.* caravan; *astron. Veľký v.* Great Bear; *Malý v.* Little Bear

**vozeň** carriage, coach; *železničný v.* railway carriage; *nákladný v.* van; *v. električky* tramcar; *jedálenský v.* dining car; *spací v.* sleeping car; *fajčiarsky v.* smoker

**vozíčkar/ka** wheelchair user

**vozidlo** vehicle

**vozík** *(v obchode)* trolley; *(detský)* pushchair, (baby) carriage; *(invalidný)* wheelchair

**voziť** carry; *(povozom)* cart; *(autom)* drive*; *(loďou)* sail; *(lietadlom)* fly*

**vozovka** roadway, driveway, carriageway

**vôbec** at all; *v. nie* not at all, by no means; *mám na to v. odpovedať?* am I to answer at all?

**vôkol** (round) about, (all) around

**vôl** *zool.* ox, *pl.* oxen; *pren. (hlupák)* ass, idiot

**vôľa** will; *posledná v.* last will; *zlá v.* ill will; *urobiť niekomu po vôli* be* at so. will, grant/comply with so. wish; *z dobrej v-e* for love; *z vlastnej v-e* of free will; *pri najlepšej v-i* with the best will in the world; *musí byť vždy po jeho v-i* he must always have* his own way

**vôňa** odour, fragrance; *(voňavka)* perfume; *(jedla)* smell; *(kvetov)* scent

**vpád** invasion, raid

**vpadnúť** *voj.* invade; *(zapadnúť)* fall in, drop in; *(vtrhnúť)* burst* in

**vpáliť** *(vypáliť)* brand; *(niekam)* rush in (like a devil)

**vpísať** register, insert

**vplyv** influence; *mať v. have** an influential position

**vplývať** influence sb., exert influence upon sb.

**vplyvný** influential; *v-á skupina* pressure group

**vpravo** *(smer)* to the right; *(na pravej strane)* on the right; *v. bok!* right about!

**vpred** forward, ahead

**vpredu** in the front (part)

**vpustiť** *(uviesť)* admit, let* in; *v-i psa!* let the dog in

**vrabec** *zool.* sparrow • *lepší v. v hrsti ako holub na streche* a bird in the hand is worth two in the bush

**vracať 1.** *(dávať späť)* give* back, return; *(odplatiť)* repay*, requite **2.** *(dáviť)* vomit; *hovor.* puke

**vrah** murderer; *nájomný v.* assassin

**vraj** it is said*, one says, they say; *v. je bohatý* he is said to be* rich, they say he is rich

**vrak** wreck; *(lode)* shipwreck; *aj obr.* wreckage

**vrana** *zool.* crow • *biela v.* rare bird

**vraník** black horse

**vraný** jet-black

**vráska** wrinkle

**vrásť** grow* into sth., take* root in sth.

**vráta** gate, gateway

**vrátane** including, inclusive; *cena v. vedľajších výdavkov* all inclusive

**vrátiť** *(majiteľovi)* give* back, return; *(na miesto)* put* back; *(poštou)* send* back; *(podať)* hand back

**vratký** *(labilný)* unsteady, unstable; *(rozheganý)* shaky, rickety; *v. stôl* rickety table

**vrátnica** *(podnik)* doorkeeper's (room); *(hotel, škola, nemocnica)* porter's (room)

**vrátnik** *(podnik)* doorkeeper;

*(hotel, škola, nemocnica)* porter

**vrava** jabber, hubbub

**vraviet** *p. hovoriť, rozprávať, povedať* speak*, talk, say*, tell*

**vraziť** *(bodnúť)* stab in, stick* in, thrust; *(udrieť sa)* knock against, bump against

**vražda** murder, homicide; *(zabitie)* killing; *lúpežná v.* murder and robbery

**vraždiť** murder; *(zabíjať)* kill; *(masovo)* slaughter

**vražedný** *aj obr.* murderous; *v-é teplo* muderous heat

**vŕba** willow; *smutná v.* weeping willow

**vrčať** snarl; *(zviera)* growl

**vrece** bag; *(aj s obsahom)* sack; *v. zemiakov* sack of potatoes; *spacie v.* sleeping bag • *tma ako vo v-i* pitch-dark, pitch-black

**vrecko** *(na odeve)* pocket

**vreckovka** handkerchief, *hovor.* hanky

**vreckový:** *v. zlodej* pick-pocket

**vrecúško** paper bag, cornet

**vred** ulcer

**vrelosť 1.** hotness **2.** *(vrúcnosť)* fervour, ardency

**vrelý 1.** hot, boiling, warm

**2.** *(vrúcny)* affectionate, fervent

**vresk** yell, screech, screak

**vrešťať** yell, screech, shriek; *v. od hrôzy* scream with terror

**vretenica** viper

**vreteno** spindle

**vrh** throw, cast; *šport. v. guľou* shot put

**vrhač** *šport. (golf)* putter

**vrhať** throw*, cast*; *v. oštepom* throw* the javelin; *v. siete do mora* cast* nets into the sea // **v. sa** hurl, fling* *(na on, do into)*; *v. sa do náručia* fling* into so. arms

**vrch** *(kopec)* hill, mount; *(vrchná časť)* top; *na v-u* on the top

**vrchnák** lid, cover

**vrchný** top, upper; *(hlavný)* chief

**vrchol** peak, summit; *(zlatý klinec)* highlight; *v. sezóny* peak of the season; *v. dokonalosti* pink of perfection

**vrcholiť** culminate, reach the climax

**vrcholný** highest, top-peak, topmost; *v. úspech* top rung; *v. dielo* masterpiece

**vrchom** to the brim, over the top

**vrchovina** highlands *pl.*, hilly country

**vrchovitý** hilly

**vriaci** boiling

**vriedok** pimple

**vrieť** boil; *voda na kávu/čaj vrie* the kettle is boiling

**vrkoč** plait [plæt] (of hair); *AmE* braid

**vrodený** inborn, innate; *(choroba)* congenital

**vrstovník** contemporary; *on je môj v.* he is my equal in age

**vrstva** layer

**vršiť 1.** *(kopiť)* top, heap, pile up **2.** *(končiť)* finish // **v. sa** *(pomstiť sa)* take* revenge

**vrt** *(diera)* bore, drill

**vŕtačka** borer, drill

**vŕtať** drill, bore; *v. studňu* bore a well

**vrtieť** twirl, spin*, whirl; *(chvostom)* wag; *(hlavou)* shake* so. head // **v. sa** revolve, wriggle; *(byť neposedný)* fidget

**vrtký** nimble, brisk, swift

**vrtoch** caprice, whim

**vrtošivý** capricious, whimsical

**vrtuľa** propeller

**vrtuľník** helicopter

**vrub** score, notch • *pripísať na v.* debit; *konať na svoj*

*v.* act on so. own responsibility

**vrúbiť** *(lemovať)* hem; *(šaty)* trim; border

**vrúbok** *(zárez)* notch, cut

**vrúcnosť** fervour

**vrúcny** fervent, ardent

**vrútiť sa** *(vbehnúť)* bolt in, dash in, burst* in

**vrýť** *(zárez)* notch in; *(ozdobu)* engrave

**vŕzgať** creak, scroop; *brána v-la* gate scrooped; *(sneh)* grate

**vsadiť 1.** insert, fix in, put* in, set* in(to); *v. rubín do brošne* set* a ruby in the brooch **2.** *(do zeme)* plant **3.** *(staviť)* bet*, stake

**vsať** absorb, suck in

**vskutku** indeed, in fact

**vstať** stand* up, get* up; *v. zo stoličky* stand up from the chair; *v. od stola* leave* the table • *vstávali mu vlasy na hlave* his hair stood on end

**vstrebať** absorb, suck up, soak up; *špongia v-va vodu* sponge absorbs water

**vstreknúť, vstrieknuť** inject in; *(drogu)* give* a shot

**vstup** entry, entrance; *(vpustenie)* admittance; *v. zakázaný* no admittance; *v. voľný* admission free

**vstupenka** (entrance/admission) ticket

**vstúpiť** enter, walk in, step in, come* in; *v. do izby* enter the room; *v. do manželstva* enter into a marriage; *v. do armády* join the army

**vstupné** admission money, entrance fee

**vsunúť** push into, insert; *nemohol som v. kľúč do zámky* I couldn't insert the key into the lock

**vsuvka** insertion; *(vysvetlivka)* parenthesis

**všade** everywhere, throughout, all over • *v. dobre, doma najlepšie* east, west, home is best

**všadebol** busybody

**všadeprítomný** omnipresent, ubiquitous

**však 1.** however, but; *on v. neprišiel* however he didn't come* **2.** *(však/že) (prekladá sa kontrolnou otázkou) bol si doma, v.?* you were* at home, weren't you?; *ona hovorí po anglicky, v.?* she speaks* English, doesn't she?

**všedný** ordinary, everyday; *v. deň* weekday; *(banálny)* common(place), trivial

**všemohúci** (al)mighty, omnipotent

**všemožne** in all ways possible

**všeobecne** generally, in general

**všeobecný** general, universal; *v-é vzdelanie* general education

**všeslovanský** pan-Slav(ic)

**všestranný** general, universal, versatile; *šport.* all-round

**všetko** everything; *v. je v poriadku* everything is in order

**všetok, všetci, všetky** all, every; *v. národ* all nation; *v. traja* all three

**Všetkých svätých** All Saints' Day

**všežravec** omnivore [om'nivə]

**všímať si** notice *(čo* sth.), take* notice (of sth.)

**všímavý** heedful, attentive, careful

**všivavý** lousy

**vštepiť** *(do pamäti)* implant, inculcate

**vták** bird; *spevavý v.* singing bird; *sťahovavý v.* migratory bird • *byť voľný ako v.* be free as a bird

**vtákopysk** duckbill, platypus

**vtedy** *(v minulosti)* then, at that time; *(v tom prípade)* in that case

**vtelenie** incarnation; *(včlenenie)* incorporation

**vtesnať** press in(to), squeeze in

**vtiahnuť** drag in(to), pull in, draw* in; *(vo vleku)* tow in; *v. brucho* draw* so. belly back

**vtierať** *(vtláčať)* rub in

**vtieravý** importunate, intrusive

**vtip** joke; *(dôvtip)* wit; *AmE* gag; *robiť si v-y z niekoho* tease sb.; *starý v.* stale joke, chesnut; *v tom je ten v.* that's the fun of it

**vtipkovať** joke, jest

**vtipný** witty, amusing, funny; *v. človek* witty person

**vtlačiť 1.** *(urobiť odtlačok)* impress, imprint **2.** *(zatlačiť do)* push in, squeeze into

**vtĺcť** hammer sth. in, drive* sth. in • *v. niekomu niečo do hlavy* hammer sth. into so. head

**vtok** infusion

**vtrhnúť** *(niekam)* break* into; *(nepriateľ)* invade in

**vulgárny** *(hrubý)* vulgar, bawdy; *(neslušný)* tasteless

**vy** you; *vy ste môj priateľ* you are my friend; *vy hráte dobre tennis?* are you good at tennis?; *u vás doma* at your place; *ja byť vami* if I were* you

**vybaliť** unpack; *(z papiera)* unwrap; *v. kufor* unpack the suitcase

**výbava** *(nevesty)* trousseau; *(dojčaťa)* layette, baby's outfit

**vybavenie** *(zariadenie)* equipment, outfit; *(vykonanie)* settling, arrangement

**vybaviť 1.** provide; *(aj tech.)* equip **2.** *(úradne)* carry out, execute; *v. poznámkami* annotate

**vybehávač** messenger, errand-boy

**vybehnúť 1.** run* out **2.** *(začať bežať)* start running

**výber** selection, choice; *(z dvoch)* alternative; *prirodzený v.* natural selection

**výberca** collector; *v. daní* taxcollector

**vyberať** pick, select // **v. si** pick out

**vyberavý** fastidious; *(prieberčivý)* particular *(v about)*

**výberový** select, choice; *v. tovar* up-market

**výbežok** prominence; *(zemepisný)* promontory; *lek., bot., arch.* spur

**vybičovať** whip up, string up; *obr.* whip up, incite, stir; *v. city* stir the emotions

**vybíjaný** *(prešibaný)* crafty, artful, foxy

**vybiť 1.** *(niekoho)* thrash; *(decko)* spank **2.** *(elektrinu, zbraň)* discharge **3.** break*; *v. okno* break the window

**vyblednúť** fade, become* discoloured

**výboj** *(elektrický)* discharge

**výbojný** aggressive

**vybojovať** fight* sth. out

**výbor** committee; *(vyšší orgán)* board; *výkonný v.* executive committee

**výborný** excellent, superb; *jedlo bolo v-é* food was* excellent

**vybrakovať** ransack

**vybraný** choice, elegant; *(znamenitý)* exquisite

**vybrať** choose*, select; *(peniaze z banky)* withdraw*; *v. si voľno* take* a free day // **v. sa** *(na cestu)* set* out/off *(na on)*

**vybudovať** build* up, work up

**výbuch** explosion; *(sopky)*

eruption; *pren. (udalosti)* outbreak

**vybuchnúť** explode, blow* up; *(sopka)* erupt; *pren. (udalosti)* break* out

**vyburcovať** arouse

**výbušnina** explosive

**výbušný 1.** explosive **2.** *(človek)* volcanic, hot-tempered

**vycliť** pay* duty on sth.; *niečo na vyclenie?* anything to declare?

**výcvik** training, exercise; *voj.* drill

**vyčalúniť** upholster

**výčap** bar; *(krčma)* pub

**vyčariť** *(vyvolať)* conjure up, call up

**vyčasiť sa** clear up

**vyčerpanie** *(únava)* exhaustion

**vyčerpaný** tired out, exhausted, worn out

**vyčerpať 1.** *(unaviť)* exhaust, wear* out **2.** *(odčerpať)* drain out, draw* off

**výčin 1.** *(násilný čin)* offence **2.** *(huncútstvo)* mischief, frolic

**vyčísliť** number, express in numbers; *(určiť počet)* reckon, count

**vyčistiť** clean up; *(topánky)* polish so. shoes; *v. si zuby* brush so. teeth

**vyčítať 1.** *(karhať)* reproach **2.** *(z knihy)* read\* out (of a book) **3.** *(uhádnuť, napr. z očí)* guess **4.** *(vypočítať)* enumerate

**vyčítavý** reproachful

**výčitka** reproach; *v-y svedomia* remorses; *(úradná)* reprimand

**vyčkať** wait for sth.; *v. koniec predstavenia* wait for the end of the performance; *v. vhodný čas* bide so. time

**vyčnievať** protrude, project

**vydaj** marriage

**výdaj** *(vydávanie)* issue; *v. lístkov* issue of tickets; *v. liekov* dispensation

**výdajňa** issuing office; *(cestovných lístkov)* booking/ticket office

**vydanie** edition, publication

**vydarený** successful

**vydať 1.** *(peniaze)* spend\* **2.** *(uverejniť)* publish, issue **3.** *(v. sa do nebezpečenstva)* expose **4.** *(zvuk)* utter **5.** *(zmenku)* draw\* *(na on)* **6.** *(zo seba)* emit, give\* out/off // **v. sa** *(na cestu)* set\* out, start; *(sobáš)* marry • *v. sa dobre* make\* a good match

**výdatný** *(strava)* substantial, rich

**vydávať sa** *(predstierať)* pretend to be\*, set\* up for os. • *vydávať sa za chorého* malinger

**vydavateľ** publisher

**vydavateľstvo** publishers *pl.*, publishing house

**výdavky** expense(s), cost; *(náklady)* expenditure; *v-y odpočítať* charges to be\* deducted

**vydediť** disinherit; *(vylúčiť zo spoločenstva)* reject, cast\* out

**vydierač** blackmailer, extortioner; *(výpalník)* racketeer

**vydierať** blackmail

**vydieranie** extortion, blackmail, racketeering

**výdobytok** gain; *(územný)* conquest

**vydra** zool. otter

**vydražiť** sell\* by auction, auction off

**vydržať** *(pri činnosti)* hold\* on, hang\* on; *(zniesť)* stand\*, bear\*; *v. rýchle tempo* bear\* the rapid tempo; *(klásť odpor)* hold\* out

**vydržiavať** *(finančne podporovať)* maintain, support; *v-am neter na štúdiách* I support my studying niece

**vydupať si** enforce, force so. own way

**výdych** expiration

**vydýchnuť** expire, exhale, breathe out

**vydýchnutie** expiration

**vyfarbiť sa** *hovor.* show* so. dye

**výfuk** exhaust

**vyhasnúť** go* out, burn* out; *obr.* die away

**výherca** winner

**výhľad** view; *(do budúcnosti)* outlook • *mať vo v-e niečo (mať v pláne)* get* a view of sth.

**vyhľadať** *(v knihe)* look up (in a book); *v. slovo v slovníku* look up the word in the dictionary

**vyhladiť 1.** *(zničiť)* exterminate, obliterate **2.** *(vyrovnať)* smooth (out) **3.** *(žehliť)* iron

**vyhladnúť** get* hungry

**vyhladovať** famish, starve; *v. na smrť* starve to death

**vyhlásenie** proclamation; *(vojny)* declaration; *(konštatovanie)* statement

**vyhlásiť** declare, proclaim; *(konštatovať)* state; *v. rozsudok* bring* in a verdict

**vyhláška** (public) notice

**vyhĺbiť** excavate, hollow (out)

**vyhliadka** *(rozhľad)* outlook; *(nádej)* prospect • *nemá žiadnej v-y* he has* no chance

**vyhnanstvo** exile

**vyhnať** expel, turn out

**vyhnúť** *(sa niečomu)* avoid, escape; *(povinnosti)* evade

**výhoda** advantage

**vyhodiť** throw* out; *(do výšky)* throw up; *(do povetria)* blow* up, blast; *(zo skúšky)* reject; *(zo zamestnania)* fire, sack, dismiss • *v. si z kopýtka* have* a good time

**výhodný** advantageous; *(užitočný)* profitable, beneficial; *v. kúpa* bargain

**výhonok** shoot, sprout

**vyhostenec** outlaw, exile

**vyhostiť** banish, expel; *polit.* deport, exile

**vyhovárať sa** excuse os., make* excuses for sth.; *v. sa na bolenie hlavy* use so. headache as an excuse

**vyhovieť** comply, accommodate, please; *ťažko každému v.* it's difficult to please everybody

**výhovorka** excuse, plea; *chabá v.* lame/poor excuse

**vyhovovať** suit

**vyhovujúci** satisfactory, suitable, convenient

**výhra 1.** (*víťazstvo*) win, victory **2.** (*cena*) prize; (*v lotérii*) winnings

**vyhrabať** dig* out; (*zo zeme*) unearth; (*lyžicou*) scoop

**výhrada** reservation; (*námietka*) objection; *v. vo svedomí* objection of conscience; (*výnimka v zmluve*) stipulation, restriction

**vyhradiť (si)** (*zaistiť si*) provide, reserve

**výhradný** exclusive; *v-é právo na niečo* exclusive right for sth.

**vyhranený** clean-cut, crystallized; *v-á povaha* of a definitely formed character

**vyhrať** win* (*nad* over, *v* in); (*spor*) gain

**vyhrážať sa** threaten sb., menace sb.; *v-la sa synovi bitkou* she threatened her son with a beating

**vyhrievať sa:** *na slnku* bask in the sunshine

**vyhŕknuť** (*slovo zo seba*) blurt out; *vyhŕkli jej slzy* tears came* to her eyes

**vyhrnúť:** *si rukávy* tuck up so. shirtsleeves

**vyhubiť** exterminate

**vyhýbať sa 1.** (*z cesty*) get*/ go* out of so. way **2.** (*strániť sa*) shirk, shun

**vyhýbavý** evasive

**výhybka** points *pl.*; *AmE* switch

**vyhynúť** die out; (*druh, zvyky*) become* extinct

**vychádzať** go* out, come* out; (*slnko*) rise; (*časopis*) be* published, appear • *v. s niekým* be* on good terms with sb.

**vychádzka** walk, trip, visit

**východ 1.** (*svetová strana*) east; *na v-e* in the east; *smerom na v.* eastward **2.** (*dvere*) exit, way out **3.** (*slnka*) sunrise; *núdzový v.* emergency exit

**východisko** (*začiatok*) starting point; (*riešenie*) chance; *nemal som iného v-a I had* no other chance

**východný** east(ern)

**výchova** (*vzdelávanie*) education; (*dieťaťa*) upbringing; *dostať dobrú v-u* receive a good education; *telesná v.* physical education; *náboženská v.* religious knowledge

**vychovaný** (*dobre*) educated, well-bred, well brought up

**vychovať** bring* up, educate, raise

**vychovávať** nurture

**vychovávateľ** educator, tutor

**vychovávateľka** (súkromná) governess

**výchovný** educational; (vzdelávací) instructional

**vychutnať 1.** (pochutiť si) enjoy; v. dobré pivo enjoy good beer **2.** (pokochať sa) relish; v. operné predstavenie relish an opera performance

**vychvaľovať sa** show* off, boast, brag; prestaň sa v.! stop bragging!

**výchylka** deviation

**vyjadriť (sa)** express (os.); v. sa stručne be* brief

**vyjasniť** (make*) clear; (vysvetliť) clarify // **v. sa** clear up; (počasie sa v-lo** weather has* cleared up

**výjav** scene; (čo sa práve odohráva) spectacle

**výjazd 1.** (vychádzanie) departure, leaving **2.** (miesto) gate, way out; (z dialnice) exit

**vyjednávanie** negotiation

**vyjednávať** negotiate

**vyjsť** go* out, come* out, walk out; (hore) go* up, come* up; (tlačou) be* published; v. hosťovi v ústrety go* and meet* a guest • v. na psí tridsiatok go* bankrupt

**výkal** excrement; (zvierací) dung

**výkaz** (školský) report; (bankový, úradný)) return(s), statement; (účtovnícky) account

**vykázať 1.** (podať výkaz) give* an account **2.** (vyhostiť) chase away/out, drive* away/out, turn out; (zo zeme) banish **3.** (javiť znaky) present, show*

**výklad 1.** (vysvetlenie) interpretation, explanation **2.** (výkladná skriňa) shopwindow

**vykladať 1.** (vysvetľovať) interpret, explain **2.** (tovar) unload **3.** (karty) tell* so. fortune

**vyklať** aj pren. (oko) poke so. eye

**výklenok** (kútik) nook, recess; (s oknom) bay window

**vyklenúť** arch, vault

**vykloniť sa** lean* out

**vykľuť sa 1.** (prekvapenie) turn out to be* **2.** (z vajca) peck so. way out of the shell

**vykĺznuť 1.** slip out, slide out; mydlo mi v-lo z ruky soap slipped out of my hand **2.** (nebadane vyjsť) glide out

**vykoľajiť (sa)** derail, run* off the rails

**výkon** performance; (skvelý) accomplishment; *v. trestu* execution of punishment

**vykonať** perform; (previesť) execute, carry out; *v. rozsudok* carry out a sentence; (uskutočniť) carry into effect; *výp. v. zadaný príkaz* enter

**vykonávať** exert

**vykonávateľ** executor; (poverený) administrator

**výkonnosť** efficiency, capacity; *v. podniku* production capacity

**výkonný** efficient; (moc) executive

**výkop 1.** (pri stavbe) excavation **2.** šport. kick off

**vykopať** excavate, unearth; *v. staroveké mesto* excavate an ancient city; *v. zemiaky* dig* out potatoes

**vykopávka** stav., arch. excavation

**vykoreniť** root out, uproot

**vykorisťovanie** exploitation; *v. človeka človekom* exploitation on man by man

**vykorisťovať** exploit

**vykorisťovateľ** exploiter

**vykračovať si** swagger

**vykradnúť** rob, knock off; (maličkosti) pilfer

**výkres** drawing; (náčrt) draft, sketch

**vykričaný** infamous, unfavourably known

**výkričník** exclamation mark

**výkrik** outcry, shriek; (silný) shout; *posledný v. módy* latest fashion

**vykríknuť** give* a cry, shout out

**vykŕmiť** fatten, stuff; *vykŕmená hus* stuffed/fatted goose

**vykročiť** step out, advance
• *v. z medzí* go* beyond the bounds

**vykrútiť 1.** (ublížiť aj uvolniť) (ruku) wrench out; twist **2.** (pri tanci) dance round

**vykrúcať sa** aj obr. dodge

**výkup** (re)purchase

**vykúpať sa** take* a bath

**výkupné** ransom; *žiadať v. od niekoho* hold* sb. to ransom

**výkvet** obr. flower (of sth.); iron. cream; *v. spoločnosti* cream of society

**vykvitnúť** blossom, be* in flower/bloom

**vykypieť** bubble over, overboil

**výkyv** swing; obr. sway

**vylákať** lure out, bait out,

elicit; *v. peniaze* cheat sb. out of his money

**vylepiť** paper, paste up; *(plagát)* placard • *v. niekomu zaucho* slap sb. in the face

**vyleštiť** polish, shine; *v. zrkadlo* polish a mirror

**výlet** trip, excursion, outing; *ísť na v.* take* a trip; *robiť turistické v-y* hike

**vyletieť** *(von)* fly* out; *(hore)* fly up; *(z hniezda)* leave* the nest • *v. (prudko reagovať)* lose* so. temper

**výletník** tripper, excursionist

**výlev** outpour(ing); *v. citov* outpouring of the emotions

**výlevka** sink

**vyliahnuť (sa)** hatch (out)

**vyliať** pour out; *(rozliať)* spill

**vylíčiť 1.** *(vápnom)* whitewash **2.** *hovor.* describe; *(podrobne)* detail

**vyliečiteľný** curable

**vyliezť 1.** *(hore)* climb (up sth.); *v. na strom* climb up the tree; *(od niekiaľ)* creep* out

**vylodenie** debarkation

**vylodiť (sa)** disembark

**výložka** label; *voj.* shoulder strap

**vyložený** *(jasný)* downright

**vyložiť 1.** *(vysvetliť)* explain **2.** *(náklad)* discharge, unload **3.** *(ukázať)* display

**vylúčenie** expulsion; *(možnosti)* elimination

**vylúčiť** expel, exclude from; *v. zo školy* expel from school; *(možnosť)* eliminate • *to je vylúčené* it is out of the question

**výlučný** exclusive; *v-é právo* exclusive right

**výluka** *(premávky)* stoppage

**vylúpať** shell; *v. orechy/fazuľu* shell walnuts/beans

**vymáhať** exact, call* for, demand

**vymaniť (sa)** release, set* free; *v. sa z otroctva* set* os. free from slavery

**vymedziť** *(určiť rozsah)* define; *(ohraničiť)* mark off, delimit

**výmena** (ex)change; *(vzájomná)* interchange; *v. oleja/pneumatiky* oil/tyre exchange

**vymeniť (si)** (ex)change; *(vzájomne)* interchange

**výmenný**: *v. obchod* barter

**vymenovať 1.** name, enumerate; *v. rieky* enumerate rivers **2.** *(niekoho niečím)* appoint sb. to sth.

**výmer** *(doklad)* decree; *(pôdy)* survey

**výmera** area; *(v akroch)* acreage

**vymeškať** miss; *v. deň v škole* miss a day of school, fail to be* present

**vymieniť si** stipulate, make* it a condition that

**vymknúť** lock (sb.) out // **v. sa** get* locked out

**vymočiť sa** urinate, pass urine

**výmoľ** *(prírodný)* ravine, wahs-out; *(na ceste)* (pot)-hole

**vymotať** *(zo spletenca)* disentangle // **v. sa** get* out, worm out

**vymoženosť** *(výdobytok)* achievement; *(vybavenie domu, bytu)* convenience

**vymôcť** enforce, extract; *v. dlh* extract a debt

**vymrieť** die out; *(druh, zvyky)* become* extinct

**výmysel** *(vynález)* invention; *(nepravda)* fabrication, fiction; *fakty, nie v-y* facts, not fictions

**vymyslieť** *(vynájsť)* devise, invent; *v. žiarovku* invent the eletric bulbe; *(lož)* fabricate, manufacture

**vymyslený** fictitious

**vynájsť** invent, devise; *v. padák* invent the parachute

**vynález** invention; *to je môj vlastný v.* this my own invention

**vynálezca** inventor

**vynaliezavý** resourceful, inventive

**vynasnažiť sa** do* so.; best, make* every effort

**vynášať 1.** *p.* vyniesť **2.** *(zisk)* carry **3.** *(chválou)* praise, glorify

**výňatok** extract; *(literárny)* (selected) passage

**vynechať** leave* out, omit, miss out; *(z programu)* cut* out; *(preskočiť)* skip

**vyniesť 1.** take* out, carry out **2.** *(rozsudok)* pass sentence • *v. na svetlo* bring* to light

**vynikajúci** excellent, paramount; *hovor.* great

**vynikať** excel, surpass

**výnimka** exception; *urobiť v-u* make* an exception

**výnimočný** exceptional, extraordinary

**vynoriť sa** emerge; *v-a sa otázka* the question emerges

**výnos 1.** *(dekrét)* decree **2.** *(zisk)* yield, proceeds, return

**výnosný** profitable, productive; *hovor. v-é zamestnanie* fat job

**vynulovať** zeroize

**vynútiť** enforce; *(pokutou)* exact; *v. platbu* exact payment

**vyobrazenie** illustration

**vyobraziť** figure (out), picture, portray

**vypáčiť** break* open; *(z niečoho)* break* out

**výpad** thrust, attack, stab; *šport.* lunge [landž]

**vypadnúť 1.** fall* out; *v-ol mi zub* my tooth has fallen out **2.** *(hovor. odísť)* clear out • *ako by mu z oka v-ol* he is just like him; they are as like as two peas

**vypáliť 1.** *(vyhoriet)* burn* down; *v. dedinu* burn down a village **2.** *(znamenie)* brand **3.** *(strelit)* fire, discharge (a gun) **4.** *(raketu)* launch (a rocket)

**vypaľovať** *(hlinu)* fire

**výpar** evaporation; *(dym)* exhalation, fume

**vypariť (sa)** evaporate, transpire; *hovor. (zmiznúť)* buzz off

**vyparovanie** evaporation

**vypátrať** search out

**vypätie** strain, exertion; *telesné a duševné v.* physical and mental exertion

**vypchať** wad, pad, stuff • *daj sa v.* get stuffed

**vypchávka** padding, wadding, stuffing

**vypínač** switch

**vypínať** *(svetlo, prístroj)* switch off, turn off

**výpis** extract, excerpt; *(podstatného)* abstract; *v. z účtu* statement of account

**vypísať 1.** *(urobiť výpisok)* extract, excerpt **2.** *(atrament, ceruzku)* write* up, use up **3.** *(súťaž)* invite tenders **4.** *(vyplniť formulár)* fill in (a form)

**vypískať** hiss off, hoot out, boo off; *v. herca* hiss an actor off the stage

**vypiť** *(požiť)* drink* (up); *v. vodu* drink water; *(vyprázdniť)* empty; *v. pohár vína* empty a glass of wine

**vypláchnuť, vypláknuť** rinse (out)

**vyplašiť** startle // **v. sa** get* startled

**výplata** wages *pl.*, salary; *dnes je deň v-y* it is payday today

**vyplatiť** pay*; *v. v hotovosti* pay in cash; *(náhradu)* refund; *(výkupné)* ransom // **v. sa** *(z dlhu)* pay off • *to sa nev-í* it won't pay*

**výplatný** pay-; *v-á listina* paysheet; *AmE* payroll

**vyplaziť**: *v. jazyk* shoot* out so. tongue, put* out so. tongue

**vyplaziť sa** creep* out, crawl out

**vyplieniť** ransack

**vypliesť** *(raketu)* string*

**vyplieť** weed; *v. záhradu* weed a garden

**výplň** filling, stuffing; *(steny, dverí)* panel

**vyplniť** *(formulár)* fill in; *(prosbu)* fulfil // **v. sa** come* true

**výplod** product, work • *v. chorého mozgu* morbid fancy

**vyplývať** follow, result; *z toho v-va, že* from this it results, that

**vypnúť** switch off; *vypnutý* off, out of gear; *televízor je v-ý* the TV is off; *v. signál* silent the signal

**výpočet** calculation, computation; *v-tový prekladač* assembler

**vypočítať** compute, calculate

**vypočítavosť** self-interest, calculation

**vypočúvanie** hearing, interrogation

**výpoveď 1.** *(vyhlásenie)* statement **2.** *(prepustenie)* notice **3.** *(svedka)* testimony;

*okamžitá v.* a moment's notice

**vypovedať 1.** *(vyhlásiť)* state, declare **2.** *(prepustiť)* give* notice **3.** *(zmluvu)* denounce, renounce **4.** *(z krajiny)* banish, expatriate **5.** *(vojnu)* declare war

**vypožičať** lend* // **v. si** borrow; *(prenajať si za peniaze)* hire [haiə]; *AmE* rent

**vypracovať** elaborate, work out //**v. sa** make* so. way through sth.

**vyprahnutý** arid, parched; *(smädný)* thirsty

**výprask** thrashing, beating

**vyprášiť** dust, beat*; *v. koberec* beat* a carpet • *v. niekomu kožuch* dust so. jacket

**výprava 1.** *(vedecká, šport.)* expedition **2.** *(divadelná)* scene, scenery **3.** *(križiacka)* crusade

**výpravca** dispatching clerk

**vypraviť** *(vyexpedovať)* dispatch; *v. vlak* dispatch a train

**vyprázdniť** empty, clear; *(pohár)* drain; *(žalúdok)* evacuate; *AmE* vacate

**vyprážať** roast, fry

**výpredaj** sale, sellout, clearance (sale)

**vypredať** sell* out; *(zbaviť*

*sa)* sell* off; *v. zásoby* clear off so. stocks

**vyprevadiť** see* sb. out/off

**vyprosiť si 1.** beg out **2.** *(ohradiť sa)* insist (up)on sb. not saying/ doing so

**vypršať** *(o lehote)* expire, terminate, come* to an end

**vypudiť** *(vyhnať)* chase away, drive* away; *(z krajiny)* expel

**vypuklina** bulge, convexity

**vypuklý 1.** convex, bulging **2.** *(zreteľný)* expressive, marked

**vypuknutie** outbreak

**vypuknúť** break* out; *v-la vojna* war broke out • *v. do smiechu* burst* out laughing

**vypustiť** let* out, ooze; *(raketu)* launch; *v. vaňu* empty a tub

**vypýtať** ask for, request; *v. si účet* demand a bill; *v. do tanca* ask to have* a pleasure of a dance // *(požiadať o uvoľnenie)* **v. sa** obtain leave, ask for leave

**vyrábať** make*, manufacture

**vyradiť** set* aside, lay* up; *šport.* shut* out

**vyrásť** grow* (up)

**výrastok 1.** outgrowth; *(ab-* *normálny)* excrescence **2.** *(mladík)* youngster

**výraz 1.** expression; *(odborný)* professional term **2.** *(vzhľad)* expression, (out)look

**vyraziť 1.** *(prudko vybehnúť)* dart out **2.** *(rastlina)* shoot* up **3.** *(vyvaliť)* kick out, knock out, smash; *v. dvere* smash the door **4.** *(zo skúšky)* plough • *to mu v-lo dych* it took* his breath away

**výrazný** *(nápadný)* expressive; *(osobitý)* characteristic

**vyrážať** *(náhle vyrásť)* sprout

**vyrážka** rash; *lek.* eruption

**výrečnosť** eloquence

**výrečný** eloquent, fluent

**vyrezať** cut* out; *(rezbársky)* engrave, carve

**vyrezávať** carve

**vyriadiť** *(upratať)* clean, tidy (up), put* in order; *v. izbu* put the room in order

**výroba** manufacture, production; *(vyrobený tovar)* output; *v. pomocou počítača* CAM (computer-aided manufacturing)

**výrobca** manufacturer, producer

**vyrobiť** make*, produce; *(v továrni)* manufacture

**výrobný** manufacture-, factory-, manufacturing; *v-á cena* prime cost, cost price; *v-é náklady* production costs; *v-á kapacita* capcity of production; *v-é tajomstvo* industrial secret
**výrobok** product; *(textilný)* fabric; *(poľnohospodársky)* produce
**výročie** anniversary
**výročný** annual; *v-á schôdza* annual meeting
**výrok** statement; *(súdny)* sentence
**výron** flow, outburst; *lek. (krvi)* haemorrhage
**vyrovnanie** *(dlžoby)* settlement; *daňové v.* tax offset
**vyrovnaný** *(povaha)* even-tempered, composed; *v. zápas* close contest
**vyrovnať** *(nerovnosti)* flatten, smooth; *(dlžobu)* settle // **v. sa 1.** *(narovnať)* straighten (so. back) **2.** *(byť taký ako druhý)* come* up to sb., be* up to sb. **3.** *(s niekým)* compound with sb. • *v. sa s problémom* cope with the problem
**vyrozumieť** *(niekoho)* inform, send* a word, let* sb. know*
**vyrubiť** *(poplatok, dane)* levy, impose; *v. daň z do-*

*vozu* levy a duty on imports
**vyrušovať** disturb, interrupt, interfere; *nev.-j ma pri práci do** not disturb me when I'm working
**vyryť** engrave; *(vyškriabať)* scratch
**výsada 1.** *(výhoda)* privilege **2.** *(listina)* charter
**výsadkár** paratrooper
**vysávač** vacuum cleaner, hoover
**vysedieť** *(vtáčatá)* hatch
**výsek** *geom.* sector; *(mäsa)* retail meat trade
**vyschnúť** dry up, drain
**vysiakať si:** *nos* blow* so. nose
**vysielač** sender, transmitter
**vysielanie** broadcasting, transmitting; *(relácia)* transmission, programme
**vysielať** *fyz. (napr. lúče)* emit; *(rozhlasom)* broadcast
**vysiliť** exhaust, wear* out, tire; *prechádzka ma v-la* the walk tired me
**výskať** shout; *(od radosti)* exult
**vyskočiť** spring* up, jump up, leap* out
**výskum** *(bádanie)* research; *robiť v.* conduct research; *terénny v.* field research

**výskumník** research worker, researcher

**výskumný** research-, exploring; *v. ústav* research institution; *v-á expedícia* exploratory expedition

**vyskúšať** *(žiaka)* test, examine; *(skúsiť)* try

**výskyt** occurrence

**vyskytnúť sa** occur

**vyslanec** minister, envoy

**vyslanectvo** legation

**výsledný** resulting, resultant; *(následný)* consequent

**výsledok** result, outcome; *v. skúšky* result of an exam; *(zápasu)* score; *nerozhodný v.* tie

**vyslobodenie** liberation, deliverance

**vyslobodiť** liberate, set* free; *(vytiahnuť)* deliver

**vysloviť** pronounce; *(predniesť)* utter; *v. niekomu sústrasť* express so. sympathy // **v. sa** *(o niečom)* express so. opinion

**výslovne** *(správne)* in precise terms, explicitly

**výslovnosť** pronunciation

**výslovný** express, explicit, particular

**vyslovovať** pronounce

**výsluch** examination, hearing; *obr. (vypytovanie sa)* questioning; *(obžalovaného)* interrogation; *(krížový)* cross-examination

**vyslúžilec** ex-serviceman; *voj.* veteran

**výsmech** sneer, mockery

**vysmievať sa** sneer, mock, make* fun of

**vysočina** highlands, upland

**vysoko** high(ly)

**vysokoškolák** *(študent)* undergraduate, university student; *(absolvent)* university educated man

**vysoký** high; *v-á budova* high building; *(ľudia)* tall; *dievča v-é ako ja* girl as tall as me

**vyspať sa** get*/have* a rest, get*/have* a sleep; *konečne som sa poriadne v-l* I have had a good long sleep at last

**vyspelý** *(kultúrne, politicky)* mature; *(vyvinutý)* well-developed, grown-up

**vyspovedať (sa)** *náb.* confess

**vysťahovalec** emigrant

**vysťahovanie** emigration

**vysťahovať** emigrate, evacuate; *(súdne)* evict // **v. sa** move out; *(z krajiny)* emigrate

**vystatovať sa** boast

**výstava** exposition, exhibition

**výstavba** construction (in progress), building up

**výstavisko** exhibition grounds/area

**vystaviť 1.** (tovar) exhibit, display, show **2.** (potvrdenku) give* a receipt; (faktúru) make* out an invoice **3.** (nebezpečenstvu, posmechu) expose; v. skúške try so.'s courage

**vystierať** stretch out // **v. sa** stretch out so. limbs

**výstižný** truthful, realistic, lifelike

**výstraha** caution, warning; (letecká) alert

**vystrájať** make* a mess

**vystrašený** scared, feared, frightened

**vystrašiť** scare, frighten, startle

**výstredný** eccentric

**výstrel** shoot, shot, discharge

**vystreliť** fire, shoot*; (z dela) discharge a gun; (raketu) launch, let* off

**vystriedať** (vymeniť) substitute, change; (stráž) relieve; v. viaceré zamestnania vary several jobs

**výstrih** décolleté(e), neckline; (hlboký) low neck

**vystríhať** caution, warn (pred against)

**vystríhať sa** avoid sth.; v. sa alkoholu keep* clear of alcohol

**výstrižok** cutting, clipping

**výstroj** outfit, equipment; (horolezca) gear; športový v. sports equipment

**vystrojiť 1.** (turistu) outfit, equip **2.** (zorganizovať) arrange, provide; v. svadbu arrange a wedding; v. pohreb provide for a funeral

**výstup 1.** (do výšky) ascent; (na horu) climb **2.** (divadelný) scene **3.** (škandál) row • nerob tu v-y don't make* scenes here; (konečná fáza) yield; v-ná kontrola checkout

**vystúpenie** umel. appearance, performance

**vystúpiť 1.** (z niečoho) get* out, get* off **2.** (na niečo) mount; v. na vrchol mount a peak **3.** (proti) stand* up against sth. **4.** (zo školy) leave* the school

**vystupovanie** (spoločenské) behaviour

**vysunúť** (dopredu) push out; (hore) push up

**vysušiť** (odvodniť) drain; (usušiť) dry (up); v. lúku

drain a meadow; *v. si vlasy* dry so. hair

**vysvedčenie** certificate, report

**vysvetlenie** explanation

**vysvetliť** explain; *(podľa seba)* account for

**vysvetlivka** note, comment; *(pod čiarou)* footnote

**výsyp** *(vyrážka)* rash, eruption

**vyše** above; *(viac ako)* more than; *mať v. päťdesiat rokov* be* over fifty

**vyšetrovanie** investigation; *(súdne)* inquest; *lek.* examination

**vyšetrovať** investigate; *lek. (pacienta)* examine; *v. krv* test blood

**výšina** height, elevation

**vyšívať** embroider; *v. vzorku na obrus* embroider pattern on a tablecloth

**výšivka** embroidery

**výška** height, elevation; *v. vrchu* mountain height; *hud. (tónu)* pitch; *(zemepisná)* altitude; *šport. skok do v-y* high jump

**vyškrtnúť** cross out/off

**vyšný** upper

**vyšší** higher, superior

**vyť** howl

**výťah 1.** *(v dome)* lift; *AmE* elevator; **2.** *(obsah)* ex-

tract, summary, digest; *(stručný)* compendium **3.** *(z účtu)* statement of account

**výťažok** extract; *(výnos)* yield; *(zisk)* profit; *čistý v.* net proceeds

**vytiahnuť** extract, draw*, pull out; *v. zub* extract so. tooth; *v. obočie* lift so. eyebrows; *v. niekoho z postele* draw* sb. out of his/her bed; *v. zástrčku* unplug

**vytknúť 1.** *(ruku, nohu)* dislocate **2.** *(pokarhať)* reproach

**vytlačiť 1.** *(stlačiť)* squeeze out, express; *v. šťavu z pomaranča* sqeeze juice from an orange **2.** *(z miesta)* displace **3.** *(knihu)* print

**výtlačok** print, copy

**vytočiť** *(číslo telefónu)* dial; *v. telefónne číslo* dial a phone number

**výtok 1.** outflow **2.** *lek.* discharge

**vytratiť sa** *(odísť)* steal* away, slip away, take* French leave

**vytráviť** digest

**vytrhnúť** pull out; tear* out; *(burinu)* pluck; *v. list z knihy* tear* a page out of a book

**vytrieť** wipe out, wipe clean

**vytriezvieť** become* sober; *(z nadšenia)* come* down to earth

**vytrvalosť** endurance; *(húževnatosť)* perseverance

**vytrvalý** *(človek)* persistent; *(material, činnosť)* long-lasting

**vytrysknúť** eject, spurt

**vytrženie** rapture, ecstasy; *byť vo v-í* to be* ecstatic

**výtržnícky** riotous, rowdy, rowdish

**výtržnosť** riot, disturbance, outrage

**vytúžený** craved-for, long-ed-for

**výtvarné umenie** the fine arts *pl.*

**výtvarníctvo** art design; *(priemyslové)* industrial design

**výtvarník** artist; *(maliar)* painter; *(sochár)* sculptor

**výtvor** creation; *(umelecký)* work of art

**vytýčiť** *(cieľ)* set* an aim

**vytýkať** reproach

**výučba** teaching, instruction; *(učenie sa pomocou počítača)* CAL (computer-assisted learning)

**vyučený** *(kvalifikovaný)* skill-ed, trained

**vyučovanie** teaching, education; instruction; *(súkromné)* tuition; *(hodiny)* lessons, classes

**vyúčtovať** give* account

**vyučovať** teach*, give* les-sons/classes, instruct; *ona v-je angličtinu* she teaches English

**využiť** *(zužitkovať)* utilize; *(využiť)* exploit; *v. príležitosť* take* chance, take* advantage

**vývar** *(mäsový)* stock, broth, consommé

**vyvariť 1.** boil **2.** *(očistiť varením)* cleanse by boiling

**vyvážať** export

**vyvážiť** *(nahradiť)* counter-balance, offset

**vyvesiť** hang* out, put* out

**vývesná tabuľa** singboard

**vyvetrať** air, ventilate; *v. izbu* air a room

**vyviesť 1.** *(von)* take* out; *(hore)* take* up; *v. niekoho z lesa* lead* sb. out of a wood **2.** *(urobiť niečo)* make* a mess; *(niekomu)* play a trick on sb. • *v. z rovnováhy* unnerve, un-balance, upset

**vývin** development; *najnov-ší v.* the latest development

**vyvinúť** develop; *v. rýchlosť*

develop speed // **v. sa** evolve, develop

**vyvinutý**: *nedostatočne/menej v.* underdeveloped

**vyvlastniť** expropriate, dispossess

**vývoj** evolution, development; *(smer)* trend • *zaraziť vo v-i* stunt

**vývojový** evolutionary

**vyvolať** *(podnietiť)* evoke, provoke; *(zavolať si)* call out; *(ducha)* call up

**vyvolávať** *fot.* develop

**vývoz** export

**vývozný** export; *v-é clo* export duty; *v-é povolenie* export licence

**vyvrátiť** turn up; *v. oči* turn so. eyes; *(vydáviť)* vomit

**vyvrcholenie** climax

**vyvrcholiť** culminate

**vývrtka** *(na fľaše)* corkscrew

**výzbroj** *(turistu)* outfit, equipment; *voj.* armament

**vyzbrojiť** *voj.* arm, supply with arms; *(vybaviť)* equip, outfit

**výzdoba** decoration

**vyzdobiť** decorate, embellish; *v. ulice* dress the streets

**vyzdvihnúť** *(hore)* raise, lift (up); *(niečo uschované)* pick up, collect

**vyzerať** look; *v-á ako jej matka* she looks like her mother

**vyziabnutý** gaunt, skinny, bony

**vyzliecť** undress, strip; *v. pacienta* undress a patient // **v. sa** take* off, put* off

**vyznačiť** mark (out), indicate

**význačný** *(pozoruhodný)* remarkable; *(prevyšujúci ostatných)* prominent, outstanding

**význam 1.** *(slova)* meaning **2.** *(dôležitosť)* importance, significance; *nemá v.* that's of no importance

**vyznamenanie** *(ohodnotenie)* distinction; *(školské)* honours *pl.*, *(medaila)* medal

**vyznamenať** *(ohodnotiť)* distinguish; *(radom)* decorate

**významný** important, significant

**vyznanie** *(krédo)* creed; *(náboženské)* confession; *(bez vyznania)* agnostic

**vyznať** *(verejne)* profess, declare; *v. lásku* declare so. love

**vyznať sa** *(v niečom)* be* familiar with sth.

**vyznieť** sound; *v. naprázdno* fall* flat

**výzor** appearance, looks *pl.*

**vyzradiť** disclose

**vyzuť sa** take* off so. shoes; *(zošmyknúť sa)* topánka sa mi v-la my shoe slipped off; *topánka sa mi vyzúva* my shoe is too loose

**výzva** challenge

**vyzváňať** *(umieráčikom)* toll

**vyzvať** *(súpera)* challenge; call, appeal, invite; *(úradne)* summon

**vyzvedač** spy; *(povolaním)* intelligence officer

**výzvedný:** *v-á služba* intelligence service

**vyzývavý** provocative, provoking

**vyžadovať** require, demand

**vyžarovanie** emission, radiation

**vyžarovať** emit, radiate

**výživa** nourishment, nutrition

**výživný** nutritious, nutritive, nourishing, alimentary; *v-á látka* nutritive matter

**vzácny** *(zriedkavý)* rare, scare; *(cenný)* precious, costly

**vzadu** behind, at the back

**vzájomný** mutual, reciprocal; *v-á spolupráca* mutual co(-)operation

**vzbudiť** *(dôveru)* inspire confidence

**vzbura** mutiny, revolt

**vzbúrenec** mutineer, insurgent, rebel

**vzbúriť** raise // **v. sa** revolt, rebel

**vzdať** *(zápas)* scratch (a match) // **v. sa 1.** *(niekomu)* surrender **2.** *(niečoho)* give* up, quit something, discard; *v. sa vlastníctva* vacate

**vzdelanec** intellectual, educated person

**vzdelanie** education

**vzdelávať** educate

**vzdialenosť** distance; *(v míľach)* milage

**vzdialený** distant, a long way off, far off/away; *v-é miesto* distant place; *v. príbuzný* distant relative; *(v čase)* long-term

**vzdialiť sa** go* back, depart; *(do izby)* withdraw*; *(s ospravedlnením)* absent os.

**vzdor** defiance, resistance

**vzdorný, vzdorovitý** defiant, obstinate, headstrong

**vzdorovať** defy, oppose, brave; *(odporovať)* dare

**vzdorovitý** defiant

**vzduch** air; *na čerstvom v-u* in the open air • *hovoriť do v-u* talk to the winds

**vzducholoď** airship; *(veľká)* zeppelin

**vzduchovka** airgun

**vzdušný** airy, aerial; *v-é šaty* airy dress • *v-á čiara* beeline • *v-é zámky* castles in Spain

**vzdych** sigh

**vzdychať** sigh, give* sighs; *hlboko si vzdychnúť* have* a deep sigh

**vzhľad** looks *pl.*, appearance

**vzhľadom na** with regards/respect to, considering sth.

**vzhliadnuť** look up (to)

**vzchopiť sa** recover, regain the balance; *(spamätať sa)* pull* os. together

**vziať** take*; *v. liek* take a medicine; *v. do úvahy* take into account; *(do vleku)* take in tow

**vziať si** *(späť)* take* back • *v. si do hlavy* take into so. head • *v. si k srdcu* take to heart; *vezmi si! (ponúknutie)* help yourself; *(zosobášiť sa)* marry

**vzkriesiť** *(oživiť)* revive; *náb. (z mŕtvych)* resurrect

**vzkypieť** boil up • *v. hnevom* burst* out into a rage

**vzletný** lofty; *v. prejav* lofty speech

**vzlykať** sob

**vzmužiť sa** pluck up so. courage

**vznášadlo** hovercraft

**vznášať sa** hover; *(v kvapaline)* float

**vznešenosť** grandeur, majesty

**vznešený** noble; *(ušľachtilý)* sublime; *(majestátny)* grand

**vznietiť sa** catch* fire

**vznik** *(zrod)* rise, origine • *dať vznik* give* rise to sth.

**vzniknúť** *(objaviť sa)* arise*; *(mať pôvod)* originate

**vzor** model, example; *(nákres)* design

**vzorec** formula; *(obrazec)* figure

**vzorka** *(ukážka)* sample, specimen; *(vzor niečoho)* pattern

**vzorný** model, ideal

**vzostup** upturn, scent; *obr.* rise

**vzpieranie** *šport.* weightlifting

**vzplanúť** flare up, blaze up; *náhle v.* spurt

**vzplanutie** conflagration

**vzpriamený** upright

**vzpružiť** invigorate, stimulate

**vzrast** 1. *(postava)* growth 2. *(narastanie)* increase

**vzrušenie** excitement, thrill, agitation
**vzrušiť** excite, agitate
**vzrušujúci** exciting; *(napínavý)* thrilling
**vzťah** relation(ship), reference, link; *rodinné v-y* family relations; *pokrvný v.* blood relationship
**vzťahovať sa** *(na niečo)* refer to sth., concern

**vzťažný** *gram.* relative; *v-é zámená* relative pronouns
**vztýčiť** put* up, raise, erect; *(zástavu)* hoist
**vzývať** *(prosit)* invoke, pray for; *(uctievať)* worship
**vždy** always, ever; *(zakaždým)* every time, at all times; *v. chodí neskoro* he is always late

## X

**Xantipa** Xanthippe; *obr.* scold, shrew, ill-tempered wife
**xenofóbia** xenofobia
**xerox** xerox
**xeroxovať** xerox

**XY** *pán XY* Mr So-and-So, Mr X
**xylolit** petrified wood, woodcement; *odb.* xylolite
**xylofón** xylophone

## Y

**yard** yard *(cca 0.9 m)*
**YMCA** *skr. Kresťanský spolok mladých mužov* Young Men Christian Association

**yperit** yperit
**ypsilon** y [wai]
**yzop** *bot.* hyssop ['hisəp]

## Z

**z** from, of, out of, for; *vrátiť sa zo školy* come* back from school; *jeden z nás* one of us; *zo žartu* for fun; *zo zvedavosti* out of curiosity; *váš list z 20. 1.*

your letter of January 20th; *z toho dôvodu* for this reason; *snažiť sa zo všetkých síl* try hard, do* so. best; *bude z neho dobrý otec* he will make* a good father; *z akého dô-vodu?* on what ground?

**za** 1. *(miestne)* behind, beyond; *auto je za domom* car is behind the house 2. *(poradie)* after; *za sebou* one after the other 3. *(zastúpenie)* for, on behalf of; *podpísať zmluvu za firmu* sign the contract on behalf of the firm 4. *(cena)* at, for; *za hotové* for cash 5. *(časove)* during, after, under, in; *za tmy* in the dark; *za mestom* outside the town; *za rohom* round the corner; *urobil to za týždeň* he made* it in a week; *urobil to za mňa* he did* it instead of me; *jeden za druhým* one after the other; *za tie roky* over the years

**zabaliť** *(do obalu)* wrap up; *(vytvoriť balík)* pack (up)

**zábava** 1. *(pobavenie)* amusement; *(podujatie)* entertainment 2. *(večierok)* party 3. *(kratochvíľa)* pastime • *pre z-u* for fun

**zabávať** *(niekoho)* entertain; *z. hostí* entertain guests // **z. sa** amuse

**zabaviť** 1. *(zhabať)* confis-cate, seize // **z. sa** amuse, enjoy os.

**zábavný** amusing, entertaining, funny; *z. park* amusement park

**zábeh**: *v z-u* running-in

**zabehnúť** 1. *(odskočiť po niečo)* go* and fetch sth.; *(niekam)* drop in/at a place; *z. do obchodu* run* into a shop 2. *(jedlo)* go* down the wrong way

**záber** *fot.* scene, shot; *(šot)* clip

**zabezpečenie** security; *dávky sociálneho zabezpečenia* social security benefits

**zabezpečený** secure, indemnify for

**zabíjačka** hog-killing, hog-feast, pig-slaughtering

**zabiť** 1. *(človeka)* kill; *(úkladne)* assassinate; *(zviera)* slaughter, slay 2. *(zatĺcť)* beat* in, nail

**záblesk** glimpse, flash, gleam

**zablokovať** obstruct, block up; *z. priechod* block up a passage

**zablúdiť** lose* so. way, go* astray; *nemôžeš z.* you can't go* wrong, you can't miss your way

**zablysnúť sa** flash; *z-lo sa* there was a flash of lightning

**zábradlie** railing; *(na schodoch)* banisters

**zábrana** barrier, obstacle, hindrance

**zabrániť** prohibit, hinder; *(niekomu v niečom)* prevent sb. from doing sth.

**zabrať 1.** occupy, take* possession of; *(územie)* annex **2.** *(liek)* take*, operate, work; *liek ne-l* medicine did not work **3.** *(založiť látku)* tuck in, take* in **4.** *(čas)* take* (up), require; *z-lo mi to veľa času* it took* much of my time **5.** *(ryby)* bite*, take* bait

**zábudlivosť** forgetfulness

**zábudlivý** forgetful

**zabudnúť** forget*; *z-l som jej adresu* I have forgotten her address

**zabudnutie** oblivion; *byť v z-í* be* in oblivion

**zabúchať** pound on, thunder at

**zaceliť sa** become* healed; *lek.* cicatrize

**záclona** curtain; *odhrnúť z-u* let* up the curtain; *zatiahnuť z-u* draw* the curtain

**zacloniť** shade, screen; *z. si*

*oči rukou* screen so. eyes with so. hand

**začarovaný** enchanted, bewitched; *z. kruh* vicious circle

**začať** start, begin*; *(opäť)* resume; *z-la ako učiteľka* she began her career as a teacher; *znovu z-l lyžovať* he resumed skiing

**začervenať sa** blush; *z. sa po uši* blush to so. ears

**začiatočník** beginner

**začiatok** beginning, start; *od z-ku* from the beginning/start

**zadarmo** free of charge/cost, without payment; *obr.* for nothing

**zadať** *(žiadosť)* apply; *(objednávku)* order

**záder** hangnail

**zadlžený** indebted, in debt

**zadlžiť sa** get*/run* into debts, mortgage [ˌmoː-gidž]

**zadný** back, behind; *z. vchod* back entrance; *z-á časť* rear; *z-é sedadlo* rear seat

**zadok** buttock, bottom, behind; *kopnúť niekoho do z-u* kick so. behind

**zadosťučinenie** satisfaction; *dostať z.* obtain satisfaction

**zadovážiť** gain, win*, obtain

**zadriemať** take* a nap, doze

**zadrieť si** *(triesku)* run* a splinter into so. finger

**zadržať** restrain, stop, hold*; *z. slzy* hold tears; *z-ž ho chvíľu* keep* him for a while

**zádumčivý** pensive, thoughtful; *(skľúčený)* broody

**zadusiť 1.** suffocate // **z. sa** stifle **2.** *(oheň, cigaretu)* put* out

**zadymenie**: *z. ovzdušia* smoke abatement

**zafír** sapphire [ˌsæfaiə]

**záha** heartburn

**záhada** *(tajomstvo)* mystery; *(hádanka)* puzzle, riddle

**záhadný** mysterious; *(zvláštny)* queer; *z. úsmev* mysterious smile; *z-á choroba* mysterious disease; *z-á povaha* queer character

**zaháľať** (be*) idle; *(povaľovať sa)* loaf (about)

**zahaliť** veil; *z. si tvár* veil so. face

**zahanbiť** *(niekoho)* make* sb. (feel) ashamed, put* sb. to shame // **z. sa** be* ashamed

**zahasiť** put* out, blow* out,

extinguish; *(odstrániť)* obliterate

**zahladiť** blot out; *(zamaskovať)* efface; *z. dojem* blot out the impression

**zahlásiť** announce; *(na polícii)* notify, inform; *z. odchod vlaku* announce the departure of a train

**záhlavie 1.** *(nadpis)* heading; *z. kapitoly* caption of a chapter **2.** *anat.* nape (of the neck)

**zahĺbený** absorbed in sth.

**zahmlený** misty, foggy

**zahmliť** cover with fog; *(výhľad)* dim

**zahnať** *(na určené miesto)* drive* away • *z. hlad* satiate [ˌseišieit] so. hunger

**zahnúť 1.** *(ohnúť)* bend* **2.** *(zabočiť)* turn; *z. doprava/doľava* turn to the right/left

**zahojiť sa** heal up

**záhon** bed; *(kvetinový)* flower bed

**zahovoriť** *(niečo v reči)* introduce a new topic

**záhrada** garden; *(zeleninová)* kitchen/vegetable garden; *(ovocná)* orchard

**záhradník** gardener; *odb.* horticulturist

**zahraničie** foreign country;

*do z-a* abroad; *minister-stvo z-a v Brit.* Foreign Office; *v ostatnej Európe* Ministry of Foreign Affairs; *v USA* State Department

**zahraničný** foreign; *z. ob-chod* foreign trade; *z-á politika* foreign policy; *z. zástupca* overseas representative

**zahrávať sa** trifle *(s niečím* with sth.); *nez-j sa so mnou* don't trifle with me

**zahriaknuť** *(okríknuť)* silence, shout down, snap; *(napomenúť)* reprove

**zahrmieť** thunder; *z-lo* it thundered

**zahrnúť 1.** *(počítať do počtu)* include in **2.** *(množstvom)* overwhelm, embody **3.** *(zeminou)* heap

**záhrobie** the (great) beyond, the afterlife

**záhuba** destruction, ruin; *z. mojich nádejí* ruin of my hopes

**zahustiť** thicken, make* thick

**záhyb** fold, pleat; *sukňa so z-mi* skirt with folds

**zahynúť** perish, decease

**zachmúrený** *(namosúrený)* gloomy, sullen, sombre; *(zamračený)* dull

**záchod** lavatory, toilet, water closet, *skr.* WC

**zachovaný** *(nepoškodený)* well-preserved, in good preservation; *(mravne)* blameless; *(tradície)* preserved

**zachovať 1.** *(zdravie)* conserve; *(tradície, pamäti-hodnosť)* preserve // **z. sa** *(správať sa)* behave

**záchrana** rescue; *posledná z.* last straw

**záchranca** rescuer; *(vysloboditeľ)* deliverer, saviour

**zachrániť** rescue, save from; *z-l jej život* he saved her life

**záchranný:** *z. čln* lifeboat; *z-á brzda* emergency brake; *z-á vesta* life vest; *z. pás* seat belt

**zachrípnuť** become* hoarse

**záchvat** *(prejav citov)* fit; *z. žiarlivosti* fit of jealousy; *(choroby)* attack; *(porážky)* stroke

**zachvátiť** get* hold; *z-la ho horúčka* fever has got hold of him; *(cit, panika)* seize, attack

**zachvenie** shudder

**záchvev** *fyz.* vibration; *(tela)* tremble; *(zeme)* quake

**zachvieť sa** shiver, tremble; *z. sa od strachu* shiver

with fear; *z. sa od chladu* tremble with cold

**zachytiť** catch\*; *z. loptu* catch a ball; *(na zvukový pás)* record

**zaiste** surely, certainly

**zaistiť** ensure against/from, secure; *(políciou)* attach a person; *(niekoho pomoc)* enlist so. help

**zajac** hare; *(malý)* bunny; *vyplašiť z-a* start a hare

**zajakať sa** stammer; *odb.* stutter

**zajať** capture, take\* prisoner

**zajatec** prisoner, captive; *(vojnový z.)* prisoner of war, *skr.* POW; *dohoda o výmene z-ov* agreement for exchange of prisoners

**zájazd** excursion, trip; *(okružný, div.)* tour; *byť na z-e* be\* on tour; *organizovaný z.* package tour

**zajtra** tomorrow; *dovidenia z.!* see you tomorrow; *z. bude nedeľa* it will be\* Sunday tomorrow

**zákal** *lek.* cataract [ˌkætərækt]

**zakaliť** 1. *(znejasniť)* dim, obscure 2. *(urobiť kalným)* make\* turbid, trouble; *z. víno* trouble wine

**zákaz** prohibition, ban; *z.*

*predaja alkoholických nápojov* prohibition of sale of alcoholic drinks; *z. fajčiť* no smoking

**zakázaný** forbidden, prohibited, banned; *vstup z.* no entry, keep out!

**zakázať** forbid\*, prohibit, ban

**zákazka** order; *ušité na z-u* made\* to order

**zákazkový** custom-made

**zákazník** customer, client; *obslúžiť z-a* serve a customer

**zákerný** treacherous; *(zlý)* sinister; *z. účel* sinister purpose

**základ** *(podklad)* basis, foundation, base; *z. reformy* base of reform; *z. mejkapu* base of makeup

**zakladať sa**: *na* be\* based on sth.

**zakladateľ** founder, establisher

**základnina** fund, foundation

**základňa** 1. *mat., voj.* base 2. *ekon.* basis

**základný** elementary, fundamental, basic; *(číslovka)* cardinal; *z-á škola* primary/elementary school; *z-é princípy* fundamental principles; *z-é* *vedomosti* basic knowledge

**základy 1.** *(domu)* foundations *pl.* **2.** *(vedomostí)* rudiments *pl.*, elements *pl.*

**záklon** backwards bend

**zaklopať** knock; *z. na dvere* knock at the door

**zákon** law; *(súhrn pravidiel správania sa)* Code; *(právnický)* act; *z-y bezpečnosti práce* Factory Acts; *Zbierka z-ov* Collection of Laws; *z. schválnosti* Murphy's law; *z. ponuky a dopytu* law of supply and demand; *náb. Starý/ Nový z.* Old/New Testament

**zakončenie** termination, close, end, conclusion

**zakončiť** finish, terminate, complete; *z. prednášku* finish a lecture

**zákonitý** *(prirodzený)* regular, in the nature of law; *(zákonný)* lawful; *z. manžel* lawful husband

**zákonník** code; *občiansky z.* civil code; *trestný z.* penal code; *obchodný z.* commercial code

**zákonný** legal, legitimate; *z. zástupca* legal guardian; *z-é deti* legitimate children

**zákonodarný** legislative, lawgiving; *z. zbor* legislative body/assembly

**zákonodarstvo** legislation

**zákop** *(pre jednotlivca)* riflepit; *(sústava)* trench

**zakopať** dig*, bury; *(nástrojom)* dig* in; *z. poklad* bury the treasure; *z. sa do zákopov* entrench

**zakorenený** *(zvyk)* ingrained

**zakoreniť sa** enroot, take* root; *pren.* be* firmly established

**zakotviť** anchor; *loď z-la v prístave* ship anchored in a harbour

**zakričať** *(na niekoho)* shout to/at/after sb.; *z. od bolesti* cry for pain

**zakročiť** intervene, take* steps

**zákrok** intervention; *chirurgický z.* surgical intervention

**zakrpatený** dwarfish, stunted

**zákruta** bend, curve; *ostrá z.* sharp bend/curve

**zakrvaviť** stain with blood, blood-stained, bloody

**zakryť** cover; *z. stôl obrusom* cover the table with a cloth; *(výhľad)* hide* from view

**zákulisie** backstage; *v. z-í* behind the scenes

**zakúriť** make* fire, set* burning

**zakúsiť** experience, go* through

**zákusok** sweets *pl.*, pastry; *(krémový)* cake

**zalamovať**: *z. rukami* clasp so. hands

**zalepiť** glue (up); *(prilepiť)* stick* up; *(uzavrieť)* seal up, close; *z. obálku* close an envelope

**zalesniť** afforest, plant with trees

**záletník** philanderer, flirt(er)

**zálety** love affairs, flirtation

**záležať** *(závisieť)* depend on sth.; *na tom nez-í* it does not matter; *(mať záujem)* be* anxious/eager; *z-í mi na tom, aby ...*I am anxious to

**záležitosť** business, matter, case; *to nie je moja z.* it is not my business

**záliv** bay; *(malý)* cove; *(rozľahlý)* gulf

**záloh** pawn; *dať prsteň do z-u* put* a ring in pawn; *hra na z-y* game of forfeit

**záloha 1.** *(peňažná)* advance; *(zložená)* deposit **2.** *(rezerva)* reserve

**založiť 1.** *(ustanoviť)* found, establish **2.** *(zapotrošiť)* mislay • *z. si ruky* fold so. arms

**záložka** *(do knihy)* bookmark

**záľuba** liking, preference, favour, hobby, fancy; *mať z-u v literatúre* show liking for literature

**zaľúbiť sa** fall* in love; *z. sa na prvý pohľad* fall in love at first sight

**zaľudniť** people, populate

**zamaskovať sa** *(prestrojiť)* disguise; *voj.* camouflage

**zamat** velvet; *z-á revolúcia* velvet revolution

**zamedziť** prevent, hinder, block

**zámena** interchange; *(omyl)* mistaking

**zameniť 1.** *(vymeniť)* interchange **2.** *(nahradiť)* replace (A by B) **3.** *(omylom)* mistake*

**zámeno** *gram.* pronoun

**zámer** intention, aim; *(plán)* design

**zamerať sa** *(na niečo)* aim at, direct

**zámerný** *(úmyselný)* intentional, deliberate

**zamestnanec** employee, worker; *(štátny)* civil servant; *z. na plný úväzok* full-timer

**zamestnanie** occupation, employment, job; *vykonávať z.* perform employment; *bez z-ia* out of work

**zamestnaný** employed, engaged in occupation; *(zaneprázdnený)* busy

**zamestnať** employ // **z. sa** get* employed

**zamestnávateľ** *(inštitúcia)* employer; *(človek)* master, principal; *AmE* boss

**zameškať** come* late; *(zmeškať)* miss

**zametač** sweeper, cleaner

**zametať** sweep; *z. ulicu* clean the street

**zámienka** pretext, pretence; *pod falošnou z-ou* under false pretences

**zamiesiť** make* dough

**zamiešať** stir, mix; *z. karty* shuffle // **z. sa** interfere, meddle

**zamietnuť** reject, refuse

**zámka** lock; *(visiaca)* padlock; *(patentná)* latch; *(zapadacia)* snaplock

**zamknúť** lock; *z. dvere* lock the door; *(uzavrieť)* lock up

**zamlčať** keep* secret/back, conceal, withhold

**zámočník** locksmith

**zámok** chateau; *(panské sídlo)* manor house; *(prebudovaný z hradu)* castle
• *vzdušné z-y* castles in the air

**zámorie** oversea countries; *do z-a, v z-í* overseas

**zamoriť** infest; *(bacilmi)* infect; *vzduch z-ý exhalátmi* air contaminated with exhalations

**zámorský** oversea(s)

**zamotať** entangle; *z. nite* entangle threads; *(skomplikovať)* complicate

**zámotok** *zool.* cocoon

**zámožný** well-off, well-to-do, wealthy; *z. človek* a man of means

**zamračený** *(počasie)* cloudy, overcast; *(človek)* sullen

**zamračiť sa** *(počasie)* become cloudy; *(človek)* become sullen

**zamrežovať** enclose with grating

**zamrznúť** freeze* over, get* frozen over; *(zomrieť)* freeze to death

**zamyslený** thoughtful, musing, moping, lost/ deep in thought

**zamyslieť sa** be* absorbed in thought, muse, mope

**zamýšľať** design, intend; *(predsavzať si)* mean

**zanedbať** neglect, fail; *z.*

*povinnosti* neglect so. duties

**zanedbaný** neglected, uncared for; *z-é vlasy* dishevelled hair; *z. trávnik* unkempt lawn

**zanechať** leave* (behind); *z. dobrý dojem* leave a good impression

**zanevrieť** *(na niekoho)* have* a grudge against sb., lose* all love for sb.

**zanietenie** enthusiasm, devotion

**zanietiť sa** become* enthusiastic *(pre niečo* about sth.)

**zánik** *(vyhynutie)* extinction; *(neodvratný)* doom; *z. sveta* the end of the world; *(poistenia)* expiry

**zaniknúť** become* extinct, die out, cease; *ekon.* expire

**zanovitý** obstinate, headstrong

**zanôtiť** *(zahmkat)* hum

**zaoberať sa** *(niečím)* occupy os. with, busy os. at/with/about sth.; *(myšlienkou)* entertain a thought

**zaobchádzať** *(s niekým)* treat, handle sb.; *z. s niekým dobre* treat sb. well

**zaobísť sa** do*/make*/manage without sth.; *z. sa bez pomoci* manage without help

**zaokrúhliť** *aj mat.* round off

**zaopatrenie** *(byt a strava)* board and lodging

**zaopatriť**: *rodinu* maintain so. family

**zaostalý** backward, dull; *odb.* retarded

**zaostať** lag behind, remain behind

**zaostriť** sharpen; *(opticky)* focus; *(televízor)* fade in

**západ 1.** west; *na z.* west, westward, to the west; *na z-e* in the west; *divoký z.* the Wild West **2.** *(slnka)* sunset; *AmE* sundown

**zapadákov** *hovor.* the sticks, the backwoods

**zapadať 1.** sink* in(to), fall* in(to); *z. do blata* sink into the mud **2.** *(slnko)* set*, go* down

**západka** *(na uvoľnenie niečoho)* release latch

**západný** west, western; *z. vietor* west wind; *z-á literatúra* Western literature

**zápach** bad smell; *(silný)* stink

**zapáchať** smell bad, stink; *z. (niečím)* smell of sth.; *toto mäso z-a* this meat smells

**zápal 1.** *(horlivosť)* zeal, eagerness, enthusiasm **2.** *lek.* inflammation; *z. pľúc* pneumonia; *z. priedušiek* bronchitis; *z. slepého čreva* appendicitis **3.** *z. mozgu u kráv* BSE

**zápalistý** *(zanietený)* ardent

**zapáliť** *(oheň)* fire, set* on fire; *(cigaretu)* light* // **z. sa** catch* fire

**zápalka** (safety) match; *škatuľka z-iek* match box

**zápalný** inflammable; *(horľavý)* combustible; *(strela)* incendiary

**zapaľovač** lighter

**zapamätať si** *(nezabudnúť)* keep* in mind, remember; *(naučiť sa)* memorize

**zápas** *(boj)* fight; *(súťaž)* contest; *(za ideu)* struggle; *šport.* match

**zápasenie** *šport.* wrestling

**zápasiť** *(bojovať)* fight*; *(súťažiť)* contest; *(za ideu)* struggle; *(v grécko-rímskom zápase)* wrestle; *(usilovať)* strive

**zápasník** wrestler

**zápästie** wrist; *vyvrtnúť si z.* twist so. wrist

**zapečatiť** seal (up)

**zápcha 1.** *lek.* constipation, obstipation **2.** *(dopravná)* traffic jam, congestion

**zapchať** stop up, plug up; *z. si uši* stop so. ears

**zapierať** deny

**zápis** *(záznam)* record, entry, enrolment; *(protokol)* minutes *pl.*; *(na vysokú školu)* matriculation

**zapísať** *z. si* put* down; *(do obchodnej knihy)* enter, book in; *(do úradných dokladov)* register; *(zaznamenať)* record; *(do zoznamu)* list, enter; *(do voličských zoznamov)* poll; *(na školu)* enrol; **z. sa** *(prihlásiť sa pred odletom)* check in

**zápisné** enrolment; (registration) fee

**zápisnica** minutes, record

**zápisník** notebook, memopad, pocketbook, scribblingblock

**záplata** patch; *dať na niečo z-u* put* a patch on sth.

**zaplátať** patch (up)

**zaplatiť** pay*; *(dlh)* settle; *z. v hotovosti* pay in cash; *z-l za mňa víno* he paid wine on my behalf

**záplava** *aj obr.* flood, overflowing

**zaplaviť** flood, overflow*, inundate

**zápletka** *lit.* plot

**zapliesť 1.** *(zamotať)* entangle; *(do nepríjemností)* mix up, involve **2.** *(vlasy)* plait

**zaplombovať** *(zub)* stop/fill a tooth

**zapnúť 1.** do* up; *(gombíky)* button up; *(zips)* zip up **2.** *(prístroj)* switch on, turn on

**započítať** *(zahrnúť)* include

**zapojiť** connect, link up, plug in

**zápor** *(nedostatok)* shortcoming, defect, deficiency; *(vlastnosť)* negative feature; *klady a z-y* pros and cons; *gram.* negative

**záporný** *(nesúhlasný aj zlý)* negative; *z-á odpoveď* negative answer; *z. hrdina* negative hero

**záprah** team (of horses)

**zaprášený** dusty

**zapražiť, zasmažiť** thicken with flour; *z. polievku* put* browning into the soup

**zápražka, zásmažka** browning

**záprdok** windegg, rotten egg

**zapriahať** *(zviera aj obr.)* harness; *z. silu vetra* harness the power of the wind

**zapríčiniť** cause, bring* on; *z. horúčku* bring* on fever

**zaprieť** *(odtajiť)* deny; *z. otcovstvo* deny paternity // **z. sa** *(ovládnuť sa)* control os.

**zapudiť** repel, repudiate, drive* away

**zapustiť** sink*, let* in; *(korene)* strike* root

**zarábať** earn; *(na živobytie)* make* so. living; *(peniaze)* make* money

**zaradiť** *(napr. tabuľky)* table; *(do programu)* put* on; *(rýchlosť)* engage; *z. prvú rýchlosť* engage the first

**zarámovať** frame *(do in)*

**zarastený 1.** *(porastom)* overgrown* with sth. **2.** *(neoholený)* unshaven

**zaraziť 1.** *(zastaviť)* check, stop, hold* up **2.** *(prekvapiť)* puzzle **3.** *(vraziť)* thrust

**zárez** cut, notch, incision

**zarezať** *(hydinu)* cut* throat; *(prasa)* stick* • *sedieť ako zarezaný* sit* dumbfounded

**zariadenie 1.** *(strojné)* machinery, works; *(bytu)* furnishings *pl.;* *drobné z.* paraphernalia; *z. úradu (nábytok)* office fittings; *plynové, elektrické z.* fittings; *mechanické z.* gadget **2.** *(inštitúcia)* institution; *školské z.* school institution; *zdravotnícke z.* medical institution; *výp. z. počítača na čítanie CD* CD-ROM

**zariadiť 1.** *(obstarať)* arrange; *hovor.* fix up **2.** *(nábytkom)* furnish

**zarmútiť** grieve, fill with sorrow

**zármutok** grief, sorrow

**zarobiť 1.** *(peniaze)* earn; *z. si na živobytie* earn so. living **2.** *(cesto)* knead [ni:d], make* dough

**zárobok** gains; *čistý z.* net gains; *(pravidelný)* earnings *pl.*

**zárodok** germ; *(cicavca)* embryo • *potlačiť v z-u* nip in the bud

**zároveň** at the same time, along with; *z. s týmto* hereby

**zarovnať** even up; *(výp.) z-vanie slov v texte* word alignment

**zaručiť** warrant, guarantee // **z. sa** vouch for sth., give guarantee

**záruka** guarantee; *(kvality)* warranty; *(peňažná)* security, surety

**záružlie** *bot.* marigold

**zarytý** stubborn, obdurate,

crabbed; *z. fajčiar* inveterate smoker

**zasa, zas(e)** *(znova)* again, once again, once more

**zásada 1.** principle, rule; *zo z-y* on principle **2.** *chem.* base, alkali [ˌælkəlai]

**zasadanie** session, sitting; *z. sa koná* session is hold

**zasadať** sit*, be* in session

**zasadiť 1.** *(rastlinu)* plant; *(semená)* seed **2.** *(ranu)* deal, deliver, inflict a blow

**zásadne 1.** *(bez výnimky)* on principle **2.** *(vo všeobecnosti)* in general; *z. súhlasím* I agree in general

**zásah 1.** *(do terča)* hit; *(blesku)* stroke **2.** *(rušivý)* interference; *(úradný)* action

**zasiahnuť 1.** *(trafiť)* hit*, *(blesk)* strike* **2.** *(rušivo)* interfere with sth., intervene; *(úradne)* take* action

**zásielka 1.** *(tovaru)* consignment **2.** *(lodná)* shipment **3.** *(listová)* mail

**zaskliť** glaze

**zaskočiť 1.** *(niekam)* drop in; *(k niekomu)* call on sb. **2.** *(zastúpiť)* stand* in for sb.

**zaslepený** *(láskou)* infatuated

**zásluha** merit; *vašou z-ou* thanks to you

**zaslúžiť (si)** deserve, merit; *z. si dôveru* deserve to be* trusted // **z. sa** deserve well of sth., earn, contribute

**záslužný** deserving, praiseworthy, meritorious

**zasmušilý** *(počasie, nálada)* gloomy, dull

**zasnený** musing, dreamy, lost in dreams

**zasnežený** snowy, snow-covered

**zasnúbenie** engagement

**zasnúbený** engaged

**zasnúbiť sa** become* engaged

**zásoba** supply, stock; *z. potravín* provisions; *slovná z.* vocabulary

**zásobovanie** supplies *pl.;* delivery, distribution, food supply, catering

**zásobovať** supply; *(potravinami)* cater; *(palivom)* fuel // **z. sa** make* provisions for

**zásoby** supplies *pl.*

**zaspať** *(usnúť)* fall* asleep; *(neskoro sa zobudiť)* oversleep*

**zástanca** advocate, defender

**zastaraný** out-of-date, old-fashioned, obsolete

**zastať 1.** *(zastaviť sa)* stop; *(zastaviť činnosť)* cease **2.** *(niekomu cestu)* block so. way // **z. sa** *(niekoho)* plead for, advocate, stand* up for sb.

**zástava** flag; *(štandarda)* banner

**zastávať** *(úrad)* perform, occupy; *(niečo)* stand* up for sth.

**zastaviť 1.** stop* *(prechodne)* hitch // **z. sa** stop, call for **2.** *(dať do záložne)* pledge down; *(na kus reči)* come round and have a chat

**zastávka** stop; *bez z-y* without stop, nonstop; *autobusová z.* bus stop; *z. na znamenie* request stop

**zástera** apron; *(detská)* pinafore

**zastihnúť** find*, reach; *(pristihnúť)* catch*; *nez-l som ho doma* I didn't catch* him at home

**zastrašiť, zastrašovať** intimidate; *nedal sa z.* he wouldn't be intimidated

**zastrašovanie** intimidation

**zastrčiť** *(vsunúť)* insert, put* in; *z. mincu do otvoru* insert the coin into the slot

**zástrčka** *(elektrická)* plug

**zastreliť** shoot* sb. dead // **z. sa** shoot* os.

**zastrihnúť** *(nechtiac)* cut*; *(vytvarovať)* trim; *z. živý plot* trim a hedge

**zástup** *(rad)* row; *(čakajúcich)* queue; *(stisk)* crowd

**zástupca** representative, delegate; *(námestník)* deputy; *(obchodný)* agent; *(právny)* solicitor

**zastúpiť** *(nahradiť)* substitute

**zasunúť** insert in, put* in; *(zástrčku)* plug in

**zásuvka 1.** drawer **2.** *(elektrická)* socket

**zasvätiť** *náb.* dedicate, consecrate; *(nováčika do niečoho)* initiate

**zásyp** *(detský)* powder

**zašantročiť** misplace, mislay*; *(lacno predať)* barter away

**záškodník** sniper, terrorist

**záškrt** diphtheria

**zaškrtiť** strangle, garrotte, choke

**záštita 1.** *(ochrana)* shelter, shield, protection **2.** *(patronát)* patronage, sponsorship; *pod z-ou* sponsored by, under the patronage of

**zať** son-in-law

**zatáčka** curve, bend

**zatajiť** hide; conceal, keep* sth. secret; *z. dych* hold* so. breath; *z. informáciu* hold back an information

**zatarasiť** obstruct, block up; *z. prechod* block up a passage

**záťaž** weight; *(náklad)* load; *maximálna z.* maximum load, weight limit

**zaťažený** laden; *(pracovne)* busy; *dedične z.* hereditarily afflicted

**zaťažiť** burden, load; *(finančne)* debit

**zatelefonovať** phone sb., call sb. up, ring* sb. up; *z-j mi!* give* me a ring!; *smiem si od vás z.?* may I use your phone?

**zatemnenie** darkening, blackout; *z. počas náletov* blackout during air raids

**zatemniť 1.** *voj.* black out **2.** *(urobiť nejasným)* obscure, darken, cloud

**zatiaľ** *(medzitým)* meanwhile, in the meantime; *(doteraz)* so far, by now, for the time being; *z. čo* while, whereas

**zátišie** *(obraz)* still life

**zátka** plug; *(fľaše)* stopper, cork

**zatknúť** arrest, take* to jail/prison; *z. za krádež* arrest for a theft

**zatmenie** astron. eclipse; *z. slnka/mesiaca* eclipse on the sun/moon

**zátoka** bay; *(malá)* cove; *(veľká)* gulf

**zatratený** damned; *(prekliaty)* cursed

**zatratiť** damn; *(prekliať)* curse

**zatrhnúť** *(označiť)* check, mark

**zatvoriť** shut*, close; *(na závoru)* bolt; *z. dvere* close/shut the door; *z-te si knihy* shut your books; *zatvor si ústa (buď ticho)!* shut up!

**zátvorka** bracket; *dať niečo do z-y* put sth. in brackets

**zatykač** warrant of arrest

**zátylok** nape

**zaucho** box on the ear, slap (in the face); *vylepiť z.* deal out a blow

**zaujať** *(postoj)* assume; *z. stanovisko* take* up a standpoint; *(pozornosť)* engage the attention

**zaujatý** *(predpojatý)* prejudiced; *(jednostranný)* partial; *(prácou)* occupied

**záujem** interest, concern; *vzbudiť všeobecný z.* make* a stir; *bez z-u* unconcerned in/with

**zaujímať 1.** interest; *príbeh ho veľmi z-l* story interested him greatly **2.** *(obsadzovať)* occupy; *(plochu)* cover // **z. sa** be* interested in; *z-ma sa o hudbu* he is interested in music

**zaujímavý** interesting; *tá kniha je veľmi z-á* this book is very interesting

**zaumieniť si** determine, make* up so. mind, take* sth. into so. head

**zaútočiť** attack, assault

**zauzliť (sa)** knot, (en)tangle

**zavádzač** výp. *(ukladací program)* loader

**zavadzať** be*/stand* in the way of, hinder

**zavádzať 1.** *(niečo)* install, introduce **2.** *(klamať)* deceive, cheat

**zavaliť** close up, block; *(prácou)* hovor. overwhelm, swamp

**zavalitý** stout, bulky, sturdy

**závan** *(slabý)* whiff, puff, waft; *(prudký)* gust, blast; *z. parfumu* waft of perfume

**zaváranina** preserves *pl.*, preserved fruit, bottled fruit

**zavárať** preserve, bottle; *(zeleninu, mäso)* pickle

**závažie** weight; *(kyvadla)* bob

**závažnosť** weightiness, gravity, relevance

**závažný** weighty, relevant

**záväznosť** liability, obligatoriness

**záväzný** obligatory

**záväzok** obligation, engagement, commitment; *(oficiálny)* pledge; *plniť z-y* meet so. obligations

**zaväzovať 1.** *(napr. šnúrky)* bind*, do* up **2.** *(niekoho)* oblige, engage // **z. sa** pledge os., engage

**zavčas** early; *z. ráno* early in the morning

**zavčasu** early; *z. vstávať* get* up early

**zavďačiť sa** *(urobiť radosť)* favour, oblige sb.; *(odmeniť sa)* reward

**závej** (snow)drift

**záver 1.** *(koniec)* finish, end, close **2.** *(úsudok)* deduction, conclusion; *vyvodiť z.* draw* conclusion; *prísť k z-u* come* to conclusion

**záverečný** final, closing, concluding; *z-á skúška* final exam; *z. príhovor* closing statement

**záves 1.** *(pánt)* hinge **2.** *(záclona)* curtain, hanging; *(ťažký)* drape(ry)

**zavesiť 1.** hang* up; *(do závesu)* suspend **2.** *(telefón)* hang* up, put* down

**závet** testament, last will; *urobiť z.* make* so. will

**zavetriť** scent, wind; *psi z-li líšku* hounds winded the fox

**závideniahodný** enviable, invidious

**závidieť** envy; *z-l mu úspech* he envied him his success; *z. si* envy each other

**zaviesť 1.** take*, get*; *z. dieťa do školy* take* the child to school; *(ísť napred)* lead*, usher; *(na scestie)* mislead* **2.** *(nové metódy)* introduce, install

**závin** pie; *jablkový z.* apple pie; *(štrúdľa)* strudel; *(z mäsa)* roll

**zavináč** collared herring

**zaviniť** cause, be* the cause of; *on to z-l* he is to blame

**závisieť** *(na)* depend (on); *to z-í na počasí* it depends (up)on the weather; *to z-í na tebe* it's up to you

**závislosť** dependence; *vzájomná z.* mutual dependence; *drogová z.* drug addiction

**závislý** dependent; *z. na drogách* addicted to drugs

**závisť** envy • *puknúť od z-i* burst* with envy; *žltý od z-i* green with envy

**závistlivý** envious

**závit** *tech.* (screw) thread; *hovor.* worm

**zavlažiť** water, moisten; *(umelým zavlažovaním)* irrigate

**zavliecť 1.** *(niečo niekam) (zľahka)* pull, drag; *(s námahou)* haul **2.** *(uniesť niekoho)* kidnap

**závod 1.** *(továreň)* plant, works, factory; *(podnikanie)* undertaking, establish-ment

**zavodniť** bring* water, irrigate

**zavodňovanie** irrigation

**závodný 1.** *(podnikový)* works; *z. výbor* works council; *z-á kuchyňa* canteen

**závoj** veil

**závora** bar, bolt, latch; *(železničná)* gate

**závrat** dizziness, giddiness; *mám z.* I am giddy

**zavraždiť** murder, assassinate

**zavrhnúť** reject; *(spoločensky)* cast* out, throw* off; *z. myšlienku* throw* off an idea

**zavŕšiť** bring* to an end, finish, complete, conclude

**zavýjať** howl

**zázemie** *(základňa, opora)* background; *voj.* rear

**zazlievať** take* amiss, blame; *nemožno jej to z.* she can't be* blamed

**záznam** *(zápis)* record; *(nahrávka)* recording; *výp.* storage

**zaznamenať** register, record; *(poznamenať si)* make* a note of; write* down

**zázračný** prodigious, miraculous • *z-é dieťa* infant prodigy

**zázrak** miracle, wonder; *(niečo neobyčajné)* prodigy; *robiť z-y* perform miracles

**zazrieť** *(letmo)* get* a glimpse of, catch* a glimpse of

**zažať** *(elektr. svetlo)* switch/turn on the light; *(zápalku)* strike* a match

**zažiť** *(skúsiť)* experience; *(pretrpieť)* go* through, undergo*

**zážitok** experience; *bol to*

*pre neho veľký z.* it was\* a great experience for him

**zažívanie** *(trávenie)* digestion

**zbabelec** coward; *hovor.* yellow-belly; *ukázal sa ako z.* he proved himself a coward

**zbabelosť** cowardice

**zbabelý** coward(ly)

**zbadať** *(všimnúť si)* perceive, notice

**zbankrotovať** be\*/become\* bankrupt

**zbavený** *(niečoho)* deprived, devoid of

**zbaviť** *(odstrániť)* deprive, relieve of; *z. pachu* deodorize // **z. sa** get\* rid of, dispose of

**zbeh 1.** *voj.* deserter **2.** *(zhluk)* crowd, throng

**zbehlosť** skill, experience, practice

**zbehlý** good at sth., familiar with, skilled

**zbehnúť 1.** *(nadol)* run\* down **2.** *voj. (ujsť)* desert // **z. sa** *(látka)* shrink\*

**zber** *(zhromažďovanie)* collection; *(surovín)* scrap, salvage; *(plodov)* picking

**zberateľ** collector; *z. známok* stamp collector, philatelist

**zberba** pack, rabble, riffraff

**zbesilosť** frenzy, fury

**zbesilý** frantic

**zbežný** perfunctory, heedless, negligent

**zbierať** *(popadané)* take\* up, lift, pick up; *(zhromažďovať)* gather; collect; *(klasy)* glean; *(ovocie, plody)* pluck, pick; *(odpadové suroviny)* salvage; *z. odpad* collect scraps // **z. sa 1.** *(zo zeme)* gather os. up **2.** *(hnisať)* suppurate, fester

**zbierka** collection; *z. básní* collection of poems; *z. zákonov* digest of laws

**zbiť** *(niekoho)* lick, thresh, beat\*

**zblázniť sa** *(zošalieť)* get\* mad; *(byť vzrušený)* go\* mad

**zblednúť** turn/grow\*/get\* pale; *z. ako stena* turn as white as a sheet

**zblížiť sa** get\* nearer to each other; *(spriateliť sa)* become\* friends

**zbohatlík** new-rich, nouveau riche ['nu:vəu 'ri:š]

**zbohom** goodbye; *(navždy)* farewell; *dať niekomu/ niečomu z.* say\* goodbye to sb./sth., make\* farewell to sb./sth.

**zbojník** highwayman, outlaw

**zbor** body; *(spevácky)* choir [ˌkwaiə], chorus; *(učiteľský)* staff; *(vojenský)* corps; *(požiarny)* fire brigade

**zborník** almanac

**zborovňa** staffroom, teachers' room

**zbožňovať** adore, worship; *jednoducho z-m ten obraz* I simply adore that picture

**zbožný** pious, devout

**zbraň** weapon; *(strelná)* firearm, gun; *jadrové z-e* nuclear weapons; *použiť z.* use a weapon

**zbrojenie** armament

**zbrojiť** arm, munition

**zbrojnica** arsenal, armoury; *(požiarna)* fire station

**zbrojovka** arms/munition factory

**zbúrať** demolish, pull down; *z. starú školu* pull down the old school building

**zbytočne** uselessly, to no purpose

**zbytočný** useless, unnecessary, needless; *z-é obavy* idle fear

**zďaleka** from afar; *prišiel z.* he came* from afar

**zdanenie** *(platenie dane)* tax-

ation; *(určenie dane)* imposition of taxes

**zdanie** appearance • *nemá o tom ani z-a* he hasn't got the slightest idea of it

**zdaniť** (impose a) tax

**zdanlivý** seeming, apparent; *(domnelý)* illusory; *z. záujem* apparent interest

**zdar** *(úspech)* success

**zdať sa** seem, appear; *zdá sa, že spí* he seems to be* sleeping; *zdá sa mi to ťažké* I find* it difficult

**zdatnosť** *(výkonnosť)* efficiency; *(spôsobilosť)* capability

**zdatný** *(výkonný)* efficient; *(spôsobilý)* capable

**zdediť** inherit

**zdesenie** horror, dismay; *na moje z.* to my dismay

**zdĺhavý** *(únavný)* tedious; *(vlečúci sa)* sluggish, slow; *trpieť z-ou chorobou* suffer from a chronic disease

**zdobiť** adorn, decorate; *(girlandami, stuhami)* festoon

**zdochlina** carcass; *obr. (unavený človek)* rag

**zdochnúť** perish

**zdokonalenie** perfection, improvement

**zdokonaliť** perfect, improve

// **z. sa** improve, brush up; *z-l sa v angličtine* he improved his English

**zdola** from below/underneath

**zdolať** *(ovládnuť)* master; *(prekonať)* overcome\*; *z. únavu* overcome\* so. exhaustion

**zdôrazniť** emphasize, stress

**zdráhať sa** be\* reluctant; *z-l sa odporovať* he was\* reluctant to oppose

**zdrap** rag, scrap; *(papiera, látky)* tatter

**zdravie** health; *(duševné)* sanity; *tešiť sa z dobrého zdravia* she enjoys good health • *na z.!* here's to you!, Cheers!; *na vaše z.!* to your health!

**zdravotnícky** health(-service); *z-e zariadenie* health-service institution; *(týkajúci sa hygieny)* sanitary

**zdravotníctvo** health service; *ministerstvo z-a* Ministry of Health

**zdravý** healthy; *(silný, výkonný)* sound, robust; *(duševne)* sane; *(zdraviu prospešný)* wholesome; *z. spánok* sound sleep; *z-o vyzerať* look healthy • *z. rozum* common sense

**zdražieť** become\* more expensive; *ovocie z-lo* fruit became more expensive

**zdražiť** increase/raise the price, make\* more expensive

**zdriemnuť si** take\* a nap, doze

**zdrobnenina** *gram.* diminutive [di'minjutiv]

**zdrobnený** diminutive

**zdroj** source; *z. svetla* source of light; *z. príjmov* means of living

**združenie** association, federation, union; *rodičovské z.* parent-teacher association

**združstevniť** turn/change into a cooperative

**zdržanlivosť** restraint, abstinence

**zdržanlivý** restrained, reserved

**zdržať** *(pri odchode)* keep\*; *z. hostí* keep guests; *(obrať o čas) veľmi ma z-la* she took\* much of my time; *(oneskorenie)* delay, retard // **z. sa** *(niečoho)* refrain; *teraz nefajčite* refrain from smoking

**zdržiavať sa** stay; *ako dlho sa z-š?* how long will you stay?; *(bývať)* dwell

**zdvihnúť** lift, hoist

**zdvojnásobiť** (re)double

**zdvorilostný** complimentary

**zdvorilý** polite, courteous, well-mannered; *byť z. k niekomu* be* courteous to sb.

**zebra** *zool.* zebra; *(prechod pre chodcov)* zebra crossing

**zeleň** green(colour); *(stromov)* verdure

**zelenáč** greenhorn

**zelenina** vegetables *pl., skr.* veg; *(listová)* greens; *(polievková)* soup greens

**zeleninár** *(predavač)* greengrocer; *(pestovateľ)* market gardener

**zelený** green; *z. ako tráva* green as grass; *z. paprika* green pepper; *z. hrášok* fresh pease; *lek. z. zákal* glaucoma; *polit. strana z-ch* Green Party; *náb. Z. štvrtok* Maundy/Holy Thursday

**zeler** celery

**zem** earth, land, country; *po mori i po z-i* by land and by sea; *spadnúť na z.* fall* to the ground; *(pôda)* ground // *astron. Z.* the Earth; *(svet)* the globe, the world

**zemeguľa** globe

**zememeračstvo** surveying, geodesy

**zemepis** geography; *z. je môj obľúbený predmet* geography is my favourite subject

**zemetrasenie** earthquake; *mesto bolo postihnuté z-m* city was* struck by an earhquake

**zemiak** potato, *pl.* potatoes; *oškrabať z-y* peel potatoes; *rozvarené z-y* watery potatoes; *pečené z-y v šupke* jacket potatoes

**zemitý** earthy; *z-é farby* earthy colours

**zemný** earth-, terrestrial; *z-é práce* earthworks; *z. plyn* natural gas

**zenit** *astron.* zenith; *obr. (vrchol)* peak

**zhabať** *práv.* confiscate; *obr.* claw, grab; *zlodej z-l šperky* thief grabbed jewels

**zháňať 1.** *(snažiť sa obstarať)* surge, look for **2.** *(dohromady)* drive* together **3.** *(peniaze)* hunt for

**zhanobiť** disgrace, dishonour

**zhasiť** *(oheň, cigaretu)* put* out; *(vypnúť)* switch off, turn off; *z. televízor* switch off a TV

**zhasnúť** *(prestať horieť)* go* out, burn* out; *oheň z-l* fire is out

**zhlboka** from out the deep/depth; *z. dýchať* breathe deeply

**zhltnúť** swallow; *(narýchlo zjesť)* gulp down

**zhluk** cluster; *(ľudí)* crowd, scrum(mage)

**zhluknúť sa** flock, gather

**zhniť** rot; *aj obr.* decay

**zhnitý** rotten, decayed; *obr.* corrupt

**zhnusiť (sa)** disgust, loathe

**zhoda** agreement, harmony, identity; *z. okolností* coincidence; *hovor. z-ou okolností* by chance; *šport.* deuce; *(gram.)* concord

**zhodiť** cast*, throw* down, knock off; *z. vázu* knock off the vase; *z-l zo seba kabát* he threw* his coat off

**zhodnotiť** estimate, judge; *z. situáciu* judge the situation; *(určiť hodnotu)* evaluate

**zhodný** corresponding, agreeing

**zhodovať sa** agree, correspond, harmonize, match

**zhon** rush, hastle, bustle; *vo veľkom z-e* in great hur-ry/rush; *(za niečím)* demand for sth.

**zhora** from above, from the top; *(smerom nadol)* downwards

**zhorieť** burn* down

**zhoršiť** *(znehodnotiť)* deteriorate //**z. sa** worsen

**zhotoviť** make*, manufacture

**zhovievavosť** toleration; *(trpezlivosť)* patience

**zhovievavý** tolerant; *(mierny, povoľný)* indulgent; *(mäkký)* lenient; *(trpezlivý)* patient

**zhovorčivý** talkative

**zhrbiť sa** stoop; *z. sa nad stolom* stoop over a desk

**zhrdzavieť** become* rusty

**zhrešiť** (commit a) sin

**zhrnúť 1.** *(dohromady)* heap together, pile up **2.** *(urobiť záver)* sum up, summarize; *z. správy* round up the news

**zhrnutie** summary

**zhromaždenie** gathering, assembly; *valné z.* general/plenary assembly

**zhromaždiť sa** gather (together), assemble; *(manifestovať)* rally

**zhroziť sa** be* shocked by sth./sb.

**zhruba** roughly, on the

whole; *z. povedané* roughly speaking

**zhubný** pernicious, destructive; *(smrteľný)* malignant, deadly, fatal

**zhustnúť** thicken, dense; *les z-l* wood thickened; *obchodná sieť z-la* shop net became* more dense

**zhyb** *(ohyb)* bend; *(kĺb)* joint

**zhýralý** lewd [lu:d], libertine

**zima 1.** *(ročná doba)* winter; *v z-e* in winter; *minulej z-y* last winter **2.** *(chlad)* cold, chill; *je mi z.* I am cold; *triasť sa od z-y* shiver from chill

**zimník** overcoat, greatcoat, winter coat

**zimozeleň** periwinkle, evergreen

**zinok** zinc

**zips** zip; *AmE* zipper

**zisk** yield; *(osoh)* benefit; *(výnos)* profit, gain; *čistý z.* net profit(s); *hrubý z.* gross earnings *pl.*; *daň zo z-u* profit tax

**získať** *(dostať)* get*, obtain; *(vyhrať)* obtain, win*; *(znovu)* recover again

**zísť sa 1.** *(zhromaždiť sa)* come* together, meet*, assemble **2.** *(niekomu na*

*niečo)* suit, be* fit; *to sa mi zíde* it will come* handy

**zistiť** find* out, discover; *ja to z-ím* I will find* out; *(fakty)* ascertain; *(priemer)* average

**zívať** yawn • *z. na celé kolo* have* a long yawn

**zívnutie** yawn(ing)

**zjav** *(vzhľad)* look, appearance; *(úkaz)* phenomenon

**zjavenie 1.** *(prízrak)* apparition **2.** *(prezradenie aj náb.)* revelation; *z. sa svätého* revelation of a saint

**zjavný** *(zrejmý)* obvious, apparent; *pre z-é príčiny* for obvious reasons

**zjazd 1.** *(strany)* congress, convention **2.** *šport. (na lyžiach)* downhill (run/race)

**zjazdný** passable

**zjednodušiť** simplify

**zjednotenie** unification

**zjednotiť** unify, unite

**zjemniť** refine, make* soft

**zlacnieť** become* cheaper

**zlacniť** make* cheaper

**zľahčovať** *(znevážiť)* detract, disparage; *z. niečie zásluhy* detract from so. merits

**zľaknúť sa** become*/get* scared/frightened

**zlato 1.** gold; *rýdze/čisté z.* pure gold; *(zlaté predmety)* gold, jewels **2.** *(človek)* darling, dear; *moje z.* my darling; *ty si z. you are a dear*

**zlatý** gold; *z-á medaila* gold medal; *obr.* golden; *z-á svadba* golden wedding; *(milý)* sweet • *z-á stredná cesta* the golden mean

**zľava 1.** *(z ceny)* reduction; *(z dane)* abatement **2.** *(z ľavej strany)* from the left

**zľaviť** deduct, reduce, lower, make* a deduction

**zle** *(nesprávne)* wrong

**zlepiť** glue/stick* together

**zlepšenie** improvement

**zlepšiť sa** (make*) better, improve; *z-l sa v angličtine* his English has improved

**zlepšovateľ** innovator

**zliatina** alloy

**zlievač** founder, foundryman

**zlievareň** foundry

**zlo** evil, ill, wickedness; *(krivda)* wrong; *(škoda)* harm; *menšie z.* the lesser of two evils

**zloba** *(hnev)* wrath, anger; *(nepriateľstvo)* ill will; *ľudská z.* malice

**zločin** crime, misdeed; *byť zapletený do z-u* to be* concerned in a crime

**zločinec** criminal; *vojnový z.* war criminal

**zločinný** criminal

**zlodej** thief, *pl.* thieves; *(vreckový)* pickpocket; *(v obchodoch)* shoplifter

**zlomenina** *lek.* fracture

**zlomený** broken

**zlomiť** break*; *lek.* fracture

**zlomok 1.** *(kúsok)* fragment **2.** *mat.* fraction; *(ne)pravý z.* (im)proper fraction

**zlomyseľnosť** malice, ill will

**zlomyseľný** malicious, wicked

**zlosovanie** lottery, raffle

**zlostný** angry; *byť z.* to be* angry

**zlosť** anger; *(rozhorčenosť)* wrath; *vyliať si z. na niekom* vent so. wrath on sb.; *mať na niekoho z.* be* furious with sb.

**zlostiť** make* angry; *(domŕzať)* annoy, irritate

**zlosyn** scoundrel, villain, rascal

**zlovestný** ominous, sinister

**zlozvyk** bad habit; *zbaviť sa z-u* give* up a bad habit

**zloženie 1.** *(štruktúra)* structure **2.** *(piesne, básne)* composition

**zloženka** advice of payment, postal order

**zložený** compound

**zložiť 1.** (preložiť) fold **2.** (peniaze) deposit **3.** (skúšku) pass **4.** všeob. aj obr. (úrad) put* down **5.** (hračku, nábytok dokopy) assemble

**zložitý** (z mnohých častí) compound; (komplikovaný) complicated

**zložka** part, component; (v systéme) item

**zlúčenina** compound

**zlúčiť** unite, join; chem. compound // **z. sa** fuse, amalgamate

**zlučiteľný** compatible

**zľutovanie** pity, mercy; majte s ňou z. have* a mercy on her

**zľutovať sa** have* pity on sb.

**zlý** (človek) bad; (úmysel) evil; (nekvalitný) bad, poor; z-á výživa poor alimentation; z-é meno ill reputation • z-é jazyky nasty tongues; z-é svedomie guilty/bad conscience

**zlyhanie** (srdca) heart failure

**zlyhať** fail, fall* down; (hlas) break*

**zmáčať** drench, wet

**zmačkať** rumple

**zmalátnieť** grow*/get* weak

**zmariť** defeat, ruin, frustrate; z. niekoho úsilie frustrate so. efforts

**zmäkčiť** soften

**zmätený** (chaotický) confused, distracted; (popletený) puzzled, perplexed

**zmätok** confusion; hovor. mess; (ohromenie) bewilderment

**zmena** (výmena) change, variation, modification; (úprava) alternation; z. k lepšiemu/horšiemu change for the better/worse

**zmenáreň** exchange office

**zmeniť** change, alter, vary; (vymeniť) commute, swap // **z. sa** change

**zmenka** bill of (ex)change; (dlžobný úpis) treasury bill

**zmenšiť** decrease, reduce, lessen; (uberať) detract; z. rýchlosť reduce speed

**zmenšiť sa** diminish, lessen

**zmenšovať sa** (počet) dwindle

**zmes** compound, mixture, blend; tabaková z. tobacco blend; (nemrznúca) antifreeze

**zmestiť sa** get* in(to), fit in

sth.; *z. sa do auta/miest-
nosti* fit into the car/room
**zmeškať** miss sth.; *z-l som
vlak* I missed my train
**zmeták** sweeper
**zmiasť** confuse, bewilder
**zmieniť sa** mention, refer;
*(narážkou)* allude to sth.
**zmienka** mention, refer-
ence, remark; *(narážka)*
allusion
**zmier(enie)** reconciliation
**zmieriť** reconcile, concilia-
te; *z. znepriateľené strany*
reconcile hostile parties
**zmieriť sa** reconcile os.;
*(s porážkou)* resign os. to
sth.; *z-l sa s bratom* he re-
conciled with his brother
**zmierlivý** conciliatory, for-
giving
**zmierniť** *(hnev)* moderate;
*(napätie)* relax; *(bolesť)*
ease; *(rýchlosť)* slow
down; *z. trest* mitigate
sentence
**zmiešať** jumble, mix
**zmietať sa** toss about, agi-
tate
**zmija** viper
**zmiznúť** *(z pohľadu)* dis-
appear; *(zaniknúť)* vanish
• *zmizni!* be* off!
**zmiznutie** disappearance
**zmĺknuť** become* silent,
hush; *hovor.* shut* up

**zmluva** contract, treaty;
*uzavrieť z-u* make* a con-
tract, conclude a treaty;
*kolektívna z.* collective
contract
**zmocnenec** authorized rep-
resentative
**zmocnenie** *(pís. príkaz)* war-
rant; *práv.* power of attor-
ney; proxy
**zmocniť sa** seize, take* pos-
session/control of; *z. sa
vlády* seize power
**zmoknúť** get* wet (with
rain), get* drenched
**zmrazený** frozen; *hlboko
z-é potraviny* deep-fro-
zen food
**zmraziť** freeze*, ice; *z. po-
traviny* deep freeze; *z.
mäso* ice the meat • *z.
ceny a mzdy* freeze pri-
ces and wages
**zmŕtvychvstanie** *náb.* the
Resurrection
**zmrzačený** deformed
**zmrzačiť** cripple
**zmrzlina** ice(cream); *(vodo-
vá)* ice lolly; *(s ovocím)*
sorbet, sherbet
**zmrznúť** *(človek)* freeze* (to
death); *(pôda, úroda)*
freeze up • *z. na kosť* be
chilled to the marrow
**zmútiť** 1. *(pomiešať, po-
pliesť)* confuse, entangle

**2.** *(mlieko)* churn **3.** *(vodu)* trouble

**zmýliť** mislead* // **z. sa** make* a mistake, err • *z. sa je ľudské* to err is human

**zmysel 1.** *(orgán)* sense; *(význam)* meaning; *z. pre humor* sense of humour; *práv. v z-e čl. 1* within the meaning of Article 1; *aký to má z.?* what's the use of it?; *nemá to z.* it's no use, it's no good

**zmyselnosť** sensuality

**zmyselný** sensual, lewd, lascivious; *z-é fotografie* lascivious photographs

**zmyslieť si** get* an idea

**zmyslový** sensuous, sensual; *z-é vnímanie* sensual perception; *z-é orgány* organs of sense

**zmýšľanie** *(názory)* opinions, views, way of thinking; *ľudia rovnakého z-ia* like-minded people

**zmyť** wash sth. off

**značiť** *(byť dôležitý)* signify; *(značkovať)* mark, indicate

**značka** mark; *dopr.* sign; *(obchodná)* trademark; *(tovaru)* brand; *(chemická)* symbol

**značne** considerably

**značný** considerable, massive; *(rozmery)* sizeable; *do z-ej miery* to a great extent

**znak 1.** *(príznak)* mark, sign, symptom **2.** *(erb)* coat-of-arms **3.** *(výsostný)* emblem **4.** *šport. (plavecký štýl)* backstroke

**znalec** expert, specialist

**znalosť** *(vedomosť)* knowledge; *(ovládanie)* command; *dobrá z. jazyka* good command of a language

**znamenať** mean; *(predstavovať)* signify; *to z-á* it means; *čo to má z.?* what's the meaning of it?

**znamenie** sign, signal; *(označenie)* brand; *zastávka na z.* request stop

**znamenitý** excellent, superb

**znamienko 1.** *(rozdeľovacie)* hyphen **2.** *(materské)* birth mark

**známka** sign; *(poštová)* stamp; *(hodnotiaca)* mark

**známosť 1.** *(poznanie)* knowledge **2.** *(vzťah)* acquaintance

**známy 1.** *príd.* (well-)known; *z-a osobnosť* known personality; *(povedomý)* familiar; *z. výhľad* familiar outlook 2. *podst.* friend, acquaintance; *to je môj z.* he is an acquaintance of mine

**znárodnenie** nationalization

**znárodniť** nationalize

**znásilniť** rape; *aj obr.* violate; *z. fakty* violate the facts

**znášanlivosť** tolerance

**znášanlivý** tolerant; *byť z. voči niekomu/niečomu* to be* tolerant to sb./sth.

**znášať 1.** *(vajcia)* lay* (eggs) **2.** *(trpieť)* bear*; *(vystát)* suffer, tolerate

**znateľný** visible, perceptible, recognizable

**znázornenie** representation

**znázorniť** represent; *z. skutočnosť vo filme* represent the reality in a film

**znečistenie** soiling, defilment, pollution; *z. vzduchu* air pollution

**znečistiť** soil, defile; *(odpadovými látkami)* pollute; *(nakaziť)* contaminate

**znehodnotiť** debase, devalue; *z. bankovku* invalidate a banknote

**znechutený** disgusted

**znechutiť** disgust

**znelka** *(signal)* theme, signature

**znemožniť** *(neumožniť)* make* impossible; *(prekaziť)* wreck; *(spoločensky)* disgrace

**znenazdania** at unawares, all of a studden, unexpectedly

**znenie 1.** *(štylizácia)* wording, version; *presné z.* precise wording **2.** *(zvuku)* sound

**znepáčiť sa** displease, take* a dislike to sth.; *Salinger sa mi z-l* I have taken a dislike for Salinger

**znepokojiť** trouble, worry, disquiet, make* anxious // *z. sa* worry, become* anxious

**znepokojujúci** disturbing, alarming

**znesiteľný** bearable, endurable, tolerable

**znetvorený** deformed, disfigured

**znetvoriť** deform, disfigure; *(aj telesne)* cripple; *nehoda ho z-la* accident crippled him

**zneuctiť** dishonour, disgrace; *(znásilniť)* rape, violate

**zneužiť** *(cit, situáciu)* exploit, trespass; *(na zlý cieľ)* misuse, abuse; *(sexuálne)* interfere with sb.

**zničenie** demolition, destruction

**zničiť** demolish, destroy; *vojna z-la krajiny* war destroyed countries

**zniesť** 1. *(vydržať)* bear*, stand*; *z. bolesti* bear* pains 2. *(na kopu)* pile; *(dole)* take*/bring* down 3. *(vajce)* lay*

**znieť** (re)sound, clang, ring*; *to nez-e pravdivo* it rings* false; *(text)* run*, go*; *príbeh z-e takto* story goes like this

**zníženie** 1. lowering 2. *(cien)* reduction; *(mzdy)* cutting (wages)

**znížiť** 1. *(zmenšiť)* lower, bring* down; *z. hlas* lower so. voice 2. *(cenu)* knock down, lessen, reduce 3. *(ponížiť)* degrade, humiliate // **z. sa** *(konať pod svoju úroveň)* condescend, stoop; *nez-la by sa ku lži* she would not condescend to tell a lie

**znova, znovu** (once) again, once more; *z. a z.* time after time; *(predpona slovies)* re-; *z. prečítať* re-read; *z. investovať* reinvest

**znovunastolenie** restoration
**znovuzrodenie** rebirth

**znútra** (from) within
**zobák** beak, bill; *pejor. (ústa)* mug, jaw

**zobrať** take*; *z-la si liek* she took her medicine; *z. úplatok* take a bribe; *zober si (ponúkni sa)* help yourself; *z. niečo do úvahy* take sth. into account • *z. si niečo do hlavy* take sth. into so. head // **z. sa** *(odísť)* pick up; *z-l sa a odišiel* he picked up and went* away

**zobudiť (sa)** awake*, wake* (up); *z-la som sa o piatej* I woke up at five

**zoči-voči** face-to-face; *stáli si z.-v.* they were standing face-to-face (with one another)

**zodpovedať sa** answer for sth., be* responsible for sth., give* account of

**zodpovednosť** responsibility; *prevziať z.* assume responsibility

**zodpovedný** responsible; *je z. svojej manželke* he is responsible to his wife; *z. redaktor* editor in charge

**zodrať** tear* into rags, wear out/down; *z. kožuch* wear* the furcoat down // **z. sa** drudge, overwork

**zohaviť** deform, disfigure; *(zmrzačiť)* maim; *(odťatím končatín)* mutilate; *z. sochu* mutilate a statue

**zohriať (sa)** warm (up)

**zomrieť** die; *(skonať)* decease, pass away; *z. prirodzenou smrťou* die a natural death; *z. na otravu* die by poisoning

**zóna** zone

**zoológia** zoology

**zoologický** zoological; *z-á záhrada* zoological garden, *skr.* Zoo [zu:]

**zopakovať** *(stručne)* recapitulate, repeat; *výp.* retry

**zopnúť** *všeob.* link; *(zviazať)* tie together; *(zošpendliť)* pin together; *(sponou)* clasp

**zora** aurora; *ranné z-e* morning glow

**zoradiť (sa)** line up, file up

**zorganizovať** organize, arrange; *hovor.* fix up

**zornica 1.** *(hviezda)* morning star **2.** *(zrenica) anat.* pupil, iris

**zosadiť** *(zbaviť moci)* depose, remove; *(kráľa)* dethrone

**zosadnúť** dismount; *z. z motorky/koňa* dismount the motorbike/horse

**zosilniť** *(pridať)* strengthen;

*(zväčšiť, zvýšiť)* increase, reinforce

**zosilňovač** amplifier; *hovor.* repeater

**zoskupiť** group, arrange in a group

**zosmiešniť** make* ridiculous

**zosobášiť sa** get* married; *z-li sa minulý týždeň* they got married last week

**zosobniť** personify, embody

**zostať** stay, remain, keep*; *z. na večeru* stay for dinner; *z. na noc* stay overnight; *z. nažive* remain alive; *z. slobodný* remain single; *z. sedieť* keep sitting

**zostatok** remainder, rest

**zostava** *(usporiadanie)* composition, arrangement; *(pracovná)* group, team

**zostaviť** *(zoznam)* make* up; *(usporiadať)* arrange; *z. vládu* form the government

**zostreliť** shoot* down

**zostrojiť** construct

**zostup 1.** descent **2.** *(pokles)* fall; *(úpadok)* decline

**zostúpiť** descend, move* down, come* down; *chodník z-je k moru* path descends to the sea

**zosuv** drift; *(pôdy)* landslide

**zošit** notebook, pad; *(škol-*

*ský)* copybook, exercise-book; *z. na kreslenie* drawing pad, sketchbook

**zotavenie** recovery, relaxation

**zotaviť sa** recover from

**zotavovňa** recovery home

**zotrieť** wipe out, wipe up; *výp.* delete

**zotročiť** enslave

**zotrvačnosť** inertia; *zo z-i* through inertia

**zotrvanie** perseverance, persistence

**zotrvať** perseve, persist, continue; *vojak z-l v službe* soldier continued in service

**zovňajší** outside, exterior

**zovňajšok** look, appearance

**zovrieť 1.** *(rukou)* clasp, grip; *(päsť)* clench (so. fist) **2.** *(začať vrieť)* (become* to) boil

**zovšeobecniť** generalize

**zozbierať** gather, collect

**zoznam** list, register; *(menoslov)* roll; *(telefónny)* directory; *zapísať do z-u* enrol

**zoznámenie** introduction, acquaintance

**zoznámiť** acquaint sb. with; *(predstaviť)* introduce sb. to // *z. sa* get* acquainted with, meet*; *z-la sa s ním*

*v divadle* she met him in a theatre

**zožať** *(obilie)* crop

**zožrať** devour; *pes z-l klobásu* dog devoured the sausage

**zrada** *(priateľa)* betrayal, breach; *(tajná)* treachery; *(vojenská, vlasti, národa)* treason

**zradca** traitor; *odhaliť z-u* unmask a traitor

**zradiť** betray, give* away

**zradný** treacherous; *(zákerný)* perfidious

**zrak** sight; *dobrý z.* clear sight

**zranenie** injury; *(krvavé)* wound

**zraniť** injure; *(krvavo)* wound; *(aj duševne)* hurt

**zraniteľný** *(duševne)* vulnerable

**zraziť** knock down/off; *(vozidlom)* knock (over); *z-l ma autom* I was knocked by his car

**zraziť sa 1.** *(auto,vlak)* collide, crash, bump; *autá sa z-li* cars bumped into one another **2.** *(mlieko)* curdle **3.** *(látka)* shrink*

**zrazu** all of a sudden, suddenly, unexpectedly

**zrážka 1.** clash; *(dopravná)* collision, accident **2.** *(fi-*

*nančná)* deduction, discount **3.** *(vodné zrážky)* rainfall

**zrejmý** evident, obvious

**zrelý** ripe; *(ovocie, víno)* mellow; *(človek)* mature

**zreteľ** regard, respect; *so z-om na* in/with regard to

**zreteľný** clear, distinct

**zrevidovať** revise

**zriadenec** attendant; *(na letisku)* flight attendant

**zriadenie** institution, establishment, system

**zriadiť** *(založiť inštitúciu)* establish, found, set* up

**zriasiť** frill, ruffle

**zriecť sa, zrieknuť sa** withdraw*, give* sth. up; *(oficiálne)* renounce

**zriediť** dilute

**zriedka** seldom, rarely; *z. ho vídavam* I see* him very little

**zrkadliť (sa)** reflect, be* reflected

**zrkadlo** mirror, looking-glass; *pozrieť do z-a* look at the mirror

**zrnko** *(citrónu, jablka)* pip; *(malé množstvo)* bit, ray, grain • *ani zrnko pravdy* not a grain of truth

**zrno** *(obilie)* grain, corn; *(hrozna)* grape; *(kávy)* bean

**zrovnať** *(vyrovnať)* level, plane, flatten

**zrovnoprávniť** grant equality, make* equal

**zrozumiteľný** intelligible, understandible

**zrub** *(chata)* log cabin, timber chalet

**zrúcanina** ruin; *pren.* wreck; *z-y* ruins *pl.*

**zručnosť** skill; *hovor.* knack

**zručný** handy, skilful; *(školený)* skilled, expert; *z. človek* old hand; *z. záhradkár* have* a green thumb

**zrušenie 1.** *(odvolanie)* withdrawal **2.** *(urobiť neplatným)* cancellation; *z. objednávky* cancellation of an order **3.** *(odstránenie)* abolition; *z. otroctva* abolition of slavery

**zrušiť** abolish, cancel; *z. slovo/sľub* break* so. promise

**zrútiť sa** collapse, fall* down, break* down

**zrýchlenie** acceleration

**zrýchliť (sa)** accelerate, quicken, speed (up)

**zub** tooth, *pl.* teeth; *mliečny z.* milk tooth; *predný z.* front tooth; *z. múdrosti* wisdom tooth; *umelé z-y* false teeth; *bolesť z-a* toothache; *plombovať z.* fill the tooth; *dať si vytrhnúť z.* have* a tooth pulled out

**zubačka** *hovor. ozubnicová železnica* rack railway

**zubný** dental; *z. lekár* dentist; *z. kameň* tartar; *z-á kefka* toothbrush; *z-á pasta* toothpaste

**zúčastniť sa** take* part in, partake*; participate in, enter into

**zúfalstvo** despair; *v z-e* in despair; *upadnúť do z-a* sink* into despair

**zúfalý** desperate, hopeless; *z. pokus* desperate attempt; *má z. vkus* she has* a desperate taste

**zúfať si** despair (*nad* of), be* in despair, be* desperate

**zuhoľniť** carbonise, char

**zunovať (sa)** weary, tire of sth.

**zúriť** rage, be* furious

**zúrivosť** rage, fury

**zúrivý** furious; *z-á nenávisť* furious hate

**zúrodniť** fertilize

**zušľachtiť** ennoble, refine, elevate; *hudba z-je človeka* music elevates the human

**zúžiť** narrow; *(stiahnuť sa)* contract; *z. sukňu* take* in the skirt

**zužitkovať** utilize, make* use

**zvada** quarrel, brawl, dispute

**zvádzať 1.** seduce, tempt **2.** *(vodu)* drain

**zvaliť** roll down, upset*; *(zrúcať)* pull down • *z. vinu na niekoho* lay* the blame on sb.

**zvárať** weld

**zvažovať sa** slope down

**zväčša** mostly, for the most part, largely

**zväčšenie** increase, enlargement; *fot.* blow* up

**zväčšiť (sa), zväčšovať** enlarge; *(aj fot., lupou)* magnify, increase

**zväčšovať** magnify

**zvädnúť** *(rastliny)* wither ['wiðə], shrink*; *(pokožka)* shrivel

**zväz** union, federation, league; *odborový z.* Trade Union

**zväzok 1.** alliance, union **2.** *(klúčov, kvetov)* bunch **3.** *(puto)* bond, tie **4.** *(knihy)* volume; *manželský z.* cord of marriage

**zvedavosť** curiosity

**zvedavý** curious; *pejor.* nosy, nosey; *som z., kto vyhrá* I wonder who will win

**zveličiť** exaggerate

**zver** wild animal, beast; (poľovná) game; (škodlivá) vermin

**zverák** press screw, vice

**zverenec** charge; práv. ward

**zverina** game; (mäso) venison

**zveriť** 1. (poveriť) charge (with) 2. (odovzdať) entrust // z. sa confide, open so. heart to sb.

**zverolekár** veterinary surgeon, hovor. vet

**zverstvo** atrocity, bestiality

**zvesiť** 1. hang* down; z. obraz hang down the picture 2. obr. (napr. hlavu) sink*, bow

**zvesť** (novinka) news; (správa) message; (chýr) rumour

**zvestovať** announce, report

**zvetraný** disintegrating, weathered

**zviazať** tie together, bind*; (remeňom) strap

**zviera** animal, beast; obr. brute; hospodárske z. farm animal

**zvierací**: z-ia kazajka straitjacket

**zvierať** compress; (pevne) grip, clutch

**zvieratník** zodiac

**zviesť** (ženu) seduce

**zviezť sa** have* a ride, have a drive, go* by; (zosunúť sa) slide down

**zvíjať sa** (ovíjať sa) wind*; z. sa od bolesti squirm in pain

**zvislý** vertical, upright

**zvitok** (papiera) roll; twist

**zvíťaziť** (dobyť) conquer, win*, gain victory

**zvládnuť** manage, master, handle; (situáciu, problem) cope; z. ťažkosti cope with difficulties; ako to z-e? how will she cope?

**zvlášť** (nevšedne, mimoriadne) especially, particularly; platiť každý z. pay* separately

**zvláštnosť** peculiarity

**zvláštny** 1. special, particular, unusual; (oddelený) separate; (naviac) extra 2. (podivný) strange, peculiar; z-a príchuť peculiar flavour

**zvlhnúť** become* moist/damp/wet

**zvlniť** undulate, wave; z. vlasy wave the hair

**zvod** elektr. lead-in; všeob. z-y (pokušenie) temptation, tempting

**zvodca** (žien) seducer; (pokušiteľ) tempter

**zvodný** *(lákavý)* tempting, alluring, attractive

**zvolanie** call, cry; *gram.* exclamation

**zvolať 1.** *(vykríknuť)* exclaim, call out **2.** *(dohromady)* summon, convoke; *z. schôdzku* call a meeting

**zvolenie** *polit. (voľba)* election

**zvoliť** *polit.* elect; *(hlasovaním)* vote // **z. si** *(vybrať si)* choose*

**zvon(ček)** bell; *(na dverách)* doorbell; *poplašný z.* alarm bell • *srdce ako z.* tongue of a bell

**zvonenie** ring(ing)

**zvoniť** ring*, jingle, tingle; *z. na poplach* ring the alarm; *z-í!* there's the bell! • *z-í mi v ušiach* my ears are tingling

**zvracať** vomit, *hovor.* puke

**zvraštiť (sa)** crease, wrinkle; *z. čelo* wrinkle so. forehead

**zvrat** *(obrat)* turn; *(zmena)* change; *(na zlé)* reverse, reversal; *osudové z-y* ups and downs (of fortune)

**zvrátený** *(úchylný)* perverted, deviant

**zvrátiť** *všeob.* overturn; *(aj obr.)* upset*, overthrow*;

*z. rozhodnutie* reverse a decision

**zvratný** *gram.* reflexive

**zvrhlík** pervert

**zvrhnúť sa** degenerate, deteriorate

**zvrchník** overcoat

**zvrchovanosť** sovereignity

**zvrchovaný** supreme, sovereign

**zvučať** (re)sound, ring*

**zvučný** resonant, sonorous; *z. hlas* sonorous voice

**zvuk** sound; *(zvonivý)* clang; *(melodický)* tone, tune; *(na prijímači)* volume; *vydať z.* utter a sound; *rýchlejší ako z. (nadzvukový)* supersonic

**zvukotesný** sound-proof

**zvyk** habit, practise, routine; *(zvyklosť)* custom; *ako mal vo z-u* as was* his habit; *podľa starého z-u* according to an old custom • *z. je železná košeľa* habit is the second nature; *z-vé právo (nepísaný zákon)* common law

**zvyknutý** accustomed

**zvyknúť si** get* accustomed to, get* used to; *z-la si na teplé podnebie* she has accustomed herself to warm climate

**zvýšenie** increase, raise

**zvýšiť** raise, increase; *z. ceny/plat* raise prices/salary; *z. rýchlosť* increase speed

**zvyšky** *(hradu)* remains *pl.*; *(odpad)* scraps; *(jedla)* leftovers

**zvyšný** leftover, remaining; *(navyše)* additional, odd

**zvyšok** rest, remainder; *(zostatok)* residue; *(nadbytok)* surplus; *(na účte)* balance

**zženštilý** *pejor.* effeminate

# Ž

**žaba** frog • *studený ako ž.* as cold as a cucumber

**žací** *ž. stroj* reaper, mowing machine, harvester

**žalár** *(väzenie)* prison, gaol; *AmE* jail

**žalm** psalm; *kniha ž-ov* Book of Psalms

**žaloba** *(sťažnosť)* complaint; *(súdna)* prosecution, lawsuit; *podať ž-u* sue, bring* an action against sb.

**žalobaba** tattletale

**žalobca** *(civilný)* plaintiff; *(súdny)* prosecutor; *štátny/verejný ž.* public prosecutor

**žalosť** *(zármutok)* sorrow, grief; *(smútok)* sadness

**žalostný** *(bolestný)* deplorable, painful; *(zarmútený)* mourning, sorrowful, grievous

**žalovať** 1. *(donášať)* sneak, inform 2. *(súdne)* sue, accuse, bring* an action 3. *(nariekať)* lament // *ž. sa* complain of sth.; *ž. sa na bolieť hlavy* complain of a headache

**žaluď** 1. *bot.* acorn 2. *kart.* clubs *pl.*

**žalúdok** stomach; *dvíha sa mu ž.* his stomach turns; *pokazený ž.* indigestion

**žalúzie** sunblinds

**žáner** *(umelecký druh)* genre [ža:nr]

**žargón** jargon [ˌdža:gən]; *lekársky ž.* medical jargon

**žart** *(pobavenie)* fun; *(vtip)* joke; *robiť si ž-y z niekoho/niečoho* make* fun of sb./sth.; *zo ž-u* for fun

**žartovať** joke, play the fool; *iba ž-m* I'm only joking

**žartovný** comical, funny, jocose; *(vtipný)* witty; *ž-á poznámka* funny remark

**žasnúť** be* astonished, be* amazed

**žať** mow\*, reap, harvest

**žatva** harvest; *bohatá ž.* rich harvest

**žblnkať** ripple, gurgle; *žblnkajúci potok* gurgling stream

**že** that; *povedal, že príde* he said\* (that) he would come; *má toľko peňazí, že nevie, čo s nimi* he has\* so much money that he doesn't know what to do with it

**žehlička** iron; *naparovacia ž.* steam iron

**žehliť** (*bielizeň*) iron; (*šaty*) press • *ž. si u niekoho niečo* iron things out with sb.

**žehnať** *náb.* bless; *Boh vám ž-j!* God bless you!

**želanie** wish; *splniť ž.* fulfil a wish; *so ž-ím všetkého najlepšieho* with best wishes

**želať (si)** wish; *ž. niekomu šťastie* wish sb. luck; *ž-te si ešte niečo?* would you like anything else?

**želé** jelly

**železiareň** ironworks *pl.*, iron mill, metalworks

**železiarsky:** *ž. tovar* hardware; *ž. priemysel* hardware industry

**železiarstvo** ironmongery

**železnica** railway; *AmE* railroad; *ž-ou* by rail

**železničiar** *všeob.* railwayman; (*robotník*) railwayworker; (*úradník*) railway-official; *AmE* railroader

**železničný** railway; *ž-ý lístok* railway ticket; *ž-á trať* railway line; *ž. vozeň* railway carriage; *AmE* railway car

**železný** iron; *ž-é zdravie* robust health, iron constitution; *ž-á doba* Iron Age; *ž-á ruda* iron ore; *polit. ž-á opona* Iron Curtain

**železo** iron; *staré ž.* scrap; *dať do starého ž.* scrap • *nervy/svaly ako zo ž-a* iron nerves/muscles

**železobetón** reinforced concrete, ferroconcrete

**žemľa** roll; *ž. so šunkou* ham roll; (*sladká*) bun

**žena 1.** woman, *pl.* women, female; *slobodná/vydatá ž.* single/married woman **2.** (*manželka*) wife, *pl.* wives; *pozdravuj tvoju ž-u* regards to your wife **3.** *ž-y (na WC)* Ladies

**ženatý** married

**ženích** (bride)groom; (*snúbenec*) fiancé

**ženiť sa** marry, take\* sb. in

marriage; *ož-l sa s Máriou* he took* Marry in marriage

**ženský** female, feminine, woman's , ladie's; *ž. šarm* female charm; *ž-é pohlavie (ženy)* fair sex; *gram. ž. rod* feminine (gender); *ž-é reči* women's talk; *ž. časopis* ladies'magazine

**žeravý** red-hot; *ž-é slnko* glowing sun

**žeriav** *zool. aj tech.* crane

**žezlo** sceptre

**žgrloš** miser, niggard

**žgrlošiť** live stingily, be* close with so. money

**žiabre** gills [gilz] *pl.*

**žiactvo** pupils *pl.*; *šport.* juniors *pl.*

**žiačka** pupil, schoolgirl; *šport.* junior

**žiadať** ask, require, demand; *(o niečo)* apply for; *ž. (o) povolenie* ask for permission

**žiadateľ** applicant, requester

**žiaden, žiadny** no, none; *(po zápore)* any; *(z dvoch)* neither; *za ž-u cenu* at no price, not at any price

**žiadosť** request; *(oficiálna)* petition; *(písomná)* application (for sth.); *na vlastnú ž.* at so. request

**žiadostivý** *(túžiaci)* eager; *(nedočkavý)* anxious

**žiaduci** *(želateľný)* desirable; *(vzbudzujúci túžbu)* appealing, attractive

**žiak** pupil, schoolboy; *šport.* junior; *ž. autoškoly* learner driver

**žiaľ** *(zármutok)* sorrow, grief; *(smútok)* sadness

**žiaľbohu** *(beda)* alas

**žialiť** grieve, mourn, lament

**žiar** *(vysoká teplota)* heat, glow; *obr.* fervour, ardour

**žiara** glare; *polárna ž.* aurora; *v ž-e slnečného svetla* in the glare of sunlight

**žiarenie** radiance, radiation

**žiariť** shine*, glare; *ž. od radosti* beam with joy

**žiarivka** fluorescent tube/lamp

**žiarivý** shinig, luminous, radiant, beaming

**žiarliť** be* jealous; *ž-i na svoju ženu* he is jealous of his wife

**žiarlivosť** jealousy; *zo ž-i* out of jealousy

**žiarlivý** jealous; *hovor.* green-eyed

**žiarovka** bulb

**žid** *náb.* Jew

**židovka** *náb.* Jewess

**židovský** *náb.* Jewish; *ž-é zvyky* Jewish customs

**žihadlo** sting; *(vrtký)* ako ž. as swift as the wind

**žihľava** *bot.* (stinging) nettle

**žila** vein, (blood) vessel; *kŕčová ž.* varicose vein

**žiletka** (safety razor) blade; *ostrá ž.* sharp blade

**žinčica** sheep whey

**žinenka** *šport.* mat

**žirafa** giraffe

**žírny** *(veľmi úrodný)* fertile, rich

**žiť** live, be* alive, exist • *ž. a nechať ž.* live and let* live; *ž. pod jednou strechou* live under the same roof; *ž. osamote* live alone; *nech žije!* long live!

**žito** *(pšenica)* wheat; *(raž)* rye • *mať sa ako prasa v ž-e* live like pigs in clover

**živel** element; *voda je nebezpečný ž.* water is a dangerous element; *kriminálne ž-y* criminal elements

**živelný** elemental, natural; *ž-á katastrofa* natural catastrophe

**živica** resin, rosin

**živiť** feed*, nourish; *musím ž. veľkú rodinu* I have* a large family to feed

**živiť sa 1.** *(jesť)* feed* on, live on, eat* **2.** *(zarábať na živobytie)* make* so. living

**živiteľ** maintenor, breadwinner

**živnosť** trade, (small) business; *(remeselná)* craft; *ž-tenský list* trade licence

**živnostník** trader, tradesman

**živobytie** living, livelihood; *zarábať si na ž.* earn so. living/bread

**živočích** animal

**živočíšny** animal; *ž-a ríša* animal kingdom; *lek. ž-e uhlie* medical charcoal

**živoriť** vegetate, live poor, live hand-to-mouth existence

**živosť** liveliness, vivacity

**život** life, existence; *celý ž.* lifetime; *plný ž-a* lively; *zmysel ž-a* meaning of life; *spôsob ž-a* way of life; *vziať si ž.* commit suicide

**životnosť** vitality

**životný** vital; *ž-á dráha* career; *ž-á veľkosť* life-size; *ž-á múdrosť* practical wisdom; *ž. náklady* cost of living

**životopis** biography, CV (= curriculum vitae)

**životospráva** regimen, course of living

**živý 1.** living **2.** *(čulý)* lively, agile; *(energický)* zippy **3.** *(opis)* vivid **4.** *(premávka)* busy; *ž-á ulica* busy street; *ž. tvor* living creature; *ž. plot* hedge; *ž. inventár* livestock • *ťať do živého* cut* to the quick

**žľab** scuttle, gutter; *(mlynský)* millrace

**žľaza** gland; *potné ž-y* sweat glands

**žlč** bile, gall; *horký ako ž.* bitter as gall

**žlčník** gallbladder

**žliabok** groove

**žltačka** *lek.* jaundice

**žltohnedý** tan

**žĺtok** yolk

**žltý** yellow; *ž. ako zlato* as yellow as gold; *chorobne ž-á tvár* sickly yellow face

**žmurkať** blink, twinkle; *(dávať znamenie)* wink *(na to)*

**žmýkačka** wringer, spindrier

**žmýkať** wring*; *(aj napr. citrón)* squeeze; *ž. mokré šaty* wring wet clothes

**žnec** harvester, reaper

**žobrák** beggar

**žobrať** beg; *ž. peniaze* beg for money; *ísť ž.* go* begging

**žold** soldier's pay

**žoldnier** mercenary, hired soldier

**žonglér** juggler

**žoviálny** jovial, genial

**žralok** shark

**žrať** gorge, devour; *(pásť sa)* graze, crop

**žravý** gluttonous, voracious

**žrď** shaft, mast, pole; *(na vlajku)* flag pole

**žreb** lottery ticket

**žrebčinec** stud farm

**žrebec** stallion

**žrebovať** draw* lots

**žriebä** foal, colt

**žriedlo** fountain, spring; *ž. vody* spring of water; *obr.* source; *ž. informácií* source of information

**žubrienka** *zool.* tadpole

**žula** granite; *byť tvrdý ako ž.* be* as hard as flint

**žumpa** cesspool, cesspit

**župa** *hist.* county, district

**župan 1.** *polit., hist.* head of a county **2.** (dressing) gown; *AmE* bathrobe

**žurnál** *(filmový týždenník)* newsreel; *(časopis)* journal, magazine

**žurnalista** journalist, pressman

**žuvať** chew; *ž. tabak/ žuvačku* chew tobacco/ chewing gum

**žuvačka** chewing gum

# KONVERZAČNÁ ČASŤ – CONVERSATION

## SKRATKY – ABBREVIATIONS

**a.m.** (= ante meridiem) ráno, dopoludnia
**a/c** (= account + current) – bežný účet
**a/o** (= account of) – na účet (niekoho)
**ABC** (= American Broadcasting Company) – americká rozhlasová a televízna spoločnosť; abeceda
**Abf** (= American breakfast) – americké raňajky (ubytovanie + raňajky, obed, večera)
**AC** (= alternating current) – striedavý prúd
**AD** (= Anno Domini) – roku pána, po Kristovi, nášho letopočtu
**AE** (= American Express) – American Express
**AGM** (= Annual General Meeting) – výročná schôdza
**AI** (= artificial intelligence) – umelá inteligencia
**AIDS** (= Acquired Immune Deficiency Syndrome) – AIDS
**ALL** (= all inclusive) – všetko v cene
**AOB** (= Any Other Business) – posledný bod schôdze (iné, resp. ostatné)
**AOU** (= I owe you) – dlhujem ti/vám
**AP** (= Associated Press) – americká tlačová agentúra
**ARR/Arr.** (=arrival) – príchod/prílet (dátum, čas)
**asap/ASAP** (= as soon as possible) – čo najskôr
**ASEAN** (= Association of South-East Asian Nations) – Asociácia krajín juhovýchodnej Ázie
**ATM** (= automated teller machine) – *(AmE)* bankomat
**Att** (= Attorney) – advokát, obhajca
**Av/Ave** (=Avenue) – ulica, trieda, bulvár

**B&B** (= bed and breakfast) – nocľah a raňajky
**BA** (= Bachelor of Arts; British Airways) – bakalár filozofie; britské aerolínie

**BBC** (= British Broadcasting Corporation) – Britská rozhlasová a televízna spoločnosť

**BC** (= Before Christ) – pred naším letopočtom; pr. n. l.

**BEng** (= Bachelor of Engineering) – bakalár technických vied

**bgt** (= budget accomodation) – lacné ubytovanie

**BKG** (= booking) – rezervácia

**BL** (= Bachelor of Law) – bakalár práva

**Blvd.** (= Boulevard) – bulvár, hlavná trieda

**BM** (= Bachelor of Medicine) – bakalár medicíny

**bn** (= billion) – *(BrE)* bilión; *(AmE)* miliarda

**BS** (= Bachelor of Science) – *(BrE)* bakalár prírodných vied; *(AmE)* (= B. of Surgery) – bakalár chirurgie

**BscEcon** (= Bachelor of Economic Science) – bakalár ekonómie

**BSE** (= Bovine spongiform encephalopathy) – choroba šialených kráv

**BST** (= British Summer Time) – britský letný čas

**C.-inC.** (= Comander-in-Chief) – hlavný veliteľ

**c/a, C/A** (= current account) – bežný účet

**c/o** (= care of) – bytom v..., (na adresu)

**CAI** (= computer-assisted instruction) – návod pomocou počítača

**CAL** (= computer-assisted learning) – učenie pomocou počítača

**cc** (= cubic centimeter); (= carbon copy) – kubický centimeter; kópia

**CD** (= compact disc; corps diplomatique) – CD; diplomatický zbor

**CE** (= Church of England) – anglikánska cirkev

**CEE** (= Central and Eastern European Countries) – stredo- a východoeurópske krajiny

**CI** (= check-in) – prihlásenie sa (na letisku, v hoteli)

**CIA** (= Central Intelligence Agency); (= cash in advance) – *(AmE)* Ústredná spravodajská služba; záloha v hotovosti

**CID** (= Criminal Investigation Department) – kriminálna polícia
**CNN** (= Cable News Network) – americká TV
**CO** (= check-out) – odhlásenie sa (na letisku, v hoteli)
**CO.** (= company) – spoločnosť
**Co.** (= Company; County) – spoločnosť, grófstvo
**COD** (= cash on delivery) – na dobierku
**CP** (= continental plan) – európske raňajky (studené)
**CTR** (= centre) – centrum
**CV** (= curriculum vitae) – životopis

**D/L** (= driver license) – vodičský preukaz
**DAT** (= digital audio tape) – kazeta na digitálne snímanie
**dbl** (= double) – dvoj-
**DD** (= Doctor of Divinity); (= direct debit) – ThDr.; doktor teológie; platenie v hotovosti
**DEP, Dep** (= departure date) – dátum odchodu / odletu
**dept.** (= department) – oddelenie
**Dept.** (= departure) – odchod
**DfEE** (= Department for Education and Employment) – *(BrE)* Úrad zodpovedný za vzdelávanie a zamestnaneckú politiku
**DIY** (= do-it-yourseff) – urob si sám (pre domácich kutilov)
**DND** (= do not disturb) – nevyrušovať
**DSS** (= Department of Social Security) – Odelenie sociálnych vecí
**DTI** (= Department of Trade and Industry) – Oddelenie obchodu a priemyslu *(BrE)*
**DTP** (= Deteskop Publishing) – DTP, stolová typografia
**DVD** (= digital versatile disk) – digitálny disk

**E** (= East) – východ
**EC** (= European Communities) – európske spoločenstvá
**ECU** (= European Currency Unit) – Európska menová únia
**EDP** (= electronic data processing) – elektronické spracovanie dát

**EFL** (= English as a Foreign Language) – angličtina ako cudzí jazyk

**EFTA** (= European Free Trade Association) – Európske združenie voľného obchodu

**eg (e. g.)** (= exampli gratia) (čítaj: for instance/example) – napr., napríklad

**ELT** (= English Language Teaching) – výučba angličtiny (ako cudzieho jazyka)

**EMU** (= Economic and Monetary Union) – ekonomická a menová únia

**EP** (= European Parliament) – Európsky parlament

**ER** (= emergency room) – pohotovosť

**esp.** (= especially) – obzvlášť

**et al.** – (= *lat.* et allii/alia) – a iné, a iní

**etc.** (= et cetera; čítaj: and the rest; and so on) – a tak ďalej, atď.

**EU** (= European Union) – Európska únia

**EUR** (= euro) – európska mena (euro)

**EXP** (= express) – rýchlik

**Exwy** (expressway) – *(AmE)* diaľnica (v meste)

**F** (= Fahrenheit); (= female) – Fahrenheit; žena

**f** (= following) – následne

**FAO** (= for the attention of...) – na vedomie, do pozornosti...

**FAQ** (= frequently asked) questions) – často kladená/é otázka/ky

**FBI** (= Federal Bureau of Investigation) – federálny kriminálny úrad

**flt** (= flight) – let

**Frwy/FWY** (= freeway) – *(AmE)* expresná diaľnica

**ft** (= foot/feet) – stopa (30,5 cm)

**GATT** (= General Agreement on Tariffs and Trade) – všeobecná dohoda o clách a obchode

**GB** (= Breat Britain) – Veľká Británia

**GCSE** (= General Certificate of Secondary Education) – záv. skúška na strednej škole; maturita

**GDP** (= Gross Domestic Product) – hrubý domáci produkt

**GI** (= General Issue) *(AmE)* – *hovor.* vojak amer. armády

**GIGO** (= computer garbage in/out) – nespoľahlivý vstup/výstup v počítači

**GM** (= genetically modified) – geneticky modifikované (potraviny)

**GMT** (= Greenwich Mean Time) – západoeurópsky čas

**GNP** (= Gross National Product) – hrubý domáci produkt

**GOP** (= Grand Old Party) – *(AmE)* Republikánska strana v USA

**GP** (= General Practitioner) – praktický/obvodný lekár

**GPO** (= General Post Office) – hlavná pošta

**H** (= hospital) – nemocnica

**h** (= hour) – hodina

**Hb** (= half board) – polpenzia

**HC** (= handicapped) – pre telesne postihnutých

**HC** (= Highway Code) – Pravidlá cestnej premávky

**HGV** (= heavy goods vehicle) – ťažký nákladný automobil

**HIV** (= human immune defficiency virus) – vírus HIV

**HMS** (= Her/His majesty ship) – loď Jej/Jeho Veličenstva

**HO** (= Head Office) – centrála

**HP; h. p.** (= horsepower) – konská sila; (= high pressure) – vysoký tlak; (= hire purchase) – kúpa na splátky

**HQ** (= headquarters) – veliteľstvo, centrála

**HR** (= Human Resources) – osobitné oddelenie, ľudské zdroje

**hrs.; hr.** (= hours) – hodiny

**HST** (= high speed train) – rýchlovlak

**ht.** (= height) – výška

**HWY** (= highway) – *(AmE)* cesta

**i.e.** (= id est; čítaj: that is to say) – to znamená

**I/i** (= information, inquiries) – informácie

**ICT** (= information and communication technology) – informačné a komunikačné technológie

**ICU** (= intensive care unit) – jednotka intenzívnej starostlivosti (v nemocnici); JIS-ka

**ID** (= identification) – preukaz totožnosti, identifikácia

**IDP** (= international driving permit) – medzinárodný vodičský preukaz

**ILO** (= International Labour Organisation) – Medzinárodná organizácia práce (pri OSN)

**IMF** (= International Monetary Fund) – MMF, Medzinárodný menový fond

**in** (= inch) – palec (2,54 cm)

**Inc,** (= Incorporated) – spoločnosť s ručením obmedzeným, s. r. o.

**Inc.** (= Incorporated) – zapísaný v registri (dáva sa za meno spoločnosti)

**incl.** (= inclusive; included) – vrátane, zahrnuté (v cene)

**IOC** (International Olympic Committee) – Medzinárodný olympijský výbor

**IOU** (= I owe you) – dlžobný úpis

**IQ** (= intelligence quotient) – inteligenčný kvocient

**IR** (= Inland Revenue) – daňový úrad

**IRA** (= Irish Republican Army) – Írska republikánska armáda

**ISBN** (= International Standard Book Number) – identifikačné číslo knihy a jej vydavateľa

**ISP** (= internet service provider) – poskytovateľ služieb na internete

**IT** (= Information Technologies) – informačné technológie

**IYHF** (= International Youth Hostel Federation) – federácia mládežníckych hotelov

**J** (= joul; Jewish; journal; June; July) – joul; židovský; časopis; jún; júl

**Jr.; Jnr** (= junior) – mladší

**KB** (= kilobyte; kitchen and bathroom) – kilobajt; kuchyňa a kúpelňa

**KO; k. o.** (= knock out) – k. o.; knokaut

**kph** (= kilometer per hour) – km/hod

**L** (= learner driver) – žiak autoškoly, označenie autoškoly

**l.p.** (= low pressure) – nízky tlak

**lb** (= pound) – libra; váha (454 g)

**LN** (= lane) – ulička, cestička

**Ltd** (= Limited (liability)) – spoločnosť s ručením obmedzeným; s. r. o.

**LV** (= luncheon voucher) – stravný lístok

**MA; M. A.** (= Master of Arts) – magister filozofie

**MB** (= megabyte) milión bajtov (1,048576 bajtov)

**MC** (= Majster of Ceremonies) – konferencier

**MD** (= medical doctor; managing director) – lekár; generálny riaditeľ

**MEP** (= Member of European Parliament) – Člen európskeho parlamentu

**min** (= minute; minimum) – minúta; minimálne

**ml** (= mile) – míľa (1 609, 34 m)

**MO** (= Money Order) – poštová poukážka

**mo** (= month) – mesiac

**MP** (= Member of Parliament; = Military Police) – člen parlamentu; vojenská polícia

**mph** (= miles per hour) – míľ za hodinu

**Mr; Mr.** (= Mister) – pán (oslovenie pred menom)

**Mrs; Mrs.** (čítaj: ˈmisiz) – pani (oslovenie pred menom)

**Ms; Ms.** (= Miss) – pani aj slečna

**MSc** (= Master of Science) – Magister prírodných vied

**MSG** (= message) – správa

**Mt; Mt.** (= Mount) – vrch, hora (v názvoch)

**MTWY** (= motorway) – *(BrE.)* diaľnica

**N** (= North) – sever

**NA; n. a.** (= not available) – nie je k dispozícii
**NASA** (= National Aeronautics and Space Administration) –
Národné centrum pre výskum kozmu
**NATO** (= North Atlantic Treaty Organization) – Severoatlantický pakt
**Nb; nb** (= nota bene) – nota bene; všimnite si
**NC; n/c** (= no charge) – bezplatne
**NGO** (= non-governmental organization) – mimovládna
organizácia
**NHS** (= National Health Service) – štátna zdravotná starostlivosť
**No; no** (= number) – počet, číslo
**Nsmo** (= for non-smokers(only)) – vyhradené pre nefajčiarov
**NY** (= New York) – New York
**NYC** (= New York City) – mesto New York
**NZ; N. Z.** (= New Zealand) – Nový Zéland

**O/D** (= overdrawn) – debetné saldo, prečerpaný účet
**OECD** (= Organization for Economic Cooperation and
Development) – Organizácia pre ekonomickú spoluprácu a rozvoj
**OK** (= okey) – dobre, v poriadku
**OPAS** (= overpass) – nadjazd
**OPEC** (= Organization of Petroleum Exporting Countries) –
Organizácia štátov vyvážajúcich ropu
**O/S** (= out of stock) – vypredané
**OU** (= Open University) – univerzita pre každého

**P** (= parking) – parkovisko
**p** (= penny, pence) – penca
**p.** (= page; part) – strana; časť
**p. a.** (= per annum; čítaj: per year) – za rok, ročne
**p. d.** (= per diem; čítaj: per day) – za deň, denne
**p. m.** (= post meridiem; čítaj: afternoon) – poobede (po 12
hod. do večera)
**p. w.** (= per week) – za týždeň, týždenne

**PC** (= police constable; personal computer) – policajt; osobný počítač, PC

**PDA** (= personal digital assistant) – laptop, príručný počítač

**PE** (= physical education) – telocvik

**PG** (= parental gruidance) – len v sprievode rodičov

**PhD; Ph.D.** (= doctor of philosophy) – doktor filozofických vied

**PIN** (= personal identification number) – osobné identifikačné číslo

**PLAT** (= platform) – nástupište

**PM** (= Prime Minister) – premiér, predseda vlády

**PO** (= postal order; post office) – pošt. poukážka; pošta

**POB** (= post office box) – poštová priehradka

**POD** (= pay on delivery) – na dobierku

**POW** (= prisoner of war) – vojnový zajatec

**PP** (= per pro; čítaj: by proxy) – prostredníctvom zástupcu

**Pp., p.** (= page) – strana

**pp.** (= per person) – cena za osobu

**PR** (= public relations) – styk s verejnosťou

**PS** (= postscript) – dodatok; postskriptum

**PTO** (= please turn over) – prosím otočiť (formulár) na druhú stranu

**PW** (= pets welcome) – domáce zvieratá povolené

**Q&A** (= questions and answers) – otázky a odpovede (rubrika v novinách)

**RaD** (= research and development) – výskum a vývoj

**RAF** (= Royal Air Force) – Britské kráľovské letectvo

**RAM** (= random access memory) – pamäť s ľubovoľným výberom, vnútorná pamäť počítača

**Rd** (= reduction) – zľava

**RD, Rd** (= road) – cesta

**RIP, R. I. P.** (= rest in peace) – odpočívaj v pokoji (nápis na náhrobku)

**RM** (= Royal Marines) – Kráľovská námorná pechota
**RN** (= Royal Navy) – Kráľovské (vojenské) loďstvo
**ROM** (= computer: read only memory) – pamäť len na číta-
nie (nemožno zapisovať)
**ROW** (= right of way) – prednosť v jazde
**RR** (= railroad) – *(AmE)* železnica
**Ry** (= railway) – *(BrE)* železnica

**S** (= South) – juh
**SALT** (= Strategic Arms Limitation Talks) – rozhovory o ob-
medzení strategických zbraní
**sec** (= second) – sekunda
**SMS** (= short message service) – služba krátkych správ
**S/O** (= standing order) – trvalý príkaz
**Sq** (= square) – námestie
**Sr.** (= senior) – starší
**St.** (= Saint; street) – svätý; ulica
**STVR** (= stopover) – medzipristátie

**TB** (= tuberculosis) – TBC; tuberkulóza
**TERML** (= terminal) – konečná stanica; letiskový terminál
**TESL** (= teaching English as a second language) – učenie
angličtiny ako druhého jazyka
**TM** (= trademark) – značka (tovaru)
**TPKE** (= turnpike) – *(AmE)* diaľnica s vyberaním mýta
**TT** (= timetable) – cestovný poriadok
**TVM** (= ticket vending machine) – automat na lístky

**U-film** (= universal film) – mládeži prístupný film
**UFO** (= unidentified flying objects) – neidentifikovateľné
lietajúce objekty
**UGT** (= urgent) – súrne
**UK** (= United Kingdom – Great Britain and Northern
Ireland) – Spojené kráľovstvo (Veľká Británia a Severné
Írsko)
**UN** (= United Nations) – Spojené národy

**UNESCO** (= United Nations Educational, Scientific and Cultural Organization) – Organizácia OSN pre výchovu, vedu a kultúru

**UNO** (= United Nations Organization) – Organizácia spojených národov, OSN

**UPAS** (= underpass) – podchod

**UPC** (= Universal Product Code; 'bar code') – tovarový kód

**UPI** (= United Press International) – americká tlačová organizácia

**US** (= United States (of America)) – Spojené štáty americké

**USAF** (= United States Air Force) – Letectvo USA

**USN** (= United States Navy) – Námorníctvo USA

**VAT** (= valueadded tax) – daň z pridanej hodnoty, DPH

**VCR** (= video casette recorder) – videorekordér

**VDT** (= video display terminal) – zobrazovacia jednotka terminálu

**VDU** (= video display unit) – obrazový displej

**Veg** (= vegetarian diet) – diétne jedlá

**VIP** (= very important person) – dôležitá osoba

**VP** (= vice-president) – viceprezident

**vs** (= versus) – proti

**VS** (= veterinary surgeon) – zverolekár

**W** (= West) – západ

**w.** (= per week) – na týždeň

**WASP** (= White Anglo-Saxon Protestant) – *AmE* biely protestant anglosaského pôvodu

**w/e** (= weekend rate) – víkendová sadzba

**WC** (= water closet); (= without charge) – toaleta, WC; bez poplatku

**WHO** (= World Health Organization) – Svetová zdravotnícka organizácia

**WP** (= word processing) – spracovanie, editovanie textu; (= weather permitting) – za dobrého počasia

**WPC** (= woman police constable) – policajtka

**WRAC** (= Women's Royal Army Corps) – Ženský vojenský armádny zbor

**WTO** (= World Trade Organzation) – Svetová obchodná organizácia

**WWI** (= World War One) – Prvá svetová vojna

**WWII** (= World War Two) – Druhá svetová vojna

**WWW** (= internet: World-Wide-Web) – internet

**Wy** (= way) – cesta

**XING** (= crossing) – priechod, križovatka

**XL** (= extra large/size) – nadmerná veľkosť

**Xmas** (= Christmas) – Vianoce

**X-rated** – neprístupné mládeži do 18 rokov

**X-ray** – RTG, rőntgen

**XRD** (= crossroads) – križovatka

**XS** (= extra small (size)) – malé číslo (veľkosť)

**XWAY** (= expressway) – diaľničný úsek

**yd** (= yard) – jard (91 cm)

**YHA** (= Youth Hostels Association) – Asociácia mládežníckych hotelov

**YMCA** (= Young Men's Christian Association) – Asociácia mladých kresťanov

**YWCA** (= Young Women's Christian Association) – Asociácia mladých kresťaniek

**ZIP code** (= Zoning Improvement Plan; *(AmE)* postcode) – poštový smerový kód, PSČ

## PUBLIC NOTICES

## VEREJNÉ NÁPISY

| | |
|---|---|
| Admission | – Vstupné |
| Admission Free | – Vstup zadarmo/voľný |
| Airconditioning | – Klimatizácia |
| Air Terminal | – Letisková hala |
| Airport | – Letisko |
| Ambulance | – Rýchla lekárska pomoc |
| Arrivals | – Príchody / Prílety |
| ATM | – Bankomat |
| Attention! | – Pozor! |
| Authorized Persons Only! | – Nepovolaným vstup zakázaný! |
| Avalanche Danger! | – Nebezpečenstvo lavín! |
| | |
| Baby Changing Station | – Miesto na prebaľovanie detí |
| Balance Available | – Stav na účte |
| Balance Inquiry | – Informácia o zostatku na účte |
| Bank Holiday | – Štátny sviatok, zatvorené |
| Barber Shop, Barber´s | – Holič(stvo) |
| Bathing Prohibited | – Zákaz kúpania |
| Bathroom *(AmE)* | – Záchod |
| B&B, Bed and Breakfast | – Nocľah s raňajkami |
| Beware! | – Pozor! |
| Beware of Dog! | – Pozor zlý pes! |
| Beware of Pickpockets! | – Pozor na vreckových zlodejov! |
| Black Spot/Accident Hazard | – Úsek častých dopravných nehôd |
| Blind Alley | – Slepá ulica |
| Boarding | – Nastupovanie (na palubu lietadla/lode) |
| Boarding Time | – Čas nástupu (do lietadla/lode) |
| Booking Office | – Predaj cestovných lístkov |
| Box Office | – Pokladňa (v kine a pod.) |
| Bus Stop | – Zastávka autobusu |
| | |
| Cancelled | – Zrušené (let a pod.) |

| | |
|---|---|
| Car Park | – Parkovisko |
| Car Rental | – Požičovňa áut |
| Caution! | – Pozor! |
| Change reserved! | – Zmena vyhradená! |
| Check-in | – Registrácia (pri odlete, nalodení, v hoteli) |
| Cloakroom | – Šatňa |
| Closed (due to illness)/ until further notice) | – Zatvorené (pre chorobu/až do odvolania) |
| Cold | – Studená (voda) |
| Construction Area | – Stavenisko |
| Cross now | – Prechádzajte teraz; zelená (na prechode) |
| Customs | – Colnica |
| Danger! | – Nebezpečenstvo! (Ohrozenie života) |
| Dead End | – Slepá ulica |
| Delayed | – Meškanie (letu a pod.) |
| Departures | – Odchody, Odlety |
| Detour *(AmE)* | – Obchádzka |
| Discount | – Zľava |
| Diversion *(BrE)* | – Obchádzka |
| Do Not Cross/ Walk *(AmE)* | – Neprechádzať (cez cestu a pod.) |
| Do Not Lean out of the Window! | – Nevykláňajte sa z okien! |
| Do Not Pass! *(AmE)* | – Zákaz predbiehania! |
| Do Not Disturb! | – Nerušiť! |
| Do Not Enter! | – Nevstupovať! |
| Do Not Smoke! | – Nefajčiť! |
| Do Not Touch! | – Nedotýkať sa! |
| Do Not Walk! *(AmE)* | – Neprechádzajte! (na prechode) |
| Drinking water | – Pitná voda |
| Drive carefully/slowly! | – Jazdite opatrne/pomaly! |
| Due to bad weather... | – Pre nepriazeň počasia... |

| | |
|---|---|
| **Elevator** *(AmE)* | – Výťah |
| **Emergency Brake** | – Záchranná brzda |
| **Emergency Exit** | – Núdzový východ |
| **Enquiries** | – Žiadosti o informácie |
| **Entrance** | – Vchod/Vjazd |
| **Enter Individually!** | – Vstupujte po jednom! |
| **Entrance forbidden to unauthorized person** | – Nepovolaným vstup zakázaný |
| **Escalator** | – Pohyblivé schody |
| **Escape Route** | – Úniková cesta |
| **Exchange (office)** | – Zmenáreň |
| **Exit** | – Výjazd, Východ |
| | |
| **Family Room** | – Pre matky s deťmi (miestnosť) |
| **Fasten Your Seatbelt(s)** | – Pripútajte sa |
| **Fire Exit** | – Požiarny východ |
| **Fire Extinguisher** | – Hasiaci prístroj |
| **Fire Hazard!** | – Nebezpečenstvo ohňa! |
| **First Aid** | – Prvá pomoc |
| **Flight No. ...** | – Let č. ... |
| **Flyover** *(BrE)* | – Nadjazd |
| **For external use(only)!** | – (len) Na vonkajšie použitie! |
| **For Rent/Hire** | – Na prenájom |
| **For Sale** | – Na predaj |
| **Fragile** | – Krehké! Pozor sklo! |
| **Free Parking** | – Parkovanie zadarmo |
| **Freeway** | – Diaľnica bez mýta |
| | |
| **Gentlemen/Gents** | – Páni (pánske záchody) |
| **Get into lane!** | – Zaraďte sa! |
| **Give Way** | – Daj prednosť v jazde |
| | |
| **Handle with care, glass!** | – Pozor sklo! Manipulujte opatrne! |
| **High Voltage** | – Vysoké napätie |
| **Highway** | – Diaľnica |

| | |
|---|---|
| **Hot** | – Horúca (voda) |
| | |
| **Insert coin** | – Vhoďte mincu |
| **Insert your card** | – Vložte kartu |
| **Inquiries** | – Žiadosti o informácie |
| **Information** *(AmE)* | – informácie |
| | |
| **Keep clear** | – Neparkovať; Nechajte voľné |
| **Keep distance** | – Nepribližujte sa; Udržujte odstup |
| **Keep Left/Right** | – Držte sa vľavo/vpravo |
| **Keep Off/Out** | – Nevstupovať |
| **Knock!** | – Klopať! |
| | |
| **Ladies** | – Dámy (dámske záchody) |
| **Lavatory** | – Záchody |
| **Left Luggage/Baggage Office/Room** | – Úschovňa (batožín) |
| **Lost Property Office** | – Straty a nálezy |
| **Luggage Claim (area)** | – Výdaj batožín |
| **Luggage Lockers** | – Bezpečnostné schránky (na stanici a pod.) |
| **Lift** *(BrE)* | – Výťah |
| | |
| **Men** | – Páni (pánske záchody) |
| **Mind the Steps/Gap** | – Pozor schody/medzera! (v metre) |
| **Mind your Head!** | – Pozor na hlavu! |
| **Mobile Phones Prohibited** | – Zákaz používať mobilné telefóny. |
| **Motorway** | – Diaľnica |
| | |
| **No admission except on business** | – Nepovolaným vstup zakázaný (Vstup len pre zamestnancov) |
| **No Bathing** | – Zákaz kúpania |
| **No Crossing** | – Zákaz prechodu |

**No Drinking Water** *(BrE)* – Úžitková voda (nie pitná)
**No Entry (Entrance)** – Vstup zakázaný (Len východ)!
**No Left/Right Turn** – Zákaz odbočenia vľavo/vpravo
**No Idling** – Vypnite motor
**No Open Fire** – Zákaz manipulácie s otvoreným ohňom

**No Overtaking** *(BrE)* – Zákaz predbiehania
**No Pets** – Zvieratám vstup zakázaný
**No Smoking** – Zákaz fajčenia
**No Parking** – Zákaz parkovania
**No Passing (Zone)** *(AmE)* – Zákaz predbiehania
**No Photographs** – Zákaz fotografovania
**No Potable Water** *(AmE)* – Úžitková voda
**No Stopping/Clearway** – Zákaz zastavenia
**No Swimming/Bathing** – Zákaz kúpania
**No Way Out/In** – Východ/Vstup zakázaný
**No Trespassing** – Zákaz vstupu (na pozemok)
**No U-Turn** – Zákaz otáčania (do protismeru)
**No Vacancy** – Obsadené (v moteli a pod.)

**Occupied** – Obsadené
**Offer of the Day** – Ponuka dňa
**Office Hours** – Úradné hodiny
**On/Off** – Zapnuté/Vypnuté
**One Way Traffic** – Jednosmerná premávka
**Open/Closed from... till...** – Otvorené/Zatvorené od... do...
**Opening Hours** – Otváracie hodiny
**Out of Order/Operation** – Nefunguje (Mimo prevádzky)
**Overpass** *(AmE)* – Nadjazd

**Parking Lot** – Parkovisko
**Passport Check** – Pasová kontrola
**Pedestrian Crossing** – Prechod pre chodcov
**Pets welcome** – Domáce zvieratá povolené
**Phone** – Telefón
**Pickpocketing!** – Pozor, vreckoví zlodeji!

| | |
|---|---|
| **Police Station** | – Policajná stanica |
| **Post Office** | – Pošta |
| **Potable water** *(AmE)* | – Pitná voda |
| **Private Property/Road** | – Súkromný majetok/cesta |
| **Press (the button)** | – Stlačte (tlačidlo) |
| **Pull** | – Ťahať |
| **Push** | – Tlačiť |
| | |
| **Railway/Bus Station** | – Železničná/Autobusová stanica |
| **Reduce Speed** | – Spomaľte |
| **Rent (-A-) Car** | – Požičovňa áut |
| **Rental car** | – Autá na prenájom |
| **Rest Area** | – Odpočívadlo (pri ceste) |
| **Reserved** | – Rezervované |
| **Restricted Area** | – Nepovolaným vstup zakázaný |
| **Restroom** *(AmE)* | – Záchody |
| **Road Under Repair** | – Cesta sa opravuje |
| **Road Works (Ahead)** | – Práce na ceste |
| **Room for hire/to let** | – Izba na prenájom |
| **Roundabout** | – Kruhový objazd |
| | |
| **Sale(s)** | – Výpredaj |
| **Slow Down** | – Spomaľte (často pri školách) |
| **Sold Out** | – Vypredané |
| **Speed Limit** | – Maximálna povolená rýchlosť |
| **Speed Trap** | – Úsek merania rýchlosti (radar) |
| **Stairway** | – Schodisko |
| **Staff Only!** | – Len pre personál! |
| **Stop/Halt** | – Stáť, Zastavte! |
| | |
| **Taxi Rank** | – Stanovište taxíkov |
| **Taxi Stand** *(AmE)* | – Stanovište taxíkov |
| **Terminal** | – Konečná stanica (autobusov a pod.) |
| **Tickets barrier** | – Turniket (vchod na nástupište) |

| | |
|---|---|
| **Tickets/ Ticket Office** | – Predaj lístkov, Vstupenky |
| **Timetable/Schedule** *(AmE)* | – Cestovný/letový poriadok |
| **This side up!** | – Neklopiť! |
| **Toll** | – Diaľničný poplatok |
| **To Rent/For Rent/let** | – Na prenájom |
| **Trespassers will be prosecuted** | – Porušenie zákazu (vstupu) sa trestá |
| **Turn off your mobiles/ cell phones/handies** | – Vypnite si mobily! |
| | |
| **U (= Underground)** | – Metro, Podzemná dráha |
| **Underpass** | – Podjazd, Podchod |
| **Under construction** | – V rekonštrukcii, Práce na ceste |
| **U-turn** | – Otočenie do protismeru |
| **Vacancies** | – Voľné izby |
| **Vacant** | – Voľné (neobsadené) |
| **Violators will be prosecuted** | – Porušenie zákona sa trestá |
| **Waiting Room** | – Čakáreň |
| **Wait. You will be seated.** | – Počkajte, uvedieme Vás ku stolu. |
| **Walk** *(AmE)* | – Prechádzajte (po prechode) |
| **Washroom** | – Záchody (s umyvárňou) |
| **Watch Out For...** | – Pozor na ... |
| **Watch Your Step** | – Pozor, schod |
| **Way In** | – Vjazd, Vchod |
| **Way Out** | – Výjazd, Východ |
| **Wet Paint** | – Čerstvo natreté! |
| **Wet Floor** | – Pozor mokrá dlážka! |
| **Withdrawal** | – Výber (z účtu v bankomate) |
| **Wrong Way** | – Zlý smer (na jednosmernej ceste) |
| **Yield!** *(AmE)* | – Daj prednosť v jazde! |

## SHOPPING AND SERVICES

## OBCHOD A SLUŽBY

| | |
|---|---|
| **Antiquities/Antique schop** | – Starožitnosti |
| **Bakery** | – Pekáreň |
| **Barbershop, Barber's** | – Holičstvo |
| **Bookshop** | – Kníhkupectvo |
| **Boutique** | – Butik |
| **Butcher's** | – Mäsiarstvo |
| **Car Rental** | – Požičovňa áut |
| **Chemits's** *(BrE)* | – Drogéria (s lekárňou) |
| **Cleaner('s)** | – Čistiareň |
| **Clothes Shop, Clothing Store** | – Odevy |
| **Coffee Bar** | – Kaviareň |
| **Coffee Shop** *(AmE)* | – Bistro |
| **Confectionery, Candy Store** *(AmE)* | – Cukráreň |
| **Convenience Store** *(AmE)* | – (Predajňa s 24-hodinovým predajom) |
| **Cybercafé** | – Internetová kaviareň |
| **Deli(catessen)** | – Lahôdky |
| **Dispensary** | – Výdaj liekov |
| **Drugstore** *(AmE)* | – Drogéria, Lekáreň |
| **Dry-cleaner's** | – Chemická čistiareň |
| **Electric appliances** | – Elektro(spotrebiče) |
| **Flea market** | – Blší trh |
| **Florist's** | – Kvetinárstvo |
| **Foodstuff(s), Grocery** | – Potraviny |
| **Footwear** | – Obuv |
| **Gift Shop** | – Darčeková predajňa |
| **Greengrocer's** | – Ovocie a zelenina |
| **Haberdasher's** *(AmE)* | – Galantéria (doplnky) |
| **Hairdresser's** | – Kaderníctvo |
| **Jewellery** | – Klenoty |
| **Laundry** | – Práčovňa |

| | |
|---|---|
| **Milliner's** | – Pánske/dámske klobúky (Modistvo) |
| **Newsagent's** | – Noviny |
| **Optician's** | – Optika |
| **Petrol *(AmE)*/Gas Station** | – Čerpacia stanica |
| **Pet schop** | – Chovateľské potreby |
| **Pharmacy *(AmE)*** | – Lekáreň |
| **Shoe Shop** | – Obuv |
| **Shoe maker's/Cobbler's** | – Oprava obuvi |
| **Shopping Centre/Mill *(AmE)*** | – Nákupné centrum |
| **Stationer** | – Papiernictvo |
| **Tobacconist's** | – Tabak |
| **Toyshop** | – Hračkárstvo |
| **Watchmaker's (shop)** | – Hodinárstvo |

## POZDRAVY,OSLOVENIA, ZOZNAMOVANIE
## GREETINGS, ADDRESSING, MEETING PEOPLE

Dobré ráno/popoludnie (po 12 h.) Dobrý deň
– Good morning/afternoon

Ahoj! – Hi!/Hello!

Ako sa máte? – How are you?

Mám sa dobre, ďakujem. – I'm fine/well/okay, thank you.

A čo ty? – And what about you?

Dobrý večer/Dobrú noc – Good evening/Good night

Dovidenia. – Bye-bye/Good bye/Bye/See you (later)

Dlho som Ťa/Vás nevidel. – I haven't seen you for ages.

Rád Ťa/Vás vidím. – I'm glad to see you./Nice to see you.

Vyzeráš/te dobre. – You look good./You are looking very well.

Nemôžem sa sťažovať. – I can't complain.

Prepáčte prosím... – Excuse me...

Poznáte moju manželku? – Do you know my wife?

Dovoľte, aby som sa predstavil. Som... – Let me introduce myself. I am...

Dovoľte, aby som Vám predstavil svoju manželku /pána... – Let me introduce my wife/ Mr... to you

Toto sú moji kolegovia. – These are my colleagues.

Zoznámte sa s... – Come and meet...

Predstavíte ma...? – Will you introduce me to...?

Teší ma, že Vás spoznávam.– Pleased to meet you.

Pri podávaní rúk (obe strany) povieme: – How do you do.

Nestretli sme sa už predtým? – Haven't we met before?

Ach, áno, vy musíte byť... – Oh yes, you must be...

Áno, ale nepamätám sa kde. – Yes, but I can't remember where.

| | |
|---|---|
| Obávam sa, že nie. | – I'm afraid not/I'm afraid we haven't. |

*Poznámka:*
Ak nás niekto chváli, poďakujeme.

| | |
|---|---|
| Ako sa ti datí v práci? | – How's your business? |
| Ďakujem, nemožem sa sťažovať. | – Everything is allright. I can't complain. |
| Pozdravuj manželku/rodinu. | – Give my regards to your wife./Say hello to your wife. |
| Ospravedlníte ma teraz? | – Will you excuse me now? |
| Prepáčte, ponáhľam sa. | – Sorry, I'm in a hurry./I must go now./I've got to go. |
| Dovidenia zajtra. | – See you tomorrow. |
| Dúfam, že sa čoskoro uvidíme. | – I hope we'll meet again soon. |
| Nebudem Vás zdržiavať. | – I won't keep you any longer. |
| Prepáčte, nerozumel som Vaše meno. | – Excuse me, I didn't catch your name. |
| Prepáčte, nerozumiem. | – Sorry, I don't understand. |
| Prosím? (nerozumel som) | – Beg your pardon?/Pardon (me)? |
| Hovoríte po anglicky? | – Do you speak English? |
| Nehovorím anglicky veľmi dobre. | – I don't speak English very well. |
| Hovorte, prosím, pomalšie. | – Speak more slowly please. |
| Možete mi to napísať? | – Can you write it down? |
| Ako sa to povie po anglicky? | – How do you say it in English? |
| Čo to znamená? | – What does it mean? |
| Rozumiem. | – I understand. |
| Chápem. | – I see. |

## POĎAKOVANIA, OSPRAVEDLNENIA

## THANKS, APOLOGIES

| | |
|---|---|
| Ďakujem veľmi pekne. | – Thank you very much. |
| Nemáte za čo. | – Not at all./Don't mention it./ You're welcome./That's O.K./ No problem. |
| Ďakujem za odvezenie/ za pomoc. | – Thanks for the lift/your help. |
| S radosťou. | – It's a pleasure. |
| Prosím, neunúvajte sa. | – Please, don't bother./Don't worry about that. |
| Cením si to. | – I appreciate that. |
| Je to od Vás naozaj láskavé. | – That's really kind of you. |
| Prepáčte, chcel by som sa spýtať... | – Excuse me, I'd like to ask... |
| Ľutujem, ale neviem... | – I'm sorry I don't know... |
| Prepáčte. *(Stúpili ste nie- komu na nohu, narazili ste do niekoho.)* | – I'm (very) sorry. |
| Prepáčte. *(Potrebujete sa na niečo opýtať.)* | – Excuse me, please. |
| Prepáčte, že vyrušujem/ obťažujem. | – Sorry to disturb/bother you/trouble you. |
| To je v poriadku./Nič sa nestalo. | – That's allright. (O. K.). |
| Je mi ľúto, že idem (tak) neskoro. | – I'm sorry I'm (so) late./ Excuse my being late. |
| Dúfam, že som Vás nene- chal dlho čakať. | – I hope I haven't kept you waiting long. |
| Ľutujem, teraz nemám čas. | – Sorry, I have no time./ I'm busy now. |
| Nechcel som (nemal som v úmysle) Vás uraziť. | – I didn't mean to offend you. |
| Musím sa ospravedlniť, že | – I must apologize for calling/ |

| | |
|---|---|
| volám (tak) neskoro. | ringing you up (so) late at night. |
| Dovolíte láskavo, chcel by som prejsť (pustili by ste ma?) | – Excuse me, would you let me pass? |
| Ospravedlňte ma na chvíľu. | – Excuse me for a minute/ moment. |
| Odpustite, už sa to viackrát nestane. | – Forgive me, please. It won't happen again. |
| Nemusíte sa ospravedlňovať. | – No need to apologize. |
| Nevadí. | – Never mind. |
| To musí byť omyl. | – It must be misunderstanding./You must have wrong number. |
| Zmýlil som sa. | – I was mistaken. |

## SÚHLAS, NESÚHLAS (Odmietnutie)
## AGREEMENT, DISAGREEMENT (Refusal)

| | |
|---|---|
| Súhlasím (s Vami). | – I agree (with you). |
| Nemám žiadne námietky. | – I have no objections. |
| Určite. | – Of course. Naturally. *(hovor.)* Sure. |
| Zaiste. | – Certainly. |
| Dúfam/myslím, že áno. | – I hope/think so. |
| Je to dobrý nápad. | – That's a good idea. |
| To znie dobre. | – It sounds good. |
| Pokojne (to nie je žiadny problém). | – No problem. |
| Výborne! | – Excellent! |
| S radosťou! | – With pleasure! |
| Máte pravdu./Nemáte pravdu. | – You are right./You are wrong. |
| Prečo nie? | – Why not? |
| To by šlo. | – That would be possible. |
| Možno. Žiadny problém. | – Maybe. No problem. |

| | |
|---|---|
| Nie, ďakujem. | – No, thanks. |
| Nesúhlasím (s Vami). | – I don't agree (with you). |
| Myslím, že sa mýlite (nemáte pravdu). | – I'm afraid you are wrong. |
| To nie je pravda. | – That's not true. |
| V žiadnom prípade. | – No way./On no account./By no means. |
| Rozhodne nie. | – Definitely not. |
| Vobec nie. | – Not at all. |
| Nie tak úplne. | – Not really. |
| To neprichádza do úvahy. | – It's out of question. |
| Pokiaľ viem, nie. | – Not as far as I know. |
| Musíte sa mýliť. | – You must be mistaken. |
| Nemôžem to prijať. | – I can't accept it. |
| Musím to odmietnuť. | – I must refuse it. |
| Bohužiaľ, nemôžem... | – Unfortunately I can't... |
| Rád by som, ale... | – I'd love to but... |
| Radšej by som ne... | – I'd rather not... |
| Možno inokedy. | – Perhaps next time. |
| Som zaneprázdnený. | – I'm engaged/busy. |
| Nemôžem... | – No, I can't... |
| Nechcem... | – I don't want to... |

## VYPĹŇAME FORMULÁR, OSOBNÉ ÚDAJE
## FILLING OUT FORMS, PERSONAL DATA

| | |
|---|---|
| Vyplňte tento dotazník. | – Complete /Fill in/(AmE)Fill out this form. |
| Píšte paličkovým písmom. | – Write in capital letters/block capitals. |
| Kde to mám podpísať? | – Where shall I sign it? |
| Meno a priezvisko | – Name and Surname |
| Meno za slobodna | – Maiden Name |
| Dátum /Miesto narodenia | – Date/Place of Birth |
| Vek | – Age |
| Pohlavie | – Sex/Gender |

| | |
|---|---|
| Muž/Žena | – Male(M)/Female(F) |
| Bydlisko | – (Place of) Residence |
| Trvalá/prechodná adresa | – Permanent/Temporary Address |
| Stav | – Marital Status |
| Ženatá/ý /Slobodná/ý | – Married/Single |
| Vdovec (Vdova) | – Widowed |
| Národnosť/Štátna príslušnosť | – Nationality |
| Preukaz totožnosti (číslo) … | – Identity card No. (ID) … |
| Pas číslo... | – Passport No. ... |
| Vodičský preukaz č. ... | – Driving Licence No. ... |
| Dátum vydania | – Date of Issue |
| Miesto vydania | – Place of Issue |
| Vydané (kým)... | – Issued by... |
| Platný do.../po dobu... | – Valid until/for... |
| Podpis | – Signature |
| Pečiatku sem | – Stamp here |
| Nehodiace sa škrtnite | – Delete/Strike out where not applicable |
| Tu nevypĺňať | – Leave blank |
| Prosím, otočte na druhú stranu. | – Please, turn over. (PTO) |

## PASOVÁ A COLNÁ KONTROLA

## PASSPORT CHECK (At the customs)

| | |
|---|---|
| Žiadame cestujúcich, aby ukázali svoje pasy. | – Travellers are required to show their passports. |
| Cudzinci tadialto, prosím. | – Foreigners this way, please. |
| Pasová kontrola | – Passport Control/Check |
| Možem vidieť Váš pas? | – Can I see your passport? |
| Váš pas prosím. | – Your passport, please. |
| Nech sa páči. | – Here it is. |
| Aký je účel Vašej cesty? | – What's the purpose of your visit? |
| Som turista. | – I'm a tourist. |

Chcem tu stráviť dovolenku. – I want to spend my holiday in this country.

Som tu obchodne/služobne. – I'm here on business.

Ako dlho sa chcete zdržať? – How long do you intend to stay?

Zdržím sa tu len niekoľko dní. – I'm going to stay here only for a few days.

Budem navštevovať kurz angličtiny. – I'm going to attend a course in English.

Máte pracovné povolanie? – Have you got a work permit?

Máte zdravotné poistenie/kartu? – Have you got a health insurance/card?

Máte niečo na preclenie? – Have you got anything to declare?

Nemám nič na preclenie. – I have nothing to declare.

Je toto všetko Vaša batožina? – Is this all your luggage/baggage?

Môžete otvoriť túto tašku, prosím? – Can you open this bag, please?

Mám len tento kufor. – I only have this suitcase.

Nevedel som, že sa to nesmie. – I didn't know it's not allowed.

Toto sú moje osobné veci (veci pre moju osobnú spotrebu). – These are only my personal belongings (things for my personal use).

Budem musieť za to platiť clo? – Will I have to pay a duty for it?

Colné prehlásenie – Customs Declaration

Tento pas nie je platný. – This passport is not valid.

Môžem ísť? – May I go?

## PÝTAME SA NA CESTU / ASKING DIRECTIONS

Môžete mi ukázať cestu do...? – Can you show me the way to...?

Ako sa tam môžem dostať? – How can I get there?

| | |
|---|---|
| Potrebujem sa dostať do... | – I need to get to... |
| Kde to je? | – Where is it? |
| Je to ďaleko odtiaľto? | – Is it far from here? |
| Ako dlho trvá cesta do...? | – How long does it take to get to...? |
| Môžete mi ukázať na mape kde sme? | – Can you show me on the map where we are? |
| Choďte autobusom číslo... | – Take a bus No ... |
| Pôjdete tri zastávky. | – You will go three stops. |
| Prosím Vás, vedie táto cesta do centra? | – Is this road leading to the city centre please? |
| Zablúdili sme. | – We have lost our way. |
| Nie je to ďaleko, môžete tam ísť pešo. | – It's not far from here, you can walk there. |
| Je to dosť blízko. | – It's quite near here. |
| Ukážem Vám cestu. | – Let me show you the way. |
| Choďte rovno (po tejto ulici). | – Go straight on (keep along this road). |
| Na prvej križovatke choďte vľavo/vpravo. | – At the first crossing turn left/right. |
| Bohužiaľ, idete zle. | – I'm afraid, you are going wrong way. |
| Musíte sa vrátiť a pri semafóroch zatočiť doľava. | – You will have to go back and turn left at the traffic lights. |
| Ďakujem, ste veľmi láskavý. | – Thank you, that's very kind of you. |

## TURISTIKA, PREHLIADKA MESTA

## TOURISM, SIGHTSEEING TOUR

| | |
|---|---|
| Organizujete výlety? | – Do you organize (run) trips? |
| Kde si môžeme objednať okružnú jazdu? | – Where can we arrange a sightseeing tour? |
| Chceli by sme prehliadku so sprievodcom/bez sprievodcu. | – We'd like a guided/misguided tour. |

| | |
|---|---|
| O koľkej je odchod? | – What time is the departure? |
| Ako dlho trvá jedna jazda? | – How long does the tour take? |
| Čo je v prehliadke zahrnuté? | – What does the tour include? |
| Koľko stojí...? | – How much is....? |

## HOVORÍME CUDZÍM JAZYKOM

## SPEAKING A FOREIGN LANGUAGE

| | |
|---|---|
| Hovoríte anglicky? | – Do you speak English? |
| Áno, ale len trochu. | – Yes, I do, but just a little. |
| Moja angličtina je slabá. | – My English is poor. |
| Ako je to po anglicky? | – What is it in English? |
| Čo to slovo znamená? | – What does it mean in English?/ What does that word mean? |
| Ako to vyslovíš? | – How do you pronounce it? |
| Ako to vyhláskuješ? (Ako sa to píše?) | – How do you spell it? |
| Učím sa anglicky už tri roky. | – I've been learning English for three years already. |
| Tlmočili by ste mi? | – Will you interprete for me? |
| S radosťou. | – With pleasure. |
| Obávam sa, že je to pre mňa dosť ťažké. | – I'm afraid it's rather difficult for me. |
| Nikdy nebudem hovoriť dobre po anglicky. | – I'll never speak English well. |
| Prečo? | – Why not? |
| Nemám dostatočnú prax. | – I can't get enough practise. |
| Hovoríte celkom dobre po anglicky. | – Your English is pretty good. |
| Hovoríte výborne po anglicky. | – Your English is excellent. |

## VEREJNÁ DOPRAVA

## PUBLIC TRANSPORT

| | |
|---|---|
| Prepáčte, kde je najbližšia | – Excuse me, where is the |

| | |
|---|---|
| zastávka autobusu/ električky? | nearest bus/tram stop? |
| Ktorý autobus ide do...? | – Which bus goes to...? |
| Kde mám prestúpiť? | – Where should I change? |
| Kde si možem kúpiť lístky? | – Where can I buy tickets? |
| Je to prestupný lístok? | – Is it a transfer ticket? |
| Kde je automat na lístky? | – Where is a ticket slot machine? |
| Kedy mám vystúpiť? | – Where should I get off? |
| Pôjdeme metrom? | – Shall we go by underground (tube)? |

## CESTUJEME AUTOM

## TRAVELLING BY CAR

| | |
|---|---|
| Poďme autom. | – Let's go by car. |
| Odvezieš ma? | – Will you give me a lift? |
| Je toto cesta do...? | – Is this way to...? |
| Kde sa tu dá parkovať? | – Where can I park round here? |
| Platí sa tu za parkovanie? | – Do they charge the way out? |
| Nenechávajte si tu auto. | – Don't leave your car here. |
| Je tu zákaz parkovania. | – There is No parking sign. |
| Došiel nám benzín. | – We have run out of petrol/ gas (AmE). |
| Je tu blízko čerpacia stanica? | – Is there a petrol/gas station here? |
| Plnú nádrž, prosím. | – Full tank, please. |
| Kde si môžem požičať auto? | – Where can I rent/hire a car? |
| Koľko stojí požičanie na deň? | – How much is the rental per day? |
| Je benzín v cene? | – Is petrol/gas included? |
| Je toto auto poistené? | – Is this car insured? |
| Musím auto vrátiť s plnou nádržou? | – Do I have to return the car with full tank? |

| | |
|---|---|
| Prečítajte si pravidlá cestnej premávky. | – Read the Highway Code. |
| Ukážte mi, prosím, vodičský preukaz. | – Let me see your driving license, please. |
| Máte technický preukaz a doklad o poistení? | – Have you got the registration certificate and insurance certificate? |
| Prekročili ste povolenú rýchlosť. | – You were speeding. |
| Toto je miesto dopravných nehôd. | – It is a black (accident) spot here. |
| Je tu niekoľko nebezpečných zákrut. | – There are several dangerous bends here. |
| Zapnite si pásy. | – Fasten your belts. |
| Jazdite opatrne. | – Drive carefully. |
| Nepredbiehať. | – Don't overtake. |
| Daj prednosť v jazde. | – Give way. |
| Zaplatíte pokutu. | – You will be fined. |
| Táto cesta je uzavretá (pre vozidlá). | – This road is closed to vehicles. |
| Aké číslo má taxislužba? | – What is a taxi service number? |
| Ste voľný? | – Are you free? |
| Zavezte ma na letisko, prosím. | – Take me to the airport, please. |
| Ponáhľam sa, môžete ísť rýchlejšie? | – I'm in a hurry, can you drive faster? |
| Vysaďte ma tu. | – Drop me (over) here. |
| Koľko platím? | – How much is it? |
| Drobné si nechajte. | – Keep the change. |
| To je sprepitné (pre vás). | – It's a tip (for you). |

## CESTUJEME LIETADLOM, KUPUJEME LETENKU

## TRAVELLING BY PLANE, BOOKING A TICKET

Rád by som si rezervoval letenku do...
– I'd like to book a plane/air ticket to...
I'd like to make a reservation for...

Koľko stojí letenka v turistickej/prvej triede?
– How much is an economy/first/business class ticket?

Môžem stornovať rezerváciu/letenku?
– May I cancel the rezervation/ticket?

Koľko stojí storno?
– How much is a cancellation fee?

Je to priamy let?
– Is it a direct flight?

O koľkej odlietame?
– What time does it take off?

Odlety/prílety
– Departures/arrivals

Kde sa mám prihlasiť k odletu?
– Where do I check in?

Kde si možem vyzdvihnúť batožinu?
– Where can I reclaim my luggage?

Kedy pristaneme?
– When do we land?

Nedá sa mi zapnúť pás.
– I can't fasten my seat belt.

Možem dostať niečo piť?
– Can I have something to drink?

Koľko sa platí za nadmernú batožinu?
– What is the charge for overweight?

Možem vziať na palubu príručnú batožinu?
– Can I take on board my hand luggage?

Letový poriadok
– Flight schedule

Palubný lístok
– Boarding card

Odletová hala
– Departure lounge

Odbavenie batožiny
– Baggage check-in

Tranzitné miesto
– Transit area

Výdaj batožiny
– Luggage claim

Štartovacia/pristávacia dráha
– Runway

Letuška
– Stewardess

| Medzipristátie (krátka zastávka) | – Stopover |
| Núdzové pristátie | – Emergency landing |
| Podľa plánu | – On schedule |
| Zrušený pre zlé počasie | – Cancelled due to bad weather |
| Meškanie (letu a pod.) | – Delayed |
| Štart | – Taking off |
| Pristávanie | – Landing |

## UBYTOVANIE V HOTELI — ACCOMODATION AT THE HOTEL

| Hľadám ubytovanie. | – I'am looking for accomodation. |
| Máte voľné izby? | – Do you have any vacancies/ free rooms? |
| Potrebujem jednoposteľovú/ dvojposteľovú izbu | – I want a single/double room |
| – s kúpeľňou/so sprchou | – with a bathroom/a shower |
| – na túto noc/na týždeň. | – for the night/a week. |
| Objednali ste si ju? | – Have you booked it, sir? |
| Je mi ľúto, ale už máme obsadené. | – I'm sorry, sir, but we are full at present. |
| Rád bych som si rezervoval izbu... na budúci mesiac na meno... | – I'd like to make a (room) reservation for the next month in the name of... |
| Môžete ma ubytovať na noc? | – Can you put me up for the night? |
| Koľko stojí na noc? | – How much is it/do you charge/per night? |
| Je tu klimatizácia? | – Is there air-conditioning here? |
| Chceme plnú/pol penziu. | – We would like full/half board. |
| Ako dlho sa zdržíte? | – How long are you going to stay? |

| | |
|---|---|
| Zdržíme sa 5 dní. | – We are going to stay for five days. |
| Podpísali by ste mi prihlášku? | – Will you sign the register (check-in) please? |
| Tu je váš kľúč. | – Here's your key. |
| Keď budete niečo potrebovať, zavolajte personál. | – If there is anything you need, call the room service. |
| Platím teraz, alebo pri odchode? | – Do I pay now or at the departure? |
| Dám vám izbu číslo... na druhom poschodí. | – You can have room number... on the second floor. |
| Môžem si tu nechať batožinu? | – Can I leave my luggage here? |
| Batožinu vám dám poslať. | – I'll have your luggage sent up. |
| Nosič! | – Porter! |
| Výťah je tamto. | – The lift is over there. |
| Bohužiaľ, musím odrieknuť objednanú izbu na meno... | – I'm afraid I've got to cancel my reservation in the name of... |
| Chcel by som vymeniť izbu. | – I'd like to change my room please. |
| Môžem platiť v hotovosti? | – Can I pay cash? |
| Dokedy musíme opustiť izbu? | – By what time must we vacate the room? |
| Chcem sa odhlásiť. | – I'd like to check out. |
| Odchádzam. | – I'am leaving. |
| Poviete mi, o koľkej sa podávajú raňajky? | – Could you tell me at what time breakfast is served? |
| Prosím, zavolajte mi taxík. | – Would you call a taxi for me, please? |

## V KEMPE                                IN THE CAMP

| | |
|---|---|
| Môžeme tu táboriť? | – Can we camp here? |

| | |
|---|---|
| Kde tu môžeme zaparkovať a postaviť stan? | – Where can we build our tent and park our car here? |
| Môžeme tu založiť oheň? | – Can we make a fire here? |
| Musím mať povolenie? | – Do I need a permit? |
| Kde sú tu sprchy/toalety/ umyvárne? | – Where are the showers/toi- lets/washrooms here? |
| Môžeme si prenajať...? | – Can we rent a... here? |
| Je tu verejný telefón? | – Is there a payphone here? |
| Svoj pas tu nemôžem nechať. | – I can't leave my passport here. |

## ŠPORT A VOLNÝ ČAS

## SPORTS AND LEISURE

| | |
|---|---|
| Môžeme si niekde zahrať tenis/futbal? | – Could we play tennis/foot- ball around here? |
| Chceme si prenajať kurt na 1 hodinu. | – We'd like to rent a tennis court/playing field for one hour. |
| Je tu nablízku plaváreň? | – Is there a swimming pool near here? |
| Koľko stojí prenájom na hodinu? | – How much is a rental for one hour? |
| Koľko je vstupné? | – How much is the admission fee? |
| Jazdíš na kolieskových korčuliach? | – Do you rollerskate? |
| Áno, ale radšej sa korču- ľujem na ľade. | – Yes I do, but I like ice-ska- ting much better. |
| Ktorým športom sa venujete? | – Which sports do you go in for (practise)? |
| Poďme si zabehať. | – Let's go jogging. |
| Kde je tu požičovňa lyží? | – Where is the ski rental (serv- ice) here? |
| Hľadám skiservis. | – I'm looking for a ski service. |
| Sú tu aj zjazdovky pre začiatočníkov? | – Are there also ski runs for beginners here? |

| | |
|---|---|
| Ako sa dostanem k vleku/ sedačkovej lanovke? | – How can I get to the ski lift/ chairlift? |

## POČASIE

| | |
|---|---|
| Aké je/bude počasie? | – What is/will be the weather like? |
| Aká je predpoveď počasia na budúci týždeň? | – What is the weather forecast for the next week? |
| Premenlivé (nestále) počasie. | – Changeable weather. |
| Dnes bude jasno/pekne. | – It's going to be clear/nice/ fine. |
| Vyzerá to na dážď. | – It looks like raining. |
| Možno sa vyjasní. | – Perhaps it will clear up. |
| Hnusné počasie, však? | – Nasty weather, isn't it? |
| Je to len prehánka. | – That's only a shower. |
| Už zasa leje! | – It's pouring again! |
| Je trochu dusno. | – It's a bit soultry. |
| Zdá sa, že bude búrka. | – It looks as if there might be a thunderstorm. |
| Hrmí a blýska sa. | – There's a thunder and lightening. |
| Je tu zima/horúco. | – It's cold/hot in here. |
| Trochu sa ochladzuje. | – It's getting rather cold. |
| Je tu príjemný chládok. | – It's nice and cold here. |
| Je dosť veterno/zamračené. | – It's rather windy/cloudy. |
| Trochu mrholí. | – It's drizzling a little. |
| Tuhý mráz. | – Hard frost. |
| Mrzne. | – It's freezing. |
| Je hmlisto a čľapkanica. | – It's foggy and a slash. |
| V noci husto snežilo. | – There was a heavy snowfall during the night. |
| Cesta je hlboko pod závejmi. | – The road is deep in snow drifts. |
| Dúfam, že pekné počasie vydrží. | – I hope it'll keep fine. |

| | |
|---|---|
| Škoda, že je tak škaredo. | – It's a pity the weather is so bad. |
| Počkáme, až prestane pršať. | – We'll wait the rain to stop. |
| Fúka silný vietor. | – Strong wind is blowing. |
| Je 15 stupňov pod / nad nulou. | – It's fifteen degrees below/ above zero. |

## KRÍZOVÉ SITUÁCIE     EMERGENCIES

| | |
|---|---|
| Môžete nám pomôcť? | – Can you help us? |
| Zavolajte políciu/sanitku. | – Call the police/ambulance. |
| Okradli ma/prepadli ma. | – I've been robbed/assaulted. |
| Ukradli mi pas/osobné doklady/auto. | – My passport/personal documents/car has been stolen. |
| Stratil som kľúče od auta. | – I've lost my car keys. |
| Stratil sa mi kufor. | – My suitcase has been lost. |
| Som cudzinec (nevyznám sa tu). | – I'm a foreigner (I'm a stranger here). |
| Stratil som sa. | – I got lost. |
| Stratilo sa nám dieťa. | – Our child has got lost/is missing. |
| Nemám žiadne peniaze. | – I have no money. |
| Uviazli sme v dopravnej zápche. | – We got stuck in a traffic jam. |
| Kde je tu policajná stanica/ ambasáda SR? | – Where is the police station /Embassy of the Slovak Republic here? |
| Potrebujem tlmočníka. | – I need/require an interpreter. |
| Potrebujem si zatelefonovať. | – I need to make a phonecall. |
| Neurobil som nič nezákonné. | – I did nothing illegal. |
| Budem sa sťažovať. | – I'm going to complain. |
| Prosím, informujte mojich príbuzných. | – Please, inform my relatives. |
| Mal som nehodu. | – I had an accident. |
| Dostal som defekt. | – I had a puncture. |
| Mal som prednosť v jazde. | – I had the right of way. |

| | |
|---|---|
| Môžete ma odtiahnuť? | – Can you give me a tow? |
| Pokazil sa mi motor. | – The engine has broken down. |
| Zišiel som z cesty. | – My car went off the road. |
| Kde je tu najbližší servis? | – Where is the nearest (car) service? |
| Môžete sa na to pozrieť? | – Can you check it? |
| Ako rýchlo to môžete opraviť? | – How fast can you fix it? |
| Máte náhradné súčiastky? | – Have you got spare parts? |

## PRVÁ POMOC

## HEALTH EMERGENCY/ FIRST AID

| | |
|---|---|
| Máme zraneného. | – We have an injured here. |
| Potrebujeme lekára. | – We need a doctor. |
| Je to naliehavé. | – It is urgent. |
| Máte lekárničku? | – Do you have a first aid kit? |
| Pošlite sanitku na... | – Send an ambulance to... |
| Zrazilo ho/ju auto. | – He/she was hit/run over by a car. |
| Krváca. | – He/she is bleeding. |
| Je v bezvedomí. | – He/she is unconscious. |
| Nedýcha. | – He/she is not breathing. |
| Mám alergiu na... | – I have an allergy to... |
| Potrebujem užívať svoj liek. | – I need to take my medicine. |
| Užívate nejaké lieky? | – Do you take any drugs? |
| Musíte ísť do nemocnice. | – You have to go to the hospital. |
| Je to vážne? | – Is it serious? |

## U LEKÁRA, V LEKÁRNI

## AT THE DOCTOR'S, PHARMACY

| | |
|---|---|
| Zajtra musíš ísť k lekárovi. | – You must see the doctor tomorrow. |
| Čo Vás trápi? (Čo Vám je?) | – What's the trouble? |

| | |
|---|---|
| Necítim sa dobre, pán doktor. | – I don't feel well at all, doctor. |
| Veľmi ma bolí hlava, hrdlo a celý sa potím. | – I've got a terrible headache, a sore throat and I'm perspiring all over. |
| Odmerali ste si teplotu? | – Have you taken your temperature? |
| Je to angína/chrípka. | – It's tonsilitis/flu (influensa). |
| Musíte zostať niekoľko dní v posteli. | – You must stay in bed for a few days. |
| Užívajte liek, ktorý Vám predpíšem, dvakrát denne. | – Take the medicine I'm going to prescribe you twice a day. |
| Tento liek Vám urobí dobre. | – This medicine will do you good. |
| Je mi zle od žalúdka. | – I feel sick to my stomach. |
| Zvracal som. | – I threw up/vommitted. |
| Nemám chuť do jedla. | – I have no appetite. |
| Točí sa mi hlava. | – I feel dizzy. |
| Mám hnačku/zápchu. | – I have diarrhoea/constipation. |
| Nemôžem chodiť. | – I can't walk. |
| Cítim sa slabý. | – I feel weak. |
| Nemôžem spať. | – I don't sleep well. |
| Mám silný kašeľ. | – I have a bad cough. |
| Ťažko sa mi dýcha. | – I can't breath properly. |
| Porezal/popálil som si prst. | – I have cut/burnt my finger. |
| Neviem pohnúť rukou. | – I can't move my arm/hand. |
| Mám vyrážky, veľmi svrbia. | – I have a rash, it itches terribly. |
| Uštipol ma nejaký hmyz. | – I was bitten by some insect. |
| Spadol som. | – I fell. |
| Vyvrtol som si členok. | – I've sprained my ankle. |
| Kde to bolí? | – Where does it hurt? |
| Cítim bolesť v... | – I feel pain in my... |
| Je to zlomené? | – Is it broken? |
| Pália (štípu) ma oči. | – My eyes are smarting. |

| | |
|---|---|
| Najskôr Vám prezriem oči. | – I'll test your eyes first. |
| Potrebujete silnejšie okuliare. | – You need a stronger pair of glasses. |
| Bolí ma zub. | – I have a toothache. |
| Mám opuchnuté ľavé líce. | – My left cheek is swollen. |
| Ten zub musím vytrhnúť a vedľajší treba zaplombovať. | – That tooth must be extracted and the next one needs the filling. |
| Nič si z toho nerob. Čoskoro budeš opäť v poriadku. | – Don't worry. You'll soon be well again. |
| Potrebujem recept? | – Do I need a prescription? |
| Voľne predajné lieky. | – Over-the-counter-drugs. |
| Potrebujem niečo proti morskej chorobe (cestovnej nevoľnosti). | – I need something against seasickness (motion-sickness). |
| Môžem dostať nejaké lieky na spanie/proti bolesti? | – Can I have some sleeping pills/painkillers? |
| Ako a kedy mám užívať tento liek? | – How and when should I use this medicine? |
| Nekombinovať s inými liekmi! | – Don't use/mix with other drugs! |
| Môžem dostať pohár vody? | – Can I have a glass of water, please? |
| Je tento liek hradený poisťovňou? | – Is this drug covered by the insurance? |

## V BANKE, VÝMENA PEŇAZÍ

## IN THE BANK, MONEY CHANGING

| | |
|---|---|
| Kde je tu najbližšia banka/zmenáreň? | – Where is the nearest bank/exchange office? |
| Hľadám bankomat. | – I'm looking for a cash dispenser *(BrE)*/ATM *(AmE)* /banking machine. |
| Bankomat odmietol(zhltol) moju kartu. | – The ATM did not accept (swallowed) my card. |

| | |
|---|---|
| Vymieňate slovenské koruny? | – Can you change Slovak crowns? |
| Aký je výmenný kurz? | – What is the exchange rate? |
| Môžete mi rozmeniť 20 libier na menšie bankovky? | – Can you change a twenty pound note to smaller ones? |
| Môžem dostať potvrdenku? | – Can I have the receipt, please? |
| Máte prečerpanú kartu. | – Your card is over the limit/ maxed out. |
| Kde si môžem nárokovať vrátenie DPH? | – Where can I claim a VAT refund? |
| Rád by som si otvoril účet vo Vašej banke. | – I would like to open an account in your bank. |
| Chcem previesť peniaze na účet číslo... | – I'd like to transfer some money to account No. ... |
| Aké sú bankové poplatky? | – What are the money transfer fees like? |
| Aký úrok ponúkate? | – What is the interest offered here? |

## NÁKUPY

## PURCHASING

| | |
|---|---|
| Čo môžem pre vás urobiť? | – What can I do for you? |
| Môžem vám pomôcť? | – Can I help you? |
| Ďakujem, len sa pozeráme. | – Thank you, we are just looking at. |
| Môžem dostať...? | – Can I have...? |
| Kde môžem kúpiť...? | – Where can I buy...? |
| Je tu niekde blízko obchodný dom? | – Is there a department store near here? |
| Máte...? | – Do you have...? |
| Ukážte mi, prosím... | – Please show me... |
| Koľko to stojí? | – How much is it?/How much does it cost? |
| Je to/nie je to príliš drahé. | – It's/it's not too expensive. |

| | |
|---|---|
| Aká dlhá je záruka? | – How long is the guarantee period? |
| Cena nie je primeraná. | – The price doesn't correspond. |
| To je presne/nie je moja veľkosť. | – It's exactly/not my size. |
| Potrebujem o číslo väčšie/menšie. | – I need it one size bigger/smaller. |
| Môžem si to vyskúšať? | – Can I try it (on)? |
| Kde je kabínka na skúšanie? | – Where is the fitting room? |
| Je mi to malé/veľké/tesné/voľné. | – It's too small/big/tight/loose for me. |
| Mohli by ste mi to vymeniť? | – Could you change it for me? |
| Budem platiť kartou/v hotovosti. | – I will pay by (credit) card/cash. |
| Prijímate tieto šeky/koruny? | – Do you take/accept these cheques/crowns? |
| Môžem si skontrolovať účet? | – Can I check the bill? |
| Zabaľte mi to, prosím. | – Wrap it up for me, please. |
| Vezmem si tento/tieto... | – I'll take this/these... |
| Máte prečerpanú kreditnú kartu. | – Your card is over the limit. |
| Môžem dostať potvrdenku (účet)? | – Can I have the receipt please? |

## Odevy — Clothes

| | |
|---|---|
| športové oblečenie | – casual clothes/outfit (sportswear) |
| večerná toaleta/róba | – evening gown |
| vychádzkové oblečenie | – out-door clothes |
| šaty | – clothes; (dámske) dress |
| sukňa | – skirt |
| nohavice | – trousers, (AmE) pants |
| tričko | – T-shirt |
| košeľa | – shirt |

| | |
|---|---|
| s krátkym/dlhým rukávom | – short/long sleeved |
| tričko s límčekom | – polo shirt |
| spodné prádlo | – underwear |
| ponožky | – socks |
| pančucháče | – tights |
| mikina | – sweat shirt |
| sveter | – pullover |
| V-výstrih | – V-neck |
| rolák | – turtleneck pullover |
| golier | – collar |
| oblek | – suit |
| smoking | – tuxedo *(AmE)* |
| krátke nohavice | – shorts |
| frak | – tailcoat |
| plavky – dámske | – swimming/bathing costume/ |
| – pánske | bathing trunks |
| vesta | – waist coat |
| kabát | – coat |
| bunda | – jacket |
| vetrovka | – anorak |
| tepláky | – track suit |
| zástera | – apron |
| pršiplášť | – raincoat |
| kožuch | – fur coat |
| pyžamo | – pyjamas |

| **Obuv** | **Shoes** |
|---|---|
| tenisky | – trainers, *(AmE)* sneackers |
| plátené tenisky (cvičky) | – plimsolls |
| vibramky | – hiking boots/shoes |
| sandále | – sandals |
| čižmy | – boots |
| gumáky | – Wellingtons, rubber boots |
| papučky | – slippers |
| lodičky | – court shoes, *(AmE)* pumps |
| vysoký/nízky podpätok | – high/low heels |

| vložka do topánok | – insole |
| obuvák | – shoehorn |
| krém na topánky | – boot (shoe) polish |

| **Doplnky** | **Accessories** |
| gombík | – button |
| zips | – zip |
| suchý zisps | – velcro |
| zapnúť (na gombík/zips) | – button up/zip up |
| kravata (motýlik) | – tie (bow-tie) |
| opasok | – belt |
| kabelka | – handbag, *(AmE)* purse |
| dáždnik | – umbrella |
| čiapka | – cap |
| šatka | – scarf |
| šál | – shawl |
| kapucňa | – hood |
| rukavice | – gloves |
| šiltovka | – baseball cap |
| klobúk | – hat |
| okuliare (slnečné) | – sun/dark glasses |
| retiazka | – chain |
| náhrdelník | – necklace |
| prsteň | – ring |
| náramok | – bracelet |
| pracka | – buckle, claps |
| traky | – braces |
| manžetový gombík | – cuff-button |

| **Farby** | **Colours,** *(AmE)* **Colors** |
| biela | – white |
| žltá | – yellow |
| oranžová | – orange |
| červená | – red |
| fialová | – violet |
| ružová | – pink |

| | |
|---|---|
| modrá | – blue |
| zelená | – green |
| hnedá | – brown |
| béžová | – beige |
| šedá | – grey |
| čierna | – black |
| strieborná | – silver |
| zlatá | – gold(en) |
| tmavá | – dark |
| svetlá | – light |
| žiarivá | – bright |
| jednofarebná | – plain colour |

| **Rozmery a kvalita** | **Size and Quality** |
|---|---|
| veľmi malý | – extra small (XS) |
| veľmi veľký | – extra large (XL) |
| stredne veľký | – medium (M) |
| hrubý | – thick |
| tenký | – thin |
| široký | – broad |
| úzky (tesný) | – tight |
| voľný | – loose |
| vysoký | – high, tall |
| nízky | – low |
| hlboký | – deep |
| plytký | – shallow |
| ťažký (hmot.) | – heavy |
| ľahký (hmot.) | – light |
| objemný | – bulky |
| rovný | – straight |
| krivý | – curved |
| guľatý | – round (oval) |
| hranatý | – squared |
| vzor | – pattern |
| kockovaný | – checked |
| pásikavý | – striped |

| bodkovaný | – dotted |
| odolný, stály | – durable |
| nezrážavý | – nonshrink |
| stálofarebný | – non-fade, colour-fast |
| odolný proti vode | – waterresistant (-proof), impervious |
| odolný proti vetru | – windproof |

**Úprava a oprava** — **Care and Repair**

| prať | – wash |
| čistiť chemicky | – dry clean |
| (vy)žehliť | – iron |
| prefarbiť | – dye |
| štopkať | – darn |
| šiť | – sew |
| vyčistiť fľaky | – remove marks/stains |
| zaplátať/zašiť | – mend, stitch |
| nežehliť | – drip dry |
| nežmýkať | – don't wring |
| nebieliť | – don't bleach |

**Potraviny** — **Foodstuff**

| biely/tmavý chlieb | – white/brown bread |
| cukor | – sugar |
| horčica | – mustard |
| jogurt | – yog(h)urt |
| klobása | – sausage |
| kvasnice, droždie | – yeast, leaven |
| maslo | – butter |
| masť | – fat, lard |
| margarín | – margarine |
| med | – honey |
| múka | – flour |
| ocot | – vinegar |
| olej (stolový/olivový) | – oil (cooking/olive) |
| párok | – frankfurter, sausage |

| | |
|---|---|
| paštéta | – paste, paté |
| pečivo | – bread, (sladké) pastry |
| nátierka | – spread |
| rohlík | – roll |
| saláma | – salami |
| slanina | – bacon |
| smotana (kyslá/na šľahanie) | – cream (sour(ed)/whipped) |
| syr | – cheese |
| – ementál | – Emmenthal |
| – plesňový | – blue cheese |
| – ovčí | – sheep cheese |
| – plátkový | – sliced cheese |
| – smotanový | – cream cheese |
| – strúhaný | – grated |
| – tavený | – processed cheese |
| šunka | – ham |
| tlačenka | – brawn, *(AmE)* headcheese |
| tvaroh | – curd cheese, (surový) curds |
| vajce | – egg |
| žemľa | – bun |

| **Koreniny** | **Seasoning, Spice** |
|---|---|
| aníz | – anise |
| bazalka | – basil |
| bobkový list | – bay leaf |
| cesnak | – garlic |
| cibuľa | – onion |
| čierne korenie | – black pepper |
| horčica | – mustard |
| hrozienka | – sultanas |
| kari | – curry |
| klinčeky | – cloves |
| korenie | – spice |
| majoránka | – marjoram |
| mäta | – mint |
| muškátový orech | – nutmeg |

| | |
|---|---|
| nové korenie | – allspice |
| ocot | – vinegar |
| olej | – oil |
| olivový olej | – olive oil |
| paprika (červená) | – red pepper |
| rasca | – caraway seeds |
| sójová omáčka | – soya sauce |
| soľ | – salt |
| škorica | – cinnamon |
| tymián | – thyme |
| uhorky (nakladané) | – (pickled) gherkins |
| vanilka | – vanilla |
| zázvor | – ginger |

| **Vlastnosti jedál** | **Quality of food** |
|---|---|
| čerstvý | – fresh |
| dobre prepečený | – well-done |
| dusený | – stewed |
| grilovaný | – grilled |
| hustý | – thick |
| chudý (o mäse) | – lean |
| jemný | – fine |
| korenistý | – seasoned, spiced |
| mäkký | – tender, soft |
| na ražni | – spit-roasted |
| nakladaný, marinovaný | – pickled |
| neslaný | – unsalted |
| nezrelý | – unripe |
| olúpaný | – peeled, shelled |
| pečený | – roasted |
| plnený | – stuffed |
| polotovar | – ready-to-cook |
| presolený | – oversalted |
| pripálený | – burnt |
| s plnkou | – with stuffing |
| smažený | – fried |

| | |
|---|---|
| stredne (mierne) prepečený | – medium |
| surový | – raw |
| šťavnatý | – juicy |
| tuhý, tvrdý | – tough, hard |
| údený | – smoked |
| varený | – cooked |
| zrelý | – ripe |

| **Ovocie** | **Fruit** |
|---|---|
| ananás | – pineapple |
| brusnica | – cranberry |
| broskyňa | – peach |
| citrón | – lemon |
| čerešňa | – cherry |
| černica | – blackberry |
| čierna/červená ríbezľa | – black/red currant |
| čučoriedka | – blueberry |
| figa | – fig |
| hrozienka | – raisins |
| hrozno | – grapes |
| hruška | – pear |
| jablko | – apple |
| jahoda | – strawberry |
| malina | – raspberry |
| marhuľa | – apricot |
| orech (burský/lieskový/ | – nut (peanut/haselnut/walnut) |
| vlašský) | |
| pomaranč | – orange |

| **Zelenina** | **Vegetables** |
|---|---|
| brokolica | – broccoli |
| cesnak | – garlic |
| cibuľa | – onion |
| cukina | – zucchini |
| fazuľa | – beans |
| hlávkový šalát | – lettuce |

| | |
|---|---|
| hrášok | – peas |
| huby | – mushrooms |
| chren | – horse radish |
| kapusta | – cabbage |
| karfiol | – cauliflower |
| kôpor | – dill |
| mrkva | – carrot |
| paprika | – pepper |
| pažítka | – chive(s) |
| petržlen | – parsley |
| pór | – leek |
| rajčiak | – tomato |
| reďkovka | – radish |
| šošovica | – lentil(s) |
| špargľa | – asparagus |
| špenát | – spinach |
| uhorka | – cucumber |
| zeler | – celery |
| zemiaky | – potatoes |

## V REŠTAURÁCII

## AT A RESTAURANT

| | |
|---|---|
| Som hladný. | – I am hungry. |
| Chcel by som niečo zjesť/ vypiť. | – I'd like to eat/drink something. |
| Máte voľný stôl? | – Do you have a free table? |
| Môžeme si tu sadnúť? | – Can we sit here? |
| Jedálny lístok prosím. | – The menu please. |
| Rád by som si objednal... | – I'd like to order... |
| Nebudem jesť. Ďakujem. | – I won't eat. Thank you. |
| Ešte som si nevybral. | – I haven't chosen yet. |
| Už máme objednané. | – We have ordered already. |
| Čo nám odporúčate? | – What do you recommend? |
| Dám si jeden... | – I will have a ... |
| Môžete nám, prosím prinieść eśte jeden... | – Can you bring us one more ..., please? |

| | |
|---|---|
| Ďakujem, nemám teraz chuť na jedlo. | – I don't feel like eating now, thanks. |
| Môžete nám priniesť kečup/ soľ/ešte jeden príbor? | – Can you bring us ketchup.../ salt/one more knife and fork? |
| Dobrú chuť. | – Enjoy your meal. (Bon apetit.) |
| Môžete to odniesť. | – You can take it away. |
| Zaplatím(e). | – The bill/(AmE) check please. |
| Zaplatíme každý zvlášť/ spolu. | – We will pay separately/all together. |
| Dnes platím ja. | – It's on me today. |
| Môžem zaplatiť kreditkou? | – Can I pay by a credit card? |
| To je v poriadku. Zvyšok je pre vás. (Drobné si nechajte.) | – Keep the change. That's O.K. |

## Sťažnosti — Complaints

| | |
|---|---|
| Toto sme si neobjednali. | – We didn't order this. |
| To jedlo je nejaké zlé. | – Something is wrong with the food. |
| Obávam sa, že ste nám naúčtoval(i) viac. | – I'm afraid, you overcharged us. |
| Obávam sa, že túto položku sme nemali. | – I'm afraid, we didn't have this item. |
| Myslím, že ste sa zmýlili. | – I think you have made a mistake. |
| Prosím, prepočítajte to (znova). | – Would you check it (again), please? |

## Jedálny lístok — Menu

| | |
|---|---|
| polovičná (detská) porcia | – half (child's) portion |
| dvojitá porcia | – double portion |
| raňajky | – breakfast |
| neskoré raňajky | – brunch |
| teplé raňajky/studené raňajky (európske) | – English breakfast/ Continental breakfast |
| obed | – lunch, (neskorý) dinner |

| | |
|---|---|
| desiata/olovrant | – snack |
| večera (ako hl. jedlo dňa) | – dinner |
| neskorá večera | – supper |
| predjedlo | – starter *(BrE)*, appetizer, hors d'ouvre *(AmE)* |
| polievky | – soups |
| hlavný chod | – main course, entrée |
| studené jedlá | – cold food(s) |
| teplé jedlá | – hot meals |
| minútky | – short orders |
| bezmäsité jedlá | – meatless meals |
| prílohy | – side dishes, accompaniments |
| obloha | – garnish |
| dezerty, zákusky | – desserts |
| nápoje | – drinks, beverages |
| alkoholické nápoje | – alcoholic/hard drinks |
| nealkoholické nápoje | – non-alcoholic/soft drinks |

| **Predjedlá** | **Starters** |
|---|---|
| hrianka, toast | – toast, roasted bread |
| paštéta z husacej pečienky | – goose-liver paté |
| huspenina | – aspic |
| tlačenka | – brawn, *(AmE)* head-cheese |
| ovocný/zeleninový šalát | – fuit/vegetable salad |
| omeleta | – omelette |
| šunková rolka | – ham roll |
| obložený chlebíček | – open sandwich |
| praženica | – scrambled eggs |
| vajíčka namäkko/natvrdo | – soft/hard-boiled eggs |
| studená misa; nárez | – cold cuts |

| **Polievky** | **Soups** |
|---|---|
| zeleninová/hrachová/ šošovicová | – vegetable/pea/lentil soup |
| kuracia/rezancová polievka | – chicken/noodle soup |
| kapustová polievka | – cabbage soup |

| | |
|---|---|
| paradajková polievka | – tomato soup |
| rybacia polievka | – fish soup, (hustá) chowder |
| vývar | – broth, bouillon, *(AmE)* consommé |
| krémová polievka | – cream soup |
| boršč | – borsch(t) |
| držková polievka | – tripe soup |
| kocky chleba (do polievky) | – croutons |
| mäsové knedličky | – meat balls |

## Mäsité jedlá — Meaty dishes/meals

| | |
|---|---|
| surové mäso | – raw meat |
| silne/stredne/málo prepečené | – well done/medium/underdone |
| červené/biele mäso | – red/white meat |
| bravčové mäso | – pork |
| hovädzie mäso | – beef |
| hydinové mäso | – poultry, fowl |
| pečené kura | – roast chicken |
| morka | – turkey |
| hus | – goose |
| kačka | – duck |
| králik | – rabbit |
| teľacie mäso | – lamb |
| baranie mäso | – mutton |
| divina | – game |
| srnčie | – venison |
| plody mora | – seafood |
| rybie mäso | – fish |
| pstruh | – trout |
| šťuka | – pike |
| úhor | – eel |
| fašírka | – meat loaf, mincemeat |
| obaľovaný, vysmážaný rezeň | – (Wiener) schnitzel |
| prírodný rezeň | – cutlet, steak |
| biftek | – beefsteak |

| | |
|---|---|
| sviečková | – sirloin, *(AmE)* tenderloin |
| rebierko | – rib |
| kotleta s kosťou | – chop, cutlet, *(AmE)* T-bone steak |
| rozbif (pečené hovädzie) | – roast beef |
| biftek | – beef steak |
| guláš | – goulash |
| údené mäso | – smoked meat |
| pečienka | – liver |
| šunka | – ham |
| klobása, párok | – sausage |
| salám | – salami |
| slanina | – bacon |

| **Bezmäsité jedlá** | **Vegetarian dishes/meals** |
|---|---|
| špagety | – spaghetti |
| rizoto | – risotto |
| cestovinový šalát | – pasta salad |
| vysmážaný syr | – fried cheese |
| palacinky | – pancakes |
| dusená zelenina | – stewed vegetables |
| omeleta | – omelette |
| varená kukurica | – corn on the cob |
| špenát | – spinach |
| hrianka | – toast, roasted bread |
| volské oko | – fried egg |

| **Prílohy** | **Side Dishes, Accompaniments** |
|---|---|
| pečené/varené zemiaky | – baked/boiled potatoes |
| smažené hranolky | – (French) fries, *(BrE)* chips |
| krokety | – crocquettes |
| ryža (ryža tzv. natural) | – rice (brown rice) |
| zemiakový šalát | – potato salad |
| zemiaková kaša | – mashed potatoes |
| cestoviny | – pasta |

| | |
|---|---|
| rezance | – noodles |
| knedľa | – dumpling |
| kapustový šalát | – cabbage salad |
| šalát z kapusty, mrkvy a cibule s majonézou | – (cole)slaw |
| kyslá kapusta | – sauerkraut |
| obloha | – garnish |
| majonéza | – mayonnaise |
| tatárska omáčka | – tartare sauce |
| sójová omáčka | – soy(a) sauce |
| zálievka | – dressing |
| horčica | – mustard |
| korenie, chuťová prísada, dochucovadlo | – seasoning |
| nakladaná zelenina | – pickles |
| kompót | – compote, stewed fruit |

| **Alkoholické nápoje** | **Alcoholic (Hard) drinks** |
|---|---|
| aperitív | – appetizer, aperitif |
| pivo | – beer |
| točené/fľaškové pivo | – draft/bottle beer |
| plzenské | – pilsner (beer) |
| zázvorové pivo | – ginger ale *(BrE)* |
| (perlivé) víno | – (sparkling) wine |
| červené/biele víno | – red/white wine |
| suché/sladké víno | – dry/sweet wine |
| stolové víno | – table wine |
| vinný strik | – spritzer |
| varené víno | – mulled wine |
| jablčné pivo | – *(BrE)* cider, *(AmE)* hard cider |
| vermút | – vermouth |
| tvrdý alkohol, liehoviny | – hard drinks, spirits |
| likér | – liqueur |
| koňak | – cognac |
| vaječný koňak | – eggnog, egg-flip |

| Nealkoholické nápoje | Soft drinks |
|---|---|
| minerálka | – mineral water |
| džús | – juice |
| jablčný mušt | – (AmE) cider, (BrE) apple juice |
| malinovka | – lemonade |
| sóda | – soda (water) |
| nealkoholické pivo | – non-alcoholic beer |
| šumivý nápoj | – fizzy drink |
| kakao | – cocoa |
| koktail | – milkshake |
| čierny/zelený čaj | – black/green tea |
| ovocný/bylinkový čaj | – fruit/herb(al) tea |
| čaj s mliekom/citrónom | – tea with milk/lemon |
| čierna/biela káva | – black/white coffe |
| ochutený/ľadový čaj | – flavoured/ice tea |
| nízkotučné/polotučné mlieko | – low-fat/whole milk |

| Dezerty | Desserts |
|---|---|
| zákusok | – dessert |
| zmrzlina | – ice cream |
| zmrzlinový pohár | – sundae |
| banán s čokoládou | – banana split |
| jablčný/jahodový koláč | – apple/strawberry cake/pie |
| ryžový nákyp | – rice pudding |

## KALENDÁR, ČAS

## CALENDAR, TIME

| Koľkého je dnes? | – What's the date today? |
|---|---|
| Je 21. júla. | – It's the twenty first (21st) of July. |
| včera/dnes/zajtra | – yesterday/today/tomorrow |
| predvčerom | – the day before yesterday |
| pozajtra | – the day after tomorrow |
| minulý rok/tento rok/ budúci rok | – last year/this year/next year |

| | |
|---|---|
| pred dvoma dňami/týžd-ňami/mesiacmi/rokmi | – two days/weeks/month/years ago |
| na jar/na jeseň/v lete/v zime | – in spring/in autumn/in summer/in winter |
| o mesiac/o rok | – in a month/year |
| začiatkom/koncom tohto... | – earlier/later this... |
| štvrťrok | – quarter (of a year), trimester |
| polrok | – half-year, (semester) |
| 2 týždne (14 dní) | – forthnight |
| desaťročie | – decade |
| storočie | – century |
| tisícročie | – millennium |

## Mesiace v roku — Months of the year

| | |
|---|---|
| január | – January |
| február | – February |
| marec | – March |
| apríl | – April |
| máj | – May |
| jún | – June |
| júl | – July |
| august | – August |
| september | – September |
| október | – October |
| november | – November |
| december | – December |

## Dni v týždni — Days of the Week

| | |
|---|---|
| pondelok | – Monday |
| utorok | – Tuesday |
| streda | – Wednesday |
| štvrtok | – Thursday |
| piatok | – Friday |
| sobota | – Saturday |
| nedeľa | – Sunday |

| | |
|---|---|
| cez pracovné/všedné dni | – during working days, *(AmE)* workdays |
| víkend | – weekend |
| polnoc | – midnight |
| poludnie | – noon |
| dnes večer | – tonight |

## URČUJEME ČAS

## TELLING THE TIME

| | |
|---|---|
| Koľko je hodín? | – What time is it? |
| Je sedem hodín (presne). | – It's seven o'clock (= of the clock). |
| Porovnajme si čas. | – Let's check the time. |
| Je po ôsmej. | – It is a few minutes past eight. |
| Sú skoro štyri (hodiny). | – It is almost four (o'clock). |
| Je štvrť na deväť. (8.15) | – It's quarter past eight. |
| Je deväť dvadsať.(9.20) | – It's twenty past nine. |
| Je pol dvanástej.(11.30) | – It's half past eleven. |
| Je trištvrte na tri. (14.45) | – It's quarter to three. |
| Je za 5 minút dvanásť. (11.55) | – It's five to twelve. |
| Je šesť štyridsať. (6.40) | – It's twenty to seven. |
| Prídem hneď. | – I'll be right back. |
| Musíme sa ponáhľať. | – We must hurry. |
| Je najvyšší čas ísť. | – It's high time to go. |
| Netreba sa ponáhľať. | – There's no need to hurry. |
| Máme dosť času. | – We have time enough. |
| Nemáme dosť času. | – We don't have much time. |
| Je dosť neskoro/dosť skoro. | – It's rather late/too early. |
| Stihneme/nestihneme to. | – We will/won't make it in time. |
| Ako dlho to trvá? | – How long does it take? |

## PREHĽAD SVIATKOV     LIST OF HOLIDAYS
• **Anglicky hovoriace krajiny   English-speaking Countries**

| | |
|---|---|
| New Year's Day | – 1. január, Nový rok |
| New Year Holiday | – 2. január (NZ**, Scot.) |
| Martin Luther King, Jr.'s birthday | – 15. január (USA) |
| Australia Day | – 26. január (Austr.) |
| Waitangi Day | – 6. február (NZ) |
| President's Day | – (tretí pondelok vo februári) (USA) |
| St.Patrick's Day | – 17. marec (Ir, NoIr***) |
| Good Friday | – Veľký piatok (pohyblivý sviatok) |
| Anzac Day | – 25. apríl (Austr., NZ) |
| Early May Bank Holiday* | – (prvý pondelok v máji) (UK) |
| Victoria Day | – 21. máj (Can) |
| Spring Bank Holiday* | – (posl. pondelok v máji) (UK) |
| Memorial Day | – (posl. pondelok v máji) (USA) |
| Queen's Birthday | – (druhý pondelok v júni) (NZ, Austr.) |
| Canada Day | – 1. júl (Can) |
| Independence Day | – 4. júl, Deň nezávislosti (USA) |
| Battle of Boyne Holiday | – 12. júl (NoIr***) |
| Summer Bank Holiday* | – (pohyblivý sviatok) (UK) |
| Labour Day | – (prvý pondelok v septembri) (USA, Can) |
| Thanksgiving Day | – (druhý pondelok v októbri) Deň vďakyvzdania (Can) |
| Columbus Day | – (druhý pond. v októbri) (USA) |
| Labour Day | – 22. október (NZ) |
| Halloween | – predvečer Všetkých Svätých |
| Rememberance Day | – 11. november (Can, UK) |
| Veterans Day | – 11. november (USA) |
| Thanksgiving Day | – (štvrtý štvrtok v novembri) Deň vďakyvzdania (USA) |

| Christmas Day | – 25. december, Božie naro- |
|---|---|
|  | denie |
| Boxing Day | – 26. december (Aust, Can, |
|  | UK) |

\* Bank Holiday — Štátny sviatok
\*\* NZ = Nový Zéland
\*\*\* NoIr = Severné Írsko

| • **Sviatky na Slovensku** | **Slovak Holidays** |
|---|---|
| Day of Establishment of the Slovak Republic | – Deň vzniku Slovenskej republiky (1. január) |
| Epiphany | – Sviatok Troch kráľov (6. január) |
| Good Friday | – Veľký piatok (pohyblivý sviatok) |
| Easter Monday | – Veľkonočný pondelok (pohyblivý sviatok) |
| Day of Victory over Fascism | – Deň víťazstva nad fašizmom (8. máj) |
| Holiday of Saints Cyril and Methodius | – Sviatok sv. Cyrila a Metoda (5. júl) |
| Slovak National Uprising | – Slovenské národné povstanie (29. august) |
| Day of the Constitution of the Slovak Republic | – Deň ústavy Slovenskej republiky (1. september) |
| Our Lady of Sorrows | – Sedembolestná Panna Mária (15. september) |
| Day of the Fight for Freedom and Democracy | – Deň boja za slobodu a demokraciu (17. november) |
| Christmas Eve | – Štedrý deň (večer) (24. december) |
| Christmas Day | – Prvý sviatok vianočný (25. december) |
| Christmas Day (St. Stefan's Day) | – Druhý sviatok vianočný (26. december) |

**PREVODY JEDNOTIEK**       **TRANSFORMATION OF UNITS**

## • Hmotnosť – Weight

| | | |
|---|---|---|
| 1 ounce (oz) | – 1 unca | = 28.35 grams (g) |
| 1 pound (Lb) (= 16 oz) | – 1 libra | = 0.45 kilograms (kg) |
| 1 stone (st) (= 14 lb) | – 1 kameň | = 6.35 kilograms (kg) |
| 1 metric ton (1 tonne) | – 1 tona | = 1000 kilograms (kg) |

1 kg = 2.2 lb = 0.16 stone

## • Plošné miery – Square Measure

| | | |
|---|---|---|
| 1 are | – 1 ár | =100 sq metres (m$^2$) |
| 1 acre (ac) | – 1 aker (40,5 áru) | = 4046.86 sq metres (m$^2$) |
| 1 sq yard (yd) | – 1 yard | = 0.836 sq metres (m$^2$) |
| 1 hectare (ha) | – 1 hektár | = 10.000 sq metres (m$^2$) |

## • Objemové miery, objem – Cubic Measure, Capacity

| | | |
|---|---|---|
| 1 barrel (bbl) | – 1 barel | = 163.659 litres (l) |
| 1 gallon (gal) | – 1 galón | = 4.55 litres (UK); = 3.79 l (US) |
| 1 pint (pt) | – 1 pinta | = 0.57 litres (UK); = 0.47 l (US) |
| 1 liter/litre (l) | – 1 liter | = 1.75 pints |

## • Dĺžka – Length

| | | |
|---|---|---|
| 1 inch (in) | – 1 palec/cól | = 2.54 centimetres (cm) |
| 1 yard (yd) (= 3 feet) | – 1 yard | = 0.914 metres (m) |
| 1 foot (ft) (= 12 inches) | – 1 stopa | = 30.4 centimetres (cm) |
| 1 mile | – 1 míľa | = 1609 metres (m) (= 1.61 km) |

1 cm = 0,93 in
1 m = 3,28 ft = 1,09 yd

*Pozor!*
V anglických, amerických a i. váhach a mierach sú veľké rozdiely!

- **Rýchlosť – Speed**
1 mph = 1,61 km/h
1 km/h = 0,62 mph

| mph | 30 | 40 | 55 | 65 | 75 |
|------|----|----|----|----|----|
| km/h | 48 | 64 | 89 | 105 | 121 |

- **Teplota – Temperature**
Ako premeníme °C na °F? (How to turn degrees of Celsius (°C) to degrees of Fahrenheit (°F)?)
Vynásobíme °C 9/5 a pripočítame 32. (Multiply °C by 9/5 and add 32.)

*Example:*

10 °C equals to

$$\frac{10 \times 9}{5} + 32 = 50 \text{ °F}$$

a naopak (and vice versa):
60 °F equals to

$$60 - 32 \times \frac{5}{9} = 15°,5' \text{ °C}$$

| °F | °C |
|------|------|
| 0 | – 18 |
| 32 | 0 |
| 50 | 10 |
| 70 | 21 |
| 80 | 27 |
| 90 | 32 |
| – 100 | 38 |

*Some basic facts:*

Teplota ľudského tela ............................ 36,9 °C = 98,4 °F
(The temperature of human body)

Bod mrazu (Freezing point) ........................... 0 °C = 32 °F

Bod varu (Boiling point) ......................... 100 °C = 212 °F

## MEDZINÁRODNÝ SYSTÉM JEDNOTIEK (SI) – THE INTERNATIONAL SYSTEM OF UNITS (SI UNITS)

| Quantity – Veličina | Quantity | Symbol | Unit (merná jednotka) | Expression in terms of SI base units |
|---|---|---|---|---|
| Zrýchlenie | – acceleration | a | metre per second squared | $ms^{-2}$ or $m/s^2$ |
| Plocha | – area | A | square metre | $m^2$ |
| Kapacita | – capacitance | C | farad | F ($1F = 1\ AsV^{-1}$) |
| Náboj | – charge | Q | coulomb | C ($1C = 1\ As$) |
| Prúd | – current | I | ampere | A |
| Hustota | – density | ρ (rho) | kilogram per cubic metre | $kgm^{-3}$ or $kg/m^3$ |
| Sila | – force | F | newton | N ($1N = 1\ kg\ ms^{-2}$) |
| Frekvencia | – frequency | f | hertz | Hz ($1\ Hz = 1s^{-1}$) |
| Dĺžka | – length | l | metre | m |

| | |  | |  |
|---|---|---|---|---|
| **Hmotnosť** | m | – mass | kilogram | kg |
| **Napätie** | V | – potential difference | volt | V ($1V = 1JC^{-1}$ or $WA^{-1}$) |
| **Výkon** | P | – power | watt | W ($1\,W = 1Js^{-1}$) |
| **Odpor** | R | – resistance | ohm | ($1 = 1V\,A^{-1}$) |
| **Merná tepelná kapacita** | c | – specific heat capacity | joule per kilogram kelvin | $Jkg^{-1}\,K^{-1}$ |
| **Teplota** | T | – temperature | kelvin | K |
| **Čas** | t | – time | second | s |
| **Objem** | V | – volume | cubic metre | $m^3$ |
| **Rýchlosť** | v | – velocity | metre per second | $ms^{-1}$ or m/s |
| **Vlnová dĺžka** | λ (lambda) | – wavelength | metre | m |
| **Práca, energia** | W, E | – work, energy | joule | J ($1J = 1Nm$) |

## CHEMICKÉ PRVKY – CHEMICAL ELEMENTS

| Symbol | Element | Slovak |
|--------|---------|--------|
| Ac | Actinium | – Aktínium |
| Ag | Silver | – Striebro |
| Al | Aluminium | – Hliník |
| Am | Americium | – Amerícium |
| Ar | Argon | – Argón |
| As | Arsenic | – Arzén |
| At | Astatine | – Astát |
| Au | Gold | – Zlato |
| B | Boron | – Bór |
| Ba | Barium | – Bárium |
| Be | Beryllium | – Berylium |
| Bh | Bohrium | – Bohrium |
| Bi | Bismuth | – Bizmut |
| Bk | Berkelim | – Berkélium |
| Br | Bromine | – Bróm |
| C | Carbon | – Uhlík |
| Ca | Calcium | – Vápnik |
| Cd | Cadmium | – Kadmium |
| Ce | Cerium | – Cér |
| Cf | Californium | – Kalifornium |
| Cl | Chlorine | – Chlór |
| Cm | Curium | – Curium |
| Co | Cobalt | – Kobalt |
| Cr | Chromium | – Chróm |
| Cs | Caesium | – Cézium |
| Cu | Copper | – Meď |
| Db | Dubnium | – Dubnium |
| Dy | Dysprosiujm | – Dysprózium |
| Er | Erbium | – Erbium |
| Es | Einsteinium | – Einsteinium |
| Eu | Europium | – Európium |
| F | Fluorin | – Fluór |
| Fe | Iron | – Železo |
| Fm | Fermium | – Fermium |

| | | | |
|---|---|---|---|
| Fr | Francium | – | Francium |
| Ga | Gallium | – | Gálium |
| Gd | Gadolinium | – | Gadolínium |
| Ge | Germanium | – | Germánium |
| H | Hydrogen | – | Vodík |
| He | Helium | – | Hélium |
| Hf | Hafnium | – | Hafnium |
| Hg | Mercury | – | Ortuď |
| Ho | Holmium | – | Holmium |
| Hs | Hassium | – | Hassium |
| I | Iodine | – | Jód |
| In | Indium | – | Indium |
| Ir | Iridium | – | Irídium |
| K | Potassium | – | Draslík |
| Kr | Krypton | – | Kryptón |
| La | Lanthanium | – | Lantán |
| Li | Lithium | – | Lítium |
| Lr | Lawrencium | – | Lawrencium |
| Lu | Lutetium | – | Lutécium |
| Mg | Magnesium | – | Horčík |
| Mn | Manganese | – | Mangán |
| Mo | Molybdenum | – | Molybdén |
| Mt | Meitnerium | – | Meitnerium |
| N | Nitrogen | – | Dusík |
| Na | Sodium | – | Sodík |
| Nb | Niobium | – | Niób |
| Nd | Neodymium | – | Neodým |
| Ne | Neon | – | Neón |
| Ni | Nickel | – | Nikel |
| No | Nobelium | – | Nobelium |
| Np | Neptunium | – | Neptúnium |
| O | Oxygen | – | Kyslík |
| Os | Osmium | – | Osmium |
| P | Phosphorous | – | Fosfor |
| Pa | Protactinium | – | Protaktínium |
| Pb | Lead | – | Olovo |
| Pd | Palladium | – | Paládium |

| | | |
|---|---|---|
| Pm | Promethium | – Prométium |
| Po | Polonium | – Polónium |
| Pr | Praseodymium | – Prazeodým |
| Pt | Platinum | – Platina |
| Pu | Plutonium | – Plutónium |
| Ra | Radium | – Rádium |
| Rb | Rubidium | – Rubídium |
| Re | Rhenium | – Rénium |
| Rf | Rutherfordium | – Rutherfordium |
| Rh | Rhodium | – Ródium |
| Rn | Radon | – Radón |
| Ru | Ruthenium | – Ruténium |
| S | Sulphur | – Síra |
| Sb | Antimony | – Antimón |
| Sc | Scandium | – Skandium |
| Se | Selenium | – Selén |
| Sg | Seaborgium | – Seaborgium |
| Sm | Samarium | – Samárium |
| Sn | Tin | – Cín |
| Sr | Strontium | – Stroncium |
| Ta | Tantalum | – Tantal |
| Tb | Terbium | – Terbium |
| Tc | Technetium | – Technécium |
| Te | Tellerium | – Telúr |
| Th | Thorium | – Tórium |
| Ti | Titanium | – Titán |
| Tl | Thallium | – Tálium |
| Tm | Thulium | – Túlium |
| U | Uranium | – Urán |
| Uun | Ununnilium | – Ununnilium |
| V | Vanadium | – Vanád |
| W | Tungsten | – Wolfrám |
| Xe | Xenon | – Xenón |
| Y | Yttrium | – Ytrium |
| Yb | Ytterbium | – Yterbium |
| Zn | Zinc | – Zinon |
| Zr | Zirconium | – Zirkón |

## ZÁKLADNÉ MATEMATICKÉ ÚKONY A VÝRAZY – BASIC MATHS OPERATIONS AND EXPRESSIONS

**Sčítanie** – Addition [ædišən]
**Odčítanie** – Substraction [sabstrækšən]
**Násobenie** – Multiplication [maltiplikeišən] **(by)**
**Delenie** – Division [divižən]
**Výraz „rovná sa"** (=) – is/are, make/s (neformálne)
  – equals (formálne), leanes [li:ns]

**Zlomky** – Fractions [frækšəns]
**(Výraz „lomeno"** – over)
**Mocnina** – $^2$ squared
    – $^3$ cubed
    – $^4$ to the fourth atď.
**Odmocnina** (...) – square (cube, etc.) root of...
**Zlomok** – fraction [frækšən] (1/2 one sixth; 5/7 five divided
    by seven)
**Rovnica** – equation
**Výsledok** – result
**Zvyšok** – remainder
**Zaokrúhliť** – round off

### • Geometria – Geometry

trojuholník – triangle
štvorec – square
obdĺžnik – rectangle
lichobežník – trapeze
kruh – circle
polomer – radius
priemer – diameter

os – axis
priamka – straight-line
polpriamka – half-line
úsečka – abscissa
pravouhlý – perpendicular
uhol – angle
mnohouholník – polygon

Rozmery udávame pomocou **by:** 5 x 4 (= five by four).

## PENIAZE V BRITÁNII – MONEY IN BRITAIN
p (= pence); **£** = British pound [paund]
100 p = 1 British pound (**£**1)

V hovorovej reči sa často uvedie len suma v číslach.
*(It costs three ninety nine.)* (**£**3. 99)

*Neformálne:*
**£** 1 – a quid                    **£** 10 – ten quid/tenner
**£** 5 – five quid/fiver     papierová bankovka – (bank) note

## PENIAZE V USA – MONEY IN THE US
1 c – one cent (a penny)
5 c – five cents (a nickel)
10 c – ten cents (a dime) [daim]
25 c – tweny five cents (a quarter)
$ 1.00 – one dollar (a dollar bill); *hovor.* **buck** [bak]
papierová bankovka – bill, note; *hovor.* greenback


## ZÁKLADNÉ POČÍTAČOVÉ VÝRAZY – BASIC COMPUTER TERMS

**acces** – prístup
**application** – aplikácia
**back(ward)** – späť, dozadu
**back up** – zabezpečiť, založiť kópiu
**browse the web** – zbežne si prezerať
**cancel** – zrušiť
**CC** (= carbon copy; this message has been sent to ...) –
    duplikát
**click on** – kliknúť (na)
**close** – zavrieť
**command** – príkaz
**compatible** – zlučiteľný, kompatibilný
**copy** – kopírovanie

**cut** – vystrihnúť
**create** – vytvoriť
**cursor** – kurzor
**diskette (floppy disk)** – disketa
**display** – zobrazenie
**download** – presunúť, stiahnuť (dáta)
**drag** – ťahať (pomocou tlačítka na myši a "chytiť" ikonu)
**edit** – oprava chýb
**eject** – vystrčiť (disketu)
**enter** – vstup
**error** – chyba
**execute** – vykonať
**file** – súbor
**font** – písmo
**for(ward)** – dopredu
**from** – od
**FW (= forward)** – poslať ďalej
**hard disk** – pevný disk
**hardware** – hardvér
**chat** – porozprávať sa
**icon** – ikona, piktogram
**insert** – vložiť
**keybord** – klávesnica
**load** – ukladať údaje
**log in/on (to ...)** – prihlásiť sa do systému
**make sth active** – dať do činnosti, zaktivovať
**memory** – pamäť
**menu** – ponuka
**message** – odkaz, správa
**modem** – modem
**monitor** – monitor
**mouse** – myš
**network** – sieť
**online** – zapojený
**option** – voľba možností
**output** – výstup
**password** – heslo

**paste** – prilepiť
**print** – tlačiť
**processor** – procesor
**RE (= reply)** – odpovedať
**reboot** – reštartovať
**received** – prijaté (správy)
**replace** – vymeniť, nahradiť
**run** – beh (programu)
**save** – uložiť, zapísať (do pamäti)
**screen** – obrazovka
**scroll up/down** – rolovať hore/dole (posúvať text)
**search** – vyhľadávanie
**select** – vybrať, zvoliť (si)
**send** – poslať
**shut down** – vypnúť
**software** – softvér
**subject** – predmet, vec
**surf the net** – surfovať na Internete
**to** – komu
**user** – používateľ
**view** – zobraziť
**web page** – vebová stránka
**window** – okno, rámček

**ESC (= escape)** – únik
**Tab (= tabulator)** – tabulátor (nastavené zarážky vo Worde)
**Shift** – posun, zmena
**Caps (= capitals)** – veľké písmená
**Alt (= alter)** – zmeniť
**Backspace** – späť
**Ins (= insert)** – vlož
**Pg (= page)** – strana
**Lock** – uzamknutie
**Delete** – vymazať
**End** – koniec
**ctrl (= control)** – kontrola

# DÔLEŽITÉ ADRESY A TELEFÓNNE ČÍSLA – IMPORTANT ADDRESSES AND TELEPHONE NUMBERS

## VEĽVYSLANECTVÁ SR – EMBASSIES OF SR

- **Veľká Británia**
  Embassy of the Slovak Republic
  25 Kensington Palace Gardens
  London W8 4QY
  United Kingdom
  **Tel.:** 0044/20 7313 6470, 0044/20 7313 6471, **044/20**
  7313 6490 (Konzulárne oddelenie)
  **Fax:** 0044/207 313 6481
  **E-mail: mail@slovakembassy.co.uk**
  **www.slovakembassy.co.uk**
  Časový posun: – 1 h

- **Spojené štáty americké**
  Embassy of the Slovak Republic
  3523 International Court, NW
  Washington D. C. 20008
  USA
  **Tel.:** 001-202/237 1054
  **Fax:** 001-202/237 6438
  **E-mail: info@slovakembassy-us.org**
  **www.slovakembassy.us.org**
  Časový ponun: – 6 h až – 11 h

- **Kanada**
  Embassy of the Slovak Republic
  50, Rideau Terrace
  Ottawa, Ontario K1M 2AI
  Canada
  **Tel.:** 001-613/749 4442
  001-613/795 4823 (stála služba)
  001-613/748 1773 (Obchodno-ekonomické oddele-
  nie)

**Fax:** 001-613/749 4989
**E-mail: ottawa@slovakembassy.ca**
ww.slovakembassy.com
Časový posun: – 6 až – 10 h

• **Austrália**
Embassy of the Slovak Republic 47 Culgoa Circuit,
O'Malley
Canberra A. C. T. 2606 Austrália
**Tel.:** 0061/2/6290 1516
 0061/2/6290 2405, 0061/2/6290 0036
**Fax:** 0061/2/6290 17 55
**E-mail: slovak@cyberone.com.au,**
 **embassy@slovakemb-aust.org**
**www.slovakemb-aust.org**
Časový posun: 7 – 8 h. (letný čas); 9 – 10 hod. (zimný čas)

• **Írska republika**
Embassy of the Slovak Republic
20 Clyde Road
Balls bridge
Dublin (Baile Átha Cliath) 4
Ireland
**Tel:** 00353-1/6600012
00353-1/6600008
**Fax:** 00353-1/6600014
**E-mail: slovak@iol.ie**
Časový posun: – 1 h

**Predvoľba – Dialing Code**
• zo Slovenska do:
 – Veľkej Británie a Severného Írska ...................... 0044
 – Írska ..................... 00353 – Kanady .............. 001
 – Austrália .................. 0061 – USA ................... 001
 – Nový Zéland............ 0064
• na Slovensko ............. 00421

## TIESŇOVÉ VOLANIA – EMERGENCY CALL NUMBERS

- **Veľká Británia, Írsko**
  Polícia, požiarna služba, sanitka
  (Police, Fire Service, Ambulance) ..................... 999, 112
  Pomoc motoristom v núdzi
  (Road Assistance) ................. 0256-20123, 01-839-7050

- **USA**
  Polícia, požiarna služba, sanitka
  (Police, Fire Service, Ambulance) ............................. 911
  Pomoc motoristom v núdzi
  (Road Assistance) ................................. 1-800-222-4357

- **Kanada**
  Polícia, požiarna služba, sanitka
  (Police, Fire Service, Ambulance) ............................. 911
  Pomoc motoristom v núdzi
  (Road Assistance) ..................................................... 222

- **Austrália**
  Polícia, požiarna služba, sanitka
  (Police, Fire Service, Ambulance) ............................. 000
  Pomoc motoristom v núdzi
  (Road Assistance) ....................................... 0612 477311

- **Nový Zéland**
  Polícia, požiarna služba, sanitka
  (Police, Fire Service, Ambulance) ............................. 111

- **Slovakia**
  Polícia (Police) ................................................. 158, 112
  Požiarna služba (Fire service) ........................... 150, 112
  Sanitka (Ambulance) ......................................... 155, 112
  Pomoc motoristom v núdzi
  (Road assistance) ........................................... 18 124

# Kanada

## Canada

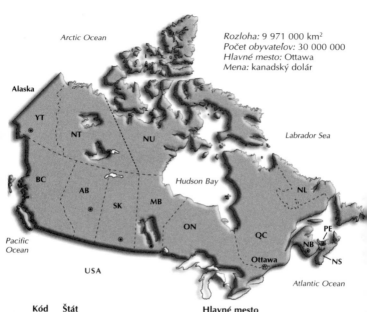

*Rozloha:* 9 971 000 km²
*Počet obyvateľov:* 30 000 000
*Hlavné mesto:* Ottawa
*Mena:* kanadský dolár

| Kód | Štát | Hlavné mesto |
|-----|------|--------------|
| **AB** | Alberta | – Edmonton |
| **BC** | British Columbia | – Victoria |
| **MB** | Manitoba | – Winnipeg |
| **NB** | New Brunswick | – Fredericton |
| **NL** | Newfoundland and Labrador | – St. John's |
| **NS** | Nova Scotia | – Halifax |
| **NT** | Northwest Territories | – Yellowknife |
| **NU** | Nunavut | – Iqaluit |
| **ON** | Ontario | – Toronto |
| **PE** | Prince Edward Island | – Charlottetown |
| **QC** | Quebec | – Quebec City |
| **SK** | Saskatchewan | – Regina |
| **YT** | Yukon | – Whitehorse |